한 권으로 끝내는 **내신 교재**

Total 짱

2239

학교시험에

01 출제되는 **문제 유형**이 전부 들어 있어요.

02 잘 나오는 교육청 **기출문제**도 들어 있어요.

03 만점에 도전할 **고난도문제**도 들어 있어요.

수학(상)

이창주 지음

아름다운샘

한 권으로 끝내는 내신 교재

Total 짱

2239

수학(상)

우리 나라는

고1 수학에서 무엇을 공부하나요?

수학은 오랜 역사를 통해 인류 문명 발전의 원동력이 되어 왔으며, 세계화 · 정보화가 가속화되는 미래 사회의 구성원에게 필수적인 역량을 제공합니다. 수학 학습을 통해 학생들은 수학의 규칙성과 구조의 아름다움을 음미할 수 있고, 수학의 지식과 기능을 활용하여 수학 문제뿐만 아니라 실생활과 다른 교과의 문제를 창의적으로 해결할 수 있으며, 나아가 세계 공동체의 시민으로서 갖추어야 할 합리적 의사 결정 능력과 민주적 소통 능력을 함양할 수 있습니다.

고등학교 공통 과목인 <수학>은 중학교 3학년까지의 수학을 학습한 후 고등학교의 모든 학생들이 필수적으로 배우는 과목입니다. <수학>의 내용은 초등학교 및 중학교 수학과 연계하여 '문자와 식', '기하', '수와 연산', '함수', '확률과 통계'의 5개 영역으로 구성됩니다. '문자와 식' 영역에서는 다항식의 사칙연산, 나머지정리, 인수분해, 복소수와 이차방정식, 이차방정식과 이차함수, 여러 가지 방정식과 부등식을, '기하' 영역에서는 평면좌표, 직선의 방정식, 원의 방정식, 도형의 이동을, '수와 연산' 영역에서는 집합, 명제를, '함수' 영역에서는 함수의 뜻과 유형, 유리함수와 무리함수를, '확률과 통계' 영역에서는 경우의 수, 순열과 조합을 배우게 됩니다.

<수학>에서 학습한 수학의 지식과 기능은 자신의 진로와 적성을 고려하여 선택할 수 있는 수학 일반 선택 과목과 진로 선택 과목, 수학 전문 교과 과목을 학습하기 위한 토대가 되고, 자연과학, 공학, 의학뿐만 아니라 경제 · 경영학을 포함한 사회과학, 인문학, 예술 및 체육 분야를 학습하는데 기초가 되며, 나아가 창의적 역량을 갖춘 융합 인재로 성장할 수 있는 기반이 됩니다.

고1 수학

함수와 그래프
- 함수
- 유리함수와 무리함수

경우의 수
- 경우의 수
- 순열과 조합

도형의 방정식
- 평면좌표
- 직선의 방정식
- 원의 방정식
- 도형의 이동

집합과 명제
- 집합
- 명제

다항식
- 다항식의 연산
- 나머지정리
- 인수분해

방정식과 부등식
- 복소수와 이차방정식
- 이차방정식과 이차함수
- 여러 가지 방정식과 부등식

'기본+유형+적중+고난도'로 구성되어
누구나 수준에 맞춰 학습이 가능한
Total 짱

CONTENTS

누구나 좋아하는 과목과 싫어하는 과목, 재미있는 과목과 재미없는 과목, 성적이 잘 나오는 과목과 잘 나오지 않는 과목이 있는데, 많은 학생들이 수학은 싫어하고 재미없고 성적이 잘 나오지 않는 과목이라고 생각합니다. 성적이 조금 떨어지는 학생들은 지금까지 공부를 하지 않았거나 공부는 많이 했는데 자신에게 맞지 않는 공부법으로 했다고 봐야 할 것입니다.

수학은 다른 일반 과목과 달리 수준에 맞는 교재와 공부법으로 대처해야 합니다. 자신의 객관적인 수준을 파악하여 실현 가능한 목표를 세우고 차근차근 점수를 올려가며 공부해야만 재미와 흥미를 느끼며 시작할 수 있습니다.

이제부터 각자의 성적에 맞는 수준별 공부법을 정리해 보겠습니다.

서두르지 말고 기초부터 차근차근

수학이라는 단어만 들어도 머리가 지끈지끈 아픈 학생은 수학에 대한 거부감부터 없애야 합니다. 왜 수학이 어렵다고 생각이 들까요? 문제는 시중의 수학 교재가 대부분 어려워서 그렇습니다. 남들이 보는 교재를 따라서 보기 때문에 그렇습니다. 중하위권 학생들에게 시중의 교재는 대부분 수준에 맞지 않기 때문에 일반적으로 교과서를 보라고들 합니다. 그러나 교과서도 쉽지만은 않은 교재입니다. 따라서 기본적인 문제가 많은 교재를 찾아 기본 개념을 익히는 데 주력해야 합니다. 또한, 여러 교재를 보기보다는 한 권을 여러 번 반복하여 보는 것이 좋습니다.

부족한 부분 찾아 채우기

개념과 원리, 공식은 모두 아는 것 같은데 실수 또는 착각으로 시험 문제를 자꾸 틀리는 학생들은 본인이 개념과 공식을 완벽히 숙지하지 못했기 때문입니다. 처음부터 끝까지 모든 개념과 공식을 정리하기 보다는 교육청 기출문제 등을 풀어보면서 풀 수 있었는데 놓친 문제의 단원 위주로 개념과 공식을 집중적으로 공부하여 다시는 헷갈리지 않도록 확실히 익혀두어야 합니다. 똑같은 실수는 하지 않겠다는 각오로 공부하여 자신감을 쌓아야 합니다. 또한 중위권 또는 중상위권 학생들의 난제인 응용문제는 틀린 이유를 파악하여 차곡차곡 극복해 나아가야 합니다. 틀린 이유를 남에게 듣는 것보다 자신이 찾아서 알아내는 것이 머릿속에 오래 남습니다. 그래야 자기 것이 됩니다.

상위권

고난도 기출문제의 변형 문제를 대비해야

상위권 학생들은 고난도 문제를 제외한 부분은 완성되었다고 생각해도 괜찮은 수준입니다.
1등급과 2등급의 차이는 고난도 몇 문항을 풀고 못풀고의 차이이므로 고난도 문제에 대비해야 합니다. 고난도 문제 대비에 가장 좋은 방법은 교육청 기출문제 중에서 고난도 문제를 찾아 풀어 보는 방법과 그 변형 문제들을 많이 풀어 보는 것이 좋습니다. 마지막으로 상위권 학생들이 특히 조심해야 하는 부분은 아주 쉬운 계산 문제에서 계산 실수하는 것입니다. 이런 실수는 머릿속에서 오래오래 안타까움으로 남을 수 있으니 유의하시기 바랍니다.

300여개 학교 중 2개 이상의 학교 시험에
출제된 모든 문제 유형이 수록된
Total 짱

이 책의 장점은

TOTAL 내신

모든 학교 모든 유형 다 있다

중위권 도약에 필요한 체계적이고
충분한 기본문제

고득점의 발판이 될 다양한
유형문제 & 적중문제

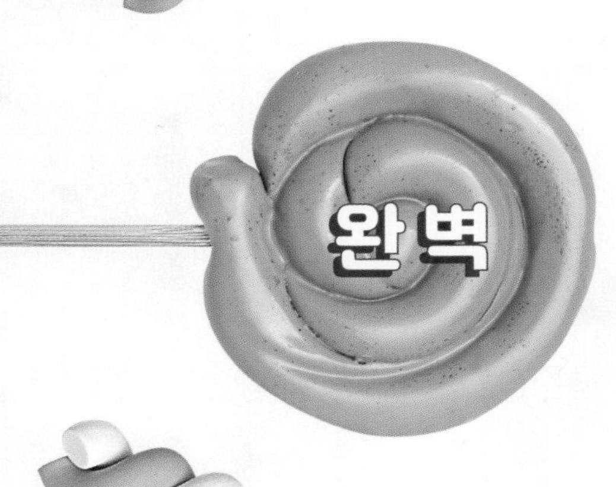

1등급을 넘어 만점의 길을 안내해 줄
고난도문제

학교 시험에서 자주 출제되는
교육청 기출문제가 수록된
Total 짱
※ 대표저자: 이창주(前한영고 교사, EBS·강남인강 강사, 7차 개정 교과서 집필위원)
※ 연구 및 개발: 박상원, 전신영, 강윤석, 김기호

01 다항식의 연산

		제 목	내신중요도	유형난이도	문항수	문항번호
		기본 문제			72	0001~0072
유형 문제	01	다항식의 덧셈과 뺄셈	▬▬▬	★	6	0073~0078
	02	가감법을 이용하는 다항식의 계산	▬	★★	3	0079~0081
	03	조건을 만족하는 다항식 찾기	▬▬▬	★	3	0082~0084
	04	다항식의 곱셈	▬▬	★	9	0085~0093
	05	공통부분이 있는 다항식의 곱셈	▬	★★	3	0094~0096
	06	고차식의 전개식	▬▬▬	★★★★	3	0097~0099
	07	곱셈 공식	▬▬	★	9	0100~0108
	08	곱셈 공식의 변형(1)$-x^n+y^n$ 꼴	▬▬▬▬▬	★	9	0109~0117
	09	곱셈 공식의 변형(2)$-x$, y의 값이 주어진 경우	▬▬▬	★	3	0118~0120
	10	곱셈 공식의 변형(3)$-$분수식	▬▬	★★	3	0121~0123
	11	곱셈 공식의 변형(4)$-$고차식	▬▬▬	★★★	6	0124~0129
	12	곱셈 공식의 변형(5)$-$미지수 3개	▬▬▬▬▬	★★★	9	0130~0138
	13	곱셈 공식을 이용하는 수의 계산	▬	★★	3	0139~0141
	14	곱셈 공식의 활용$-$직육면체	▬▬▬	★★	6	0142~0147
	15	곱셈 공식의 활용$-$기타 도형	▬▬▬	★★★	6	0148~0153
	16	다항식의 나눗셈	▬▬	★★	5	0154~0158
	17	$A=BQ+R$의 표현과 응용	▬▬▬▬▬	★★★	9	0159~0167
	18	조립제법을 이용하는 다항식의 나눗셈	▬▬▬▬▬	★★	9	0168~0176
		적중 문제			12	0177~0188
		고난도 문제			12	0189~0200

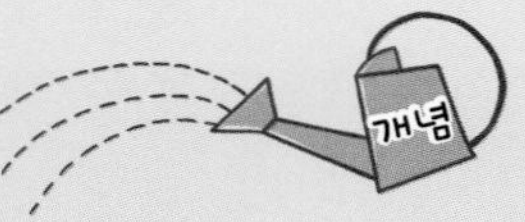

다항식의 연산

1. 다항식의 덧셈, 뺄셈, 곱셈

(1) 다항식의 덧셈과 뺄셈

① 괄호가 있는 경우 괄호부터 푼다.

② 동류항끼리 모아서 간단히 한다.

(2) 다항식의 곱셈

(단항식)×(다항식), (다항식)×(다항식)

꼴의 다항식의 곱셈은 분배법칙과 지수법칙을 이용하여 계산한다.

(3) 다항식의 곱셈에 대한 성질

세 다항식 A, B, C에 대하여

① 교환법칙: $AB=BC$

② 결합법칙: $(AB)C=A(BC)$

③ 분배법칙: $A(B+C)=AB+AC$, $(A+B)C=AC+BC$

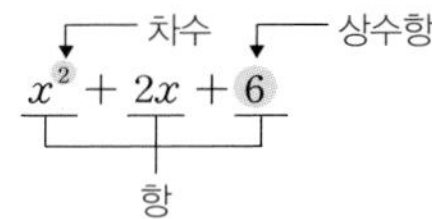

다항식의 덧셈에 대한 성질

세 다항식 A, B, C에 대하여

① 교환법칙: $A+B=B+A$

② 결합법칙: $(A+B)+C=A+(B+C)$

2. 곱셈 공식

(1) $(a+b)^2=a^2+2ab+b^2$, $(a-b)^2=a^2-2ab+b^2$

(2) $(a+b)(a-b)=a^2-b^2$

(3) $(x+a)(x+b)=x^2+(a+b)x+ab$

(4) $(ax+b)(cx+d)=acx^2+(ad+bc)x+bd$

(5) $(a+b)^3=a^3+3a^2b+3ab^2+b^3$, $(a-b)^3=a^3-3a^2b+3ab^2-b^3$

(6) $(a+b)(a^2-ab+b^2)=a^3+b^3$, $(a-b)(a^2+ab+b^2)=a^3-b^3$

(7) $(a+b+c)^2=a^2+b^2+c^2+2ab+2bc+2ca$

(8) $(x+a)(x+b)(x+c)=x^3+(a+b+c)x^2+(ab+bc+ca)x+abc$

(9) $(a+b+c)(a^2+b^2+c^2-ab-bc-ca)=a^3+b^3+c^3-3abc$

(10) $(a^2+ab+b^2)(a^2-ab+b^2)=a^4+a^2b^2+b^4$

교육과정外 ((8)~(10))

지수법칙

m, n이 자연수일 때 (단, $a\neq 0$)

① $a^m\times a^n=a^{m+n}$

② $a^m\div a^n=\begin{cases} a^{m-n} & (m>n) \\ 1 & (m=n) \\ \dfrac{1}{a^{n-m}} & (m<n) \end{cases}$

③ $(a^m)^n=a^{mn}$

④ $(ab)^n=a^nb^n$

⑤ $\left(\dfrac{b}{a}\right)^n=\dfrac{b^n}{a^n}$

$(a+b)(x+y)=\underset{①}{ax}+\underset{②}{ay}+\underset{③}{bx}+\underset{④}{by}$

3. 곱셈 공식의 변형

(1) $a^2+b^2=(a+b)^2-2ab,\ a^2+b^2=(a-b)^2+2ab$

(2) $(a+b)^2=(a-b)^2+4ab,\ (a-b)^2=(a+b)^2-4ab$

(3) $a^3+b^3=(a+b)^3-3ab(a+b),\ a^3-b^3=(a-b)^3+3ab(a-b)$

(4) $a^2+b^2+c^2=(a+b+c)^2-2(ab+bc+ca)$

(5) $a^2+b^2+c^2-ab-bc-ca=\frac{1}{2}\{(a-b)^2+(b-c)^2+(c-a)^2\}$

(6) $a^2+b^2+c^2+ab+bc+ca=\frac{1}{2}\{(a+b)^2+(b+c)^2+(c+a)^2\}$

(7) $a^3+b^3+c^3=(a+b+c)(a^2+b^2+c^2-ab-bc-ca)+3abc$

참고 $a^2+b^2+c^2-ab-bc-ca$

$=\frac{1}{2}(2a^2+2b^2+2c^2-2ab-2bc-2ca)$

$=\frac{1}{2}\{(a^2-2ab+b^2)+(b^2-2bc+c^2)+(c^2-2ca+a^2)\}$

$=\frac{1}{2}\{(a-b)^2+(b-c)^2+(c-a)^2\}$

$x^2+\frac{1}{x^2}=\left(x+\frac{1}{x}\right)^2-2$

$=\left(x-\frac{1}{x}\right)^2+2$

$x^3+\frac{1}{x^3}=\left(x+\frac{1}{x}\right)^3-3\left(x+\frac{1}{x}\right)$

4. 다항식의 나눗셈

(1) 다항식의 나눗셈

두 다항식을 내림차순으로 정리한 다음 아래와 같이 자연수의 나눗셈과 같은 방법으로 계산한다.

$$\begin{array}{r|l} & 3x+8 \quad \leftarrow \text{몫} \\ x-2 & 3x^2+2x-5 \\ & 3x^2-6x \\ \hline & \quad 8x-5 \\ & \quad 8x-16 \\ \hline & \qquad 11 \leftarrow \text{나머지} \end{array}$$

$(3x^2+2x-5)$

$=(x-2)\underline{(3x+8)}+\underline{11}$

몫 나머지

$$\begin{array}{r|l} & Q \\ B & A \\ & BQ \\ \hline & R \end{array}$$

(B의 차수)+(Q의 차수)=(A의 차수)

(2) 다항식의 정리

다항식 A를 다항식 B ($B\neq0$)로 나눌 때 몫을 Q, 나머지를 R라 하면

$A=BQ+R$ (단, (R의 차수)<(B의 차수))

가 성립한다.

특히, $R=0$, 즉 $A=BQ$일 때 A는 B로 나누어떨어진다고 한다.

5. 조립제법

다항식을 일차식으로 나눌 때, 계수만을 사용하여 몫과 나머지를 구하는 방법을 조립제법이라고 한다.

2	3	2	−5
		+	+
		×2 ↗ 6	×2 ↗ 16
	3	8	11

내린다. 곱해서 올린다. 더해서 내린다.

2	3	2	−5
		6	16
몫 →	3	8	11 ← 나머지

1 다항식의 뜻

[0001-0004] 다항식 $2x-7y-5$에 대하여 물음에 답하시오.

0001 항을 모두 구하시오.

0002 상수항을 구하시오.

0003 x의 계수를 구하시오.

0004 y의 계수를 구하시오.

2 다항식의 정리

[0005-0006] 다항식 $6x^2+3xy-y^2+x-9y+1$에 대하여 물음에 답하시오.

0005 x에 대하여 내림차순으로 정리하시오.

0006 x에 대하여 오름차순으로 정리하시오.

3 다항식의 덧셈, 뺄셈

[0007-0008] 두 다항식 $A=-x^2+2x+3$, $B=3x^2-x+4$에 대하여 다음을 계산하시오.

0007 $A+B$

0008 $A-B$

[0009-0010] 두 다항식

$A=-3x^2-5xy+4$, $B=x^2-3xy+y^2$

에 대하여 다음을 계산하시오.

0009 $A+B$

0010 $A-B$

[0011-0012] 두 다항식 $A=x^2+x+7$, $B=-4x^2-x+5$에 대하여 다음을 계산하시오.

0011 $4A+B$

0012 $2A-B$

0013 두 다항식 $A=2x^2-3$, $B=x^2-x+5$에 대하여 $A+2B-(2A+B)$를 계산하시오.

[0014-0015] 세 다항식

$A=-x^2+3x+4$, $B=x^3+x-2$, $C=-x^3+3x^2+5x$

에 대하여 다음을 계산하시오.

0014 $A-(B-C)$

0015 $(A-B)-C$

4 지수법칙

[0016-0021] 다음 식을 간단히 하시오.

0016 $a^2\times a^5$

0017 $a^4\times a\times a^2$

0018 $(a^5)^2$

0019 $(a^2)^3\times(a^4)^2$

0020 $a^5\div a$

0021 $a^3\div a^5$

[0022-0025] 다음 식을 간단히 하시오.

0022 $(x^3y)^2$

0023 $\left(-\dfrac{b^5}{a^2}\right)^4$

0024 $(a^2b)^3\times(-3ab)^2$

0025 $2a^3b^5c^2\div a^2bc$

5 다항식의 곱셈

[0026-0033] 다음 식을 전개하시오.

0026 $3(x+y)$

0027 $2x(3x-4)$

0028 $-2y(x+y)$

0029 $-ab(a-3b)$

0030 $(3x-1)(x+2)$

0031 $(x+5)(2y-3)$

0032 $(x-y)(2x+3y-1)$

0033 $(x^2-3)(2x^2-5x+4)$

[0034-0035] 다음을 구하시오.

0034 다항식 $(3x^2+2x+1)^2$을 전개하였을 때, x^2의 계수

0035 다항식 $(x^3-5x^2+4x-3)(2x+1)^2$을 전개하였을 때, x^3의 계수

6 공통부분이 있는 다항식의 곱셈

[0036-0038] 다음 식을 전개하시오.

0036 $(x^2+3x+1)(x^2+3x+3)$

0037 $(x+1)(x+2)(x+3)(x+4)$

0038 $(x-1)(x+2)(x-3)(x+4)$

7 곱셈 공식

[0039-0043] 곱셈 공식을 이용하여 다음 식을 전개하시오.

0039 $(x+4)^2$

0040 $(3x-2y)^2$

0041 $(a+2b)(a-2b)$

0042 $(x+6)(x-8)$

0043 $(7x+5)(4x-3)$

[0044-0045] 곱셈 공식을 이용하여 다음 식을 전개하시오.

0044 $(a+b-c)^2$

0045 $(a+2b-c)^2$

[0046-0047] 곱셈 공식을 이용하여 다음 식을 전개하시오.

0046 $(x+2)^3$

0047 $(x-1)^3$

해설 003쪽

[0048-0050] 다음 식을 전개하시오.

0048 $(x+2)(x-4)(x+5)$

0049 $(a-1)(a+1)(a^2+1)(a^4+1)$

0050 $(x-y)(x+y)(x^2+y^2)(x^4+y^4)$

8 곱셈 공식의 변형

[0051-0052] $a+b=2$, $ab=-1$일 때, 다음 식의 값을 구하시오.

0051 a^2+b^2

0052 a^3+b^3

[0053-0054] $a+b=1$, $a^2+b^2=5$일 때, 다음 식의 값을 구하시오.

0053 ab

0054 a^3+b^3

[0055-0056] $x+\frac{1}{x}=3$일 때, 다음 식의 값을 구하시오.

0055 $x^2+\frac{1}{x^2}$

0056 $x-\frac{1}{x}$

[0057-0060] $a=2+\sqrt{3}$, $b=2-\sqrt{3}$일 때, 다음 식의 값을 구하시오.

0057 $a+b$

0058 ab

0059 a^2+b^2

0060 a^3+b^3

9 다항식의 나눗셈

[0061-0062] 다음 식을 간단히 하시오.

0061 $(6xy^3z^2-5x^4yz^3)\div 2xyz^2$

0062 $(9a^5b^2c-a^2bc^3-3ab^3c)\div 3ab^2c$

0063 다음은 다항식 $2x^3+5x^2-7$을 x^2+x-2로 나눈 몫과 나머지를 구하여 $A=BQ+R$의 꼴로 나타낸 것이다. □ 안에 알맞은 것을 써넣으시오.

$$\begin{array}{r} 2x\ \square \\ x^2+x-2\overline{)\,2x^3+5x^2\qquad -7} \\ 2x^3+2x^2\ -4x\qquad \\ \hline 3x^2\ \square\ -7 \\ 3x^2\ +3x\ -6 \\ \hline \square \end{array}$$

$\therefore 2x^3+5x^2-7=(x^2+x-2)(\square)+x-1$

[0064-0065] 두 다항식 A, B가 다음과 같을 때, A를 B로 나눈 몫 Q와 나머지 R를 구하고, $A=BQ+R$의 꼴로 나타내시오.

0064 $A=x^4+3x^2+5$, $B=x^2+1$

0065 $A=x^3-3x^2-5x+15$, $B=x^2-6x+8$

[0066-0067] 다음 나눗셈의 몫과 나머지를 구하시오.

0066 $(x^3-2x^2+5)\div(x-3)$

0067 $(2x^3-2x^2+3x-1)\div(x^2+1)$

10 조립제법

0068 다음은 조립제법을 이용하여 나눗셈 $(3x^3-2x^2-4x-5)\div(x-2)$의 몫과 나머지를 구하는 과정이다. □ 안에 알맞은 것을 써넣으시오.

조립제법을 이용하여 나눗셈을 하면

$$\begin{array}{c|cccc} 2 & 3 & -2 & -4 & -5 \\ & & 6 & \square & \square \\ \hline & 3 & \square & \square & \square \end{array}$$

$3x^3-2x^2-4x-5$

$=(x-2)(3x^2+\square x+\square)+\square$

몫 : □, 나머지 : □

[0069-0070] 조립제법을 이용하여 다항식 x^3+2x^2+3x+4를 다음 식으로 나누었을 때의 몫과 나머지를 구하시오.

0069 $x-1$

0070 $x+2$

[0071-0072] 조립제법을 이용하여 다음 나눗셈의 몫과 나머지를 구하시오.

0071 $(3x^2+2x+1)\div(x-2)$

0072 $(2x^3-x-1)\div(x+1)$

문제

내신 출제 유형 정복하기

해설 005쪽

유형 내신 중요도 유형 난이도 ★☆☆☆☆

01 다항식의 덧셈과 뺄셈

① 괄호가 있는 경우 괄호를 푼다.
② 한 문자에 대하여 내림차순으로 정리한다.
③ 동류항끼리 모아서 계산한다.

0073 ●○○○

두 다항식 $A=x^2-1$, $B=2x^2-3x+1$에 대하여 $3A-B$를 간단히 하면?

① $5x^2+5$ ② $5x^2-3x+1$
③ x^2+3x-4 ④ x^2-3x+1
⑤ x^2+3x+4

0074 중요 ●○○○

두 다항식 $A=2x^2+3$, $B=x^2+x-2$에 대하여
$A+2B-(3A+B)$를 계산하면?

① $-x^2-2x+5$ ② $-x^2+2x+4$
③ $-3x^2+2x-8$ ④ $-3x^2+x-8$
⑤ $-3x^2-x+4$

0075 ●○○○

두 다항식 $A=2x^2+4xy-3y^2$, $B=x^2-2xy+2y^2$에 대하여 $(2A-B)-(A+2B)=ax^2+bxy+cy^2$일 때, $a+b+c$의 값을 구하시오. (단, a, b, c는 상수이다.)

0076 ●●○○

두 다항식 A, B에 대하여 $A*B=2A-B$라 할 때, $(x^2+x-2y+1)*(2x-y-3)$을 계산하면?

① $2x^3-3x+y-7$ ② $2x^2-y+7$
③ $2x^2-2x+5$ ④ $2x^2-3y+5$
⑤ $2x^2+3x-5$

0077 ●●○○

세 다항식
$$A=x^2-xy,\ B=2x^2-2xy-y^2,\ C=xy-2y^2$$
에 대하여 $A-(B-C)$를 계산하시오.

0078 ●●○○

세 다항식
$$A=x^2+3xy,\ B=y^2-2xy+3,\ C=-2x^2+xy-6$$
에 대하여 $A-\{B+C-(A-B)\}$를 계산하면?

① $2x^2+5xy-y^2$ ② $2x^2+5xy-2y^2$
③ $2x^2+9xy-2y^2$ ④ $4x^2+5xy-2y^2$
⑤ $4x^2+9xy-2y^2$

유형 02 가감법을 이용하는 다항식의 계산

내신 중요도 ▬▬▬▬▬ 유형 난이도 ★★☆☆☆

A와 B에 관한 연립일차방정식 형태로 보고 가감법을 이용하여 A, B를 각각 구한다.

0079 ●●○○

두 다항식 A, B에 대하여

$A-B=-3x^2+2xy-2y^2$, $A+B=x^2-2y^2$

일 때, 다항식 $A+2B$를 계산하면?

① $3x^2-2xy-y^2$ ② $3x^2-2xy-2y^2$
③ $3x^2-xy-y^2$ ④ $3x^2-xy-2y^2$
⑤ $3x^2-2xy+2y^2$

0080 ●●○○

두 다항식 A, B에 대하여

$A+B=2x^2+3x-7$

$A-2B=5x^2-6x+2$

일 때, $A-B=ax^2+bx+c$이다. 이때, 세 상수 a, b, c에 대하여 $a+b+c$의 값을 구하시오.

0081 ●●○○

세 다항식 A, B, C에 대하여

$A+B=x^2+6xy-3y^2$, $B+C=3x^2-5xy$,

$C+A=-2x^2+3xy-5y^2$

일 때, $A+B+C$를 계산하면?

① $x^2+2xy+3y^2$ ② $x^2+2xy-4y^2$
③ $x^2+4xy+4y^2$ ④ $x^2+4xy+3y^2$
⑤ $x^2+4xy-3y^2$

유형 03 조건을 만족하는 다항식 찾기

내신 중요도 ▬▬▬▬▬ 유형 난이도 ★☆☆☆☆

$X=mA+nB$ (m, n은 상수) 꼴로 변형하여 X를 구한다.

0082 ●○○○

두 다항식 $A=x^3+x-2$, $B=x^2+5x-3$에 대하여 $X+B=2A$를 만족시키는 다항식 X는?

① $2x^3+x^2-x+3$ ② $2x^3+x^2-x-3$
③ $2x^3-x^2-3x-1$ ④ $2x^3-3x^2-3x-1$
⑤ $2x^3-3x^2+3x+3$

0083 ●○○○

두 다항식 $A=x^2-xy+3y^2$, $B=4x^2-6xy+2y^2$에 대하여 $2(X+A)=B$를 만족시키는 다항식 X를 구하시오.

0084 ●●○○

두 다항식 A, B에 대하여

$A+B=3x^2+4x+3$, $A-B=x^2+2x+1$

일 때, $X+2(2A-B)=3A$를 만족시키는 다항식 X는?

① $-x$ ② $-x-2$ ③ $-x+2$
④ $x-2$ ⑤ $x+4$

유형 04 **다항식의 곱셈**

내신 중요도 ▬▬▬▬▬ 유형 난이도 ★★★★★

다항식의 곱셈은 분배법칙과 지수법칙을 이용하여 계산한다.

0085 ●○○○

다항식 $(x-2)(x^2-x+2)$를 전개한 식이 x^3+ax^2+bx+c일 때, 세 상수 a, b, c에 대하여 $a+b+c$의 값은?

① -5 ② -4 ③ -3
④ -2 ⑤ -1

0086 ●○○○

다항식 $(x-4y)(2x+3y)-(x^2-2xy-4y^2)$을 계산한 식에서 xy의 계수는?

① -5 ② -3 ③ 1
④ 3 ⑤ 5

0087 ●○○○

$(a-2b+3)(2a-b-1)$을 전개할 때, ab의 계수를 구하시오.

0088 ●○○○

세 다항식 $A=3x^3+2x^2+x-1$, $B=x^2+2$, $C=x-1$에 대하여 $A-2BC$를 계산하면?

① x^3+x^2-x+3 ② x^3+x^2-3x+3
③ x^3+4x^2+3x+1 ④ x^3+4x^2-3x+1
⑤ x^3+4x^2-3x+3

0089 ●●○○

세 다항식 $A=2x^2-x+1$, $B=-x^2+x-2$, $C=x+3$에 대하여 다음을 계산하면?

$$A(C-B)+(A+C)B$$

① x^3+4x^2-2x-6 ② x^3-3x^2+2x-6
③ x^3+3x^2-x-3 ④ x^3-2x^2-3x+3
⑤ $2x^3+4x^2+3x-6$

0090 ●●○○

다항식 $(1+2x+3x^2+4x^3)(4+3x+2x^2+x^3)$의 전개식에서 x^4의 계수를 구하시오.

0091

다항식 $(2x-1)^2(3x-2)^2$의 전개식에서 x^3의 계수를 a, x^2의 계수를 b라 할 때, $a+b$의 값을 구하시오.

0092 중요

다항식 $(3x^2-2x+6)(x^2+2x+k)$의 전개식에서 x^2의 계수가 17일 때, x의 계수는? (단, k는 상수이다.)

① 2 ② 3 ③ 4
④ 5 ⑤ 6

0093

다항식 $(x^2+ax+2b)(2x^2-4x+b)$의 전개식에서 x^3의 계수는 2, x의 계수는 10이었다. 이때, 상수 a, b에 대하여 $a+b$의 값은?

① -3 ② -1 ③ 1
④ 3 ⑤ 5

유형 05 공통부분이 있는 다항식의 곱셈

내신 중요도 유형 난이도 ★★☆☆☆

(1) 공통부분을 한 문자로 치환하여 전개한다.
(2) ( )( )( )( ) 꼴인 경우 두 개씩 묶어 공통부분을 찾는다.

0094

다항식 $(x^2+x-1)(x^2+x-2)$를 전개한 식이 $ax^4+2x^3+bx^2+cx+2$일 때, $a+b+c$의 값을 구하시오. (단, a, b, c는 상수이다.)

0095

다항식 $x(x+1)(x-1)(x-2)$를 전개하였을 때, x^3의 계수를 a, x^2의 계수를 b라 하자. 이때, $a+b$의 값은?

① -3 ② -1 ③ 1
④ 3 ⑤ 5

0096

다항식 $(a+b-c^2)(a-b+c^2)$을 전개하면?

① $a^2+b^2+c^4+2bc^2$ ② $a^2-b^2+c^4+2bc^2$
③ $a^2-b^2-c^4+2bc^2$ ④ $a^2-b^2+c^4-2bc^2$
⑤ $a^2-b^2-c^4-2bc^2$

유형 06 고차식의 전개식

내신 중요도 ▬▬▬▬▬ 유형 난이도 ★★★★★

주어진 식을 모두 전개하지 않고 구하고자 하는 항이 나오는 항들만 전개하여 계수를 구한다.

0097 중요

$(1+x+x^2+x^3+\cdots+x^{100})^2$의 전개식에서 x^5의 계수는?

① 2 ② 4 ③ 6
④ 8 ⑤ 10

0098

$(1+x+2x^2+\cdots+100x^{100})^2$의 전개식에서 x^3의 계수는?

① 2 ② 4 ③ 6
④ 8 ⑤ 10

0099

다항식 $(3x^7+7x^6+9x^5-8x^4+7x^3+x^2+ax+3)^2$을 전개하면 x^{13}의 계수와 x^2의 계수가 서로 같을 때, 상수 a의 값을 구하시오. (단, $a>0$)

유형 07 곱셈 공식

내신 중요도 ▬▬▬▬▬ 유형 난이도 ★★★★★

(1) $(a+b)^3=a^3+3a^2b+3ab^2+b^3$
$(a-b)^3=a^3-3a^2b+3ab^2-b^3$
(2) $(a+b)(a^2-ab+b^2)=a^3+b^3$
$(a-b)(a^2+ab+b^2)=a^3-b^3$
(3) $(a+b+c)^2=a^2+b^2+c^2+2ab+2bc+2ca$

0100 중요

$(2a-b)^3$의 전개식에서 a^2b의 계수는?

① -12 ② -6 ③ 0
④ 6 ⑤ 12

0101

$(2x+3)(4x^2-6x+9)$를 전개하시오.

0102

$(2x-y+1)^2=4$를 만족시키는 x, y에 대하여 $4x^2+y^2-4xy+4x-2y$의 값은?

① 1 ② 2 ③ 3
④ 4 ⑤ 5

0103

다항식 $(x+2)^3+(x^2+x-4)^2$의 전개식에서 x^2의 계수를 a, x의 계수를 b, 상수항을 c라 할 때, $a+b+c$의 값을 구하시오.

0104 중요

다항식 $(x+y)(x-y)(x^2+xy+y^2)(x^2-xy+y^2)$을 전개하면?

① x^4+y^4　② x^4-y^4
③ x^6+y^6　④ x^6-y^6
⑤ $x^4-x^2y^2+y^4$

0105

다음 중 식을 전개한 것으로 옳은 것은?

① $(x-2y)^2=x^2-2xy+4y^2$
② $(x+3)(x^2-6x+9)=x^3+9$
③ $(x-1)(x^3+x^2+x+1)=x^4-x^2-1$
④ $(2a-b)^3=8a^3-12a^2b+6ab^2-b^3$
⑤ $(x+y-z)^2=x^2+y^2-z^2+2xy-2yz-2zx$

0106

$x^4=4$일 때, $(x-1)(x+1)(x^2+1)(x^4+1)$의 값은?

① 15　② 16　③ 31
④ 32　⑤ 63

0107

$x^3=3$일 때, $(x-1)(x+1)(x^4+x^2+1)$의 값은?

① 2　② 5　③ 8
④ 11　⑤ 14

0108

$x^2+y^2+z^2=1$, $\frac{1}{x}+\frac{1}{y}+\frac{1}{z}=0$일 때, $(x+y+z)^2$의 값을 구하시오.

유형 08 곱셈 공식의 변형(1) – x^n+y^n 꼴

내신 중요도 ▬▬▬▬▬ 유형 난이도 ★★★★★

(1) $a^3+b^3=(a+b)^3-3ab(a+b)$
(2) $a^3-b^3=(a-b)^3+3ab(a-b)$

0109 중요

$a+b=3$, $ab=-2$일 때, a^3+b^3의 값은?

① 44 ② 45 ③ 46
④ 47 ⑤ 48

0110

$x+y=3$, $\dfrac{1}{x}+\dfrac{1}{y}=3$일 때, x^3+y^3의 값을 구하시오.

0111

$a-b=4$, $ab=-2$일 때, a^3-b^3의 값은?

① 10 ② 20 ③ 30
④ 40 ⑤ 50

0112

$x-y=2$, $xy=-1$일 때, $\dfrac{x^2}{y}-\dfrac{y^2}{x}$의 값은?

① -10 ② -8 ③ -6
④ -4 ⑤ -2

0113

$a+b=-2$, $ab=3$일 때, $a^2(a-1)+b^2(b-1)$의 값은?

① 10 ② 12 ③ 14
④ 16 ⑤ 18

0114 짱중요

$x+y=4$, $x^2+y^2=8$일 때, x^3+y^3의 값을 구하시오.

0115 ●●○○

$x+y=2$, $x^3+y^3=14$일 때, x^2+y^2의 값은?

① 4　② 6　③ 8　④ 10　⑤ 12

0116 ●●●○

$a-b=3$, $a^3-b^3=18$일 때, a^2+b^2+ab의 값은?

① 2　② 3　③ 4　④ 5　⑤ 6

0117 교육청 기출 ●●○○

실수 x, y에 대하여 $x+y=3$, $x^2+xy+y^2=10$일 때, x^3+y^3의 값을 구하시오.

유형 09 곱셈 공식의 변형(2)-x, y의 값이 주어진 경우

내신 중요도 ━━━━━ 유형 난이도 ★★★★★

① 주어진 값들의 합과 곱을 각각 구한다.
② 곱셈 공식의 변형식을 이용한다.

0118 중요 ●●○○

$a=2+\sqrt{3}$, $b=2-\sqrt{3}$일 때, a^3-b^3의 값은?

① 16　② $16\sqrt{3}$　③ 30　④ $30\sqrt{3}$　⑤ 36

0119 ●●○○

$x=1+\sqrt{2}$, $y=1-\sqrt{2}$일 때, $x^3+y^3-x^2y-xy^2$의 값을 구하시오.

0120 ●●●○

실수 x, y에 대하여 $x^3=3+2\sqrt{2}$, $y^3=3-2\sqrt{2}$이고, $x+y=a$라 할 때, a^3-3a의 값은?

① 3　② 6　③ 9　④ 12　⑤ 15

유형 10 곱셈 공식의 변형(3)-분수식

내신 중요도 유형 난이도 ★★☆☆☆

(1) $x^2+\frac{1}{x^2}=\left(x+\frac{1}{x}\right)^2-2=\left(x-\frac{1}{x}\right)^2+2$

(2) $x^3+\frac{1}{x^3}=\left(x+\frac{1}{x}\right)^3-3\left(x+\frac{1}{x}\right)$

(3) $x^2-ax+1=0$의 꼴은 양변을 $x(x\neq0)$로 나누어 $x+\frac{1}{x}=a$ 꼴로 변형한다.

0121 ●●○○

실수 x에 대하여 $x^2-3x+1=0$일 때, $x^3+\frac{1}{x^3}$의 값을 구하시오.

0122 ●●●○

$x+\frac{1}{x}=4$일 때, $x+x^2-x^3-\frac{1}{x}+\frac{1}{x^2}-\frac{1}{x^3}$의 값은? (단, $x>1$)

① $24+2\sqrt{3}$ ② $12+2\sqrt{2}$ ③ 0
④ $2\sqrt{2}-15$ ⑤ $2\sqrt{3}-38$

0123 ●●●●

$x^2-\frac{1}{x^2}=-\sqrt{21}$일 때, $\frac{1+x+x^2+x^3+x^4+x^5+x^6}{x^3}$의 값은? (단, $x>0$)

① $12-5\sqrt{7}$ ② $6-5\sqrt{7}$ ③ $3+5\sqrt{7}$
④ $6+5\sqrt{7}$ ⑤ $12+5\sqrt{7}$

유형 11 곱셈 공식의 변형(4)-고차식

내신 중요도 유형 난이도 ★★★☆☆

(1) $a^4+b^4=(a^2+b^2)^2-2a^2b^2$

(2) $a^5+b^5=(a^2+b^2)(a^3+b^3)-a^2b^2(a+b)$

(3) $a^6+b^6=(a^3+b^3)^2-2a^3b^3$

(4) $a^7+b^7=(a^3+b^3)(a^4+b^4)-a^3b^3(a+b)$

0124 ●●●○

$a+b=5$, $ab=3$일 때, a^4+b^4의 값은?

① 337 ② 340 ③ 343
④ 346 ⑤ 349

0125 ●●●○

두 실수 x, y에 대하여 $x+y=2$, $xy=-1$일 때, x^5+y^5의 값을 구하시오.

0126 ●●●○

$x+y=2$, $x^3+y^3=20$일 때, x^4+y^4의 값은? (단, x, y는 실수이다.)

① 56 ② 60 ③ 64
④ 68 ⑤ 72

0127

$a-b=-1$, $a^2+b^2=3$일 때, a^5-b^5의 값은?

① -17　② -15　③ -13
④ -11　⑤ -9

0128 교육청 기출

$x+y=2$, $x^2+y^2=6$을 만족하는 두 실수 x, y에 대하여 x^7+y^7의 값은?

① 34　② 82　③ 198
④ 478　⑤ 1054

0129

$a-b=-2$이고 $a^3-b^3=-2$일 때, $a^{12}+b^{18}$의 값을 구하시오.

유형 12 내신 중요도 유형 난이도 ★★★☆☆

곱셈 공식의 변형(5) - 미지수 3개

(1) $a^2+b^2+c^2=(a+b+c)^2-2(ab+bc+ca)$

(2) $a^2+b^2+c^2-ab-bc-ca$
$=\frac{1}{2}\{(a-b)^2+(b-c)^2+(c-a)^2\}$

(3) $a^2+b^2+c^2+ab+bc+ca$
$=\frac{1}{2}\{(a+b)^2+(b+c)^2+(c+a)^2\}$

(4) $a^3+b^3+c^3$
$=(a+b+c)(a^2+b^2+c^2-ab-bc-ca)+3abc$

0130 중요

$a+b+c=9$, $ab+bc+ac=8$일 때, $a^2+b^2+c^2$의 값은?

① 62　② 63　③ 64
④ 65　⑤ 66

0131

$a+b+c=4$, $ab+bc+ca=5$일 때,
$(a+b)^2+(b+c)^2+(c+a)^2$의 값은?

① 20　② 22　③ 24
④ 26　⑤ 28

0132

$a-b=1+\sqrt{3}$, $b-c=1-\sqrt{3}$ 일 때,
$a^2+b^2+c^2-ab-bc-ca$의 값은?

① -12　② -6　③ 0
④ 6　⑤ 12

0133 교육청 기출

세 실수 a, b, c에 대하여 $a^2+b^2+4c^2=44$, $ab+2bc+2ca=28$일 때, $(a+b+2c)^2$의 값을 구하시오.

0134

세 실수 a, b, c에 대하여 $a+b+c=0$, $a^2+b^2+c^2=1$, $ab+bc+ca=-\frac{1}{2}$일 때, $a^4+b^4+c^4$의 값은?

① $\frac{1}{4}$ ② $\frac{1}{2}$ ③ 1
④ 2 ⑤ 4

0135

$x+y+z=0$, $x^2+y^2+z^2=4$일 때, $x^2y^2+y^2z^2+z^2x^2$의 값은?

① 2 ② 4 ③ 6
④ 8 ⑤ 10

0136

$a+b+c=3$, $a^2+b^2+c^2=15$, $abc=3$일 때, $\frac{1}{a}+\frac{1}{b}+\frac{1}{c}$의 값을 구하시오.

0137

세 실수 a, b, c에 대하여 $a+b+c=5$, $a^2+b^2+c^2=13$, $abc=-4$일 때, $a^2b^2+b^2c^2+c^2a^2$의 값은?

① 75 ② 76 ③ 77
④ 78 ⑤ 79

0138

$x+y+z=1$, $xy+yz+zx=-4$, $xyz=-4$일 때, $x^3+y^3+z^3$의 값을 구하시오.

유형 13 내신 중요도 유형 난이도 ★★★★★

곱셈 공식을 이용하는 수의 계산

공통으로 나타나는 수를 문자로 바꿔 계산한다.

0139

$(2+1)(2^2+1)(2^4+1)(2^8+1)+1$의 값은?

① 2^{16} ② 2^{17} ③ 2^{18}
④ 2^{19} ⑤ 2^{20}

0140

$101\times9901-99\times10101$을 계산하시오.

0141

$(100+1)(10001-100)-99^3$의 값은?

① 29702 ② 30002 ③ 30302
④ 30602 ⑤ 30902

유형 14 내신 중요도 유형 난이도 ★★★★★

곱셈 공식의 활용－직육면체

문자가 3개인 곱셈 공식을 이용한다.
⇨ $(a+b+c)^2=a^2+b^2+c^2+2ab+2bc+2ca$
⇨ $a^2+b^2+c^2=(a+b+c)^2-2(ab+bc+ca)$

0142

한 모서리의 길이가 $(x+y)$인 정육면체에서 한 모서리의 길이가 x인 정육면체와 한 모서리의 길이가 y인 정육면체를 잘라내었을 때, 남은 부분의 부피를 x, y로 나타내면?

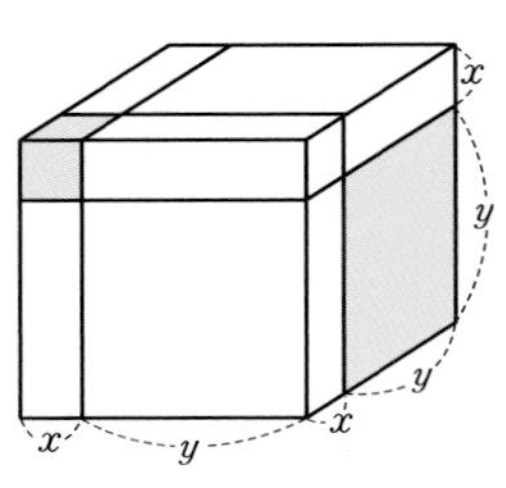

① $3xy$ ② $y(x+y)$ ③ $x(x+y)$
④ $xy(x+y)$ ⑤ $3xy(x+y)$

0143

그림과 같이 밑면의 가로, 세로의 길이가 a이고 높이가 $a-2$인 직육면체 모양의 나무토막에 정육면체 모양의 구멍을 뚫어 블록을 만들었다. 이 블록의 부피는? (단, $a>2$)

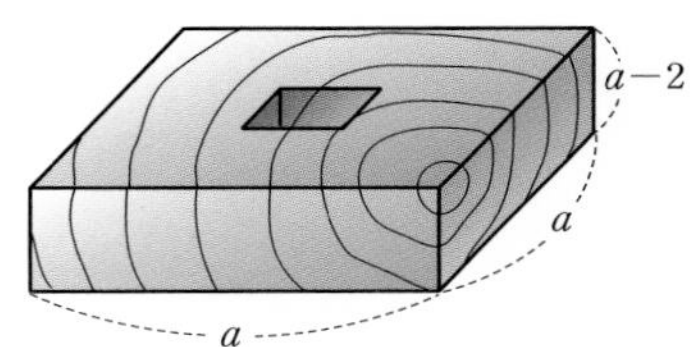

① $2a^2-12a+4$ ② $2a^2+12a+8$
③ $4a^2-12a+8$ ④ $4a^2+12a-8$
⑤ $4a^2-12a-8$

0144

오른쪽 그림은 한 모서리의 길이가 $x+a$인 정육면체의 각 면의 한가운데에 밑면의 가로의 길이, 세로의 길이와 높이가 각각 x, x, $x+a$인 직육면체 모양으로 구멍을 뚫은 것이다. 이 입체도형의 부피를 구하시오. (단, 구멍의 각 모서리는 정육면체의 모서리와 평행하다.)

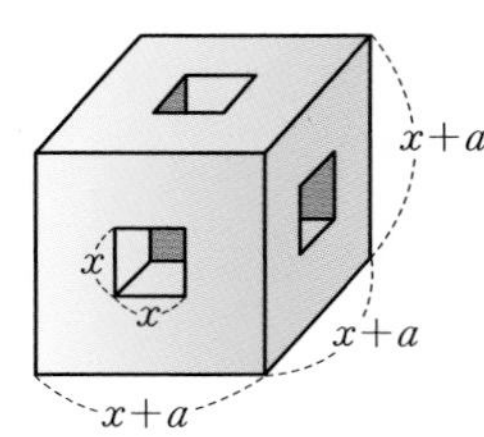

0145 ●●○○

가로의 길이, 세로의 길이, 높이가 각각 a, b, c인 직육면체의 모든 모서리의 길이의 합이 16, 겉넓이가 12일 때, $a^2+b^2+c^2$의 값을 구하시오.

0146 ●●●○

그림과 같은 직육면체의 겉넓이가 40이고, 삼각형 BGD의 세 변의 길이의 제곱의 합이 48일 때, 직육면체의 모든 모서리의 길이의 합은?

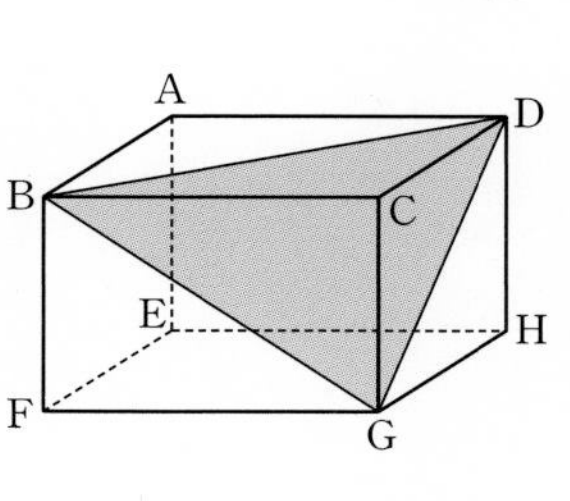

① 26 ② 28 ③ 30
④ 32 ⑤ 34

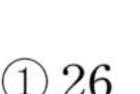

0147 중요 ●●●○

그림과 같은 직육면체 모양의 상자가 있다. 이 상자의 겉넓이가 28이고, 모서리의 길이의 합이 32일 때, 이 상자의 대각선 AG의 길이를 구하시오.

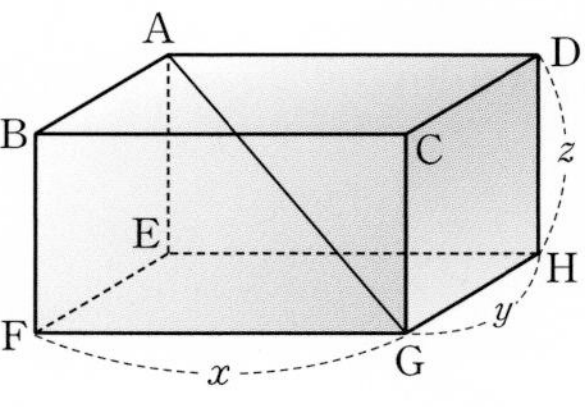

유형 15 곱셈 공식의 활용 - 기타 도형

내신 중요도 유형 난이도 ★★★

주어진 길이, 넓이, 부피 등을 문자로 나타내어 본다.

0148 ●●○○

다음 중 아래 그림과 가장 연관이 많은 곱셈 공식은?

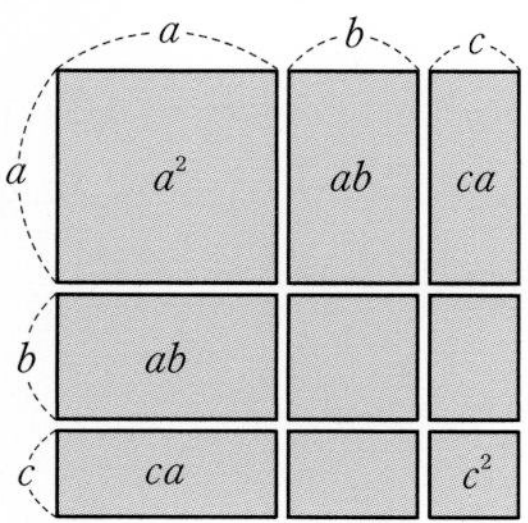

① $(a+b)^2=(a-b)^2+4ab$, $(a-b)^2=(a+b)^2-4ab$
② $a^3+b^3=(a+b)^3-3ab(a+b)$
③ $a^2+b^2+c^2=(a+b+c)^2-2(ab+bc+ca)$
④ $a^3+b^3+c^3$
$=(a+b+c)(a^2+b^2+c^2-ab-bc-ca)+3abc$
⑤ $a^2+b^2+c^2-ab-bc-ca$
$=\frac{1}{2}\{(a-b)^2+(b-c)^2+(c-a)^2\}$

0149 ●●○○

다음 그림과 같이 모든 변이 꼭짓점에서 수직으로 만나는 도형의 넓이는?

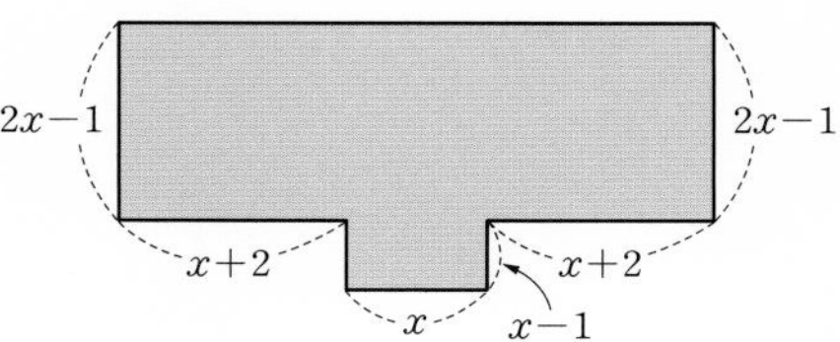

① $3x^2-4x-4$ ② $3x^2+7x-4$ ③ $3x^2+7x+4$
④ $7x^2-4x-4$ ⑤ $7x^2+4x-4$

0150 ●●○○

오른쪽 그림은 어느 집의 평면도로 거실과 방은 정사각형 모양, 욕실은 직사각형 모양의 구조로 되어 있다. 평면도 전체는 가로의 길이가 $3x$, 세로의 길이가 $2y$인 직사각형 모양이라 할 때, 욕실의 넓이를 x, y에 대한 식으로 바르게 나타낸 것은? (단, $2y<3x<4y$)

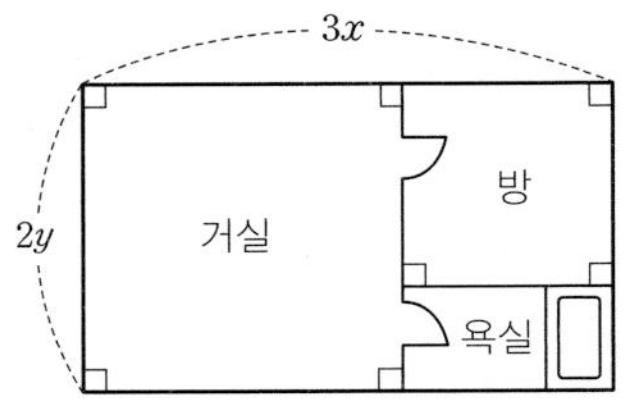

① $-9x^2-18xy+8y^2$ ② $-9x^2+18xy-8y^2$
③ $-9x^2-36xy+8y^2$ ④ $-9x^2+36xy-8y^2$
⑤ $-9x^2+36xy+16y^2$

0151 ●●●●

그림과 같이 서로 외접하는 두 원이 반지름의 길이가 4인 원에 내접하고 있다. 큰 원에 내접하는 작은 두 원의 넓이의 합이 10π일 때, 작은 두 원의 반지름의 길이의 곱은?

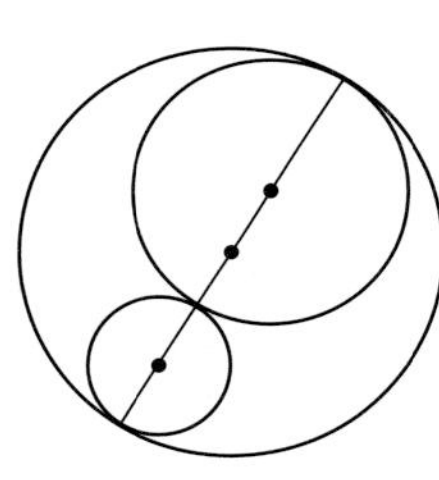

① 1 ② 3 ③ 5
④ 7 ⑤ 9

0152 ●●○○

오른쪽 그림과 같이 반지름의 길이가 8 cm이고, 중심각의 크기가 $90°$인 부채꼴에 내접하는 직사각형이 있다. 이 직사각형의 둘레의 길이가 20 cm일 때, 직사각형의 넓이는?

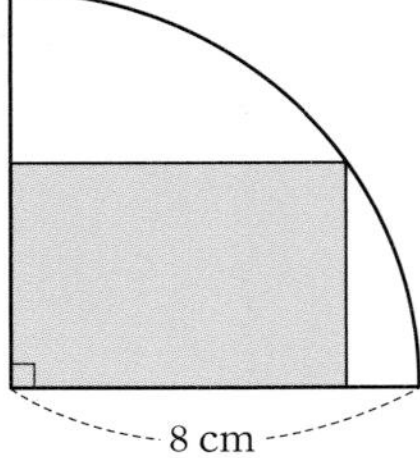

① 18 cm^2 ② 19 cm^2
③ 20 cm^2 ④ 21 cm^2
⑤ 22 cm^2

0153 ●●●○

아래의 그림과 같이 반지름의 길이가 30 m인 반원 모양의 땅에 내접하고 넓이가 700 m^{2}인 직사각형 모양의 밭 ABCD가 있다고 할 때, $\overline{AB}+\overline{AD}+\overline{CD}$의 길이는?

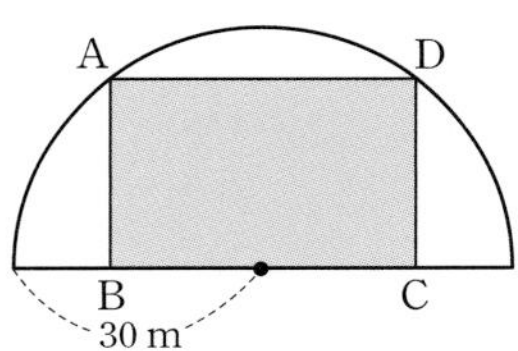

① 80 m ② 100 m ③ 120 m
④ 140 m ⑤ 160 m

유형 16 다항식의 나눗셈

내신 중요도 ▬▬▬▬▬ 유형 난이도 ★★☆☆☆

두 다항식을 내림차순으로 정리한 다음 자연수의 나눗셈과 같은 방법으로 계산한다.

0154 교육청 기출 ●○○○

다항식 x^3+x^2-5x+4를 x^2+2x-1로 나눈 몫이 $ax+b$이고, 나머지가 $cx+d$일 때, 상수 a, b, c, d의 합 $a+b+c+d$의 값을 구하시오.

0155 중요 ●○○○

다항식 $4x^3-2x^2+4x+1$을 $2x+1$로 나눈 몫을 $Q(x)$라 할 때, $Q(1)$의 값은?

① 2 ② 3 ③ 4 ④ 5 ⑤ 6

0156 ●○○○

다항식 $2x^3-3x^2+x+2$를 x^2-x-1로 나누었을 때의 몫을 $Q(x)$, 나머지를 $R(x)$라 하자. 이때, $Q(10)+R(10)$의 값은?

① 40 ② 41 ③ 42 ④ 43 ⑤ 44

0157 ●○○○

다항식 $2x^3-x^2+ax-b$가 x^2-x+1로 나누어떨어지도록 하는 상수 a, b에 대하여 a^2+b^2의 값은?

① 1 ② 2 ③ 5 ④ 8 ⑤ 10

0158 ●○○○

다음은 다항식 $3x^3+5x^2+2$를 x^2-a로 나눈 과정을 나타낸 것이다. 이때, 5개의 상수 a, b, c, d, e의 합 $a+b+c+d+e$의 값을 구하시오.

$$\begin{array}{r} bx+c \\ x^2-a\,\overline{)\,3x^3+5x^2 +2} \\ \underline{3x^3 -3x } \\ 5x^2+3x+2 \\ \underline{cx^2 -ac} \\ dx+e \end{array}$$

유형 17 내신 중요도 ■■■■■ 유형 난이도 ★★★☆☆

$A=BQ+R$의 표현과 응용

다항식 A를 다항식 B $(B\neq0)$로 나누었을 때의 몫을 Q, 나머지를 R라 하면

$A=BQ+R$ (단, (R의 차수)<(B의 차수))

가 성립한다.

특히, $R=0$ 즉 $A=BQ$일 때, A는 B로 나누어떨어진다고 한다.

0159 교육청 기출 ●○○○

$A=x^3-3x^2-5x+15$, $B=x^2-6x+8$일 때 A를 B로 나눈 몫 Q와 나머지 R를 구하고, $A=BQ+R$의 꼴로 나타내시오.

0160 중요 ●○○○

다항식 ax^3+bx^2+cx+d를 x^2+2x-2로 나누었을 때의 몫은 $2x+1$이고 나머지는 $x-2$이다. $a+d$의 값은?

(단, a, b, c, d는 상수이다.)

① -2 ② -1 ③ 0
④ 1 ⑤ 2

0161 교육청 기출 ●●○○

다항식 $3x^3+ax+b$를 다항식 x^2+x-1로 나누었을 때, 나머지가 $2x+3$이면 $a+b$의 값은? (단, a, b는 상수이다.)

① -4 ② -2 ③ 2
④ 4 ⑤ 6

0162 ●●○○

다항식 $f(x)$를 x^2+2x+3으로 나누었을 때의 몫이 $x-1$, 나머지가 $2x-1$일 때, $f(x)$를 x^2-x-1로 나누었을 때의 몫과 나머지의 합은?

① $5x$ ② $7x$ ③ $7x+4$
④ $7x-4$ ⑤ $9x$

0163 ●●○○

다항식 x^3-2x^2+x-3을 다항식 A로 나누었더니 몫이 $x+1$, 나머지가 -7이었다. 다항식 A는?

① x^2-3x+2 ② x^2-3x+4 ③ x^2-4x+2
④ x^2-4x+4 ⑤ x^2-5x+2

0164 ●●○○

$x^2+2x-1=0$일 때, $x^4+3x^3+2x^2+x+3$의 값을 구하시오.

0165 ●●○○

다항식 $f(x)$를 $x+1$로 나누었을 때의 몫을 $Q(x)$, 나머지를 R라 할 때, $f(x)$를 $3x+3$으로 나누었을 때의 몫과 나머지를 순서대로 적은 것은?

① $Q(x)$, R　② $Q(x)$, $\frac{1}{2}R$　③ $\frac{1}{2}Q(x)$, $\frac{1}{2}R$　④ $\frac{1}{2}Q(x)$, R　⑤ $\frac{1}{3}Q(x)$, R

0166 교육청 기출 ●●○○

두 다항식 $P(x)=3x^3+x+11$, $Q(x)=x^2-x+1$에 대하여 다항식 $P(x)+4x$를 다항식 $Q(x)$로 나눈 나머지가 $5x+a$일 때, 상수 a의 값은?

① 5　② 6　③ 7　④ 8　⑤ 9

0167 ●●●○

다항식 $f(x)$를 $x-1$로 나눈 몫을 $Q(x)$, 나머지를 R라 할 때, $xf(x)+5$를 $x-1$로 나눈 몫과 나머지는?

① $xQ(x)$, $R-5$　② $xQ(x)$, $R+5$　③ $xQ(x)$, $R+10$　④ $xQ(x)+R$, $R-5$　⑤ $xQ(x)+R$, $R+5$

유형 18 조립제법을 이용하는 다항식의 나눗셈

내신 중요도 ▬▬▬▬▬ 유형 난이도 ★★★★★

다항식 $f(x)$를 일차식 $ax+b$ $(a\neq0,\ a\neq1)$로 나눌 때의 몫은 $f(x)$를 $x+\frac{b}{a}$로 나눌 때의 몫을 a로 나눈 값이다.

0168 ●○○○

조립제법을 이용하여 다음 나눗셈의 몫과 나머지를 각각 구하시오.

$$(2x^3-5x+4)\div(x+3)$$

0169 ●○○○

다항식 $3x^3-9x^2-3x+12$를 $x-2$로 나눌 때의 몫과 나머지를 조립제법을 이용하여 구하는 과정이다. 이때, $a-b+c$의 값을 구하시오.

a	3	-9	-3	12
		6	b	-18
	3	-3	-9	c

0170 교육청 기출 ●○○○

다음은 조립제법을 이용하여 다항식 x^3-3x^2+5x-5를 $x-2$로 나누었을 때, 나머지를 구하는 과정을 나타낸 것이다. 위 과정에 들어갈 세 상수 a, b, c에 대하여 abc의 값은?

2	1	-3	5	-5
		□	□	□
	1	a	b	c

① -6　② -5　③ -4　④ -3　⑤ -2

해설 018쪽

0171 ●●○○

다음은 조립제법을 이용하여 $(4x^3-6x^2+2x-1)\div(2x-1)$의 몫과 나머지를 구하는 과정이다. (가), (나), (다), (라)를 옳게 채우시오.

> $2x-1=2\left(x-\frac{1}{2}\right)$이므로 다음의 조립제법에서
>
> | (가) | 4 | −6 | 2 | −1 |
> |---|---|---|---|---|
> | | | 2 | □ | 0 |
> | | 4 | □ | 0 | □ |
>
> $4x^3-6x^2+2x-1=\left(x-\frac{1}{2}\right)($ (나) $)+($ (다) $)$
>
> 따라서 구하는 몫은 (라) 이고, 나머지는 □ 이다.

0172 짱중요 ●●○○

다항식 $2x^3-5x^2+x+4$를 다항식 $2x-3$으로 나누었을 때의 몫과 나머지는?

① 몫: x^2-x-1, 나머지: 1 ② 몫: x^2-x+1, 나머지: 1
③ 몫: x^2-x-1, 나머지: 2 ④ 몫: x^2-x+1, 나머지: 2
⑤ 몫: x^2+x+1, 나머지: 2

0173 ●●○○

다항식 $3x^3-x^2+7x+4$를 $3x+2$로 나눈 몫을 $Q(x)$, 나머지를 R라 할 때, $Q(3)+R$의 값은?

① −7 ② −3 ③ 0
④ 3 ⑤ 7

0174 ●●○○

다항식 $2x^3+ax^2+bx-4$를 $2x+1$로 나눌 때의 몫과 나머지를 조립제법을 이용하여 구하는 과정이다. 이때, 네 상수 a, b, c, d에 대하여 $a+b+c+d$의 값을 구하시오.

k	2	a	b	−4
		c	2	−3
	2	−4	6	d

0175 ●●●○

다항식 $x^{10}+1$을 $x+1$로 나누었을 때의 몫을 $Q(x)$, 나머지를 R라 할 때, $Q(1)+R$의 값은?

① 2 ② 4 ③ 6
④ 8 ⑤ 10

0176 ●●●●

다항식 $x^{16}-1$을 $(x-1)^2$으로 나누었을 때의 나머지를 $R(x)$라 할 때, $R(4)$의 값을 구하시오.

해설 019쪽

0177

두 다항식 A, B가 다음과 같을 때, $(A+B)-(2A-B)$를 계산하면?

$$A=x^2+xy-y^2,\ B=x^2-3y^2-2xy$$

① $-x^2-4xy-5y^2$
② $-x^2-5xy+5y^2$
③ $x^2+4xy+5y^2$
④ $x^2-5xy-5y^2$
⑤ $x^2+4xy-5y^2$

0178

두 다항식 $A=2x^2-xy+4y^2$, $B=-x^2-xy+3y^2$에 대하여 $X+2(2A-B)=3A$를 만족시키는 다항식 X를 구하면?

① $-4x^2+xy+2y^2$
② $-4x^2-xy+2y^2$
③ $-4x^2-xy+7y^2$
④ $-4x^2+xy+7y^2$
⑤ $-4x^2-xy-7y^2$

0179

x에 대한 다항식 $(3x-2)(x^2+ax+1)$의 전개식에서 x^2의 계수가 4일 때, x의 계수를 구하시오. (단, a는 상수이다.)

0180

$a+b=3$이고 $(a+1)(b+1)=1$일 때, a^3+b^3의 값은?

① 18 ② 27 ③ 36
④ 45 ⑤ 54

0181

$x-y=2$, $x^3-y^3=14$일 때, xy의 값을 구하시오.

0182

두 실수 $x=2+\sqrt{2}$, $y=2-\sqrt{2}$에 대하여 x^5+y^5의 값은?

① 460 ② 462 ③ 464
④ 466 ⑤ 468

해설 020쪽

0183

$x+y+z=3$, $xy+yz+zx=4$, $xyz=2$일 때, $(x+y)(y+z)(z+x)$의 값은?

① 10 ② 12 ③ 14
④ 16 ⑤ 18

0184 서술형

그림은 $\overline{\text{AB}}=4$이고, 겉넓이가 180인 직육면체이다. 이 직육면체의 모든 모서리의 길이의 합을 구하시오.

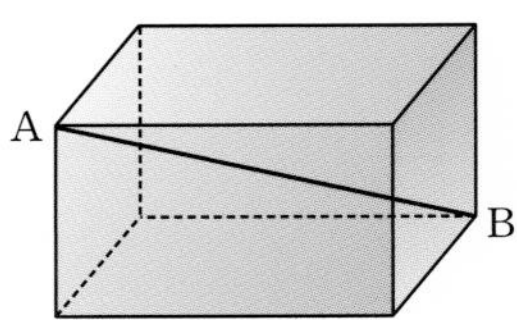

0185 서술형

다항식 $4x^3-5x^2-x+3$을 x^2-x-1로 나눈 몫을 $Q(x)$, 나머지를 $R(x)$라 할 때, $Q(1)+R(1)$의 값을 구하시오.

0186

다항식 $f(x)$를 $x+1$로 나누었을 때의 몫은 $2x^2-1$이고, 나머지는 5이다. 다항식 $f(x)$를 $x-1$로 나누었을 때의 몫과 나머지를 각각 구하시오.

0187

다항식 x^3-2x^2+x+6을 다항식 B로 나누었더니 몫이 $x+1$, 나머지가 2이었다. 이때, 다항식 B는?

① x^2-x+2 ② x^2-2x+3
③ x^2-3x+4 ④ x^2-4x+5
⑤ x^2-5x+6

0188

조립제법을 이용하여 다항식 $2x^3-x^2-4x+5$를 $2x+3$으로 나누었을 때의 몫과 나머지를 다음 순서대로 구하시오.

(1) 다음 조립제법을 완성하시오.

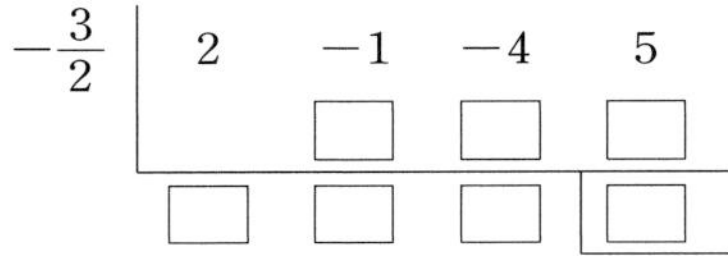

(2) $2x^3-x^2-4x+5$를 $x+\frac{3}{2}$으로 나눈 몫과 나머지를 구하시오.

몫: 나머지:

(3) $2x^3-x^2-4x+5$를 $2x+3$으로 나눈 몫과 나머지를 구하시오.

몫: 나머지:

고난도 문제
일등급 go! go!

해설 021쪽

Level 1

0189

두 다항식 A, B에 대하여 연산 $A\ominus B$와 $A\otimes B$를
$A\ominus B=A-3B$, $A\otimes B=(A+B)B$와 같이 정의한다.
$P=2x^3+2x^2y+3xy^2-y^3$, $Q=x^3+x^2y+xy^2$이라고 할 때, $(P\ominus Q)\otimes Q$를 x, y에 대한 다항식으로 나타내시오.

0190 교육청 기출

그림과 같이 점 O를 중심으로 하는 반원에 내접하는 직사각형 ABCD가 다음 조건을 만족시킨다.

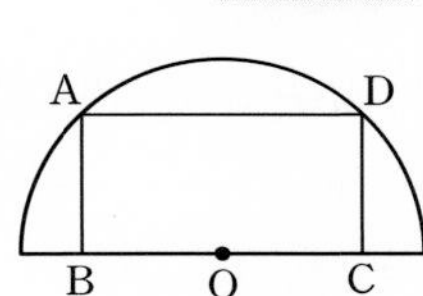

(가) $\overline{OC}+\overline{CD}=x+y+3$
(나) $\overline{DA}+\overline{AB}+\overline{BO}=3x+y+5$

직사각형 ABCD의 넓이를 x, y에 대한 식으로 나타내면?

① $(x-1)(y+2)$ ② $(x+1)(y+2)$
③ $2(x-1)(y+2)$ ④ $2(x+1)(y-2)$
⑤ $2(x+1)(y+2)$

0191

$x+y=-2$, $x^2+y^2=2$일 때, $x^7+y^7+x^4y^3+x^3y^4$의 값은?

① -4 ② -2 ③ 0
④ 2 ⑤ 4

0192

$x-y-z=3$, $\frac{1}{x}-\frac{1}{y}-\frac{1}{z}=1$일 때, $(x-1)(y+1)(z+1)$의 값은?

① 2 ② 4 ③ 8
④ 16 ⑤ 32

0193

세 실수 a, b, c에 대하여 $a+b+c=0$, $a^2+b^2+c^2=2$, $ab+bc+ca=-1$일 때, $a^4+b^4+c^4$의 값은?

① 0 ② 2 ③ 4
④ 6 ⑤ 8

0194

x에 대한 다항식 $f(x)$를 $x-1$로 나눈 몫과 나머지는 각각 $Q(x)$, 3이고 $Q(x)$를 $x+2$로 나눈 몫과 나머지는 각각 $x+1$, -1이다. 이때, $f(x)$를 x^2-1로 나눈 몫과 나머지를 구하시오.

Level 2

0195

다항식 $(1+x+x^2+x^3)^2(1+x)+(1-x+x^2-x^3)^3$의 전개식에서 일차항의 계수는?

① 0 ② 1 ③ 2
④ 3 ⑤ 4

0196

교육청 기출

세 실수 x, y, z가 다음 조건을 만족시킨다.

> (가) x, y, $2z$ 중에서 적어도 하나는 3이다.
> (나) $3(x+y+2z)=xy+2yz+2zx$

$10xyz$의 값을 구하시오.

0197

$x^2-x+1=0$일 때, $x^{64}+\frac{1}{x^{64}}$의 값은?

① -2 ② -1 ③ 0
④ 1 ⑤ 2

0198 교육청 기출

모든 실수 x에 대하여 두 이차다항식 $P(x)$, $Q(x)$가 다음 조건을 만족시킨다.

> (가) $P(x)+Q(x)=4$
> (나) $\{P(x)\}^3+\{Q(x)\}^3=12x^4+24x^3+12x^2+16$

$P(x)$의 최고차항의 계수가 음수일 때, $P(2)+Q(3)$의 값은?

① 6 ② 7 ③ 8
④ 9 ⑤ 10

0199

다항식 $f(x)$를 x^4+x^3+3x+2로 나누었을 때의 나머지는 x^3-3x^2-5x+3이고, x^2+2x-1로 나누었을 때의 몫은 $2x^3-x^2+x-2$이라 한다. 이때, $f(1)$의 값은?

① 9 ② 11 ③ 13
④ 15 ⑤ 17

Level 3

0200 교육청 기출

최고차항의 계수가 음수인 이차다항식 $P(x)$가 모든 실수 x에 대하여

$$\{P(x)+x\}^2=(x-a)(x+a)(x^2+5)+9$$

를 만족시킨다. $\{P(a)\}^2$의 값을 구하시오. (단, $a>0$)

Reading Material

“현명한 사람”

어느 날 델포이 신탁을 주관하는 사제가 사람들이 많이 모인 자리에서 소크라테스가 세상에서 가장 현명한 사람이라고 말했다. 이 말을 들은 소크라테스의 제자들은 크게 기뻐하며 이 소식을 그에게 전했다.

“선생님, 기뻐하십시오. 델포이 신전의 사제가 말하기를 세상에서 선생님이 가장 현명한 사람이랍니다.”

소크라테스가 웃으면서 제자들에게 말했다.

“사제에게 가서 다시 한 번 물어 보아라. 내가 어찌 세상에서 가장 지혜로운 사람이란 말이냐? 내가 알고 있는 것은 오직 내 자신이 아무것도 모른다는 사실뿐이다. 사제가 실수를 한 것이니 돌아가서 다시 물어 보아라.”

제자들이 다시 델포이 신전으로 가서 물었다.

“우리 선생님께서는 자신이 지혜롭지 못하다고 하십니다. 그 분은 자신이 아무것도 모른다는 사실만을 알고 있을 뿐이고 오직 그 사실만이 분명한 것이라고 말씀하십니다. 대체 어찌된 일입니까?”

사제가 조용히 대답했다.

“그 점이 바로 소크라테스가 가장 현명한 사람이라고 말한 이유이다. 진정으로 현명한 자만이 아무것도 모른다고 말할 수 있기 때문이다.”

진정 현명한 사람은 자신이 알고 있는 것을 큰 소리로 자랑하지 않습니다. 자신의 부족함과 어리석음을 깨닫고 이를 채워 나가기 위해 노력할 뿐입니다.

02 항등식과 나머지정리

		제 목	내신중요도	유형난이도	문항수	문항번호
		기본 문제			39	0201~0239
유형 문제	01	계수비교법	▬▬▬▬	★	6	0240~0245
	02	수치대입법	▬▬▬▬▬	★★	9	0246~0254
	03	~에 관계없이 성립하는 항등식	▬▬▬	★★	6	0255~0260
	04	조건을 만족하는 항등식	▬	★★★	3	0261~0263
	05	다항식의 나눗셈과 항등식	▬▬▬▬▬	★★★	9	0264~0272
	06	항등식에서 계수의 합 구하기	▬▬	★★★★★	3	0273~0275
	07	나머지정리 – 일차식으로 나누는 경우	▬▬▬	★★★	9	0276~0284
	08	나머지정리 – 이차식으로 나누는 경우	▬▬▬▬▬	★★★	6	0285~0290
	09	나머지정리 – 삼차식으로 나누는 경우	▬	★★★★★	6	0291~0296
	10	몫과 나머지 변형	▬▬▬	★★★★	3	0297~0299
	11	나머지정리 – $f(ax+b)$를 나눌 때	▬	★★★	6	0300~0305
	12	나머지정리 – $Q(x)$를 나눌 때	▬	★★★★	6	0306~0311
	13	나머지정리의 활용 – 수의 나눗셈	▬▬	★★★	3	0312~0314
	14	인수정리 – 일차식으로 나누는 경우	▬▬▬▬	★	9	0315~0323
	15	인수정리 – 이차식으로 나누는 경우	▬▬▬▬	★★	6	0324~0329
	16	인수정리를 이용하여 함수 구하기	▬	★★★★	3	0330~0332
	17	조립제법과 항등식의 응용	▬▬	★★★★★	3	0333~0335
		적중 문제			12	0336~0347
		고난도 문제			15	0348~0362

항등식과 나머지정리

1. 항등식의 뜻

(1) 등식

등호(=)를 사용하여 두 수 또는 두 식이 서로 같음을 나타낸 식

(2) 부등식

부등호(<, ≤, >, ≥)를 사용하여 두 수 또는 두 식의 대소 관계를 나타낸 식

(3) 항등식

등식에 포함된 문자에 어떤 값을 대입하여도 항상 성립하는 등식

(4) 방정식

등식에 포함된 미지수의 값에 따라 참이 되기도 하고, 거짓이 되기도 하는 등식

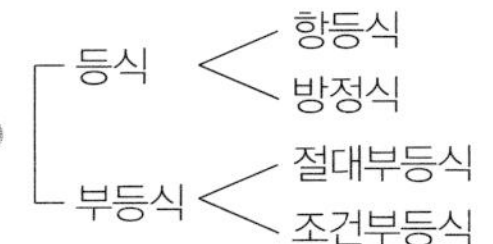

2. 항등식의 성질

(1) $ax+b=0$이 x에 대한 항등식 ➡ $a=0,\ b=0$

(2) $ax+b=a'x+b'$이 x에 대한 항등식 ➡ $a=a',\ b=b'$

(3) $ax^2+bx+c=0$이 x에 대한 항등식 ➡ $a=0,\ b=0,\ c=0$

(4) $ax^2+bx+c=a'x^2+b'x+c'$이 x에 대한 항등식 ➡ $a=a',\ b=b',\ c=c'$

항등식의 여러 가지 표현

x에 대한 항등식
⟺ 모든 x에 대하여 성립한다.
⟺ x의 값에 관계없이 성립한다.
⟺ x가 어떤 값을 갖더라도 성립한다.
⟺ 임의의 x에 대하여 성립한다.

3. 미정계수법

항등식의 성질을 이용하여 항등식에 포함된 계수를 정하는 방법을 미정계수법이라고 한다.

(1) 계수비교법

양변의 각 동류항의 계수가 같음을 이용하여 미정계수를 구하는 방법

(2) 수치대입법

미지수에 적당한 수를 대입하여 미정계수를 구하는 방법

$0\times x+0=0$ 꼴, $0\times x^2+0\times x+0=0$ 꼴은 항등식이다.

① 방정식 ⇨ 해를 구하라.
② 항등식 ⇨ 계수를 구하라.

4. 다항식의 나눗셈과 항등식

x에 대한 다항식 A를 x에 대한 다항식 B로 나눈 몫을 Q, 나머지를 R라 하면

$$A=BQ+R$$

인 관계가 성립한다.

① $A=BQ+R$는 x에 대한 항등식이다.

② (R의 차수)$<$(B의 차수)

③ (B의 차수)$+$(Q의 차수)$=$(A의 차수)

- $R=0$이면 $A=BQ$이고 A는 B로 나누어떨어진다고 한다.
- $f(x)=a_{10}x^{10}+a_9x^9+\cdots+a_2x^2+a_1x+a_0$ 일 때 $f(1)=a_{10}+a_9+\cdots+a_1+a_0$

5. 나머지정리

(1) x에 대한 다항식 $f(x)$를 일차식 $x-\alpha$로 나누었을 때의 나머지는 $f(\alpha)$이다.

(2) x에 대한 다항식 $f(x)$를 일차식 $ax+b$로 나누었을 때의 나머지는 $f\left(-\frac{b}{a}\right)$이다.

참고 다항식 $f(x)$를 $x-\alpha$로 나눈 몫을 $Q(x)$, 나머지를 R라 하면 다음 등식이 성립한다.

$$f(x)=(x-\alpha)Q(x)+R$$

이 등식은 x에 대한 항등식이므로 양변에 $x=\alpha$를 대입하면

$$f(\alpha)=0\times Q(\alpha)+R$$

$$\therefore R=f(\alpha)$$

즉, 다항식 $f(x)$를 일차식 $x-\alpha$로 나눈 나머지는 $f(\alpha)$이다.

- 다항식의 나눗셈에서
  ① 나머지를 구하는 방법
  - 나머지정리(일차식으로 나눌 때)
  - 조립제법(일차식으로 나눌 때)
  - 직접 나눗셈
  ② 몫을 구하는 방법
  - 조립제법(일차식으로 나눌 때)
  - 직접 나눗셈

6. 인수정리

x에 대한 다항식 $f(x)$가 일차식 $x-\alpha$로 나누어떨어진다.

$\Longleftrightarrow f(\alpha)=0$

참고 x에 대한 다항식 $f(x)$가 일차식 $x-\alpha$로 나누어떨어질 때의 몫을 $Q(x)$라 하면

$$f(x)=(x-\alpha)Q(x)$$

이 등식은 x에 대한 항등식이므로 양변에 $x=\alpha$를 대입하면

$$f(\alpha)=0$$

- 인수정리의 여러 가지 표현

$f(x)$가 $x-\alpha$로 나누어떨어진다.
$\Longleftrightarrow f(\alpha)=0$
$\Longleftrightarrow f(x)$를 $x-\alpha$로 나눈 나머지는 0이다.
$\Longleftrightarrow f(x)=(x-\alpha)Q(x)$
$\Longleftrightarrow f(x)$는 $x-\alpha$를 인수로 갖는다.

1 항등식

0201 x에 대한 항등식인 것을 <보기>에서 있는 대로 고르시오.

보기
ㄱ. $x+1=-x-1$
ㄴ. $ax+b=0$
ㄷ. $2x+1=2(x-1)+3$
ㄹ. $3x+1=2x+(x-1)$
ㅁ. $(x-1)(x+3)=x^2+2x-3$

0202 x에 대한 항등식이 <u>아닌</u> 것을 <보기>에서 있는 대로 고르시오.

보기
ㄱ. $3x+1=2x-1$
ㄴ. $(x+1)(x-2)=x^2-2x-2$
ㄷ. $x^2-4x+5=x(x-4)+5$
ㄹ. $x^2-x=0$
ㅁ. $(x+1)^2-(x+1)=x^2+x$

2 다항식의 정리

[0203-0204] 다음 등식이 x에 대한 항등식이 되도록 □ 안에 알맞은 수를 써넣으시오.

0203 $2x+5=\square x+\square$

0204 $3x^2+\square x+7=\square x^2+2x+\square$

[0205-0209] 다음 등식이 x에 대한 항등식이 되도록 하는 세 상수 a, b, c의 값을 구하시오.

0205 $ax+3=-x+b$

0206 $x^2-6x+16=ax^2+bx+c$

0207 $(x-2)(ax+3)=2x^2+bx+c$

0208 $(2x-3)(x^2+ax+b)=2x^3-x^2+cx-6$

0209 $x^3-2x+1=(x-1)(ax^2+bx+c)$

3 수치대입법

[0210-0214] 다음 등식이 x에 대한 항등식이 되도록 하는 세 상수 a, b, c의 값을 구하시오.

0210 $a(x-1)+b(x-2)=3x-1$

0211 $x^2-ax+4=bx(x-1)+c(x-1)(x-2)$

0212 $a(x-1)(x-2)+b(x-2)+c=x^2$

0213 $a+b(x-1)+c(x-1)(x-2)=2x^2+1$

0214 $2x^2-6x-2$
$=a(x+1)(x-2)+bx(x-2)+cx(x+1)$

4 다항식의 나눗셈과 항등식

[0215-0216] 다음 □ 안에 알맞은 것을 써넣으시오.

0215 항등식 $f(x)=(x+1)Q(x)+6$은 다항식 $f(x)$를 □로 나눈 몫이 $Q(x)$이고 나머지가 □임을 나타낸 것이다.

0216 다항식 $2x^2-9x+1$을 $x+4$로 나누었을 때의 몫과 나머지가 각각 $2x-17$, 69일 때, 다음과 같이 나타낸다.

$$2x^2-9x+1=(x+4)(\square)+\square$$

0217 다항식 x^2+px+2를 $x-1$로 나눈 몫이 $x+5$이고 나머지가 7일 때, 상수 p의 값을 구하시오.

0218 다항식 $x^3-ax^2+2ax-5$를 $x-2$로 나눈 몫이 x^2+4이고 나머지가 3일 때, 상수 a의 값을 구하시오.

[0219-0220] 다항식 x^3+ax+b를 $(x-1)(x-2)$로 나눌 때, 다음 물음에 답하시오.

0219 나누어떨어지도록 하는 두 상수 a, b의 값을 구하시오.

0220 나머지가 $2x+1$이 되도록 하는 두 상수 a, b의 값을 구하시오.

5 나머지정리

0221 다항식 $2x^3-3x^2-x+1$을 $x-2$로 나누었을 때의 나머지를 구하시오.

0222 다항식 x^3-3x-1을 $x+2$로 나누었을 때의 나머지를 구하시오.

[0223-0226] 다항식 $2x^3-x^2+4x+1$을 다음 일차식으로 나누었을 때의 나머지를 구하시오.

0223 $x-1$

0224 $x-2$

0225 $x+1$

0226 $x+2$

[0227-0229] 다항식 $f(x)=4x^3-2x^2-4x+5$를 다음 일차식으로 나누었을 때의 나머지를 구하시오.

0227 $2x-4$

0228 $2x-1$

0229 $2x+1$

0230 다항식 $P(x)=x^3-4x^2+x+a$를 일차식 $x-1$로 나눈 나머지가 5일 때, 상수 a의 값을 구하시오.

0231 다항식 $f(x)=x^3+ax^2+2x+4$를 $x+2$로 나눈 나머지가 4일 때, 상수 a의 값을 구하시오.

6 인수정리

[0232-0234] 다항식 $f(x)=x^2+2x+a$가 다음 일차식으로 나누어떨어질 때, 상수 a의 값을 구하시오.

0232 $x-1$

0233 $x+2$

0234 $2x+1$

0235 다항식 x^3+kx^2+3x+2가 $x+2$로 나누어떨어질 때, 상수 k의 값을 구하시오.

0236 다항식 $2x^3-5x^2+kx-3$이 $x-2$로 나누어떨어질 때, 상수 k의 값을 구하시오.

[0237-0238] 다항식 $ax^3+bx^2-4x+12$를 $x+2$로 나누면 나누어떨어지고, $x-3$으로 나누면 45가 남는다. 다음 물음에 답하시오.

0237 두 상수 a, b의 값을 구하시오.

0238 이 삼차식을 $x-1$로 나눈 나머지를 구하시오.

0239 다항식 $2x^3-5x^2+ax-3$이 $2x+3$을 인수로 가질 때, 상수 a의 값을 구하시오.

내신 출제 유형 정복하기

유형 01 계수비교법

내신 중요도 유형 난이도 ★☆☆☆☆

① 식을 전개하여 내림차순으로 정리한다.
② 양변의 계수를 비교한다.

0240

등식 $2ax^2+4x-3=bx^2+bx+c$가 x에 대한 항등식일 때, 상수 a, b, c에 대하여 $a+b+c$의 값을 구하시오.

0241

모든 실수 x에 대하여

$(x+2)(x+a)=x^2+bx+6$

이 성립할 때, 두 상수 a, b의 합 $a+b$의 값은?

① 5 ② 6 ③ 7
④ 8 ⑤ 9

0242 중요

모든 실수 x에 대하여 등식

$x^3+ax^2-36=(x+3)(x^2+bx-12)$

가 성립할 때, 두 상수 a, b의 합 $a+b$의 값을 구하시오.

0243

등식 $x^3+1=(x+1)^2(x+a)+bx+c$가 x에 대한 항등식이 되도록 상수 a, b, c의 값을 정할 때, $a+b+c$의 값은?

① -8 ② -2 ③ 2
④ 4 ⑤ 8

0244

등식 $6x^3-7x^2+ax+b=(x-1)(cx-1)(3x+1)$이 x에 대한 항등식이 되도록 하는 상수 a, b, c의 값을 구하시오.

0245

모든 실수 x, y에 대하여 등식

$a(x+2y)+b(2x-y)+10y=0$

이 성립할 때, 두 상수 a, b의 합 $a+b$의 값을 구하시오.

해설 027쪽

유형 02 **수치대입법**

내신 중요도 ▬▬▬▬▬ 유형 난이도 ★★★★★

주어진 항등식에 $x=\alpha$를 대입하여 0이 되는 항이 많은 경우에 사용한다.

0246 ●○○○

$a(x-1)+b(x-2)=2x-3$이 x에 대한 항등식일 때, 두 상수 a, b의 합 $a+b$의 값은?

① 1 ② 2 ③ 3
④ 4 ⑤ 5

0247 ●●○○

등식 $ax(x-1)+b(x-1)(x-2)+cx(x-2)=x^2+x$가 x의 값에 관계없이 항상 성립할 때, 상수 a, b, c의 값을 구하시오.

0248 ●●○○

등식

$$x^3+x^2=a+b(x-1)+c(x-1)(x-2)+d(x-1)(x-2)(x-3)$$

이 x의 값에 관계없이 항상 성립할 때, 네 상수 a, b, c, d의 합 $a+b+c+d$의 값을 구하시오.

0249 중요 ●○○○

등식 $(x-1)(x-2)f(x)=x^5+ax^2+bx+8$이 x에 대한 항등식일 때, 두 상수 a, b에 대하여 $b-a$의 값을 구하시오.

0250 ●●○○

x에 대한 다항식 $f(x)$에 대하여

$$x^5-ax^2+b=(x+1)(x-2)f(x)+x$$

가 x에 대한 항등식일 때, $f(1)$의 값을 구하시오.

0251 ●●○○

x에 대한 다항식 $f(x)$에 대하여

$$(x+2)(x^2-2)f(x)=x^4-ax^2+b$$

가 x에 대한 항등식일 때, 상수 a, b의 값은?

① $a=0$, $b=16$ ② $a=1$, $b=20$
③ $a=3$, $b=4$ ④ $a=4$, $b=0$
⑤ $a=6$, $b=8$

0252 ●●●○

x에 대한 일차식 P, Q에 대하여 등식

$$(x+1)(x-3)P+(x-1)(x+2)Q=20$$

이 x에 대한 항등식일 때, P와 Q를 구하시오.

0253 ●●●○

임의의 실수 x에 대하여 다음 등식이 성립할 때, 실수 a, b, c, p의 값을 구하시오.

$$x^3+8=a(x-p)^3+b(x-p)^2+c(x-p)$$

0254 ●●●○

다항식 $f(x)$가 모든 실수 x, y에 대하여
$f(x)f(y)=f(x+y)+f(x-y)$, $f(1)=1$을 만족시킬 때, $f(-1)+f(2)$의 값을 구하시오.

유형 03 ~에 관계없이 성립하는 항등식

내신 중요도 ▬▬▬▬▬ 유형 난이도 ★★☆☆☆

(1) x의 값에 관계없이
⇨ ( )x+(상수항)$=0$ 꼴로 정리

(2) x, y의 값에 관계없이
⇨ ( )x+( )y+(상수항)$=0$ 꼴로 정리

0255 ●●○○

등식 $kx+(2k+1)y+(k+3)=5$가 k의 값에 관계없이 항상 성립할 때, 상수 x, y에 대하여 $y-x$의 값을 구하시오.

0256 짱중요 ●●○○

등식 $(k+2)x-(k+1)y+k-7=0$이 실수 k의 값에 관계없이 항상 성립할 때, 두 상수 x, y에 대하여 $x+y$의 값은?

① 15 ② 16 ③ 17
④ 18 ⑤ 19

0257 ●●○○

등식 $(y+k)x+ky+2-3k=0$이 k의 값에 관계없이 항상 성립할 때, 실수 x, y에 대하여 x^2+y^2의 값을 구하시오.

0258 ●●○○

직선 $y=(2k+1)x+4k+3$의 그래프가 실수 k의 값에 관계없이 항상 일정한 점 $\mathrm{P}(a, b)$를 지난다. 이때, $a+b$의 값을 구하시오.

0259 ●●○○

x에 대한 다항식

$$mx^2+(k+3)x-n(2+k)+m+3=0$$

이 k의 값에 관계없이 항상 2를 근으로 가질 때, 상수 m, n에 대하여 mn의 값은?

① -6 ② -4 ③ -2
④ 0 ⑤ 2

0260 ●●●○

등식 $a(x-2y)+b(2x+y-2)+3=x-7y+c$가 x, y의 값에 관계없이 항상 성립할 때, 세 상수 a, b, c에 대하여 $a+b+c$의 값을 구하시오.

유형 04 조건을 만족하는 항등식

내신 중요도 ▬▬▬▬▬ 유형 난이도 ★★★★★

조건을 한 문자에 관하여 정리한 후 주어진 식에 대입하여 항등식의 성질을 이용한다.

0261 ●●○○

$x-y=1$을 만족시키는 모든 실수 x, y에 대하여 등식 $ax-by+7=0$이 항상 성립할 때, 두 상수 a, b의 합 $a+b$의 값을 구하시오.

0262 중요 ●●○○

$x+y=1$을 만족하는 모든 실수 x, y에 대하여 $ax^2+bxy+cy^2=2$가 성립할 때, 상수 a, b, c의 합 $a+b+c$의 값은?

① 5 ② 6 ③ 7
④ 8 ⑤ 9

0263 ●●○○

$x-2y=1$을 만족하는 모든 실수 x, y에 대하여 $ax^2+by^2+2x+c=0$이 항상 성립할 때, $a+b+c$의 값을 구하시오. (단, a, b, c는 상수이다.)

유형 05 다항식의 나눗셈과 항등식

내신 중요도 ▬▬▬▬▬ 유형 난이도 ★★★★★

x에 대한 다항식 A를 x에 대한 다항식 B로 나눈 몫을 Q, 나머지를 R라 하면

$A=BQ+R$ (단, (R의 차수)$<$(B의 차수))

0264 짱중요 ●○○○

다항식 $3x^3-6x^2+3x+a$를 $x-b$로 나눈 몫이 $3x^2+3$이고 나머지가 13일 때, $a-2b$의 값은? (단, a, b는 상수이다.)

① 1 ② 2 ③ 3
④ 4 ⑤ 5

0265 ●○○○

다항식 x^3+px^2+3x-2를 x^2+p로 나눈 몫이 $x+2$이고 나머지가 $ax+b$일 때, 세 상수 p, a, b에 대하여 $p+a+b$의 값은?

① -3 ② -1 ③ 0
④ 1 ⑤ 3

0266 ●●○○

x에 대한 다항식 x^4+ax^3+4x를 x^2-x+b로 나눈 몫이 x^2+x-1일 때, 두 상수 a, b의 값과 나머지를 구하시오.

0267 ●●○○

다항식 x^3+ax+b를 x^2-x+1로 나눈 나머지가 $2x+3$일 때, a^2+b^2의 값은? (단, a, b는 상수이다.)

① 18 ② 19 ③ 20
④ 21 ⑤ 22

0268 ●●○○

다항식 $P(x)$를 $x+1$로 나누었을 때의 몫이 x^2+1이고, $P(x)$를 $x-1$로 나누었을 때의 나머지가 3일 때, $P(2)$의 값을 구하시오.

0269 ●●●●

두 상수 a, b에 대하여 $x^3-ax^2-(b+1)x+b^2-2$를 $(x-a)^2$으로 나누면 $-x-2$가 남는다고 할 때, 몫을 구하시오. (단, $a\neq0$)

0270

다항식 $x^{10}+ax^5+b$를 x^2-1로 나눈 나머지가 $2x-1$이 되도록 상수 a, b의 값을 정할 때, ab의 값을 구하시오.

0271 중요

다항식 $x^{20}-1$을 $(x-1)^2$으로 나누었을 때의 나머지 $R(x)$를 구하시오.

0272

다항식 $x^n(x^2+ax+b)$를 $(x-3)^n$으로 나누었을 때, 나머지가 $3^n(x-3)$이 되도록 실수 a, b의 값을 구하시오.

(단, n은 $n\geq2$인 자연수이다.)

유형 06 **항등식에서 계수의 합 구하기**

내신 중요도 ━━━━ 유형 난이도 ★★★★★

등식 $(x+a)^n=a_nx^n+a_{n-1}x^{n-1}+\cdots+a_0$에서

① $x=0$을 대입하면 $a^n=a_0$

② $x=1$을 대입하면 $(a+1)^n=a_n+a_{n-1}+\cdots+a_0$

0273 짱중요

x에 대한 항등식

$(x^2+x+1)^5=a_{10}(x+1)^{10}+a_9(x+1)^9+\cdots+a_1(x+1)+a_0$

에서 $a_0+a_1+\cdots+a_9+a_{10}$의 값을 구하시오.

(단, a_0, a_1, $\cdots$, a_{10}은 상수이다.)

0274 중요

모든 실수 x에 대하여 등식

$$(1+x+x^2)^3=a_0+a_1x+a_2x^2+\cdots+a_6x^6$$

이 성립할 때, $a_0+a_2+a_4+a_6$의 값을 구하시오.

(단, a_0, a_1, $\cdots$, a_6은 상수이다.)

0275

모든 실수 x에 대하여 등식

$$x^{50}-1=a_0+a_1(x-1)+a_2(x-1)^2+\cdots+a_{50}(x-1)^{50}$$

이 성립할 때, $a_1+a_3+a_5+\cdots+a_{49}$의 값은?

(단, a_0, a_1, $\cdots$, a_{50}은 상수이다.)

① 2^{49} ② $2^{50}-2$ ③ 2^{50}
④ 2^{51} ⑤ $2^{51}+2$

유형 07 나머지정리 – 일차식으로 나누는 경우

내신 중요도 유형 난이도 ★★★☆☆

다항식 $f(x)$를 일차식 $x-\alpha$로 나누었을 때의 나머지는 $f(\alpha)$이다.

0276 짱중요

다항식 $P(x)=-x^3-4x^2+ax+1$을 $x+2$로 나누었을 때, 나머지가 3이 되도록 하는 상수 a의 값은?

① -5 ② -3 ③ -1
④ 0 ⑤ 1

0277

다항식 x^3+4x^2-ax+5를 $x-1$로 나누었을 때의 나머지와 $x+2$로 나누었을 때의 나머지가 같도록 하는 상수 a의 값은?

① -4 ② -3 ③ -2
④ -1 ⑤ 0

0278

다항식 $x^4+ax^3+bx^2-3$을 $x-1$로 나누었을 때의 나머지가 4, $x+1$로 나누었을 때의 나머지가 -4일 때, 상수 a, b의 곱 ab의 값을 구하시오.

0279

x에 대한 다항식 ax^5+bx^3+cx-5를 $x-1$로 나누었을 때의 나머지가 3일 때, 이 다항식을 $x+1$로 나누었을 때의 나머지를 구하시오. (단, a, b, c는 상수이다.)

0280

다항식 $f(x)$를 $x-3$으로 나눈 나머지가 2일 때, 다항식 $(x^2+2x-5)f(x)$를 $x-3$으로 나눈 나머지는?

① 18 ② 20 ③ 22
④ 24 ⑤ 26

0281

다항식 $f(x)$를 $x-3$으로 나눈 나머지는 2이고, 다항식 $g(x)$를 $x-3$으로 나눈 나머지는 -2이다. 이때, 다항식 $5f(x)+4g(x)$를 $x-3$으로 나눈 나머지를 구하시오.

0282 ●●○○

다항식 $f(x)=x^2+ax+b$에 대하여 다항식 $(x+1)f(x)$를 $x-2$로 나눈 나머지가 3이고, 다항식 $(x-2)f(x)$를 $x+1$로 나눈 나머지가 6일 때, 상수 a, b에 대하여 a^2+b^2의 값은?

① 5　　② 8　　③ 9
④ 13　　⑤ 18

0283 중요 ●●○○

두 다항식 $f(x)$, $g(x)$에 대하여 $f(x)+g(x)$는 $x-1$로 나누어떨어지고, $f(x)-g(x)$를 $x-1$로 나누면 나머지가 2이다. 다항식 $f(x)g(x)$를 $x-1$로 나누었을 때의 나머지를 구하시오.

0284 ●●●○

모든 실수 x에 대하여 $f(3+x)=f(3-x)$를 만족하는 다항식 $f(x)$를 $x-5$로 나누었을 때의 나머지가 4이다. 이 다항식 $f(x)$를 $(x-1)(x-5)$로 나누었을 때의 나머지를 구하시오.

유형 08 나머지정리 – 이차식으로 나누는 경우

내신 중요도 ▬▬▬▬▬ 유형 난이도 ★★★★★

다항식을 이차식으로 나누었을 때의 나머지를 구할 때는 나머지를 $ax+b$ (a, b는 상수)로 놓고 나눗셈에 대한 항등식을 세운다.

0285 중요 ●●○○

다항식 $f(x)$를 $x-2$로 나눈 나머지는 5이고, $x-3$으로 나눈 나머지는 7이다. 이때, 다항식 $f(x)$를 $(x-2)(x-3)$으로 나눈 나머지를 구하시오.

0286 짱중요 ●●○○

다항식 $f(x)$를 $x-1$, $x+1$로 나누었을 때의 나머지를 각각 3, 5라 하고, $f(x)$를 x^2-1로 나누었을 때의 나머지를 $R(x)$라 하자. 이때, $R(2)$의 값을 구하시오.

0287 ●●○○

다항식 $f(x)$를 $(x-2)(x+4)$로 나누었을 때의 나머지가 -2이고, 다항식 $g(x)$를 $(x-2)(x-3)$으로 나누었을 때의 나머지가 3일 때, $f(x)g(x)$를 $x-2$로 나누었을 때의 나머지는?

① -6　　② -4　　③ -2
④ 2　　⑤ 4

0288 ●●○○

다항식 $f(x)$를 $x-1$, $x-2$로 나눈 나머지는 각각 1, 2이고, $(x-1)(x-2)$로 나눈 몫은 x^2+1이라고 한다. 이때, $xf(x)$를 $x-3$으로 나눈 나머지는?

① 67 ② 68 ③ 69
④ 70 ⑤ 71

0289 ●●●○

다항식 $f(x)$를 $x-1$로 나누었을 때의 나머지가 2, $x+1$로 나누었을 때의 나머지가 4일 때, 다항식 $(2x^2+x)f(x)$를 x^2-1로 나누었을 때의 나머지를 구하시오.

0290 ●●●○

다항식 $f(x)$를 x^2+2x-3으로 나누었을 때의 나머지는 $x+4$이고, x^2-x-2로 나누었을 때의 나머지는 $2x+1$일 때, $f(x)$를 x^2-1로 나누었을 때의 나머지를 구하시오.

유형 09 나머지정리 – 삼차식으로 나누는 경우

내신 중요도 ■■■■■ 유형 난이도 ★★★★★

다항식을 삼차식으로 나누었을 때의 나머지를 구할 때는 나머지를 ax^2+bx+c (a, b, c는 상수)로 놓고 나눗셈에 대한 항등식을 세운다.

0291 중요 ●●○○

x에 대한 다항식 x^4+px^2+q를 $(x-2)(x^2-3)$으로 나누었을 때의 나머지가 0일 때, 두 상수 p, q의 합 $p+q$의 값은?

① -7 ② -5 ③ -3
④ 3 ⑤ 5

0292 ●●●○

다항식 $x^{10}+x^9+x^6+x^3$을 x^3-x로 나누었을 때의 나머지를 구하시오.

0293 ●●●○

다항식 $f(x)$를 $x(x-1)$로 나눈 나머지는 $-6x+9$이고, $(x-1)(x-3)$으로 나눈 나머지는 $6x-3$이다. $f(x)$를 $x(x-1)(x-3)$으로 나눈 나머지를 ax^2+bx+c라 할 때, 세 상수 a, b, c에 대하여 $a-b-c$의 값을 구하시오.

0294 ●●○○

다항식 $f(x)$를 $(x-1)^2$으로 나눈 나머지는 $x+3$이고, $x-2$로 나눈 나머지는 6이다. 이때, 다항식 $f(x)$를 $(x-1)^2(x-2)$로 나눈 나머지를 구하시오.

0295 ●●●○

다항식 $f(x)$를 x^2+1로 나누었을 때의 나머지는 $x+2$이고, $x+1$로 나누었을 때의 나머지는 3이다. 다항식 $f(x)$를 $(x^2+1)(x+1)$로 나누었을 때의 나머지를 구하시오.

0296 ●●●○

삼차다항식 $f(x)$는 $(x-1)^2$으로 나눈 몫과 나머지가 같고 $f(1)=0$을 만족한다. $f(x)$를 $(x-1)^3$으로 나눈 나머지를 $R(x)$라 할 때, $R(2)$의 값을 구하시오. (단, $R(0)=2$이다.)

유형 내신 중요도 유형 난이도 ★★★★★

10 몫과 나머지 변형

다항식 $f(x)$를 $x+\frac{b}{a}$로 나누었을 때의 몫을 $Q(x)$, 나머지를 R라 하면

$$f(x)=\left(x+\frac{b}{a}\right)Q(x)+R=\frac{1}{a}(ax+b)Q(x)+R$$
$$=(ax+b)\times\frac{1}{a}Q(x)+R$$

즉, $f(x)$를 $ax+b$로 나누었을 때의 몫은 $\frac{1}{a}Q(x)$, 나머지는 R이다.

0297 ●●○○

다항식 $P(x)$를 $x-\frac{1}{5}$로 나누었을 때의 몫과 나머지를 각각 $Q(x)$, R라 하자. $P(x)$를 $5x-1$로 나누었을 때의 몫과 나머지를 구하면?

① 몫: $Q(x)$, 나머지: R
② 몫: $\frac{1}{5}Q(x)$, 나머지: $5R$
③ 몫: $Q(x)$, 나머지: $\frac{1}{5}R$
④ 몫: $\frac{1}{5}Q(x)$, 나머지: R
⑤ 몫: $5Q(x)$, 나머지: $\frac{1}{5}R$

0298 중요 ●●○○

다항식 $f(x)$를 $2x+1$로 나누었을 때의 몫은 $Q(x)$이고, 나머지는 1이다. $xf(x)$를 $x+\frac{1}{2}$로 나누었을 때의 몫과 나머지를 구하시오.

0299 ●●○○

다항식 $f(x)$를 $x+1$로 나누었을 때의 몫을 $Q(x)$, 나머지를 r라 할 때, $xf(x)-3$을 $x+1$로 나눈 몫과 나머지를 구하시오.

유형 11 나머지정리 $-f(ax+b)$를 나눌 때

내신 중요도 ▬▬▬▬▬ 유형 난이도 ★★★★★

다항식 $f(ax+b)$를 $x-\alpha$로 나누었을 때의 나머지
⇨ $f(a\alpha+b)$

0300

●●○○

다항식 $f(x)$를 $x-2$로 나눈 나머지를 R라 할 때, 다항식 $f(3x-4)$를 $x-2$로 나눈 나머지는?

① R　② $-R$　③ $2R$
④ $\frac{1}{2R}$　⑤ $R+1$

0301

●●○○

다항식 $f(x)+g(x)$를 $x-1$로 나눈 나머지가 7이고 다항식 $2f(x)+g(x)$를 $x-1$로 나눈 나머지가 9일 때, 다항식 $f(3x-2)$를 $x-1$로 나눈 나머지를 구하시오.

0302 중요

●●○○

다항식 $f(x)$를 $(2x+1)(x+2)$로 나누었을 때의 나머지가 $5x-1$일 때, 다항식 $f(3x+1)$을 $x+1$로 나누었을 때의 나머지는?

① -11　② -9　③ -7
④ -5　⑤ -3

0303

●●○○

x에 대한 다항식 $f(x)-1$이 $(x-1)(x-2)$로 나누어떨어질 때, $f(x+1)$을 $x(x-1)$로 나눈 나머지는?

① 1　② $x-1$　③ x
④ $x+1$　⑤ $x+2$

0304

●●●○

다항식 $f(x)$를 $(x-1)(x+1)$로 나누었을 때의 나머지는 $x+2$이다. 다항식 $f(2x)$를 $2x-1$로 나누었을 때의 나머지를 R_1, 다항식 $f(x+1000)$을 $x+1001$로 나누었을 때의 나머지를 R_2라 할 때, R_1+R_2의 값은?

① 4　② 5　③ 6
④ 7　⑤ 8

0305

●●●○

이차식 $P(x)$에 대하여 $P(2-x)$를 $x-2$로 나누었을 때의 나머지가 3이다. $xP(x)+x^2$은 $(x+1)(x-1)$로 나누어떨어진다고 할 때, $P(3)$의 값을 구하시오.

유형 12 **나머지정리 – 몫 $Q(x)$를 나눌 때**

내신 중요도 ■■■■■ 유형 난이도 ★★★★★

다항식 $f(x)$를 $g(x)$로 나눈 몫을 $Q(x)$라 할 때,
$Q(x)$를 $x-\alpha$로 나눈 나머지는 $Q(\alpha)$이다.

0306 ●●○○

다항식 $f(x)$를 $x+1$로 나누었을 때의 몫이 $Q(x)$, 나머지가 2이고, $Q(x)$를 $x-3$으로 나누었을 때의 나머지가 1이다. 이때, $f(x)$를 $x-3$으로 나누었을 때의 나머지를 구하시오.

0307 중요 ●●○○

다항식 x^3-3x^2+ax+9를 $x-1$로 나누었을 때의 몫이 $Q(x)$, 나머지가 2이고, $Q(x)$를 $x+3$으로 나누었을 때의 나머지가 b일 때, 두 상수 a, b에 대하여 $b-a$의 값은?

① 12 ② 13 ③ 14
④ 15 ⑤ 16

0308 ●●○○

다항식 $f(x)$를 x^2+x+1로 나누었을 때의 몫이 $Q(x)$, 나머지가 $x-12$이고, $Q(x)$를 $x-1$로 나누었을 때의 나머지가 1이다. $f(x)$를 x^3-1로 나누었을 때의 나머지를 $R(x)$라고 할 때, $R(0)$의 값을 구하시오.

0309 ●●○○

다항식 $x^{20}+x+1$을 $x-1$로 나눈 몫을 $Q(x)$라 할 때, $Q(x)$를 $x+1$로 나눈 나머지는?

① -3 ② -1 ③ 0
④ 1 ⑤ 3

0310 ●●●○

다항식 $f(x)$를 x^2-4로 나누었을 때의 몫은 $Q(x)$, 나머지는 $3x-2$이고, x^2+1로 나누었을 때의 몫은 $Q'(x)$, 나머지는 $2x-10$이다. 이때, $Q'(x)$를 $x-2$로 나누었을 때의 나머지는?

① 2 ② 3 ③ 4
④ 5 ⑤ 6

0311 ●●○○

이차 이상의 다항식 $f(x)$가 다음 조건을 모두 만족시킬 때, 다항식 $Q_1(x)+Q_2(x)$를 $x-2$로 나눈 나머지를 구하시오.

(가) $x-1$로 나눈 몫은 $Q_1(x)$이고 나머지는 2이다.
(나) $x-3$으로 나눈 몫은 $Q_2(x)$이고 나머지는 7이다.

유형 13 나머지정리의 활용 – 수의 나눗셈

내신 중요도 유형 난이도 ★★★★★

a^n을 b로 나누었을 때의 나머지
⇨ $a=x$로 두고 b를 x에 대한 식으로 나타낸다.
⇨ 나머지정리를 이용하여 나머지를 구한다.

0312

16^{12}을 15로 나누었을 때의 나머지를 r_1이라 하고, 16^{21}을 17로 나누었을 때의 나머지를 r_2라 할 때, r_1+r_2의 값은?

① 15 ② 16 ③ 17
④ 18 ⑤ 19

0313 중요

$99^{99}+99^{100}+99^{101}$을 100으로 나누었을 때의 나머지는?

① 95 ② 96 ③ 97
④ 98 ⑤ 99

0314

2^{121}을 9로 나누었을 때의 나머지를 구하시오.

유형 14 인수정리 – 일차식으로 나누는 경우

내신 중요도 유형 난이도 ★★★★★

다항식 $f(x)$가 일차식 $x-\alpha$로 나누어떨어진다.
$\Longleftrightarrow f(\alpha)=0$
$\Longleftrightarrow f(x)$는 $x-\alpha$를 인수로 갖는다.

0315 짱중요

x에 대한 다항식 $3x^3+kx^2-k^2x+9$가 $x-1$로 나누어떨어지도록 하는 모든 상수 k의 값의 합은?

① 1 ② 3 ③ 5
④ 7 ⑤ 9

0316

다항식 $f(x)=x^3-6x^2+ax-a-1$이 $x+2$를 인수로 가질 때, 상수 a의 값은?

① -11 ② -9 ③ -7
④ -5 ⑤ -3

0317 중요

다항식 $f(x)=2x^3+ax^2+x+b$가 $x-1$, $x-2$를 인수로 가질 때, a^2+b^2의 값을 구하시오. (단, a, b는 실수이다.)

0318

●●○○

다항식 $2x^3+ax^2+bx+1$이 $x+1$로 나누어떨어지고, $x-1$로 나누면 나머지가 5일 때, 두 상수 a, b의 곱 ab의 값은?

① $\frac{1}{4}$　② $\frac{1}{2}$　③ $\frac{3}{4}$
④ 1　⑤ $\frac{5}{4}$

0319

●●○○

다항식 x^4-ax^2+bx+3은 $x+1$로 나누어떨어지고, 다항식 ax^2-bx+6은 $x+3$으로 나누어떨어질 때, 두 상수 a, b에 대하여 $a-b$의 값은?

① -10　② -5　③ 0
④ 5　⑤ 10

0320

●●○○

x에 대한 다항식 $f(x)=x^3+ax^2+3x+10$에 대하여 다항식 $f(x)-2x^2$이 $x+2$로 나누어떨어질 때, $2a$의 값을 구하시오.

(단, a는 상수이다.)

0321

●●○○

$f(x)=x^3+a$는 $x-1$로 나누어떨어진다. $f(x)$를 $x-1$로 나누었을 때의 몫을 $Q(x)$라 할 때, $Q(x)$를 $x+1$로 나누었을 때의 나머지는?

① 1　② 2　③ 3
④ 4　⑤ 5

0322

●●●○

최고차항의 계수가 1인 x에 대한 삼차다항식 $P(x)$가 $P(2)=P(3)=P(4)=0$을 만족할 때, $P(1)$의 값을 구하시오.

0323

●●●○

x^2의 계수가 1인 이차다항식 $f(x)$가 다음 조건을 만족시킨다.

> (가) $f(x)$는 $x+3$으로 나누어떨어진다.
> (나) $f(x^2)$을 $f(x)$로 나누었을 때의 나머지는 $340x+1032$이다.

이때, $f(2)$의 값을 구하시오.

유형 15 인수정리 – 이차식으로 나누는 경우

내신 중요도 ▬▬▬▬▬ 유형 난이도 ★★★★★

다항식 $f(x)$가 이차식 $(x-\alpha)(x-\beta)$로 나누어떨어지면
⇨ $f(x)$는 $x-\alpha$, $x-\beta$를 인수로 갖는다.
⇨ $f(\alpha)=0$, $f(\beta)=0$

0324 ●●○○

x에 대한 다항식 $f(x)=4x^3-3x^2+px+q$가 $(x-1)(x+2)$를 인수로 가질 때, 두 상수 p, q에 대하여 $p-q$의 값은?

① -31 ② -29 ③ -27
④ -25 ⑤ -23

0325 중요 ●●○○

x에 대한 다항식 $f(x)=x^3+ax^2+bx+2$가 x^2-3x+2로 나누어떨어질 때, $a-b$의 값은? (단, a, b는 상수이다.)

① -3 ② -1 ③ 0
④ 1 ⑤ 3

0326 ●●○○

다항식 $P(x)$를 $x-1$로 나누면 나머지가 4이고, $x+3$으로 나누면 나누어떨어진다고 한다. 이때, $P(x)$를 $(x-1)(x+3)$으로 나누었을 때의 나머지를 구하시오.

0327 ●●○○

x에 대한 다항식 $f(x)-1$이 $(x-2)(x-3)$으로 나누어떨어질 때, 다항식 $f(x+2)$를 $x(x-1)$로 나눈 나머지는?

① 1 ② $x-1$ ③ x
④ $x+1$ ⑤ $x+2$

0328 중요 ●●●○

삼차식 $f(x)$에 대하여 $f(x)+8$은 $(x+2)^2$으로 나누어떨어지고, $1-f(x)$는 x^2-1로 나누어떨어진다. 이때, $f(x)$를 $x-2$로 나누었을 때의 나머지는?

① -58 ② -56 ③ -54
④ -52 ⑤ -50

0329 ●●●○

이차식 $P(x)$에 대하여 $P(x-2)$를 $x-2$로 나누었을 때의 나머지가 2이고, $xP(x)+x^2$은 $(x+1)(x+2)$로 나누어떨어진다. 이때, $P(1)$의 값을 구하시오.

유형 16 인수정리를 이용하여 함수 구하기

내신 중요도 유형 난이도 ★★★★★

(1) 다항식 $f(x)$에서 $f(\alpha)=f(\beta)=f(\gamma)=k$ (k는 상수)을 만족할 때,
⇨ α, β, γ는 $f(x)-k=0$의 근이다.
⇨ $f(x)-k$는 $(x-\alpha)$, $(x-\beta)$, $(x-\gamma)$를 인수로 가진다.
(2) 다항식 $f(x)$에서 $f(\alpha)=\alpha$, $f(\beta)=\beta$, $f(\gamma)=\gamma$를 만족할 때,
⇨ α, β, γ는 $f(x)-x=0$의 근이다.
⇨ $f(x)-x$는 $(x-\alpha)$, $(x-\beta)$, $(x-\gamma)$를 인수로 가진다.

0330

삼차항의 계수가 1인 삼차식 $f(x)$에 대하여

$$f(-1)=f(0)=f(1)=-1$$

일 때, $f(2)$의 값은?

① 2 ② 3 ③ 4
④ 5 ⑤ 6

0331 중요

삼차다항식 $f(x)$를 $x-1$, $x-2$, $x-3$으로 나누었을 때의 나머지가 모두 2이고, $x-4$로 나누었을 때의 나머지가 14일 때, $x-5$로 나누었을 때의 나머지를 구하시오.

0332

x^3의 계수가 1인 삼차다항식 $f(x)$에 대하여 $f(1)=2$, $f(2)=3$, $f(3)=4$일 때, $f(0)$의 값을 구하시오.

유형 17 조립제법과 항등식의 응용

내신 중요도 유형 난이도 ★★★★★

조립제법을 연속으로 이용하면 내림차순으로 정리한 식에서 미정계수를 쉽게 구할 수 있다.

0333

등식 $x^3+2x^2-3x+2=(x+1)^3+a(x+1)^2+b(x+1)+c$가 x에 대한 항등식일 때, abc의 값을 구하시오. (단, a, b, c는 상수이다.)

0334 중요

x에 대한 항등식
$x^3-4x^2+3x-5=a(x-2)^3+b(x-2)^2+c(x-2)+d$
를 만족하는 상수 a, b, c, d에 대하여 $a+b+c+d$의 값은?

① -5 ② -3 ③ 3
④ 5 ⑤ 7

0335

다항식 $f(x)=2x^3+5x^2+3x+4$에서 $f(98)$의 값을 구하시오.

0336

등식 $2x^2+5x+4=(x+a)(bx+1)+c$가 x에 대한 항등식일 때, 세 상수 a, b, c에 대하여 $a+b-c$의 값은?

① -2 ② 0 ③ 2
④ 4 ⑤ 6

0337

다음 등식이 x에 대한 항등식이 되도록 세 상수 a, b, c의 값을 정할 때, abc의 값은?

$$a(x-1)(x+1)+b(x-1)+c(x+1)=2x^2+x+3$$

① -18 ② -16 ③ -14
④ -12 ⑤ -10

0338 서술형

등식 $(k-2)x+(3-k)y+2k-3=0$이 k의 값에 관계없이 항상 성립하도록 하는 실수 x, y에 대하여 $x+y$의 값을 구하시오.

0339

다항식 x^3+px^2+qx+2를 $(x-1)(x+3)$으로 나눈 나머지가 $2x+1$일 때, 상수 p, q에 대하여 $p-q$의 값은?

① $-\frac{10}{3}$ ② $-\frac{5}{3}$ ③ 0
④ $\frac{5}{3}$ ⑤ $\frac{10}{3}$

0340

모든 실수 x에 대하여 등식

$$x^{25}+1=a_{25}(x-1)^{25}+a_{24}(x-1)^{24}+\cdots+a_1(x-1)+a_0$$

이 성립할 때, $a_{25}+a_{23}+a_{21}+\cdots+a_3+a_1$의 값은?

(단, a_0, a_1, $\cdots$, a_{25}는 상수)

① 2 ② 2^3 ③ 2^6
④ 2^{12} ⑤ 2^{24}

0341

다항식 x^3+ax-2를 $x-1$로 나누었을 때의 나머지가 2일 때, x^3+ax-2를 $x+2$로 나누었을 때의 나머지를 구하시오.

(단, a는 상수이다.)

0342 서술형

다항식 $f(x)$를 $x-1$로 나누었을 때의 나머지가 -1, $x+2$로 나누었을 때의 나머지가 -7이다. $f(x)$를 x^2+x-2로 나누었을 때의 나머지를 $R(x)$라 할 때, $R(2)$의 값을 구하시오.

0343

다항식 $f(x)$를 x^2+1로 나누면 나머지가 $x+1$이고, $x-1$로 나누면 나머지가 4이다. $f(x)$를 $(x^2+1)(x-1)$로 나눌 때의 나머지를 $R(x)$라 할 때, $R(3)$의 값은?

① 8 ② 10 ③ 12 ④ 14 ⑤ 16

0344

다항식 $f(x)$를 $(x-1)(x-2)$로 나눈 나머지가 $2x-4$일 때, 다항식 $f(2x-3)$을 $x-2$로 나눈 나머지를 구하시오.

0345

다항식 $2x^3+ax^2+bx-12$가 $x-2$로 나누어떨어지고, $x-3$으로 나누면 나머지가 12일 때, 두 상수 a, b에 대하여 $a+b$의 값을 구하시오.

0346

x에 대한 다항식 $f(x)=x^3+p$를 $x-1$로 나누었을 때의 나머지는 0이다. 이때, $f(x)$를 $x-1$로 나누었을 때의 몫을 $Q(x)$라 하면 $Q(x)$를 $x+2$로 나누었을 때의 나머지는?

(단, p는 상수이다.)

① 0 ② 1 ③ 2 ④ 3 ⑤ 4

0347

임의의 실수 x에 대하여 등식

$$x^3-2x^2+3x+1=(x-1)^3+a(x-1)^2+b(x-1)+c$$

가 성립할 때, 세 상수 a, b, c에 대하여 $a^2+b^2+c^2$의 값을 구하시오.

Level 1

0348

상수 a, b에 대하여 $\dfrac{x-ay+4}{bx+3y-2}$의 값이 x, y의 값에 관계없이 항상 일정할 때, ab의 값은? (단, $bx+3y-2\neq0$)

① -12　② -9　③ -4　④ -3　⑤ -1

0349 교육청 기출

삼차식 $f(x)$가 다음 조건을 만족시킨다.

> (가) $f(0)=3$
> (나) $f(x+1)=f(x)+x^2$

$f(x)$를 x^2-3x+2로 나눈 나머지는?

① $x+3$　② $x+2$　③ $x+1$　④ x　⑤ $x-1$

0350 교육청 기출

삼차다항식 $P(x)$가 다음 조건을 만족시킨다.

> (가) $(x-1)P(x-2)=(x-7)P(x)$
> (나) $P(x)$를 x^2-4x+2로 나눈 나머지는 $2x-10$이다.

$P(4)$의 값은?

① -6　② -3　③ 0　④ 3　⑤ 6

0351

x^{20}을 $x-2$로 나누었을 때의 몫을 $Q(x)$, 나머지를 R라 하고 $Q(x)$의 상수항을 포함한 계수의 총합을 A라 할 때, $A+R$의 값은?

① $2^{20}-1$　② $2^{20}+1$　③ $2^{21}-1$　④ $2^{21}+1$　⑤ $2^{40}-1$

0352

두 다항식 $f(x)$, $g(x)$에 대하여 $f(x)+g(x)$를 $x+1$로 나누었을 때의 나머지는 2이고, $f(x)g(x)$를 $x+1$로 나누었을 때의 나머지는 -1이다. $\{f(x)\}^3+\{g(x)\}^3$을 $x+1$로 나누었을 때의 나머지를 구하시오.

0353

다항식 $f(x)$가 다음 조건을 만족시킨다.

> (가) $xf(x-1)$을 $x-2$로 나눈 나머지는 12이다.
> (나) $(x+2)f(x+1)$을 $x-1$로 나눈 나머지는 30이다.

$f(x)$를 x^2-3x+2로 나눈 나머지가 $R(x)$일 때, $R(10)$의 값을 구하시오.

Level 2

0354

임의의 실수 x에 대하여 $f(x^2)=xf(x+1)-3$을 만족하는 다항식 $f(x)$는?

① $x+1$　② $2x-3$　③ $2x+3$
④ $3x-3$　⑤ $3x-5$

0355

다항식 $f(x)=\frac{1}{4}x-\frac{1}{4}$에 대하여 $\{f(x)\}^{100}$을 $f(x^2)$으로 나눈 나머지를 $R(x)$라 할 때, $R(2)$의 값은?

① $-\frac{1}{2^{101}}$　② $-\frac{1}{2^{99}}$　③ 0
④ $\frac{1}{2^{99}}$　⑤ $\frac{1}{2^{101}}$

0356 교육청 기출

최고차항의 계수가 1인 이차식 $f(x)$를 $x-1$로 나누었을 때의 몫을 $Q_1(x)$라 하고, $f(x)$를 $x-2$로 나누었을 때의 몫을 $Q_2(x)$라 하면 $Q_1(x)$, $Q_2(x)$는 다음 조건을 만족시킨다.

(가) $Q_2(1)=f(2)$
(나) $Q_1(1)+Q_2(1)=6$

$f(3)$의 값은?

① 7 ② 8 ③ 9
④ 10 ⑤ 11

0357 교육청 기출

삼차다항식 $f(x)$가 다음 조건을 만족시킨다.

(가) $f(1)=2$
(나) $f(x)$를 $(x-1)^2$으로 나눈 몫과 나머지는 같다.

$f(x)$를 $(x-1)^3$으로 나눈 나머지를 $R(x)$라 하자. $R(0)=R(3)$일 때, $R(5)$의 값을 구하시오.

0358

최고차항의 계수가 1인 x에 대한 삼차다항식 $P(x)$가 $ab=10$인 두 자연수 a, b에 대하여 $P(a)=P(b)=P(6)=0$, $P(1)=-20$을 만족시킬 때, 다항식 $P(x)$를 $x-3$으로 나눈 나머지는?

① 0 ② 2 ③ 4
④ 6 ⑤ 8

0359

상수가 아닌 두 다항식 $f(x)$, $g(x)$에 대하여 $f(x)$를 $g(x)$로 나눈 몫을 $Q(x)$, 나머지를 $R(x)$라 할 때, 〈보기〉에서 옳은 것만을 있는 대로 고른 것은?

(단, $f(x)$의 차수는 $g(x)$의 차수보다 작지 않다.)

보기
ㄱ. $f(x)-R(x)$는 $g(x)$로 나누어떨어진다.
ㄴ. $f(x)+g(x)$를 $g(x)$로 나눈 나머지는 $R(x)$이다.
ㄷ. $f(x)$를 $Q(x)$로 나눈 나머지는 $R(x)$이다.

① ㄱ ② ㄴ ③ ㄱ, ㄴ
④ ㄱ, ㄷ ⑤ ㄱ, ㄴ, ㄷ

Level 3

0360

삼차식 $f(x)$가

$$f(1)=\frac{1}{3},\ f(2)=\frac{1}{2},\ f(3)=\frac{3}{5},\ f(4)=\frac{2}{3}$$

를 만족한다. $g(x)=(x+2)f(x)-x$라고 할 때, $g(7)$의 값을 구하시오.

0361

사차항의 계수가 1인 사차다항식 $f(x)$에 대하여 $f(x)$를 x^2+x+2로 나눈 나머지는 x이고, x^2-x+2로 나눈 나머지는 $-x$일 때, 옳은 것만을 〈보기〉에서 있는 대로 고른 것은?

보기

ㄱ. $f(-x)$를 x^2-x+2로 나눈 나머지는 x이다.
ㄴ. $f(x)$를 각각 x^2+x+2, x^2-x+2로 나눈 두 몫의 상수항은 서로 같다.
ㄷ. $f(x)=f(-x)$

① ㄱ ② ㄴ ③ ㄷ
④ ㄴ, ㄷ ⑤ ㄱ, ㄴ, ㄷ

0362

다음 조건을 만족시키는 모든 이차다항식 $P(x)$의 합을 $Q(x)$라 하자.

(가) $P(1)P(2)=0$
(나) 사차다항식 $P(x)\{P(x)-3\}$은 $x(x-3)$으로 나누어떨어진다.

$Q(x)$를 $x-4$로 나눈 나머지를 구하시오.

" 연필의 모양은 왜 정육각형일까? "

연필은 어떻게 탄생했을까?

고대 사람들이 점토판에 남긴 쐐기문자를 보면 그 유래를 알 수 있다. 쐐기문자를 새길 때 사용한 뾰족한 나무촉, 즉 갈대나 나뭇가지 끝을 다듬어 만든 것을 최초의 연필로 볼 수 있다.

그렇다면 요즘처럼 흑연을 사용한 연필은 언제부터였을까?

1565년 영국에서 처음 등장했는데 흑연 막대에 실을 감거나 나무에 흑연 막대를 끼워 만든 연필을 사용하기 시작하면서 지금과 같은 연필이 만들어졌다.

초창기의 연필은 사각형이었다고 한다. 나무에 홈을 파고, 흑연 덩어리를 홈에 넣고 갈아내고, 그 위에 다른 나무를 붙여 만든 것이다. 그런데 이 과정에서 버리는 흑연이 많았고, 순수한 흑연은 잘 부러져 문제가 많았다.

1795년 프랑스의 기술자 니콜라스 자크 콩테는 흑연과 진흙을 섞어 고온에서 굽는 방법을 고안해 잘 부러지지 않는 연필심을 만들었다.

연필의 모양이 정육각형인 이유는 정육각형의 경우 대량 생산의 편의성과 목재 낭비를 최소화할 수 있고, 공정을 간단히 할 수 있는 모양이라서 그렇다고 한다.

만일 연필의 모양이 삼각형이라면 생산 효율이 떨어진다. 공장에서 연필을 찍어낼 때 위아래의 나무 모양을 다르게 만들어야 하고, 연필을 만든 다음에 버리는 나무도 많이 생기기 때문이다. 삼각형과 역삼각형을 섞어 만들면 버리는 나무는 없앨 수 있지만, 연필심의 높이가 달라지는 문제가 생긴다.

또 연필의 모양이 원이라면 버려지는 목재들이 많이 나온다고 한다.

그런 이유에서 현재 가장 많이 쓰이는 연필은 정육각형이다. 정육각형은 둥근 연필심을 감싸는 나무가 적게 들고 버리는 나무도 적다. 연필을 쥘 때에도 삼각형 연필처럼 세 손가락과 맞닿은 면이 넓고, 원모양의 연필처럼 책상 위를 굴러 떨어지거나 하는 일이 없어서 가장 일반적인 연필이 되었다고 한다.

03 인수분해

		제 목	내신중요도	유형난이도	문항수	문항번호
		기본 문제			51	0363~0413
유형 문제	01	공통인수가 있는 식의 인수분해	▬▬	★	3	0414~0416
	02	인수분해 공식(1)	▬▬▬▬	★★	6	0417~0422
	03	인수분해 공식(2)	▬▬	★★★	3	0423~0425
	04	인수분해 공식(3) [교육과정 外]	▬	★★★★★	6	0426~0431
	05	공통부분이 있는 인수분해	▬▬▬▬▬	★★	9	0432~0440
	06	복이차식의 인수분해	▬▬▬▬	★★★	6	0441~0446
	07	인수정리를 이용하는 고차식의 인수분해	▬▬▬▬▬	★★★	9	0447~0455
	08	한 문자로 정리하는 인수분해 – 두 문자	▬▬▬	★★★★	6	0456~0461
	09	한 문자로 정리하는 인수분해 – 세 문자	▬▬▬	★★★★	6	0462~0467
	10	인수분해와 항등식의 성질	▬▬▬	★★★	3	0468~0470
	11	인수분해의 활용 – 수의 계산	▬▬▬▬	★★★	6	0471~0476
	12	인수분해의 활용 – 정수 계산	▬▬▬	★★★★★	3	0477~0479
	13	인수분해의 활용 – 삼각형의 모양	▬▬▬	★★★★	6	0480~0485
	14	인수분해의 활용 – 도형	▬▬	★★★★	4	0486~0489
		적중 문제			12	0490~0501
		고난도 문제			16	0502~0517

인수분해

1. 인수분해

(1) 정의

하나의 다항식을 두 개 또는 그 이상의 다항식의 곱의 꼴로 나타내는 것을 인수분해라 한다. 이때, 곱을 이루는 각각의 다항식을 그 다항식의 인수라 한다.

(2) 인수분해와 곱셈 공식

인수분해는 다항식의 전개의 역과정으로 곱셈 공식의 좌변과 우변을 바꾸어 놓으면 인수분해 공식을 얻을 수 있다.

$(x-1)(x-2)$ —전개→ / ←인수분해— x^2-3x+2

2. 인수분해 공식(1)

(1) $a^2+2ab+b^2=(a+b)^2,\ a^2-2ab+b^2=(a-b)^2$

(2) $a^2-b^2=(a+b)(a-b)$

(3) $x^2+(a+b)x+ab=(x+a)(x+b)$

(4) $acx^2+(ad+bc)x+bd=(ax+b)(cx+d)$

3. 인수분해 공식(2)

(1) $a^3+3a^2b+3ab^2+b^3=(a+b)^3$

(2) $a^3-3a^2b+3ab^2-b^3=(a-b)^3$

(3) $a^3+b^3=(a+b)(a^2-ab+b^2)$

(4) $a^3-b^3=(a-b)(a^2+ab+b^2)$

(5) $a^2+b^2+c^2+2ab+2bc+2ca=(a+b+c)^2$

(6) $a^3+b^3+c^3-3abc=(a+b+c)(a^2+b^2+c^2-ab-bc-ca)$

(7) $a^4+a^2b^2+b^4=(a^2+ab+b^2)(a^2-ab+b^2)$

(6), (7): 교육과정 外

- 인수분해는 일반적으로 인수분해된 식의 계수가 유리수 범위이므로
$x^2-4=(x+2)(x-2)$
로 인수분해하지만
$x^2-2=(x+\sqrt{2})(x-\sqrt{2})$
로 인수분해하지 않는다.

- 인수분해와 소인수분해의 공통점

소인수분해 ← $2\times3=6$ → 구구단

인수분해 ← $m(a+b)=ma+mb$ → 전개

- $a^3+3a^2b+3ab^2+b^3=(a+b)^3$

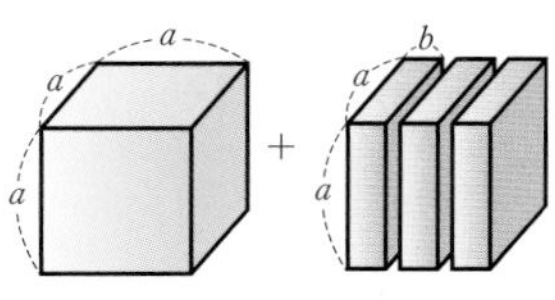

a^3 + $a^2b\times3$

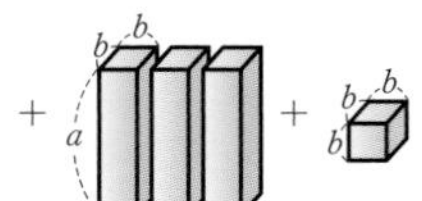

+ $ab^2\times3$ + b^3

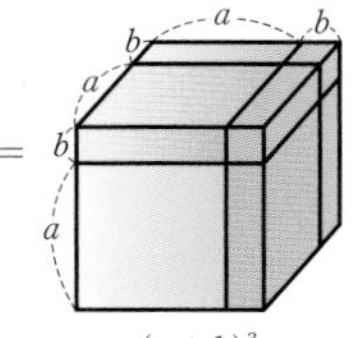

= $(a+b)^3$

4. 공통부분이 있는 경우의 인수분해

(1) 공통부분이 보이는 경우

공통부분을 한 문자로 치환하여 인수분해한다.

(2) 공통부분이 보이지 않는 경우

공통부분이 생기도록 일차식을 두 개씩 짝지어 전개한 후 치환하여 인수분해한다.

$(x+a)(x+b)(x+c)(x+d)$의 꼴이 있으면
⇨ 공통부분이 생기도록 짝을 지어 전개한 후 치환하여 인수분해한다.

5. 복이차식의 인수분해

복이차식 x^4+ax^2+b의 인수분해는

① $x^2=X$로 치환하여 X^2+aX+b를 인수분해한다.

② X^2+aX+b가 인수분해되지 않을 때에는 x^4+ax^2+b의 이차항 ax^2을 적당히 분리하여 $(x^2+A)^2-(Bx)^2$의 꼴로 변형하여 인수분해한다.

복이차식: 사차항, 이차항, 상수항으로만 이루어진 다항식

한 문자에 대하여 정리할 때, 그 문자가 아닌 나머지 문자들은 상수로 생각한다.

6. 여러 개의 문자로 표현된 식의 인수분해

(1) 여러 문자의 차수가 다를 때

(i) 차수가 가장 낮은 문자를 찾는다.

(ii) 그 문자에 대한 내림차순으로 정리한다.

(iii) 상수항을 먼저 인수분해한다.

(iv) 전체를 인수분해한다.

(2) 여러 문자의 차수가 같을 때

(i) 어느 한 문자에 대하여 내림차순으로 정리한다.

(ii) 인수분해가 되는 항을 인수분해한다.

(iii) 공통부분이 있으면 묶어내고 인수분해한다.

인수분해를 이용한 삼각형의 모양 판단

삼각형의 세 변의 길이가 a, b, c일 때

① $a=b$ 또는 $b=c$ 또는 $c=a$이면 이등변삼각형

② $a=b=c$이면 정삼각형

③ $a^2=b^2+c^2$이면 직각삼각형

7. 인수정리를 이용하는 고차식의 인수분해

① 다항식 $f(x)$에 대하여 $f(\alpha)=0$이 되는 α의 값을 구한다.

② 조립제법으로 몫 $Q(x)$를 구하여 $f(x)=(x-\alpha)Q(x)$로 놓는다.

③ $Q(x)$가 인수분해되면 인수분해한다.

계수가 모두 정수인 다항식 $f(x)$에서 $f(\alpha)=0$을 만족시키는 α의 값은 $\pm\dfrac{(f(x)\text{의 상수항의 약수})}{(f(x)\text{의 최고차항의 계수의 약수})}$ 중에서 찾는다.

1 인수분해 공식

[0363-0367] 다음 식을 인수분해하시오.

0363 $ax+ay$

0364 $2m^2+3m$

0365 x^2y-xy^2

0366 $a(x+1)-b(x+1)$

0367 $a^2-ab+a-b$

[0368-0370] 다음 식을 인수분해하시오.

0368 a^2+2a+1

0369 x^2-4x+4

0370 $4x^2+4x+1$

[0371-0375] 다음 식을 인수분해하시오.

0371 a^2-b^2

0372 a^2-9b^2

0373 $4x^2-25y^2$

0374 $(a-b)^2-(c-d)^2$

0375 $(a+b)^2-c^2$

[0376-0380] 다음 식을 인수분해하시오.

0376 x^2+4x+3

0377 x^2-2x-3

0378 x^2-x-12

0379 x^2-5x-6

0380 $x^2-10x+21$

[0381-0384] 다음 식을 인수분해하시오.

0381 $2a^2+7a+3$

0382 $2x^2-11x+12$

0383 $6x^2-x-1$

0384 $2x^2-x-3$

[0385-0388] 다음 식을 인수분해하시오.

0385 x^3+1

0386 x^3-1

0387 a^3+8

0388 x^3-8

[0389-0393] 다음 식을 인수분해하시오.

0389 $x^2+y^2+z^2+2xy+2yz+2zx$

0390 $x^2+y^2+z^2+2xy-2yz-2zx$

0391 $x^2+4y^2+9z^2-4xy-12yz+6xz$

0392 $x^4+x^2y^2+y^4$

0393 x^4+x^2+1

2 공통부분이 있는 다항식의 인수분해

[0394-0397] 다음 식을 인수분해하시오.

0394 $(x+1)^2-(x+1)-12$

0395 $(a+b)^2-2(a+b)-3$

0396 $(x^2+x)^2-6(x^2+x)+8$

0397 $(x+y)^2-4x-4y-12$

3 복이차식의 인수분해

[0398-0401] 다음 식을 인수분해하시오.

0398 x^4-4x^2+3

0399 x^4-3x^2+2

0400 x^4+x^2-6

0401 x^4-13x^2+36

[0402-0404] 다음 식을 인수분해하시오.

0402 x^4-3x^2+1

0403 x^4+5x^2+9

0404 x^4+4

4 인수정리를 이용한 고차식의 인수분해

0405 다음은 다항식 x^3-3x+2를 인수분해하는 과정이다. □ 안에 알맞은 것을 써넣으시오.

> $f(x)=x^3-3x+2$로 놓으면 $f(1)=$□이다.
> 즉, $f(x)$는 □로 나누어떨어지므로
> 조립제법을 이용하여 인수분해하면
>
> | 1 | 1 | 0 | −3 | 2 |
> |---|---|---|---|---|
> | | | 1 | 1 | −2 |
> | | 1 | 1 | −2 | 0 |
>
> $\therefore f(x)=(x-1)(\square)$
> $=(x-1)^2(x+2)$

[0406-0413] 다음 식을 인수분해하시오.

0406 x^3-3x^2-6x+8

0407 x^3-4x^2+x+6

0408 x^3+2x+3

0409 x^3-3x-2

0410 x^3-5x^2+6

0411 $3x^3+7x^2-4$

0412 x^4-3x^3+3x-1

0413 $x^4+x^3-3x^2-x+2$

문제

내신 출제 유형 정복하기

유형 01 공통인수가 있는 식의 인수분해

내신 중요도 ▬▬▬▬▬ 유형 난이도 ★☆☆☆☆

공통인수가 있을 때는 공통인수로 묶는다.
⇨ $ma+mb=m(a+b)$

0414 ●○○○

$(a-b)x+y(b-a)$를 인수분해하면?

① $(a-b)(x+y)$ ② $(a-b)(x-y)$
③ $(a+b)(x+y)$ ④ $(a+b)(x-y)$
⑤ $(b-a)(x+y)$

0415 ●○○○

다항식 $a^2b^2-a^3b$의 인수인 것만을 〈보기〉에서 있는 대로 고른 것은?

보기
ㄱ. ab ㄴ. ab^2
ㄷ. $b-a$ ㄹ. $a+b$

① ㄱ, ㄴ ② ㄱ, ㄷ ③ ㄴ, ㄷ
④ ㄴ, ㄹ ⑤ ㄷ, ㄹ

0416 ●●○○

그림과 같이 넓이가 $a^2+2ab+a+2b$인 직사각형이 있다. 가로의 길이가 $a+2b$일 때, 이 직사각형의 둘레의 길이를 구하시오.

$a^2+2ab+a+2b$
$a+2b$

유형 02 인수분해 공식(1)

내신 중요도 ▬▬▬▬▬ 유형 난이도 ★★☆☆☆

(1) $a^3+3a^2b+3ab^2+b^3=(a+b)^3$
$a^3-3a^2b+3ab^2-b^3=(a-b)^3$
(2) $a^3+b^3=(a+b)(a^2-ab+b^2)$
$a^3-b^3=(a-b)(a^2+ab+b^2)$

0417 ●○○○

다음 중 다항식을 인수분해한 것으로 옳지 <u>않은</u> 것은?

① $a^2+2ab+b^2=(a+b)^2$
② $a^2-b^2=(a+b)(a-b)$
③ $a^3-3a^2b+3ab^2-b^3=(a-b)^3$
④ $a^3-b^3=(a-b)(a^2-ab+b^2)$
⑤ $a^3+b^3=(a+b)(a^2-ab+b^2)$

0418 ●○○○

세 상수 a, b, c에 대하여 다항식 x^3-27이 $(x+a)(x^2+bx+c)$로 인수분해될 때, $a+b+c$의 값을 구하시오.

0419 ●○○○

다음 중 다항식 $8a^3-36a^2b+54ab^2-27b^3$의 인수인 것은?

① $2a-3b$ ② $2a+3b$ ③ $4a-9b$
④ $4a+9b$ ⑤ $8a-27b$

0420 중요 ●○○○

등식 $a^3+64=(a+4)f(a)$가 성립할 때, $f(-4)$의 값을 구하시오.

0421 ●●○○

다음 중 다항식 a^6-b^6의 인수가 아닌 것은?

① $a-b$ ② a^2+b^2 ③ a^2-ab+b^2
④ a^2+ab+b^2 ⑤ a^3+b^3

0422 ●●○○

$(x-y)^3-y^3$을 인수분해하면?

① $x(x^2-3xy+3y^2)$
② $x(x^2+3xy-3y^2)$
③ $(x-2y)(x^2+xy+y^2)$
④ $(x-2y)(x^2-y+y^2)$
⑤ $(x-2y)(x^2-xy+y^2)$

유형 03 인수분해 공식(2)

내신 중요도 ▬▬▬▬ 유형 난이도 ★★★★★

$a^2+b^2+c^2+2ab+2bc+2ca=(a+b+c)^2$

0423 중요 ●○○○

다음 중 다항식 $x^2+y^2+z^2+2xy-2yz-2zx$의 인수인 것은?

① $x+y+z$ ② $x-y+z$ ③ $x+y-z$
④ $x-y-z$ ⑤ $-x+y-z$

0424 ●●○○

다음과 같이 주어진 식의 인수인 것은?

$$a^2+b^2+2ab+2bc+2ca$$

① $a-b-c$ ② $a-b+c$ ③ $a+b-c$
④ $a+b+2c$ ⑤ $a+b-3c$

0425 ●●○○

세 실수 a, b, c에 대하여 기호 $[a, b, c]$를

$[a, b, c]=(a-b)(a-c)$

로 정의할 때, $[b, a, a]+4[c, a, b]$를 인수분해하면?

① $(a+b-2c)^2$ ② $(a-b-2c)^2$ ③ $(a+2b-c)^2$
④ $(a-2b-c)^2$ ⑤ $(2a+b-2c)^2$

유형 04 **인수분해 공식(3)** [교육과정 外]

내신 중요도 ▬ 유형 난이도 ★★★★★

(1) $a^3+b^3+c^3-3abc$
$=(a+b+c)(a^2+b^2+c^2-ab-bc-ca)$
(2) $a^4+a^2b^2+b^4=(a^2+ab+b^2)(a^2-ab+b^2)$

0426 ●●○○

두 상수 a, b에 대하여 다항식 $x^4+4x^2y^2+16y^4$이 $(x^2+axy+4y^2)(x^2+bxy+4y^2)$으로 인수분해될 때, ab의 값을 구하시오.

0427 ●●●○

세 실수 a, b, c에 대하여 $a+b+c=0$, $abc=3$일 때, $a^3+b^3+c^3$의 값은?

① 1 ② 3 ③ 5
④ 7 ⑤ 9

0428 ●●●●

세 실수 a, b, c에 대하여 $a+b+c=1$, $a^2+b^2+c^2=5$, $a^3+b^3+c^3=1$일 때, abc의 값은?

① -2 ② -1 ③ 0
④ 1 ⑤ 2

0429 ●●●○

세 실수 a, b, c에 대하여
$a+b=2\sqrt{2}+\sqrt{3}$, $b+c=3\sqrt{3}-5\sqrt{2}$, $c+a=3\sqrt{2}-4\sqrt{3}$
일 때, $a^3+b^3+c^3-3abc$의 값을 구하시오.

0430 ●●●●

다음 중 다항식 $x^3+y^3+3xy-1$의 인수인 것은?

① $x-1$ ② $x-y-1$
③ $x^2+y^2-x-y-1$ ④ $x^2+y^2+x+y+1$
⑤ $x^2+y^2-xy+x+y+1$

0431 ●●●●

다음 식을 인수분해하시오.

$$(x-y)^3+(y-z)^3+(z-x)^3$$

유형 05 내신 중요도 ■■■■■ 유형 난이도 ★★☆☆☆

공통부분이 있는 인수분해

(1) 공통부분이 있으면 공통부분을 치환하여 인수분해한다.
(2) 공통부분이 없으면 공통부분이 생기도록 변형한다.
(3) $(x+a)(x+b)(x+c)(x+d)$의 꼴이 있으면
⇨ 공통부분이 생기도록 짝을 지어 전개한 후 치환하여 인수분해한다.

0432 짱중요 ●●○○

다음 등식이 성립하도록 하는 상수 a, b의 합 $a+b$의 값은?

$$(x^2+x)^2-6(x^2+x)+8=(x-1)(x+2)(x^2+ax+b)$$

① -5 ② -4 ③ -3
④ -2 ⑤ -1

0433 ●●○○

$(x^2+x+3)(x^2+x+5)-15$를 인수분해한 식이 다음과 같을 때, 세 상수 a, b, c에 대하여 $a+b+c$의 값을 구하시오.

$$x(x+a)(x^2+bx+c)$$

0434 중요 ●●○○

다음 중 다항식 $(x^2+5x+6)(x^2+7x+6)-3x^2$의 인수인 것은?

① x^2+4x+6 ② x^2+4x+8 ③ x^2+8x+4
④ x^2+8x+8 ⑤ $x^2+8x+12$

0435 ●●○○

$(x+y)^2-3x-3y-10$을 인수분해하면?

① $(x-y+2)(x-y+5)$
② $(x-y-2)(x-y-5)$
③ $(x-y-2)(x+y+5)$
④ $(x+y+2)(x+y+5)$
⑤ $(x+y+2)(x+y-5)$

0436 ●●●●

다항식 $x(x-1)(x-2)(x-3)+1$이 $(x^2+ax+b)^2$으로 인수분해될 때, 두 상수 a, b에 대하여 ab의 값은?

① -3 ② -1 ③ 0
④ 1 ⑤ 3

0437 짱중요 ●●●○

다항식 $(x-3)(x-1)(x+3)(x+5)+35$가 $(x+a)(x+b)(x^2+cx+d)$로 인수분해될 때, 상수 a, b, c, d의 합 $a+b+c+d$의 값을 구하시오.

0438

$(x+2)^2(x-3)(x+7)+144=(x+a)(x+b)(x+c)(x+d)$ 일 때, 네 상수 a, b, c, d의 합 $a+b+c+d$의 값을 구하시오.

0439

다항식 $(x+1)(x+2)(x+3)(x+4)+k$가 x에 대한 이차식의 완전제곱꼴로 인수분해되기 위한 상수 k의 값은?

① 1 ② 3 ③ 5
④ 7 ⑤ 9

0440

$x-y=2,\ x^3-y^3+x^2y-xy^2=16$일 때, xy의 값은?

① 1 ② 2 ③ 3
④ 4 ⑤ 5

유형 06 복이차식의 인수분해

내신 중요도 ▬▬▬▬▬ 유형 난이도 ★★★★★

(1) $x^2=X$로 치환하여 인수분해한다.
(2) 이차항을 적당히 더하거나 빼서 A^2-B^2의 꼴로 변형한다.

0441 중요

x^4-6x^2+8을 인수분해하면?

① $(x+1)^2(x-2)^2$
② $(x+2)(x-2)(x^2-2)$
③ $(x^2+2x+2)(x^2-2x+4)$
④ $(x+2)(x-1)(x^2-2x+4)$
⑤ $(x+1)(x-1)(x+2)(x-2)$

0442

다항식 x^4+x^2+1을 두 이차식의 곱으로 인수분해하였을 때, 두 이차식의 합은? (단, 이차항의 계수는 모두 양수이다.)

① $2x^2-2$ ② $2x^2-1$ ③ $2x^2$
④ $2x^2+1$ ⑤ $2x^2+2$

0443 짱중요

다음 중 다항식 x^4-8x^2+4의 인수인 것은?

① x^2-4x-4 ② x^2-4x-2 ③ x^2-2x-2
④ x^2-2x-4 ⑤ x^2-2x+4

0444 ●●●○

다항식 x^4+64가 $(x^2+ax+8)(x^2+bx+8)$로 인수분해될 때, 두 상수 a, b의 곱 ab의 값을 구하시오.

0445 ●●○○

다음 중 다항식 $x^4+5x^2y^2+9y^4$의 인수인 것은?

① $x^2+xy+3y^2$ ② $x^2+xy-3y^2$
③ $x^2-3xy-3y^2$ ④ x^2+3y^2
⑤ x^2-3y^2

0446 ●●●○

$(x-1)^4-10(x-1)^2(x+1)^2+9(x+1)^4$을 인수분해하시오.

유형 07 인수정리를 이용하는 고차식의 인수분해

내신 중요도 ▬▬▬▬ 유형 난이도 ★★★☆☆

삼차 이상의 다항식 $f(x)$를 인수분해할 때
① $f(\alpha)=0$을 만족시키는 상수 α의 값을 구한다.
② $f(x)$를 $x-\alpha$로 나누는 조립제법을 시행한다.
③ $f(x)=(x-\alpha)Q(x)$의 꼴로 인수분해한다.

0447 ●●○○

다항식 $x^3+6x^2+11x+6$이 $(x+a)(x+b)(x+c)$로 인수분해될 때, 상수 a, b, c의 합 $a+b+c$의 값은?

① -11 ② -6 ③ 1
④ 6 ⑤ 11

0448 짱중요 ●●○○

다항식 $f(x)=2x^3-3x^2-2x+a$를 인수분해하였더니 $(2x+b)(x+1)(x-1)$이었다. 두 상수 a, b에 대하여 $a+b$의 값을 구하시오.

0449 ●●○○

다항식 $f(x)=x^3+ax^2+8x+2a$가 $x+1$로 나누어떨어질 때, 다음 중 $f(x)$의 인수인 것은?

① x^2+5x-2 ② x^2-5x+3 ③ x^2+2x+3
④ x^2+2x-3 ⑤ x^2+2x+6

0450 ●●○○

다음 중 $x^4+5x^3-2x^2-24x$의 인수가 <u>아닌</u> 것은?

① x ② $x-2$ ③ $x+3$
④ $x+4$ ⑤ $x-6$

0451 중요 ●●○○

다음 중 다항식 $x^4-3x^3+3x^2+x-6$의 인수인 것은?

① x^2-x+3 ② x^2-2x-2 ③ x^2-2x+3
④ x^2-3x-2 ⑤ x^2-3x+3

0452 ●●○○

다항식 $f(x)=x^4+ax^3+bx^2-2x-3$이 $x+1$, $x-1$을 인수로 가질 때, $f(x)$를 인수분해한 것은?

① $(x+1)(x-1)(x^2+x+1)$
② $(x+1)(x-1)(x^2-2x-1)$
③ $(x+1)(x-1)(x^2+2x+3)$
④ $(x+1)(x-1)(x^2+x-3)$
⑤ $(x+1)(x-1)(x^2-x-3)$

0453 ●●○○

다항식 $f(x)=x^4+ax^3+bx-1$에 대하여 $f(-1)=0$일 때, 다음 중 항상 옳은 것은?

① $f(1)=0$ ② $f(2)=0$ ③ $f(3)=0$
④ $f(4)=0$ ⑤ $f(5)=0$

0454 ●●●○

이차항의 계수가 1인 두 이차식 $P(x)$, $Q(x)$의 곱이 $x^4-4x^3-3x^2+18x$이다. $P(-2)\neq0$, $Q(0)\neq0$일 때, $Q(1)$의 값을 구하시오.

0455 ●●●○

$x^3+2(a+1)x^2+(4a-3)x-6a$의 인수인 것만을 〈보기〉에서 있는 대로 고른 것은? (단, a는 상수이다.)

보기	
ㄱ. $x-2a$	ㄴ. $x+2a$
ㄷ. $x-1$	ㄹ. $x+3$

① ㄱ, ㄷ ② ㄱ, ㄹ ③ ㄴ, ㄷ
④ ㄴ, ㄹ ⑤ ㄴ, ㄷ, ㄹ

유형 08 내신 중요도 ▬▬▬▬▬ 유형 난이도 ★★★★★

한 문자로 정리하는 인수분해-두 문자

두 다항식 A, B에 대하여
① $A^2-B^2=(A+B)(A-B)$
② $x^2+(A+B)x+AB=(x+A)(x+B)$

0456 ●○○○

다음 중 다항식 x^2-y^2-4x+4의 인수인 것은?

① $x-y+1$ ② $x+y+1$ ③ $x+y+2$
④ $x-y+2$ ⑤ $x+y-2$

0457 중요 ●●○○

다음 중 다항식 x^2-4y^2+4y-1의 인수인 것은?

① $x+y+1$ ② $x+y-1$ ③ $x-y-1$
④ $x+2y+1$ ⑤ $x+2y-1$

0458 ●●●○

$3x^2-2xy-y^2+5x-y+2$를 인수분해하면?

① $(x-y-1)(3x-y-2)$
② $(x-y+1)(3x+y+2)$
③ $(x+y-1)(3x+y+2)$
④ $(x+y-1)(3x+y-2)$
⑤ $(x+y+1)(3x+y+2)$

0459 ●●●○

$x^2-xy-6y^2-x+8y-2$를 인수분해하였더니 $(x+ay+b)(x-3y+c)$가 되었다. 이때, 상수 a, b, c의 합 $a+b+c$의 값을 구하시오.

0460 ●●●○

$(x+2)(x-1)+xy+5y-2y^2$을 인수분해하면?

① $(x-y+2)(x+2y-1)$
② $(x-y+2)(x-2y-1)$
③ $(x+y+2)(x+2y+1)$
④ $(x+y-1)(x-y+2)$
⑤ $(x+y+1)(x+y-2)$

0461 ●●●●

$x^2+xy-6y^2+ax+2y+4$가 x, y에 대한 일차식의 곱으로 인수분해될 때, 정수 a의 값을 구하시오.

유형 09 내신 중요도 유형 난이도 ★★★★☆

한 문자로 정리하는 인수분해 – 세 문자

(1) 차수가 가장 낮은 한 문자에 대하여 내림차순으로 정리한 후 인수분해한다.

(2) a, b, c가 순환하는 꼴의 다항식의 인수분해는 한 문자에 대하여 내림차순으로 정리한 후 인수분해한다.

0462 중요

$x^3-xy^2-y^2z+x^2z$를 인수분해하면 $(x+A)(x+B)(x+C)$가 된다고 한다. 이때, $A+B+C$의 값은?

① y ② z ③ $-y$
④ $-z$ ⑤ $y+z$

0463

다음 중 다항식 $a^2b-a^3c+bc-ac^2$의 인수인 것은?

① $b-a$ ② $b+ac$ ③ $b-ac$
④ a^2+b ⑤ a^2-c

0464

다음 중 다항식 $a^3-a^2b+ab^2+ac^2-b^3-bc^2$의 인수인 것은?

① $a+b$ ② $a-c$ ③ $a+b-c$
④ $a-b+c$ ⑤ $a^2+b^2+c^2$

0465

다음은 다항식 $ab(b-a)+bc(c-b)+ca(a-c)$를 인수분해하는 과정이다.

$$\begin{aligned}
&ab(b-a)+bc(c-b)+ca(a-c)\\
&=ab^2-a^2b+bc^2-b^2c+ca^2-c^2a\\
&=(c-b)a^2-(c^2-b^2)a+bc^2-b^2c\\
&=(c-b)a^2-(c-b)(c+b)a+\boxed{(가)}\\
&=(c-b)\{a^2-(c+b)a+\boxed{(나)}\}\\
&=(a-b)(b-c)(\boxed{(다)})
\end{aligned}$$

위의 과정에서 (가), (나), (다)에 알맞은 것을 순서대로 적은 것은?

	(가)	(나)	(다)
①	$bc(b-c)$	$-bc$	$a-c$
②	$bc(b-c)$	bc	$c-a$
③	$bc(c-b)$	$-bc$	$a-c$
④	$bc(c-b)$	bc	$c-a$
⑤	$bc(c-b)$	bc	$a-c$

0466 중요

다항식 $a^2(b+c)+b^2(c+a)+c^2(a+b)+2abc$를 인수분해하시오.

0467

세 실수 a, b, c에 대하여 $[a, b, c]=b(a^2-c^2)$일 때, 다음 중 $[a, b, c]+[b, c, a]+[c, a, b]$의 인수인 것은?

① $a-b$ ② $b+c$ ③ $c+a$
④ $a+b+c$ ⑤ abc

해설 057쪽

유형 10 인수분해와 항등식의 성질

내신 중요도 ▬▬▬▬▬ 유형 난이도 ★★★★★

(1) 다항식 $f(x)$가 $g(x)h(x)$로 인수분해되면 $f(x)$는 $g(x)$, $h(x)$를 인수로 가진다.
(2) 다항식 $f(x)$가 $x-\alpha$를 인수로 가지면 $f(\alpha)=0$이다.

0468 중요 ●●○○

다항식 $f(x)=x^3-ax+2$를 인수분해하면 $(x-1)g(x)$의 꼴이 된다. 이때, 다항식 $g(x)$의 일차항의 계수와 상수항의 합은?

① -2 ② -1 ③ 0
④ 1 ⑤ 2

0469 ●●○○

다항식 x^3+ax^2+b가 $(x-1)^2f(x)$로 인수분해될 때, ab의 값을 구하시오. (단, a, b는 상수이다.)

0470 ●●●○

$a+b\neq0$인 두 상수 a, b에 대하여 다항식 $f(x)=x^3-3kx-a^3-b^3$이고, 다항식 $g(x)$가 $f(x)=(x-a-b)g(x)$를 만족한다. $k+g(0)$의 값을 a와 b로 나타내면? (단, k는 상수이다.)

① $a+b$ ② $a+b+1$ ③ ab
④ $ab+1$ ⑤ a^2+b^2

유형 11 인수분해의 활용-수의 계산

내신 중요도 ▬▬▬▬▬ 유형 난이도 ★★★★★

수를 문자로 치환한 후 인수분해하여 수를 다시 대입한다.

0471 ●●○○

$\dfrac{1004^3-64}{1004\times1008+16}$를 계산하면?

① 996 ② 998 ③ 1000
④ 1002 ⑤ 1004

0472 짱중요 ●●○○

$\dfrac{101^3-7\times101+6}{99\times100}$을 계산하시오.

0473 ●●○○

자연수 N이 다음과 같이

$$N=\frac{10^9-1}{10^3-1}$$

로 나타내어질 때, N은 몇 자리의 수인가?

① 2자리 ② 4자리 ③ 7자리
④ 8자리 ⑤ 9자리

0474

$\sqrt{11\times13\times15\times17+16}$의 값을 구하시오.

0475

$104^3-9\times104^2+24\times104-16$의 값은?

① 1010000 ② 1020000 ③ 1030000
④ 1040000 ⑤ 1050000

0476

인수분해 공식을 이용하여 $\dfrac{90000\cdot90001+1}{90301}$의 값을 구하면?

① 80701 ② 83831 ③ 86331
④ 86381 ⑤ 89701

유형 **12** **인수분해의 활용 – 정수 계산**

내신 중요도 ▬▬▬▬▬ 유형 난이도 ★★★★★

주어진 조건을 만족하는 정수의 순서쌍을 빠짐없이, 중복없이 세야 한다.

0477 중요

100개의 다항식 x^2+2x-1, x^2+2x-2, x^2+2x-3, $\cdots$, $x^2+2x-100$이 있다. 이 중에서 자연수 m, n에 대하여 $(x+m)(x-n)$의 꼴로 인수분해되는 다항식의 개수를 구하시오.

0478

등식 $x^2-xy-x+y-3=0$을 만족하는 정수 x, y에 대하여 $x+y$의 최댓값을 구하시오.

0479

다항식 $x^2+10x-n$이 계수가 정수인 두 일차식의 곱으로 인수분해되도록 하는 300보다 작은 자연수 n의 개수를 구하시오.

유형 13 인수분해의 활용 – 삼각형의 모양

내신 중요도 ■■■■□□ 유형 난이도 ★★★★☆

삼각형의 세 변의 길이가 a, b, c일 때
① $a=b$ (또는 $b=c$ 또는 $c=a$)이면 이등변삼각형
② $a=b=c$이면 정삼각형
③ $a^2=b^2+c^2$이면 빗변의 길이가 a인 직각삼각형

0480 ●●○○

세 변의 길이가 a, b, c인 삼각형 ABC에서
$$bc-ab+ac-b^2=0$$
이 성립할 때, 삼각형 ABC는 어떤 삼각형인가?

① $a=b$인 직각이등변삼각형
② 빗변의 길이가 a인 직각삼각형
③ $b=c$인 이등변삼각형
④ 정삼각형
⑤ 변의 길이가 모두 다른 삼각형

0481 ●●●○

삼각형의 세 변의 길이 a, b, c 사이에
$$a^2+b^2+c^2-ab-bc-ca=0$$
이 성립할 때, 이 삼각형은 어떤 삼각형인지 구하시오.

0482 ●●●○

삼각형의 세 변의 길이 a, b, c에 대하여
$$b^2-ba-c^2+ca=0$$
이 성립할 때, 이 삼각형은 어떤 삼각형인지 구하시오.

0483 ●●●○

세 변의 길이가 a, b, c인 삼각형에서
$$a^3+a^2b-ac^2+ab^2+b^3-bc^2=0$$
이 성립할 때, 이 삼각형은 어떤 삼각형인가?

① 정삼각형
② 이등변삼각형
③ 빗변의 길이가 a인 직각삼각형
④ 빗변의 길이가 b인 직각삼각형
⑤ 빗변의 길이가 c인 직각삼각형

0484 중요 ●●●○

삼각형의 세 변의 길이 a, b, c 사이에
$$ab(a+b)-bc(b+c)-ca(c-a)=0$$
이 성립할 때, 이 삼각형은 어떤 삼각형인지 구하시오.

0485 ●●●●

삼각형의 세 변의 길이 a, b, c에 대하여 $a^3+b^3+c^3-3abc=0$
이 성립할 때, 이 삼각형은 어떤 삼각형인가?

① 정삼각형
② 직각 이등변삼각형
③ 빗변의 길이가 a인 직각삼각형
④ 빗변의 길이가 b인 직각삼각형
⑤ 빗변의 길이가 c인 직각삼각형

유형 14 인수분해의 활용 – 도형

내신 중요도 ▬▬▬▬ 유형 난이도 ★★★★★

① 주어진 식을 인수분해한다.
② 주어진 도형의 넓이, 부피 공식을 이용한다.

0486 ●●○○

정육면체 모양의 나무토막을 그림과 같이 선을 따라서 자르면 8조각으로 나누어진다. 각 조각의 부피를 모두 합한 식과 자르기 전의 나무토막의 부피의 식을 비교하면 인수분해 공식 하나를 유도할 수 있다. 다음 중 이 인수분해 공식에 해당하는 것은?

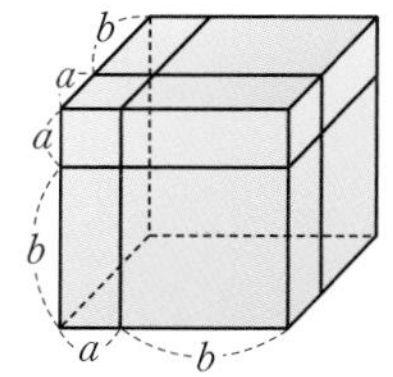

① $a^2-2ab+b^2=(a-b)^2$
② $a^3-b^3=(a-b)(a^2+ab+b^2)$
③ $a^3+b^3=(a+b)(a^2-ab+b^2)$
④ $a^3-3a^2b+3ab^2-b^3=(a-b)^3$
⑤ $a^3+3a^2b+3ab^2+b^3=(a+b)^3$

0487 ●●○○

다음 그림과 같이 네 개의 직육면체가 있다. (가), (나), (다)의 부피의 합이 (라)의 부피의 3배와 같을 때, 다음 중 항상 성립하는 것은?

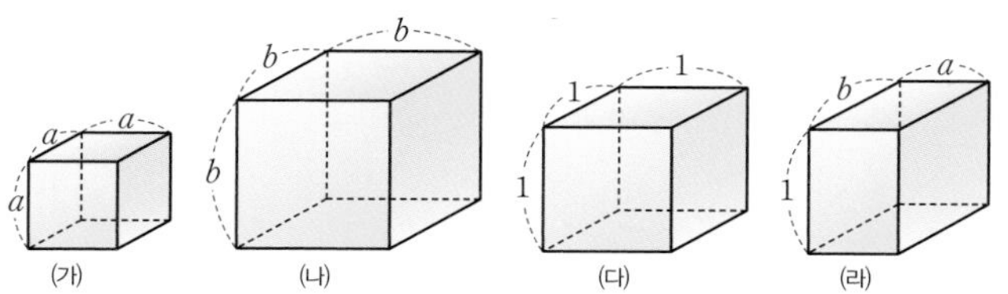

① $(a-1)^2+(b-1)^2=0$
② $a+b=ab$
③ $a^2+b^2+1=ab$
④ $a+b=\sqrt{ab}$
⑤ $a^2+b^2=a^2b^2$

0488 교육청 기출 ●●○○

오른쪽 그림은 체육관을 공동으로 사용하는 A, B 두 고등학교의 평면도이다. 두 고등학교는 체육관을 포함하여 한 변의 길이가 각각 $a+x$, $a+y$인 정사각형 모양이고, 체육관은 가로, 세로의 길이가 각각 x, y인 직사각형 모양일 때, 체육관을 제외한 두 고등학교 넓이의 차는? (단, A고등학교가 B고등학교보다 넓다.)

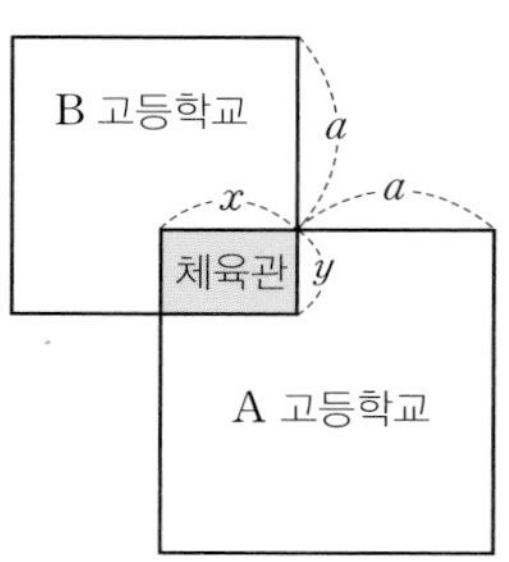

① $a^2(x-y)$
② $2a(x-y)$
③ $(2a+x+y)(x-y)$
④ $(2a+x-y)(x+y)$
⑤ $(a-x+y)(a+x-y)$

0489 ●●●○

자연수 n에 대하여 가로의 길이가 $n^3+7n^2+14n+8$, 세로의 길이가 n^2+4n+3인 직사각형 모양의 바닥이 있다. 한 변의 길이가 $n+1$인 정사각형의 모양의 타일로 이 바닥 전체를 겹치지 않게 빈틈없이 깔려고 한다. 이때, 필요한 타일의 개수는?

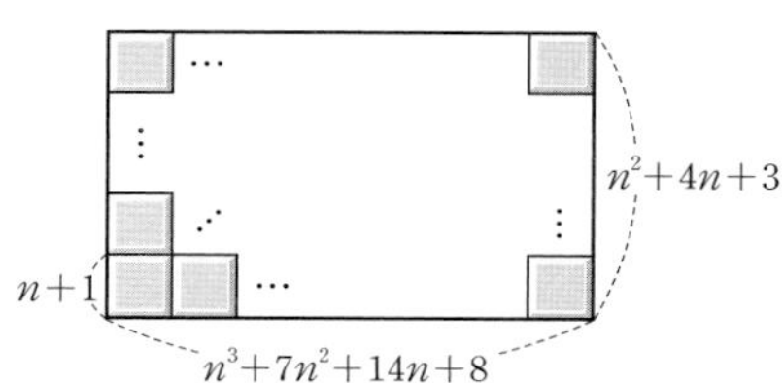

① $(n+2)(n+3)$
② $(n+3)(n+4)$
③ $(n+1)(n+2)(n+3)$
④ $(n+1)(n+2)(n+4)$
⑤ $(n+2)(n+3)(n+4)$

적중 문제

시험에 잘 나오는 문제로 점검하기

해설 061쪽

0490

다음 〈보기〉 중 다항식 x^6-1의 인수인 것을 모두 고른 것은?

보기

ㄱ. x^2+x+1　　ㄴ. x^2-x+1

ㄷ. x^2+x-1　　ㄹ. x^2-x-1

① ㄱ, ㄴ　② ㄱ, ㄷ　③ ㄴ, ㄹ
④ ㄱ, ㄴ, ㄷ　⑤ ㄱ, ㄷ, ㄹ

0491

$(x^2-y^2-z^2)^2-4y^2z^2$을 인수분해하시오.

0492

다항식 $(x-1)(x-2)(x-3)(x-4)+k$가 x에 대한 이차의 완전제곱식으로 인수분해되기 위한 상수 k의 값을 구하시오.

0493

$x^4+3x^2+4=(x^2+x+2)(x^2+ax+b)$일 때, 두 상수 a, b의 곱 ab의 값은?

① -6　② -2　③ 2
④ 6　⑤ 10

0494

다항식 $f(x)=x^3+2x^2-4x+a$가 인수 $x+1$을 가질 때, 다음 중 $f(x)$의 인수인 것은?

① x^2+2x-3　② x^2-2x+2　③ x^2+x+2
④ x^2+x-3　⑤ x^2+x-5

0495

다항식 x^4+ax^2+b가 $(x-1)^2$을 인수로 가질 때, 두 상수 a, b에 대하여 ab의 값은?

① -2　② -1　③ 0
④ 1　⑤ 2

문제

해설 062쪽

0496 서술형

다항식 $x^2-xy-2y^2+4x-5y+3$을 인수분해하면 $(x+ay+b)(x+cy+d)$일 때, 네 상수 a, b, c, d에 대하여 $a+b+c+d$의 값을 구하시오.

0497 교육청 기출

$a^3-a^2c-ab^2+b^2c$의 인수인 것은?

① $a+c$ ② $a-c$ ③ $b+c$
④ $b-c$ ⑤ a^2+b^2

0498

다음 중 다항식 $(b-a)c^2+(c-b)a^2+(a-c)b^2$의 인수인 것은?

① $a+b$ ② $2b-c$ ③ $c-a$
④ $a+c$ ⑤ $b+c$

0499 서술형

$\sqrt{15\times16\times17\times18+1}$ 의 값을 인수분해 공식을 이용하여 구하시오.

0500

삼각형의 세 변의 길이 a, b, c에 대하여

$$(b+c)a^2-(a+c)b^2+(a-b)c^2=0$$

이 성립할 때, 이 삼각형은 어떤 삼각형인지 구하시오.

0501 교육청 기출

한 모서리의 길이가 x인 정육면체 모양의 나무토막이 있다. [그림 1]과 같이 이 나무토막의 윗면의 중앙에서 한 변의 길이가 y인 정사각형 모양으로 아랫면의 중앙까지 구멍을 뚫었다. 구멍은 정사각기둥 모양이고, 각 모서리는 처음 정육면체의 모서리와 평행하다. 이와 같은 방법으로 각 면에서 구멍을 뚫어 [그림 2]와 같은 입체를 얻었다.

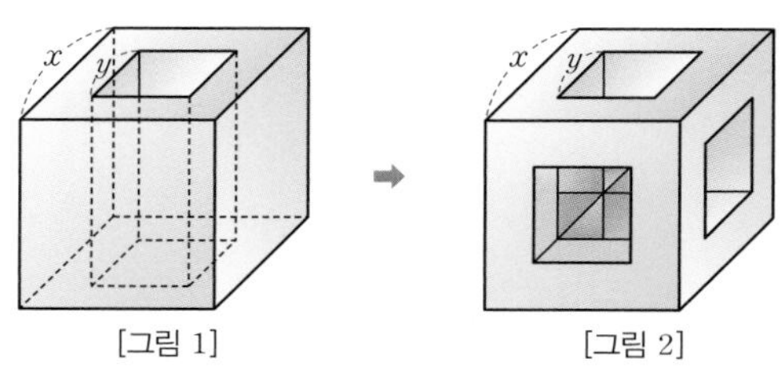

[그림 1] [그림 2]

이때, [그림 2]의 입체의 부피를 x, y로 나타낸 것은?

① $(x-y)^2(x+2y)$ ② $(x-y)(x+2y)^2$
③ $(x+y)^2(x-2y)$ ④ $(x+y)(x-2y)^2$
⑤ $(x+y)^2(x+2y)$

해설 063쪽

Level 1

0502

$[x, y, z]=x^2+yz$로 정의하고

$y+z=2a,\ z+x=2b,\ x+y=2c$

라 할 때, $P=[x, 2y, z]+[y, 2z, x]+[z, 2x, y]$를 a, b, c로 나타내시오.

0503

x에 대한 다항식 $x^4-2x^3-6x^2-2x+1$을 인수분해하면?

① $(x^2-2x+1)(x^2+4x+1)$
② $(x^2-2x+1)(x^2-4x+1)$
③ $(x^2+2x-1)(x^2-4x-1)$
④ $(x+1)^2(x^2-4x+1)$
⑤ $(x+1)^2(x^2+4x+1)$

0504

x^5+x^3+ax+b가 $(x+1)^2$을 인수로 가질 때, 상수 a, b에 대하여 $a-b$의 값은?

① -2　② -1　③ 1
④ 2　⑤ 4

0505

$a(b+c)^2+b(c+a)^2+c(a+b)^2-4abc$를 인수분해하시오.

0506

다항식 $5x^3+x^2-5x-1$이 $(x-1)(5x^2+6x+1)$로 인수분해됨을 이용하여 $N=\dfrac{5\times10^9+10^6-5\times10^3-1}{10^3-1}$을 계산하여 자연수로 나타냈을 때, 각 자리의 수의 합은?

① 8 ② 10 ③ 12
④ 14 ⑤ 16

Level 2

0507

$a+b+c=5$를 만족하는 세 실수 a, b, c에 대하여 $x=a+b-c, y=a-b+c, z=-a+b+c$라 할 때, $x^2+y^2+z^2+2(xy+yz+zx-2)$의 값은?

① 10 ② 12 ③ 15
④ 18 ⑤ 21

0508

세 실수 a, b, c에 대하여

$$(a-b)^3+(b-c)^3+(c-a)^3=36$$

이 성립할 때, $(a-b)(b-c)(c-a)$의 값은?

① 9 ② 12 ③ 15
④ 21 ⑤ 27

0509

x에 대한 다항식 $(x^2-4x+3)(x^2+12x+35)+k$가 x에 대한 이차식의 완전제곱꼴로 인수분해되기 위한 상수 k의 값은?

① 50 ② 54 ③ 58
④ 61 ⑤ 64

0510

모든 실수 x에 대하여 최고차항의 계수가 양수인 삼차식 $f(x)$와 이차식 $g(x)$는 다음 조건을 만족한다.

> (가) $(x+1)f(x)=(x-2)^2g(x)$
> (나) $f(x)g(x)=x^5-5x^4+7x^3+x^2-8x+4$

이때, $f(3)+g(3)$의 값을 구하시오.

0511

다음 중 $a^3(b-c)+b^3(c-a)+c^3(a-b)$의 인수가 <u>아닌</u> 것은?

① $a-b$　② $b-c$　③ $c-a$
④ $a+b+c$　⑤ $a-b+c$

0512

삼각형 ABC에서 $\overline{AB}=c$, $\overline{BC}=a$, $\overline{CA}=b$라고 하자. 다항식 $x^3-(a+b)x^2-(a^2+b^2)x+a^3+b^3+a^2b+ab^2$이 $x-c$로 나누어떨어질 때, 이 삼각형은 어떤 삼각형인가?

① $a=c$인 이등변삼각형
② $b=c$인 이등변삼각형
③ 빗변의 길이가 a인 직각삼각형
④ 빗변의 길이가 b인 직각삼각형
⑤ 빗변의 길이가 c인 직각삼각형

0513

교육청 기출

9 이하의 자연수 n에 대하여 다항식 $P(x)$가

$$P(x)=x^4+x^2-n^2-n$$

일 때, 〈보기〉에서 옳은 것만을 있는 대로 고른 것은?

> **보기**
> ㄱ. $P(\sqrt{n})=0$
> ㄴ. 방정식 $P(x)=0$의 실근의 개수는 2이다.
> ㄷ. 모든 정수 k에 대하여 $P(k)\neq0$이 되도록 하는 모든 n의 값의 합은 31이다.

① ㄱ　② ㄷ　③ ㄱ, ㄴ
④ ㄴ, ㄷ　⑤ ㄱ, ㄴ, ㄷ

해설 065쪽

Level 3

0514

세 변의 길이가 a, b, c인 $\triangle$ABC에서 $\angle$C$=90°$일 때, $a^3+b^3+c^3+ab(a+b)-bc(b+c)-ca(c+a)$를 간단히 하면?

① 0　② a　③ $2a$
④ $b+c$　⑤ $4c$

0515

두 정수 a, b에 대하여 다항식 $f(x)=x^3+(ab-1)x+n$이 다음 조건을 만족시킨다.

> (가) n은 100 이하의 자연수이다.
> (나) $f(x)$는 $(x-1)(x-a)(x-b)$ 꼴의 서로 다른 세 개의 일차식의 곱으로 인수분해된다.

모든 다항식 $f(x)$의 개수는?

① 4　② 8　③ 12
④ 16　⑤ 20

0516

그림과 같이 여덟 개의 정삼각형으로 이루어진 정팔면체가 있다. 여섯 개의 꼭짓점에는 자연수를 적고 여덟 개의 정삼각형의 면에는 각각의 삼각형의 꼭짓점에 적힌 세 수의 곱을 적는다. 여덟 개의 면에 적힌 수들의 합이 105일 때, 여섯 개의 꼭짓점에 적힌 수들의 합을 구하시오.

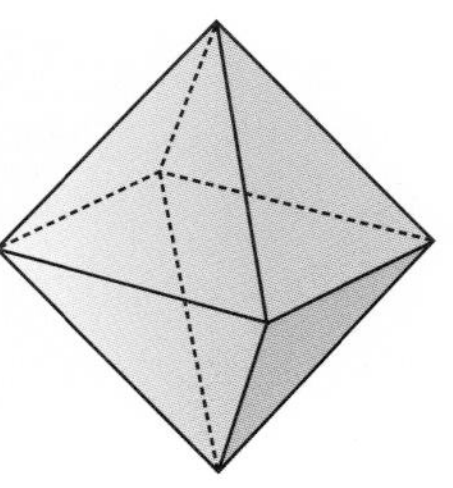

0517

교육청 기출

두 자연수 a, b에 대하여 일차식 $x-a$를 인수로 가지는 다항식 $P(x)=x^4-290x^2+b$가 다음 조건을 만족시킨다.

> 계수와 상수항이 모두 정수인 서로 다른 세 개의 다항식의 곱으로 인수분해된다.

모든 다항식 $P(x)$의 개수를 p라 하고, b의 최댓값을 q라 할 때, $\dfrac{q}{(p-1)^2}$의 값을 구하시오.

04 복소수

		제 목	내신중요도	유형난이도	문항수	문항번호
		기본 문제			91	0518~0608
유형 문제	01	복소수의 뜻과 켤레복소수	■■	★	6	0609~0614
	02	복소수의 사칙연산	■■■	★	9	0615~0623
	03	복소수가 서로 같을 조건	■■■■■	★★	6	0624~0629
	04	켤레복소수가 주어진 연산	■■	★★	6	0630~0635
	05	z, $\overline{z}$가 나타나는 연산	■■■	★★★	6	0636~0641
	06	켤레복소수의 성질을 이용하는 연산	■■	★★★★	6	0642~0647
	07	조건을 만족하는 복소수 구하기	■■■■	★★★	6	0648~0653
	08	식의 값 구하기	■	★★★★	3	0654~0656
	09	실수, 순허수가 될 조건	■■■■	★★★★	8	0657~0664
	10	z^2이 양수 또는 음수가 될 조건	■■■■	★★★	6	0665~0670
	11	켤레복소수의 성질 응용	■■■■■	★★★★★	8	0671~0678
	12	i의 거듭제곱	■■■■	★★★	6	0679~0684
	13	복소수의 거듭제곱	■■■■■	★★★★	9	0685~0693
	14	$\frac{-1\pm\sqrt{3}i}{2}$, $\frac{1\pm\sqrt{3}i}{2}$의 거듭제곱	■■■	★★★★	6	0694~0699
	15	음수의 제곱근	■■■■■	★★★	6	0700~0705
	16	음수의 제곱근의 성질 [교육과정 응용]	■■■	★★★	6	0706~0711
		적중 문제			12	0712~0723
		고난도 문제			16	0724~0739

복소수

1. 복소수의 뜻

(1) 제곱하여 -1이 되는 새로운 수를 i로 나타내고, 이를 허수단위라고 한다.

$i^2=-1$, 즉 $i=\sqrt{-1}$

(2) 두 실수 a, b에 대하여 $a+bi$의 꼴로 나타내어지는 수를 복소수라 하고, a를 실수부분, b를 허수부분이라고 한다.

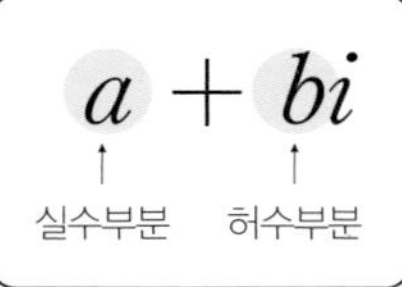

2. 복소수가 서로 같을 조건

네 실수 a, b, c, d에 대하여

(1) $a+bi=c+di$일 때, $a=c$, $b=d$

(2) $a+bi=0$일 때, $a=0$, $b=0$

참고 복소수 $a+bi$에서 $a=0$, $b\neq0$인 경우, 즉 $a+bi=bi$인 경우를 순허수라고 한다.

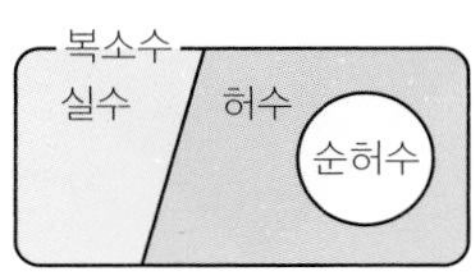

$z=a+bi$ (a, b는 실수)라 할 때

① 실수가 되는 조건: $b=0$

② 순허수가 되는 조건: $a=0$, $b\neq0$

③ $a=0$, $b\neq0$이면 $z^2=-b^2<0$ ⟵ 음수

④ $a\neq0$, $b=0$이면 $z^2=a^2>0$ ⟵ 양수

3. 켤레복소수

복소수 $z=a+bi$ (a, b는 실수)에 대하여 $a-bi$를 복소수 $z=a+bi$의 켤레복소수라 하고, $\overline{z}=\overline{a+bi}$와 같이 나타낸다. 즉,

$\overline{a+bi}=a-bi$

임의의 복소수 z에 대하여

① z가 실수이면 $z=\overline{z}$

② z가 순허수이면 $\overline{z}=-z$

4. 복소수의 사칙연산

a, b, c, d가 실수일 때,

(1) $(a+bi)+(c+di)=(a+c)+(b+d)i$

(2) $(a+bi)-(c+di)=(a-c)+(b-d)i$

(3) $(a+bi)(c+di)=(ac-bd)+(ad+bc)i$

(4) $\dfrac{a+bi}{c+di}=\dfrac{(a+bi)(c-di)}{(c+di)(c-di)}=\dfrac{ac+bd}{c^2+d^2}+\dfrac{bc-ad}{c^2+d^2}i$ (단, $c+di\neq 0$)

분모에 허수가 있으면 켤레복소수를 분모, 분자에 각각 곱하여 계산한다.

5. 복소수의 연산에 대한 기본 성질

임의의 세 복소수 z_1, z_2, z_3에 대하여

(1) 교환법칙: $z_1+z_2=z_2+z_1$, $z_1z_2=z_2z_1$

(2) 결합법칙: $(z_1+z_2)+z_3=z_1+(z_2+z_3)$, $(z_1z_2)z_3=z_1(z_2z_3)$

(3) 분배법칙: $z_1(z_2+z_3)=z_1z_2+z_1z_3$, $(z_1+z_2)z_3=z_1z_3+z_2z_3$

실수에서와 같이 복소수에서도 교환법칙, 결합법칙, 분배법칙이 성립한다.

6. i의 거듭제곱

(1) $i=\sqrt{-1}$, $i^2=-1$, $i^3=-i$, $i^4=1$, $\cdots$

(2) $\dfrac{1}{i}=-i$, $\dfrac{1}{i^2}=-1$, $\dfrac{1}{i^3}=i$, $\dfrac{1}{i^4}=1$, $\cdots$

(3) 자연수 n에 대하여 $i^{4n}=1$, $i^{4n+1}=i$, $i^{4n+2}=-1$, $i^{4n+3}=-i$

두 자연수 m, n을 4로 나누었을 때의 나머지가 같으면 i^m, i^n의 값이 같다.

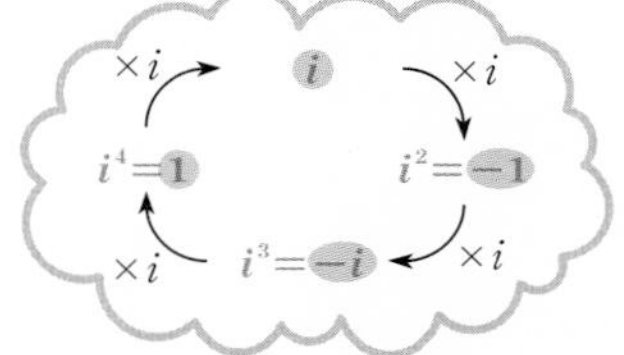

7. 켤레복소수의 성질

두 복소수 z_1, z_2에 대하여

(1) $\overline{z_1+z_2}=\overline{z_1}+\overline{z_2}$

(2) $\overline{z_1-z_2}=\overline{z_1}-\overline{z_2}$

(3) $\overline{z_1z_2}=\overline{z_1}\,\overline{z_2}$

(4) $\overline{\left(\dfrac{z_1}{z_2}\right)}=\dfrac{\overline{z_1}}{\overline{z_2}}$ (단, $z_2\neq 0$)

(5) $\overline{(\overline{z_1})}=z_1$

복소수와 그 켤레복소수의 합과 곱은 항상 실수이다.

① $(a+bi)+(\overline{a+bi})$
$=(a+bi)+(a-bi)=2a$

② $(a+bi)(\overline{a+bi})$
$=(a+bi)(a-bi)$
$=a^2-(bi)^2=a^2+b^2$

8. 음수의 제곱근

$a>0$일 때

(1) $\sqrt{-a}=\sqrt{a}i$

(2) $-a$의 제곱근은 $\pm\sqrt{a}i$이다.

9. 음수의 제곱근의 성질

(1) $a<0$, $b<0$이면 $\sqrt{a}\sqrt{b}=-\sqrt{ab}$

(2) $a>0$, $b<0$이면 $\dfrac{\sqrt{a}}{\sqrt{b}}=-\sqrt{\dfrac{a}{b}}$

두 실수 a, b에 대하여

① $\sqrt{a}\sqrt{b}=-\sqrt{ab}$이면
$a<0$, $b<0$ 또는 $a=0$ 또는 $b=0$ ⇨ $a\le 0$, $b\le 0$

② $\dfrac{\sqrt{a}}{\sqrt{b}}=-\sqrt{\dfrac{a}{b}}$ 이면
$a>0$, $b<0$ 또는 $a=0$
⇨ $a\ge 0$, $b<0$

04 복소수

기본 문제

핵심 개념을 문제로 익히기

1 허수단위 i

[0518-0521] 다음을 허수단위 i를 써서 간단히 나타내시오. (단, $i=\sqrt{-1}$)

0518 $\sqrt{-5}$

0519 $\sqrt{-9}$

0520 $-\sqrt{-27}$

0521 $1+\sqrt{-2}$

[0522-0526] 다음 이차방정식의 해를 복소수의 범위에서 구하시오.

0522 $x^2=1$

0523 $x^2=9$

0524 $x^2=-1$

0525 $x^2=-3$

0526 $x^2=-16$

[0527-0531] 다음 수의 제곱근을 구하시오.

0527 2

0528 25

0529 -4

0530 -8

0531 -17

2 복소수

[0532-0534] 다음 물음에 답하시오.

보기

ㄱ. $-i$　ㄴ. $\sqrt{2}i$　ㄷ. $\sqrt{9}i^2$
ㄹ. $\sqrt{-4}$　ㅁ. 0　ㅂ. $(\sqrt{-5})^2$
ㅅ. $2i^2$　ㅇ. $i-1$　ㅈ. $2-\sqrt{3}$
ㅊ. $\sqrt{3}+2i$

0532 실수를 〈보기〉에서 있는 대로 고르시오.

0533 허수를 〈보기〉에서 있는 대로 고르시오.

0534 순허수를 〈보기〉에서 있는 대로 고르시오.

3 복소수가 서로 같을 조건

[0535-0536] 다음 등식을 만족시키는 실수 x의 값을 구하시오.

0535 $3+(x-1)i=3+7i$

0536 $(x-2)+4i=5+4i$

[0537-0544] 다음 등식이 성립하도록 하는 두 실수 x, y의 값을 구하시오.

0537 $x+(y-3)i=0$

0538 $(x+1)+(y-3)i=4$

0539 $(x-2)+(y+1)i=3i$

0540 $2x+(y-1)i=8-5i$

0541 $(x+y)+12i=-2+4yi$

0542 $(4x+5)+(x-2y)i=9+7i$

0543 $(3x+y)+(x-y)i=11+i$

0544 $(x-y)+5i=3+(x+y)i$

4 켤레복소수

[0545-0553] 다음 복소수의 켤레복소수를 구하시오.

0545 $1+6i$

0546 $3-5i$

0547 $2i-1$

0548 i

0549 $-3i$

0550 5

0551 -8

0552 $3+\sqrt{7}$

0553 $-4-\sqrt{2}i$

5 복소수의 연산

[0554-0557] 다음을 계산하시오.

0554 $(4+2i)+(3+i)$

0555 $(-3-2i)+(-5-i)$

0556 $(11+5i)-(6+2i)$

0557 $(-9+i)-(2-4i)$

[0558-0569] 다음을 계산하시오.

0558 $2(1+4i)$

0559 $i(3-i)$

0560 $-2i(1-5i)$

0561 $(1+i)(1+i)$

0562 $(1+i)(1-i)$

0563 $(5+7i)(3+i)$

0564 $(2+3i)(-4-i)$

0565 $\frac{2+6i}{i}$

0566 $\frac{1}{5+i}$

0567 $\frac{1+i}{1-i}$

0568 $\frac{1-i}{1+i}$

0569 $\frac{1+2i}{1-2i}$

해설 068쪽

[0570-0575] 두 복소수 $\alpha=2i+7$, $\beta=3+2i$에 대하여 다음 값을 구하시오.

0570 $\alpha+\beta$

0571 $\alpha-\beta$

0572 $2\alpha+\beta$

0573 $2\alpha-\beta$

0574 $\alpha\beta$

0575 $\dfrac{\alpha}{\beta}$

[0576-0581] 복소수 $z=4+2i$에 대하여 다음 값을 구하시오.
(단, $\overline{z}$는 z의 켤레복소수이다.)

0576 $\overline{z}$

0577 $\overline{(\overline{z})}$

0578 $z+\overline{z}$

0579 $z-\overline{z}$

0580 $z\overline{z}$

0581 $\dfrac{z}{\overline{z}}$

6 복소수의 거듭제곱

[0582-0601] $i=\sqrt{-1}$일 때, 다음 값을 구하시오.

0582 i^2

0583 i^3

0584 i^4

0585 i^9

0586 $(-i)^5$

0587 i^{24}

0588 $(-i)^{30}$

0589 $i^{100}+i^{200}$

0590 $i^{50}+(-i)^{50}$

0591 $i+i^2+i^3+\cdots+i^{10}$

0592 $(1+i)^2$

0593 $(1+i)^{10}$

0594 $(1-i)^2$

0595 $(1-i)^{12}$

0596 $\left(\frac{1+i}{1-i}\right)^2$

0597 $\left(\frac{1-i}{1+i}\right)^{10}$

0598 $\left(\frac{1+i}{\sqrt{2}}\right)^2$

0599 $\left(\frac{1+i}{\sqrt{2}}\right)^{100}$

0600 $\left(\frac{1-i}{\sqrt{2}}\right)^2$

0601 $\left(\frac{1-i}{\sqrt{2}}\right)^8$

7 음수의 제곱근 [교육과정 응용]

[0602-0608] 다음을 계산하시오.

0602 $\sqrt{-2}\sqrt{-3}$

0603 $\sqrt{-2}\sqrt{-8}$

0604 $\sqrt{-3}\sqrt{5}$

0605 $\frac{\sqrt{9}}{\sqrt{-3}}$

0606 $\frac{\sqrt{-16}}{\sqrt{-4}}$

0607 $\frac{\sqrt{-2}\sqrt{-6}}{\sqrt{-3}}$

0608 $\sqrt{-4}\sqrt{-6}+\frac{\sqrt{12}}{\sqrt{-4}}$

내신 출제 유형 정복하기

유형 01 내신 중요도 유형 난이도 ★☆☆☆☆

복소수의 뜻과 켤레복소수

(1) **복소수**

① 제곱하여 -1이 되는 새로운 수를 i로 나타내고, 이를 허수단위라고 한다. 즉, $i^2=-1$이다.

② 두 실수 a, b에 대하여 $a+bi$의 꼴로 나타내어지는 수를 복소수라 하고, a를 실수부분, b를 허수부분이라고 한다.

복소수$(a+bi)$ $\begin{cases} \text{실수 } (b=0) \\ \text{허수 } (b\neq0) \begin{cases} \text{순허수 } (a=0,\ b\neq0) \\ \text{순허수가 아닌 허수 } (a\neq0,\ b\neq0) \end{cases} \end{cases}$

(2) **켤레복소수**

복소수 $z=a+bi$ (a, b는 실수)에 대하여 $a-bi$를 복소수 $z=a+bi$의 켤레복소수라 하고, $\overline{z}=\overline{a+bi}$와 같이 나타낸다.

0609 ●○○○

<보기>에서 순허수의 개수를 구하시오. (단, $i=\sqrt{-1}$)

보기

$4-i$, 2, $-11i$, i^3, i^5

0610 ●○○○

복소수 $1-\dfrac{i}{2}$의 실수부분을 a, 허수부분을 b라고 할 때, $3a+4b$의 값은? (단, $i=\sqrt{-1}$)

① 1 ② 2 ③ 3 ④ 4 ⑤ 5

0611 ●●○○

복소수 $z=(x^2-4x-5)+(x+1)i$가 순허수가 되도록 하는 실수 x의 값을 구하시오. (단, $i=\sqrt{-1}$)

0612 중요 ●○○○

다음 설명 중 옳지 않은 것은? (단, $i=\sqrt{-1}$)

① 제곱하여 -3이 되는 수는 $\sqrt{3}i$ 또는 $-\sqrt{3}i$이다.

② $\sqrt{-9}=3i$

③ 2의 허수부분은 0이다.

④ $-7i$는 순허수이다.

⑤ $a\neq0$, $b=0$이면 $a+bi$는 실수이다.

0613 중요 ●○○○

복소수 $1+3i$의 켤레복소수가 $a+bi$일 때, 두 실수 a, b의 곱 ab의 값은? (단, $i=\sqrt{-1}$)

① -1 ② -2 ③ -3 ④ -4 ⑤ -5

0614 ●○○○

다음 중 켤레복소수를 잘못 구한 것은? (단, $i=\sqrt{-1}$)

① $\overline{3+4i}=3-4i$

② $\overline{2-\sqrt{3}i}=2+\sqrt{3}i$

③ $\overline{7}=7$

④ $\overline{9i}=-9i$

⑤ $\overline{3i-1}=3i+1$

유형 02 복소수의 사칙연산

내신 중요도 ▬▬▬▬▬ 유형 난이도 ★☆☆☆☆

(1) i를 문자와 같이 생각하고 계산한다.
(2) $i^2=-1$, $i^4=1$로 고친다.
(3) 분모에 허수가 있으면 켤레복소수를 분모, 분자에 각각 곱한다.
(4) $a>0$일 때, $\sqrt{-a}=\sqrt{a}i$

0615 ●○○○

$(5-4i)-(4-3i)$의 값은?

① $1-i$ ② $1+i$ ③ $-1+i$
④ $-1-i$ ⑤ i

0616 ●○○○

$(2-\sqrt{3}i)(2+\sqrt{3}i)$의 값은?

① 1 ② 3 ③ 5
④ 7 ⑤ 9

0617 ●○○○

$\frac{1+2i}{2-i}$를 $a+bi$의 꼴로 나타내면? (단, a, b는 실수이다.)

① $2-i$ ② $\frac{1}{2}-i$ ③ i
④ $\frac{1}{2}+i$ ⑤ $2+i$

0618 ●●○○

$3-2i+\frac{1-2i}{1-i}+3i+\frac{-1-2i}{1+i}$를 간단히 하시오.

0619 중요 ●●○○

$(3+i)(3-i)\left(\frac{-2+i}{1-3i}\right)=a+bi$일 때, $a-b$의 값은?
(단, a, b는 실수이다.)

① -4 ② -2 ③ 0
④ 0 ⑤ 4

0620 ●●○○

$z=1+i$일 때, $\left(z-\frac{2}{z}\right)^2$의 값은?

① -4 ② -2 ③ 1
④ 2 ⑤ 4

0621

다음 중 복소수의 계산이 옳은 것은?

① $(6+4i)+(4-i)=24+4i$
② $(i-5)-(2i-10)=i-5$
③ $(2-i)(2+i)=5$
④ $(1-i^2)(1+i^2)=2$
⑤ $\frac{1+i}{1-i}=-i$

0622

다음 등식에서 두 실수 a, b에 대하여 $a+b$의 값은?

$$\overline{(3-8i)(3+2i)}=a+bi$$

① 41 ② 43 ③ 45
④ 47 ⑤ 49

0623

두 복소수 a, b에 대하여 연산 ◎을 $a◎b=a+b+ab$라 할 때, $(2+3i)◎(1+2i)$의 실수부분을 구하시오.

유형 03 복소수가 서로 같을 조건

내신 중요도 ■■■■■ 유형 난이도 ★★★★★

a, b, c, d가 실수일 때,
(1) $a+bi=c+di$이면 $a=c$, $b=d$
(2) $a+bi=0$이면 $a=0$, $b=0$

0624 짱중요

두 실수 x, y에 대하여 등식
$$(1+i)x+(1-i)y-3-7i=0$$
이 성립할 때, x^2-y^2의 값을 구하시오.

0625

등식 $(2-3i)x-(1-i)y=2+4i$를 만족시키는 두 실수 x, y에 대하여 xy의 값은?

① 82 ② 84 ③ 86
④ 88 ⑤ 90

0626

실수 x, y에 대하여
$$(x-i)(y-i)=\frac{3(1-i)}{1+i}$$
가 성립할 때, $\frac{y}{x}+\frac{x}{y}$의 값을 구하시오.

0627

실수 x, y에 대하여 등식

$$(2+i)^2x+(2-i)^2y=-9-4i$$

가 성립할 때, xy의 값은?

① -2 ② -1 ③ 1
④ 2 ⑤ 4

0628 중요

등식 $\frac{a}{2+i}+\frac{b}{2-i}=8-2i$를 만족시키는 두 실수 a, b에 대하여 $a-2b$의 값은?

① 5 ② 7 ③ 9
④ 11 ⑤ 13

0629 교육청 기출

등식 $(a-bi)^2=8i$를 만족시키는 실수 a, b에 대하여 $20a+b$의 값을 구하시오. (단, $a>0$이고 $i=\sqrt{-1}$이다.)

유형 04 켤레복소수가 주어진 연산

내신 중요도 유형 난이도 ★★☆☆☆

복소수 $z=a+bi$ (a, b는 실수)에 대하여
(1) $z+\overline{z}=2a$ ← 실수
(2) $z\overline{z}=a^2+b^2$ ← 실수

0630 짱중요

두 복소수 $\alpha=1+i$, $\beta=1-i$에 대하여 $\alpha^2+\beta^2$의 값은?

① -2 ② -1 ③ 0
④ 1 ⑤ 2

0631

$x=3+i$, $y=3-i$일 때, $\frac{1}{x}+\frac{1}{y}$의 값은?

① $\frac{1}{5}$ ② $\frac{3}{5}$ ③ 1
④ $\frac{7}{5}$ ⑤ $\frac{9}{5}$

0632

$x=\sqrt{3}+2i$, $y=\sqrt{3}-2i$일 때, x^2+xy+y^2의 값은?

① -1 ② 1 ③ 3
④ 5 ⑤ 7

0633

$x=1+\sqrt{2}i$, $y=1-\sqrt{2}i$일 때, x^3+y^3의 값은?

① -10　② -9　③ -8
④ -7　⑤ -6

0634

두 복소수 $x=\frac{1+\sqrt{3}i}{2}$, $y=\frac{1-\sqrt{3}i}{2}$에 대하여 $\frac{x^2}{y}+\frac{y^2}{x}$의 값은?

① -1　② -2　③ -3
④ -4　⑤ -5

0635

$a=1+2i$, $b=1-2i$일 때, $a^3+2a^2b+2ab^2+b^3$의 값을 구하시오.

유형 05 z, $\bar{z}$가 나타나는 연산

내신 중요도 / 유형 난이도 ★★★☆☆

① 먼저 $\bar{z}$를 구한다.
② 결합법칙, 분배법칙을 이용하여 식을 변형해 본다.

0636

$z=1+4i$일 때, $z\bar{z}^2+z^2\bar{z}$의 값을 구하시오.

0637

$z=1-i$일 때, $\frac{z-1}{z}+\frac{\bar{z}-1}{\bar{z}}$의 값은?

① 1　② $1+i$　③ i
④ -1　⑤ $-1+i$

0638

복소수 $\alpha=1+\sqrt{3}i$에 대하여 $z=\frac{\alpha-1}{\alpha+1}$일 때, $z\bar{z}$의 값은?
(단, $\bar{z}$는 z의 켤레복소수이다.)

① $\frac{2}{5}$　② $\frac{3}{7}$　③ $\frac{5}{7}$
④ $\frac{4}{5}$　⑤ $\frac{6}{7}$

0639 중요

$\alpha=3-5i$, $\beta=2-3i$일 때, $\alpha\overline{\alpha}-\overline{\alpha}\beta-\alpha\overline{\beta}+\beta\overline{\beta}$의 값은?

(단, $\overline{\alpha}$, $\overline{\beta}$는 각각 α, β의 켤레복소수이다.)

① -5 ② -4 ③ 3
④ 4 ⑤ 5

0640

복소수 $z=(1+i)x+(1-i)y-3+7i$일 때, $z\overline{z}=0$이 성립하도록 하는 실수 x, y에 대하여 x^2+y^2의 값은?

(단, $\overline{z}$는 z의 켤레복소수이다.)

① 29 ② 30 ③ 31
④ 32 ⑤ 33

0641 교육청 기출

실수 a에 대하여 복소수 $z=a+2i$가 $\overline{z}=\dfrac{z^2}{4i}$을 만족시킬 때, a^2의 값을 구하시오. (단, $i=\sqrt{-1}$이고, $\overline{z}$는 z의 켤레복소수이다.)

유형 06 켤레복소수의 성질을 이용하는 연산

내신 중요도 유형 난이도 ★★★★

임의의 두 복소수 z_1, z_2에 대하여
(1) $\overline{z_1+z_2}=\overline{z_1}+\overline{z_2}$, $\overline{z_1-z_2}=\overline{z_1}-\overline{z_2}$
(2) $\overline{z_1z_2}=\overline{z_1}\,\overline{z_2}$, $\overline{\left(\dfrac{z_1}{z_2}\right)}=\dfrac{\overline{z_1}}{\overline{z_2}}$ (단, $z_2\neq0$)
(3) $\overline{(\overline{z_1})}=z_1$, $\overline{kz_1}=k\overline{z_1}$ (단, k는 실수)

0642

두 복소수 z_1, z_2에 대하여 $z_1=1+2i$, $\overline{z_2}=3-i$이고, $\alpha=z_1-\overline{z_2}$에 대하여 $\overline{\alpha}$를 구하시오.

0643

두 복소수 z_1, z_2에 대하여

$z_1+z_2=(1+2i)x+(i-3)y+2-4i$

이고, $\overline{z_1}+\overline{z_2}=3-5i$일 때, xy의 값은? (단, x, y는 실수이다.)

① 1 ② 2 ③ 3
④ 4 ⑤ 5

0644

두 복소수 α, β가 $\overline{\alpha}+\beta=i$, $\overline{\alpha}\beta=-1$을 만족시킬 때, $\dfrac{1}{\alpha}+\dfrac{1}{\beta}$의 값을 구하시오.

(단, $\overline{\alpha}$, $\overline{\beta}$는 각각 α, β의 켤레복소수이다.)

0645 교육청 기출

두 복소수 α, β에 대하여 $\alpha\overline{\beta}=1$, $\alpha+\frac{1}{\overline{\alpha}}=2i$일 때, $\beta+\frac{1}{\overline{\beta}}$의 값은? (단, $i=\sqrt{-1}$이고 $\overline{\alpha}$, $\overline{\beta}$는 각각 α, β의 켤레복소수이다.)

① -2　② 2　③ $-2i$　④ i　⑤ $2i$

0646

$\alpha=1+2i$, $\beta=2-i$일 때, 켤레복소수의 성질을 이용하여 $\alpha\overline{\alpha}+\beta\overline{\beta}+\alpha\overline{\beta}+\overline{\alpha}\beta$의 값을 구하시오.

0647 중요

두 복소수 α, β가 $\alpha+\beta=3-2i$를 만족시킬 때, $\alpha\overline{\alpha}+\beta\overline{\beta}+\overline{\alpha}\beta+\alpha\overline{\beta}$의 값은?
(단, $\overline{\alpha}$, $\overline{\beta}$는 각각 α, β의 켤레복소수이다.)

① 10　② 11　③ 12　④ 13　⑤ 14

유형 07 조건을 만족하는 복소수 구하기

내신 중요도 ■■■■■ 유형 난이도 ★★★☆☆

복소수 z에 대한 등식이 주어지면
① $z=a+bi$, $\overline{z}=a-bi$로 놓고 주어진 식에 대입한다.
(단, a, b는 실수)
② 복소수가 서로 같을 조건을 이용하여 a, b의 값을 구한다.

0648

복소수 $z=a+bi$와 그 켤레복소수 $\overline{z}$에 대하여 $z+\overline{z}=2$, $z\overline{z}=6$일 때, 복소수 z를 구하시오. (단, a, b는 실수, $b>0$이다.)

0649

복소수 z와 그 켤레복소수 $\overline{z}$에 대하여 $2z+\overline{z}=30-6i$일 때, $z\overline{z}$의 값은?

① 132　② 134　③ 136　④ 138　⑤ 140

0650 짱중요

등식 $(1+i)z+2i\overline{z}=-1+3i$를 만족시키는 복소수 z를 구하시오. (단, $\overline{z}$는 z의 켤레복소수이다.)

0651 ●●○○

복소수 z의 켤레복소수를 $\overline{z}$라 할 때,
$2(z-\overline{z})+3z\overline{z}=75+16i$를 만족하는 $z+\overline{z}$의 값을 구하시오.

0652 중요 ●●●○

복소수 z의 켤레복소수를 $\overline{z}$라 할 때, 등식 $\overline{z+zi}=4+2i$를 만족시키는 복소수 z에 대하여 $z\overline{z}$의 값은?

① 2 ② 4 ③ 6
④ 8 ⑤ 10

0653 ●●○○

실수가 아닌 복소수 z에 대하여 $z^2+\overline{z}=0$일 때, $z\overline{z}$의 값은?

① 1 ② 2 ③ 3
④ 4 ⑤ 5

유형 08 식의 값 구하기

내신 중요도 유형 난이도 ★★★★☆

① $z=a+bi$ (a, b는 실수)에서 $z-a=bi$로 변형한 후 양변을 제곱하여 정리한 다음 새로운 이차방정식을 만든다.
② 적당한 식의 변형을 이용하여 식의 값을 구한다.

0654 중요 ●●○○

$x=\dfrac{1-2i}{3}$일 때, $3x^2-2x+1$의 값은?

① $-\dfrac{1}{3}$ ② $-\dfrac{2}{3}$ ③ -1
④ $-\dfrac{4}{3}$ ⑤ $-\dfrac{5}{3}$

0655 ●●○○

$z=\dfrac{1}{1+i}$일 때, $2z^2-4z+3$의 값은?

① 3 ② $1-i$ ③ $-1-i$
④ $1+i$ ⑤ $3-i$

0656 ●●●○

$z=\dfrac{3-i}{1-i}$일 때, z^3-4z^2+5z+3의 값을 구하시오.

유형 09 실수, 순허수가 될 조건

내신 중요도 ▬▬▬▬ 유형 난이도 ★★★★★

$z=a+bi$ (a, b는 실수)라 할 때,
(1) 실수가 되는 조건: $b=0$
(2) 순허수가 되는 조건: $a=0$, $b\neq0$

0657 ●○○○

복소수 $z=(1+i)x-2x+3-4i$가 실수가 되도록 하는 실수 x의 값은?

① 1 ② 2 ③ 3
④ 4 ⑤ 5

0658 ●○○○

$(1+i)x^2-6(2+i)x+4(5+2i)$가 순허수가 되도록 하는 실수 x의 값은?

① 6 ② 7 ③ 8
④ 9 ⑤ 10

0659 중요 ●●○○

복소수 $z=x^2-(7-i)x+6-6i$에 대하여 z가 실수일 때 x의 값을 a, z가 순허수일 때 x의 값을 b라 하자. 이때, $a+b$의 값을 구하시오. (단, x는 실수이다.)

0660 ●●○○

실수가 아닌 복소수 z에 대하여 z^2-10z가 실수일 때, $z+\overline{z}$의 값을 구하시오. (단, $\overline{z}$는 z의 켤레복소수이다.)

0661 ●●●○

실수가 아닌 복소수 z에 대하여 $z-\frac{3}{z}$이 실수일 때, $z\overline{z}$의 값을 구하시오. (단, $\overline{z}$는 z의 켤레복소수이다.)

0662 ●●●●

두 복소수 $\frac{1+\overline{z}}{z}$와 $\frac{z}{1+z^2}$가 모두 실수가 되도록 하는 복소수 $z=a+bi$ ($a<0$, $b>0$)에 대하여 ab의 값을 구하시오.

(단, $i=\sqrt{-1}$이다.)

0663

0이 아닌 복소수 z와 켤레복소수 $\bar{z}$에 대하여 〈보기〉에서 그 값이 항상 실수인 것만을 있는 대로 고른 것은?

보기

ㄱ. $z+\bar{z}$　　ㄴ. $\frac{z}{\bar{z}}$　　ㄷ. $z\bar{z}$　　ㄹ. $\frac{1}{z}+\frac{1}{\bar{z}}$

① ㄱ, ㄷ　　② ㄴ, ㄹ　　③ ㄷ, ㄹ
④ ㄱ, ㄴ, ㄷ　　⑤ ㄱ, ㄷ, ㄹ

0664

실수가 아닌 두 복소수 z, w가 $z+\bar{w}=0$을 만족시킬 때, 〈보기〉에서 항상 실수인 것만을 있는 대로 고른 것은? (단, $\bar{z}$, $\bar{w}$는 각각 z, w의 켤레복소수이다.)

보기

ㄱ. $w+\bar{z}$　　ㄴ. $i(z+w)$　　ㄷ. $\bar{z}w$　　ㄹ. $\frac{\bar{z}}{w}$

① ㄱ, ㄷ　　② ㄱ, ㄹ　　③ ㄴ, ㄹ
④ ㄱ, ㄴ, ㄹ　　⑤ ㄴ, ㄷ, ㄹ

유형 10 z^2이 양수 또는 음수가 될 조건

내신 중요도 　유형 난이도 ★★★☆☆

$z=a+bi$ (a, b는 실수)라 할 때,
(1) $a=0$, $b\neq0$이면 $z^2=-b^2<0$
(2) $a\neq0$, $b=0$이면 $z^2=a^2>0$

0665

실수 x에 대하여 $x(1-i)+3(-2+i)$를 제곱하면 음의 실수가 된다고 할 때, x의 값은?

① 4　　② 5　　③ 6
④ 7　　⑤ 8

0666 중요

복소수 $z=(2+i)a^2-(1-2i)a-1-3i$에 대하여 z^2이 양의 실수일 때, 실수 a의 값은?

① -5　　② -3　　③ -1
④ 1　　⑤ 3

0667 짱중요

복소수 $(5+xi)(1-3i)$를 제곱하면 음의 실수가 된다고 할 때, 실수 x의 값은?

① $-\frac{5}{3}$　　② $-\frac{1}{3}$　　③ $\frac{1}{3}$
④ 1　　⑤ $\frac{5}{3}$

04 복소수

0668

복소수 $z=(1+i)x^2-(6-4i)x-3(9-i)$에 대하여 z^2이 음의 실수가 되도록 하는 실수 x의 값은?

① 11 ② 9 ③ 7
④ 5 ⑤ 3

0669

복소수 $z=a+bi$ (a, b는 실수)가 다음 두 조건을 만족시킨다.

(가) $\overline{z}$의 실수부분과 허수부분이 같다.
(나) $(z+5)^2$이 음의 실수이다.

이때, a^2+b^2의 값을 구하시오.

0670

다음 문장이나 진술 중에서 항상 옳은 것의 개수는?

ㄱ. 실수 x, y에 대하여 $x+yi=0$이면 $xy=0$이다.
ㄴ. 복소수 α에 대하여 $\overline{\alpha}=-\alpha$이면 α는 순허수이다.
(단, $\overline{\alpha}$는 α의 켤레복소수이다.)
ㄷ. 복소수 α에 대하여 α^2이 실수이면 α는 실수이다.
ㄹ. 복소수 α, β에 대하여 $\alpha^2+\beta^2=0$이면 $\alpha=0$ 또는 $\beta=0$이다.
ㅁ. 복소수 α, β에 대하여 $\alpha\beta=0$이면 $\alpha=0$ 또는 $\beta=0$이다.
ㅂ. 복소수 α, β에 대하여 $\alpha+\beta i=0$이면 $\alpha=0$이고 $\beta=0$이다.

① 1 ② 2 ③ 3
④ 4 ⑤ 5

유형 11 켤레복소수의 성질 응용

내신 중요도 유형 난이도 ★★★★★

복소수 z와 그 켤레복소수 $\overline{z}$에 대하여 $z+\overline{z}$, $z\overline{z}$는 실수이다.

0671

두 복소수 α, β에 대하여 〈보기〉에서 옳은 것만을 있는 대로 고른 것은?

보기
ㄱ. α가 실수이면 $\overline{\alpha}=-\alpha$이다.
ㄴ. $\overline{\alpha+\beta}=\overline{\alpha}+\overline{\beta}$
ㄷ. $\overline{\alpha\beta}=-\overline{\alpha}\,\overline{\beta}$

① ㄱ ② ㄴ ③ ㄱ, ㄴ
④ ㄴ, ㄷ ⑤ ㄱ, ㄴ, ㄷ

0672

복소수 α, β의 켤레복소수를 각각 $\overline{\alpha}$, $\overline{\beta}$라고 할 때, 다음 〈보기〉 중 옳은 것을 모두 고른 것은?

보기
ㄱ. $\overline{\alpha-\beta-1}=\overline{\alpha}-\overline{\beta}+1$ ㄴ. $\overline{2\alpha\beta}=2\overline{\alpha}\,\overline{\beta}$
ㄷ. $\overline{\left(\dfrac{\beta}{\alpha}\right)}=\dfrac{\overline{\beta}}{\overline{\alpha}}$ ㄹ. $(\overline{\alpha})^2=\overline{\alpha^2}$

① ㄱ, ㄴ, ㄷ ② ㄱ, ㄴ, ㄹ ③ ㄱ, ㄷ, ㄹ
④ ㄴ, ㄷ, ㄹ ⑤ ㄱ, ㄴ, ㄷ, ㄹ

0673 중요

두 복소수 α, β의 켤레복소수를 $\overline{\alpha}$, $\overline{\beta}$라 할 때, 〈보기〉에서 옳은 것만을 있는 대로 고른 것은?

보기

ㄱ. $\alpha\overline{\alpha}$는 실수이다.
ㄴ. $\alpha=\overline{\beta}$이면 $\beta=\overline{\alpha}$이다.
ㄷ. $\alpha=\overline{\beta}$이면 $\alpha+\beta$, $\alpha\beta$는 모두 실수이다.

① ㄱ ② ㄱ, ㄴ ③ ㄱ, ㄷ
④ ㄴ, ㄷ ⑤ ㄱ, ㄴ, ㄷ

0674

z가 복소수일 때, 〈보기〉에서 옳은 것만을 있는 대로 고른 것은?

보기

ㄱ. $z\overline{z}=0$이면 $z=0$이다.
ㄴ. $z^2+\overline{z}^2=0$이면 $z=0$이다.
ㄷ. $z=-\overline{z}$이면 z는 실수이다.

① ㄱ ② ㄴ ③ ㄱ, ㄴ
④ ㄱ, ㄷ ⑤ ㄴ, ㄷ

0675

두 복소수 $\alpha=a+bi$, $\beta=b+ai$ (a, b는 $ab\neq0$인 실수)에 대하여 〈보기〉에서 옳은 것만을 있는 대로 고른 것은?

보기

ㄱ. $i\overline{\alpha}=\beta$
ㄴ. $i(\alpha+\beta)=\overline{\alpha+\beta}$
ㄷ. $\dfrac{\beta}{\overline{\alpha}}=\dfrac{\alpha}{\overline{\beta}}$

① ㄱ ② ㄴ ③ ㄷ
④ ㄱ, ㄷ ⑤ ㄱ, ㄴ, ㄷ

0676

α, β가 복소수일 때, 〈보기〉에서 옳은 것만을 있는 대로 고른 것은?

보기

ㄱ. $\alpha=\overline{\beta}$일 때, $\alpha\beta=0$이면 $\alpha=0$이다.
ㄴ. $\alpha^2+\beta^2=0$이면 $\alpha=0$, $\beta=0$이다.
ㄷ. $\alpha+\beta i=0$이면 $\alpha=0$, $\beta=0$이다.

① ㄱ ② ㄴ ③ ㄱ, ㄴ
④ ㄴ, ㄷ ⑤ ㄱ, ㄴ, ㄷ

0677 ●●●○

두 복소수 z_1, z_2에 대하여 〈보기〉에서 옳은 것만을 있는 대로 고른 것은? (단, $\overline{z_2}$는 z_2의 켤레복소수이다.)

보기

ㄱ. $z_1=\overline{z_2}$이면 z_1+z_2는 실수이다.
ㄴ. $z_1=\overline{z_2}$일 때, $z_1z_2=0$이면 $z_1=0$이다.
ㄷ. $z_1^2+z_2^2=0$이면 $z_1=0$이고 $z_2=0$이다.

① ㄱ　② ㄴ　③ ㄷ　④ ㄱ, ㄴ　⑤ ㄱ, ㄷ

0678 ●●●●

복소수 $z=a+bi$ (a, b는 실수)에 대하여 $\hat{z}=b+ai$라 할 때, 옳은 것만을 〈보기〉에서 있는 대로 고른 것은?

보기

ㄱ. $\hat{z}$가 순허수이면 z는 실수이다.
ㄴ. $(\hat{\overline{z}})=(\overline{\hat{z}})$
ㄷ. $z\hat{z}+1=z+\hat{z}$이면 $z\overline{z}=1$이다.

① ㄱ　② ㄱ, ㄴ　③ ㄱ, ㄷ　④ ㄴ, ㄷ　⑤ ㄱ, ㄴ, ㄷ

유형 12 i의 거듭제곱

내신 중요도 ■■■■■ 유형 난이도 ★★★☆☆

(1) $i=\sqrt{-1}$, $i^2=-1$, $i^3=-i$, $i^4=1$

(2) $\frac{1}{i}=-i$, $\frac{1}{i^2}=-1$, $\frac{1}{i^3}=i$, $\frac{1}{i^4}=1$

(3) 자연수 n에 대하여

$i^{4n}=1$, $i^{4n+1}=i$, $i^{4n+2}=-1$, $i^{4n+3}=-i$

0679 짱중요 ●○○○

$i+i^2+i^3+i^4+\cdots+i^{200}$의 값은?

① -1　② $-i$　③ 0　④ i　⑤ 1

0680 ●●○○

두 실수 x, y에 대하여

$$1+2i+3i^2+4i^3+\cdots+100i^{99}+101i^{100}=x+yi$$

일 때, $x-y$의 값은?

① -101　② -1　③ 0　④ 1　⑤ 101

0681 ●●○○

$i^{22}+i^{23}+\frac{1}{i^{24}}+\frac{1}{i^{25}}$을 간단히 하면?

① $-2i$　② $-i$　③ 0　④ i　⑤ $2i$

0682 ●○○○

두 실수 a, b에 대하여

$$\frac{1}{i}+\frac{2}{i^2}+\frac{3}{i^3}+\frac{4}{i^4}=a+bi$$

일 때, a^2+b^2의 값은?

① 10 ② 8 ③ 6
④ 4 ⑤ 2

0683 중요 ●●○○

$1+\frac{1}{i}+\frac{1}{i^2}+\cdots+\frac{1}{i^{49}}+\frac{1}{i^{50}}$의 값을 구하시오.

0684 ●●●○

$\frac{i^{2014}}{i}+\frac{i^{2013}}{i^2}+\frac{i^{2012}}{i^3}+\cdots+\frac{i}{i^{2014}}$를 간단히 하시오.

유형 13 복소수의 거듭제곱

내신 중요도 ■■■■■ 유형 난이도 ★★★★★

(1) $\frac{1+i}{1-i}=i,\ \frac{1-i}{1+i}=-i$

(2) $(1+i)^2=2i,\ (1-i)^2=-2i$

(3) $\left(\frac{1+i}{\sqrt{2}}\right)^2=i,\ \left(\frac{1-i}{\sqrt{2}}\right)^2=-i$

0685 짱중요 ●○○○

$\left(\frac{1+i}{1-i}\right)^{1004}+\left(\frac{1-i}{1+i}\right)^{1005}$을 간단히 하면?

① $-i$ ② i ③ $-1-i$
④ $-1+i$ ⑤ $1-i$

0686 ●●○○

$z=\frac{1+i}{1-i}$일 때, $1+z+z^2+z^3+z^4+z^5+\cdots+z^{500}$의 값은?

① -1 ② 0 ③ 1
④ $1-i$ ⑤ $1+i$

0687 ●●●○

자연수 n에 대하여 $\left(\frac{1-i}{1+i}\right)^{4n+1}-\left(\frac{1+i}{1-i}\right)^{4n+3}$의 값은?

① $-2i$ ② $-i$ ③ 0
④ i ⑤ $2i$

0688

$(1+i)^{2020}-(1-i)^{2020}$의 값은?

① i　② 1　③ 0　④ -1　⑤ $-i$

0689 중요

$z=\frac{1-i}{\sqrt{2}}$일 때, $z^2-z^3+z^4-\cdots+z^{10}$의 값은?

① -1　② 0　③ 1　④ $-i$　⑤ i

0690

$\left(\frac{1-i}{\sqrt{2}}\right)^n=1$을 만족시키는 자연수 n의 최솟값은?

① 2　② 4　③ 6　④ 8　⑤ 10

0691

n이 짝수일 때, $\left(\frac{1+i}{\sqrt{2}}\right)^{4n}+\left(\frac{1-i}{\sqrt{2}}\right)^{4n+2}$의 값은?

① -2　② 0　③ $1-i$　④ $1+i$　⑤ $2i$

0692

두 복소수 $\alpha=a-2i$, $\beta=3+bi$ (a, b는 실수)에 대하여 $\alpha+\overline{\beta}=5-6i$가 성립할 때, $\left(\frac{a}{2}+\frac{b}{4}i\right)^{10}$의 값을 구하시오.

0693

$z=n(1+i)^n$을 양의 실수가 되도록 하는 최소의 자연수 n의 값과 그때의 z의 값을 구하시오.

유형 14 $\frac{-1\pm\sqrt{3}i}{2}$, $\frac{1\pm\sqrt{3}i}{2}$의 거듭제곱

내신 중요도 유형 난이도 ★★★★☆

(1) $\left(\frac{-1\pm\sqrt{3}i}{2}\right)^3=1$

(2) $\left(\frac{1\pm\sqrt{3}i}{2}\right)^3=-1$, $\left(\frac{1\pm\sqrt{3}i}{2}\right)^6=1$

0694

$z=\frac{-1+\sqrt{3}i}{2}$일 때, z^3의 값은?

① 0 ② 1 ③ -1
④ z ⑤ $-z$

0695

$x=\frac{1}{2}(-1+\sqrt{3}i)$일 때, $x^{20}+x^{19}+1$의 값은?

① -1 ② $-i$ ③ 0
④ i ⑤ 1

0696 중요

$z=\frac{1+\sqrt{3}i}{2}$일 때, $z^3+z^5+z^7+\cdots+z^{19}$의 값은?

① 3 ② 1 ③ 0
④ -1 ⑤ -3

0697 짱중요

$x=\frac{-1+\sqrt{3}i}{2}$일 때, $x+x^2+x^3+x^4+\cdots+x^{100}$의 값을 구하시오.

0698

$a=\frac{1-\sqrt{3}i}{2}$일 때, $1-a+a^2-a^3+a^4-a^5+\cdots+a^{14}-a^{15}$의 값은?

① -1 ② 0 ③ 1
④ $\frac{1-\sqrt{3}i}{2}$ ⑤ $\frac{1+\sqrt{3}i}{2}$

0699

x에 대한 이차방정식 $x^2+x+1=0$의 한 허근을 w라고 할 때, $(1+w)^2+(w^2+w^3)^2+(w^4+w^5)^2+\cdots+(w^{48}+w^{49})^2$의 값은?

① $-w$ ② -1 ③ 0
④ 1 ⑤ w

유형 15 음수의 제곱근

내신 중요도 ▬▬▬▬ 유형 난이도 ★★★☆☆

$a>0$일 때,
(1) $\sqrt{-a}=\sqrt{a}i$
(2) $-a$의 제곱근은 $\pm\sqrt{a}i$

0700 ●○○○

다음 중 옳지 <u>않은</u> 것은?

① $\sqrt{-3}\sqrt{5}=\sqrt{-15}$ ② $\sqrt{-5}\sqrt{-2}=-\sqrt{10}$
③ $\dfrac{\sqrt{-3}}{\sqrt{2}}=-\sqrt{-\dfrac{3}{2}}$ ④ $\dfrac{\sqrt{-5}}{\sqrt{-3}}=\sqrt{\dfrac{5}{3}}$
⑤ $\dfrac{\sqrt{5}}{\sqrt{-2}}=-\sqrt{-\dfrac{5}{2}}$

0701 ●●○○

$-\sqrt{-8}-\sqrt{-72}+\sqrt{-50}$을 간단히 하면?

① $-3\sqrt{2}i$ ② $-\sqrt{2}i$ ③ $\sqrt{2}i$
④ $2\sqrt{2}i$ ⑤ $3\sqrt{2}i$

0702 짱중요 ●●○○

$\sqrt{-8}\sqrt{-2}+\dfrac{\sqrt{8}}{\sqrt{-2}}$을 간단히 하시오.

0703 ●○○○

다음 계산 과정에서 등호가 <u>잘못</u> 사용된 부분은?

$$4=\sqrt{16}=\sqrt{(-4)(-4)}=\sqrt{-4}\sqrt{-4}=(\sqrt{-4})^2=-4$$

↑① ↑② ↑③ ↑④ ↑⑤

0704 ●○○○

$\sqrt{-5}(\sqrt{5}-\sqrt{-2})=a+bi$일 때, 실수 a, b의 값을 각각 구하시오.

0705 ●●○○

$\sqrt{-3}\sqrt{-27}+\dfrac{\sqrt{28}}{\sqrt{-7}}+\sqrt{-6}\sqrt{24}+\dfrac{\sqrt{-32}}{\sqrt{2}}=a+bi$일 때,
실수 a, b에 대하여 $a+b$의 값은?

① 1 ② 3 ③ 5
④ 7 ⑤ 9

유형 16 음수의 제곱근의 성질 [교육과정 응용]

내신 중요도 ▬▬▬▬▬ 유형 난이도 ★★★★★

(1) $a<0$, $b<0$일 때, $\sqrt{a}\sqrt{b}=-\sqrt{ab}$
그 외의 경우에는 $\sqrt{a}\sqrt{b}=\sqrt{ab}$

(2) $a>0$, $b<0$일 때, $\dfrac{\sqrt{a}}{\sqrt{b}}=-\sqrt{\dfrac{a}{b}}$
그 외의 경우에는 $\dfrac{\sqrt{a}}{\sqrt{b}}=\sqrt{\dfrac{a}{b}}$

0706 ●●○○

$a<0$, $b>0$일 때, 다음 중 옳은 것은?

① $\sqrt{a}\sqrt{b}=-\sqrt{ab}$
② $\dfrac{\sqrt{b}}{\sqrt{a}}=\sqrt{\dfrac{b}{a}}$
③ $\sqrt{-a}\sqrt{b}=\sqrt{-ab}$
④ $\sqrt{a^2b}=a\sqrt{b}$
⑤ $\sqrt{ab^2}=-b\sqrt{a}$

0707 중요 ●●○○

a, b가 0이 아닌 실수이고, $\sqrt{a}\sqrt{b}=-\sqrt{ab}$일 때, $\sqrt{(a+b)^2}-|a|$를 간단히 하면?

① $-a$ ② $-b$ ③ a
④ b ⑤ $2a$

0708 ●●○○

등식 $\sqrt{2-x}\sqrt{x-5}=-\sqrt{-x^2+7x-10}$을 만족시키는 정수 x의 개수는?

① 1 ② 2 ③ 3
④ 4 ⑤ 5

0709 ●●○○

실수 a, b에 대하여 $\dfrac{\sqrt{a}}{\sqrt{b}}=-\sqrt{\dfrac{a}{b}}$일 때, $\sqrt{(a-b)^2}-3|a|+\sqrt{b^2}$을 간단히 하면?

① $-a$ ② $3a$ ③ $2a+2b$
④ $a-2b$ ⑤ $-2a-2b$

0710 ●●●○

$\sqrt{a}\sqrt{b}=-\sqrt{ab}$, $\dfrac{\sqrt{c}}{\sqrt{d}}=-\sqrt{\dfrac{c}{d}}$를 만족시키는 0이 아닌 네 실수 a, b, c, d에 대하여 $|a+b|-|a-c|+|a+d|$를 간단히 하시오.

0711 ●●●○

$\dfrac{\sqrt{3-a}}{\sqrt{1-a}}=-\sqrt{\dfrac{3-a}{1-a}}$일 때, $|a-1|+|a-3|$을 간단히 하면? (단, a는 실수이다.)

① -5 ② -2 ③ 2
④ $2a$ ⑤ $2a-4$

0712

다음 중 복소수에 대한 설명으로 옳은 것은?

① $i+1$의 켤레복소수는 $i-1$이다.
② $4-3i$의 실수부분은 4이고 허수부분은 $-3i$이다.
③ $1+i$는 순허수이다.
④ $\sqrt{3}i\times2i$는 실수이다.
⑤ $2+i>2-i$이다.

0713

복소수 $(2+5i)-(3-i)(1+2i)$를 계산하여 $a+bi$ 꼴로 나타냈을 때, 두 실수 a, b의 합 $a+b$의 값은? (단, $i=\sqrt{-1}$이다.)

① -3 ② -2 ③ -1
④ 0 ⑤ 1

0714

$(2x-i)(1+2yi)=2\sqrt{6}+3i$일 때, x^2+y^2의 값은?
(단, x, y는 실수이다.)

① 1 ② 2 ③ 3
④ 4 ⑤ 5

0715

두 복소수 $x=1+i$, $y=1-i$에 대하여 $\frac{y}{x}+\frac{x}{y}$의 값은?

① i ② $-i$ ③ -1
④ 0 ⑤ 1

0716

복소수 $z=1+2i$일 때, $z^3+\overline{z}^3$의 값은? (단, $i=-1$이고, $\overline{z}$는 z의 켤레복소수이다.)

① -25 ② -22 ③ -19
④ -16 ⑤ -13

0717 서술형

$(1+i)z+3i\overline{z}=6+3i$를 만족시키는 복소수 z를 구하시오.

0718

복소수 $z=(1+i)x^2-(1+2i)x-2-3i$를 제곱하면 음의 실수가 된다. 이때, 실수 x의 값은?

① -1 ② 1 ③ 2
④ 3 ⑤ 4

0719

복소수 α, β의 켤레복소수를 각각 $\overline{\alpha}$, $\overline{\beta}$라고 할 때, 다음 〈보기〉 중 옳은 것을 모두 고른 것은?

보기

ㄱ. $\alpha=\overline{\alpha}$이면 α는 실수이다.
ㄴ. $\alpha\overline{\alpha}=0$이면 α는 실수이다.
ㄷ. $\overline{(\alpha-i)(\beta+i)}=\overline{\alpha}\overline{\beta}-(\overline{\alpha}-\overline{\beta})i-1$

① ㄱ ② ㄴ ③ ㄱ, ㄴ
④ ㄴ, ㄷ ⑤ ㄱ, ㄴ, ㄷ

0720 서술형

$i+2i^2+3i^3+4i^4+\cdots+100i^{100}=x+yi$를 만족시키는 두 실수 x, y에 대하여 $x-y$의 값을 구하시오.

0721

n이 자연수일 때, $\left(\frac{1+i}{1-i}\right)^{4n+1}+\left(\frac{1-i}{1+i}\right)^{4n+2}$의 값은?

① $-1-i$ ② $-1+i$ ③ 0
④ $1-i$ ⑤ $1+i$

0722

복소수 z에 대하여 $z=\sqrt{-1}\sqrt{-4}+\frac{\sqrt{18}}{\sqrt{-2}}$일 때, $z\overline{z}$의 값은?
(단, $\overline{z}$는 z의 켤레복소수이다.)

① 4 ② 7 ③ 11
④ 13 ⑤ 17

0723

실수 x가

$$\sqrt{x-2}\sqrt{x-5}=-\sqrt{(x-2)(x-5)},$$

$$\frac{\sqrt{x}}{\sqrt{x-3}}=-\sqrt{\frac{x}{x-3}}$$

를 동시에 만족할 때, $|x|+|x-2|$를 간단히 하시오.

Level 1

0724

0이 아닌 실수 a, b에 대하여 $f(a, b)=\frac{a+bi}{a-bi}$로 정의할 때, $f(2, 1)+f(4, 2)+f(6, 3)+\cdots+f(200, 100)$의 값은?

① $-50+80i$　② $-50+100i$
③ $60+70i$　④ $60+80i$
⑤ $60+100i$

0725

0이 아닌 복소수 z에 대하여 $\frac{2z+\bar{z}}{z\bar{z}}=1+i$가 성립할 때, $z+\bar{z}$의 값을 구하시오.

0726

$1+\frac{2}{i}+\frac{3}{i^2}+\cdots+\frac{n}{i^{n-1}}=25+24i$일 때, 자연수 n의 값은?

① 47　② 48　③ 49
④ 50　⑤ 51

0727

두 복소수 $\alpha=\frac{1+i}{1-i}$, $\beta=\frac{1-i}{1+i}$에 대하여 $\alpha+\beta^2+\alpha^3+\beta^4+\alpha^5+\beta^6+\cdots+\alpha^{99}+\beta^{100}$의 값을 구하시오.

0728

복소수 $z=\frac{1-\sqrt{-3}}{1+\sqrt{-3}}$에 대하여
$(1+z)(1+z^2)(1+z^3)$의 값은?

① -2 ② -1 ③ 0
④ 1 ⑤ 2

0729 교육청 기출

200 이하의 자연수 n에 대하여 $\left(\frac{\sqrt{3}+i}{2}\right)^n=-1$을 만족시키는 n의 개수를 구하시오. (단, $i=\sqrt{-1}$)

Level 2

0730

서로 다른 두 복소수 x, y가

$$x^2-y=i,\ y^2-x=i$$

를 만족할 때, x^4+y^4의 값을 구하시오.

0731

복소수 $z=a+bi$가 다음 두 조건을 만족시킨다.

(가) $(1+i+z)^2<0$	(나) $z^2=c+6i$

이때, $a^2+b^2+c^2$의 값을 구하시오. (단, a, b, c는 실수이다.)

0732

복소수 z에 대하여 다음 〈보기〉 중 옳은 것을 모두 고른 것은?

보기

ㄱ. $z\bar{z}$는 실수이다.
ㄴ. z^2이 실수이면 $(z-1)^2$도 실수이다.
ㄷ. 자연수 n에 대하여 $(z-\bar{z})^{2n}$은 실수이다.

① ㄱ ② ㄱ, ㄴ ③ ㄱ, ㄷ
④ ㄴ, ㄷ ⑤ ㄱ, ㄴ, ㄷ

0733

복소수 $z=a+bi$ $(a>0,\ b>0)$에 대하여 $z^2+\bar{z}=0$일 때, $(z^2+1)^n$이 정수가 되는 100 이하의 자연수 n의 개수는?

① 31 ② 32 ③ 33
④ 34 ⑤ 35

0734

자연수 n에 대하여 $f(n)=\left(\frac{1+i}{\sqrt{2}}\right)^n$, $g(n)=\left(\frac{1-i}{\sqrt{2}}\right)^n$으로 정의될 때, $f(1)g(2)f(3)g(4)f(5)g(6)\cdots f(99)g(100)$의 값은?

① $-2i$ ② $-i$ ③ 1
④ i ⑤ $2i$

0735

교육청 기출

자연수 n에 대하여 복소수 $z_n=\left(\frac{\sqrt{2}i}{1+i}\right)^n$이라 할 때, 옳은 것만을 〈보기〉에서 있는 대로 고른 것은? (단, $i=\sqrt{-1}$)

보기

ㄱ. $z_2=i$
ㄴ. $z_6=-z_2$
ㄷ. $z_{n+8}=z_n$

① ㄱ ② ㄷ ③ ㄱ, ㄴ
④ ㄴ, ㄷ ⑤ ㄱ, ㄴ, ㄷ

0736

두 복소수 α, β를

$$\alpha=\frac{\sqrt{3}+i}{2},\ \beta=\frac{1+\sqrt{3}i}{2}$$

라 할 때, $\alpha^m\beta^n=i$를 만족시키는 10 이하의 자연수 m, n에 대하여 $m+2n$의 최댓값을 구하시오.

0737

두 실수 x, y에 대하여 복소수 $x+yi$를 좌표평면 위의 점 (x, y)에 대응시킨다. 예를 들면 $3+2i$를 점 $(3, 2)$에 대응시키고 $-3i$를 점 $(0, -3)$에 대응시킨다.
자연수 n에 대하여 복소수 $(3+4i)i^n$을 대응시킨 점을 P_n이라 할 때, 네 점 P_1, P_2, P_3, P_4를 꼭짓점으로 하는 사각형의 넓이를 구하시오.

Level 3

0738

0이 아닌 세 복소수 α, β, γ가 다음 조건을 만족시킨다.

> (가) $\alpha^2+\beta^2+\gamma^2=0$
> (나) $\frac{1}{\alpha}+\frac{1}{\beta}+\frac{1}{\gamma}=0$

이때, $\frac{\beta}{\alpha}+\overline{\left(\frac{\alpha}{\gamma}\right)}$의 값은? $\left(\text{단, } \overline{\left(\frac{\alpha}{\gamma}\right)}\text{는 } \frac{\alpha}{\gamma}\text{의 켤레복소수이다.}\right)$

① $-i$　　② -1　　③ 0
④ i　　⑤ 1

0739

50 이하의 두 자연수 m, n에 대하여
$\left\{i^n+\left(\frac{1}{i}\right)^{2n}\right\}^m$의 값이 음의 실수가 되도록 하는 순서쌍 (m, n)의 개수를 구하시오. (단, $i=\sqrt{-1}$이다.)

Reading Material

“ 인체의 비밀 ”

기원전 1세기 로마의 건축가 비트루비우스는 인간의 몸이 아름다운 비례를 이룬다는 점에 감탄했다. 그는 인체 비례를 연구해 신전 건축에 적용하기도 했다. 하지만 그의 연구를 그림으로 나타내려는 화가들은 실패하고 말았다. 인체를 정사각형과 원에 동시에 내접하게 그리는 방법을 알 수 없기 때문이었다.

이 문제와 그림을 현명하게 푼 사람이 바로 레오나르도 다빈치이다. 그는 인체를 원 속에 내접시키기 위해 두 다리를 벌려야 하며 이때 두 다리를 모았을 때보다 키가 14분의 1쯤 짧아져야 한다는 사실을 발견해 문제를 풀었다.

“자연이 낸 인체의 중심은 배꼽이다. 등을 대고 누워서 팔다리를 뻗은 다음 컴퍼스 중심을 배꼽에 맞추고 원을 돌리면 두 팔의 손가락 끝과 두 발의 발가락 끝이 원에 붙는다. 정사각형으로도 된다. 사람의 키를 발바닥에서 정수리까지 잰 길이는 두 팔을 가로로 벌린 너비와 같기 때문이다.” –비트루비우스의 책에 있는 구절–

아름다움의 기준은 시대마다 달라진다. 통통한 얼굴을 아름답다고 여긴 적이 있는 반면, 요즘은 이목구비가 뚜렷하고 갸름한 얼굴을 미인이라고 부른다. 하지만 변하지 않는 아름다움의 비율이 있다. 바로 아름답고 소중한 비율이란 뜻의 황금비이다.

두 눈동자를 이은 선에서 앞니 끝 사이의 거리와 앞니 끝에서 턱 끝까지의 거리가 황금비를 이룬다. 코의 중심선에서 눈 바깥쪽까지의 거리와 한쪽 눈의 가로 길이도 황금비이다. 얼굴뿐 아니라 아름다운 미소에 영향을 끼치는 치아의 황금비도 앞니 두 개의 가로와 세로의 비율, 가운데 앞니의 폭과 그 옆니의 폭의 비율이 황금비일 때 아름답다고 한다.

05 이차방정식

		제 목	내신중요도	유형난이도	문항수	문항번호
		기본 문제			51	0740~0790
유형 문제	01	이차방정식의 풀이	▬▬	★★	6	0791~0796
	02	기호를 포함한 방정식	▬	★★★	3	0797~0799
	03	이차방정식의 근의 판별	▬▬▬▬▬	★	6	0800~0805
	04	두 이차방정식과 판별식	▬▬▬	★★	6	0806~0811
	05	완전제곱식이 되는 조건	▬	★★	3	0812~0814
	06	일차식의 곱으로 인수분해 될 조건	▬▬	★★★★	3	0815~0817
	07	삼각형의 모양 판단	▬	★★★★	3	0818~0820
	08	근과 계수의 관계	▬▬▬▬▬	★	9	0821~0829
	09	두 근의 관계를 이용하여 계수 구하기	▬▬▬▬	★★★	9	0830~0838
	10	두 이차방정식에서 근과 계수의 관계	▬▬▬▬	★★★	6	0839~0844
	11	이차방정식의 작성	▬▬▬	★★	6	0845~0850
	12	이차방정식의 켤레근	▬▬▬▬	★★	6	0851~0856
	13	잘못 보고 푼 이차방정식	▬▬	★★★★	3	0857~0859
	14	근의 성질과 근과 계수의 관계	▬▬	★★★★	3	0860~0862
	15	이차식의 인수분해	▬	★★	3	0863~0865
	16	$f(x)=0$의 근과 $f(ax+b)=0$의 근의 관계	▬▬▬▬	★★★★★	6	0866~0871
	17	이차방정식의 실근의 부호 [교육과정 응용]	▬	★★★★★	3	0872~0874
		적중 문제			12	0875~0886
		고난도 문제			16	0887~0902

이차방정식

1. 인수분해를 이용한 이차방정식의 풀이 [중학과정]

(1) x에 대한 이차방정식 $(x-\alpha)(x-\beta)=0$의 근

➡ $x=\alpha$ 또는 $x=\beta$

(2) x에 대한 이차방정식 $(ax-b)(cx-d)=0$의 근

➡ $x=\dfrac{b}{a}$ 또는 $x=\dfrac{d}{c}$

◎ 계수가 실수인 이차방정식은 복소수의 범위에서 반드시 근을 갖는다.
이때, 실수인 근을 실근, 허수인 근을 허근이라고 한다.

2. 근의 공식을 이용한 이차방정식의 풀이

x에 대한 이차방정식 $ax^2+bx+c=0$의 근

➡ $x=\dfrac{-b\pm\sqrt{b^2-4ac}}{2a}$

◎ 절댓값을 포함한 방정식

절댓값의 성질

$$|A|=\begin{cases} A & (A\geq 0) \\ -A & (A<0) \end{cases}$$

를 이용하여 절댓값을 없앤 후 방정식을 푼다.

3. 이차방정식의 근의 판별

a, b, c가 실수인 이차방정식 $ax^2+bx+c=0$에서 $D=b^2-4ac$라 하면

(1) $D>0 \Longleftrightarrow$ 서로 다른 두 실근을 갖는다. ┐ 실근

(2) $D=0 \Longleftrightarrow$ 중근(실근)을 갖는다. ┘

(3) $D<0 \Longleftrightarrow$ 서로 다른 두 허근을 갖는다.

◎ 이차방정식 $ax^2+2b'x+c=0$의 근

➡ $x=\dfrac{-b'\pm\sqrt{b'^2-ac}}{a}$

4. 판별식의 활용

(1) 이차방정식 $ax^2+bx+c=0$ (a, b, c는 실수)이 실근을 가지려면

➡ $b^2-4ac\geq 0$, 즉 $D\geq 0$

(2) 이차식 ax^2+bx+c가 완전제곱식이 되려면

➡ $b^2-4ac=0$, 즉 $D=0$

이차방정식에서 판별식 $D=0$을 이용하는 경우

① 이차방정식이 중근을 가질 때
② 이차식이 완전제곱식이 될 때
③ x, y에 대한 이차식이 x, y의 두 일차식의 곱으로 인수분해될 때

5. 이차방정식의 근과 계수의 관계

이차방정식 $ax^2+bx+c=0$의 두 근을 α, β라 하면

두 근의 합 : $\alpha+\beta=-\frac{b}{a}$, 두 근의 곱 : $\alpha\beta=\frac{c}{a}$

이차방정식의 한 실근을 α라 할 때,

① 두 근의 차가 k
➡ α, $\alpha+k$ (또는 $\alpha-k$)
② 두 근의 비가 $m:n$ ➡ $m\alpha$, $n\alpha$
③ 한 근이 다른 근의 k배 ➡ α, $k\alpha$
④ 두 근이 연속인 정수
➡ α, $\alpha+1$ (또는 $\alpha-1$)
⑤ 절댓값이 같고 부호가 다르다.
➡ α, $-\alpha$

6. 이차방정식의 작성

x^2의 계수가 1이고 α, β를 두 근으로 하는 이차방정식

➡ x^2-(두 근의 합)$x+$(두 근의 곱)$=0$

➡ $x^2-(\alpha+\beta)x+\alpha\beta=0$

7. 이차식의 인수분해

이차방정식 $ax^2+bx+c=0$의 두 근을 α, β라 하면

$ax^2+bx+c=a(x-\alpha)(x-\beta)$

이차방정식의 켤레근

① 계수가 유리수인 이차방정식이 $a+b\sqrt{m}$을 근으로 가지면 $a-b\sqrt{m}$도 근이다. (단, a, b는 유리수, $b\neq 0$, $\sqrt{m}$은 무리수)
② 계수가 실수인 이차방정식이 $a+bi$를 근으로 가지면 $a-bi$도 근이다.
(단, a, b는 실수, $b\neq 0$, $i=\sqrt{-1}$)

8. 이차방정식의 실근의 부호 [교육과정 응용]

이차방정식 $ax^2+bx+c=0$ (a, b, c는 실수)의 두 실근을 α, β, 판별식을 $D=b^2-4ac$라 할 때,

(1) 두 근이 모두 양 ➡ $D\geq 0$, $\alpha+\beta>0$, $\alpha\beta>0$

(2) 두 근이 모두 음 ➡ $D\geq 0$, $\alpha+\beta<0$, $\alpha\beta>0$

(3) 두 근이 서로 다른 부호 ➡ $\alpha\beta<0$

1 이차방정식의 풀이

[0740-0745] 인수분해를 이용하여 다음 이차방정식을 푸시오.

0740 $x^2-2x-3=0$

0741 $x^2-x-20=0$

0742 $2x^2-7x+3=0$

0743 $x^2-\frac{1}{2}x-\frac{1}{2}=0$

0744 $x^2-12x+36=0$

0745 $x^2-2=0$

[0746-0749] 근의 공식을 이용하여 다음 이차방정식을 푸시오.

0746 $5x^2+3x-2=0$

0747 $x^2-3x-1=0$

0748 $2x^2+5x+4=0$

0749 $2x^2-3x+2=0$

[0750-0752] 근의 공식(짝수 공식) $x=\frac{-b'\pm\sqrt{b'^2-ac}}{a}$ 를 이용하여 다음 이차방정식을 푸시오.

0750 $3x^2+8x-3=0$

0751 $x^2-6x+1=0$

0752 $3x^2+4x+2=0$

[0753-0755] [ ] 안의 수가 주어진 방정식의 해일 때, 상수 a의 값을 구하시오.

0753 $x^2+x+a=0$ [2]

0754 $2x^2+ax-5=0$ [-1]

0755 $x^2-2x+a=0$ [$1+2i$] (단, $i=\sqrt{-1}$)

2 이차방정식의 근의 판별

[0756-0761] 다음 이차방정식의 근을 판별하시오.

0756 $x^2-5x-1=0$

0757 $x^2+4x+6=0$

0758 $4x^2-4x+1=0$

0759 $2x^2+5x+2=0$

0760 $x^2+3x+7=0$

0761 $x^2-2x+1=0$

[0762-0763] 다음 x에 대한 이차식이 완전제곱식이 되기 위한 실수 k의 값을 구하시오.

0762 $3x^2+6x+k$

0763 $4x^2+kx+25$

[0764-0766] 이차방정식 $x^2-4x+k=0$에 대하여 다음 조건을 만족시키는 실수 k의 값 또는 그 범위를 구하시오.

0764 서로 다른 두 실근

0765 서로 다른 두 허근

0766 중근

3 이차방정식의 근과 계수의 관계

[0767-0772] 이차방정식 $x^2-2x-3=0$의 두 근을 α, β라 할 때, 다음 값을 구하시오.

0767 $\alpha+\beta$

0768 $\alpha\beta$

0769 $\alpha^2+\beta^2$

0770 $\alpha^2\beta+\alpha\beta^2$

0771 $\frac{1}{\alpha}+\frac{1}{\beta}$

0772 $|\alpha-\beta|$

[0773-0777] 이차방정식 $x^2-4x+1=0$의 두 근을 α, β라 할 때, 다음 값을 구하시오.

0773 $\alpha+\beta+\alpha\beta$

0774 $(\alpha-1)(\beta-1)$

0775 $\alpha^3+\beta^3$

0776 $\left(\alpha+\frac{1}{\beta}\right)\left(\beta+\frac{1}{\alpha}\right)$

0777 $\frac{\beta^2}{\alpha}+\frac{\alpha^2}{\beta}$

[0778-0780] 이차방정식의 두 근 α, β의 합과 곱이 다음과 같을 때, 두 상수 a, b의 값을 구하시오.

0778 이차방정식 $x^2+ax+b=0$에서 $\alpha+\beta=6$, $\alpha\beta=1$

0779 이차방정식 $ax^2-8x+b=0$에서 $\alpha+\beta=2$, $\alpha\beta=\frac{1}{4}$

0780 이차방정식 $ax^2+bx+13=0$에서 $\alpha+\beta=4$, $\alpha\beta=13$

[0781-0783] 다음 이차식을 복소수 범위에서 인수분해하시오.

0781 x^2-2x-1

0782 x^2+2x-4

0783 x^2+2

[0784-0787] 다음 두 수를 근으로 하고, x^2의 계수가 1인 x에 대한 이차방정식을 구하시오.

0784 2, 6

0785 3, -4

0786 $4+\sqrt{3}$, $4-\sqrt{3}$

0787 $3+2i$, $3-2i$ (단, $i=\sqrt{-1}$)

4 이차방정식의 켤레근

[0788-0790] 이차방정식의 켤레근을 이용하여 다음을 구하시오.

0788 이차방정식 $x^2+ax-2=0$의 한 근이 $1-\sqrt{3}$일 때, 유리수 a의 값

0789 이차방정식 $x^2+ax+b=0$의 한 근이 $2-\sqrt{3}$일 때, 두 유리수 a, b의 값

0790 이차방정식 $x^2-ax+b=0$의 한 근이 $1+i$일 때, 두 실수 a, b의 값 (단, $i=\sqrt{-1}$)

유형 문제

내신 출제 유형 정복하기

유형 01 이차방정식의 풀이

내신 중요도 ▬▬▬▬▬ 유형 난이도 ★★★★★

(1) **인수분해를 이용한 풀이**

x에 대한 이차방정식 $(ax-b)(cx-d)=0$의 근은

$x=\frac{b}{a}$ 또는 $x=\frac{d}{c}$

(2) **근의 공식을 이용한 풀이**

x에 대한 이차방정식 $ax^2+bx+c=0$의 근은

$x=\frac{-b\pm\sqrt{b^2-4ac}}{2a}$

특히, $b=2b'$일 때, $x=\frac{-b'\pm\sqrt{b'^2-ac}}{a}$

0791

x에 대한 이차방정식 $x^2-2mx+m-4=0$의 한 근이 -1이고 다른 한 근이 α일 때, $m+\alpha$의 값은? (단, m은 상수이다.)

① 1 ② 2 ③ 3
④ 4 ⑤ 5

0792

이차방정식 $\frac{1}{3}x^2-\frac{1}{2}x+\frac{1}{3}=0$의 근이 $x=\frac{a\pm\sqrt{b}}{4}$일 때, 두 실수 a, b에 대하여 $a+b$의 값을 구하시오.

0793

방정식 $x^2+x+a=0$의 해는 α, 1이고, 방정식 $x^2+2x+b=0$의 해는 β, 1일 때, $\alpha+\beta$의 값을 구하시오. (단, a, b는 실수이다.)

0794

지면으로부터 25 m의 높이에서 20 m/초의 속도로 위로 던진 물체의 t초 후의 높이를 h m라 하면 $h=-5t^2+20t+25$인 관계가 성립한다. 이 물체가 지면에 떨어질 때까지 걸린 시간은?

① 2초 ② 3초 ③ 5초
④ 8초 ⑤ 10초

0795

그림과 같이 가로의 길이가 세로의 길이의 2배인 직사각형 모양의 두꺼운 종이가 있다. 이 종이의 네 모퉁이에서 한 변의 길이가 2 cm인 정사각형을 잘라내고, 나머지로 직육면체 모양의 뚜껑이 없는 상자를 만들었더니 부피가 192 cm^{3}이 되었다. 처음 종이의 가로의 길이를 구하시오.

(단, 종이의 두께는 생각하지 않는다.)

0796 교육청 기출

x에 대한 이차방정식 $x^2+(m+1)x+2m-1=0$의 근이 정수가 되도록 하는 모든 정수 m의 값의 합은?

① 6 ② 7 ③ 8
④ 9 ⑤ 10

유형 02 기호를 포함한 방정식

내신 중요도 ■■■■■ 유형 난이도 ★★★★★

(1) 절댓값을 포함한 방정식

$$|A|=\begin{cases} A & (A\geq 0) \\ -A & (A<0) \end{cases}$$

임을 이용하여 A의 값의 범위를 나누어서 푼다.

(2) 가우스 기호를 포함한 방정식

$[x]$를 'x보다 크지 않은 최대의 정수'라고 할 때, $[x]$를 포함한 방정식은

(i) $[x]=t$로 치환하여 t의 값을 구한다.

(ii) $[x]=n$ (n은 정수)일 때, $n\leq x<n+1$임을 이용하여 x의 값의 범위를 구한다.

0797

방정식 $3x^2+|x|-14=0$을 푸시오.

0798

이차방정식 $x^2-|x-2|-4=0$의 해는?

① $x=-3$ 또는 $x=2$ ② $x=-2$ 또는 $x=3$ ③ $x=-1$ 또는 $x=3$ ④ $x=-1$ (중근) ⑤ $x=-3$ (중근)

0799

방정식 $2[x]^2+[x]-3=0$의 해는?

(단, $[x]$는 x보다 크지 않은 최대의 정수이다.)

① $-2\leq x<2$ ② $-1\leq x<0$ ③ $-1\leq x<2$ ④ $0\leq x<1$ ⑤ $1\leq x<2$

유형 03 이차방정식의 근의 판별

내신 중요도 ■■■■■ 유형 난이도 ★★★★★

이차방정식 $ax^2+bx+c=0$ (a, b, c는 실수)에서 $D=b^2-4ac$라 하면

(1) $D>0$이면 서로 다른 두 실근

(2) $D=0$이면 중근 (서로 같은 두 실근)

(3) $D<0$이면 서로 다른 두 허근

0800

이차방정식 $ax^2+bx+c=0$의 두 근을 α, β라 할 때, 〈보기〉에서 옳은 것만을 있는 대로 고른 것은?

보기

ㄱ. $b^2-4ac=0$이면 $\alpha=\beta$이다.

ㄴ. $b^2-4ac>0$이면 α, β는 서로 다른 두 실수이다.

ㄷ. $b^2-4ac<0$이면 α, β는 서로 다른 두 허수이다.

① ㄱ ② ㄴ ③ ㄷ ④ ㄱ, ㄴ ⑤ ㄱ, ㄷ

0801 짱중요

x에 대한 이차방정식

$$x^2+2(k-1)x+k^2-20=0$$

이 서로 다른 두 실근을 가질 때, 자연수 k의 최댓값을 구하시오.

0802

x에 대한 이차방정식 $(k+2)x^2+2kx+k+1=0$이 서로 다른 두 실근을 가질 때, 실수 k의 값의 범위를 구하시오.

0803 ●●○○

이차방정식 $ax^2+2(a+2)x+a=0$이 실근을 갖도록 하는 10 이하의 정수 a의 개수는?

① 9 ② 10 ③ 11
④ 12 ⑤ 13

0804 중요 ●○○○

x에 대한 이차방정식

$$x^2+(5-2k)x+k^2=0$$

이 허근을 갖도록 하는 실수 k의 값의 범위를 $k>a$라 할 때, 실수 a의 값을 구하시오.

0805 ●●●○

x에 대한 이차방정식 $x^2+2(k-m)x+(k^2-n+4)=0$이 실수 k의 값에 관계없이 중근을 가질 때, 실수 m, n의 합 $m+n$의 값을 구하시오.

유형 04 두 이차방정식과 판별식

내신 중요도 ■■■■■ 유형 난이도 ★★★★★

이차방정식 $ax^2+bx+c=0$의 근의 판별
⇨ 판별식 $D=b^2-4ac$의 부호를 조사해 본다.

0806 중요 ●●○○

두 이차방정식

$$x^2-(a-1)x+a-1=0,$$
$$2x^2-(a-1)x+2=0$$

이 모두 중근을 가질 때, 실수 a의 값을 구하시오.

0807 ●●○○

두 이차방정식 $2x^2-6x-k=0$, $x^2+x-4k=0$이 모두 실근을 갖도록 하는 정수 k의 최솟값은?

① -4 ② -3 ③ -2
④ -1 ⑤ 0

0808 ●●○○

x에 대한 이차방정식 $x^2+2kx+k^2-k+1=0$은 허근을 가지고, 이차방정식 $x^2-2x-2k-3=0$은 실근을 가진다고 할 때, 실수 k의 값의 범위를 구하시오.

해설 096쪽

0809

두 이차방정식

$$x^2-4x+a-1=0,\ 4x^2-(4a-1)x+a^2=0$$

에서 하나의 방정식만 실근을 가지게 되는 모든 정수 a의 값의 합을 구하시오.

0810

x에 대한 두 이차방정식

$$x^2+x+m=0,\ x^2+2mx+m^2+m-3=0$$

중 적어도 하나의 방정식이 허근을 가질 때, 실수 m의 값의 범위는?

① $m>\frac{1}{4}$ ② $m\le\frac{1}{4}$ ③ $-1\le m<\frac{1}{4}$
④ $0<m<\frac{1}{4}$ ⑤ $m>3$

0811

x에 대한 이차방정식 $x^2-2ax+b^2+1=0$이 중근을 가질 때, 이차방정식 $x^2+ax+b-1=0$의 근을 판별하시오. (단, a, b는 실수이다.)

유형 05 완전제곱식이 되는 조건

내신 중요도 ▬▬▬▬ 유형 난이도 ★★★★★

이차방정식 $ax^2+bx+c=0$이 완전제곱식이 될 조건
⇨ 이차방정식 $ax^2+bx+c=0$이 중근을 가진다.
⇨ 판별식 $D=0$

0812 중요

x에 대한 이차식

$$x^2-2(k-1)x+2k^2-2k-3$$

이 완전제곱식이 되도록 하는 모든 실수 k의 값의 합은?

① -2 ② -1 ③ 0
④ 1 ⑤ 2

0813

x에 대한 이차식 $mx^2+2(2-3m)x+8m-7$이 완전제곱식이 되도록 하는 실수 m의 값의 합은?

① 1 ② 2 ③ 3
④ 4 ⑤ 5

0814

x에 대한 이차식

$$x^2+4ax+ka-2k+2b$$

가 k의 값에 관계없이 완전제곱식이 될 때, 두 상수 a, b의 합 $a+b$의 값을 구하시오.

유형 06 일차식의 곱으로 인수분해 될 조건

내신 중요도 ▬▬▬▬ 유형 난이도 ★★★★☆

이차방정식 $ax^2+bx+c=0$이 일차식의 곱으로 인수분해 가능
⇨ 판별식 D가 완전제곱식이다.
⇨ 판별식 D의 판별식 $D'=0$이다.

0815 ●●○○

x, y에 대한 이차식

$$x^2+xy-6y^2-x+7y-k$$

가 두 일차식의 곱으로 인수분해될 때, 실수 k의 값을 구하시오.

0816 ●●●○

x, y에 대한 이차식

$$2x^2-3xy+my^2-3x+y+1$$

이 두 일차식의 곱으로 인수분해될 때, 실수 m의 값은?

① -5　② -4　③ -3
④ -2　⑤ -1

0817 ●●●○

x, y에 대한 이차식 $x^2-2xy-3y^2-4x+2ky$가 두 일차식의 곱으로 인수분해되도록 하는 상수 k의 값을 구하시오.

유형 07 삼각형의 모양 판단

내신 중요도 ▬▬▬▬ 유형 난이도 ★★★★☆

삼각형의 세 변의 길이가 a, b, c일 때
(1) $a=b$ 또는 $b=c$ 또는 $c=a$ ⇨ 이등변삼각형
(2) $a=b=c$ ⇨ 정삼각형
(3) $a^2+b^2=c^2$ ⇨ 빗변이 c인 직각삼각형

0818 중요 ●●○○

a, b, c는 어떤 삼각형의 세 변의 길이이다. 이차식 $(a-c)x^2+2bx+a+c$가 완전제곱식일 때, 이 삼각형은 어떤 삼각형인가?

① 정삼각형　② $a=c$인 이등변삼각형
③ $b=c$인 이등변삼각형　④ a가 빗변인 직각삼각형
⑤ b가 빗변인 직각삼각형

0819 ●●●○

x에 대한 이차식

$$(x-a)(x-b)+(x-b)(x-c)+(x-c)(x-a)$$

가 완전제곱식일 때, a, b, c를 세 변의 길이로 하는 삼각형은 어떤 삼각형인가?

① 직각삼각형　② 이등변삼각형
③ 정삼각형　④ 직각이등변삼각형
⑤ 둔각삼각형

0820 ●●●○

세 실수 a, b, c에 대하여 이차방정식
$3x^2+2(a+b+c)x+ab+bc+ca=0$이 중근을 가질 때,
a, b, c를 세 변으로 하는 삼각형은 어떤 삼각형인지 구하시오.

유형 08 내신 중요도 ━━━━ 유형 난이도 ★★★★★

근과 계수의 관계

이차방정식 $ax^2+bx+c=0$의 두 근을 α, β라 하면

(1) $\alpha+\beta=-\frac{b}{a}$ (2) $\alpha\beta=\frac{c}{a}$

0821

이차방정식 $x^2+3x-7=0$의 두 근을 α, β라 할 때, $\alpha^2\beta+\alpha\beta^2$의 값은?

① 18 ② 21 ③ 24
④ 27 ⑤ 30

0822 짱중요

이차방정식 $x^2-10x-6=0$의 두 근을 α, β라 할 때, $\alpha^2+\beta^2$의 값을 구하시오.

0823

이차방정식 $x^2-4x-3=0$의 두 근을 α, β라 할 때, $(\alpha^2-3\alpha)(\beta^2-3\beta)$의 값을 구하시오.

0824 중요

이차방정식 $2x^2+3x+4=0$의 두 근을 α, β라 할 때, $\frac{\alpha}{\beta}+\frac{\beta}{\alpha}$의 값을 구하시오.

0825

이차방정식 $x^2+5x-1=0$의 두 근을 α, β라 할 때, $\frac{\beta-1}{\alpha}+\frac{\alpha-1}{\beta}$의 값은?

① -30 ② -32 ③ -34
④ -36 ⑤ -38

0826

이차방정식 $x^2-4x+1=0$의 두 근을 α, β라 할 때, $\sqrt{\alpha}+\sqrt{\beta}$의 값은?

① $\sqrt{2}$ ② $\sqrt{3}$ ③ $\sqrt{5}$
④ $\sqrt{6}$ ⑤ $\sqrt{7}$

0827 짱중요 ●○○○

이차방정식 $2x^2-4x-1=0$의 두 근을 α, β라 할 때, $\alpha^3+\beta^3$의 값은?

① 1 ② 3 ③ 4
④ 8 ⑤ 11

0828 ●●○○

이차방정식 $x^2-2x-1=0$의 두 근을 α, β라 할 때, $\frac{\beta^2}{\alpha}+\frac{\alpha^2}{\beta}$의 값은?

① -14 ② -12 ③ -10
④ -8 ⑤ -6

0829 ●●○○

이차방정식 $x^2-3x-2=0$의 두 근을 α, β라 할 때, $\alpha^4+\beta^4$의 값을 구하시오.

유형 09 두 근의 관계를 이용하여 계수 구하기

내신 중요도 ▬▬▬▬ 유형 난이도 ★★★☆☆

이차방정식의 한 실근을 α라 할 때,
(1) 두 근의 차가 k ⇨ α, $\alpha+k$ (또는 $\alpha-k$)
(2) 두 근의 비가 $m:n$ ⇨ $m\alpha$, $n\alpha$
(3) 한 근이 다른 근의 k배 ⇨ α, $k\alpha$
(4) 두 근이 연속인 정수 ⇨ α, $\alpha+1$ (또는 $\alpha-1$)

0830 교육청 기출 ●○○○

x에 대한 이차방정식 $x^2+ax+b=0$의 두 근이 3, 4일 때, 두 상수 a, b에 대하여 $a+b$의 값을 구하시오.

0831 교육청 기출 ●●○○

x에 대한 이차방정식 $x^2-kx+4=0$의 두 근을 α, β라 할 때, $\frac{1}{\alpha}+\frac{1}{\beta}=5$이다. 상수 k의 값을 구하시오.

0832 교육청 기출 ●●○○

이차방정식 $2x^2-4x+k=0$의 서로 다른 두 실근 α, β가 $\alpha^3+\beta^3=7$을 만족시킬 때, 상수 k에 대하여 $30k$의 값을 구하시오.

0833 중요 ●●○○

이차방정식 $x^2-(k+1)x+2=0$의 한 근이 다른 근의 2배일 때, 양수 k의 값을 구하시오.

0834 중요 ●●○○

x에 대한 이차방정식 $x^2-2kx+k^2+2k+3=0$의 두 근의 차가 2일 때, 실수 k의 값은?

① -2 ② -1 ③ 0
④ 1 ⑤ 2

0835 ●●○○

이차방정식 $x^2+2(m+1)x-27=0$의 두 근의 절댓값의 비가 $1:3$이 되게 하는 모든 상수 m의 값의 곱은?

① -10 ② -9 ③ -8
④ -7 ⑤ -6

0836 ●●○○

이차방정식 $x^2-(k+1)x+k=0$의 두 근의 비가 $2:3$일 때, 상수 k의 값을 구하시오.

0837 ●●●○

이차방정식 $x^2-2ax+a+1=0$의 두 근이 연속인 홀수일 때, 상수 a의 값을 구하시오.

0838 중요 ●●○○

x에 대한 이차방정식 $x^2-(k^2-3k-4)x+3-k=0$의 두 실근의 절댓값이 같고 서로 부호가 다를 때, 실수 k의 값은?

① -4 ② -1 ③ 1
④ 4 ⑤ 5

유형 10 두 이차방정식에서 근과 계수의 관계

내신 중요도 ■■■■■ 유형 난이도 ★★★★★

이차방정식이 2개 주어지고 각각의 이차방정식의 근이 모두 α, β로 나타내어져 있으면 근과 계수의 관계를 이용하여 연립 방정식을 세운다.

0839 ●●○○

이차방정식 $x^2+4x+6=0$의 두 근을 α, β라 할 때, 이차방정식 $x^2+ax+b=0$의 두 근은 α^2, β^2이다. 이때, 두 실수 a, b에 대하여 $b-a$의 값은?

① 38 ② 40 ③ 42
④ 44 ⑤ 46

0840 ●●○○

이차방정식 $x^2-mx+n=0$의 두 근이 α, β이고 이차방정식 $x^2-6x-3=0$의 두 근은 $\alpha+1$, $\beta+1$이다. 이때, 두 실수 m, n에 대하여 $m-n$의 값을 구하시오.

0841 짱중요 ●●●○

이차방정식 $x^2+ax+b=0$의 두 근을 α, β라 할 때, 이차방정식 $x^2-5x-3=0$의 두 근은 $\alpha+\beta$, $\alpha\beta$이다. 이때, a^2+b^2의 값은?

① 31 ② 33 ③ 35
④ 37 ⑤ 39

0842 중요 ●●○○

이차방정식 $x^2+ax-3=0$의 두 근이 α, β이고, 이차방정식 $x^2+bx+9=0$의 두 근이 $\alpha+\beta$, $\alpha\beta$일 때, $a+b$의 값을 구하시오. (단, a, b는 실수이다.)

0843 ●●●○

이차방정식 $x^2-ax+b=0$의 두 근이 α, β이고 이차방정식 $x^2-bx+a=0$의 두 근이 $\alpha-3$, $\beta-3$일 때, 실수 a, b에 대하여 a^2b^2의 값은?

① 14 ② 21 ③ 25
④ 32 ⑤ 35

0844 ●●●●

이차방정식 $x^2-x+a=0$의 두 근을 α, β라 할 때, 이차방정식 $x^2+x+b=0$의 두 근이 $\frac{\beta^2}{\alpha}$, $\frac{\alpha^2}{\beta}$이다. 두 실수 a, b에 대하여 $a+b$의 값을 구하시오.

유형 **11** 이차방정식의 작성

내신 중요도 ▬▬▬▬▬ 유형 난이도 ★★★★★

α, β를 두 근으로 하고 x^2의 계수가 1인 이차방정식은
$(x-\alpha)(x-\beta)=0$, 즉 $x^2-(\alpha+\beta)x+\alpha\beta=0$

0845 ●○○○

$1+i$, $1-i$를 두 근으로 하고, x^2의 계수가 1인 이차방정식이 $x^2+ax+b=0$일 때, 두 상수 a, b에 대하여 $2a+b$의 값은? (단, $i=\sqrt{-1}$)

① -2 ② -4 ③ -6
④ -8 ⑤ -10

0846 짱중요 ●●○○

x에 대한 이차방정식 $2x^2-x+5=0$의 두 근을 α, β라 할 때, $\alpha+\beta$, $\alpha\beta$를 두 근으로 하고, 이차항의 계수가 4인 이차방정식을 구하시오.

0847 ●●○○

x에 대한 이차방정식 $x^2-4x+3=0$의 두 근을 α, β라 할 때, $\alpha+1$, $\beta+1$의 합과 곱을 두 근으로 하고, x^2의 계수가 1인 이차방정식은?

① $x^2-14x+50=0$ ② $x^2-14x+48=0$
③ $x^2-12x+50=0$ ④ $x^2-12x+48=0$
⑤ $x^2+14x+48=0$

0848 ●●○○

이차방정식 $x^2+x-3=0$의 두 근을 α, β라 할 때, α^2, β^2을 두 근으로 하는 이차방정식은?

① $x^2-7x+9=0$ ② $x^2-7x-9=0$
③ $x^2+7x-9=0$ ④ $x^2+7x+5=0$
⑤ $x^2-7x-5=0$

0849 ●●●○

x에 대한 이차방정식 $2x^2+3x+1=0$의 두 근 α, β에 대하여 $\alpha+\frac{1}{\beta}$, $\beta+\frac{1}{\alpha}$을 두 근으로 하는 이차방정식이 $2x^2+ax+b=0$일 때, 두 상수 a, b의 합 $a+b$의 값은?

① 12 ② 14 ③ 16
④ 18 ⑤ 20

0850 ●●●○

이차방정식 $x^2+px+q=0$의 두 근을 α, β라 할 때, $\alpha+1$, $\beta+1$을 두 근으로 하는 이차방정식은 $x^2-4x+6=0$이다. 이때, 두 실수 p, q의 합 $p+q$의 값을 구하시오.

유형 **12** 이차방정식의 켤레근

내신 중요도 ▬▬▬▬ 유형 난이도 ★★★★★

(1) 계수가 유리수인 이차방정식의 한 근이 $a+b\sqrt{m}$이면 다른 한 근은 $a-b\sqrt{m}$이다.
(단, a, b는 유리수, $b\neq0$, $\sqrt{m}$은 무리수)

(2) 계수가 실수인 이차방정식의 한 근이 $a+bi$이면 다른 한 근은 $a-bi$이다. (단, a, b는 실수, $b\neq0$, $i=\sqrt{-1}$)

0851 중요 ●○○○

x에 대한 이차방정식 $x^2+ax+b=0$의 한 근이 $3-\sqrt{5}$일 때, 두 유리수 a, b의 합 $a+b$의 값은?

① -5 ② -4 ③ -3
④ -2 ⑤ -1

0852 짱중요 ●○○○

이차방정식 $x^2-ax+b=0$의 한 근이 $3-i$일 때, 실수 a, b에 대하여 $a+b$의 값을 구하시오.

0853 ●●○○

계수가 실수인 이차방정식 $x^2+px+q=0$의 두 근 α, β에 대하여 $\alpha=2+i$일 때, $\alpha^2+\beta^2$의 값을 구하시오. (단, $i=\sqrt{-1}$)

0854 ●●○○

이차방정식 $x^2+ax+b=0$의 한 근이 $\frac{-1+i}{i}$일 때, 실수 a, b에 대하여 a^3-b^3의 값을 구하시오. (단, $i=\sqrt{-1}$)

0855 ●●○○

두 실수 a, b에 대하여 이차방정식 $x^2+ax+b=0$의 한 근이 $\frac{1}{1-i}$일 때, 다항식 $f(x)=x^2+ax+b$를 $x-1$로 나눈 나머지를 구하시오. (단, $i=\sqrt{-1}$)

0856 교육청 기출 ●●●○

다항식 $f(x)=x^2+px+q$ (p, q는 실수)가 다음 두 조건을 만족시킨다.

> (가) 다항식 $f(x)$를 $x-1$로 나눈 나머지는 1이다.
> (나) 실수 a에 대하여 이차방정식 $f(x)=0$의 한 근은 $a+i$이다.

$p+2q$의 값은? (단, $i=\sqrt{-1}$)

① 2 ② 4 ③ 6
④ 8 ⑤ 10

유형 13 잘못 보고 푼 이차방정식

내신 중요도 유형 난이도 ★★★★☆

(1) 일차항의 계수를 잘못 보았다면 두 근의 곱은 바르게 보았다는 뜻이다.
(2) 상수항을 잘못 보았다면 두 근의 합은 바르게 보았다는 뜻이다.

0857 중요

갑과 을이 이차방정식 $x^2+ax+b=0$을 푸는데, 갑은 a를 잘못 보고 풀어 두 근 $\sqrt{2}-i$, $\sqrt{2}+i$를 얻었고, 을은 b를 잘못 보고 풀어 두 근 -1, 5를 얻었다. 이 이차방정식의 올바른 두 근을 구하시오. (단, a, b는 상수이다.)

0858

갑, 을 두 학생이 이차방정식 $ax^2+bx+c=0$을 푸는데, 갑은 b를 잘못 보고 풀어 두 근 -3, 4를 얻었고, 을은 c를 잘못 보고 풀어 두 근 $-2+\sqrt{5}$, $-2-\sqrt{5}$를 얻었다. 이 이차방정식의 올바른 두 근 중 양수인 근을 구하시오.

0859

준수와 하현이는 이차방정식 $ax^2-bx-c=0$을 푸는데 다음과 같은 실수로 엉뚱한 해를 구하였다.

> **준수** : 일차항의 계수 $-b$를 잘못 보고 풀었더니 $x=\frac{1}{2}$ 또는 $x=-4$이다.
> **하현** : 상수항 $-c$를 잘못 보고 풀었더니 $x=-1$ 또는 $x=3$이다.

두 사람이 문제를 잘못 보는 실수를 했지만 각각의 계산은 옳다고 한다. 두 사람이 문제를 바르게 보고 풀었을 때의 옳은 근을 구하시오.

유형 14 근의 성질과 근과 계수의 관계

내신 중요도 유형 난이도 ★★★★☆

이차방정식 $ax^2+bx+c=0$의 두 근을 α, β라 하면
⇨ $a\alpha^2+b\alpha+c=0$, $a\beta^2+b\beta+c=0$임을 이용한다.

0860

이차방정식 $x^2-x-1=0$의 두 근이 α, β일 때, $\frac{\alpha^2-1}{\beta}+\frac{\beta^2-1}{\alpha}$의 값은?

① -3 ② $-\frac{5}{2}$ ③ -2
④ $-\frac{3}{2}$ ⑤ -1

0861 중요

이차방정식 $x^2-5x+2=0$의 두 근을 α, β라 할 때, $\frac{\beta}{\alpha^2-4\alpha+2}+\frac{\alpha}{\beta^2-4\beta+2}$의 값을 구하시오.

0862

이차방정식 $x^2-3x+5=0$의 두 근을 α, β라 할 때, $\alpha^2+3\beta$의 값을 구하시오.

유형 15 이차식의 인수분해

내신 중요도 / 유형 난이도 ★★★★★

x에 대한 이차식 $f(x)$의 인수분해가 쉽게 되지 않을 때,

① $f(x)=0$으로 놓고 근의 공식을 이용하여 근을 구한다.

② 두 근이 $x=\alpha$ 또는 $x=\beta$인 경우

$f(x)=a(x-\alpha)(x-\beta)\,(a\neq0)$로 인수분해된다.

0863 중요

이차식 x^2+2x+2를 복소수 범위에서 인수분해할 때, 다음 중 인수인 것은? (단, $i=\sqrt{-1}$)

① $x-1-2i$ ② $x-1-i$ ③ $x-1+2i$
④ $x+1-i$ ⑤ $x+1+2i$

0864

x에 대한 이차식 $x^2+6x+11$을 복소수 범위에서 인수분해하면? (단, $i=\sqrt{-1}$)

① $(x-3-i)(x-3+i)$
② $(x+3-i)(x+3+i)$
③ $(x+3-\sqrt{2})(x+3+\sqrt{2})$
④ $(x-3-\sqrt{2}i)(x-3+\sqrt{2}i)$
⑤ $(x+3-\sqrt{2}i)(x+3+\sqrt{2}i)$

0865

이차식 $2x^2-2x+1$을 복소수 범위에서 인수분해하면 $a(2x-b)(2x-c)$이다. 이때, 세 복소수 a, b, c의 합 $a+b+c$의 값은?

① $-\frac{4}{3}$ ② $-\frac{5}{2}$ ③ 0
④ $\frac{5}{2}$ ⑤ $\frac{4}{3}$

유형 16 $f(x)=0$의 근과 $f(ax+b)=0$의 근의 관계

내신 중요도 / 유형 난이도 ★★★★★

이차방정식 $f(x)=0$의 두 근이 α, β이다.

⇨ $f(\alpha)=0$, $f(\beta)=0$

⇨ $f(ax+b)=0\ (a\neq0)$의 두 근은

$ax+b=\alpha$ 또는 $ax+b=\beta$

$\therefore x=\frac{\alpha-b}{a}$ 또는 $x=\frac{\beta-b}{a}$

0866

이차방정식 $f(x)=0$의 두 근을 α, β라 할 때, 이차방정식 $f(2x+1)=0$의 두 근은?

① $\alpha-1$, $\beta-1$ ② $\alpha+1$, $\beta+1$
③ $2\alpha-1$, $2\beta-1$ ④ $\frac{\alpha+1}{2}$, $\frac{\beta+1}{2}$
⑤ $\frac{\alpha-1}{2}$, $\frac{\beta-1}{2}$

0867

이차방정식 $f(x)=0$의 두 근의 합이 10일 때, 이차방정식 $f(5x)=0$의 두 근의 합을 구하시오.

0868 중요

이차방정식 $f(x)=0$의 두 근을 α, β라 할 때, $\alpha+\beta=6$이 성립한다. 이때, 방정식 $f(4x-1)=0$의 두 근의 합은?

① 1 ② 2 ③ 3
④ 4 ⑤ 5

0869 짱중요

$f(x)=x^2-3x+6$에 대하여 이차방정식 $f(2x-3)=0$의 두 근의 곱은?

① -6 ② -3 ③ 1
④ 2 ⑤ 6

0870

방정식 $f(x)=0$의 한 근이 1일 때, 다음 중 2를 반드시 근으로 갖는 x에 대한 방정식은?

① $f(-x-1)=0$ ② $f(-x+1)=0$ ③ $f(x^2-3)=0$
④ $f(3x-4)=0$ ⑤ $f(x^2-1)=0$

0871

이차방정식 $x^2+4x-1=0$의 두 근을 α, β라 할 때, $f(\alpha)=2$, $f(\beta)=2$를 만족시키는 이차식 $f(x)$는?

(단, $f(x)$의 이차항의 계수는 1이다.)

① x^2-4x-3 ② x^2-4x+1 ③ x^2+4x-3
④ x^2+4x-1 ⑤ x^2+4x+1

유형 17 이차방정식의 실근의 부호 [교육과정 응용]

내신 중요도 ■■■■■ 유형 난이도 ★★★★★

이차방정식 $ax^2+bx+c=0$ (a, b, c는 실수)의 두 실근을 α, β, 판별식을 $D=b^2-4ac$라 할 때,

(1) 두 근이 모두 양 ⇨ $D\geq 0$, $\alpha+\beta>0$, $\alpha\beta>0$
(2) 두 근이 모두 음 ⇨ $D\geq 0$, $\alpha+\beta<0$, $\alpha\beta>0$
(3) 두 근이 서로 다른 부호 ⇨ $\alpha\beta<0$

0872

x에 대한 이차방정식 $x^2+(a^2+2a-3)x+2a-1=0$의 두 실근의 절댓값이 같고, 부호가 서로 다를 때, 실수 a의 값을 구하시오.

0873

x에 대한 이차방정식 $x^2+2(k-1)x+3-k=0$이 한 개의 양수인 근과 한 개의 음수인 근을 갖도록 하는 실수 k의 값의 범위는?

① $k<1$ ② $k>1$ ③ $k>3$
④ $k<3$ ⑤ $k\geq -5$

0874

x에 대한 이차방정식 $x^2-2kx+k^2-2k+4=0$이 서로 다른 두 양의 실근을 가질 때, 실수 k의 값의 범위는?

① $k<-2$ ② $k<0$ ③ $k>0$
④ $k>2$ ⑤ $0<k<2$

0875

다음 〈보기〉에서 실근을 갖는 것의 개수는?

보기

ㄱ. $7x^2+3x-1=0$　　ㄴ. $9x^2-6x+1=0$
ㄷ. $7x^2+4x+3=0$　　ㄹ. $4x^2-2x+1=0$
ㅁ. $2x^2-5x+2=0$

① 1　② 2　③ 3　④ 4　⑤ 5

0876

x에 대한 이차방정식

$$ax^2+(2a-1)x+(a-2)=0$$

이 서로 다른 두 실근을 가질 때, 다음 중 실수 a의 값이 될 수 <u>없는</u> 것은?

① $-\frac{1}{2}$　② $-\frac{1}{8}$　③ $\frac{1}{8}$　④ $\frac{1}{2}$　⑤ 1

0877

x에 대한 이차방정식

$$x^2-2(k-a)x+(k^2-6k+b)=0$$

이 k의 값에 관계없이 중근을 가질 때, 두 실수 a, b에 대하여 $a-b$의 값은?

① -6　② -3　③ 0　④ 3　⑤ 6

0878 서술형

x에 대한 이차방정식 $x^2+2(5-k)x+k^2=0$은 실근을 갖고 이차방정식 $x^2+x+k=0$은 허근을 갖게 하는 모든 정수 k의 값의 합을 구하시오.

0879

이차방정식 $x^2+5x-4=0$의 두 근을 α, β라 할 때, $\alpha^2+\alpha\beta+\beta^2$의 값은?

① 39　② 29　③ 21　④ -21　⑤ -25

0880

이차방정식 $x^2+3x+10=0$의 두 근을 α, β라 할 때, $\alpha^3+\beta^3$의 값을 구하시오.

0881

x에 대한 이차방정식

$$x^2-(k^2-4k-5)x+(2k-4)=0$$

이 절댓값이 같고, 부호가 서로 다른 두 실근을 갖도록 하는 실수 k의 값을 구하시오.

0882

이차방정식 $x^2-mx+n=0$의 두 근을 α, β라 할 때, 이차방정식 $x^2+nx+m=0$의 두 근은 $\alpha-1$, $\beta-1$이다. 이때, 두 상수 m, n에 대하여 m^2+n^2의 값을 구하시오.

0883

이차방정식 $x^2+5x+7=0$의 두 근을 α, β라 하자. 두 근이 α^2, β^2인 이차방정식을 $x^2+ax+b=0$으로 나타낼 때, 두 실수 a, b에 대하여 $a-b$의 값을 구하시오.

0884

이차방정식 $x^2+ax+b=0$의 한 근이 $\frac{2i}{1+i}$일 때, 두 실수 a, b에 대하여 a^2+b^2의 값은? (단, $i=\sqrt{-1}$)

① 2 ② 4 ③ 6 ④ 8 ⑤ 10

0885 서술형

이차방정식 $x^2-3x+1=0$의 두 근을 α, β라 할 때, $\frac{\beta}{\alpha^2-2\alpha+1}+\frac{\alpha}{\beta^2-2\beta+1}$의 값을 구하시오.

0886

이차방정식 $f(x)=0$의 두 근 α, β에 대하여 $\alpha+\beta=1$, $\alpha\beta=6$일 때, 이차방정식 $f(2x-3)=0$의 두 근의 곱은?

① $\frac{11}{2}$ ② $\frac{9}{2}$ ③ $\frac{7}{2}$ ④ $\frac{5}{2}$ ⑤ $\frac{3}{2}$

Level 1

0887

이차방정식 $x^2+ax+b=0$의 근이 모두 유리수가 되도록 하는 5 이하의 자연수 a, b에 대하여 순서쌍 (a, b)의 개수는?

① 4　　② 5　　③ 6
④ 7　　⑤ 8

0888

x에 대한 이차방정식

$$ax^2+(2a-4)x-12a=0$$

의 두 근의 절댓값의 비가 $3:1$이 되도록 하는 실수 a의 값의 합을 구하시오.

0889 교육청 기출

x에 대한 이차방정식 $x^2+(a-4)x-1=0$의 두 근을 α와 β, $x^2+ax+b=0$의 두 근을 α와 γ라 하자. 상수 a, b에 대하여 $2\alpha=\beta-\gamma$가 성립할 때, $2a-b$의 값을 구하시오.

0890

그림과 같이 $\overline{AC}=1$, $\overline{BC}=\sqrt{3}$, $\angle C=90^\circ$인 직각삼각형의 꼭짓점 C에서 변 AB에 내린 수선의 발을 D라 하자. $\overline{AD}=\alpha$, $\overline{BD}=\beta$라 할 때, α, β를 두 근으로 하고 x^2의 계수가 4인 이차방정식을 구하시오.

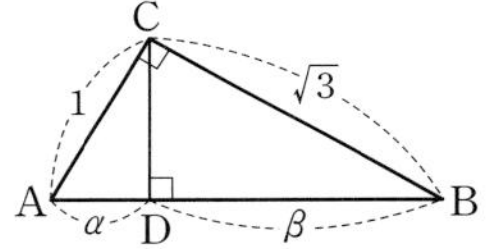

Level 2

0891

x에 대한 이차방정식 $x^2+ax+|a-2|-4=0$의 두 근 중 한 근만 양수가 되도록 하는 정수 a의 개수를 구하시오.

0892

실수 t에 대하여 t보다 크지 않은 최대의 정수를 $[t]$로 나타낼 때, $[x]^2-9[x]+20=0$, $[y]^2-3[y]+2=0$을 만족하는 실수 x, y에 대하여 점 (x, y)가 존재하는 영역의 넓이는?

① 2 ② 3 ③ 4
④ 5 ⑤ 6

0893

a, b, c가 삼각형의 세 변의 길이일 때, x에 대한 이차방정식 $b^2x^2+(b^2+c^2-a^2)x+c^2=0$의 근에 대한 설명으로 다음 중 옳은 것은?

① 서로 다른 두 실근을 갖는다.
② 서로 같은 두 실근(중근)을 갖는다.
③ 서로 다른 두 허근을 갖는다.
④ 서로 다른 부호의 두 실근을 갖는다.
⑤ 서로 같은 부호의 두 실근을 갖는다.

0894

이차방정식 $x^2-ax+b=0$의 두 근을 α, β라 하고 이차방정식 $x^2+bx+a=0$의 두 근이 $\alpha-1$, $\beta-1$이라 할 때, $\alpha^{102}-\beta^{102}$의 값과 같은 것은? (단, a, b는 상수)

① 0 ② 1 ③ α
④ β ⑤ $\alpha-\beta$

0895 교육청 기출

x에 대한 이차방정식 $x^2-px+p+3=0$이 허근 α를 가질 때, α^3이 실수가 되도록 하는 모든 실수 p의 값의 곱은?

① -2 ② -3 ③ -4
④ -5 ⑤ -6

0896

이차방정식 $x^2+x-1=0$의 두 근을 α, β라 할 때, $(1+\alpha+\alpha^2+\alpha^3)(1+\beta+\beta^2+\beta^3)$의 값은?

① -5 ② -4 ③ -3
④ -2 ⑤ -1

0897

이차방정식 $x^2+x-3=0$의 두 근을 α, β라 할 때, $f(\alpha)=f(\beta)=1$이고 이차항의 계수가 1인 이차식 $f(x)$는?

① x^2+x-2 ② x^2-x-4
③ x^2+x+4 ④ x^2-2x+2
⑤ x^2+2x+4

0898

이차방정식 $f(x+1)=0$의 두 근을 α, β라 하면 $\alpha+\beta=2$, $\alpha\beta=4$이다. 이때, 이차방정식 $f(x-2)=0$의 두 근의 곱을 구하시오.

Level 3

0899

α, β가 이차방정식 $x^2+x+1=0$의 두 근이고, n은 3의 배수가 아닌 자연수일 때, $\dfrac{1+\alpha^n}{1+\beta^n}$, $\dfrac{1+\beta^n}{1+\alpha^n}$을 두 근으로 하는 이차방정식은?

① $x^2+x+1=0$　　② $x^2-x+1=0$
③ $x^2+2x+1=0$　　④ $x^2-2x+1=0$
⑤ $x^2+1=0$

0900 교육청 기출

이차방정식 $x^2+x+1=0$의 두 근 α, β에 대하여 이차함수 $f(x)=x^2+px+q$가 $f(\alpha^2)=-4\alpha$와 $f(\beta^2)=-4\beta$를 만족시킬 때, 두 상수 p, q에 대하여 $p+q$의 값을 구하시오.

0901

계수가 실수인 x에 대한 이차방정식 $ax^2+bx+c=0$의 두 근을 α, β라 할 때, $\alpha^2+\beta^2=1$, $\dfrac{1}{\alpha^2}+\dfrac{1}{\beta^2}=1$이 성립한다고 한다. 이때, $\dfrac{b^2}{a^2}+\dfrac{c^2}{b^2}+\dfrac{a^2}{c^2}$의 값을 구하시오.

0902

x에 대한 이차방정식 $x^2-2(m-2)x+m^2-3m+2=0$의 두 근이 모두 음수이고 한 근이 다른 근의 3배일 때, 실수 m의 값을 구하시오.

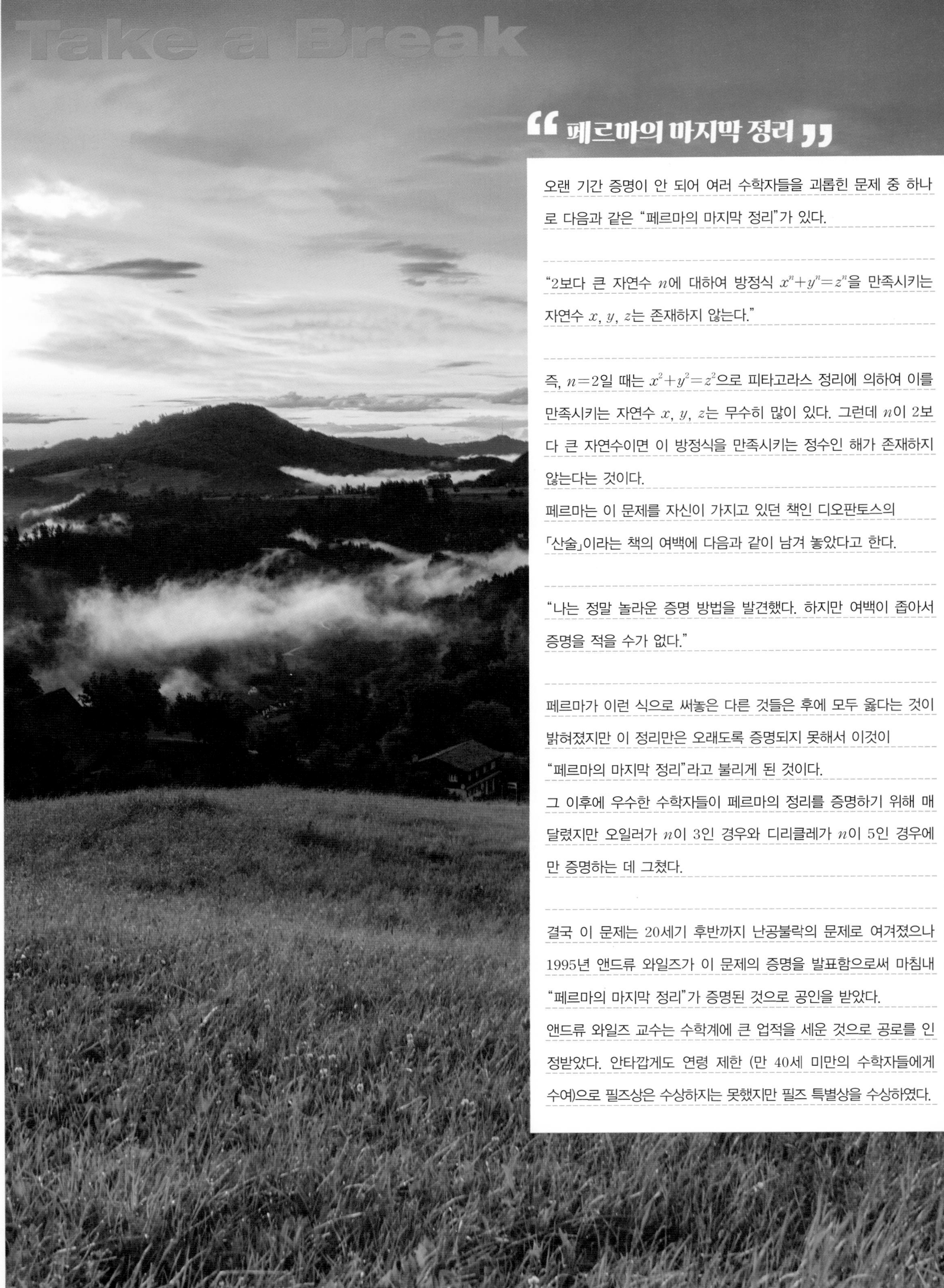

Take a Break

“페르마의 마지막 정리”

오랜 기간 증명이 안 되어 여러 수학자들을 괴롭힌 문제 중 하나로 다음과 같은 “페르마의 마지막 정리”가 있다.

“2보다 큰 자연수 n에 대하여 방정식 $x^n+y^n=z^n$을 만족시키는 자연수 x, y, z는 존재하지 않는다.”

즉, $n=2$일 때는 $x^2+y^2=z^2$으로 피타고라스 정리에 의하여 이를 만족시키는 자연수 x, y, z는 무수히 많이 있다. 그런데 n이 2보다 큰 자연수이면 이 방정식을 만족시키는 정수인 해가 존재하지 않는다는 것이다.
페르마는 이 문제를 자신이 가지고 있던 책인 디오판토스의 「산술」이라는 책의 여백에 다음과 같이 남겨 놓았다고 한다.

“나는 정말 놀라운 증명 방법을 발견했다. 하지만 여백이 좁아서 증명을 적을 수가 없다.”

페르마가 이런 식으로 써놓은 다른 것들은 후에 모두 옳다는 것이 밝혀졌지만 이 정리만은 오래도록 증명되지 못해서 이것이 “페르마의 마지막 정리”라고 불리게 된 것이다.
그 이후에 우수한 수학자들이 페르마의 정리를 증명하기 위해 매달렸지만 오일러가 n이 3인 경우와 디리클레가 n이 5인 경우에만 증명하는 데 그쳤다.

결국 이 문제는 20세기 후반까지 난공불락의 문제로 여겨졌으나 1995년 앤드류 와일즈가 이 문제의 증명을 발표함으로써 마침내 “페르마의 마지막 정리”가 증명된 것으로 공인을 받았다.
앤드류 와일즈 교수는 수학계에 큰 업적을 세운 것으로 공로를 인정받았다. 안타깝게도 연령 제한 (만 40세 미만의 수학자들에게 수여)으로 필즈상은 수상하지는 못했지만 필즈 특별상을 수상하였다.

06 이차함수의 활용

		제 목	내신중요도	유형난이도	문항수	문항번호
		기본 문제			52	0903~0954
유형 문제	01	이차함수의 그래프와 x축의 위치 관계	▬▬▬▬▬	★★	6	0955~0960
	02	이차함수의 그래프와 이차방정식의 해	▬▬▬	★★	6	0961~0966
	03	이차함수의 그래프와 직선의 위치 관계	▬▬▬▬▬	★★★	6	0967~0972
	04	이차함수의 그래프의 접선의 방정식	▬▬▬	★★★	6	0973~0978
	05	이차함수의 그래프와 직선의 교점	▬▬▬	★★★★	6	0979~0984
	06	이차함수의 그래프와 선분의 길이 응용	▬▬▬	★★★★	6	0985~0990
	07	이차방정식 $f(ax+b)=0$의 실근	▬▬	★★★★	3	0991~0993
	08	이차함수의 최대 · 최소	▬▬▬▬	★★	9	0994~1002
	09	제한된 범위에서 이차함수의 최대 · 최소	▬▬▬▬▬	★★★	6	1003~1008
	10	계수가 미지수인 이차함수의 최대 · 최소	▬▬▬▬▬	★★★★	6	1009~1014
	11	치환을 이용한 최대 · 최소	▬▬▬	★★★	6	1015~1020
	12	이차함수의 성질과 최대 · 최소	▬▬▬▬	★★★★★	6	1021~1026
	13	조건식이 주어진 이차식의 최대 · 최소	▬	★★★	3	1027~1029
	14	이차함수의 그래프와 도형	▬▬▬	★★★★★	4	1030~1033
	15	이차함수의 최대 · 최소의 활용 – 도형	▬▬▬	★★★★	6	1034~1039
	16	이차함수의 최대 · 최소의 활용 – 실생활	▬▬▬	★★★★	6	1040~1045
		적중 문제			12	1046~1057
		고난도 문제			20	1058~1077

이차함수의 활용

1. 이차함수 $y=ax^2+bx+c$의 그래프

$y=ax^2+bx+c$

➡ $y=a\left(x+\dfrac{b}{2a}\right)^2-\dfrac{b^2-4ac}{4a}$

(1) 꼭짓점의 좌표: $\left(-\dfrac{b}{2a},\ -\dfrac{b^2-4ac}{4a}\right)$

(2) 축의 방정식: $x=-\dfrac{b}{2a}$

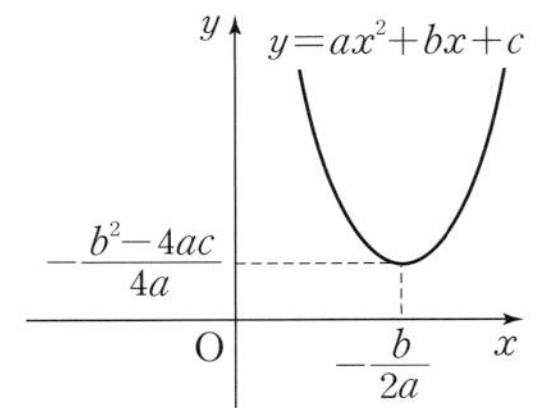

- 이차함수 $y=a(x-m)^2+n$의 그래프는 이차함수 $y=ax^2$의 그래프를 x축의 방향으로 m만큼, y축의 방향으로 n만큼 평행이동한 것이다.
  ① 꼭짓점의 좌표: $(m,\ n)$
  ② 축의 방정식: $x=m$

- 이차함수의 식 구하기

  0이 아닌 상수 a에 대하여
  ① 꼭짓점의 좌표 $(m,\ n)$이 주어질 때
  ⇨ $y=a(x-m)^2+n$
  ② 그래프와 x축의 두 교점 $(\alpha,\ 0)$, $(\beta,\ 0)$이 주어질 때
  ⇨ $y=a(x-\alpha)(x-\beta)$

2. 이차함수의 그래프와 이차방정식의 관계

(1) 이차함수의 그래프와 이차방정식의 해

이차함수 $y=ax^2+bx+c$의 그래프와 x축의 교점의 x좌표는 이차방정식 $ax^2+bx+c=0$의 실근과 같다.

(2) 이차함수의 그래프와 x축의 위치 관계

$a>0$인 경우	$D>0$	$D=0$	$D<0$
$y=ax^2+bx+c$의 그래프	(α, β, x)	(α, x)	(x)
x축의 위치 관계	서로 다른 두 점에서 만난다.	한 점에서 만난다. (접한다.)	만나지 않는다.
$ax^2+bx+c=0$의 해	$x=\alpha$ 또는 $x=\beta$	$x=\alpha$ (중근)	서로 다른 두 허근

- 이차함수 $y=ax^2+bx+c$의 그래프와 x축의 교점의 개수는 이차방정식 $ax^2+bx+c=0$의 실근의 개수와 같다.

3. 이차함수의 그래프와 직선의 위치 관계

이차함수 $y=f(x)$의 그래프와 직선 $y=g(x)$의 위치 관계는 이차방정식 $f(x)-g(x)=0$의 판별식을 D라 할 때,
(1) $D>0$이면 서로 다른 두 점에서 만난다.
(2) $D=0$이면 한 점에서 만난다. (접한다.)
(3) $D<0$이면 만나지 않는다.

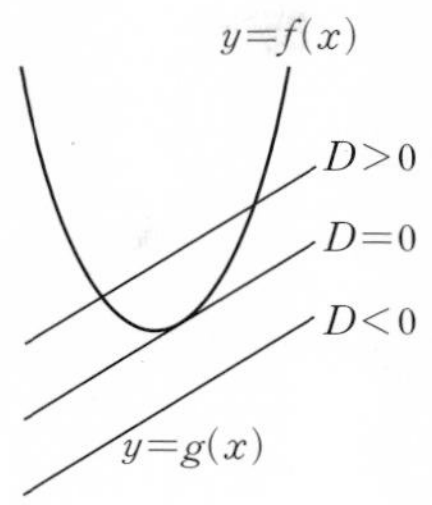

두 함수 $y=f(x)$, $y=g(x)$의 그래프의 교점의 개수는 방정식 $f(x)=g(x)$의 실근의 개수와 같다.

4. 이차함수의 그래프와 직선의 교점

이차함수 $y=f(x)$의 그래프와 직선 $y=g(x)$의 두 교점의 x좌표가 α, β이면, 이차방정식 $f(x)=g(x)$의 두 실근이 α, β이다.

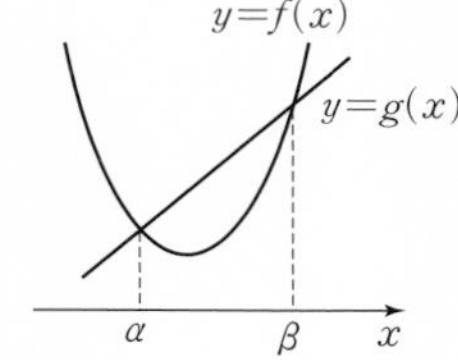

이차함수 $y=f(x)$의 그래프와 일차함수 $y=g(x)$의 그래프가 접하면 이차방정식 $f(x)=g(x)$는 중근을 갖고, 만나지 않으면 실근을 갖지 않는다.

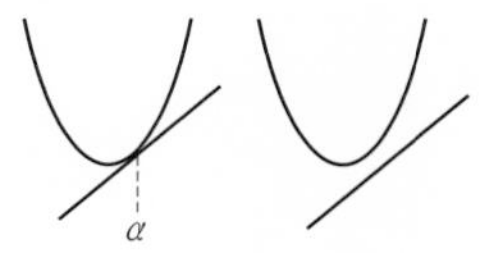

5. 이차함수 $y=ax^2+bx+c$의 최대 · 최소

이차함수 $y=ax^2+bx+c$의 최댓값, 최솟값은 $y=a(x-m)^2+n$의 꼴로 변형하여 구한다.
(1) $a>0$이면 $x=m$일 때 최솟값은 n이고, 최댓값은 없다.
(2) $a<0$이면 $x=m$일 때 최댓값은 n이고, 최솟값은 없다.

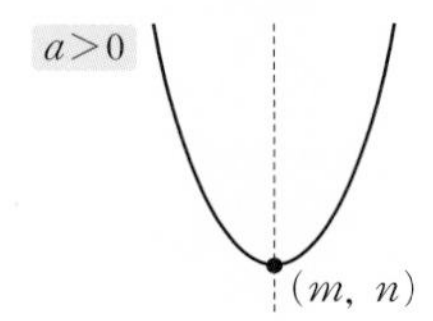

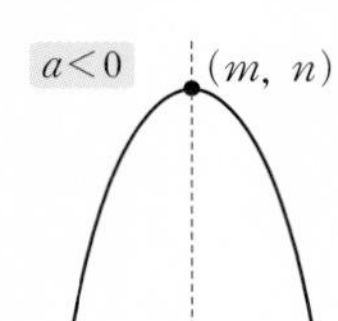

조건식이 주어진 이차식의 최대 · 최소
① 주어진 등식을 한 문자에 대하여 푼다.
② ①의 식을 이차식에 대입하여 한 문자에 대한 이차식으로 나타낸다.
③ ②의 식에서 최댓값 또는 최솟값을 구한다. 이때, 조건에 주의한다.

6. 제한된 범위에서의 최대 · 최소

$\alpha\le x\le\beta$에서 이차함수 $f(x)=a(x-m)^2+n$의 최대 · 최소는 다음과 같이 구한다.
(1) 꼭짓점의 x좌표 m이 주어진 범위에 포함될 때
① 최댓값: $f(\alpha)$, $f(\beta)$, $f(m)$ 중 가장 큰 값
② 최솟값: $f(\alpha)$, $f(\beta)$, $f(m)$ 중 가장 작은 값
(2) 꼭짓점의 x좌표 m이 주어진 범위에 포함되지 않을 때
① 최댓값: $f(\alpha)$, $f(\beta)$ 중 큰 값
② 최솟값: $f(\alpha)$, $f(\beta)$ 중 작은 값

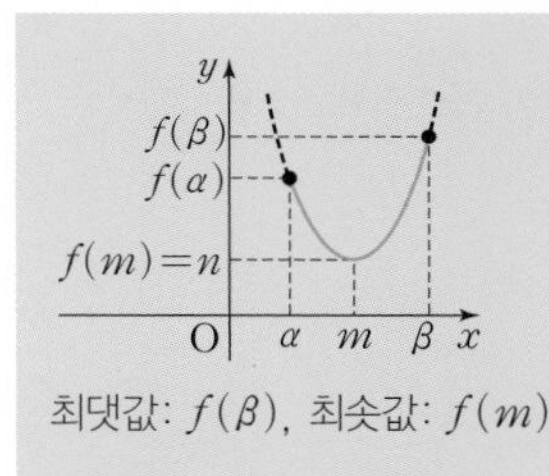

최댓값: $f(\beta)$, 최솟값: $f(m)=n$

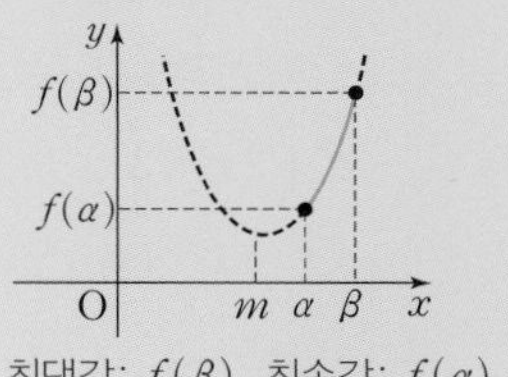

최댓값: $f(\beta)$, 최솟값: $f(\alpha)$

1 이차함수의 그래프와 x축의 위치 관계

[0903-0908] 다음 이차함수의 그래프와 x축의 교점의 개수를 구하시오.

0903 $y=-x^2$

0904 $y=x^2-2$

0905 $y=(x-3)^2+1$

0906 $y=x^2+4x+8$

0907 $y=-x^2+2x+3$

0908 $y=-x^2+4x-4$

[0909-0910] 다음 이차함수의 그래프가 x축과 서로 다른 두 점에서 만나도록 하는 실수 k의 값의 범위를 구하시오.

0909 $y=x^2+2x+k$

0910 $y=-x^2+6x+k$

[0911-0912] 다음 이차함수의 그래프가 x축과 한 점에서 만나도록 하는 실수 k의 값을 구하시오.

0911 $y=x^2+3x+k$

0912 $y=-2x^2+x-k$

[0913-0915] 다음 이차함수의 그래프가 x축과 만나지 않도록 하는 실수 k의 값의 범위를 구하시오.

0913 $y=x^2-4x+k$

0914 $y=-2x^2+4x+3k$

0915 $y=x^2-4kx+4k^2-3k+9$

2 이차함수의 그래프와 이차방정식의 해

[0916-0918] 좌표평면에서 다음 이차함수의 그래프와 x축의 교점의 좌표를 구하시오.

0916 $y=3x^2+6x$

0917 $y=x^2+x-2$

0918 $y=x^2-6x+9$

[0919-0920] 다음 조건을 만족시키는 상수 a의 값을 구하시오.

0919 이차함수 $y=x^2+3x+a$의 그래프가 x축과 만나는 한 교점의 좌표는 $(3, 0)$이다.

0920 이차함수 $y=x^2+ax+4$의 그래프가 x축과 한 점 $(2, 0)$에서 만난다.

[0921-0923] 다음 □ 안에 알맞은 수를 써넣으시오.

0921 이차함수 $y=ax^2+bx+c$의 그래프가 x축과 두 점 $(1, 0)$, $(2, 0)$에서 만날 때, 이차방정식 $ax^2+bx+c=0$의 두 근은 □ 또는 □이다.
(단, a, b, c는 상수이다.)

0922 이차방정식 $x^2+ax+b=0$의 두 근이 3 또는 4일 때, 이차함수 $y=x^2+ax+b$의 그래프는 x축과 두 점 (□, □), (□, □)에서 만난다.
(단, a, b는 상수이다.)

0923 이차함수 $y=x^2+6x+8$의 그래프가 x축과 두 점 $(\alpha, 0)$, $(\beta, 0)$에서 만날 때, $\alpha+\beta=$□이고 $\alpha\beta=$□이다.

[0924-0925] 이차함수 $y=x^2+ax+b$의 그래프가 그림과 같을 때, 두 상수 a, b의 값을 구하시오.

0924

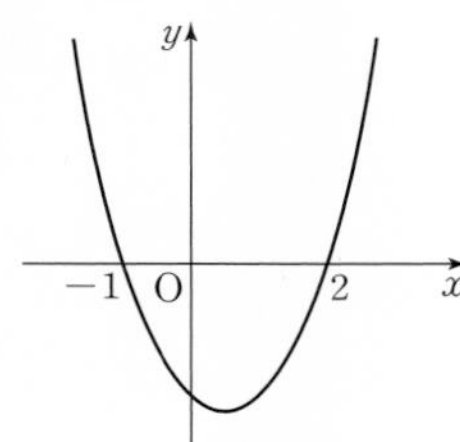

0925

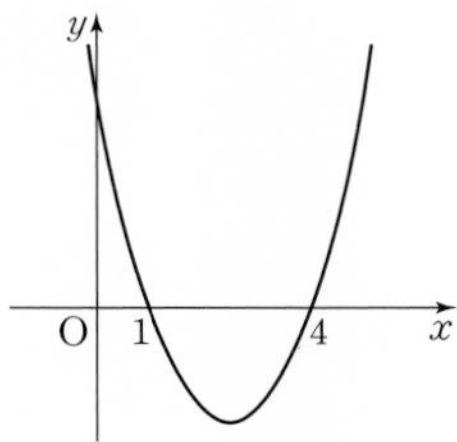

[0926-0927] 이차함수 $y=-x^2+ax+b$의 그래프가 그림과 같을 때, 두 상수 a, b의 값을 구하시오.

0926

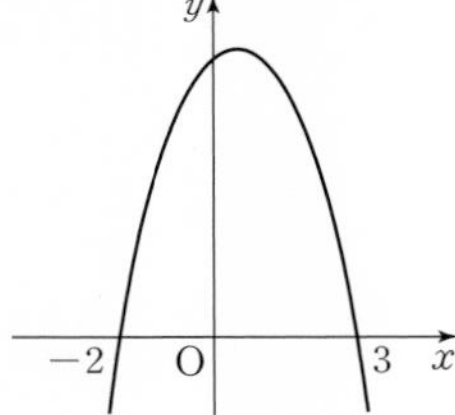

0927

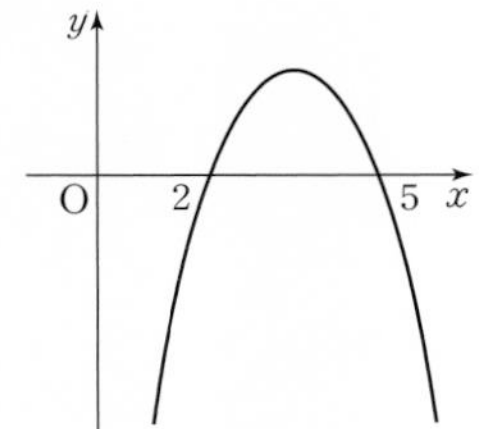

06 이차함수의 활용

3 이차함수의 그래프와 직선의 위치 관계

[0928-0930] 다음 이차함수의 그래프와 직선의 교점의 개수를 구하시오.

0928 $y=x^2+2x+1$, $y=-x-1$

0929 $y=2x^2-x+3$, $y=x+2$

0930 $y=-x^2+4x+1$, $y=2x+2$

[0931-0933] 다음 이차함수의 그래프와 직선이 서로 다른 두 점에서 만나도록 하는 실수 k의 값의 범위를 구하시오.

0931 $y=x^2+4x+2$, $y=x+k$

0932 $y=3x^2+4x-1$, $y=x-k$

0933 $y=-x^2+x+5$, $y=-x-k$

[0934-0936] 다음 이차함수의 그래프와 직선이 한 점에서 만나도록 하는 실수 k의 값을 구하시오.

0934 $y=x^2+2x+4$, $y=x+k$

0935 $y=2x^2-2x+1$, $y=x-k$

0936 $y=-x^2+2x+5$, $y=-x-k$

[0937-0939] 다음 이차함수의 그래프와 직선이 만나지 않도록 하는 실수 k의 값의 범위를 구하시오.

0937 $y=x^2-x+3$, $y=x+k$

0938 $y=3x^2+2x+1$, $y=-x-2k$

0939 $y=-x^2+5x+6$, $y=x-k$

해설 115쪽

[0940-0942] 다음 이차함수의 그래프와 직선의 교점의 좌표를 구하시오.

0940 $y=x^2-1$, $y=2x-1$

0941 $y=x^2-x-4$, $y=3x+1$

0942 $y=x^2+2x+3$, $y=4x+2$

4 이차함수의 최대 · 최소

[0943-0946] 다음 이차함수의 최댓값과 최솟값을 구하시오.

0943 $y=x^2-3$

0944 $y=-(x-2)^2+1$

0945 $y=x^2-2x+1$

0946 $y=-x^2-6x-11$

[0947-0950] 이차함수 $y=x^2-4x+3$에 대하여 다음 범위에서의 최댓값과 최솟값을 구하시오.

0947 $1\le x\le 4$

0948 $-1\le x\le 3$

0949 $5\le x\le 7$

0950 $x>0$

[0951-0954] 이차함수 $y=-x^2+6x-5$에 대하여 다음 범위에서의 최댓값과 최솟값을 구하시오.

0951 $2\le x\le 6$

0952 $0\le x\le 4$

0953 $-3\le x\le -1$

0954 $x>1$

유형 01 이차함수의 그래프와 x축의 위치 관계

내신 중요도 ▬▬▬▬▬ 유형 난이도 ★★★★★

이차함수 $y=ax^2+bx+c$의 그래프와 x축은
(1) $b^2-4ac>0$이면 서로 다른 두 점에서 만난다.
(2) $b^2-4ac=0$이면 한 점에서 만난다. (접한다.)
(3) $b^2-4ac<0$이면 만나지 않는다.

0955 ●○○○

이차함수 $y=-x^2+3x-k$의 그래프가 x축과 만나지 않도록 하는 실수 k의 값의 범위는?

① $k<-\frac{9}{4}$ ② $k>-\frac{9}{4}$ ③ $k<\frac{9}{4}$
④ $k>\frac{9}{4}$ ⑤ $k>9$

0956 ●○○○

이차함수 $y=2x^2-6x+1-k$의 그래프가 x축과 서로 다른 두 점에서 만나도록 하는 실수 k의 값의 범위가 $k>a$일 때, 상수 a의 값은?

① $-\frac{9}{2}$ ② -4 ③ $-\frac{7}{2}$
④ -3 ⑤ -2

0957 중요 ●●○○

이차함수 $y=x^2+2(1-m)x+m^2+7$의 그래프가 x축과 만나지 않도록 하는 실수 m의 값의 범위는?

① $m<-3$ ② $m>-3$ ③ $m>1$
④ $m<3$ ⑤ $m>3$

0958 ●●○○

이차함수 $y=x^2+2ax+am+m+b$의 그래프가 실수 m의 값에 관계없이 항상 x축에 접할 때, 두 상수 a, b에 대하여 $a+b$의 값은?

① -2 ② -1 ③ 0
④ 1 ⑤ 2

0959 ●●○○

이차함수 $y=x^2+ax+b$의 그래프가 점 $(1, 1)$을 지나고 x축에 접할 때, 상수 a, b의 곱 ab의 값을 구하시오. (단, $a\neq0$)

0960 ●●○○

이차함수 $y=(k-1)x^2-2(k+1)x+(k+2)$의 그래프가 x축과 서로 다른 두 점에서 만나게 되는 5 이하의 정수 k의 개수는?

① 5 ② 6 ③ 7
④ 8 ⑤ 9

유형 02 이차함수의 그래프와 이차방정식의 해

내신 중요도 ▬▬▬▬ 유형 난이도 ★★★★★

(1) 이차함수 $y=ax^2+bx+c$의 그래프와 x축의 교점의 x좌표는 이차방정식 $ax^2+bx+c=0$의 실근과 같다.

(2) 이차함수 $y=ax^2+bx+c$의 그래프와 x축이 만나지 않으면 이차방정식 $ax^2+bx+c=0$은 실근을 갖지 않는다.

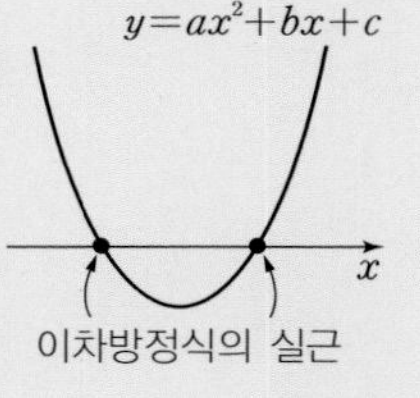

0961 ●○○○

이차함수 $y=x^2-ax+b$의 그래프와 x축의 교점의 x좌표가 -2, 1일 때, 두 상수 a, b의 합 $a+b$의 값을 구하시오.

0962 중요 ●●○○

이차함수 $y=x^2+ax+a+b$의 그래프가 그림과 같을 때, 두 상수 a, b의 곱 ab의 값은?

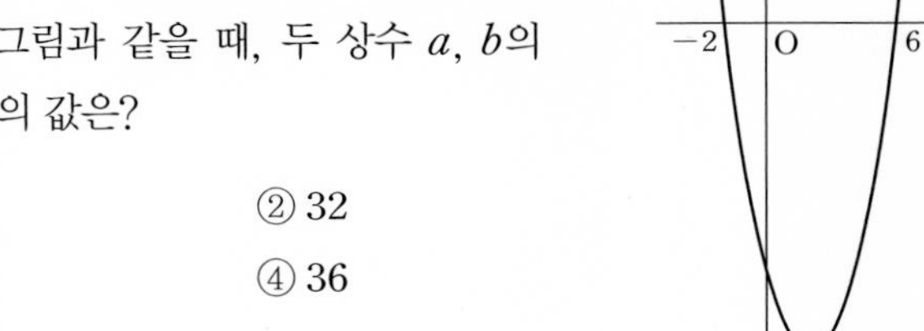

① 30 ② 32
③ 34 ④ 36
⑤ 38

0963 ●○○○

이차함수 $y=x^2+2x+k$의 그래프가 x축과 두 점 $(a, 0)$, $(3, 0)$에서 만날 때, $k+a$의 값을 구하시오. (단, k는 상수이다.)

0964 교육청 기출 ●●○○

이차함수 $y=2x^2+ax-3$의 그래프가 x축과 만나는 두 점의 x좌표의 합이 -1일 때, 상수 a의 값은?

① -2 ② -1 ③ 0
④ 1 ⑤ 2

0965 ●●○○

이차함수 $y=-3x^2+6x-2$의 그래프와 x축의 교점의 x좌표가 α, β일 때, $|\alpha-\beta|$의 값을 구하시오.

0966 ●●●○

두 이차함수 $f(x)=x^2+ax+b$, $g(x)=-x^2+cx+d$의 그래프가 그림과 같을 때, 방정식 $2f(x)+g(x)=0$의 해는?

(단, a, b, c, d는 실수)

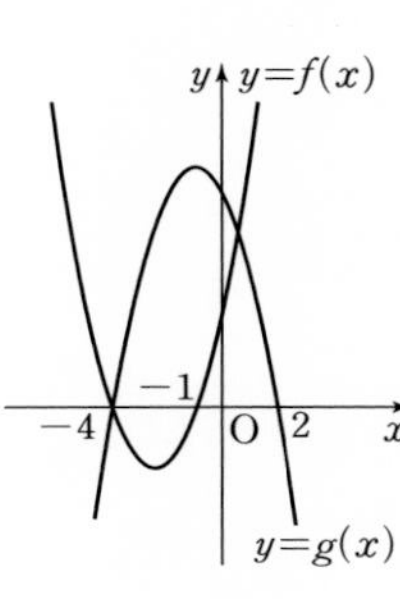

① -4 ② -2
③ 0 ④ 2
⑤ 4

유형 03 이차함수의 그래프와 직선의 위치 관계

내신 중요도 ■■■■■ 유형 난이도 ★★★☆☆

이차함수의 식과 직선의 식을 연립한 이차방정식의 판별식을 D라 할 때,

(1) $D>0$이면 서로 다른 두 점에서 만난다.

(2) $D=0$이면 한 점에서 만난다. (접한다.)

(3) $D<0$이면 만나지 않는다.

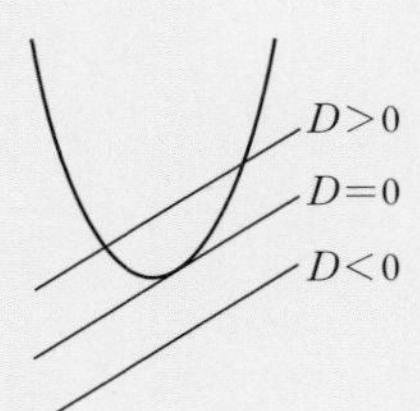

0967 ●●○○

곡선 $y=x^2+1$과 직선 $y=2ax-3$이 한 점에서만 만나도록 하는 모든 상수 a의 값의 합은?

① 0 ② 1 ③ 2
④ 3 ⑤ 4

0968 짱중요 ●●○○

이차함수 $y=x^2+k$의 그래프가 직선 $x+y=1$과 서로 다른 두 점에서 만나도록 하는 정수 k의 최댓값을 구하시오.

0969 ●●○○

곡선 $y=x^2+2ax+a$와 직선 $y=2x-a^2$의 교점이 존재하지 않도록 하는 자연수 a의 최솟값은?

① 1 ② 2 ③ 3
④ 4 ⑤ 5

0970 ●●○○

이차함수 $y=x^2-2x+k$의 그래프와 직선 $y=2x-1$이 만나도록 하는 자연수 k의 개수는?

① 1 ② 2 ③ 3
④ 4 ⑤ 5

0971 짱중요 ●●○○

직선 $y=2mx$가 이차함수 $y=x^2+x+m^2$의 그래프와 서로 다른 두 점에서 만나고, 이차함수 $y=x^2-x+m^2$의 그래프와는 만나지 않는다고 할 때, 실수 m의 값의 범위를 구하시오.

0972 중요 ●●●○

이차함수 $y=x^2+ax+b$의 그래프는 x축에 접하고 직선 $y=2x$와 서로 다른 두 점에서 만난다. 이때, 정수 a의 최댓값을 구하시오. (단, b는 상수이다.)

내신 중요도 ■■■■■ 유형 난이도 ★★★☆☆

04 이차함수의 그래프의 접선의 방정식

이차함수 $y=f(x)$의 그래프와 접하는 직선의 방정식을 $y=g(x)$라 할 때

⇨ 이차방정식 $f(x)=g(x)$, 즉 $f(x)-g(x)=0$의 판별식은 0이다.

0973 중요 ●○○○

포물선 $y=-x^2+2x-3$에 접하고, 직선 $y=-2x+5$와 평행한 직선의 방정식을 $y=ax+b$라 할 때, 상수 a, b의 합 $a+b$의 값을 구하시오.

0974 ●●○○

직선 $y=-2x+1$을 y축의 방향으로 k만큼 평행이동하였더니 이차함수 $y=x^2-4x$의 그래프와 접하였다. 이때, 상수 k의 값을 구하시오.

0975 교육청 기출 ●●○○

기울기가 5인 직선이 이차함수 $f(x)=x^2-3x+17$의 그래프에 접할 때, 이 직선의 y절편은?

① 1　② 2　③ 3　④ 4　⑤ 5

0976 ●●○○

이차함수 $y=x^2+ax+b$의 그래프가 두 직선 $y=\frac{1}{2}x$와 $y=-2x$에 동시에 접할 때, a의 값은? (단, a, b는 상수이다.)

① $-\frac{9}{8}$　② $-\frac{3}{4}$　③ $-\frac{1}{4}$　④ $\frac{3}{2}$　⑤ $\frac{7}{4}$

0977 ●●●○

점 $(1, 2)$를 지나고 이차함수 $y=-x^2+9x-14$의 그래프와 접하는 두 직선의 기울기의 곱을 구하시오.

0978 중요 교육청 기출 ●●●○

x에 대한 이차함수 $y=x^2-4kx+4k^2+k$의 그래프와 직선 $y=2ax+b$가 실수 k의 값에 관계없이 항상 접할 때, $a+b$의 값은? (단, a, b는 상수이다.)

① $\frac{1}{8}$　② $\frac{3}{16}$　③ $\frac{1}{4}$　④ $\frac{5}{16}$　⑤ $\frac{3}{8}$

유형 05 이차함수의 그래프와 직선의 교점

내신 중요도 ▬▬▬▬▬ 유형 난이도 ★★★★★

이차함수 $y=f(x)$의 그래프와 직선 $y=g(x)$의 교점의 x좌표가 α, β이면, 이차방정식 $f(x)=g(x)$의 두 실근은 α, β이다.

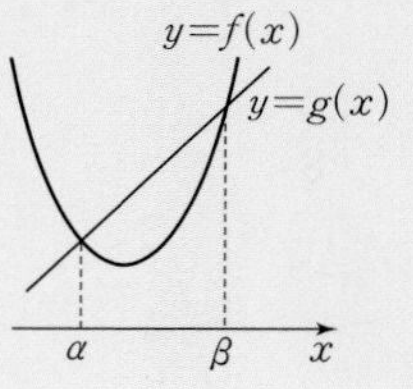

0979 ●○○○

이차함수 $y=2x^2-ax+1$의 그래프와 직선 $y=3x+b$의 두 교점의 x좌표가 -2, 3일 때, 두 상수 a, b의 합 $a+b$의 값은?

① 8 ② 10 ③ 12 ④ 14 ⑤ 16

0980 짱중요 ●●○○

이차함수 $y=-x^2+ax$의 그래프와 직선 $y=x-b$가 그림과 같을 때, 두 상수 a, b에 대하여 ab의 값을 구하시오.

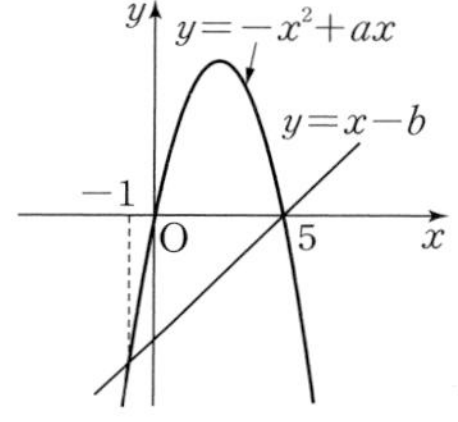

0981 ●●○○

그림과 같이 곡선 $y=x^2+ax+b$와 직선 $y=x+1$이 두 점 A, B에서 만나고, 점 B의 x좌표가 $4+\sqrt{3}$일 때, 두 유리수 a, b의 합 $a+b$의 값을 구하시오.

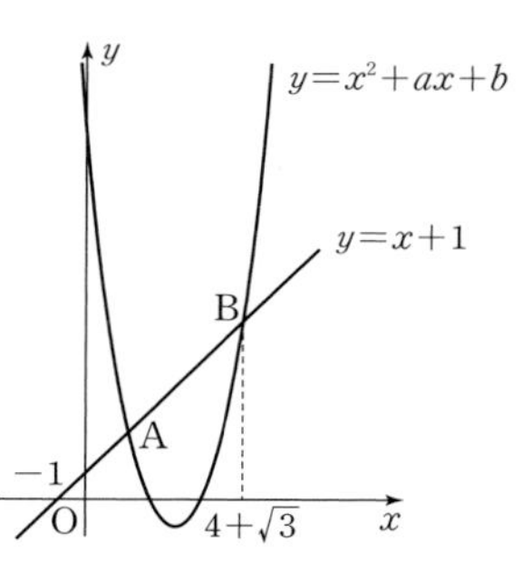

0982 ●●○○

이차함수 $y=x^2-ax+b$의 그래프와 직선 $y=2x-3$의 두 교점의 x좌표를 α, β라 하자. $\alpha+\beta=4$, $\alpha\beta=2$일 때, 두 상수 a, b에 대하여 ab의 값은?

① -2 ② -1 ③ 0 ④ 1 ⑤ 2

0983 중요 교육청 기출 ●●●○

그림과 같이 유리수 a, b에 대하여 두 이차함수 $y=x^2-3x+1$과 $y=-x^2+ax+b$의 그래프가 만나는 두 점을 각각 P, Q라 하자. 점 P의 x좌표가 $1-\sqrt{2}$일 때, $a+3b$의 값을 구하시오.

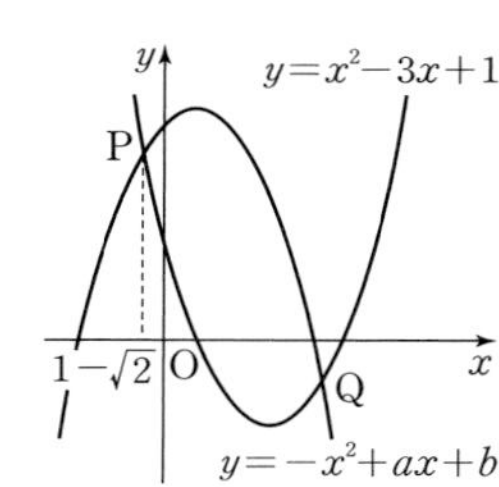

0984 ●●●●

이차함수 $f(x)=ax^2+bx+c$와 일차함수 $g(x)=mx+n$의 그래프가 그림과 같을 때, 〈보기〉에서 옳은 것만을 있는 대로 고른 것은?

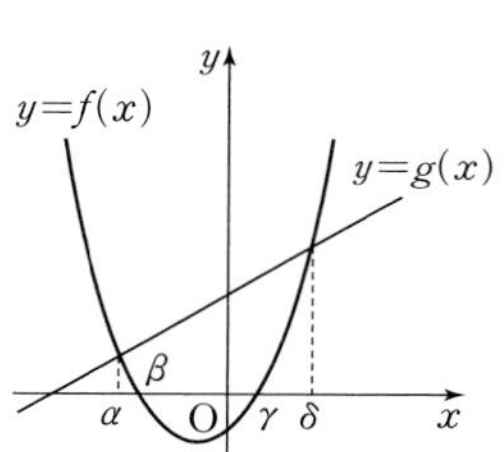

보기

ㄱ. $\beta+\gamma=-\dfrac{b}{a}$

ㄴ. 방정식 $f(-x)=0$의 두 근은 $-\beta$, $-\gamma$이다.

ㄷ. 방정식 $f(-x)=g(x)$의 두 근의 곱은 $\alpha\delta$이다.

① ㄱ ② ㄱ, ㄴ ③ ㄱ, ㄷ ④ ㄴ, ㄷ ⑤ ㄱ, ㄴ, ㄷ

해설 121쪽

유형 **06** 이차함수의 그래프와 선분의 길이 응용

내신 중요도 ▬▬▬▬▬ 유형 난이도 ★★★★★

이차함수 $y=f(x)$의 그래프와 직선 $y=mx+n$의 두 교점을 $\mathrm{A}(\alpha,\ m\alpha+n)$, $\mathrm{B}(\beta,\ m\beta+n)$이라 하면

$$\overline{\mathrm{AB}}=\sqrt{(\beta-\alpha)^2+(m\beta-m\alpha)^2}$$

0985 ●●○○

이차함수 $y=x^2-2x-3$의 그래프가 x축과 만나는 두 점을 각각 A, B라 하고, 꼭짓점을 C라 할 때, 삼각형 ABC의 넓이는?

① 4 ② 5 ③ 6 ④ 7 ⑤ 8

0986 중요 ●●○○

이차함수 $y=x^2-4x+a$의 그래프와 x축의 두 교점 사이의 거리가 10일 때, 실수 a의 값을 구하시오.

0987 ●●●○

이차함수 $y=ax^2+bx+c$의 그래프는 꼭짓점의 좌표가 $(-2,\ -1)$이고, x축과 두 점 P, Q에서 만난다. $\overline{\mathrm{PQ}}=4$일 때, 상수 a, b, c의 합 $a+b+c$의 값은?

① $\frac{1}{4}$ ② $\frac{1}{2}$ ③ $\frac{3}{4}$ ④ 1 ⑤ $\frac{5}{4}$

0988 ●●●○

이차함수 $y=-x^2+4x+2$의 그래프와 직선 $y=-x+1$의 두 교점 사이의 거리를 구하시오.

0989 ●●●○

직선 $y=x-k$가 이차함수 $y=x^2-6x+1$의 그래프와 서로 다른 두 점에서 만나고 그 두 점 사이의 거리가 $5\sqrt{2}$일 때, 실수 k의 값을 구하시오.

0990 ●●●●

직선 $y=2x-2$와 접하는 포물선 $y=x^2+ax+b$가 x축과 만나는 두 점을 각각 P, Q라 하자. 선분 PQ의 길이가 2일 때, 상수 a, b의 합 $a+b$의 값을 구하시오.

유형 07 이차방정식 $f(ax+b)=0$의 실근

내신 중요도 ■■■■■ 유형 난이도 ★★★★☆

이차방정식 $f(x)=0$의 실근이 α, β일 때,
이차방정식 $f(ax+b)=0$의 실근은 $\frac{\alpha-b}{a}$, $\frac{\beta-b}{a}$이다.

0991 ●●●○

이차함수 $y=f(x)$의 그래프가 그림과 같을 때, 이차방정식 $f(x+2)=0$의 두 실근의 합을 구하시오.

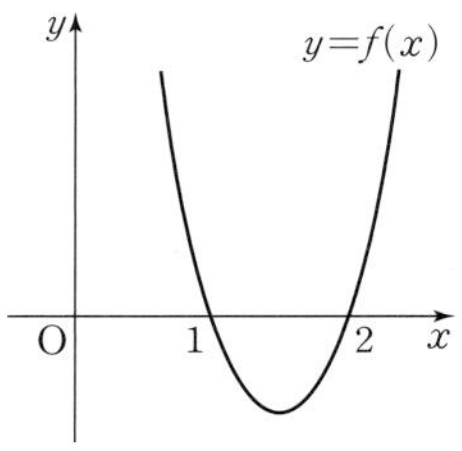

0992 중요 ●●●○

이차함수 $y=f(x)$의 그래프가 그림과 같을 때, 이차방정식 $f(10x+10)=0$의 두 근을 구하시오.

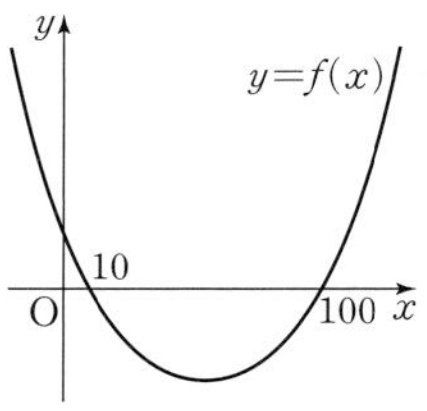

0993 ●●●●

이차함수 $y=f(x)$의 그래프는 그림과 같이 직선 $x=3$에 대하여 대칭이고, x축과 서로 다른 두 점에서 만난다. 이때, 이차방정식 $f(2x-5)=0$의 두 근의 합은?

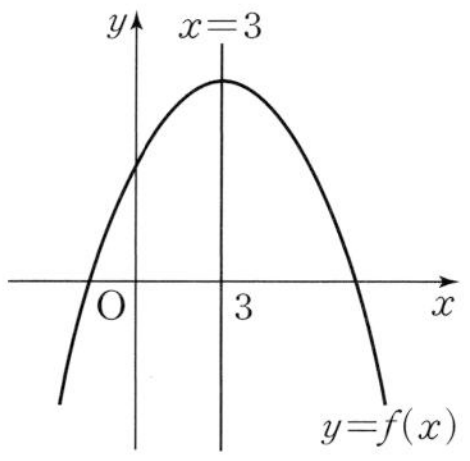

① 8 ② 7
③ 6 ④ 5
⑤ 4

유형 08 이차함수의 최대 · 최소

내신 중요도 ■■■■■ 유형 난이도 ★★☆☆☆

이차함수 $y=ax^2+bx+c$의 최댓값, 최솟값은
$y=a(x-m)^2+n$의 꼴로 변형하여 구한다.
(1) $a>0$이면 $x=m$일 때 최솟값은 n이고, 최댓값은 없다.
(2) $a<0$이면 $x=m$일 때 최댓값은 n이고, 최솟값은 없다.

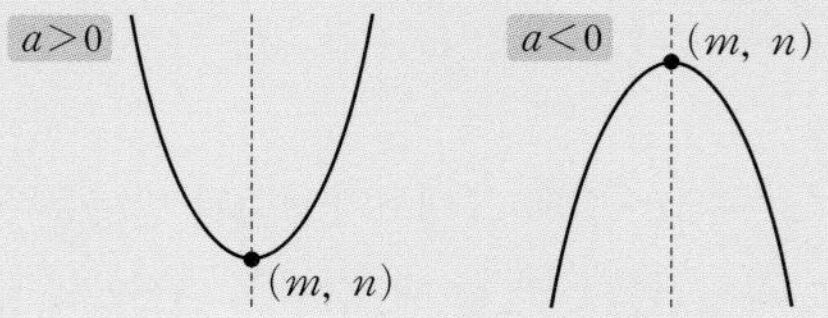

0994 짱중요 ●○○○

이차함수 $y=2x^2+4x+5$는 $x=a$일 때, 최솟값 b를 갖는다. 이때, $a+b$의 값은?

① 1 ② 2 ③ 3
④ 4 ⑤ 5

0995 ●●○○

이차함수 $y=-2x^2+px+q$가 $x=-1$에서 최댓값 5를 가질 때, 상수 p, q의 합 $p+q$의 값은?

① -2 ② -1 ③ 0
④ 1 ⑤ 2

0996 중요 ●●○○

이차함수 $y=-x^2-2ax+5$가 $x=2$에서 최댓값 b를 가질 때, 두 상수 a, b의 곱 ab의 값을 구하시오.

0997

이차함수 $y=ax^2+bx+c$의 그래프는 점 $(1,\ 2)$를 지나고, $x=3$일 때 최솟값 -4를 갖는다. 이때, c의 값을 구하시오.

(단, a, b, c는 상수)

0998

이차함수 $f(x)=ax^2+bx+c$의 그래프가 세 점 $(1,\ 0)$, $(3,\ 0)$, $(0,\ 3)$을 지날 때, 이차함수 $f(x)$의 최솟값을 구하시오. (단, a, b, c는 상수이다.)

0999 중요

이차함수 $f(x)=2x^2+4ax+b$에 대하여 $f(-2)=f(6)$이고 $f(x)$의 최솟값이 -9일 때, $f(1)$의 값은?

① -9 ② -8 ③ -7
④ -6 ⑤ -5

1000

이차함수 $f(x)=-x^2+2kx-2k$의 최댓값이 8이 되도록 하는 모든 실수 k의 값의 곱은?

① -8 ② -2 ③ 4
④ 6 ⑤ 8

1001

이차함수 $f(x)=x^2-2ax+b$의 최솟값이 -1이고, $g(x)=-x^2+4x+a+b$의 최댓값이 9일 때, 실수 a, b의 곱 ab의 값은? (단, $a<0$)

① -24 ② -22 ③ -20
④ -18 ⑤ -16

1002

함수 $f(x)=-x^2+2ax+4a+3$의 최댓값을 $g(a)$라 할 때, $g(a)$의 최솟값을 구하시오. (단, a는 상수)

유형 09 제한된 범위에서 이차함수의 최대 · 최소

내신 중요도 ━━━━ 유형 난이도 ★★★☆☆

$\alpha \le x \le \beta$에서 이차함수 $f(x)=a(x-m)^2+n$의 최대 · 최소

(1) 꼭짓점의 x좌표가 주어진 범위에 포함될 때

① 최댓값: $f(\alpha)$, $f(\beta)$, $f(m)$ 중 가장 큰 값

② 최솟값: $f(\alpha)$, $f(\beta)$, $f(m)$ 중 가장 작은 값

(2) 꼭짓점의 x좌표가 주어진 범위에 포함되지 않을 때

① 최댓값: $f(\alpha)$, $f(\beta)$ 중 큰 값

② 최솟값: $f(\alpha)$, $f(\beta)$ 중 작은 값

1003 ●●○○

$2 \le x \le 4$에서 이차함수 $y=x^2-2x+3$의 최댓값은 M, 최솟값은 m이다. 이때, $M+m$의 값은?

① 11 ② 12 ③ 13 ④ 14 ⑤ 15

1004 짱중요 ●●○○

$3 \le x \le 4$일 때, 이차함수 $f(x)=-x^2+5x$의 최댓값과 최솟값의 합을 구하시오.

1005 ●●○○

$0 \le x \le 3$에서 이차함수 $y=3x^2+6x-1$이 $x=a$일 때, 최솟값 M을 갖는다. 이때, $a+M$의 값은?

① -2 ② -1 ③ 0 ④ 1 ⑤ 2

1006 ●●●○

이차함수 $y=f(x)$의 그래프의 꼭짓점의 좌표가 $(2, -3)$이고, 점 $(0, 0)$을 지난다. $2 \le x \le 4$일 때, 이 함수의 최댓값과 최솟값의 합은?

① -3 ② -1 ③ 1 ④ 3 ⑤ 5

1007 중요 ●●●○

$0 \le x \le a$에서 이차함수 $y=x^2-4x+5$의 최댓값이 5, 최솟값이 2일 때, 실수 a의 값을 구하시오.

1008 ●●●●

$-2 \le x \le 3$에서 이차함수 $y=x^2+4|x|-1$의 최댓값을 M, 최솟값을 m이라 할 때, Mm의 값은?

① -24 ② -20 ③ -18 ④ -14 ⑤ -8

유형 10 내신 중요도 ■■■■■ 유형 난이도 ★★★★★

계수가 미지수인 이차함수의 최대 · 최소

① 이차함수의 식을 $y=a(x-p)^2+q$의 꼴로 나타낸다.
② 꼭짓점이 제한된 범위에 포함될 때와 포함되지 않을 때로 나누어 생각해 본다.

1009

$0\leq x\leq 3$에서 이차함수 $f(x)=3x^2-6x+k$의 최댓값이 4일 때, 함수 $f(x)$의 최솟값은?

① -8 ② -7 ③ -6
④ -5 ⑤ -4

1010

$0\leq x\leq 3$에서 이차함수 $y=ax^2-2ax+b$의 최댓값이 6, 최솟값이 2일 때, 두 양수 a, b의 합 $a+b$의 값은?

① 2 ② 4 ③ 7
④ 9 ⑤ 11

1011

함수 $y=x^2-2|x|+a$ $(-2\leq x\leq 3)$의 최댓값이 2일 때, 최솟값은?

① -2 ② -1 ③ 0
④ 1 ⑤ 2

1012 짱중요

$x\geq 2$에서 이차함수 $y=-x^2+2kx$의 최댓값이 16일 때, 실수 k의 값을 구하시오.

1013 교육청 기출

양수 a에 대하여 $0\leq x\leq a$에서 이차함수
$f(x)=x^2-8x+a+6$의 최솟값이 0이 되도록 하는 모든 a의 값의 합은?

① 11 ② 12 ③ 13
④ 14 ⑤ 15

1014

함수 $y=x^2-kx-3$ $(-2\leq x\leq 3)$의 최솟값이 -4, 최댓값이 M일 때, $k+M$의 최댓값을 구하시오. (단, k는 상수이다.)

유형 11 치환을 이용한 최대 · 최소

내신 중요도 ▬▬▬▬▬ 유형 난이도 ★★★☆☆

공통부분이 있는 함수의 최대 · 최소
⇨ 공통부분을 t로 치환하여 t에 대한 함수의 최댓값과 최솟값을 구한다. 이때, t의 값의 범위에 주의한다.

1015 ●●○○

함수 $y=(x^2+4x)^2-2(x^2+4x)-5$의 최솟값을 구하시오.

1016 ●●○○

다음 함수의 최솟값을 구하시오.

$$y=(x^2+2x+2)(x^2+2x+3)+3x^2+6x+8$$

1017 중요 ●●●○

함수 $y=-(x^2-2x+4)^2+2(x^2-2x)+1$은 $x=a$에서 최댓값 b를 가진다. 이때, $a+b$의 값은?

① -9 ② -4 ③ -1
④ 1 ⑤ 5

1018 ●●●○

함수 $f(x)=a(x^2-2x+4)^2-4a(x^2-2x+3)+b$는 최댓값이 7이고, $f(2)=4$일 때, ab의 값을 구하시오.

1019 ●●●○

$1\leq x\leq 4$에서 이차함수 $y=(2x-1)^2-4(2x-1)+3$의 최댓값을 M, 최솟값을 m이라 할 때, $M-m$의 값을 구하시오.

1020 ●●●○

$-2\leq x\leq 1$일 때, 함수 $y=(x^2+2x-1)^2+4(x^2+2x)-3$의 최댓값을 M, 최솟값을 m이라고 하자. 이때, $M+m$의 값을 구하시오.

유형 12 이차함수의 성질과 최대 · 최소

내신 중요도 ▬▬▬▬▬ 유형 난이도 ★★★★★

이차함수 $f(x)$에 대하여 $f(\alpha)=f(\beta)$일 때,
대칭축의 방정식은 $x=\dfrac{\alpha+\beta}{2}$이다.

1021 짱중요 ●●○○

이차함수 $f(x)=x^2+ax+b$가 다음 조건을 모두 만족시킬 때, $-3\le x\le 3$에서 함수 $f(x)$의 최댓값을 구하시오. (단, a, b는 상수이다.)

> (가) $f(-2)=f(4)$
> (나) 함수 $f(x)$의 최솟값은 -2이다.

1022 교육청 기출 ●●●○

이차함수 $f(x)=x^2+ax-(b-7)^2$이 다음 조건을 만족시킨다.

> (가) $x=-1$에서 최솟값을 가진다.
> (나) 이차함수 $y=f(x)$의 그래프와 직선 $y=cx$가 한 점에서만 만난다.

세 상수 a, b, c에 대하여 $a+b+c$의 값을 구하시오.

1023 중요 ●●●○

이차함수 $f(x)=ax^2+bx+c$가 다음 세 조건을 만족시킬 때, $f(2)$의 값을 구하시오. (단, a, b, c는 상수이다.)

> (가) 곡선 $y=f(x)$가 점 $(1, 0)$을 지난다.
> (나) 대칭축의 방정식은 $x=-1$이다.
> (다) $f(x)$의 최댓값은 4이다.

1024 교육청 기출 ●●●○

최고차항의 계수가 $a(a>0)$인 이차함수 $f(x)$가 다음 조건을 만족시킨다.

> (가) 직선 $y=4ax-10$과 함수 $y=f(x)$의 그래프가 만나는 두 점의 x좌표는 1과 5이다.
> (나) $1\le x\le 5$에서 $f(x)$의 최솟값은 -8이다.

$100a$의 값을 구하시오.

1025 교육청 기출 ●●●●

이차함수 $f(x)$가 다음 조건을 만족시킨다.

> (가) x에 대한 방정식 $f(x)=0$의 두 근은 -2와 4이다.
> (나) $5\le x\le 8$에서 이차함수 $f(x)$의 최댓값은 80이다.

$f(-5)$의 값을 구하시오.

1026 교육청 기출 ●●●●

정의역이 실수 전체의 집합이고 이차항의 계수가 1인 이차함수 $y=f(x)$가 다음 조건을 만족시킨다.

> (가) $f(-2)=f(6)$
> (나) 함수 $f(x)$의 최솟값은 -9이다.

방정식 $f(|f(x)|)=0$의 서로 다른 실근의 개수를 구하시오.

유형 13 조건식이 주어진 이차식의 최대 · 최소

내신 중요도 ▬▬▬▬ 유형 난이도 ★★★★★

등식이 조건으로 주어진 이차식의 최댓값과 최솟값은 다음과 같은 순서로 구한다.
① 주어진 등식을 한 문자에 대하여 푼다.
② ①의 식을 이차식에 대입하여 한 문자에 대한 이차식으로 나타낸다.
③ ②의 식에서 최댓값 또는 최솟값을 구한다. 이때, 조건에 주의한다.

1027 중요 ●●○○

$x+y=2$를 만족시키는 두 실수 x, y에 대하여 $2x+y^2$의 최솟값을 구하시오.

1028 ●●●○

$x\geq0$, $y\geq0$이고 $x+y=1$일 때, $2x^2+y^2$의 최댓값과 최솟값의 차를 구하시오.

1029 ●●●○

$x+y-3=0$을 만족시키는 음이 아닌 두 실수 x, y에 대하여 x^2-2y^2의 최댓값을 M, 최솟값을 m이라 할 때, $M+m$의 값을 구하시오.

유형 14 이차함수의 그래프와 도형

내신 중요도 ▬▬▬▬ 유형 난이도 ★★★★★

① 주어진 도형과 이차함수가 만나는 한 점을 $\mathrm{P}(a,\ f(a))$라 둔다.
② 주어진 도형의 변의 길이를 a에 관한 식으로 나타낸다.
③ a에 관한 식의 최대, 최소를 구한다.

1030 짱중요 ●●●○

그림의 직사각형 ABCD에서 두 점 A, B는 x축 위에 있고, 두 점 C, D는 이차함수 $y=-x^2+3$의 그래프 위에 있다. 이때, □ABCD의 둘레의 길이의 최댓값을 구하시오.

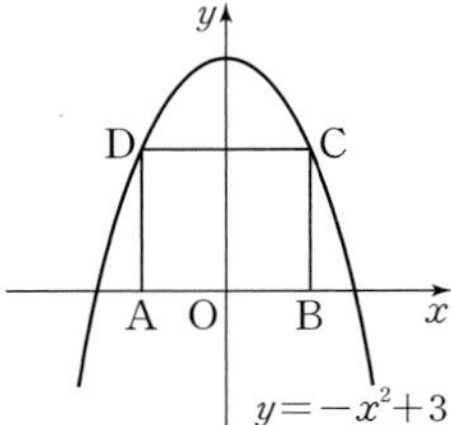

1031 ●●●○

그림과 같이 이차함수 $y=x^2-16$의 그래프와 x축으로 둘러싸인 부분에 직사각형을 내접시킬 때, 이 직사각형의 둘레의 길이가 최대일 때, 넓이를 구하시오.

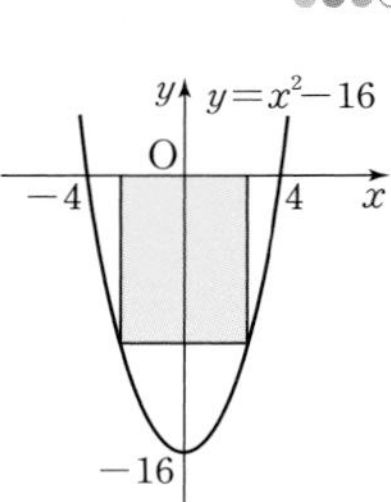

1032 ●●●○

그림과 같이 포물선 $y=-x^2+4x$와 x축에 내접하는 직사각형 PQRS가 있다. 이 직사각형 PQRS의 둘레의 길이의 최댓값은?

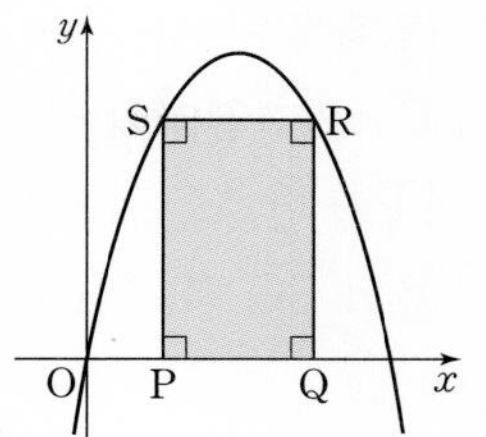

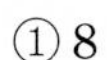 ① 8 ② 9

 ③ 10 ④ 11

⑤ 12

1033 교육청 기출 ●●●●

두 이차함수 $f(x)=x^2-7$과 $g(x)=-2x^2+5$가 있다. 그림과 같이 네 점 $A(a, f(a))$, $B(a, g(a))$, $C(-a, g(-a))$, $D(-a, f(-a))$를 꼭짓점으로 하는 직사각형 ABCD의 둘레의 길이가 최대가 되도록 하는 a의 값은? (단, $0<a<2$이다.)

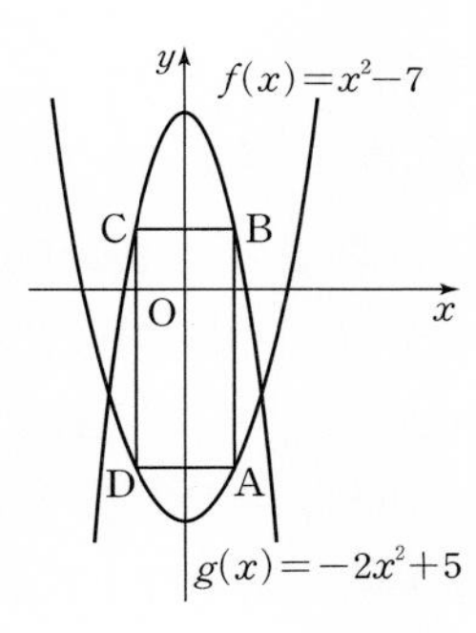

① $\frac{1}{3}$ ② $\frac{2}{3}$ ③ 1

④ $\frac{4}{3}$ ⑤ $\frac{5}{3}$

유형 15 이차함수의 최대 · 최소의 활용 – 도형

내신 중요도 ▬▬▬▬▬ 유형 난이도 ★★★★☆

① 주어진 상황에서 미지수를 정한다.
② 조건을 만족하는 이차함수를 설정하고, 범위를 정한다.
③ 정해진 범위에서의 최대, 최소를 구한다.

1034 중요 ●●○○

그림과 같이 길이가 12 m인 철망으로 벽을 한 변으로 하는 직사각형 모양의 울타리를 만들려고 한다. 이때, 울타리 안의 넓이의 최댓값은? (단, 철망의 두께는 무시한다.)

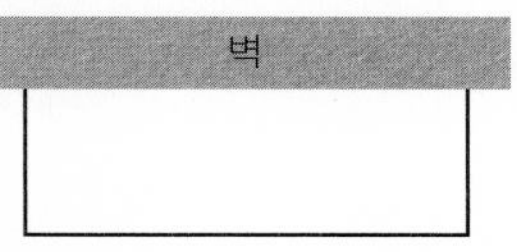

① $9\,m^2$ ② $13\,m^2$ ③ $15\,m^2$

④ $18\,m^2$ ⑤ $19\,m^2$

1035 ●●●○

길이가 30 m인 그물망을 가지고 그림과 같이 담에 붙은 직사각형 모양의 테니스장을 만들려고 한다. 이때, 만들어진 테니스장의 넓이의 최댓값을 구하시오.

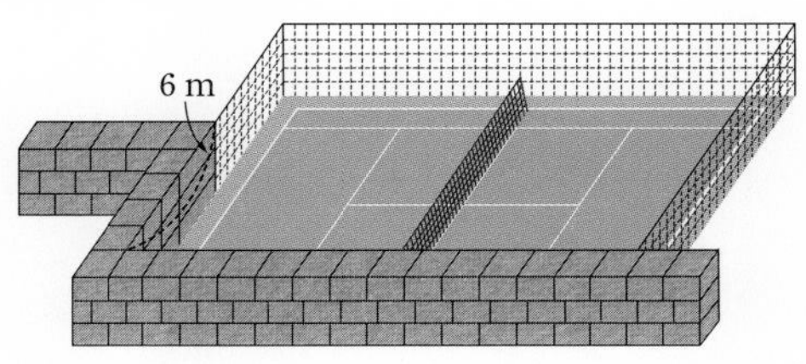

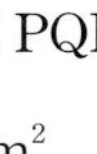

1036 중요

그림과 같이 밑변의 길이가 8 cm이고 높이가 6 cm인 삼각형 ABC에 내접하고, 한 변이 밑변 BC 위에 있는 직사각형 PQRS의 넓이의 최댓값은?

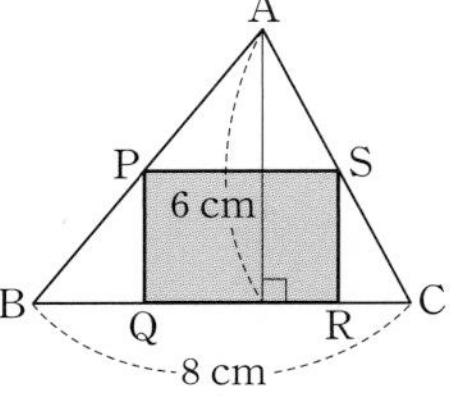

① 8 cm^2　② 10 cm^2　③ 12 cm^2　④ 14 cm^2　⑤ 16 cm^2

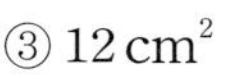

1037

그림에서 색칠한 직사각형의 넓이의 최댓값은?

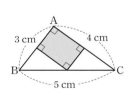

① $\frac{1}{2}$ cm^2　② 2 cm^2　③ 3 cm^2　④ $\frac{7}{2}$ cm^2　⑤ 4 cm^2

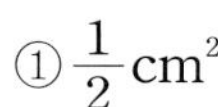

1038 교육청 기출

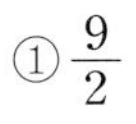

그림과 같이 $\angle B=90°$, $\overline{AB}=2$, $\overline{BC}=2\sqrt{3}$인 직각삼각형 ABC에서 점 P가 변 AC 위를 움직일 때, $\overline{PB}^2+\overline{PC}^2$의 최솟값은?

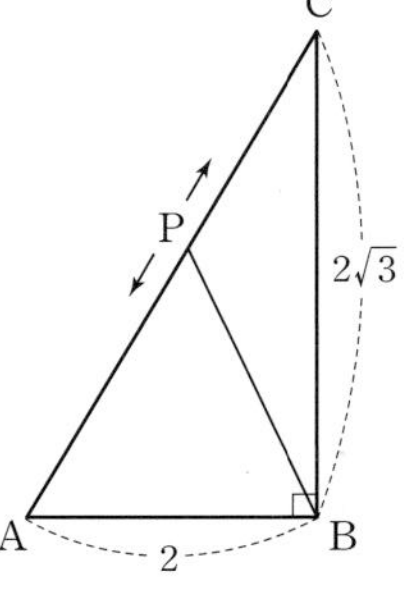

① $\frac{9}{2}$　② $\frac{11}{2}$　③ $\frac{13}{2}$　④ $\frac{15}{2}$　⑤ $\frac{17}{2}$

1039 교육청 기출

그림과 같이 $\angle A=90°$이고 $\overline{AB}=6$인 직각이등변삼각형 ABC가 있다. 변 AB 위의 한 점 P에서 변 BC에 내린 수선의 발을 Q라 하고, 점 P를 지나고 변 BC와 평행한 직선이 변 AC와 만나는 점을 R라 하자. 사각형 PQCR의 넓이의 최댓값을 구하시오. (단, 점 P는 꼭짓점 A와 꼭짓점 B가 아니다.)

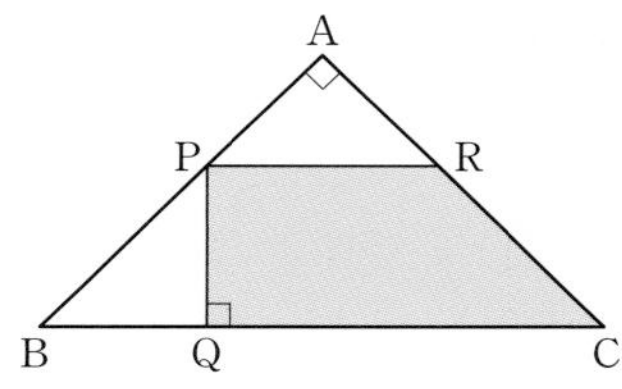

유형 16 이차함수의 최대 · 최소의 활용 – 실생활

내신 중요도 ▬▬▬▬▬ 유형 난이도 ★★★★☆

주어진 상황을 한 문자에 대한 이차식으로 나타낸 후, 완전제곱식의 꼴로 변형하여 최댓값 또는 최솟값을 구한다. 이때, 문자의 값의 범위에 제한이 있는지 확인한다.

1040 ●●○○

지면에서 수직으로 던진 공의 t초 후의 높이를 $h(t)$m라 할 때, 관계식 $h(t)=-5t^2+30t$가 성립한다고 한다. 이 물체의 최고 높이는 몇 m인가?

① 45 m ② 50 m ③ 55 m
④ 60 m ⑤ 65 m

1041 짱중요 ●●●○

지면으로부터 18 m의 높이에서 비스듬히 위쪽으로 공을 던질 때, t초 후의 공의 높이 y는 지면으로부터 $y=-2t^2+16t+18$(m)이라고 한다. 이 공은 $t=a$일 때 최고 높이에 도달하고, $t=b$일 때 지면에 도착한다. 이때, $a+b$의 값은?

① 9 ② 10 ③ 11
④ 12 ⑤ 13

1042 ●●○○

지면에서 초속 60 m로 수직으로 쏘아 올린 물체의 x초 후의 높이를 y m라 할 때, 물체가 공중에 떠 있는 동안에는 $y=60x-2x^2$인 관계가 있다고 한다. 이 물체가 최고 높이에 도달하는 것은 몇 초 후인가?

① 7.5초 ② 15초 ③ 30초
④ 45초 ⑤ 60초

1043 중요 교육청 기출 ●●●○

다음은 어느 회사에서 신제품 A의 가격을 정하기 위하여 시장조사를 한 결과이다.

> (가) A의 가격을 100만 원으로 정하면 판매량은 2400대이다.
> (나) A의 가격을 만 원 인상할 때마다 판매량은 20대씩 줄어든다.

신제품 A를 판매하여 얻은 전체 판매 금액이 최대가 되도록 하는 A의 가격은 a만 원이다. a의 값을 구하시오. (단, A의 가격은 100만 원 이상이다.)

1044 ●●●○

폭이 10 cm인 철판의 양쪽을 구부려서 그림과 같이 단면의 모양이 직사각형인 물받이를 만들려고 한다. 색칠한 단면의 넓이가 최대가 되도록 하려면 물받이의 높이를 몇 cm로 해야 하는지 구하시오.

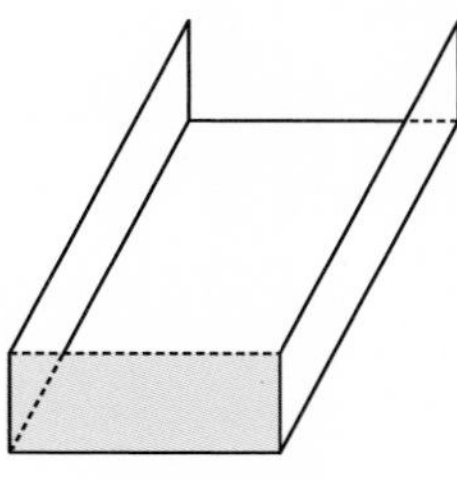

1045 ●●●●

그림과 같이 좌표평면 위에 두 점 A, B가 있다. 점 A는 x축의 양의 방향으로 원점에서 매초 2의 속도로 x축 위를, 점 B는 y축의 음의 방향으로 점 $(0, 6)$에서 매초 2의 속도로 y축 위를 움직인다.

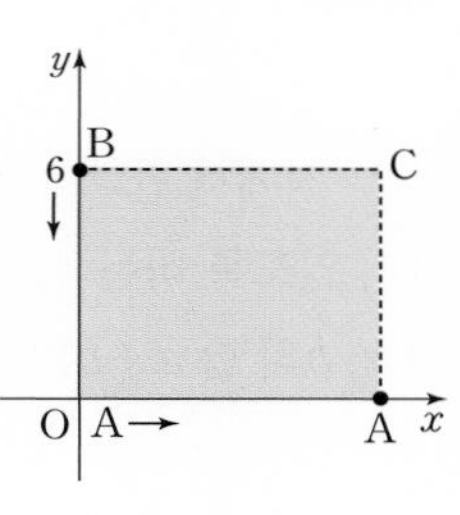

t초 후의 점 A, B에 대하여 $\overline{OA}$, $\overline{OB}$를 이웃하는 두 변으로 하는 직사각형 OACB의 넓이의 최댓값을 구하시오. (단, $0<t<3$)

1046

이차함수 $y=x^2+2(k-3)x+k^2-9$의 그래프가 x축과 서로 다른 두 점에서 만날 때, 실수 k의 값의 범위는?

① $k<-6$ ② $k<-3$ ③ $k<3$
④ $k>6$ ⑤ $k\geq 6$

1047

이차함수 $y=2x^2+ax+b$의 그래프가 두 점 $(-3,\ 0)$, $(2,\ 0)$에서 만날 때, 상수 a, b의 합 $a+b$의 값은?

① -10 ② -8 ③ -6
④ -4 ⑤ -2

1048

직선 $y=x+m$이 이차함수 $y=x^2-x-2$의 그래프와 서로 다른 두 점에서 만나고, 이차함수 $y=x^2+3x+1$의 그래프와는 만나지 않도록 하는 실수 m의 값의 범위가 $a<m<b$일 때, 두 상수 a, b의 합 $a+b$의 값은?

① -5 ② -4 ③ -3
④ -2 ⑤ -1

1049

이차함수 $y=x^2-2kx+k^2-4k$의 그래프가 실수 k의 값에 관계없이 항상 직선 $y=2ax-a^2$에 접할 때, 상수 a의 값을 구하시오.

1050

이차함수 $y=x^2+mx+1$의 그래프와 직선 $y=-x+n$이 그림과 같을 때, 상수 m, n의 합 $m+n$의 값을 구하시오.

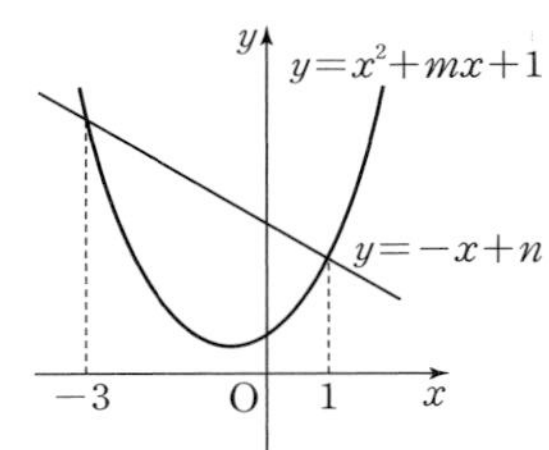

1051 서술형

이차함수 $y=x^2-5x+5$의 그래프와 직선 $y=x+k$가 두 점 P, Q에서 만난다. 점 P의 x좌표가 2일 때, 선분 PQ의 길이를 구하시오. (단, k는 상수이다.)

1052

이차함수 $y=-x^2+2ax+b$의 축의 방정식이 $x=-1$이고 최댓값이 2일 때, 두 상수 a, b의 합 $a+b$의 값은?

① -4　　② -2　　③ 0
④ 2　　⑤ 4

1053

$-2\leq x\leq 2$에서 이차함수 $f(x)=x^2-2x-2$의 최댓값을 M, 최솟값을 m이라 할 때, $M-m$의 값은?

① 3　　② 5　　③ 9
④ 12　　⑤ 15

1054 서술형

$0\leq x\leq 4$에서 이차함수 $y=-2x^2+4x+a$의 최솟값은 -10이고, 최댓값은 b이다. 이때, 상수 a, b에 대하여 ab의 값을 구하시오.

1055

두 이차함수 $f(x)$, $g(x)$가 다음 세 조건을 모두 만족시킨다.

(가) $f(x)$는 $x=1$에서 최솟값 4를 갖는다.
(나) $g(x)$는 $x=-1$에서 최댓값 2를 갖는다.
(다) $f(x)+g(x)$는 $x=3$에서 최솟값 -2를 갖는다.

이때, $f(1)+g(1)$의 값을 구하시오.

1056

둘레의 길이가 112인 직사각형 모양의 종이를 그림과 같이 가장자리에 위아래로 1, 양옆으로 3의 여백을 두고 오려냈다. 오려낸 안쪽의 종이의 넓이를 S라 할 때, S가 최대가 되도록 하는 처음 종이의 세로의 길이를 구하시오.

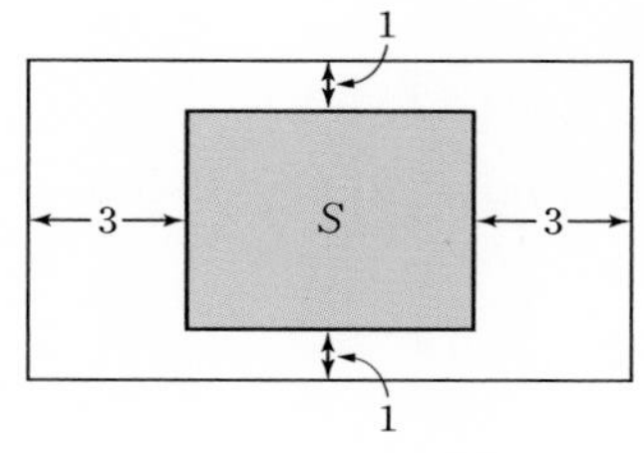

1057

어떤 건물 옥상에서 초속 20 m로 똑바로 위로 쏘아 올린 폭죽의 t초 후의 지면으로부터의 높이를 $h(t)$ m라 하면 $h(t)=-5t^2+20t+15$라 한다. 가장 높이 올라갔을 때, 폭죽이 터진다면 폭죽이 터지는 높이는 몇 m인지 구하시오.

Level 1

1058

x에 대한 두 이차함수 $y=x^2-3x+k$, $y=x^2-2kx+k^2+2k$의 그래프 중 하나만 x축과 만나도록 하는 실수 k의 값의 범위는?

① $k<0$　② $k=0$　③ $0<k\le\frac{9}{4}$
④ $k>\frac{9}{4}$　⑤ k는 모든 실수

1059

방정식 $|x^2-3|+k-4=0$이 서로 다른 네 실근을 갖도록 하는 실수 k의 값의 범위는 $\alpha<k<\beta$이다. 이때, $\alpha+\beta$의 값을 구하시오.

1060

이차함수 $y=x^2-ax+c$의 그래프와 직선 $y=ax+b$가 두 점 A, B에서 만나고, 점 A의 x좌표가 $-3+2\sqrt{2}$일 때, 선분 AB의 길이는? (단, a, b, c는 유리수)

① $10\sqrt{2}$　② $6\sqrt{5}$　③ $8\sqrt{5}$
④ $4\sqrt{10}$　⑤ $6\sqrt{10}$

1061

이차함수 $y=f(x)$의 그래프는 그림과 같이 직선 $x=-3$에 대하여 대칭이고, x축과 서로 다른 두 점에서 만난다. 이때, 이차방정식 $f(2x+5)=0$의 두 근의 합은?

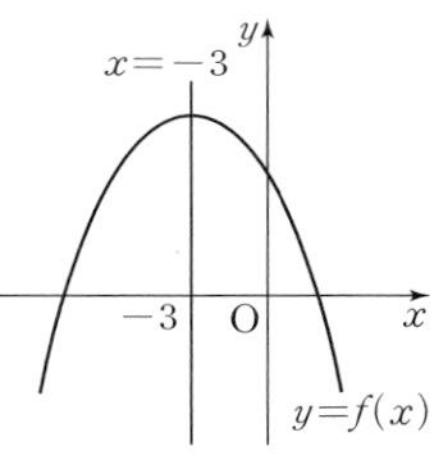
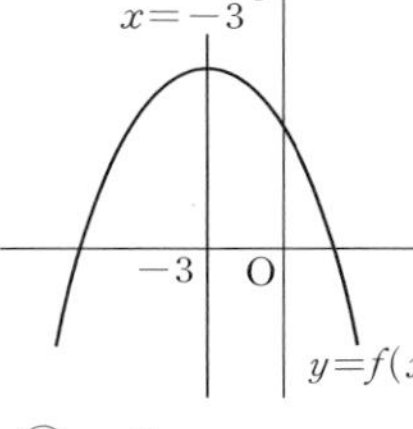

① -8　② -7　③ -6
④ -5　⑤ -4

1062

두 실수 x, y에 대하여 $x^2+2y^2+2x-8y+17$의 최솟값을 구하시오.

Level 2

1063

이차함수 $y=f(x)$의 그래프가 x축과 만나고, 모든 실수 x에 대하여 $f(2-x)=f(2+x)$를 만족할 때, 〈보기〉 중 옳은 것을 모두 고른 것은?

보기
ㄱ. $y=f(x)$의 그래프는 직선 $x=2$에 대하여 대칭이다.
ㄴ. $f(x)=0$의 두 실근의 합은 4이다.
ㄷ. $f(x)=0$의 두 실근의 곱의 최댓값은 9이다.

① ㄱ ② ㄱ, ㄴ ③ ㄱ, ㄷ
④ ㄴ, ㄷ ⑤ ㄱ, ㄴ, ㄷ

1064

이차함수 $f(x)$가 모든 실수 x에 대하여 $f(x+1)-f(x)=4x-1$, $f(0)=3$을 만족한다. $-3\le x\le 2$에서 이차함수 $y=f(x)$의 최댓값을 M, 최솟값을 m이라 할 때, $M+8m$의 값을 구하시오.

1065

$a\le x\le a+2$에서 이차함수 $y=x^2-4x+a+4$의 최솟값이 2일 때, 모든 상수 a의 값의 곱은?

① -4 ② -2 ③ 0
④ 2 ⑤ 4

1066

실수 전체의 범위에서 함수 $y=\frac{x^2-2x+1}{x^2+2x+1}$의 최솟값은?

① 0　　② 1　　③ 2
④ 3　　⑤ 4

1067

교육청 기출

그림과 같이 135°로 꺾인 벽면이 있는 땅에 길이가 150 m인 철망으로 울타리를 설치하여 직사각형 모양의 농장 X와 사다리꼴 모양의 농장 Y를 만들려고 한다. 농장 X의 넓이가 농장 Y의 넓이의 2배일 때, 농장 Y의 넓이의 최댓값을 S (m^2)라 하자. S의 값을 구하시오. (단, 벽면에는 울타리를 설치하지 않고, 철망의 폭은 무시한다.)

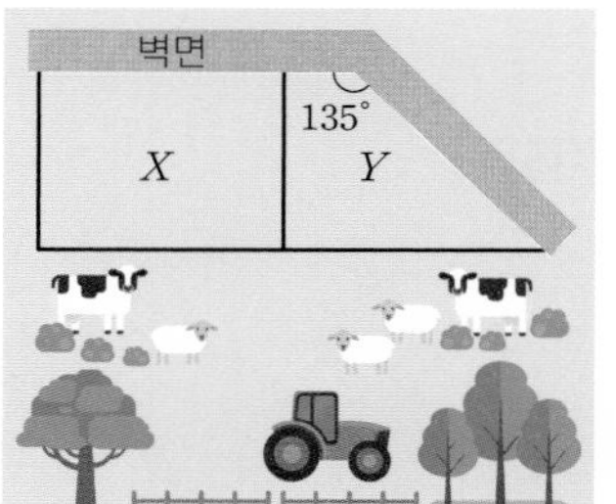

1068

교육청 기출

그림과 같이 좌표평면 위의 네 점 $\mathrm{O}(0, 0)$, $\mathrm{A}(1, 0)$, $\mathrm{B}(1, 2)$, $\mathrm{C}(0, 1)$을 꼭짓점으로 하는 사각형 OABC가 있다. 실수 k $(0<k<1)$에 대하여 직선 $y=k$가 세 선분 OC, OB, AB와 만나는 점을 각각 D, E, F라 하자. 삼각형 OED의 넓이를 S_1, 사각형 OAFE의 넓이를 S_2, 삼각형 EFB의 넓이를 S_3, 사각형 DEBC의 넓이를 S_4라 할 때, $(S_1-S_3)^2+(S_2-S_4)^2$의 최솟값은?

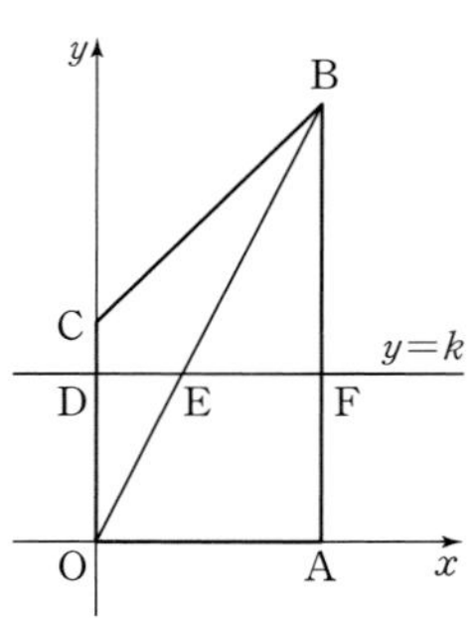

① $\frac{1}{8}$　　② $\frac{3}{16}$　　③ $\frac{1}{4}$
④ $\frac{5}{16}$　　⑤ $\frac{3}{8}$

1069

교육청 기출

이차항의 계수가 1인 이차함수 $y=f(x)$의 그래프의 꼭짓점이 직선 $y=kx$ 위에 있다. 이차함수 $y=f(x)$의 그래프가 직선 $y=kx+5$와 만나는 서로 다른 두 점의 x좌표를 α, β라 하자. 이차함수 $y=f(x)$의 그래프의 축의 방정식이 직선 $x=\frac{\alpha+\beta}{2}-\frac{1}{4}$일 때, $|\alpha-\beta|$의 값은? (단, k는 상수)

① $\frac{7}{2}$　　② $\frac{23}{6}$　　③ $\frac{25}{6}$
④ $\frac{9}{2}$　　⑤ $\frac{29}{6}$

Level 3

1070

교육청 기출

그림과 같이 $-2<k<2$인 실수 k에 대하여 이차함수 $y=-x^2+1$의 그래프와 직선 $y=2x+k$가 만나는 두 점을 각각 A, B라 할 때, A, B에서 x축에 내린 수선의 발을 각각 A_1, B_1이라 하고, 직선 $y=2x+k$와 x축이 만나는 점을 C라 하자.

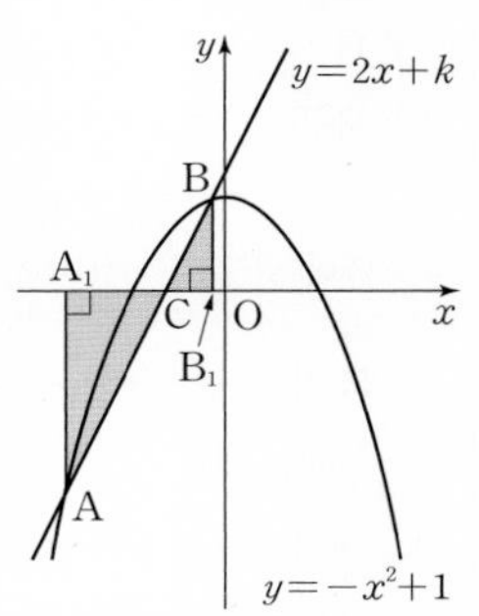

두 삼각형 ACA_1과 BCB_1의 넓이의 합이 $\frac{3}{2}$일 때, 상수 k의 값이 $p+q\sqrt{7}$이다. $10p+q$의 값을 구하시오. (단, p, q는 유리수이다.)

1071

교육청 기출

이차함수 $f(x)$가 다음 조건을 만족시킨다.

(가) $f(1)=0$
(나) 모든 실수 x에 대하여 $f(x)\ge f(3)$이다.

<보기>에서 옳은 것만을 있는 대로 고른 것은?

보기

ㄱ. $f(5)=0$
ㄴ. $f(2)<f\left(\frac{1}{2}\right)<f(6)$
ㄷ. $f(0)=k$라 할 때, x에 대한 방정식 $f(x)=kx$의 두 실근의 합은 11이다.

① ㄱ　② ㄷ　③ ㄱ, ㄴ
④ ㄴ, ㄷ　⑤ ㄱ, ㄴ, ㄷ

1072

교육청 기출

$2\le x\le 4$에서 이차함수 $y=x^2-4ax+4a^2+b$의 최솟값이 4가 되도록 하는 두 실수 a, b에 대하여 $2a+b$의 최댓값을 M이라 하자. $4M$의 값을 구하시오.

1073

교육청 기출

$-2\le x\le 5$에서 정의된 이차함수 $f(x)$가

$f(0)=f(4)$, $f(-1)+|f(4)|=0$

을 만족시킨다. 함수 $f(x)$의 최솟값이 -19일 때, $f(3)$의 값을 구하시오.

1074 교육청 기출

그림과 같이 세 점 $A(0, 4)$, $B(-3, 0)$, $C(4, -3)$을 꼭짓점으로 하는 삼각형 ABC가 있다. 선분 AC 위를 움직이는 점 P를 지나고 직선 AB에 평행한 직선이 선분 BC와 만나는 점을 Q, 점 P를 지나고 직선 BC에 평행한 직선이 선분 AB와 만나는 점을 R, 점 Q를 지나고 직선 AC에 평행한 직선이 선분 AB와 만나는 점을 S라 하자. 사다리꼴 PRSQ의 넓이의 최댓값이 $\dfrac{q}{p}$일 때, $p+q$의 값을 구하시오.

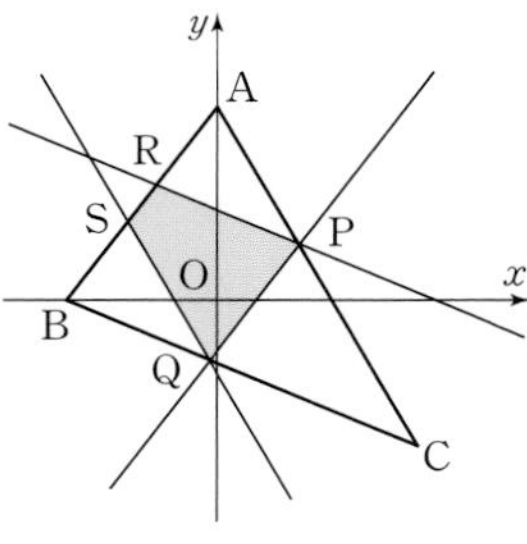

(단, $\overline{AP}<\overline{PC}$이고, p와 q는 서로소인 자연수이다.)

1075 교육청 기출

이차함수 $f(x)$가 다음 조건을 만족시킨다.

(가) $f(-4)=0$
(나) 모든 실수 x에 대하여 $f(x)\le f(-2)$이다.

<보기>에서 옳은 것만을 있는 대로 고른 것은?

보기

ㄱ. $f(0)=0$

ㄴ. $-1\le x\le 1$에서 함수 $f(x)$의 최솟값은 $f(1)$이다.

ㄷ. 실수 p에 대하여 $p\le x\le p+2$에서 함수 $f(x)$의 최솟값을 $g(p)$라 할 때, 함수 $g(p)$의 최댓값이 1이면 $f(-2)=\dfrac{4}{3}$이다.

① ㄱ ② ㄱ, ㄴ ③ ㄱ, ㄷ
④ ㄴ, ㄷ ⑤ ㄱ, ㄴ, ㄷ

1076

교육청 기출

좌표평면에 꼭짓점이 점 A로 일치하는 두 이차함수

$$y=-x^2+2x,\ y=ax^2+bx+c\ \ (a>0)$$

의 그래프가 있다. 함수 $y=ax^2+bx+c$의 그래프가 y축과 만나는 점을 B라 하고, 점 B를 지나고 x축에 평행한 직선이 함수 $y=ax^2+bx+c$의 그래프와 만나는 점 중 B가 아닌 점을 C라 하자. 두 점 A, C를 지나는 직선이 y축과 만나는 점을 D라 할 때, 삼각형 BDC의 넓이가 12이다. $2a-b+c$의 값을 구하시오. (단, a, b, c는 상수이다.)

1077

교육청 기출

그림은 이차함수 $f(x)=-x^2+11x-10$의 그래프와 직선 $y=-x+10$을 나타낸 것이다. 직선 $y=-x+10$ 위의 한 점 $A(t,\ -t+10)$에 대하여 점 A를 지나고 y축에 평행한 직선이 이차함수 $y=f(x)$의 그래프와 만나는 점을 B, 점 B를 지나고 x축과 평행한 직선이 이차함수 $y=f(x)$의 그래프와 만나는 점 중 B가 아닌 점을 C, 점 A를 지나고 x축에 평행한 직선과 점 C를 지나고 y축에 평행한 직선이 만나는 점을 D라 하자. 네 점 A, B, C, D를 꼭짓점으로 하는 직사각형의 둘레의 길이의 최댓값은?

$\left(단,\ 2<t<10,\ t\neq\dfrac{11}{2}이다.\right)$

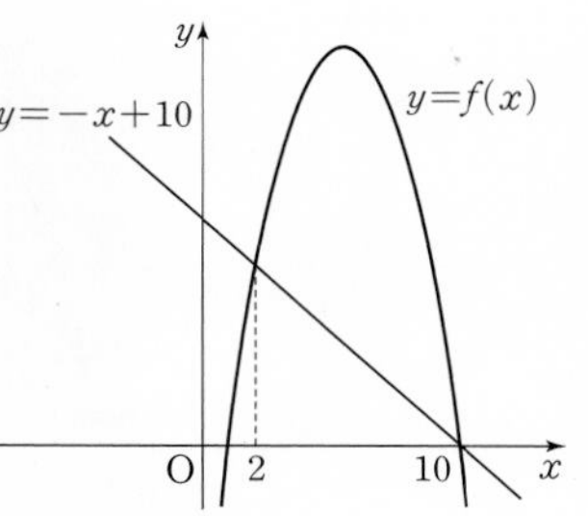

① 30 ② 33 ③ 36
④ 39 ⑤ 42

Reading Material

“음료수의 용기는 왜 원기둥일까?”

주위를 둘러보면 음료수의 용기는 거의 원기둥이다. 원기둥 용기가 나오기 전에는 대부분의 음료수 병이 사각의 우유곽 모양이었다. 사각 우유곽의 경우 재질이 종이로 되어 있고, 여는 방식이 독특해 어쩔 수 없이 사각 기둥의 형태를 취했다고 한다. 하지만 요새 우유도 원기둥으로 나올 때가 있다. 왜 음료수 회사는 용기를 원기둥 모양으로 했을까?

밑면의 모양	[정삼각형]	[정사각형]	[정육각형]	[원]
둘레의 길이	45.6 cm	40 cm	37.2 cm	35.4 cm

같은 부피를 담을 수 있는 용기의 겉넓이는 용기 둘레의 길이에 비례한다. 밑면이 정삼각형, 정사각형, 정육각형, 원 모양으로 용기를 만든 경우를 생각해 보자. 밑면이 똑같이 100 cm^2의 넓이를 갖는다고 할 때, 정삼각형의 둘레의 길이는 45.6 cm, 정사각형의 둘레의 길이는 40 cm, 정육각형의 둘레의 길이는 37.2 cm, 원의 둘레의 길이는 35.4 cm로 각이 많아지고 원에 가까워질수록 둘레의 길이가 짧아진다는 사실을 알 수 있다. 어떤 다각형도 원 모양보다 둘레의 길이가 짧을 수 없다. 둘레의 길이가 짧을수록 옆면에 드는 재료가 줄어든다. 그래서 같은 양의 음료수를 담는 용기를 만든다면 원기둥으로 만드는 것이 가장 재료비를 최소로 할 수 있기 때문에 음료수의 용기는 원기둥 모양이다.

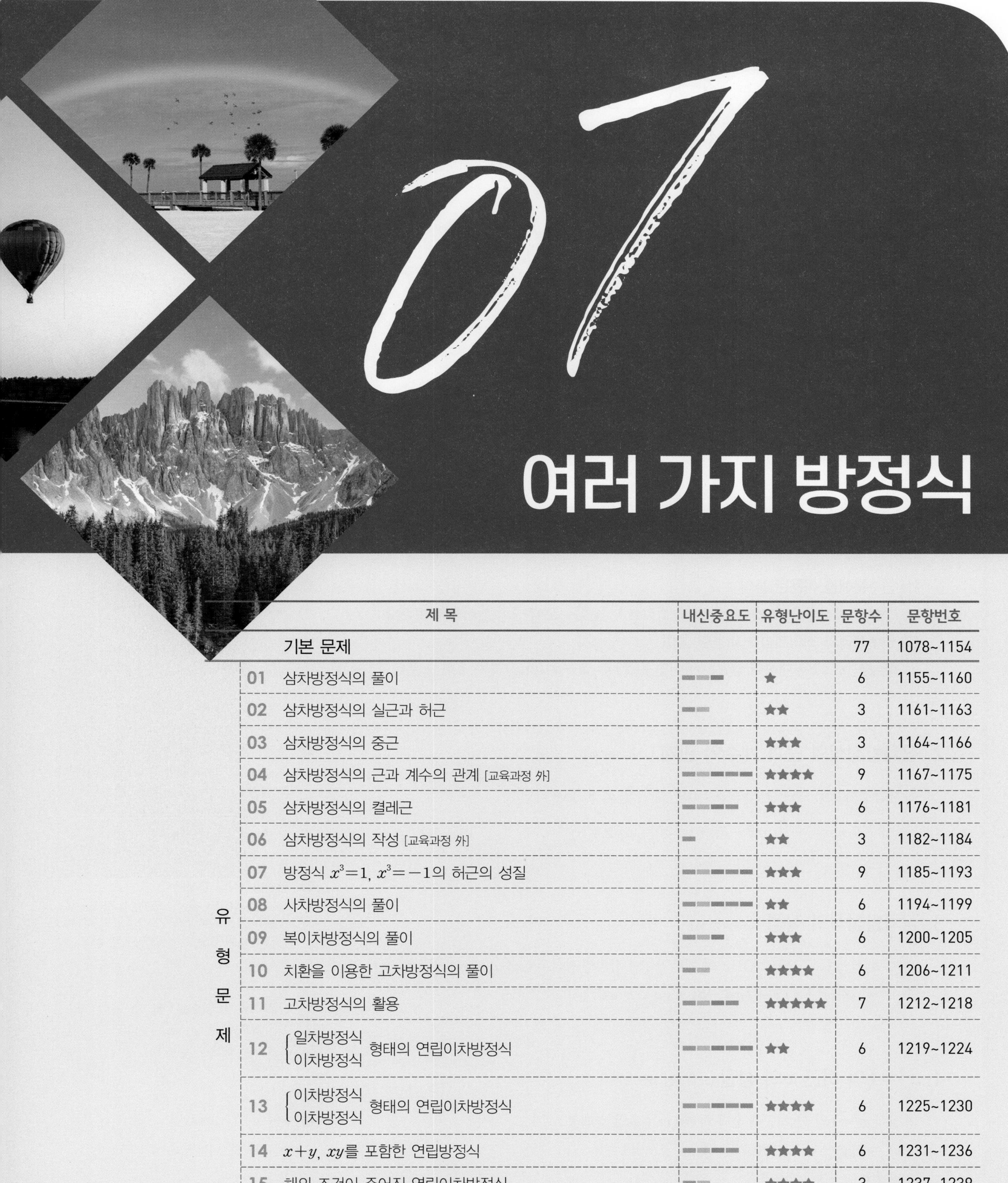

07 여러 가지 방정식

		제 목	내신중요도	유형난이도	문항수	문항번호
		기본 문제			77	1078~1154
유형 문제	01	삼차방정식의 풀이	▬▬▬	★	6	1155~1160
	02	삼차방정식의 실근과 허근	▬▬	★★	3	1161~1163
	03	삼차방정식의 중근	▬▬▬	★★★	3	1164~1166
	04	삼차방정식의 근과 계수의 관계 [교육과정 外]	▬▬▬▬▬	★★★★	9	1167~1175
	05	삼차방정식의 켤레근	▬▬▬▬	★★★	6	1176~1181
	06	삼차방정식의 작성 [교육과정 外]	▬	★★	3	1182~1184
	07	방정식 $x^3=1$, $x^3=-1$의 허근의 성질	▬▬▬▬▬	★★★	9	1185~1193
	08	사차방정식의 풀이	▬▬▬▬▬	★★	6	1194~1199
	09	복이차방정식의 풀이	▬▬▬	★★★	6	1200~1205
	10	치환을 이용한 고차방정식의 풀이	▬▬	★★★★	6	1206~1211
	11	고차방정식의 활용	▬▬▬▬	★★★★★	7	1212~1218
	12	$\begin{cases}\text{일차방정식}\\\text{이차방정식}\end{cases}$ 형태의 연립이차방정식	▬▬▬▬▬	★★	6	1219~1224
	13	$\begin{cases}\text{이차방정식}\\\text{이차방정식}\end{cases}$ 형태의 연립이차방정식	▬▬▬▬▬	★★★★	6	1225~1230
	14	$x+y$, xy를 포함한 연립방정식	▬▬▬▬	★★★★	6	1231~1236
	15	해의 조건이 주어진 연립이차방정식	▬▬	★★★★	3	1237~1239
	16	연립이차방정식의 활용	▬▬▬	★★★★★	7	1240~1246
	17	항을 소거하는 연립이차방정식 [교육과정 外]	▬	★★★★	3	1247~1249
	18	공통근 [교육과정 응용]	▬	★★★★★	3	1250~1252
		적중 문제			12	1253~1264
		고난도 문제			16	1265~1280

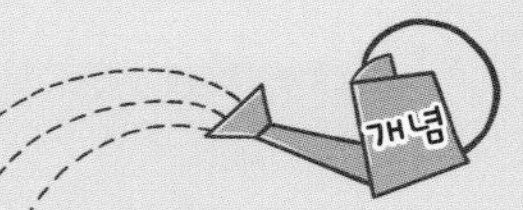

여러 가지 방정식

1. 삼차방정식의 풀이

(1) 인수분해를 이용한 풀이

주어진 방정식을 $f(x)=0$의 꼴로 정리한 다음 인수분해 공식을 이용하여 푼다.

(2) 인수정리와 조립제법을 이용한 풀이

삼차식 $f(x)$에 대하여 $f(\alpha)=0$이면 $f(x)=(x-\alpha)Q(x)$를 이용하여 푼다.

● 인수분해 공식

① $a^3+b^3=(a+b)(a^2-ab+b^2)$

$a^3-b^3=(a-b)(a^2+ab+b^2)$

② $a^3+3a^2b+3ab^2+b^3=(a+b)^3$

$a^3-3a^2b+3ab^2-b^3=(a-b)^3$

● 주어진 방정식을 $f(x)=0$의 꼴로 정리하고, $f(x)$를 인수분해한 후 다음을 이용한다.

① $AB=0$이면 $A=0$ 또는 $B=0$

② $ABC=0$이면 $A=0$ 또는 $B=0$ 또는 $C=0$

2. 삼차방정식의 근과 계수의 관계 [교육과정 外]

삼차방정식 $ax^3+bx^2+cx+d=0$의 세 근을 α, β, γ라 하면

$$\alpha+\beta+\gamma=-\frac{b}{a},\ \alpha\beta+\beta\gamma+\gamma\alpha=\frac{c}{a},\ \alpha\beta\gamma=-\frac{d}{a}$$

● 삼차방정식의 켤레근

삼차방정식 $ax^3+bx^2+cx+d=0$에서

① 계수가 유리수일 때, 한 근이 무리수 $p+q\sqrt{m}$이면 $p-q\sqrt{m}$도 근이다. (단, p, q는 유리수)

② 계수가 실수일 때, 한 근이 허수 $p+qi$이면 $p-qi$도 근이다. (단, p, q는 실수, $i=\sqrt{-1}$)

3. 삼차방정식의 작성 [교육과정 外]

세 수 α, β, γ를 근으로 하고 x^3의 계수가 1인 삼차방정식은 $(x-\alpha)(x-\beta)(x-\gamma)=0$

즉, $x^3-(\alpha+\beta+\gamma)x^2+(\alpha\beta+\beta\gamma+\gamma\alpha)x-\alpha\beta\gamma=0$

4. $x^3=1$의 허근 ω의 성질 [교육과정 外]

방정식 $x^3=1$의 한 허근을 ω라 하면 ($\overline{\omega}$는 ω의 켤레복소수)

(1) $\omega^3=1$, $\omega^2+\omega+1=0$, $\overline{\omega}^3=1$, $\overline{\omega}^2+\overline{\omega}+1=0$

(2) $\omega+\overline{\omega}=-1$, $\omega\overline{\omega}=1$

(3) $\omega^2=\overline{\omega}=\frac{1}{\omega}$

● $\omega^2+\omega+1=0$에서

ω로 양변을 나누면 $\omega+1+\frac{1}{\omega}=0$

즉, $\omega+\frac{1}{\omega}=-1$

5. 사차방정식의 풀이

(1) 인수분해를 이용한 풀이

주어진 방정식을 $f(x)=0$의 꼴로 정리한 다음 인수분해 공식을 이용하여 푼다.

(2) 인수정리와 조립제법을 이용한 풀이

사차식 $f(x)$에 대하여 $f(\alpha)=0$이면 $f(x)=(x-\alpha)Q(x)$를 이용하여 푼다.

(3) 복이차방정식의 풀이

① $x^2=t$로 치환하여 인수분해 공식을 이용하여 푼다.

② $x^2=t$로 치환하여 인수분해되지 않을 경우에는 $A^2-B^2=0$의 꼴로 변형하여 인수분해 공식을 이용하여 푼다.

(4) 치환을 이용한 풀이

공통부분을 치환하여 차수가 낮은 방정식으로 변형하여 푼다.

$ax^4+bx^3+cx^2+bx+a=0\ (a\neq0)$의 꼴의 방정식의 풀이

각 항을 x^2으로 나눈 후 $x+\frac{1}{x}=t$로 치환하여 t에 대한 이차방정식을 푼다.

6. 연립이차방정식

(1) 일차방정식과 이차방정식으로 이루어진 연립이차방정식의 풀이

$$\begin{cases}(\text{일차식})=0 & \cdots\cdots ㉠\\(\text{이차식})=0 & \cdots\cdots ㉡\end{cases}$$

① ㉠의 일차방정식에서 한 미지수를 다른 미지수에 대하여 정리한다.

② ①을 ㉡의 이차방정식에 대입하여 한 미지수의 값을 구한다.

③ ②에서 구한 값을 ㉠에 대입하여 나머지 미지수의 값을 구한다.

(2) 두 이차방정식으로 이루어진 연립이차방정식의 풀이

$$\begin{cases}(\text{이차식})=0\\(\text{이차식})=0\end{cases}$$

(i) 두 이차방정식 중 어느 한 방정식이 일차식의 곱으로 인수분해되는 경우

① 두 이차식 중 인수분해가 되는 어느 한 방정식을

$(\text{일차식})\times(\text{일차식})=0$

의 꼴로 인수분해한다.

② ①의 각 일차식을 다른 이차방정식과 각각 연립하여 푼다.

(ii) 두 이차방정식이 모두 인수분해되지 않는 경우 [교육과정 外]

➡ 이차항을 소거하여 일차방정식을 만든 후, 이차방정식과 연립하여 푼다.

➡ 상수항을 소거하여 인수분해되는 이차방정식을 만든 후, (i)의 방법으로 푼다.

(3) **x, y**에 대한 대칭식으로 이루어진 연립이차방정식의 풀이

① $x+y=u$, $xy=v$로 놓는다.

② u, v에 대한 연립방정식으로 변형하여 푼다.

③ x, y가 t에 대한 이차방정식 $t^2-ut+v=0$의 두 근임을 이용하여 x, y의 값을 구한다.

x에 대한 방정식의 해가

① $0\cdot x=k\ (k\neq0)$의 꼴이면
➡ 해가 없다. (불능)

② $0\cdot x=0$의 꼴이면
➡ 해가 무수히 많다. (부정)

공통근을 갖는 두 방정식

두 방정식 $f(x)=0$, $g(x)=0$의 공통근을 α라 하면

$f(\alpha)=0$, $g(\alpha)=0$

이므로 두 식을 연립하여 최고차항 또는 상수항을 소거한 후, 공통근을 구하거나 미지수의 값을 구한다.

대칭식 : x, y를 서로 바꾸어 대입해도 변하지 않는 식을 x, y에 대한 대칭식이라고 한다.

예 $\begin{cases}x+y=3\\xy=2\end{cases}$, $\begin{cases}x+y+xy=11\\x^2+y^2=13\end{cases}$

1 삼차방정식의 풀이

[1078-1082] 다음 삼차방정식을 푸시오.

1078 $(x-1)(x-2)(x-3)=0$

1079 $(x+1)^2(x-4)=0$

1080 $(x+3)^3=0$

1081 $(x-1)(x^2-3x-4)=0$

1082 $(x-2)(x^2-4x+6)=0$

[1083-1085] 인수분해를 이용하여 다음 삼차방정식을 푸시오.

1083 $x^3-8=0$

1084 $x^3-x^2-12x=0$

1085 $x^3+9x^2-x-9=0$

[1086-1090] 인수정리를 이용하여 다음 삼차방정식을 푸시오.

1086 $x^3-2x^2-x+2=0$

1087 $x^3-2x^2-5x+6=0$

1088 $x^3-4x^2+6x-4=0$

1089 $x^3-5x-2=0$

1090 $x^3+x-2=0$

[1091-1093] 다음 [ ] 안의 수가 삼차방정식의 한 근일 때, 상수 a의 값과 나머지 두 근을 구하시오.

1091 $x^3-x^2+ax-1=0$ $[-1]$

1092 $x^3-ax^2+1=0$ $[1]$

1093 $x^3+ax^2+2=0$ $[1]$

2 삼차방정식의 근과 계수의 관계 [교육과정 外]

[1094-1098] 삼차방정식 $x^3-3x^2+4x+2=0$의 세 근을 α, β, γ라 할 때, 다음을 구하시오.

1094 $\alpha+\beta+\gamma$

1095 $\alpha\beta+\beta\gamma+\gamma\alpha$

1096 $\alpha\beta\gamma$

1097 $\alpha^2+\beta^2+\gamma^2$

1098 $\frac{1}{\alpha}+\frac{1}{\beta}+\frac{1}{\gamma}$

3 삼차방정식의 켤레근

[1099-1102] 다음을 구하시오.

1099 계수가 유리수인 삼차방정식 $x^3+ax^2+bx-3=0$의 두 근이 $1+\sqrt{2}$, -3일 때, 나머지 한 근

1100 계수가 실수인 삼차방정식 $x^3+ax^2+bx-2=0$의 두 근이 $1+i$, 1일 때, 나머지 한 근 (단, $i=\sqrt{-1}$)

1101 계수가 유리수인 삼차방정식 $x^3+ax^2+bx-1=0$의 한 근이 $2+\sqrt{3}$일 때, 나머지 두 근

1102 계수가 실수인 삼차방정식 $x^3+ax^2+bx-2=0$의 한 근이 $2-i$일 때, 나머지 두 근

4 삼차방정식의 작성 [교육과정 外]

[1103-1105] 삼차방정식의 근과 계수의 관계를 이용하여 다음 조건을 만족시키는 x에 대한 삼차방정식을 구하시오.

1103 세 수 -1, 2, 3을 근으로 하고 x^3의 계수가 1인 삼차방정식

1104 세 수 -3, -2, 4를 근으로 하고 x^3의 계수가 1인 삼차방정식

1105 세 수 3, $1+i$, $1-i$를 근으로 하고 x^3의 계수가 1인 삼차방정식

5 방정식 $x^3=1$의 허근의 성질

[1106-1110] 삼차방정식 $x^3=1$의 한 허근을 ω라 할 때, 다음 식의 값을 구하시오.

1106 ω^3

1107 $\omega^2+\omega+1$

1108 $\omega^4+\omega^5$

1109 $\omega^{20}+\omega^{19}$

1110 $\omega+\frac{1}{\omega}$

[1111-1113] $\alpha=\frac{-1+\sqrt{3}i}{2}$일 때, 다음 식의 값을 구하시오.

1111 $\alpha^2+\alpha+1$

1112 α^3

1113 $\alpha^{15}+\alpha^{10}+\alpha^5$

6 방정식 $x^3=-1$의 허근의 성질

[1114-1116] 삼차방정식 $x^3=-1$의 한 허근을 ω라 할 때, 다음 식의 값을 구하시오. (단, $\overline{\omega}$는 ω의 켤레복소수이다.)

1114 $\omega^2-\omega+1$

1115 $\omega^{17}-\omega^{16}$

1116 $\overline{\omega}+\omega$

[1117-1119] $\alpha=\frac{1-\sqrt{3}i}{2}$일 때, 다음 식의 값을 구하시오.

1117 $\alpha^2-\alpha+1$

1118 α^3

1119 $\alpha^{32}-\alpha^{31}+\alpha^{30}$

7 사차방정식의 풀이

[1120-1124] 다음 사차방정식을 푸시오.

1120 $(x-3)^2(x+2)(x-5)=0$

1121 $(x+2)^3(x-5)=0$

1122 $(x^2-4)(x^2-9)=0$

1123 $(x+4)(x^3+1)=0$

1124 $(x+3)(x^3-7x^2+6x)=0$

[1125-1127] 인수분해를 이용하여 다음 사차방정식을 푸시오.

1125 $x^4-1=0$

1126 $x^4=16$

1127 $x^4-8x=0$

[1128-1132] 인수정리를 이용하여 다음 사차방정식을 푸시오.

1128 $x^4-x^3-3x^2+5x-2=0$

1129 $x^4-9x^2+4x+12=0$

1130 $x^4-3x^3+x^2+4=0$

1131 $x^4-3x^3+3x^2-3x+2=0$

1132 $x^4-3x^3+3x^2+x-6=0$

8 미지수가 2개인 연립일차방정식

[1133-1139] 다음 연립방정식을 푸시오.

1133 $\begin{cases} x-3=y \\ x-2y=5 \end{cases}$

1134 $\begin{cases} x-y=5 \\ x+y=7 \end{cases}$

1135 $\begin{cases} 2x+y=0 \\ x-y=6 \end{cases}$

1136 $\begin{cases} -x+2y=7 \\ x+y=5 \end{cases}$

1137 $\begin{cases} 2x-y=5 \\ x+3y=6 \end{cases}$

1138 $\begin{cases} 2x-3y=0 \\ 4x-11y=20 \end{cases}$

1139 $2x+y=3x-y=5$

9 연립이차방정식

[1140-1144] 다음 연립방정식을 푸시오.

1140 $\begin{cases} y=x+1 \\ x^2+y^2=5 \end{cases}$

1141 $\begin{cases} y=x+2 \\ xy=3 \end{cases}$

1142 $\begin{cases} 2x+y=5 \\ x^2+y^2=5 \end{cases}$

1143 $\begin{cases} x-y=2 \\ x^2+y^2=2 \end{cases}$

1144 $\begin{cases} x-2y=1 \\ x^2-xy-y^2=11 \end{cases}$

[1145-1149] 다음 연립방정식을 푸시오.

1145 $\begin{cases} (x-y)(x+y)=0 \\ x^2+xy+y^2=3 \end{cases}$

1146 $\begin{cases} (2x-y)(x-y)=0 \\ 5x^2-y^2=1 \end{cases}$

1147 $\begin{cases} (x+2y)(x-y)=0 \\ x^2+y^2=20 \end{cases}$

1148 $\begin{cases} (x+2y)(x-3y)=0 \\ x^2+y^2=10 \end{cases}$

1149 $\begin{cases} (x-2y)(x-3y)=0 \\ x^2+xy-3y^2=9 \end{cases}$

[1150-1154] 다음 연립방정식을 푸시오.

1150 $\begin{cases} 2x^2-3xy+y^2=0 \\ 5x^2-y^2=4 \end{cases}$

1151 $\begin{cases} x^2-y^2=0 \\ x^2-xy+2y^2=8 \end{cases}$

1152 $\begin{cases} x^2-xy+2y^2=16 \\ x^2-3xy+2y^2=0 \end{cases}$

1153 $\begin{cases} x^2-xy-2y^2=0 \\ x^2-xy+2y^2=4 \end{cases}$

1154 $\begin{cases} 3x^2+2xy-y^2=0 \\ x^2+2x+y^2=12 \end{cases}$

문제

내신 출제 유형 정복하기

유형 01 삼차방정식의 풀이

내신 중요도 ▬▬▬▬▬ 유형 난이도 ★☆☆☆☆

공통인수로 묶어 인수분해하거나 인수정리와 조립제법을 이용하여 인수분해한다.

1155 ●○○○

삼차방정식 $x^3-3x^2-x+3=0$의 가장 큰 근을 α, 가장 작은 근을 β라 할 때, $\alpha-\beta$의 값은?

① 1 ② 2 ③ 3
④ 4 ⑤ 5

1156 ●○○○

삼차방정식 $x^3-6x^2+11x-6=0$의 세 실근을 α, β, γ라 할 때, $\alpha+2\beta+3\gamma$의 값을 구하시오. (단, $\alpha<\beta<\gamma$)

1157 ●●○○

삼차방정식 $x^3-x^2+2=0$의 두 허근을 α, β라 할 때, $\dfrac{1}{\alpha^2}+\dfrac{1}{\beta^2}$의 값은?

① 0 ② $\dfrac{1}{5}$ ③ $\dfrac{1}{4}$
④ $\dfrac{1}{3}$ ⑤ $\dfrac{1}{2}$

1158 중요 ●●○○

삼차방정식 $x^3+ax+6=0$의 한 근이 1이다. 이 방정식의 다른 두 근을 α, β라 할 때, $a+\alpha+\beta$의 값을 구하시오.
(단, a는 실수이다.)

1159 ●●○○

삼차방정식 $x^3+ax+b=0$의 중근이 1일 때, ab의 값을 구하시오. (단, a, b는 상수이다.)

1160 교육청 기출 ●●○○

삼차방정식 $2x^3+x^2+2x+3=0$의 한 허근을 α라 할 때, $4\alpha^2-2\alpha+7$의 값은?

① 1 ② 3 ③ 5
④ 7 ⑤ 9

유형 02 삼차방정식의 실근과 허근

내신 중요도 / 유형 난이도 ★★☆☆☆

주어진 삼차방정식을 $(x-\alpha)(ax^2+bx+c)=0$ (α는 실수)의 꼴로 변형한 후, 이차방정식 $ax^2+bx+c=0$의 판별식을 D라 할 때, 삼차방정식이

(1) 세 개의 실근을 갖는다. ⇨ $D\geq0$

(2) 한 개의 실근과 두 개의 허근을 갖는다. ⇨ $D<0$

1161

삼차방정식 $3x^3-3x^2-kx+k=0$이 한 개의 실근과 두 개의 허근을 가질 때, 실수 k의 값의 범위를 구하시오.

1162 중요

삼차방정식 $x^3+2kx^2+(k^2-1)x+k^2-2k=0$의 근이 모두 실수가 되도록 하는 실수 k의 값의 범위를 구하시오.

1163

삼차방정식 $2x^3+4x^2-3(k+2)x+3k=0$이 오직 한 개의 실근을 갖도록 하는 실수 k의 값의 범위를 구하시오.

유형 03 삼차방정식의 중근

내신 중요도 / 유형 난이도 ★★★☆☆

삼차방정식이 중근을 가지는 경우는 주어진 삼차방정식을 $(x-\alpha)(ax^2+bx+c)=0$ (α는 실수)의 꼴로 변형한 후, 이차방정식 $ax^2+bx+c=0$의 판별식을 D라 할 때, 다음 두 가지가 있다.

(i) $a\alpha^2+b\alpha+c=0$

(ii) $D=0$

참고 중근을 갖는 삼차방정식은 $(x-p)^3=0$ 또는 $(x-p)(x-q)^2=0$ 꼴이다.

1164

삼차방정식 $(x-1)(x^2+ax+16)=0$이 중근을 가질 때, 모든 실수 a의 값의 합을 구하시오.

1165 중요

삼차방정식 $x^3+(k+1)x^2-k=0$이 중근을 갖도록 하는 모든 실수 k의 값의 합은?

① -4 ② $-\frac{7}{2}$ ③ -1

④ 0 ⑤ $\frac{5}{3}$

1166

삼차방정식 $x^3-(a-3)x^2+ax-4=0$이 2개의 실근을 가질 때, 실수 a의 모든 값의 합을 구하시오.

유형 04 삼차방정식의 근과 계수의 관계 [교육과정 外]

내신 중요도 ▬▬▬▬▬ 유형 난이도 ★★★★★

삼차방정식 $ax^3+bx^2+cx+d=0$의 세 근이 α, β, γ일 때,

$$\alpha+\beta+\gamma=-\frac{b}{a},\ \alpha\beta+\beta\gamma+\gamma\alpha=\frac{c}{a},\ \alpha\beta\gamma=-\frac{d}{a}$$

1167 ●●○○

삼차방정식 $x^3-2x^2+4x-2=0$의 세 근을 α, β, γ라 할 때, $\frac{1}{\alpha}+\frac{1}{\beta}+\frac{1}{\gamma}$의 값은?

① -2 ② -1 ③ 1
④ 2 ⑤ 4

1168 중요 ●●○○

삼차방정식 $x^3+x^2-3x-1=0$의 세 근을 α, β, γ라 할 때, $\alpha^2+\beta^2+\gamma^2$의 값은?

① 6 ② 7 ③ 8
④ 9 ⑤ 10

1169 짱중요 ●●○○

삼차방정식 $x^3-4x^2-5x+2=0$의 세 근을 α, β, γ라 할 때, $(1-\alpha)(1-\beta)(1-\gamma)$의 값은?

① 6 ② 3 ③ 0
④ -3 ⑤ -6

1170 ●●○○

삼차방정식 $x^3+6x+1=0$의 세 근을 α, β, γ라 할 때, $(\alpha+\beta)(\beta+\gamma)(\gamma+\alpha)$의 값을 구하시오.

1171 ●●●○

삼차방정식 $x^3+ax^2+bx-12=0$의 세 근 중 두 근 α, β에 대하여 $\alpha+\beta=-1$, $\alpha\beta=3$을 만족할 때, ab의 값을 구하시오.

(단, a, b는 상수이다.)

1172 ●●○○

삼차방정식 $x^3+6x^2+ax+b=0$의 세 근의 비가 1 : 2 : 3일 때, 두 상수 a, b의 합 $a+b$의 값을 구하시오.

1173 중요

삼차방정식 $x^3+2x^2+ax-8=0$의 세 근 중 두 근은 절댓값이 같고, 서로 다른 부호이다. 이때, 상수 a의 값은?

① -8 ② -6 ③ -4
④ 4 ⑤ 6

1174

삼차방정식 $f(x)=0$의 세 근을 α, β, γ라 할 때, $\alpha+\beta+\gamma=12$가 성립한다. 이때, $f(3x-2)=0$의 세 근의 합은?

① 2 ② 4 ③ 6
④ 8 ⑤ 10

1175 중요 교육청 응용

x에 대한 삼차방정식

$$2x^3-5x^2+(k+3)x-k=0$$

의 서로 다른 세 실근이 직각삼각형의 세 변의 길이일 때, 상수 k의 값을 구하시오.

유형 05 삼차방정식의 켤레근

내신 중요도 유형 난이도 ★★★

삼차방정식 $ax^3+bx^2+cx+d=0$에서

(1) 계수가 유리수일 때
한 근이 무리수 $p+q\sqrt{m}$이면 $p-q\sqrt{m}$도 근이다.
(단, p, q는 유리수)

(2) 계수가 실수일 때
한 근이 허수 $p+qi$이면 $p-qi$도 근이다.
(단, p, q는 실수, $i=\sqrt{-1}$)

1176

삼차방정식 $x^3-2x^2+px+q=0$의 한 근이 $2+\sqrt{3}$일 때, $p+q$의 값은? (단, p, q는 유리수이다.)

① -7 ② -5 ③ -3
④ -1 ⑤ 1

1177

계수가 실수인 삼차방정식 $x^3+ax^2+bx-4=0$의 한 근이 $\frac{2}{1+i}$일 때, ab의 값은?

① -24 ② -12 ③ 12
④ 24 ⑤ 36

1178 짱중요

삼차방정식 $x^3-(a+1)x^2+bx-a=0$의 한 근이 $1+i$일 때, 나머지 두 근의 곱은? (단, a, b는 실수이다.)

① i ② $2i$ ③ $1-i$
④ $2-i$ ⑤ $2+i$

1179 중요

삼차방정식 $x^3-ax^2+4x+b=0$의 한 근이 $1-i$일 때, 두 실수 a, b의 합 $a+b$의 값은?

① 1　② 2　③ 3
④ 4　⑤ 5

1180

$f(x)=x^3+ax^2+bx-3$에 대하여 $f(1+\sqrt{2}i)=0$이고, a, b가 실수일 때, $f(1)+f(-1)$의 값은?

① -4　② -6　③ -10
④ -12　⑤ -14

1181

세 실수 a, b, c에 대하여 다항식 $f(x)=x^3+ax^2+bx+c$가 다음 조건을 만족시킬 때 $f(1)$의 값을 구하시오. (단, $i=\sqrt{-1}$이다.)

> (가) 삼차방정식 $f(x)=0$의 한 근이 $1+2i$이다.
> (나) $f(x)$는 $x+3$으로 나누어 떨어진다.

유형 06 삼차방정식의 작성 [교육과정 外]

내신 중요도　유형 난이도 ★★☆☆☆

세 수 α, β, γ를 근으로 갖고 x^3의 계수가 1인 삼차방정식은

$$x^3-\underbrace{(\alpha+\beta+\gamma)}_{\text{세 근의 합}}x^2+\underbrace{(\alpha\beta+\beta\gamma+\gamma\alpha)}_{\text{두 근끼리의 곱의 합}}x-\underbrace{\alpha\beta\gamma}_{\text{세 근의 곱}}=0$$

1182

세 수 1, $2+i$, α를 근으로 하는 삼차방정식이 $x^3+ax^2+bx-c=0$일 때, $a+b+c$의 값은?

(단, a, b, c는 실수이다.)

① 6　② 9　③ 12
④ 15　⑤ 18

1183

삼차방정식 $x^3+x-2=0$의 세 근을 α, β, γ라 할 때, $\alpha+\beta$, $\beta+\gamma$, $\gamma+\alpha$를 세 근으로 하고 최고차항의 계수가 1인 x에 대한 삼차방정식을 구하시오.

1184

삼차방정식 $x^3+4x^2+2x+3=0$의 세 근을 α, β, γ라 할 때, $\alpha+1$, $\beta+1$, $\gamma+1$을 세 근으로 하고, x^3의 계수가 1인 삼차방정식을 구하시오.

유형 07 내신 중요도 유형 난이도 ★★★☆☆

방정식 $x^3=1$, $x^3=-1$의 허근의 성질

(1) $x^3-1=0$에서 $(x-1)(x^2+x+1)=0$이므로
$x^3=1$의 한 허근 ω에 대하여 ($\overline{\omega}$는 ω의 켤레복소수)
① $\omega^3=1$, $\omega^2+\omega+1=0$ ② $\omega+\overline{\omega}=-1$, $\omega\overline{\omega}=1$
③ $\omega^2=\overline{\omega}=\frac{1}{\omega}$

(2) $x^3+1=0$에서 $(x+1)(x^2-x+1)=0$이므로
$x^3=-1$의 한 허근 ω에 대하여 ($\overline{\omega}$는 ω의 켤레복소수)
① $\omega^3=-1$, $\omega^2-\omega+1=0$ ② $\omega+\overline{\omega}=1$, $\omega\overline{\omega}=1$
③ $\omega^2=-\overline{\omega}=-\frac{1}{\omega}$

1185

방정식 $x^3=1$의 한 허근을 ω라 할 때, 〈보기〉에서 옳은 것만을 있는 대로 고른 것은? (단, $\overline{\omega}$는 ω의 켤레복소수이다.)

보기
ㄱ. $\omega+\overline{\omega}=1$ ㄴ. $\omega\overline{\omega}=1$
ㄷ. $\omega^2=\overline{\omega}$

① ㄱ ② ㄱ, ㄴ ③ ㄱ, ㄷ
④ ㄴ, ㄷ ⑤ ㄱ, ㄴ, ㄷ

1186 짱중요

방정식 $x^3=1$의 한 허근을 ω라 할 때, $\omega^{10}+\omega^5+1$의 값은?

① ω ② ω^2 ③ ω^2+1
④ $\omega^2+\omega$ ⑤ 0

1187

방정식 $x^3=1$의 한 허근을 ω라 할 때,

$$\omega+\omega^3+\omega^5+\omega^7+\omega^9+\omega^{11}+\omega^{13}+\omega^{15}$$

의 값은?

① ω ② $\omega+1$ ③ $-\omega$
④ $\omega^2+\omega$ ⑤ 0

1188

방정식 $x^3+1=0$의 한 허근을 ω라 할 때, $\omega-\omega^2+\omega^3-\omega^4+\omega^5$의 값은?

① ω ② $-\omega$ ③ $\omega^2-\omega$
④ 1 ⑤ $\omega-1$

1189 중요

방정식 $x^3-1=0$의 한 허근을 ω라 할 때,

$$1+\frac{1}{\omega}+\frac{1}{\omega^2}+\frac{1}{\omega^3}+\cdots+\frac{1}{\omega^8}$$

의 값을 구하시오.

1190

방정식 $x^3=-1$의 한 허근 ω에 대하여 $\frac{\omega}{1+\omega}-\frac{\omega^2}{1-\omega^2}$의 값은?

① -2 ② -1 ③ 0
④ 1 ⑤ 2

07 여러 가지 방정식

1191 중요

$x=\frac{1+\sqrt{3}i}{2}$ 일 때, $x^{10}-x^5+3$의 값은?

① 0 ② 1 ③ 2
④ 4 ⑤ 5

1192

방정식 $x+\frac{1}{x}=-1$의 한 허근을 ω라 할 때,

$\frac{\overline{\omega}}{1+\omega}+\frac{\omega}{1+\overline{\omega}}$의 값은? (단, $\overline{\omega}$는 ω의 켤레복소수이다.)

① -2 ② -1 ③ 0
④ 1 ⑤ 2

1193 교육청 기출

삼차방정식 $x^3=1$의 한 허근을 ω라 할 때, 〈보기〉에서 옳은 것만을 있는 대로 고른 것은? (단, $\overline{\omega}$는 ω의 켤레복소수이다.)

보기

ㄱ. $\overline{\omega}^3=1$

ㄴ. $\frac{1}{\omega}+\left(\frac{1}{\omega}\right)^2=\frac{1}{\overline{\omega}}+\left(\frac{1}{\overline{\omega}}\right)^2$

ㄷ. $(-\omega-1)^n=\left(\frac{\overline{\omega}}{\omega+\overline{\omega}}\right)^n$을 만족시키는 100 이하의 자연수 n의 개수는 50이다.

① ㄱ ② ㄷ ③ ㄱ, ㄴ
④ ㄴ, ㄷ ⑤ ㄱ, ㄴ, ㄷ

유형 08 **사차방정식의 풀이**

내신 중요도 유형 난이도 ★★★★★

(1) 인수분해를 이용한 풀이
주어진 방정식을 $f(x)=0$의 꼴로 정리한 다음 인수분해 공식을 이용하여 푼다.
(2) 인수정리와 조립제법을 이용한 풀이
사차식 $f(x)$에 대하여 $f(\alpha)=0$이면 $f(x)=(x-\alpha)Q(x)$를 이용하여 푼다.

1194

사차방정식 $x^4-x=0$의 두 허근을 α, β라 할 때, $\alpha+\beta$의 값을 구하시오.

1195

사차방정식 $x^4+3x^3+3x^2-x-6=0$의 두 허근을 α, β라 할 때, $\alpha^2+\beta^2$의 값은?

① -5 ② -4 ③ -3
④ -2 ⑤ -1

1196 중요

사차방정식 $2x^4-x^3-6x^2-x+2=0$의 모든 양의 실근의 합을 구하시오.

1197 ●●○○

사차방정식 $x^4+ax^2+b=0$의 한 근이 $1-i$일 때, $a+b$의 값은? (단, a, b는 실수이다.)

① 1 ② 2 ③ 3
④ 4 ⑤ 5

1198 ●●○○

사차방정식 $x^4+4x^3-2kx^2-(2k+1)x-10=0$의 한 근이 2일 때, 두 허근의 합을 구하시오. (단, k는 실수이다.)

1199 중요 ●●●○

사차방정식 $x^4+ax^3+3x^2+3x+b=0$의 한 근이 i일 때, 나머지 세 근의 합을 구하시오. (단, a, b는 실수이다.)

유형 09 **복이차방정식의 풀이**

내신 중요도 ■■■■■ 유형 난이도 ★★★★★

(1) $x^2=t$로 치환하여 인수분해 공식을 이용하여 푼다.
(2) $x^2=t$로 치환하여 인수분해되지 않을 경우에는 $A^2-B^2=0$의 꼴로 변형하여 인수분해 공식을 이용하여 푼다.

1200 ●●○○

사차방정식 $x^4-5x^2+4=0$의 네 근 중에서 양수인 모든 근의 합은?

① 2 ② 3 ③ 4
④ 5 ⑤ 6

1201 짱중요 ●●○○

사차방정식 $x^4-3x^2-10=0$의 두 실근을 α, β라 하고, 두 허근을 γ, δ라 할 때, $\alpha\beta+\gamma\delta$의 값을 구하시오.

1202 ●●●○

사차방정식 $x^2(x-1)(x+1)=6$의 네 근 중 두 실근의 곱을 a, 두 허근의 합을 b라 할 때, $a+b$의 값은?

① -2 ② -3 ③ -6
④ -8 ⑤ -10

1203 중요 ●●●○

사차방정식 $x^4+3x^2+4=0$의 네 근을 α, β, γ, δ라 할 때, $\alpha^2+\beta^2+\gamma^2+\delta^2$의 값을 구하시오.

1204 ●●●○

사차방정식 $x^4+5x^2+9=0$의 네 근을 α, $\overline{\alpha}$, β, $\overline{\beta}$라 할 때, $\alpha\overline{\alpha}+\beta\overline{\beta}$의 값은? (단, $\overline{\alpha}$, $\overline{\beta}$는 각각 α, β의 켤레복소수이다.)

① 9 ② 8 ③ 7
④ 6 ⑤ 5

1205 ●●●●

사차방정식 $x^4+2x^2+4a-5=0$이 실근을 갖기 위한 자연수 a의 개수를 구하시오.

유형 **10** 치환을 이용한 고차방정식의 풀이

내신 중요도 ▬▬▬▬▬ 유형 난이도 ★★★★☆

(1) 치환을 이용한 고차방정식의 풀이
① 공통부분을 X로 치환한다.
② X에 대한 이차방정식을 푼다.
(2) $ax^4+bx^3+cx^2+bx+a=0$ 꼴의 방정식
① 양변을 x^2으로 나눈다.
② $x+\frac{1}{x}=t$로 치환한 후 t에 대한 방정식을 푼다.

1206 ●●○○

사차방정식 $(x^2+4x+5)^2-12(x^2+4x)-40=0$의 네 근을 α, β, γ, δ라 할 때, $\alpha\delta+\beta\gamma$의 값은? (단, $\alpha<\beta<\gamma<\delta$)

① -2 ② -1 ③ 0
④ 1 ⑤ 2

1207 ●●○○

사차방정식 $(x^2-4x)(x^2-4x+2)-8=0$의 서로 다른 근의 합을 구하시오.

1208 중요 교육청 기출 ●●●○

사차방정식 $(x^2+x-1)(x^2+x+3)-5=0$의 서로 다른 두 허근을 α, β라 할 때, $\alpha\overline{\alpha}+\beta\overline{\beta}$의 값을 구하시오. (단, $\overline{z}$는 z의 켤레복소수이다.)

1209

사차방정식 $x(x-1)(x+1)(x+2)=3$의 두 실근의 합을 a, 두 허근의 곱을 b라 할 때, $a-b$의 값은?

① -2　② -1　③ 0　④ 1　⑤ 2

1210

사차방정식 $x^4-4x^3+5x^2-4x+1=0$의 한 허근을 α라 할 때, $\alpha+\frac{1}{\alpha}$의 값은?

① -1　② 1　③ 3　④ 5　⑤ 7

1211

사차방정식 $x^4+x^3+2x^2+x+1=0$의 한 허근을 α라 할 때, α^{24}의 값을 구하시오.

유형 11 고차방정식의 활용

내신 중요도 ▬▬▬▬▬　유형 난이도 ★★★★★

① 구하는 것을 x로 놓는다.
② 주어진 조건에 맞추어 식을 세운다.
③ 해를 구하고, 그 해가 조건에 맞는지 확인한다.

1212

그림과 같이 직육면체의 가로, 세로의 길이와 높이가 각각 $2x$, x, $x+1$이고 부피가 160일 때, 이 직육면체의 모든 모서리의 길이의 합을 구하시오.

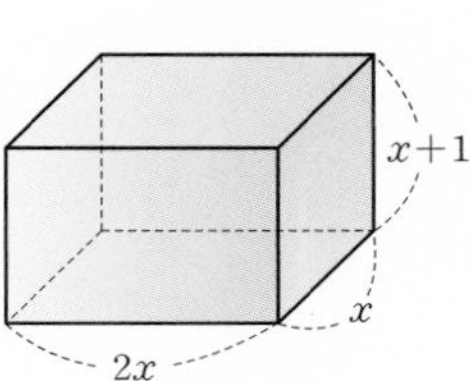

1213 중요

그림과 같이 밑면은 한 변의 길이가 4 cm인 정사각형이고 높이는 10 cm인 직육면체가 있다. 이 직육면체의 밑면의 각 변의 길이를 일정하게 늘이고, 높이를 같은 길이만큼 줄여 새로운 직육면체를 만들었더니 처음 직육면체의 부피와 같았다. 이때, 밑면의 각 변이 늘어난 길이를 구하시오.

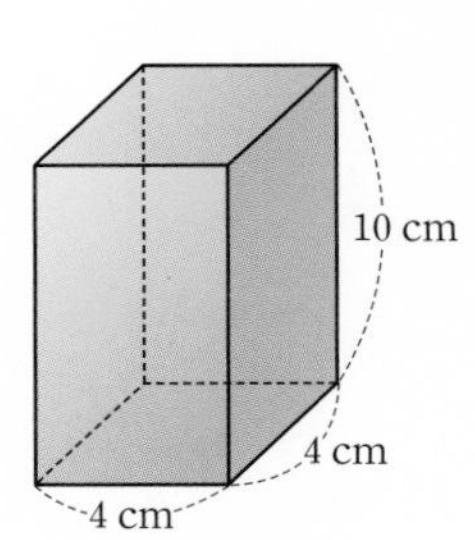

1214 중요 ●●●○

그림과 같이 가로의 길이가 30 cm, 세로의 길이가 20 cm인 직사각형 모양의 종이의 네 귀퉁이에서 한 변의 길이가 a cm인 정사각형을 오려내어 높이가 a cm인 뚜껑이 없는 직육면체 모양의 상자를 만들려고 한다. 이 상자의 부피를 1000 cm^3가 되도록 하되 높이가 최대가 되게 만들려고 한다. 이때, 이 상자의 밑넓이를 구하시오.

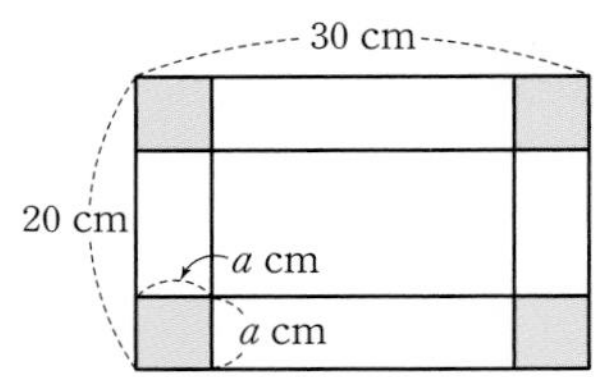

1215 ●●●○

밑면의 반지름의 길이가 x cm이고 높이가 $2x$ cm인 원기둥 모양의 용기에 물이 가득 담겨 있다. 이 물을 사용하여 밑면의 반지름의 길이가 10 cm이고 높이가 14 cm인 원기둥 모양의 용기를 가득 채우고 남은 물의 양을 측정하였더니 수면의 높이가 밑면으로부터 6 cm가 되었다. 이때, x의 값을 구하시오.

1216 ●●●○

반지름의 길이가 각각 1 cm씩 차이가 나는 3개의 구가 있다. 이 세 구의 부피의 합과 같은 부피를 갖는 하나의 구를 만들었을 때, 새로 만들어진 구의 반지름의 길이는 3개의 구 중 가장 큰 구의 반지름의 길이보다 1 cm만큼 길다고 한다. 새로 만들어진 구의 반지름의 길이를 구하시오.

1217 ●●●○

그림은 한 모서리의 길이가 x cm인 정육면체 5개를 쌓아 만든 입체도형이다. 이 입체도형의 부피를 $a\text{ cm}^3$, 겉넓이를 $b\text{ cm}^2$라 할 때, $a=2b-320$인 관계가 성립한다고 한다. 이때, x의 값을 구하시오.

1218 ●●●○

그림은 오각기둥의 전개도이다. 이 전개도의 점선을 따라 접어서 만든 오각기둥의 부피가 108일 때, 전개도에서 x의 값은?

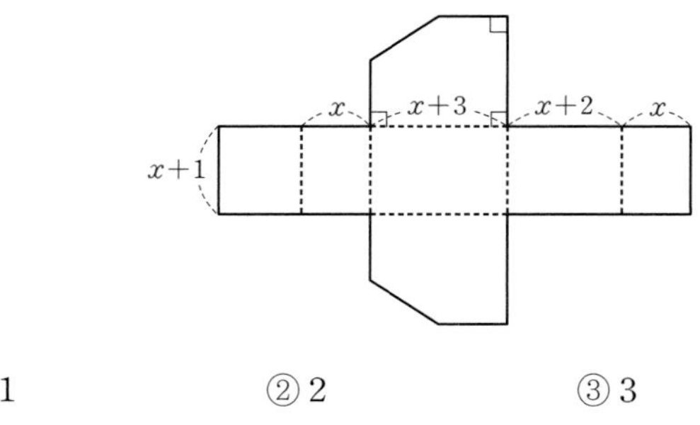

① 1 ② 2 ③ 3
④ 4 ⑤ 5

유형 12

내신 중요도 ▬▬▬▬▬ 유형 난이도 ★★★★★

$\begin{cases} \text{일차방정식} \\ \text{이차방정식} \end{cases}$ 형태의 연립이차방정식

① 일차방정식을 x 또는 y에 대하여 정리한다.
② ①을 이차방정식에 대입하여 방정식을 푼다.

1219 ●○○○

연립방정식 $\begin{cases} x+y=3 \\ x^2+2xy+2y^2=10 \end{cases}$ 의 해가

$\begin{cases} x=a \\ y=b \end{cases}$ 또는 $\begin{cases} x=c \\ y=d \end{cases}$ 일 때, $abcd$의 값은?

① -8 ② -4 ③ -2
④ 4 ⑤ 8

1220 ●○○○

연립방정식 $\begin{cases} x-2y=0 \\ x^2+2y^2=54 \end{cases}$ 의 해 중에서 자연수인 것을

$x=a$, $y=b$라 할 때, $a+b$의 값은?

① 5 ② 6 ③ 7
④ 8 ⑤ 9

1221 중요 ●○○○

연립방정식 $\begin{cases} x-y=4 \\ x^2+2xy+y^2=4 \end{cases}$ 를 만족시키는 두 실수 x, y에 대하여 xy의 값을 구하시오.

1222 ●●○○

연립방정식 $\begin{cases} x-y=1 \\ 2x^2-xy-y^2+1=0 \end{cases}$ 을 만족시키는 근을

$x=\alpha$, $y=\beta$라 할 때, 다음 중 α, β를 두 근으로 하는 t에 대한 이차방정식은?

① $t^2-t-2=0$ ② $t^2-t-1=0$ ③ $t^2+t-2=0$
④ $t^2+t-1=0$ ⑤ $t^2+t=0$

1223 ●●○○

연립방정식 $\begin{cases} ax-y=1 \\ x-y=2 \end{cases}$ 의 해가 연립방정식 $\begin{cases} x+y=b \\ x^2+y^2=10 \end{cases}$ 을 만족시킬 때, 두 상수 a, b에 대하여 $a+b$의 값을 구하시오.

(단, $a<b$)

1224 ●●●○

두 연립방정식 $\begin{cases} x+y=2 \\ x^2+y^2=a \end{cases}$, $\begin{cases} x+by=7 \\ 2x^2+xy=3 \end{cases}$ 의 해가 같을 때, 두 상수 a, b에 대하여 $a+b$의 값을 구하시오. (단, $x<y$)

유형 13

내신 중요도 ▬▬▬▬▬ 유형 난이도 ★★★★☆

$\begin{cases} \text{이차방정식} \\ \text{이차방정식} \end{cases}$ 형태의 연립이차방정식

두 이차방정식 중 어느 한 방정식이 일차식의 곱으로 인수분해되는 경우 인수분해하여 얻은 2개의 일차방정식을 다른 이차방정식과 각각 연립하여 푼다.

1225

연립방정식 $\begin{cases} (x+2y)(2x-y)=0 \\ x^2+y^2=5 \end{cases}$ 의 해를 $x=\alpha$, $y=\beta$라 할 때, $\alpha\beta$의 값을 모두 적은 것은?

① -1 또는 1　② -2 또는 2　③ -3 또는 3
④ -4 또는 4　⑤ -5 또는 5

1226 짱중요

연립방정식 $\begin{cases} x^2-y^2=0 \\ x^2-xy+2y^2=4 \end{cases}$ 의 해를 $x=\alpha$, $y=\beta$라 할 때, $\alpha\beta$의 최댓값은 M, 최솟값은 m이다. 이때, $M+m$의 값을 구하시오.

1227

연립방정식 $\begin{cases} x^2-3xy+2y^2=0 \\ x^2+y^2+3x+1=0 \end{cases}$ 을 만족시키는 두 실수 x, y에 대하여 $x+y$의 최댓값을 구하시오.

1228

연립방정식 $\begin{cases} 2x^2+3xy-2y^2=0 \\ x^2+xy=6 \end{cases}$ 을 만족시키는 두 실수 x, y에 대하여 xy의 최댓값과 최솟값의 합을 구하시오.

1229 교육청 기출

연립방정식 $\begin{cases} x^2-y^2=6 \\ (x+y)^2-2(x+y)=3 \end{cases}$ 을 만족시키는 양수 x, y에 대하여 $20xy$의 값을 구하시오.

1230

x, y에 대한 연립방정식 $\begin{cases} xy+x+y=k \\ (x-2)(y-2)=k+1 \end{cases}$ 이 실근을 갖도록 하는 실수 k의 최댓값을 구하시오.

해설 163쪽

유형 14 $x+y$, xy를 포함한 연립방정식

내신 중요도 ▬▬▬▬▬ 유형 난이도 ★★★★★

① $x+y=u$, $xy=v$로 놓는다.
② u, v에 대한 연립방정식으로 변형하여 푼다.
③ x, y가 이차방정식 $t^2-ut+v=0$의 두 근임을 이용한다.

1231 ●●○○

연립방정식 $\begin{cases} x+y=2 \\ xy=-8 \end{cases}$ 의 해를 $x=\alpha$, $y=\beta$라 할 때, $|\alpha-\beta|$의 값은?

① 2 ② 4 ③ 6
④ 8 ⑤ 10

1232 중요 ●●●○

연립방정식 $\begin{cases} x+y-xy=-1 \\ 2x+2y-3xy=-8 \end{cases}$ 을 푸시오.

1233 ●●●○

연립방정식 $\begin{cases} x^2+y^2=25 \\ xy=-12 \end{cases}$ 를 만족시키는 두 실수 x, y에 대하여 $x-y$의 최댓값을 구하시오.

1234 ●●●○

연립방정식 $\begin{cases} xy+x+y=71 \\ x^2y+xy^2=880 \end{cases}$ 을 만족시키는 두 자연수 x, y에 대하여 $x+y$의 값은?

① 14 ② 15 ③ 16
④ 17 ⑤ 18

1235 ●●●○

연립방정식 $\begin{cases} xy=10 \\ \dfrac{1}{x}+\dfrac{1}{y}=\dfrac{7}{10} \end{cases}$ 의 해 $x=\alpha$, $y=\beta$가 방정식 $3x+ky=16$을 만족시킬 때, 상수 k의 값을 구하시오. (단, $\alpha<\beta$)

1236 ●●●○

연립방정식 $\begin{cases} x^2-2x+y^2-2y-3=0 \\ x^2+xy+y^2=1 \end{cases}$ 을 만족시키는 실수 x, y에 대하여 $x+2y$의 최댓값을 구하시오.

유형 15 해의 조건이 주어진 연립이차방정식

내신 중요도 ■■■■■ 유형 난이도 ★★★★★

연립이차방정식의 해의 조건(오직 한 쌍, 실근, 허근)이 주어진 경우에는 다음과 같은 순서대로 푼다.
① 일차방정식을 이차방정식에 대입한다.
② 해의 조건을 만족시키도록 ①에서 구한 이차방정식의 판별식을 이용하여 미지수의 값을 구한다.

1237 ●●○○

연립방정식 $\begin{cases} 2x-y=k \\ x^2+y^2=5 \end{cases}$ 가 오직 한 쌍의 해를 가질 때, 양수 k의 값을 구하시오.

1238 중요 ●●●○

x, y에 대한 연립방정식 $\begin{cases} x+y=2a \\ x^2+y^2=2(a^2+a-4) \end{cases}$ 가 실수인 근 x, y를 가질 때, 상수 a의 최솟값은?

① 2 ② 3 ③ 4
④ 5 ⑤ 6

1239 ●●●○

x, y에 대한 연립방정식 $\begin{cases} x+y=2k+2 \\ xy=k^2+7 \end{cases}$ 이 허근을 갖도록 하는 모든 양의 정수 k의 값의 합은?

① 3 ② 5 ③ 7
④ 9 ⑤ 10

유형 16 연립이차방정식의 활용

내신 중요도 ■■■■■ 유형 난이도 ★★★★★

① 구하려는 것을 미지수로 정한다.
② 미지수의 개수에 맞게 방정식을 세우고 해를 구한다.
③ ②에서 구한 해가 문제의 조건(자연수, 정수, 대소 관계 등)에 맞는지 확인한다.

1240 ●●○○

그림과 같이 어느 건물의 한쪽 벽면을 이용하여 둘레의 길이가 26 m인 담장을 세워 직사각형 모양의 야외 수영장을 만들었다.

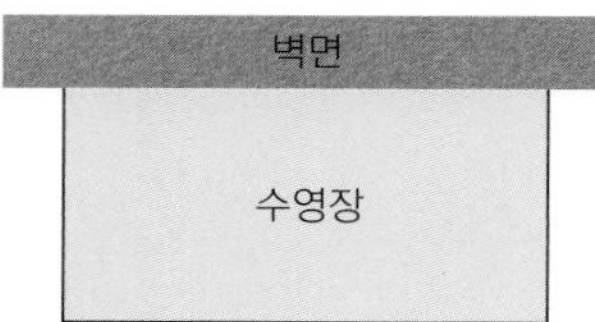

수영장의 넓이는 72 m^2이고, 가로의 길이보다 세로의 길이가 더 짧다고 할 때, 수영장의 가로의 길이는?

① 18 m ② 20 m ③ 22 m
④ 24 m ⑤ 26 m

1241 중요 ●●○○

그림과 같이 빗변의 길이가 15 m인 직각삼각형 모양의 꽃밭이 있다. 이 꽃밭의 직각을 낀 두 변의 길이를 각각 1 m씩 줄여 직각삼각형 모양의 꽃밭을 만들면 처음 꽃밭의 넓이보다 10 m^2 줄어든다. 처음 꽃밭의 직각을 낀 두 변의 길이를 구하시오.

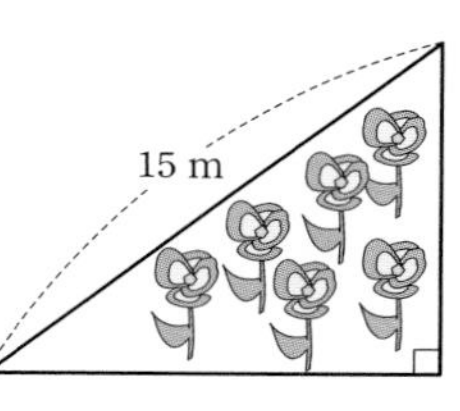

1242 중요

그림과 같이 반지름의 길이가 5인 원에 직사각형이 내접하고 있다. 직사각형의 둘레의 길이가 28일 때, 이 직사각형의 긴 변의 길이를 구하시오.

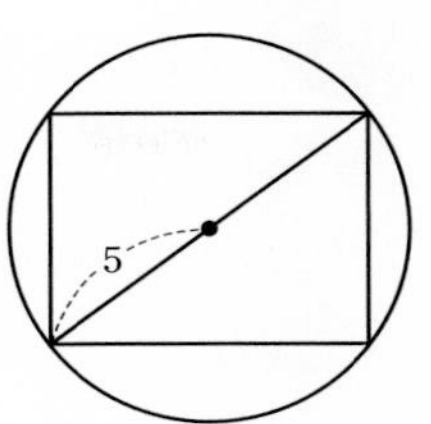

1243

길이가 160 cm인 노끈을 두 부분으로 잘라서 한 변의 길이가 각각 a cm, b cm $(a>b)$인 두 개의 정사각형을 만들었다. 이 두 정사각형의 넓이의 합이 850 cm^{2}일 때, a의 값을 구하시오.

(단, 노끈은 모두 사용하고 굵기는 고려하지 않는다.)

1244 교육청 기출

밑면의 반지름의 길이가 r, 높이가 h인 원기둥 모양의 용기에 대하여

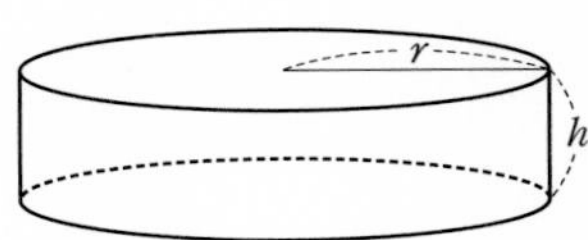

$r+2h=8,\ r^2-2h^2=8$

일 때, 이 용기의 부피는? (단, 용기의 두께는 무시한다.)

① 16π ② 20π ③ 24π
④ 28π ⑤ 32π

1245

그림과 같이 빗변의 길이가 26인 직각삼각형의 내접원의 반지름의 길이는 4이다. 이 직각삼각형에서 직각을 낀 두 변의 길이의 차를 구하시오.

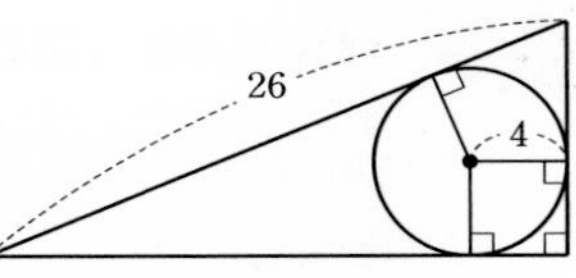

1246 교육청 기출

한 변의 길이가 a인 정사각형 ABCD와 한 변의 길이가 b인 정사각형 EFGH가 있다. 그림과 같이 네 점 A, E, B, F가 한 직선 위에 있고 $\overline{EB}=1$, $\overline{AF}=5$가 되도록 두 정사각형을 겹치게 놓았을 때, 선분 CD와 선분 HE의 교점을 I라 하자. 직사각형 EBCI의 넓이가 정사각형 EFGH의 넓이의 $\frac{1}{4}$일 때, b의 값은?

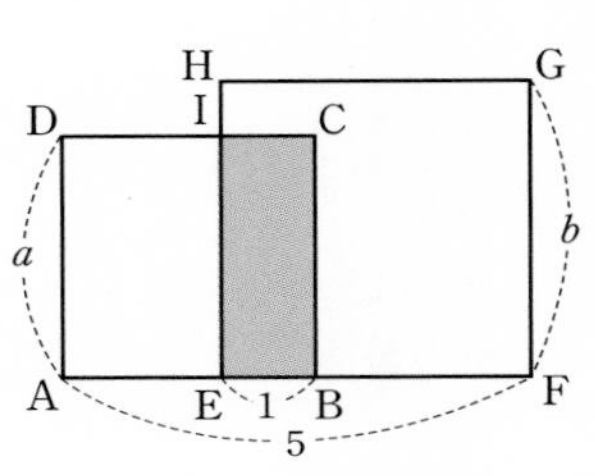

(단, $1<a<b<5$)

① $-2+\sqrt{26}$ ② $-2+3\sqrt{3}$ ③ $-2+2\sqrt{7}$
④ $-2+\sqrt{29}$ ⑤ $-2+\sqrt{30}$

해설 168쪽

유형 17 내신 중요도 유형 난이도 ★★★★☆

항을 소거하는 연립이차방정식 [교육과정 外]

두 이차방정식이 모두 인수분해되지 않는 경우
(1) 이차항을 소거하여 일차방정식을 만든 후, 이차방정식과 연립하여 푼다.
(2) 상수항을 소거하여 인수분해되는 이차방정식을 만든 후, 인수분해하여 얻은 2개의 일차식을 다른 이차방정식과 각각 연립하여 푼다.

1247

연립방정식 $\begin{cases} x^2+y^2+2y=1 \\ x^2+y^2+x+y=2 \end{cases}$ 를 만족시키는 두 실수 x, y에 대하여 $x+y$의 최댓값을 구하시오.

1248

연립방정식 $\begin{cases} x^2-xy=3 \\ y^2-xy=6 \end{cases}$ 의 해를 $x=a$, $y=b$라 할 때, a^2+b^2의 값을 구하시오.

1249

연립방정식 $\begin{cases} 2x^2+3xy+y^2=3 \\ x^2+5xy+4y^2=-2 \end{cases}$ 의 해가 $x=\alpha$, $y=\beta$일 때, $|\alpha-\beta|$의 값을 구하시오.

유형 18 내신 중요도 유형 난이도 ★★★★★

공통근 [교육과정 응용]

두 방정식 $f(x)=0$, $g(x)=0$이 공통근 α를 갖는 경우에는 다음과 같은 순서대로 푼다.
① $f(\alpha)=0$, $g(\alpha)=0$임을 이용하여 연립방정식을 세운다.
② ①의 식을 연립하여 공통근 또는 미지수의 값을 구한다.
③ ②에서 구한 값이 조건에 맞는지 확인한다.

1250

x에 대한 두 이차방정식

$$x^2-x+a=0,\ x^2+x+2a=0$$

이 양수인 공통근이 존재하도록 하는 상수 a의 값은?

① -2 ② -4 ③ -6
④ -8 ⑤ -10

1251

x에 대한 두 이차방정식

$$3x^2+ax+3=0,\ 3x^2+3x+a=0$$

이 오직 한 개의 공통근 α를 갖는다고 할 때, $a+\alpha$의 값은? (단, a는 실수이다.)

① -5 ② -3 ③ -2
④ -1 ⑤ 0

1252

x에 대한 두 이차방정식

$$3x^2-(k+1)x+4k=0,\ 3x^2+(2k-1)x+k=0$$

이 오직 한 개의 공통근 α를 가질 때, $3k+\alpha$의 값은? (단, k는 상수이다.)

① -1 ② 0 ③ 1
④ 2 ⑤ 3

해설 169쪽

1253

삼차방정식 $x^3+x^2+5x-7=0$의 두 허근을 α, β라 할 때, $\alpha^2+\beta^2$의 값은?

① -12 ② -10 ③ -8
④ -6 ⑤ -4

1254

삼차방정식 $(x-2)(x^2-2ax+a+2)=0$을 만족시키는 실근이 2개일 때, 상수 a의 값은?

① -2 ② -1 ③ 1
④ 2 ⑤ 3

1255

삼차방정식 $x^3+3x^2+4x-8=0$의 세 근을 α, β, γ라 할 때, $(\alpha-1)(\beta-1)(\gamma-1)$의 값은?

① -1 ② 0 ③ 1
④ 2 ⑤ 3

1256

두 실수 a, b에 대하여 삼차방정식 $x^3-x^2+ax+b=0$의 한 근이 $1+i$일 때, $a+b$의 값은?

① 1 ② 2 ③ 3
④ 4 ⑤ 5

1257

방정식 $x^3=1$을 만족하는 한 허근을 ω라 할 때,

$$\left(\omega+\frac{1}{\omega}\right)^2+\left(\omega^2+\frac{1}{\omega^2}\right)^2+\left(\omega^3+\frac{1}{\omega^3}\right)^2+\cdots+\left(\omega^{12}+\frac{1}{\omega^{12}}\right)^2$$

의 값은?

① 12 ② 16 ③ 20
④ 24 ⑤ 28

1258 서술형

사차방정식 $x^4-2x^3+x-2=0$의 두 허근을 α, β라 할 때, $\alpha^2+\beta^2$의 값을 구하시오.

해설 171쪽

1259

사차방정식 $x^2(x^2-3)=4$의 두 허근의 합은?

① $-2i$ ② $-i$ ③ 0
④ i ⑤ $2i$

1260

그림과 같이 가로의 길이가 10 cm, 세로의 길이가 14 cm인 직사각형 모양의 종이가 있다. 이 종이의 네 귀퉁이에서 한 변의 길이가 x cm인 정사각형을 잘라내어 부피가 96cm^3인 상자를 만들려고 한다. 이때, x의 값을 구하시오.

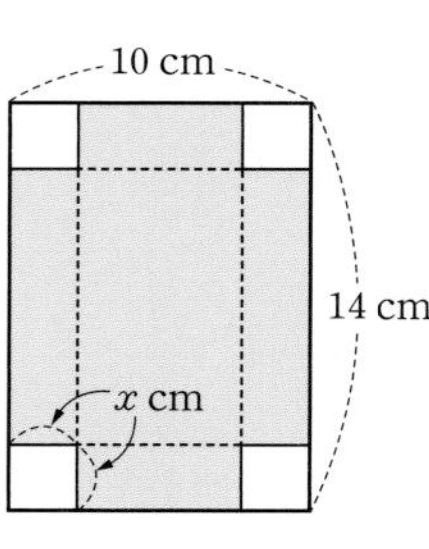

1261

연립방정식 $\begin{cases} x-y=2 \\ x^2-2xy=-12 \end{cases}$ 의 해가

$\begin{cases} x=a \\ y=b \end{cases}$ 또는 $\begin{cases} x=c \\ y=d \end{cases}$

일 때, $a+b+c+d$의 값은?

① 2 ② 4 ③ 6
④ 8 ⑤ 10

1262 서술형

연립방정식 $\begin{cases} x^2-3xy+2y^2=0 \\ x^2-6xy+9y^2=4 \end{cases}$ 의 해를 $\begin{cases} x=\alpha_i \\ y=\beta_i \end{cases}$ 라 할 때, $\alpha_i\beta_i$의 최댓값을 구하시오. (단, $i=1, 2, 3, 4$)

1263

연립방정식 $\begin{cases} xy+x+y=-5 \\ x^2+xy+y^2=7 \end{cases}$ 의 해를 $x=a$, $y=b$라 할 때, $|a-b|$의 최댓값과 최솟값의 합을 구하시오.

1264

어느 지역에 대각선의 길이가 $\sqrt{13}$ km인 직사각형 모양의 땅이 있다. 이 땅의 가로의 길이와 세로의 길이를 각각 1 km 늘였더니 넓이가 처음보다 6km^2 넓어졌다고 한다. 처음 땅의 가로의 길이와 세로의 길이의 합은 몇 km인지 구하시오.

해설 172쪽

Level 1

1265

삼차항의 계수가 1인 삼차식 $f(x)$에 대하여 $f(\alpha)=f(\beta)=f(\gamma)=3$, $\alpha\beta\gamma=7$일 때, 방정식 $f(x)=0$의 세 근의 곱은?

① 4　② 6　③ 8　④ 10　⑤ 12

1266

방정식 $x^3=1$의 한 허근을 ω라 할 때, 〈보기〉 중 옳은 것을 모두 고른 것은?

보기

ㄱ. $(1+\omega)^2=\omega$
ㄴ. $(1+\omega)^{10}=-\omega^2$
ㄷ. 모든 자연수 n에 대하여 $(1+\omega)^{3n}=(-1)^n$

① ㄱ　② ㄴ　③ ㄱ, ㄴ　④ ㄱ, ㄷ　⑤ ㄱ, ㄴ, ㄷ

1267

연립방정식 $\begin{cases} |x|+x+2y=10 \\ x+|y|-y=11 \end{cases}$ 을 만족시키는 두 실수 x, y에 대하여 $x+y$의 값은?

① 5　② 7　③ 9　④ 11　⑤ 13

1268

연립방정식 $\begin{cases} x+y=-1 \\ x^2+y^2=-1 \end{cases}$ 을 만족시키는 x, y에 대하여 $x^{26}+y^{23}$의 값을 구하시오.

1269

연립방정식 $\begin{cases} xy=2a \\ x^2-xy+y^2=24 \end{cases}$ 가 적어도 한 쌍의 실수인 해를 갖도록 하는 실수 a의 값의 범위는?

① $a \geq -4$ ② $-4 \leq a \leq 12$ ③ $a < 4$
④ $0 \leq a < 12$ ⑤ $a \leq 12$

Level 2

1270

삼차방정식 $x^3+ax^2+bx+c=0$의 세 근을 α, β, γ라 할 때,

$$(1-\alpha)(1-\beta)(1-\gamma)=(2-\alpha)(2-\beta)(2-\gamma)=(3-\alpha)(3-\beta)(3-\gamma)$$

가 성립한다. 이때, 상수 a, b의 합 $a+b$의 값은?

① 3 ② 4 ③ 5
④ 6 ⑤ 7

1271

삼차방정식 $x^3=1$의 한 허근을 ω라 하고, 양의 정수 n에 대하여 $f(n)=\dfrac{\omega^n}{1+\omega^{2n}}$이라 정의할 때,
$f(1)-f(2)+f(3)-f(4)+\cdots+f(13)$의 값은?

① -1 ② $-\dfrac{1}{2}$ ③ 0
④ $\dfrac{1}{2}$ ⑤ 1

1272

사차방정식

$$x^4+(3-k)x^3-4(k+1)x^2+(k^2+5k)x-k^2=0$$

이 서로 다른 네 개의 실근을 갖도록 하는 10 이하의 정수 k의 개수를 구하시오.

1273

x에 대한 사차방정식 $x^4-2x^2-a-12=0$이 서로 다른 4개의 실근을 갖도록 하는 정수 a의 값의 범위는?

① $-13<a<-12$　② $-13\le a<-12$　③ $-13<a<0$　④ $-12<a<0$　⑤ $-12\le a<0$

1274

교육청 기출

9 이하의 자연수 n에 대하여 다항식 $P(x)$가

$$P(x)=x^4+x^2-n^2-n$$

일 때, 〈보기〉에서 옳은 것만을 있는 대로 고른 것은?

보기

ㄱ. $P(\sqrt{n})=0$
ㄴ. 방정식 $P(x)=0$의 실근의 개수는 2이다.
ㄷ. 모든 정수 k에 대하여 $P(k)\neq0$이 되도록 하는 모든 n의 값의 합은 31이다.

① ㄱ　② ㄷ　③ ㄱ, ㄴ　④ ㄴ, ㄷ　⑤ ㄱ, ㄴ, ㄷ

1275

삼차방정식 $x^3-3x^2-(m-1)x+m+7=0$의 세 근이 모두 정수일 때, 상수 m의 값은?

① -7　② -5　③ -3　④ 3　⑤ 5

1276

교육청 기출

세 실수 a, b, c에 대하여 한 근이 $1+\sqrt{3}i$인 방정식 $x^3+ax^2+bx+c=0$과 이차방정식 $x^2+ax+2=0$이 공통인 근 m을 가질 때, m의 값은? (단, $i=\sqrt{-1}$)

① 2　② 1　③ 0　④ -1　⑤ -2

1277

그림과 같이 직사각형 ABCD의 내부에 선분 PQ가 변 AD에 평행하게 놓여 있다.

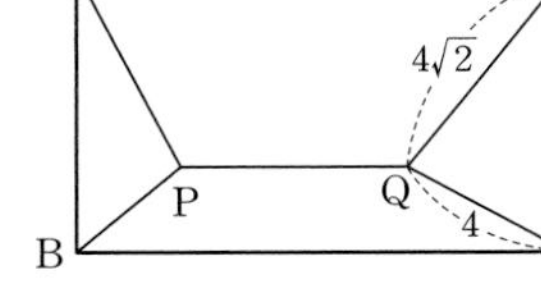

$\overline{QC}=4$, $\overline{QD}=4\sqrt{2}$일 때, 두 선분 PA, PB의 길이를 각각 구하시오.

(단, 두 선분 PA, PB의 길이는 자연수이다.)

Level 3

1278 교육청 기출

그림과 같이 삼각형 ABC의 변 AB와 변 AC를 각각 지름으로 하는 두 원 O_1, O_2가 두 점 A, D에서 만난다. $\overline{AD}$, $\overline{AC}$, $\overline{BC}$, $\overline{AB}$가 이 순서대로 네 개의 연속된 짝수일 때, 두 원 O_1, O_2의 넓이의 합은 S이다. $\frac{S}{\pi}$의 값을 구하시오.

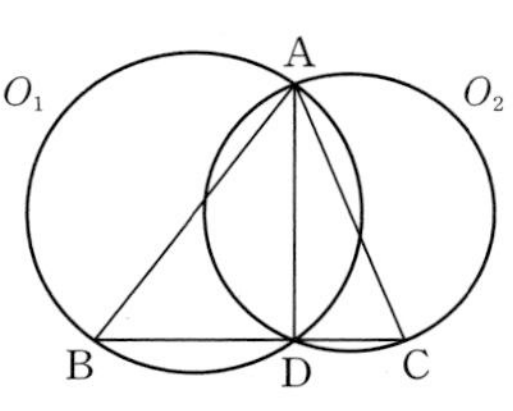

1279

삼차방정식 $x^3-2x^2+3x-6=0$의 세 근을 α, β, γ라 할 때, $(\alpha^2-\alpha+1)(\beta^2-\beta+1)(\gamma^2-\gamma+1)$의 값을 구하시오.

1280 교육청 응용

삼차방정식 $2x^3-5x^2+(k+3)x-k=0$의 세 실근이 어떤 직각삼각형의 세 변의 길이가 된다고 할 때, 그 직각삼각형의 넓이를 $\frac{q}{p}$라 하자. 이때, $p+q$의 값은? (단, p, q는 서로소이다.)

① 27 ② 28 ③ 29
④ 30 ⑤ 31

일차부등식

		제 목	내신중요도	유형난이도	문항수	문항번호
		기본 문제			43	1281~1323
유형 문제	01	부등식의 기본 성질 [중학과정]	▬	★★	5	1324~1328
	02	일차부등식 [중학과정]	▬	★★	3	1329~1331
	03	연립일차부등식의 풀이(1)	▬▬▬	★	5	1332~1336
	04	연립일차부등식의 풀이(2)	▬▬	★★	3	1337~1339
	05	$A<B<C$ 꼴의 연립일차부등식	▬▬	★★	6	1340~1345
	06	해가 주어진 연립일차부등식	▬▬▬	★★★	9	1346~1354
	07	해의 조건이 주어진 연립일차부등식	▬▬	★★★	3	1355~1357
	08	특수한 해를 갖는 연립일차부등식	▬	★★★	6	1358~1363
	09	해가 존재하지 않는 연립일차부등식	▬▬	★★★	5	1364~1368
	10	연립일차부등식의 활용	▬▬▬▬▬	★★★★	9	1369~1377
	11	|(일차식)|<(상수) 꼴의 부등식	▬▬▬	★★★	6	1378~1383
	12	|(일차식)|<(일차식) 꼴의 부등식	▬	★★★	3	1384~1386
	13	절댓값 기호를 포함한 부등식의 해의 조건	▬	★★★★	3	1387~1389
	14	절댓값 기호를 포함한 연립일차부등식	▬	★★★★	3	1390~1392
	15	절댓값 기호가 2개인 일차부등식	▬▬▬▬▬	★★★★★	6	1393~1398
		적중 문제			12	1399~1410
		고난도 문제			8	1411~1418

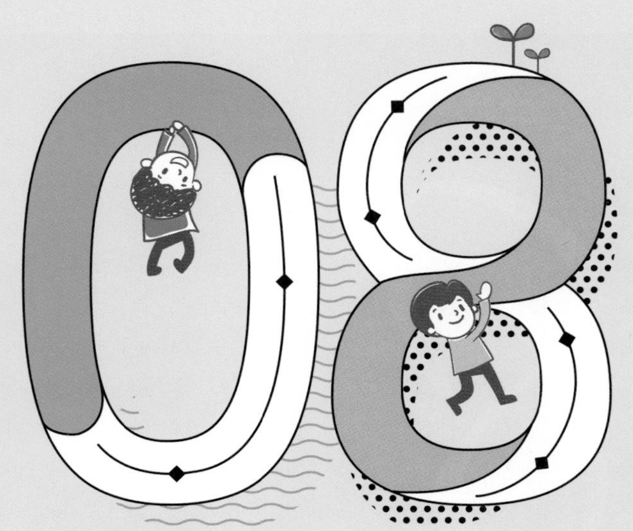

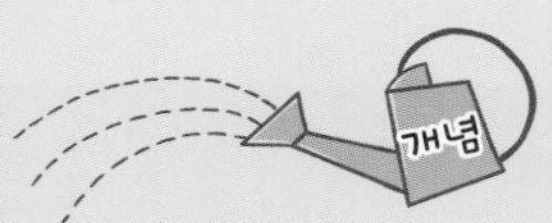

일차부등식

1. 부등식의 기본 성질 [중학과정]

세 실수 a, b, c에 대하여

(1) $a>b$, $b>c$이면 $a>c$

(2) $a>b$이면 $a+c>b+c$, $a-c>b-c$

(3) $a>b$, $c>0$이면 $ac>bc$, $\frac{a}{c}>\frac{b}{c}$

(4) $a>b$, $c<0$이면 $ac<bc$, $\frac{a}{c}<\frac{b}{c}$

$0<a<x<b$, $0<c<y<d$일 때,

① $a+c<x+y<b+d$

② $a-d<x-y<b-c$

③ $ac<xy<bd$

④ $\frac{a}{d}<\frac{x}{y}<\frac{b}{c}$

2. 부등식 $ax>b$의 해 [중학과정]

부등식 $ax>b$의 해는

(1) $a>0$일 때, $x>\frac{b}{a}$ ← 부등호의 방향이 그대로

(2) $a<0$일 때, $x<\frac{b}{a}$ ← 부등호의 방향이 바뀐다.

(3) $a=0$일 때, $\begin{cases} b\geq 0\text{이면 해가 없다.} \\ b<0\text{이면 해는 모든 실수} \end{cases}$

3. 연립일차부등식

두 개 이상의 일차부등식을 한 쌍으로 묶어 놓은 것을 연립일차부등식이라 하고, 연립부등식의 각 부등식을 동시에 만족시키는 x의 값을 연립부등식의 해라고 한다.

$\begin{cases} \text{(일차부등식)} \\ \text{(일차부등식)} \end{cases}$

4. 연립일차부등식의 풀이

연립일차부등식의 해는 다음 순서로 구한다.

① 각 일차부등식의 해를 구한다.

② 각 부등식의 해를 수직선 위에 함께 나타낸다.

③ 수직선에서 공통부분을 구한다.

연립일차부등식 $\begin{cases} ax+b\leq 0 \\ cx+d<0 \end{cases}$의 해가 $\alpha\leq x<\beta$이면 α는 방정식 $ax+b=0$의 해이고, β는 방정식 $cx+d=0$의 해이다.

5. $A<B<C$ 꼴의 연립부등식

$A<B<C$의 꼴의 연립부등식은 $A<B$이고 $B<C$인 경우를 나타낸 것이다.

$$A<B<C \Rightarrow \begin{cases} A<B \\ B<C \end{cases}$$

$A<B<C$의 꼴의 연립부등식을 $\begin{cases} A<B \\ A<C \end{cases}$ 또는 $\begin{cases} A<C \\ B<C \end{cases}$의 꼴로 바꾸어서 풀지 않도록 주의한다.

6. 절댓값을 포함한 일차부등식

양수 a에 대하여

(1) $|x|<a \Rightarrow -a<x<a$

(2) $|x|>a \Rightarrow x<-a$ 또는 $x>a$

절댓값의 성질

① $|x|=\begin{cases} x & (x\geq 0\text{일 때}) \\ -x & (x<0\text{일 때}) \end{cases}$

② $|x-a|=\begin{cases} x-a & (x\geq a\text{일 때}) \\ -(x-a) & (x<a\text{일 때}) \end{cases}$

7. 절댓값을 2개 포함한 일차부등식

$a<b$일 때, 부등식 $|x-a|+|x-b|<c$의 해는 세 구간

(i) $x<a$ (ii) $a\leq x<b$ (iii) $x\geq b$

로 나누어 푼다.

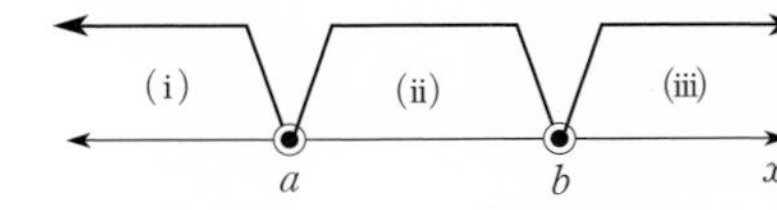

참고 절댓값을 포함한 일차부등식은 절댓값 안의 식의 값이 0이 되는 x의 값을 경계로 구간을 나누어 푼다.

$|x-p|$는 x와 p 사이의 거리를 나타내므로

① $|x-p|>a$

$\Rightarrow x<p-a$ 또는 $x>p+a$

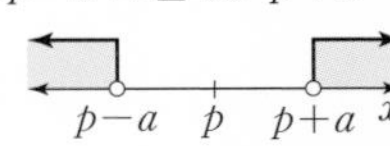

② $|x-p|<a$이면 $\Rightarrow p-a<x<p+a$

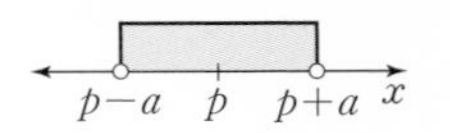

절댓값을 포함한 부등식

$0<a<b$일 때,

$a<|x|<b$

$\Rightarrow -b<x<-a$ 또는 $a<x<b$

1 일차부등식

[1281-1290] 다음 부등식을 푸시오.

1281 $4x-2>6$

1282 $2x<x+2$

1283 $3x-2\le x-4$

1284 $7x-3\le 5x-13$

1285 $2(x+3)>5x-9$

1286 $5-(3-x)\le 2x$

1287 $\frac{1}{3}x+6\le 2(x-2)$

1288 $\frac{x-1}{4}>2+\frac{2}{3}x$

1289 $\frac{x-3}{2}\le\frac{5x-9}{4}$

1290 $0.2x+1.8>0.5x$

[1291-1293] 상수 a에 대하여 다음 부등식을 푸시오.

1291 $ax>2a$

1292 $ax+3>2x$

1293 $ax+1>x-a$

2 연립부등식의 해

[1294-1297] 다음 연립부등식의 해를 수직선 위에 나타내시오.

1294 $\begin{cases} x>-2 \\ x<3 \end{cases}$

x

1295 $\begin{cases} x+1\geq 0 \\ 3x<12 \end{cases}$

x

1296 $\begin{cases} -1<x<3 \\ 0<x<4 \end{cases}$

x

1297 $\begin{cases} -2\leq x\leq 4 \\ x<0 \text{ 또는 } x>1 \end{cases}$

x

3 연립일차부등식

[1298-1302] 다음 연립부등식을 푸시오.

1298 $\begin{cases} 2x\geq 6 \\ x-1<4 \end{cases}$

1299 $\begin{cases} 4x\leq 5x-1 \\ 2x+6>5x-9 \end{cases}$

1300 $\begin{cases} 4x+5>-7 \\ 9-x\geq 2x+15 \end{cases}$

1301 $\begin{cases} 5-2x<8-x \\ 2(x-3)<x-4 \end{cases}$

1302 $\begin{cases} 3x-1\geq 5x-7 \\ \dfrac{x-2}{3}>\dfrac{x}{2}-2 \end{cases}$

[1303-1305] 다음 $A<B<C$의 꼴의 연립부등식을 $\begin{cases} A<B \\ B<C \end{cases}$의 꼴로 나타내시오.

1303 $4 \le x+3 < 2x$

1304 $3x-4 < x+1 \le 4x-5$

1305 $\dfrac{x-1}{2} \le 3x+1 \le 5(x+1)$

[1306-1308] 다음 연립부등식을 푸시오.

1306 $-1 < 3x+2 \le 5$

1307 $x-3 \le 5 < x+3$

1308 $3x-2 \le 2x+4 < 4(x+3)$

4 특수한 해를 갖는 연립일차부등식

[1309-1313] 다음 연립부등식을 푸시오.

1309 $\begin{cases} 3x+5 \ge x+7 \\ 5x > 7x+2 \end{cases}$

1310 $\begin{cases} x-1 < -4 \\ 4x+2 > -10 \end{cases}$

1311 $\begin{cases} x+2 \ge 2x \\ 3(5-x) \le x+7 \end{cases}$

1312 $\begin{cases} 2(x+3) \ge 3x-2 \\ \dfrac{5x+2}{2} \le 3(x-1) \end{cases}$

1313 $4x+1 \le 2x+3 < 5x$

5 부등식의 활용

[1314-1316] 다음 문장을 부등식으로 나타내시오.

1314 어떤 실수 x에 3을 더한 수는 24보다 작다.

1315 어떤 실수 x는 그 수의 2배에서 5를 뺀 수보다 크거나 같다.

1316 한 개에 400원인 초콜릿을 x개 사려고 하는데 총금액이 4000원 이상 6000원 이하가 되도록 산다.

[1317-1318] 다음 물음에 답하시오.

1317 어떤 자연수의 3배한 수는 21보다 크고, 그 자연수에 7을 더한 수는 16보다 작거나 같다고 한다. 이때, 이 자연수를 모두 구하시오.

1318 연속하는 세 자연수의 합이 12보다 크거나 같고 18보다 작다. 이 세 자연수를 모두 구하시오.

6 절댓값을 포함한 일차부등식

[1319-1323] 다음 부등식을 푸시오.

1319 $|x|\le 2$

1320 $|x|-5>0$

1321 $|x-3|\ge 3$

1322 $|2x-1|<7$

1323 $1\le |x|\le 4$

유형 문제

내신 출제 유형 정복하기

유형 01 부등식의 기본 성질 [중학과정]

내신 중요도 / 유형 난이도 ★★★★★

세 실수 a, b, c에 대하여

(1) $a>b$, $b>c$이면 $a>c$

(2) $a>b$이면 $a+c>b+c$, $a-c>b-c$

(3) $a>b$, $c>0$이면 $ac>bc$, $\frac{a}{c}>\frac{b}{c}$

(4) $a>b$, $c<0$이면 $ac<bc$, $\frac{a}{c}<\frac{b}{c}$

1324

네 실수 a, b, c, d에 대하여 〈보기〉에서 옳은 것만을 있는 대로 고른 것은?

보기

ㄱ. $a>b$이면 $a-c>b-c$

ㄴ. $a>b$, $c<0$이면 $\frac{a}{c}<\frac{b}{c}$

ㄷ. $a>b>0$, $c>d>0$이면 $\frac{a}{d}>\frac{b}{c}$

① ㄱ ② ㄱ, ㄴ ③ ㄱ, ㄷ
④ ㄴ, ㄷ ⑤ ㄱ, ㄴ, ㄷ

1325

세 실수 a, b, c에 대하여 〈보기〉에서 옳은 것만을 있는 대로 고른 것은?

보기

ㄱ. $|a|\geq a$

ㄴ. $a<b$이면 $a^2<b^2$

ㄷ. $a>b$, $b>c$이면 $a>c$

① ㄱ ② ㄷ ③ ㄱ, ㄷ
④ ㄴ, ㄷ ⑤ ㄱ, ㄴ, ㄷ

1326

$a>b$인 두 실수 a, b에 대하여 〈보기〉에서 옳은 것만을 있는 대로 고르시오.

보기

ㄱ. $a^2>b^2$ ㄴ. $a^3>b^3$

ㄷ. $\frac{1}{a}<\frac{1}{b}$ ㄹ. $\frac{a}{b}>1$

1327

$a<0<b$일 때, 다음 중 옳은 것은? (단, $c\neq0$)

① $\frac{1}{a}<\frac{1}{b}$ ② $ac<bc$ ③ $\frac{a}{c}>\frac{b}{c}$
④ $\frac{1}{b}<\frac{1}{a}$ ⑤ $\frac{b}{a}<\frac{a}{b}$

1328

세 수 a, b, c가 $a<0<b<c$를 만족시킬 때, 〈보기〉에서 옳은 것만을 있는 대로 고른 것은?

보기

ㄱ. $a-b<c$ ㄴ. $|a|<a$ ㄷ. $ab<ac$

① ㄱ ② ㄴ ③ ㄱ, ㄴ
④ ㄱ, ㄷ ⑤ ㄴ, ㄷ

해설 180쪽

유형 02 **일차부등식** [중학과정]

내신 중요도 ▬▬▬▬▬ 유형 난이도 ★★★★★

부등식 $ax>b$의 해는

(1) $a>0$일 때, $x>\frac{b}{a}$ ← 부등호의 방향이 그대로

(2) $a<0$일 때, $x<\frac{b}{a}$ ← 부등호의 방향이 바뀐다.

(3) $a=0$일 때, $\begin{cases} b\geq 0\text{이면 해가 없다.} \\ b<0\text{이면 해는 모든 실수} \end{cases}$

1329 ●○○○

부등식 $ax-8<3x-4$의 해가 $x<2$일 때, 상수 a의 값은?

① 1 ② 2 ③ 3
④ 4 ⑤ 5

1330 ●●○○

부등식 $(a+2)(a-2)x\leq a-2$가 모든 실수 x에 대하여 성립하도록 하는 실수 a의 값을 구하시오.

1331 ●●○○

부등식 $ax+3>x+b$의 해가 존재하지 않을 때, 두 실수 a, b의 조건으로 옳은 것은?

① $a=1$, $b=-3$ ② $a=1$, $b\leq -3$
③ $a=1$, $b\geq 3$ ④ $a\neq 1$, $b\leq 3$
⑤ $a>1$, $b=3$

유형 03 **연립일차부등식의 풀이(1)**

내신 중요도 ▬▬▬▬▬ 유형 난이도 ★★★★★

연립일차부등식의 풀이는 다음 순서로 구한다.
① 각 일차부등식의 해를 구한다.
② 각 부등식의 해를 수직선 위에 함께 나타낸다.
③ 수직선에서 공통부분을 구한다.

1332 ●○○○

연립부등식 $\begin{cases} 4x+5>-7 \\ 9-x\geq 2x+15 \end{cases}$ 의 해를 수직선 위에 바르게 나타낸 것은?

①
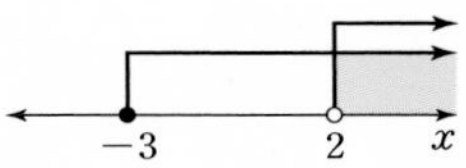

②
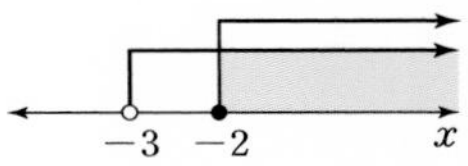

③
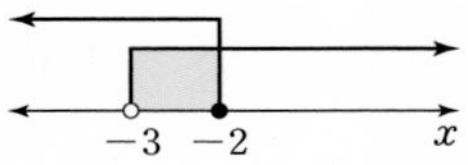

④
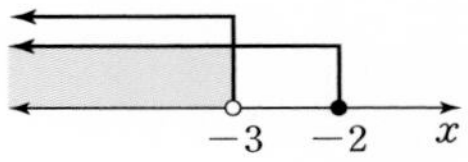

⑤
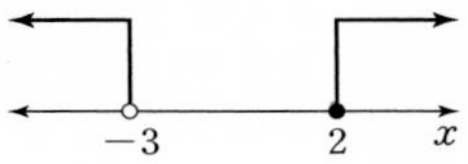

1333 중요 ●○○○

연립부등식 $\begin{cases} 1-2x\leq 5 \\ 4x-1\leq x+2 \end{cases}$ 의 해가 $a\leq x\leq b$일 때, 두 상수 a, b에 대하여 $b-a$의 값은?

① 1 ② 3 ③ 5
④ 7 ⑤ 9

1334 중요

연립부등식 $\begin{cases} 3-2x<x+7 \\ 4x-1\leq 2x+5 \end{cases}$를 만족시키는 모든 정수 x의 값의 합을 구하시오.

1335

연립부등식 $\begin{cases} 3x+9>0 \\ 4-x<6-3x \end{cases}$를 만족시키는 x의 값 중에서 가장 큰 정수를 M, 가장 작은 정수를 m이라 할 때, $M-m$의 값을 구하시오.

1336

연립부등식 $\begin{cases} x+2>-3 \\ 3x-1<-2x+9 \\ x+4\leq 5 \end{cases}$의 해는?

① $x<-5$ ② $-5<x<2$ ③ $-5<x\leq 1$
④ $1\leq x<2$ ⑤ $x>2$

유형 04 연립일차부등식의 풀이(2)

내신 중요도 유형 난이도 ★★☆☆☆

(1) 괄호가 있는 연립부등식
① 분배법칙을 이용하여 각 부등식의 해를 구한다.
② 각 부등식의 해의 공통부분을 구한다.
(2) 계수가 분수인 연립부등식
① 분모들의 최소공배수를 곱하여 계수를 정수로 고친다.
② 각 부등식의 해의 공통부분을 구한다.

1337 중요

연립부등식 $\begin{cases} 8x<5-(2-5x) \\ x+1\geq -(6+x) \end{cases}$의 해가 $a\leq x<b$일 때, 두 상수 a, b에 대하여 $2a+b$의 값은?

① -10 ② -8 ③ -6
④ -4 ⑤ -2

1338

연립부등식 $\begin{cases} 7x<27-2x \\ \frac{2}{3}x-\frac{3-x}{2}\geq \frac{5}{6} \end{cases}$를 만족시키는 정수 x의 개수를 구하시오.

1339

연립부등식 $\begin{cases} \frac{x-5}{2}\geq \frac{x}{4}-3 \\ \frac{x-3}{2}+\frac{5}{3}<\frac{2x+1}{3} \end{cases}$을 풀면?

① $x\geq -2$ ② $-2\leq x<-1$ ③ $x>-1$
④ $1<x\leq 2$ ⑤ $x\leq 2$

유형 05 $A<B<C$ 꼴의 연립일차부등식

내신 중요도 ▬▬▬▬▬ 유형 난이도 ★★★★★

$A<B<C \Rightarrow \begin{cases} A<B \\ B<C \end{cases}$ 의 꼴로 변형하여 푼다.

1340 ●○○○

다음 연립부등식을 푸시오.

$$-3<2x+1\le 5$$

1341 ●○○○

연립부등식 $x-2\le 3<x+2$를 만족시키는 정수 x의 개수는?

① 3 ② 4 ③ 5
④ 6 ⑤ 7

1342 중요 ●●○○

연립부등식 $2x-4\le x+1<3x-5$를 만족시키는 x의 값 중에서 정수의 개수는?

① 1 ② 2 ③ 3
④ 4 ⑤ 5

1343 ●●○○

연립부등식 $x-1\le 2-\frac{1+x}{3}\le 3x$의 해 중 최댓값을 M, 최솟값을 m이라 할 때, Mm의 값을 구하시오.

1344 ●●○○

연립부등식 $\frac{x+1}{3}\le\frac{x+4}{4}\le\frac{2x-1}{5}$의 해를 구하시오.

1345 ●●●○

$2x+y=-2x-y+6$일 때, 연립부등식 $1<y-2x<8$을 만족시키는 두 정수 x, y의 순서쌍 (x, y)를 모두 구하시오.

유형 06 해가 주어진 연립일차부등식

내신 중요도 ■■■■■ 유형 난이도 ★★★☆☆

미지수가 있는 연립부등식 문제는 다음 순서로 구한다.
① 각 부등식의 해를 구한다.
② 구한 부등식의 해와 주어진 연립부등식의 해를 비교하여 미지수를 구한다.

1346

그림은 연립부등식 $\begin{cases} 3x-a\le 5x \\ 4x+1<-b \end{cases}$ 의 해를 수직선 위에 나타낸 것이다. 두 상수 a, b에 대하여 $a+b$의 값은?

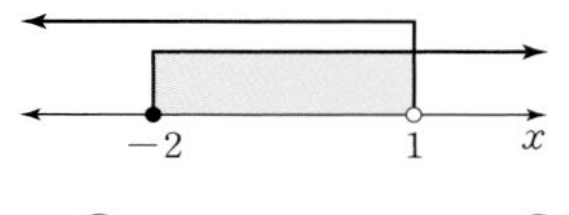

① -2　② -1　③ 0
④ 1　⑤ 2

1347

그림은 연립부등식 $\begin{cases} 2(x-a)>-1 \\ 5x+b\ge 2x-1 \end{cases}$ 의 해를 수직선 위에 나타낸 것이다. 이때, 두 상수 a, b에 대하여 ab의 값을 구하시오.

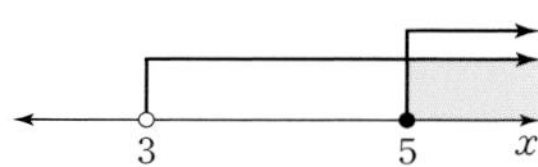

1348

연립부등식 $\begin{cases} x+5\ge 4 \\ 3x-1<2a+3 \end{cases}$ 의 해가 $-1\le x<4$일 때, 상수 a의 값을 구하시오.

1349

x에 대한 연립부등식 $\begin{cases} 2x-a>3 \\ -2x+4>b \end{cases}$ 의 해가 $2<x<3$이 되도록 두 상수 a, b의 값을 정할 때, $a+b$의 값은?

① -2　② -1　③ 0
④ 1　⑤ 2

1350

연립부등식 $\begin{cases} 3x<a+15 \\ 2(x-5)>-x+b \end{cases}$ 의 해가 $1<x<3$일 때, 다음 중 $ax+b\le 0$의 해로 알맞은 것은? (단, a, b는 상수이다.)

① -5　② -4　③ -3
④ -2　⑤ -1

1351 짱중요

연립부등식 $\begin{cases} 3(x-2)\le 2x-5 \\ \frac{1}{2}x+1>\frac{a}{3}x-1 \end{cases}$ 의 해가 $-4<x\le b$일 때, 두 상수 a, b에 대하여 $a+b$의 값을 구하시오. $\left(\text{단, } a<\frac{3}{2}\right)$

1352

연립부등식 $x+1<2x-1<5x+a$의 해가 $x>3$일 때, 상수 a의 값을 구하시오.

1353

연립부등식 $-1+2x\le\frac{a-x}{4}<1$의 해가 $b<x\le\frac{2}{3}$일 때, 두 상수 a, b에 대하여 $a+b$의 값을 구하시오.

1354

연립부등식 $2x+a\le-x+4\le3x+b$의 해가 $-2\le x\le1$일 때, 두 상수 a, b에 대하여 ab의 값을 구하시오.

유형 07 해의 조건이 주어진 연립일차부등식

내신 중요도 ▬▬▬▬▬ 유형 난이도 ★★★★★

연립부등식의 해의 조건이 주어진 문제는 다음 순서로 구한다.
① 각 부등식의 해를 구한다.
② 각 부등식의 해를 수직선 위에 나타낸다.
③ 해의 조건을 만족시키는 미지수의 값의 범위를 구한다.

1355

연립부등식 $\begin{cases}-x-a\ge-5x\\4x-19<-3\end{cases}$을 만족시키는 자연수 x가 한 개뿐일 때, 정수 a의 개수는?

① 1 ② 2 ③ 3
④ 4 ⑤ 5

1356 중요

연립부등식 $\begin{cases}3x+4<-2x+7\\x\ge a\end{cases}$를 만족시키는 정수인 해의 개수가 2일 때, 상수 a의 값의 범위를 구하시오.

1357 교육청 기출

x에 대한 연립부등식 $\begin{cases}x+2>3\\3x<a+1\end{cases}$을 만족시키는 모든 정수 x의 값의 합이 9가 되도록 하는 자연수 a의 최댓값을 구하시오.

유형 08 특수한 해를 갖는 연립일차부등식

내신 중요도 ▬▬▬▬ 유형 난이도 ★★★★★

(1) 연립부등식의 해가 한 개뿐인 경우
수직선 위에서 두 일차부등식의 해의 공통부분이 $x=a$이다.

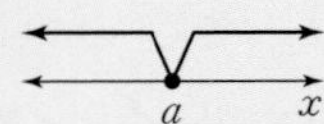

(2) 연립부등식의 해가 존재하는 경우
수직선 위에서 두 일차부등식의 해의 공통부분이 존재하여야 한다.

1358 ●○○○

연립부등식 $\begin{cases} 3x+6\geq 2x+3 \\ 2x-5\geq 4x+1 \end{cases}$ 의 해를 구하시오.

1359 ●●○○

연립부등식 $\begin{cases} x+1\geq 2(x-1)+1 \\ 2(x+3)<3x+4 \end{cases}$ 를 풀면?

① $x\leq 2$ ② $x>2$ ③ $x=2$
④ $-2<x\leq 2$ ⑤ 해가 없다.

1360 ●●○○

연립부등식 $\begin{cases} ax-7\leq x-1 \\ -2x-4\geq x+5 \end{cases}$ 의 해가 $x=-3$일 때, 상수 a의 값을 구하시오.

1361 중요 ●●○○

연립부등식 $\begin{cases} -x+7\geq 2x+a \\ 3(x-1)\leq 5x+b \end{cases}$ 의 해가 $x=-1$일 때, 두 상수 a, b에 대하여 $a+b$의 값을 구하시오.

1362 ●●○○

연립부등식 $\begin{cases} \dfrac{2-3x}{2}\geq a \\ 2x+4<3x \end{cases}$ 의 해가 존재하기 위한 상수 a의 값의 범위를 구하시오.

1363 ●●○○

연립부등식 $\begin{cases} 3x-3\leq x-a+3 \\ 5x-2>4x+8 \end{cases}$ 의 해가 존재하도록 하는 정수 a의 최댓값은?

① -18 ② -17 ③ -16
④ -15 ⑤ -14

유형 09 내신 중요도 유형 난이도 ★★★☆☆

해가 존재하지 않는 연립일차부등식

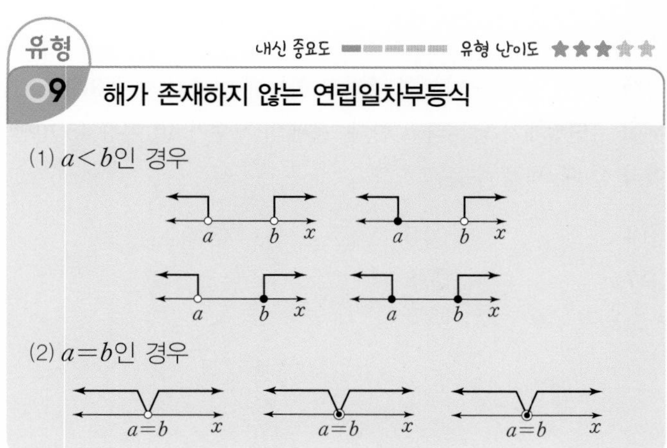

1364

연립부등식 $7x-7\le 3x+1<5(x-1)$의 해를 수직선 위에 바르게 나타낸 것은?

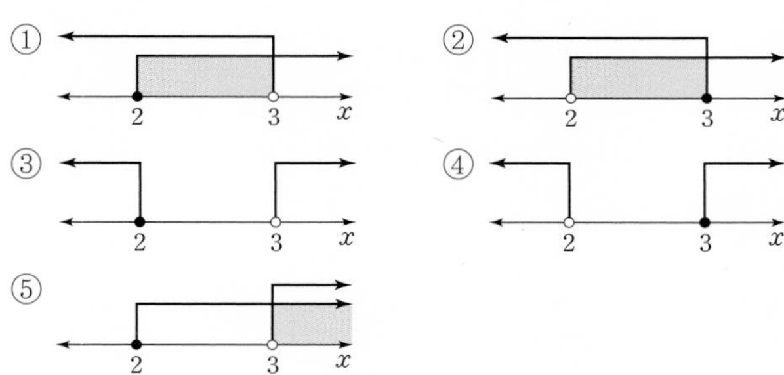

1365

<보기>의 연립부등식 중 해가 없는 것만을 있는 대로 고른 것은?

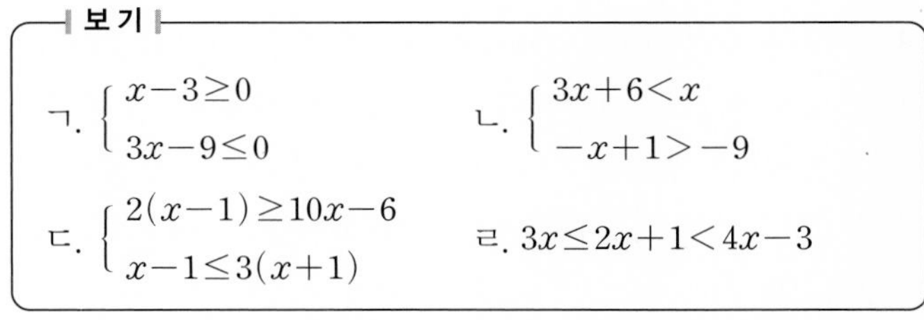

보기	
ㄱ. $\begin{cases} x-3\ge 0 \\ 3x-9\le 0 \end{cases}$	ㄴ. $\begin{cases} 3x+6<x \\ -x+1>-9 \end{cases}$
ㄷ. $\begin{cases} 2(x-1)\ge 10x-6 \\ x-1\le 3(x+1) \end{cases}$	ㄹ. $3x\le 2x+1<4x-3$

① ㄱ ② ㄷ ③ ㄹ
④ ㄱ, ㄹ ⑤ ㄴ, ㄹ

1366

연립부등식 $\begin{cases} 2(x-1)\ge x \\ 5x+1<-9 \end{cases}$ 의 해는?

① $x<-2$ ② $-2<x\le 2$ ③ $x=2$
④ $x\ge 2$ ⑤ 해가 없다.

1367 중요

연립부등식 $\begin{cases} x+3>7 \\ x-a<3 \end{cases}$ 의 해가 존재하지 않을 때, 상수 a의 값의 범위는?

① $a\le 1$ ② $a\le -1$ ③ $a\ge 1$
④ $a\ge -1$ ⑤ $-1\le a\le 1$

1368

연립부등식 $\begin{cases} 3(x-1)\ge x+3 \\ x+3<2a \end{cases}$ 의 해가 없을 때, 상수 a의 최댓값을 구하시오.

유형 10 연립일차부등식의 활용

내신 중요도 ▬▬▬▬▬ 유형 난이도 ★★★★★

연립부등식의 활용 문제는 다음과 같이 해결한다.
① 무엇을 미지수로 나타낼 것인가를 정하여 x로 놓는다.
② 문제의 뜻을 정확히 파악하여 연립부등식을 세운다.
③ 연립부등식의 해를 구한다.
④ 구한 해가 문제의 뜻에 맞는지 알아보고, 조건에 맞는지 검토한다.

1369 ●●○○

연속하는 세 정수의 합은 30보다 작지 않고, 작은 두 수의 합에서 가장 큰 수를 뺀 것은 10보다 작다. 이때, 세 정수를 구하시오.

1370 ●●○○

연속하는 세 짝수의 합이 90보다 크고 100보다 작을 때, 세 짝수 중 가장 작은 수는?

① 24 ② 26 ③ 28
④ 30 ⑤ 32

1371 ●●○○

아름이는 500원짜리 공책과 300원짜리 볼펜을 합해서 15개 사려고 한다. 가지고 있는 돈 6500원 이하의 범위에서 공책을 더 많이 사려고 할 때, 공책을 몇 권 사야 하는지 구하시오.

1372 ●●○○

학생들에게 볼펜을 나누어 주려고 하는데 한 학생에게 8개씩 나누어 주면 9개가 남는다고 한다. 볼펜의 개수가 40 이상 45 미만이라 할 때, 학생 수는?

① 4 ② 5 ③ 6
④ 7 ⑤ 8

1373 ●●●○

학생들에게 초콜릿 100개를 나누어 주는데 4개씩 주면 초콜릿이 남고, 5개씩 주면 초콜릿이 부족하다. 이때, 초콜릿을 나누어 줄 수 있는 최대 학생 수는?

① 20 ② 24 ③ 28
④ 32 ⑤ 36

1374 짱중요 ●●●○

어느 청소년 수련원에서 학생들에게 숙소를 배정하려고 한다. 한 방에 5명씩 배정하면 3명의 학생이 남고, 한 방에 6명씩 배정하면 2개의 방이 남는다고 한다. 이 수련원의 방의 개수가 될 수 있는 가장 작은 수를 m, 가장 큰 수를 M이라 할 때, $m+M$의 값을 구하시오.

1375 중요

●●●○

학생들에게 사과를 나누어 주려고 한다. 한 학생에게 4개씩 주면 13개가 남고, 6개씩 주면 마지막으로 사과를 받는 학생은 1개 이상 6개 미만을 받는다고 한다. 학생은 몇 명인지 구하시오.

1376

●●○○

그림과 같이 아랫변의 길이가 8 cm, 윗변의 길이가 4 cm, 높이가 h cm인 사다리꼴이 있다. 이 사다리꼴의 넓이가 24 cm^2 이상 30 cm^2 이하가 되도록 할 때, 높이 h의 값의 범위는?

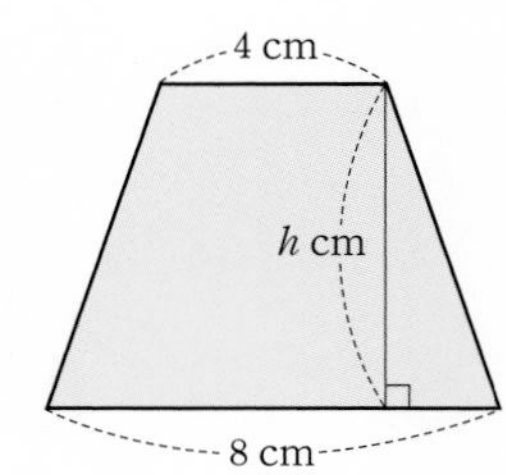

① $0<h\le4$ ② $0<h\le5$ ③ $h\ge4$
④ $3\le h\le4$ ⑤ $4\le h\le5$

1377

●●○○

가로의 길이가 세로의 길이보다 4 cm 긴 직사각형의 둘레의 길이를 60 cm 이상 72 cm 미만으로 하려고 한다. 이때, 세로의 길이 x의 범위는?

① $10\le x<12$ ② $13\le x<16$ ③ $13<x\le16$
④ $15<x<16$ ⑤ $15\le x<16$

유형 11 |(일차식)|<(상수) 꼴의 부등식

내신 중요도 ▬▬▬▬▬ 유형 난이도 ★★★★★

양수 a에 대하여
(1) $|x|<a \Rightarrow -a<x<a$
(2) $|x|>a \Rightarrow x<-a$ 또는 $x>a$

1378

●●○○

부등식 $|2x-1|>3$의 해가 '$x<\alpha$ 또는 $x>\beta$'일 때, 두 상수 α, β에 대하여 $\alpha+\beta$의 값은?

① 1 ② 3 ③ 5
④ 7 ⑤ 9

1379

●●○○

두 부등식 $|x-2|\le1$, $|2y+1|\le7$을 만족시키는 실수 x, y에 대하여 $x+y$의 최댓값을 M, 최솟값을 m이라 할 때, $M+m$의 값은?

① 1 ② 2 ③ 3
④ 4 ⑤ 5

1380 중요

●●○○

부등식 $|2x-a|<5$의 해가 $-3<x<b$일 때, $a+b$의 값을 구하시오. (단, a, b는 상수이다.)

1381

부등식 $|ax+1| \le b$의 해가 $-1 \le x \le 3$일 때, 두 상수 a, b에 대하여 $a+b$의 값은?

① 1 ② 2 ③ 3
④ 4 ⑤ 5

1382 교육청 기출

x에 대한 부등식 $|x-a|<2$를 만족시키는 모든 정수 x의 값의 합이 33일 때, 자연수 a의 값을 구하시오.

1383 교육청 기출

x에 대한 부등식 $|x-3| \le a$를 만족시키는 정수 x의 개수가 15가 되도록 하는 자연수 a의 값은?

① 5 ② 6 ③ 7
④ 8 ⑤ 9

유형 12 |(일차식)|<(일차식) 꼴의 부등식

내신 중요도 / 유형 난이도 ★★★☆☆

일차식 $f(x)$, $g(x)$에 대하여 $|f(x)|<g(x)$인 경우
(1) $f(x) \ge 0$일 때, $f(x)<g(x)$
(2) $f(x)<0$일 때, $-f(x)<g(x)$
의 두 가지로 경우를 나누어 푼다.

1384

부등식 $|3x-2|-6 \le x$의 해가 $a \le x \le b$일 때, 두 상수 a, b에 대하여 $a+b$의 값은?

① 1 ② 2 ③ 3
④ 4 ⑤ 5

1385 중요

부등식 $|3-x| \le 5-x$를 만족시키는 자연수 x의 개수는?

① 4 ② 5 ③ 6
④ 7 ⑤ 8

1386 교육청 기출

x에 대한 부등식 $|3x-1|<x+a$의 해가 $-1<x<3$일 때, 양수 a의 값을 구하시오.

유형 13 절댓값 기호를 포함한 부등식의 해의 조건

내신 중요도 유형 난이도 ★★★★☆

(1) $|x|>k$의 해가 모든 실수 ⇨ $k<0$
(2) $|x|\ge k$의 해가 모든 실수 ⇨ $k\le 0$
(3) $|x|<k$의 해가 없다. ⇨ $k\le 0$
(4) $|x|\le k$의 해가 없다. ⇨ $k<0$

1387 ●●○○

부등식 $|3x-3|<k+2$가 성립하는 실수 x의 값이 존재하도록 하는 실수 k의 값의 범위를 구하시오.

1388 ●●○○

부등식 $|3x-2|+2>k$의 해가 모든 실수가 되도록 하는 실수 k의 값의 범위는?

① $k<2$ ② $k\le 2$ ③ $k>2$
④ $k\ge 2$ ⑤ $k=2$

1389 ●●●○

부등식 $|2x+3|\le 2k+4$의 해가 존재하지 않도록 하는 정수 k의 최댓값을 구하시오.

유형 14 절댓값 기호를 포함한 연립일차부등식

내신 중요도 유형 난이도 ★★★★☆

$0<a<b$일 때,

(1) $\begin{cases}|x|<a\\|x|>b\end{cases}$ ⇨ $\begin{cases}-a<x<a\\x<-b \text{ 또는 } x>b\end{cases}$의 공통부분

(2) $a<|x|<b$ ⇨ $-b<x<-a$ 또는 $a<x<b$

1390 ●●○○

연립부등식 $\begin{cases}|x-2|\ge 1\\3x+6\le x+16\end{cases}$의 해가 $x\le a$ 또는 $b\le x\le c$일 때, 세 상수 a, b, c의 합 $a+b+c$의 값은?

① 6 ② 7 ③ 8
④ 9 ⑤ 10

1391 ●●○○

부등식 $1<|x-2|<3$을 만족시키는 정수 x의 개수는?

① 1 ② 2 ③ 3
④ 4 ⑤ 5

1392 중요 ●●●○

연립부등식 $\begin{cases}3x-5>x+3\\|x-2|<a\end{cases}$의 해가 $4<x<6$일 때, 상수 a의 값은?

① 2 ② 4 ③ 6
④ 8 ⑤ 10

해설 192쪽

유형 15 절댓값 기호가 2개인 일차부등식

내신 중요도 ▬▬▬▬▬ 유형 난이도 ★★★★★

$a<b$일 때, 부등식 $|x-a|+|x-b|<c$의 해는 구간을 $x<a$, $a\le x<b$, $x\ge b$인 경우로 나누어 푼 다음 공통부분을 구한다.

1393 ●●○○

부등식 $|x-3|+|x+1|<6$을 만족시키는 정수 x의 개수를 구하시오.

1394 중요 ●●○○

부등식 $|x|+|x-1|\ge 3$의 해가 '$x\le a$ 또는 $x\ge b$'일 때, 두 상수 a, b의 합 $a+b$의 값을 구하시오.

1395 짱중요 ●●●○

부등식 $|3-x|+2|x+1|\le 5$의 해를 $a\le x\le b$라 할 때, $a+b$의 값은? (단, a, b는 상수이다.)

① $-\frac{4}{3}$ ② $-\frac{2}{3}$ ③ 0
④ $\frac{2}{3}$ ⑤ $\frac{4}{3}$

1396 ●●●○

부등식 $\sqrt{x^2-2x+1}+|x+2|<5$를 만족시키는 정수 x의 개수를 구하시오.

1397 ●●●●

x에 대한 부등식 $|x-4|+|x-3|\le a$를 만족하는 실수 x가 존재할 때, 상수 a의 최솟값은?

① 1 ② 2 ③ 3
④ 4 ⑤ 5

1398 중요 ●●●●

부등식 $||x+1|-3|<4$를 만족시키는 정수 x의 개수는?

① 10 ② 13 ③ 16
④ 19 ⑤ 22

해설 194쪽

1399

연립부등식 $\begin{cases} 2x-2>x-1 \\ 5x \leq 4x+2 \end{cases}$ 의 해 중에서 자연수인 것을 구하시오.

1400

연립부등식 $\begin{cases} 5-3(x+2)<11+x \\ 4x+6 \leq 2(5+x)-3 \end{cases}$ 을 풀면?

① $x<-3$ ② $x>-3$ ③ $x \leq \frac{1}{2}$
④ $x \geq \frac{1}{2}$ ⑤ $-3<x \leq \frac{1}{2}$

1401

연립부등식 $-5 \leq \frac{6-4x}{3} \leq 2x$를 만족시키는 정수 x의 개수를 구하시오.

1402 서술형

x에 대한 연립부등식 $\begin{cases} 2x \geq 3-a \\ 5-5x>b-x \end{cases}$ 의 해가 $-3 \leq x<2$일 때, 두 상수 a, b에 대하여 $a-b$의 값을 구하시오.

1403

연립부등식 $\frac{1}{4}<\frac{x-a}{4}<\frac{1}{2}$의 해가 $1<x<b$일 때, 부등식 $ax+b>0$의 해는? (단, a, b는 상수이다.)

① $x<-2$ ② $x>2$ ③ $-2<x<2$
④ 모든 실수 ⑤ 해가 없다.

1404

연립부등식 $\begin{cases} 2x-5<3 \\ x>a \end{cases}$ 를 만족시키는 정수 x가 한 개뿐일 때, 상수 a의 값의 범위는?

① $1<a \leq 2$ ② $1 \leq a<2$ ③ $1 \leq a \leq 2$
④ $2<a \leq 3$ ⑤ $2 \leq a<3$

1405 서술형

연립부등식 $\begin{cases} -2x+5\leq 20+3x \\ 2x+1<a \end{cases}$의 해가 존재하지 않게 되는 상수 a의 값의 범위를 구하시오.

1406

새미는 친구들에게 과자를 나누어 주려고 하는데 2개씩 나누어 주면 10개가 남고, 4개씩 나누어 주면 5개 이상 7개 미만이 모자란다. 이때, 새미의 친구는 모두 몇 명인가?

① 6명 ② 7명 ③ 8명
④ 9명 ⑤ 10명

1407

학생들을 긴 의자에 앉히는데 의자 1개에 9명씩 앉히면 6명이 남고, 12명씩 앉히면 의자가 4개 남는다. 다음 중 의자의 개수가 될 수 있는 것은?

① 15 ② 17 ③ 19
④ 22 ⑤ 26

1408

부등식 $|x-a|\leq b$의 해가 $-2\leq x\leq 4$일 때, 두 실수 a, b에 대하여 $2a+b$의 값은?

① 1 ② 3 ③ 5
④ 7 ⑤ 9

1409

부등식 $|x+5|+|x-1|\leq 8$을 만족시키는 x의 값의 범위가 $\alpha\leq x\leq\beta$일 때, $\alpha+\beta$의 값을 구하시오.

1410

부등식 $2|x+1|-|2x-3|\leq -5$의 해가 부등식 $3x+k\leq 1$의 해와 같을 때, 상수 k의 값을 구하시오.

해설 196쪽

Level 1

1411

모든 실수 x에 대하여 연립부등식

$x-2\le(a-1)x+b\le cx+5$

가 성립하도록 하는 실수 b의 값의 범위는 $\alpha\le b\le\beta$이다. $\beta-\alpha$의 값은? (단, a, b, c는 상수이다.)

① 6　② 7　③ 8　④ 9　⑤ 10

1412

일직선 위에 100 m 간격으로 두 지점 A, B가 있다. 원석이는 A지점에서 B지점 방향으로 분속 100 m, 수해는 B지점에서 원석이와 같은 방향으로 분속 60 m로 동시에 움직인다고 한다. 원석이와 수해 사이의 거리가 20 m 이상 40 m 이하가 되는 시간이 a분부터 b분까지라 할 때, ab의 값을 구하시오. (단, $a<b<3$)

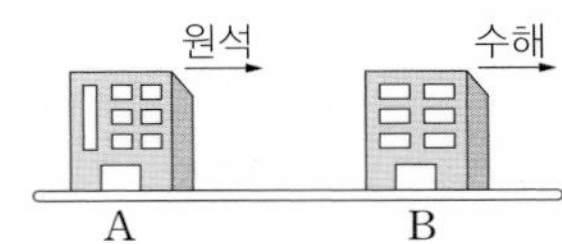

Level 2

1413

자연수 n의 약수의 개수를 $\langle n\rangle$으로 정의한다. 예를 들어 $\langle 2\rangle=2$, $\langle 4\rangle=3$이다. $3\langle n\rangle-6=0$을 만족하는 자연수 $n(1\le n\le 15)$의 개수와 다음 연립부등식의 자연수인 해의 개수가 같다고 한다.

$$\begin{cases}\dfrac{5-2x}{3}\le\dfrac{x+3}{4}-7\\-2(x-21)\ge\dfrac{a-x}{2}\end{cases}$$

다음 중 상수 a의 값이 될 수 <u>없는</u> 것을 모두 고르면? (정답 2개)

① 38　② 40　③ 41　④ 42　⑤ 44

1414

고은이는 어느 지역의 트레킹 코스를 가려고 한다. 올라갈 때는 시속 1 km, 내려올 때는 시속 2 km로 걸었고, 올라가서 20분 쉬다가 내려왔더니 총 3시간 이상 3시간 30분 이하가 걸렸다. 올라갈 때보다 내려올 때의 코스가 2 km 짧다고 할 때, 내려올 때의 코스의 길이는 최대 몇 km인가?

① $\frac{4}{9}$ km　② $\frac{5}{9}$ km　③ $\frac{2}{3}$ km　④ $\frac{7}{9}$ km　⑤ $\frac{8}{9}$ km

해설 197쪽

1415

세 실수 a, b, c가 $a<b<c$일 때, 부등식

$$|x-a|<|x-b|<|x-c|$$

를 만족하는 x의 값의 범위는?

① $b<x<c$ ② $x>\frac{1}{2}(b+c)$

③ $x<\frac{1}{2}(b+c)$ ④ $\frac{1}{2}(a+b)<x<b$

⑤ $x<\frac{1}{2}(a+b)$

1416

양수 a에 대하여 부등식 $|x|+|x-a|<a+2$를 만족하는 정수 x의 개수를 $N(a)$로 정의할 때,

$N(1)+N(2)+N(3)+\cdots+N(9)$의 값을 구하시오.

Level 3

1417

부등식 $||x|+|x+1||\le 3$을 만족하는 모든 정수 x의 값의 합을 구하시오.

1418

두 양수 a, b $(a<b)$에 대하여 $|x|+|x-a|<b$를 만족시키는 정수 x의 개수를 $f(a, b)$라 할 때, 〈보기〉에서 옳은 것만을 있는 대로 고른 것은? (단, n은 자연수이다.)

보기

ㄱ. $f(2, 3)=3$

ㄴ. $f(n, n+2)=n+1$

ㄷ. $f(n, n+2)=f(n+2, n+4)$

① ㄱ ② ㄱ, ㄴ ③ ㄱ, ㄷ

④ ㄴ, ㄷ ⑤ ㄱ, ㄴ, ㄷ

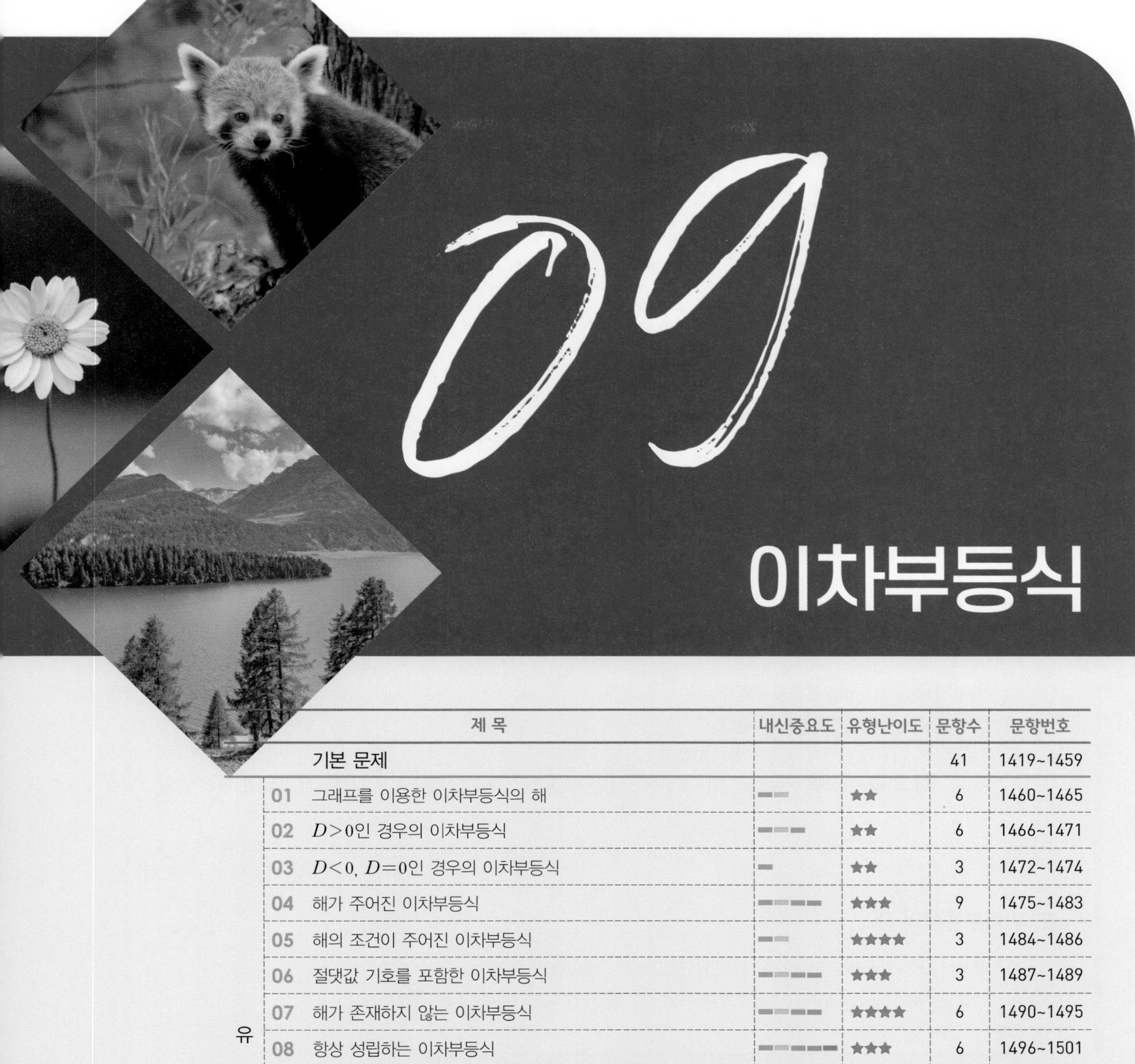

09 이차부등식

		제 목	내신중요도	유형난이도	문항수	문항번호
		기본 문제			41	1419~1459
유형 문제	01	그래프를 이용한 이차부등식의 해	▬▬	★★	6	1460~1465
	02	$D>0$인 경우의 이차부등식	▬▬▬	★★	6	1466~1471
	03	$D<0$, $D=0$인 경우의 이차부등식	▬	★★	3	1472~1474
	04	해가 주어진 이차부등식	▬▬▬▬	★★★	9	1475~1483
	05	해의 조건이 주어진 이차부등식	▬▬	★★★★	3	1484~1486
	06	절댓값 기호를 포함한 이차부등식	▬▬▬▬	★★★	3	1487~1489
	07	해가 존재하지 않는 이차부등식	▬▬▬▬	★★★★	6	1490~1495
	08	항상 성립하는 이차부등식	▬▬▬▬▬	★★★	6	1496~1501
	09	이차함수의 그래프와 이차부등식	▬▬▬▬	★★★★★	9	1502~1510
	10	부등식 $f(ax+b)<0$ 꼴의 해	▬	★★★★	3	1511~1513
	11	이차부등식의 활용	▬▬	★★★★	3	1514~1516
	12	연립이차부등식	▬▬▬▬▬	★★★	6	1517~1522
	13	해가 주어진 연립이차부등식	▬▬▬▬▬	★★★★	6	1523~1528
	14	해의 조건이 주어진 연립이차부등식	▬▬▬▬	★★★★★	6	1529~1534
	15	그래프를 이용한 연립이차부등식	▬	★★★★	2	1535~1536
	16	연립이차부등식의 활용	▬▬	★★★★	5	1537~1541
	17	이차부등식의 판별식에의 활용	▬	★★★	3	1542~1544
	18	이차방정식의 실근의 부호	▬	★★★★	3	1545~1547
		적중 문제			12	1548~1559
		고난도 문제			16	1560~1575

이차부등식

1. 이차부등식의 풀이

(1) 이차방정식 $f(x)=0$의 실근을 구한다.
(2) 이차함수 $y=f(x)$의 그래프를 그린다.
(3) $f(x)>0$의 해 ➡ x축보다 위쪽에 있는 부분의 x의 값의 범위
$f(x)<0$의 해 ➡ x축보다 아래쪽에 있는 부분의 x의 값의 범위

이차함수 $y=f(x)$가 그림과 같을 때,

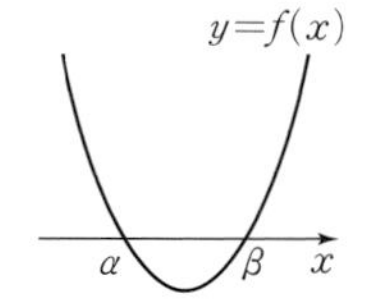

① $f(x)\le 0 \iff \alpha\le x\le\beta$
② $f(x)\ge 0 \iff x\le\alpha$ 또는 $x\ge\beta$

2. 이차부등식의 해

이차방정식 $ax^2+bx+c=0$ $(a>0)$의 판별식을 $D=b^2-4ac$라 할 때,
이차함수 $y=ax^2+bx+c$의 그래프와 이차부등식의 해 사이에는 다음과 같은 관계가 있다.

	$D>0$	$D=0$	$D<0$
$y=ax^2+bx+c$의 그래프	α β x	α x	x
$ax^2+bx+c>0$	$x<\alpha$ 또는 $x>\beta$	$x\ne\alpha$인 모든 실수	모든 실수
$ax^2+bx+c<0$	$\alpha<x<\beta$	해가 없다.	해가 없다.
$ax^2+bx+c\ge 0$	$x\le\alpha$ 또는 $x\ge\beta$	모든 실수	모든 실수
$ax^2+bx+c\le 0$	$\alpha\le x\le\beta$	$x=\alpha$	해가 없다.

참고 $a<0$일 때에는 이차부등식의 양변에 -1을 곱하여 x^2의 계수를 양수로 바꾸어 생각한다. 이때, 부등호의 방향이 바뀜에 주의한다.

모든 실수 x에 대하여 $f(x)>0$이려면 $y=f(x)$의 그래프가 x축보다 항상 위쪽에 있어야 하고, $f(x)<0$이려면 $y=f(x)$의 그래프가 x축보다 항상 아래쪽에 있어야 한다.

3. 이차부등식이 항상 성립할 조건

모든 실수 x에 대하여

(1) $ax^2+bx+c>0$ $(a\neq0)$이기 위한 조건 ➡ $a>0$, $D<0$

(2) $ax^2+bx+c<0$ $(a\neq0)$이기 위한 조건 ➡ $a<0$, $D<0$

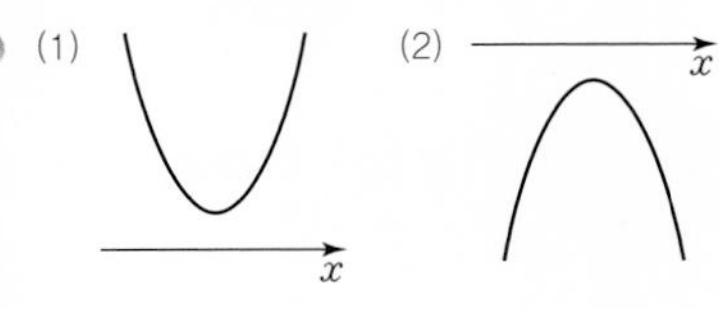

4. 이차부등식의 작성

(1) 해가 $\alpha<x<\beta$이고, x^2의 계수가 1인 이차부등식

➡ $(x-\alpha)(x-\beta)<0$

(2) 해가 $x<\alpha$ 또는 $x>\beta$이고, x^2의 계수가 1인 이차부등식

➡ $(x-\alpha)(x-\beta)>0$

참고 이차항의 계수를 알려주지 않는 경우는 $a(x-\alpha)(x-\beta)<0$ 또는 $a(x-\alpha)(x-\beta)>0$을 이용한다.

해가 주어진 이차부등식

① 해가 $\alpha<x<\beta$
➡ $x^2-(\alpha+\beta)x+\alpha\beta<0$

② 해가 $x<\alpha$ 또는 $x>\beta$
➡ $x^2-(\alpha+\beta)x+\alpha\beta>0$

① 해가 $x=\alpha$이고 x^2의 계수가 1인 이차부등식 ➡ $(x-\alpha)^2\leq0$

② 해가 $x\neq\alpha$인 모든 실수이고 x^2의 계수가 1인 이차부등식 ➡ $(x-\alpha)^2>0$

5. 연립이차부등식의 풀이

① 각 부등식의 해를 구한다.

② ①에서 구한 각 부등식의 해를 수직선 위에 나타낸 다음 공통부분을 찾는다.

해가 주어진 연립이차부등식

연립부등식의 해는 각 부등식의 해를 수직선 위에 나타냈을 때, 공통부분임을 이용하여 미정계수의 값을 구한다.

$A\leq B\leq C \iff \begin{cases} A\leq B \\ B\leq C \end{cases}$

6. 이차방정식의 실근의 부호

계수가 실수인 이차방정식 $ax^2+bx+c=0$의 두 근을 α, β라 하고, 판별식을 D라 할 때,

(1) 두 근이 모두 양수 ➡ $D\geq0$, $\alpha+\beta>0$, $\alpha\beta>0$

(2) 두 근이 모두 음수 ➡ $D\geq0$, $\alpha+\beta<0$, $\alpha\beta>0$

(3) 두 근이 서로 다른 부호 ➡ $\alpha\beta<0$

1 이차함수와 이차부등식의 관계

[1419-1422] 이차함수 $y=f(x)$의 그래프가 그림과 같을 때, 다음 이차부등식의 해를 구하시오.

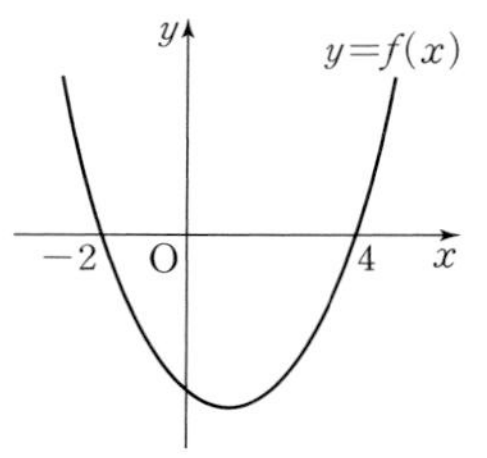

1419 $f(x)>0$

1420 $f(x)\geq 0$

1421 $f(x)<0$

1422 $f(x)\leq 0$

[1423-1426] 이차함수 $y=f(x)$의 그래프가 그림과 같을 때, 다음 이차부등식의 해를 구하시오.

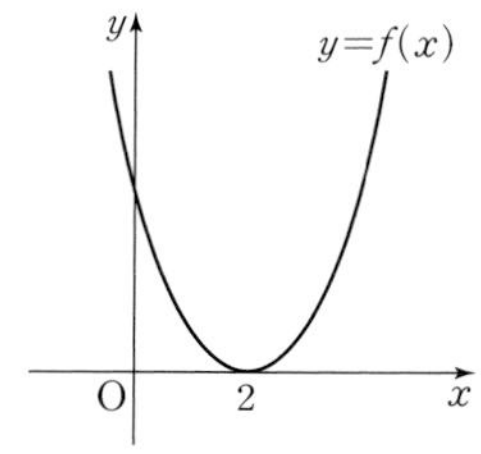

1423 $f(x)>0$

1424 $f(x)\geq 0$

1425 $f(x)<0$

1426 $f(x)\leq 0$

[1427-1430] 이차함수 $y=f(x)$의 그래프가 그림과 같을 때, 다음 이차부등식의 해를 구하시오.

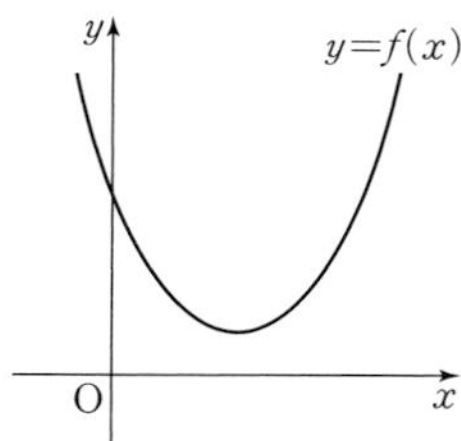

1427 $f(x)>0$

1428 $f(x)\geq 0$

1429 $f(x)<0$

1430 $f(x)\leq 0$

해설 198쪽

2 이차부등식

[1431 - 1438] 다음 이차부등식을 푸시오.

1431 $(x-2)(x-5)\leq 0$

1432 $(x-3)(x+1)<0$

1433 $(x-1)(x-3)>0$

1434 $(x+5)(x-2)\geq 0$

1435 $x^2+2x-3\leq 0$

1436 $-x^2+x+6<0$

1437 $6x^2-5x+1\leq 0$

1438 $3x^2-5x+2>0$

[1439 - 1443] 다음 이차부등식을 푸시오.

1439 $(x-5)^2\leq 0$

1440 $(2x+3)^2>0$

1441 $x^2-2x+1\geq 0$

1442 $3x^2+12x+12>0$

1443 $4x^2+4x+1<0$

[1444-1447] 다음 이차부등식을 푸시오.

1444 $(x-1)^2+6\leq 0$

1445 $x^2-6x+10<0$

1446 $x^2+x+1>0$

1447 $2x^2+x+2\geq 0$

3 이차부등식의 작성

[1448-1451] 해가 다음과 같고 이차항의 계수가 1인 이차부등식을 구하시오.

1448 $-2\leq x\leq 6$

1449 $-4<x<3$

1450 $x\leq -2$ 또는 $x\geq 7$

1451 $x<-5$ 또는 $x>1$

4 연립이차부등식(1)

[1452-1453] 다음 연립부등식을 푸시오.

1452 $\begin{cases} 4-x\le 6-3x \\ x(x-4)\le 0 \end{cases}$

1453 $\begin{cases} 2x+3>6x-1 \\ x^2+x-6\le 0 \end{cases}$

5 연립이차부등식(2)

[1454-1459] 다음 연립부등식을 푸시오.

1454 $\begin{cases} (x+7)(x-5)\ge 0 \\ (x-1)(x-7)<0 \end{cases}$

1455 $\begin{cases} x^2-4x+5>0 \\ (x+1)(x-3)\le 0 \end{cases}$

1456 $\begin{cases} x^2+2x-15\le 0 \\ x^2-7x+10>0 \end{cases}$

1457 $\begin{cases} 2x^2-5x+2<0 \\ -x^2-x+2>0 \end{cases}$

1458 $x+1\le 2x-3\le x+2$

1459 $5<x^2-4x<12$

유형 01 그래프를 이용한 이차부등식의 해

내신 중요도 ■■■■■ 유형 난이도 ★★☆☆☆

(1) 부등식 $f(x)>0$의 해
⇨ 함수 $y=f(x)$의 그래프가 x축보다 위쪽에 있는 부분의 x의 값의 범위이다.

(2) 부등식 $f(x)<0$의 해
⇨ 함수 $y=f(x)$의 그래프가 x축보다 아래쪽에 있는 부분의 x의 값의 범위이다.

1460 ●○○○

이차함수 $y=f(x)$의 그래프가 그림과 같을 때, 이차부등식 $f(x)\leq 0$의 해를 구하시오.

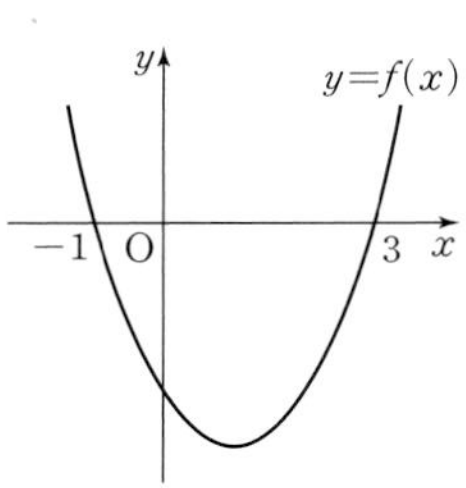

1461 ●○○○

이차함수 $y=f(x)$의 그래프가 그림과 같을 때, 이차부등식 $f(x)\geq 0$의 해는?

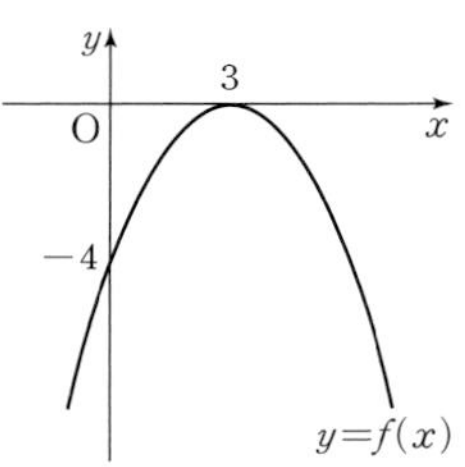

① $x=3$
② $0<x<3$
③ $x>3$
④ $x\neq 3$인 모든 실수
⑤ 모든 실수

1462 ●●○○

이차함수 $f(x)=ax^2+bx+c$의 그래프가 그림과 같을 때, 부등식 $ax^2+bx+c\leq 0$의 해를 구하시오.

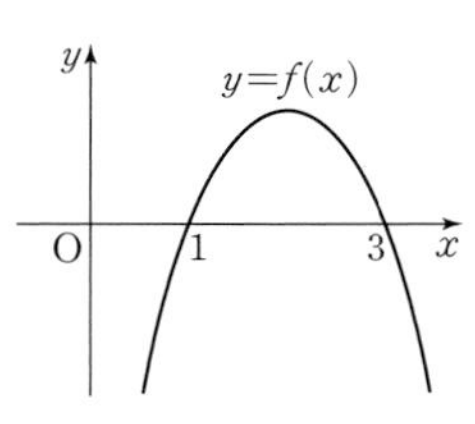

1463 ●●○○

이차함수 $y=f(x)$가 다음 조건을 만족할 때, 이차부등식 $f(x)\leq 0$의 해는?

(가) x절편이 -2와 1이다.
(나) 그래프는 위로 볼록이다.

① $-2\leq x\leq 1$
② $-1\leq x\leq 2$
③ $x\geq 2$
④ $x\leq -2$ 또는 $x\geq 1$
⑤ $x\leq -1$ 또는 $x\geq 2$

1464 ●●○○

그림과 같이 이차함수 $y=f(x)$의 꼭짓점의 좌표가 $(1, -4)$이고 y절편이 -3일 때, 이차부등식 $f(x)\leq 0$을 만족시키는 정수 x의 개수를 구하시오.

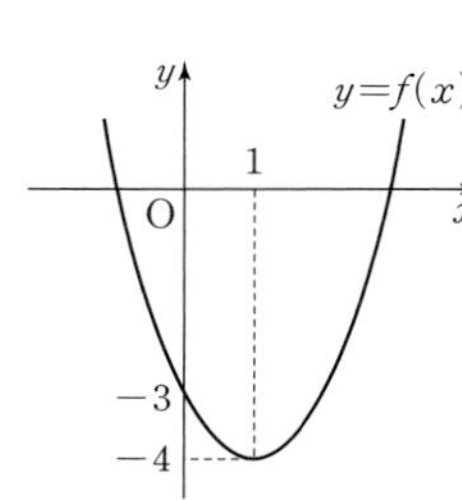

1465 ●●●○

이차함수 $y=f(x)$의 그래프가 그림과 같을 때, $f(x)-3<0$을 만족시키는 x의 값의 범위는?

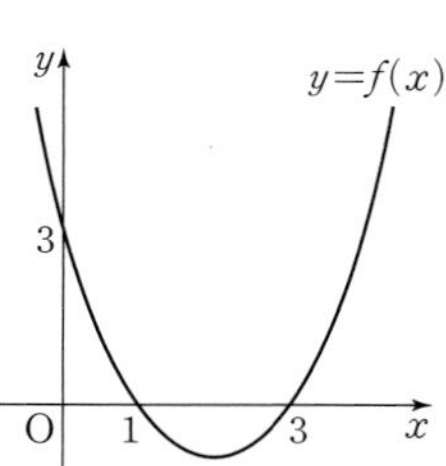

① $0<x<1$
② $1<x<3$
③ $0<x<4$
④ $x<0$ 또는 $x>4$
⑤ $x<1$ 또는 $x>3$

유형 02 내신 중요도 유형 난이도 ★★☆☆☆

$D>0$인 경우의 이차부등식

이차방정식 $ax^2+bx+c=0$ $(a>0)$이 서로 다른 두 실근 α, β $(\alpha<\beta)$를 가질 경우

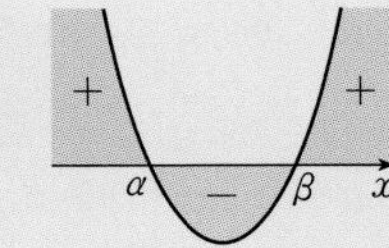

(1) $ax^2+bx+c>0$의 해
⇨ $x<\alpha$ 또는 $x>\beta$

(2) $ax^2+bx+c<0$의 해 ⇨ $\alpha<x<\beta$

(3) $ax^2+bx+c\geq0$의 해 ⇨ $x\leq\alpha$ 또는 $x\geq\beta$

(4) $ax^2+bx+c\leq0$의 해 ⇨ $\alpha\leq x\leq\beta$

1466 중요

이차부등식 $x^2+2x-15\geq0$의 해가 $x\leq\alpha$ 또는 $x\geq\beta$일 때, $\alpha\beta$의 값을 구하시오.

1467

이차부등식 $x^2+5x+4\leq0$을 만족시키는 모든 정수 x의 값의 합은?

① -6 ② -7 ③ -8
④ -9 ⑤ -10

1468

이차부등식 $x^2-6<x$를 만족하는 정수 x의 개수를 구하시오.

1469

이차부등식 $-2x^2+5x+12>0$을 만족시키는 모든 정수 x의 값의 합은?

① 3 ② 5 ③ 7
④ 9 ⑤ 11

1470

x에 대한 부등식 $|2x-k|\leq3$의 해와 이차부등식 $x^2-7x+10\leq0$의 해가 서로 같을 때, 상수 k의 값은?

① 5 ② 6 ③ 7
④ 8 ⑤ 9

1471

이차함수 $y=f(x)$의 꼭짓점의 좌표가 $(1,\ -16)$이고 y절편이 -15일 때, 이차부등식 $f(x)<0$을 만족하는 모든 정수 x의 값의 합은?

① 5 ② 6 ③ 7
④ 8 ⑤ 9

유형 03 $D<0$, $D=0$인 경우의 이차부등식

내신 중요도 / 유형 난이도 ★★☆☆☆

판별식 D의 부호	$D=0$	$D<0$
$ax^2+bx+c=0$의 해	중근	허근
$y=ax^2+bx+c$ $(a>0)$ 의 그래프	+ + α x	+ + x
$ax^2+bx+c>0$의 해	$x\neq\alpha$인 모든 실수	모든 실수
$ax^2+bx+c<0$의 해	해가 없다.	해가 없다.
$ax^2+bx+c\geq0$의 해	모든 실수	모든 실수
$ax^2+bx+c\leq0$의 해	$x=\alpha$	해가 없다.

1472

다음 중 이차부등식 $4x^2+4x+1>0$의 해가 아닌 것은?

① -1　② $-\frac{1}{2}$　③ 0　④ $\frac{1}{2}$　⑤ 1

1473

이차부등식의 해가 모든 실수인 것만을 〈보기〉에서 있는 대로 고르시오.

보기

ㄱ. $x^2-2x-3<0$　ㄴ. $x^2-x+3>0$
ㄷ. $x^2-3x+3\geq0$　ㄹ. $-2x^2+3x-1\leq0$

1474

이차방정식 $x^2+ax+a+3=0$이 중근을 가질 때, 이차부등식 $x^2+ax+a+3>0$의 해는? (단, $a<0$)

① $x=-3$　② $x=-1$　③ $x=3$　④ $x\neq-3$인 모든 실수　⑤ $x\neq1$인 모든 실수

유형 04 해가 주어진 이차부등식

내신 중요도 / 유형 난이도 ★★★☆☆

(1) $\alpha<x<\beta \Rightarrow (x-\alpha)(x-\beta)<0$
$\Rightarrow x^2-(\alpha+\beta)x+\alpha\beta<0$

(2) $x<\alpha$ 또는 $x>\beta \Rightarrow (x-\alpha)(x-\beta)>0$
$\Rightarrow x^2-(\alpha+\beta)x+\alpha\beta>0$

1475

x에 대한 이차부등식 $x^2+ax+b<0$의 해가 $-2<x<3$이 되도록 두 상수 a, b의 값을 정할 때, a^2+b^2의 값을 구하시오.

1476 짱중요

부등식 $x^2-3x+a<0$의 해가 $-2<x<b$일 때, 두 상수 a, b의 합 $a+b$의 값은?

① -5　② -4　③ -3　④ -2　⑤ -1

1477

두 부등식 $|2x-5|<3$과 $ax^2+5x+b>0$의 해가 일치할 때, 두 상수 a, b의 합 $a+b$의 값은?

① -1　② -2　③ -3　④ -4　⑤ -5

해설 202쪽

1478 중요

이차부등식 $ax^2+bx+c<0$의 해가 $-1<x<2$일 때, 이차부등식 $cx^2+bx+a<0$의 해를 구하시오.

1479

이차부등식 $ax^2+bx+c<0$의 해가 $1<x<5$이고, 이차방정식 $ax^2-cx-b=0$의 두 근을 α, β라 할 때, $\alpha^2+\beta^2$의 값을 구하시오.

1480

이차부등식 $x^2-ax+12\le0$의 해가 $\alpha\le x\le\beta$이고, 이차부등식 $x^2-5x+b\ge0$의 해가 $x\le\alpha-1$ 또는 $x\ge\beta-1$일 때, 상수 a, b에 대하여 ab의 값을 구하시오.

1481 교육청 기출

이차함수 $f(x)$에 대하여 $f(1)=8$이고 부등식 $f(x)\le0$의 해가 $-3\le x\le0$일 때, $f(4)$의 값을 구하시오.

1482

x에 대한 이차부등식 $x^2+ax-b\le0$을 만족시키는 x의 값이 오직 $x=1$일 때, 부등식 $ax^2-bx+3>0$을 만족시키는 모든 정수 x의 값의 합은? (단, a, b는 정수이다.)

① 0 ② 1 ③ 2
④ 3 ⑤ 4

1483

영주는 이차부등식 $ax^2+bx+c<0$에서 c를 잘못 보고 풀어서 이 부등식의 해를 $1<x<3$이라고 얻었고, 루빈이는 a를 잘못 보고 풀어서 $-2<x<4$라고 얻었다. 한편, 주영이는 이 부등식을 바르게 보고 풀어서 $\alpha<x<\beta$라는 해를 얻었다. 이때, $\beta-\alpha$의 값을 구하시오.

유형 05   내신 중요도   유형 난이도 ★★★★☆

해의 조건이 주어진 이차부등식

정수인 해의 개수가 주어진 경우
① 각 부등식의 해를 수직선 위에 나타낸다.
② 공통부분 안에 정수인 해가 문제에 주어진 개수만큼 포함되도록 미지수의 값의 범위를 정한다.

1484 ●●○○

이차부등식 $x^2-6x+a\le0$의 해가 오직 한 개 존재할 때, 실수 a의 값을 구하시오.

1485 중요 교육청 기출 ●●●○

x에 대한 이차부등식 $x^2-(n+5)x+5n\le0$을 만족시키는 정수 x의 개수가 3이 되도록 하는 모든 자연수 n의 값의 합은?

① 8   ② 9   ③ 10
④ 11   ⑤ 12

1486 교육청 기출 ●●●●

이차함수 $f(x)=x^2$의 그래프가 그림과 같을 때, x에 대한 이차부등식 $\frac{1}{2}f(x)\le k$를 만족시키는 정수 x의 개수가 7이 되도록 하는 모든 자연수 k의 값의 합을 구하시오.

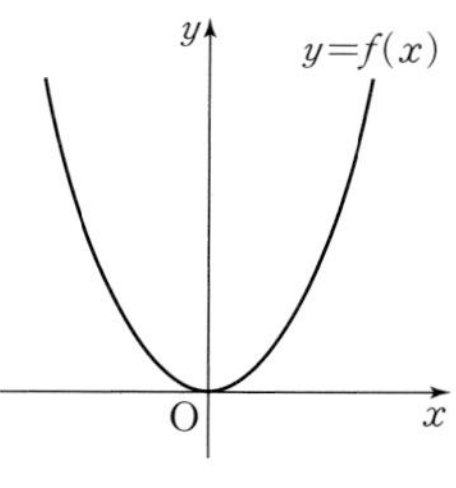

유형 06   내신 중요도   유형 난이도 ★★★☆☆

절댓값 기호를 포함한 이차부등식

$|A|=\begin{cases} A & (A\ge0) \\ -A & (A<0) \end{cases}$임을 이용하여 절댓값 기호를 없앤다.

1487 중요 ●●○○

부등식 $x^2-6|x|+9\le0$의 해가 $x=\alpha$ 또는 $x=\beta$일 때, $\beta-\alpha$의 값은? (단, $\alpha<\beta$)

① 2   ② 4   ③ 6
④ 8   ⑤ 10

1488 교육청 기출 ●●○○

부등식 $x^2-2x-5<|x-1|$을 만족시키는 정수 x의 개수는?

① 4   ② 5   ③ 6
④ 7   ⑤ 8

1489 교육청 기출 ●●●○

부등식 $|x-1|+|x+1|\le6$과 같은 해를 가지는 이차부등식은?

① $x^2-3\le0$ ② $x^2-3>0$ ③ $x^2-6\le0$
④ $x^2-6>0$ ⑤ $x^2-9\le0$

유형 07 **해가 존재하지 않는 이차부등식**

내신 중요도 ▬▬▬▬▬ 유형 난이도 ★★★★☆

(1) 이차부등식 $f(x)<0$의 해가 존재하지 않는다.
⇨ 모든 실수 x에 대하여 $f(x)\geq 0$

(2) 이차부등식 $f(x)\leq 0$의 해가 존재하지 않는다.
⇨ 모든 실수 x에 대하여 $f(x)>0$

1490 ●●○○

이차부등식 $-x^2+4ax-8>0$의 해가 존재하지 않도록 하는 정수 a의 개수를 구하시오.

1491 짱중요 ●●○○

이차부등식 $x^2+2kx-2k+3<0$의 해가 존재하지 않도록 하는 정수 k의 개수를 구하시오.

1492 중요 ●●●○

이차부등식 $ax^2-8x+6+a<0$의 해가 존재하지 않도록 하는 실수 a의 값의 범위를 구하시오.

1493 ●●●○

이차부등식 $(k-1)x^2-2kx+8<0$의 해가 존재하지 않을 때, 실수 k의 값의 범위를 $\alpha\leq k\leq\beta$라고 하자. 이때, $\beta-\alpha$의 값은?

① 2 ② $2\sqrt{2}$ ③ 4
④ $4\sqrt{2}$ ⑤ 6

1494 ●●●●

이차부등식 $(p+2)x^2-2(p+1)x+2<0$의 해가 존재하기 위한 상수 p의 값의 범위를 구하시오.

1495 ●●●○

이차함수 $y=x^2-3x+2$의 그래프와 직선 $y=a(x-k)$가 실수 a의 값에 관계없이 항상 만나도록 하는 실수 k의 값의 범위를 구하시오.

유형 08 항상 성립하는 이차부등식

내신 중요도 ■■■■■ 유형 난이도 ★★★☆☆

모든 실수 x에 대하여
(1) $ax^2+bx+c>0 \Rightarrow a>0,\ b^2-4ac<0$
(2) $ax^2+bx+c\geq 0 \Rightarrow a>0,\ b^2-4ac\leq 0$
(3) $ax^2+bx+c<0 \Rightarrow a<0,\ b^2-4ac<0$
(4) $ax^2+bx+c\leq 0 \Rightarrow a<0,\ b^2-4ac\leq 0$

1496 ●●○○

이차부등식 $x^2-kx+k>0$이 모든 실수 x에 대하여 항상 성립하도록 하는 정수 k의 개수를 구하시오.

1497 짱중요 ●●○○

모든 실수 x에 대하여 $x^2-6x-a^2+12>0$이 성립하기 위한 정수 a의 개수는?

① 1　② 2　③ 3　④ 4　⑤ 5

1498 중요 ●●●○

x에 대한 부등식 $(a-1)x^2-2(a-1)x+1>0$이 항상 성립하기 위한 실수 a의 값의 범위는?

① $1<a<2$　② $1<a\leq 2$　③ $1\leq a<2$　④ $a\leq 1$ 또는 $a\geq 2$　⑤ $a<1$ 또는 $a>2$

1499 ●●●○

x에 대한 부등식 $(a^2-4)x^2+(a+2)x-1<0$이 모든 실수 x에 대하여 항상 성립하기 위한 상수 a의 값의 범위를 구하시오.

1500 ●●●●

모든 실수 x에 대하여 $\sqrt{(k+1)x^2-(k+1)x+5}$의 값이 실수가 되게 하는 실수 k의 최댓값은?

① 11　② 13　③ 15　④ 17　⑤ 19

1501 ●●●○

두 이차함수 $f(x)=x^2+4x-2$, $g(x)=-x^2-2kx-4$가 모든 실수 x에 대하여 항상 $f(x)\geq g(x)$가 성립하도록 하는 모든 정수 k의 값의 합은?

① -10　② -6　③ 0　④ 6　⑤ 10

유형 09 내신 중요도 유형 난이도 ★★★★★

이차함수의 그래프와 이차부등식

(1) 이차함수 $y=f(x)$가 그림과 같을 때,
① $f(x)\le 0 \iff \alpha\le x\le\beta$
② $f(x)\ge 0 \iff x\le\alpha$ 또는 $x\ge\beta$

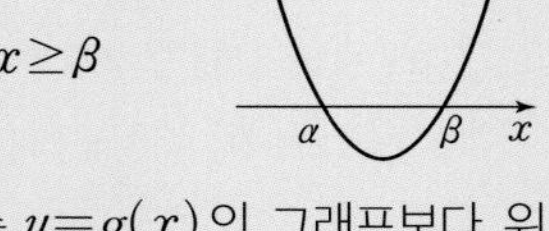

(2) 부등식 $f(x)>g(x)$의 해는
함수 $y=f(x)$의 그래프가 함수 $y=g(x)$의 그래프보다 위쪽에 있는 x의 값의 범위이다.

1502

이차함수 $y=f(x)$가 다음 조건을 만족시킬 때, 이차부등식 $f(x)\le 0$의 해는?

(가) $f(-1)=f(3)=0$
(나) $f(0)>0$

① $-1\le x\le 3$ ② $-3\le x\le -1$
③ $x\ge 3$ ④ $x\le -1$ 또는 $x\ge 3$
⑤ $x\le -3$ 또는 $x\ge -1$

1503

이차함수 $y=ax^2+bx+c$의 그래프가 그림과 같을 때, 이차부등식 $cx^2+bx+a<0$의 해는 $\alpha<x<\beta$이다. 이때, $\beta-\alpha$의 값을 구하시오.

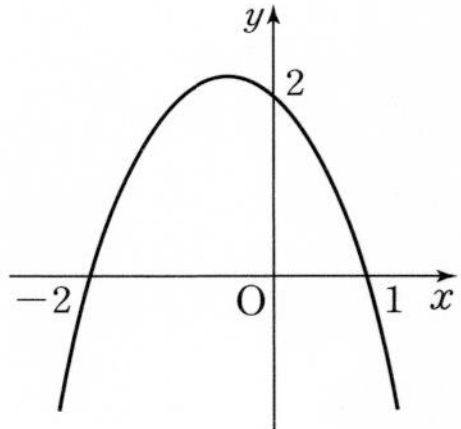

1504 중요

이차함수 $y=ax^2+bx+c$의 그래프와 직선 $y=mx+n$이 그림과 같을 때, 부등식 $ax^2+bx+c>mx+n$의 해를 구하시오.

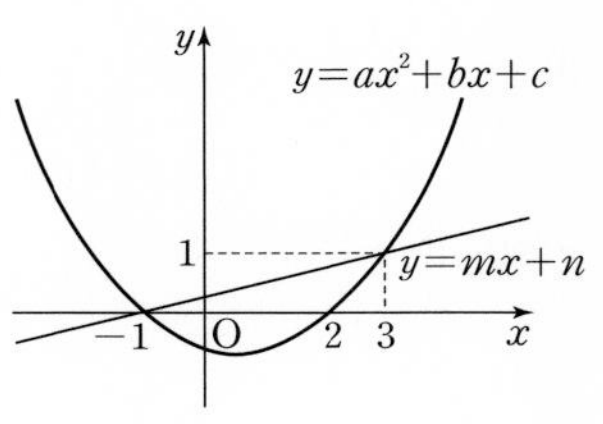

1505 중요

두 함수 $y=f(x)$와 $y=g(x)$의 그래프가 그림과 같을 때, 부등식 $g(x)-f(x)<0$의 해는 $a<x<b$이다. 이때, $a+b$의 값은?

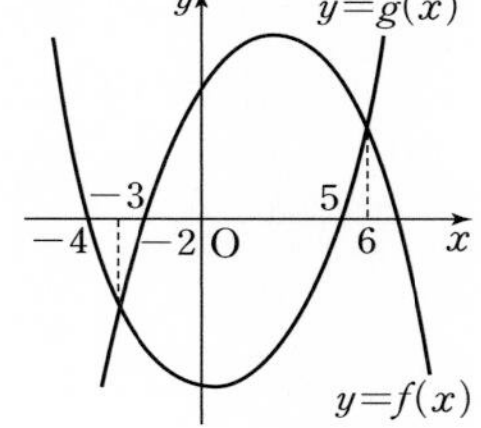

① 0 ② 1
③ 2 ④ 3
⑤ 4

1506

이차함수 $y=x^2-2x-8$의 그래프가 이차함수 $y=-2x^2+x-2$의 그래프보다 아래쪽에 있는 x의 값의 범위를 구하시오.

1507 중요

모든 실수 x에 대하여 이차함수 $y=x^2-x+2m$의 그래프가 직선 $y=x+m-3$보다 위쪽에 있도록 하는 상수 m의 값의 범위를 구하시오.

1508

함수 $y=kx^2-x+2$의 그래프가 함수 $y=-x^2+kx+1$의 그래프보다 항상 위쪽에 있을 때, 실수 k의 값의 범위는?

① $-3<k\le 1$ ② $-3\le k<1$ ③ $-1\le k<3$
④ $-1<k<3$ ⑤ $k<3$

1509

이차함수 $y=x^2-ax+5$의 그래프가 직선 $y=x-3$보다 위쪽에 있는 x의 값의 범위가 $x<b$ 또는 $x>4$일 때, 상수 a, b의 합 $a+b$의 값은? (단, $b<4$)

① 6 ② 7 ③ 8
④ 9 ⑤ 10

1510 교육청 기출

이차함수 $f(x)$가 다음 조건을 만족시킨다.

> (가) $f(0)=8$
> (나) 이차부등식 $f(x)>0$의 해는 $x\ne 2$인 모든 실수이다.

$f(5)$의 값을 구하시오.

유형 10 부등식 $f(ax+b)<0$ 꼴의 해

내신 중요도 ▬▬▬▬ 유형 난이도 ★★★★★

(1) $f(x)=k(x-\alpha)(x-\beta)$이면
⇨ $f(ax+b)=k(ax+b-\alpha)(ax+b-\beta)$
(2) $f(x)<0$의 해가 $\alpha<x<\beta$이면
⇨ $f(ax+b)<0$의 해는 $\alpha<ax+b<\beta$

1511 중요

x에 대한 이차부등식 $f(x)<0$의 해가 $1<x<5$일 때, 부등식 $f(2x-1)<0$의 해는?

① $-3<x<-1$ ② $-1<x<3$
③ $1<x<3$ ④ $1<x<9$
⑤ $3<x<9$

1512 교육청 기출

이차함수 $f(x)=x^2-x-12$에 대하여 $f(x-1)<0$을 만족시키는 모든 정수 x의 값의 합을 구하시오.

1513

이차함수 $y=f(x)$의 그래프가 그림과 같을 때, $f(2x+1)<0$을 만족시키는 실수 x의 값의 범위는?

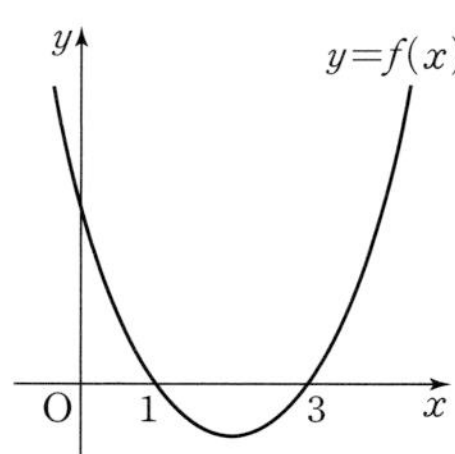

① $0<x<1$
② $1<x<2$
③ $2<x<4$
④ $x<1$ 또는 $x>4$
⑤ $x<2$ 또는 $x>4$

유형 11 내신 중요도 유형 난이도 ★★★★★

이차부등식의 활용

이차부등식의 활용 문제는 다음과 같은 순서로 구한다.
① 주어진 조건을 맞게 부등식을 세운다.
② 부등식을 풀어 해를 구하고 미지수의 범위에 주의한다.

1514

지상에서 발사한 어떤 모형 비행 물체의 t초 후의 지상으로부터의 높이 $h(t)$는 $h(t)=84t-4t^2(\mathrm{m})$로 나타낼 수 있다고 한다. 이때, 이 모형 비행 물체가 지상으로부터 432 m 이상의 높이에 있는 시간을 구하시오.

1515

지상 1.5 m 높이에서 위를 향해 던진 물체의 t초 후의 높이는

$$-4.8t^2+8.2t+1.5(\mathrm{m})$$

라고 한다. 이 물체가 지상 3 m 이상의 높이에 있는 시간은?

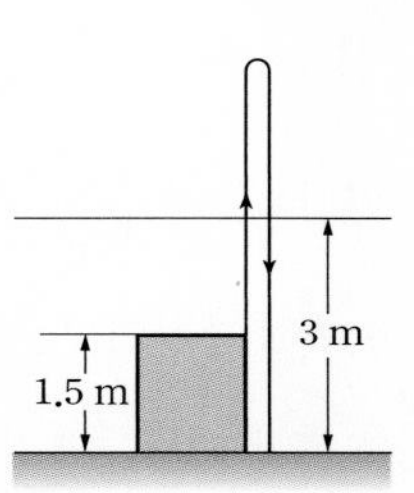

① $\frac{23}{24}$초 ② $\frac{25}{24}$초 ③ $\frac{29}{24}$초
④ $\frac{31}{24}$초 ⑤ $\frac{35}{24}$초

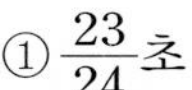
1516 중요

핸드폰을 생산하는 어느 회사에서 A모델을 다음 달부터 할인하여 판매하려고 한다. 현재 판매가의 x %를 할인하여 판매하면 다음 달 판매량은 이번 달보다 $1.5x$ %만큼 증가할 것으로 예상된다. 다음 달 총 판매액을 이번 달보다 4 % 이상 증가하도록 하는 x의 최댓값을 구하시오.

유형 12 내신 중요도 유형 난이도 ★★★★★

연립이차부등식

(1) 연립부등식을 풀 때, 각 부등식의 해를 구해서 수직선 위에 나타내어 공통부분을 구한다.
(2) $A\le B\le C \Longleftrightarrow \begin{cases} A\le B \\ B\le C \end{cases}$

1517

연립부등식 $\begin{cases} x^2-2x-3\ge0 \\ x^2-6x+5\le0 \end{cases}$을 만족시키는 모든 정수 x의 값의 합은?

① 11 ② 12 ③ 13
④ 14 ⑤ 15

1518

연립부등식 $\begin{cases} x^2-5x+4\le0 \\ -x^2+x+2<0 \end{cases}$의 해가 $\alpha<x\le\beta$일 때, $\alpha+\beta$의 값은?

① 2 ② 4 ③ 6
④ 8 ⑤ 10

1519

연립부등식 $x<x(x-5)\le6(x-3)$의 해가 $a<x\le b$일 때, $a+b$의 값을 구하시오.

1520 짱중요 교육청 기출

연립부등식 $\begin{cases} |x-1| \le 3 \\ x^2-8x+15>0 \end{cases}$ 을 만족시키는 정수 x의 개수는?

① 1　② 2　③ 3　④ 4　⑤ 5

1521 교육청 기출

연립부등식 $\begin{cases} |2x-1| < 5 \\ x^2-5x+4 \le 0 \end{cases}$ 을 만족시키는 모든 정수 x의 개수는?

① 1　② 2　③ 3　④ 4　⑤ 5

1522

연립부등식 $\begin{cases} x^2-4x \le 0 \\ x^2+3x-1 \ge 2x+5 \end{cases}$ 의 해와 이차부등식 $ax^2-6x+b \le 0$의 해가 서로 같을 때, $a+b$의 값을 구하시오.

(단, a, b는 상수)

유형 13 　내신 중요도 　유형 난이도 ★★★★

해가 주어진 연립이차부등식

연립부등식의 해는 각 부등식의 해를 수직선 위에 나타냈을 때 공통부분임을 이용하여 미정계수의 값을 구한다.

1523

연립부등식 $\begin{cases} x^2-4x+3 \ge 0 \\ (x+2)(x-a)<0 \end{cases}$ 의 해가 $-2<x\le 1$일 때, 실수 a의 값의 범위를 구하시오.

1524 짱중요

연립부등식 $\begin{cases} x^2+ax+b \le 0 \\ x^2+x+a<0 \end{cases}$ 의 해가 $1 \le x < 4$일 때, 상수 a, b에 대하여 $a-b$의 값을 구하시오.

1525 중요

연립부등식

$$x^2-ax+4a \le 3x+4 < x^2+2x-2$$

의 해가 $3<x\le 4$가 되도록 하는 정수 a의 개수를 구하시오.

1526

연립부등식 $\begin{cases} x^2-4x-5\le 0 \\ x^2-ax+b\le 0 \end{cases}$ 의 해가 $3\le x\le 5$이고,

연립부등식 $\begin{cases} x^2-ax+b\le 0 \\ x^2-11x+28\le 0 \end{cases}$ 의 해가 $4\le x\le 6$일 때,

상수 a, b의 합 $a+b$의 값은?

① 15 ② 18 ③ 21 ④ 24 ⑤ 27

1527

다음 두 조건을 동시에 성립하도록 하는 k의 값이 될 수 있는 범위를 구하시오.

> (가) 모든 실수 x에 대하여 이차부등식 $x^2-2kx+1>0$이다.
> (나) 이차부등식 $x^2-2kx+2k<0$인 실수 x가 존재하지 않는다.

1528

두 부등식 $x^2+ax+b\ge 0$, $x^2+cx+d\le 0$을 동시에 만족하는 x의 값의 범위가 $-3\le x\le -1$ 또는 $x=2$로 주어졌다. 이때, 상수 a, b, c, d의 값을 구하시오.

유형 14 해의 조건이 주어진 연립이차부등식

내신 중요도 유형 난이도 ★★★★★

부등식의 정수인 해의 개수가 주어지면
① 연립부등식을 풀어 해를 수직선 위에 나타낸다.
② 주어진 해와 비교하여 미정계수의 범위를 결정한다.

1529

연립부등식 $\begin{cases} x^2-2x-8>0 \\ (x-a-1)(x-a+1)<0 \end{cases}$ 의 해가 존재하도록 하는 실수 a의 값의 범위를 구하시오.

1530 교육청 기출

연립이차부등식 $\begin{cases} x^2+4x-21\le 0 \\ x^2-5kx-6k^2>0 \end{cases}$ 의 해가 존재하도록 하는 양의 정수 k의 개수는?

① 4 ② 5 ③ 6 ④ 7 ⑤ 8

1531

모든 실수 x에 대하여 연립부등식 $-x^2+2\le a\le 2x^2+4$가 항상 성립하도록 하는 모든 정수 a의 값의 합을 구하시오.

1532 교육청 기출

x에 대한 두 다항식

$f(x)=2x^2+5x+2,\ g(x)=(a-1)x+b$

가 있다. 모든 실수 x에 대하여 부등식 $x-2\le g(x)\le f(x)$가 성립하도록 하는 실수 b의 값의 범위는 $\alpha\le b\le\beta$이다. $\beta-\alpha$의 최댓값은? (단, a는 실수이다.)

① 1 ② $\frac{3}{2}$ ③ 2
④ $\frac{5}{2}$ ⑤ 3

1533 중요 교육청 응용

연립부등식 $\begin{cases} |x-2|<k \\ x^2+x-12\le 0 \end{cases}$ 을 만족시키는 정수 x의 개수가 5일 때, 양의 정수 k의 값을 구하시오.

1534 중요

연립부등식 $\begin{cases} x^2-|x|-6<0 \\ 2x+1\ge x+k \end{cases}$ 를 만족시키는 정수 x의 개수가 3이 되도록 하는 실수 k의 값의 범위는?

① $-1<k<1$ ② $0<k\le 1$
③ $0\le k<1$ ④ $-1\le k<0$
⑤ $-1<k\le 0$

유형 15 그래프를 이용한 연립이차부등식

내신 중요도 ■■■■■ 유형 난이도 ★★★★★

(1) 부등식 $f(x)<g(x)$의 해는 함수 $y=f(x)$의 그래프가 함수 $y=g(x)$의 그래프보다 아래쪽에 있는 x의 값의 범위이다.

(2) $f(x)g(x)>0$
$\iff f(x)>0,\ g(x)>0$ 또는 $f(x)<0,\ g(x)<0$

1535

두 이차함수 $y=f(x)$, $y=g(x)$의 그래프가 그림과 같을 때, 부등식 $0<g(x)<f(x)$의 해를 구하시오.

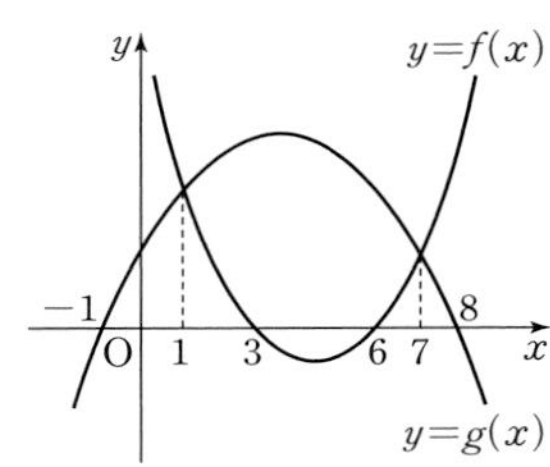

1536

두 이차함수 $y=f(x)$, $y=g(x)$의 그래프가 그림과 같을 때, 부등식 $f(x)g(x)>0$의 해가 $a<x<b$ 또는 $c<x<d$라 하자. 이때, $a+b+c+d$의 값은?

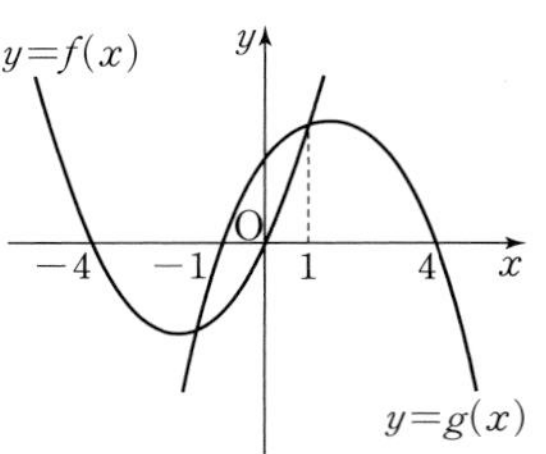

① -5 ② -3 ③ -1
④ 0 ⑤ 3

유형 16 내신 중요도 유형 난이도 ★★★★

연립이차부등식의 활용

연립이차부등식의 활용 문제를 풀 때에는 다음과 같은 순서로 구한다.
① 구하는 값을 x로 놓고 부등식을 세운다.
② 각 부등식의 해를 구한 후, 공통부분을 구한다.

1537

어느 공장에서 둘레의 길이가 $32\,\text{m}$인 직사각형 모양의 공동 작업대를 제작하려고 한다. 작업을 원활하게 하기 위해서 작업대의 넓이가 $60\,\text{m}^2$ 이상이 되어야 한다고 한다. 이 작업대의 가로의 길이를 $x\,\text{m}$라 할 때, x의 값의 범위는?

(단, 작업대의 가로의 길이는 세로의 길이보다 길다.)

① $6<x\le10$
② $6\le x\le10$
③ $8<x<10$
④ $8<x\le10$
⑤ $8\le x\le10$

1538

그림과 같이 반지름의 길이가 6인 원 C의 내부에 내접하는 두 원 C_1, C_2가 서로 외접하고 있다. 색칠한 부분의 넓이가 원 C의 넓이의 $\frac{1}{3}$ 이상이 되도록 할 때, 내접하는 두 원 중 큰 원의 반지름의 길이의 최댓값을 구하시오.

(단, 세 원 C, C_1, C_2의 중심은 일직선 위에 있다.)

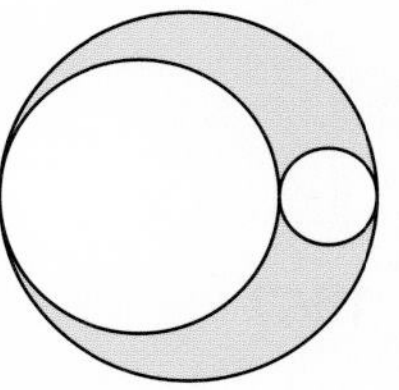

1539

한 모서리의 길이가 a인 정육면체의 밑면의 가로의 길이를 4만큼 늘이고, 높이를 3만큼 줄여서 직육면체를 만들려고 한다.
이 직육면체의 부피가 처음 정육면체의 부피보다 작아지도록 하는 자연수 a의 개수를 구하시오.

1540 중요

그림과 같이 가로의 길이가 $8\,\text{m}$, 세로의 길이가 $5\,\text{m}$인 직사각형 모양의 화단의 둘레에 폭이 $x\,\text{m}$인 길을 만들려고 한다. 길의 넓이가 $90\,\text{m}^2$ 이상 $140\,\text{m}^2$ 이하가 되도록 할 때, x의 값의 범위는?

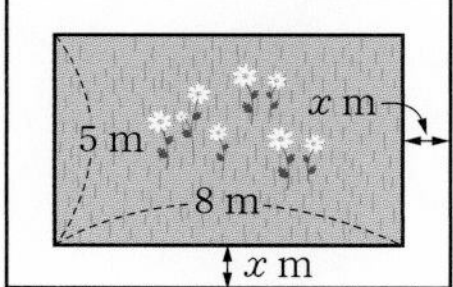

① $\frac{3}{2}\le x\le\frac{5}{2}$
② $\frac{3}{2}\le x\le\frac{7}{2}$
③ $\frac{5}{2}\le x\le\frac{7}{2}$
④ $\frac{5}{2}\le x\le\frac{9}{2}$
⑤ $\frac{7}{2}\le x\le\frac{9}{2}$

1541 중요 교육청 기출

그림과 같이 $\overline{AC}=\overline{BC}=12$인 직각이등변삼각형 ABC가 있다. 빗변 AB 위의 점 P에서 변 BC와 변 AC에 내린 수선의 발을 각각 Q, R라 할 때, 직사각형 PQCR의 넓이는 두 삼각형 APR와 PBQ의 각각의 넓이보다 크다. $\overline{QC}=a$일 때, 모든 자연수 a의 값의 합을 구하시오.

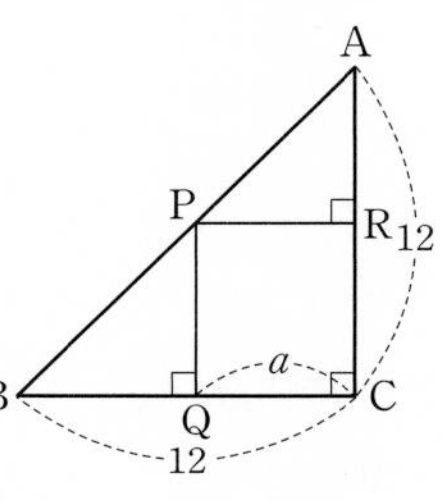

유형 17 이차부등식의 판별식에의 활용

내신 중요도 ▬▬▬▬▬ 유형 난이도 ★★★★★

이차방정식 $ax^2+bx+c=0$에 대하여
(1) 서로 다른 두 실근 ⇨ $D=b^2-4ac>0$
(2) 중근 ⇨ $D=b^2-4ac=0$
(3) 서로 다른 두 허근 ⇨ $D=b^2-4ac<0$

1542 ●●○○

x에 대한 이차방정식 $x^2+kx+4=0$이 서로 다른 두 실근을 갖도록 하는 실수 k의 값의 범위는?

① $k<-4$
② $k>4$
③ $-4<k<4$
④ $k<-4$ 또는 $k>4$
⑤ $k\le-4$ 또는 $k\ge4$

1543 중요 ●●○○

이차방정식 $x^2+2kx+k+2=0$은 실근을 갖고, 이차방정식 $2x^2-kx+1=0$은 허근을 갖도록 하는 실수 k의 값의 범위를 구하시오.

1544 ●●●○

이차함수 $y=x^2-kx+k$의 그래프가 x축보다 항상 위에 있고 이차방정식 $x^2-2kx+k+2=0$이 실근을 갖도록 하는 실수 k의 값의 범위를 구하시오.

유형 18 이차방정식의 실근의 부호

내신 중요도 ▬▬▬▬▬ 유형 난이도 ★★★★★

계수가 실수인 이차방정식 $ax^2+bx+c=0$의 두 근을 α, β라 하고, 판별식을 D라 할 때,
(1) 두 근이 모두 양수 ⇨ $D\ge0$, $\alpha+\beta>0$, $\alpha\beta>0$
(2) 두 근이 모두 음수 ⇨ $D\ge0$, $\alpha+\beta<0$, $\alpha\beta>0$
(3) 두 근이 서로 다른 부호 ⇨ $\alpha\beta<0$

1545 ●●●○

이차방정식 $x^2-2(k+3)x+k^2=0$의 두 근이 모두 양수일 때, 실수 k의 값의 범위를 구하시오.

1546 ●●●●

이차방정식 $x^2-2(a+1)x+3=0$의 두 근이 모두 1보다 크도록 하는 상수 a의 값의 범위가 $\alpha\le a<\beta$일 때, $\alpha+\beta$의 값은?

① 0
② $\sqrt{3}$
③ 2
④ $\sqrt{3}+1$
⑤ $\sqrt{3}+2$

1547 ●●●●

이차방정식 $x^2+(a-1)x+2a=0$의 두 근을 α, β라 할 때, $-1<\alpha<0$, $1<\beta<2$를 만족시키는 실수 a의 값의 범위는?

① $-2<a<-1$
② $a>-1$
③ $a<1$
④ $-\frac{1}{2}<a<0$
⑤ $a>\frac{1}{2}$

해설 216쪽

1548

이차함수 $y=f(x)$의 그래프가 세 점 $(-2,\ 0)$, $(5,\ 0)$, $(0,\ -10)$을 지날 때, 이차부등식 $f(x)<0$을 만족시키는 모든 정수 x의 값의 합은?

① 6　② 7　③ 8　④ 9　⑤ 10

1549

이차부등식 $x^2+x<2x+12$를 만족시키는 정수 x의 개수는?

① 3　② 4　③ 5　④ 6　⑤ 7

1550

다음 〈보기〉 중 이차부등식의 해가 <u>없는</u> 것을 있는 대로 고르시오.

보기	
ㄱ. $-2x^2+5x+3\geq 0$	ㄴ. $x^2-3x+4<0$
ㄷ. $x^2+x+1>0$	ㄹ. $-x^2+10x-25>0$

1551

부등식 $x^2-ax+b\leq 0$의 해가 $-3\leq x\leq 1$일 때, 부등식 $x^2+ax+b\leq 0$의 해는?

① $-3\leq x\leq -1$　② $-2\leq x\leq 2$　③ $-3\leq x\leq 1$　④ $-1\leq x\leq 3$　⑤ $1\leq x\leq 3$

1552

이차부등식 $x^2-4x-12<0$의 해와 부등식 $|x-a|<b$의 해가 서로 같을 때, 두 상수 a, b의 곱 ab의 값은?

① 2　② 4　③ 6　④ 8　⑤ 10

1553

이차부등식 $x^2-(m+4)x+m+7<0$의 해가 존재하지 않도록 하는 실수 m의 값의 범위가 $\alpha\leq m\leq\beta$일 때, $\beta-\alpha$의 값은?

① -8　② -4　③ 0　④ 4　⑤ 8

해설 217쪽

1554

모든 실수 x에 대하여 부등식 $x^2+a\geq ax$가 성립하기 위한 정수 a의 개수는?

① 2　② 3　③ 4
④ 5　⑤ 6

1555

이차함수 $y=x^2-ax+b$의 그래프가 직선 $y=x+1$보다 아래쪽에 있는 x의 값의 범위가 $-1<x<2$일 때, 두 상수 a, b의 합 $a+b$의 값은?

① -2　② -1　③ 0
④ 1　⑤ 2

1556

연립부등식 $\begin{cases} x^2+2x\geq 3 \\ |x|<2 \end{cases}$의 해는?

① $-3\leq x<2$　② $-3<x\leq 1$
③ $-2<x<2$　④ $-3<x<1$
⑤ $1\leq x<2$

1557 서술형

연립부등식 $\begin{cases} x^2+ax+b\leq 0 \\ x^2-ax-8>0 \end{cases}$의 해가 $2<x\leq 5$일 때, 두 상수 a, b의 합 $a+b$의 값을 구하시오.

1558 서술형

연립부등식 $\begin{cases} x^2-7x+10<0 \\ x^2-(a+1)x+a\leq 0 \end{cases}$을 만족시키는 정수해가 한 개만 존재하도록 하는 정수 a의 값을 구하시오.

1559

그림과 같은 직각삼각형에 내접하는 직사각형의 가로의 길이가 5 cm 이하, 넓이가 30 cm^2 이상일 때, 직사각형의 세로의 길이의 범위를 구하시오.

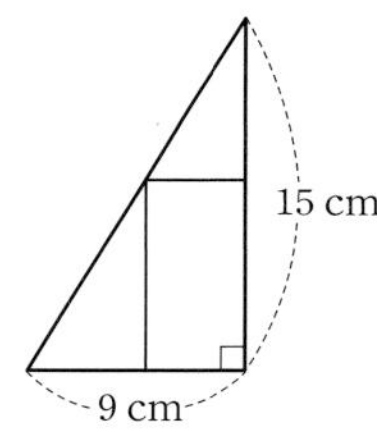

해설 218쪽

Level 1

1560

부등식 $ax^2+bx+c>0$의 해가 $\alpha<x<\beta$일 때, 부등식 $cx^2-bx+a>0$의 해는? (단, $\alpha>0$)

① $x>\frac{1}{\alpha}$ 또는 $x<\frac{1}{\beta}$ ② $x>-\frac{1}{\beta}$ 또는 $x<-\frac{1}{\alpha}$
③ $-\frac{1}{\alpha}<x<-\frac{1}{\beta}$ ④ $\frac{1}{\beta}<x<\frac{1}{\alpha}$
⑤ $\frac{1}{\alpha}<x<\frac{1}{\beta}$

1561

부등식 $2[x]^2+[x]-3\le0$의 해가 $a\le x<b$일 때, 상수 a, b에 대하여 $a+b$의 값은?

(단, $[x]$는 x보다 크지 않은 최대의 정수이다.)

① 1 ② 2 ③ 3
④ 4 ⑤ 5

1562

$-2\le x\le2$일 때, x에 대한 부등식 $x^2-6x\ge a^2-6a$가 항상 성립하기 위한 상수 a의 최솟값은?

① 1 ② 2 ③ 3
④ 4 ⑤ 5

1563

교육청 기출

모든 실수 x에 대하여 부등식

$$-x^2+3x+2\le mx+n\le x^2-x+4$$

가 성립할 때, m^2+n^2의 값은? (단, m, n은 상수이다.)

① 8 ② 10 ③ 12
④ 14 ⑤ 16

1564

교육청 기출

그림과 같이 일직선 위의 세 지점 A, B, C에 같은 제품을 생산하는 공장이 있다. A와 B 사이의 거리는 10 km, B와 C 사이의 거리는 30 km, A와 C 사이의 거리는 20 km이다. 이 일직선 위의 A와 C 사이에 보관창고를 지으려고 한다. 공장과 보관창고와의 거리가 x km일 때, 제품 한 개당 운송비는 x^2원이 든다고 하자. 세 지점 A, B, C의 공장에서 하루에 생산되는 제품이 각각 100개, 200개, 300개일 때, 하루에 드는 총 운송비가 155000원 이하가 되도록 하는 보관창고는 A 지점에서 최대 몇 km 떨어진 지점까지 지을 수 있는가? (단, 공장과 보관창고의 크기는 무시한다.)

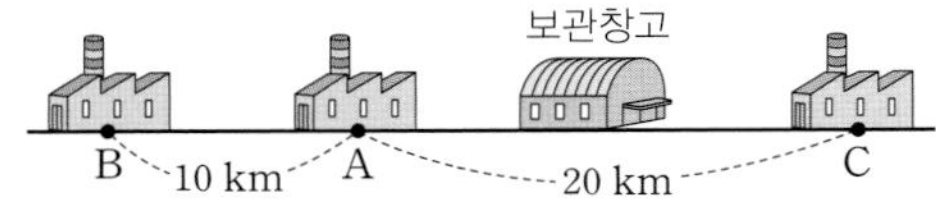

① 9 ② 11 ③ 13 ④ 15 ⑤ 17

1565

두 부등식 $|x-2|\leq 3$, $(|x|-2)^2\leq 1$을 동시에 만족시키는 정수 x의 최댓값과 최솟값의 합은?

① 2 ② 3 ③ 4 ④ 5 ⑤ 6

1566

연립부등식 $\begin{cases} x^2+x-6>0 \\ |x-a|\leq 1 \end{cases}$ 이 항상 해를 갖기 위한 실수 a의 값의 범위는?

① $-2<a<1$ ② $-1\leq a\leq 2$ ③ $a<-1$ 또는 $a>0$ ④ $a\leq -2$ 또는 $a\geq 0$ ⑤ $a<-2$ 또는 $a>1$

Level 2

1567

그림과 같이 두 포물선 $y=-x^2+5x+4$, $y=x^2+ax+b$의 그래프와 직선 $y=x+c$가 한 점 P에서 만날 때, 부등식 $x^2+(a-1)x+b-c<0$의 해는?

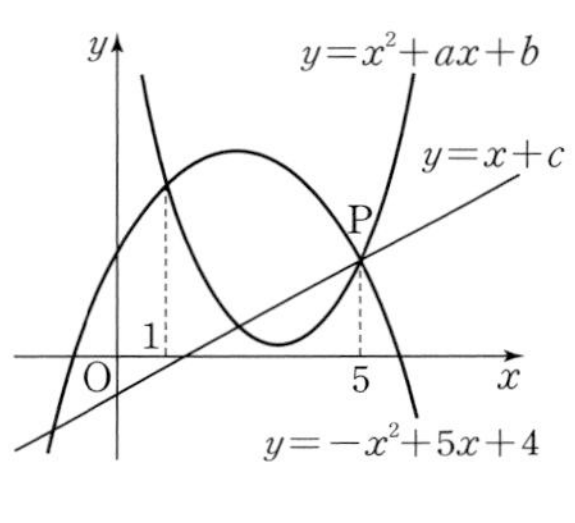

① $\frac{3}{2}<x<5$ ② $2<x<5$ ③ $3<x<5$ ④ $4<x<5$ ⑤ $\frac{9}{2}<x<5$

1568 교육청 기출

최고차항의 계수가 각각 $\frac{1}{2}$, 2인 두 이차함수 $y=f(x)$, $y=g(x)$가 다음 조건을 만족시킨다.

> (가) 두 함수 $y=f(x)$와 $y=g(x)$의 그래프는 직선 $x=p$를 축으로 한다.
> (나) 부등식 $f(x)\ge g(x)$의 해는 $-1\le x\le 5$이다.

$p\times\{f(2)-g(2)\}$의 값을 구하시오. (단, p는 상수이다.)

1569

이차함수 $y=f(x)$의 그래프가 그림과 같을 때, $f\left(\frac{2x-1}{7}\right)\le 0$을 만족하는 정수 x의 개수를 구하시오.

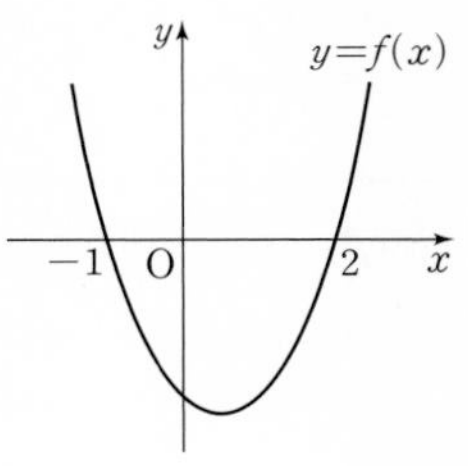

1570

이차함수 $y=f(x)$의 그래프가 그림과 같을 때, 부등식 $f(3-|x|)\le 0$을 만족하는 정수 x의 개수는?

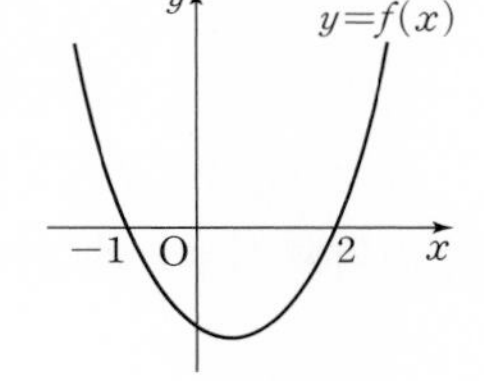

① 4 ② 5 ③ 6 ④ 7 ⑤ 8

Level 3

1571

세 이차함수 $y=f(x)$, $y=g(x)$, $y=h(x)$의 그래프가 그림과 같을 때, $-3\le x\le 5$에서 부등식

$$f(x)g(x)h(x)\le 0$$

을 만족하는 모든 정수 x의 값의 합을 구하시오.

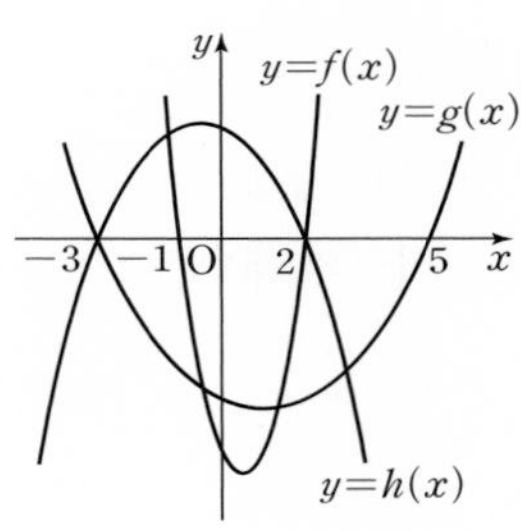

해설 220쪽

1572

두 함수 $f(x)$, $g(x)$가

$$f(x)=x^2-2ax+a+2,\ g(x)=-x^2+2ax-a^2$$

일 때, $0\le x\le 2$인 모든 실수 x에 대하여 $f(x)>g(x)$가 성립하기 위한 실수 a의 값의 범위는?

① $-5<a<2$
② $a<-5$ 또는 $a>2$
③ $a<-2$
④ $-2<a<5$
⑤ $a<2$ 또는 $a>5$

1573 교육청 응용

x에 대한 방정식 $(x^2+ax+a)(x^2+x+a)=0$의 근 중 서로 다른 허근의 개수가 2이기 위한 실수 a의 값의 범위를 구하시오.

1574 교육청 기출

x에 대한 연립부등식 $\begin{cases} x^2-a^2x\ge 0 \\ x^2-4ax+4a^2-1<0 \end{cases}$ 을 만족시키는 정수 x의 개수가 1이 되기 위한 모든 실수 a의 값의 합을 구하시오. (단, $0<a<\sqrt{2}$)

1575 교육청 기출

x에 대한 이차부등식

$$(2x-a^2+2a)(2x-3a)\le 0$$

의 해가 $\alpha\le x\le \beta$이다.

두 실수 α, β가 다음 조건을 만족시킬 때, 모든 실수 a의 값의 합을 구하시오.

(가) $\beta-\alpha$는 자연수이다.
(나) $\alpha\le x\le \beta$를 만족하는 정수 x의 개수는 3이다.

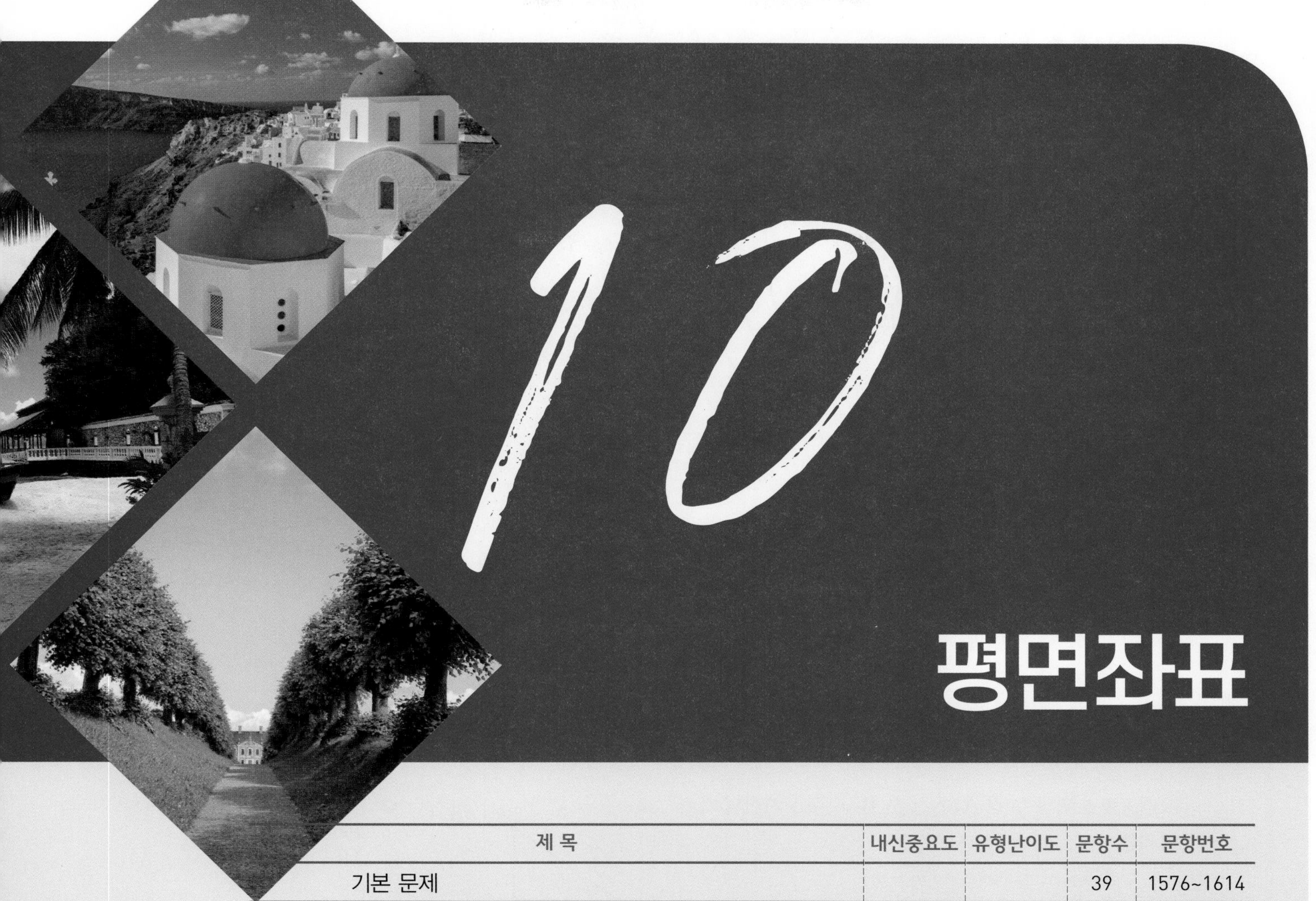

10 평면좌표

평면좌표

1. 좌표평면 위의 두 점 사이의 거리

(1) 좌표평면 위의 두 점 $\mathrm{A}(x_1, y_1)$, $\mathrm{B}(x_2, y_2)$ 사이의 거리는

$$\overline{\mathrm{AB}}=\sqrt{(x_2-x_1)^2+(y_2-y_1)^2}$$

(2) 원점 O와 점 $\mathrm{A}(x_1, y_1)$ 사이의 거리는

$$\overline{\mathrm{OA}}=\sqrt{x_1^2+y_1^2}$$

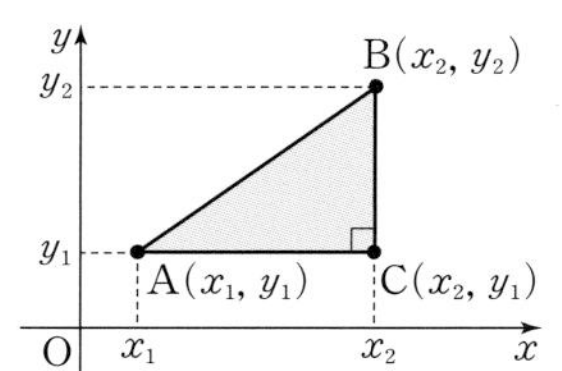

수직선 위의 두 점 $\mathrm{A}(x_1)$, $\mathrm{B}(x_2)$ 사이의 거리는
$\overline{\mathrm{AB}}=|x_2-x_1|=|x_1-x_2|$

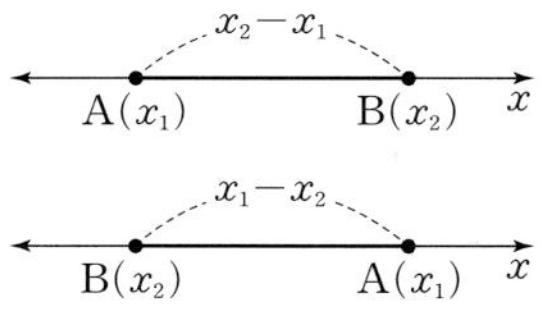

2. 수직선 위의 선분을 내분하는 점과 외분하는 점

(1) 수직선 위의 두 점 $\mathrm{A}(x_1)$, $\mathrm{B}(x_2)$에 대하여 선분 AB를 $m : n$ $(m>0,\ n>0)$으로 내분하는 점을 P, 외분하는 점을 Q라 하면

$$\mathrm{P}\left(\frac{mx_2+nx_1}{m+n}\right),\ \mathrm{Q}\left(\frac{mx_2-nx_1}{m-n}\right)\ (\text{단, } m\neq n)$$

(2) 선분 AB의 중점을 M이라 하면

$$\mathrm{M}\left(\frac{x_1+x_2}{2}\right)$$

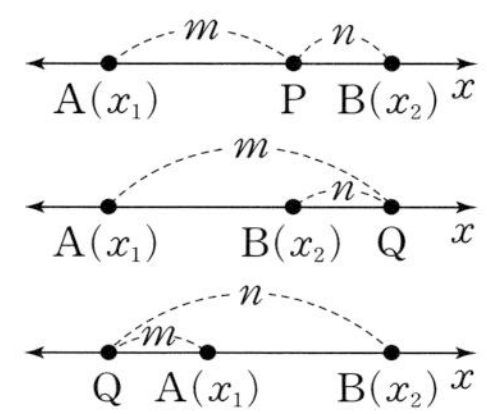

중선정리(파푸스의 정리)

삼각형 ABC의 변 BC의 중점을 M이라 하면

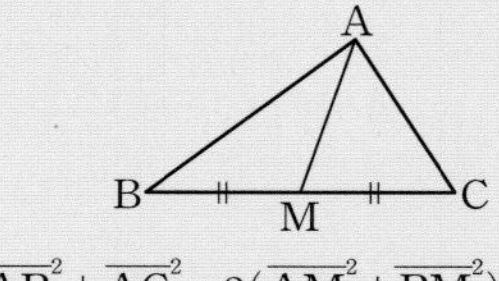

$\overline{\mathrm{AB}}^2+\overline{\mathrm{AC}}^2=2(\overline{\mathrm{AM}}^2+\overline{\mathrm{BM}}^2)$

3. 좌표평면 위의 선분을 내분하는 점과 외분하는 점

(1) 좌표평면 위의 두 점 $A(x_1, y_1)$, $B(x_2, y_2)$에 대하여 선분 AB를 $m:n$ $(m>0, n>0)$으로 내분하는 점을 P, 외분하는 점을 Q라 하면

$$P\left(\frac{mx_2+nx_1}{m+n}, \frac{my_2+ny_1}{m+n}\right), Q\left(\frac{mx_2-nx_1}{m-n}, \frac{my_2-ny_1}{m-n}\right) \text{ (단, } m\neq n)$$

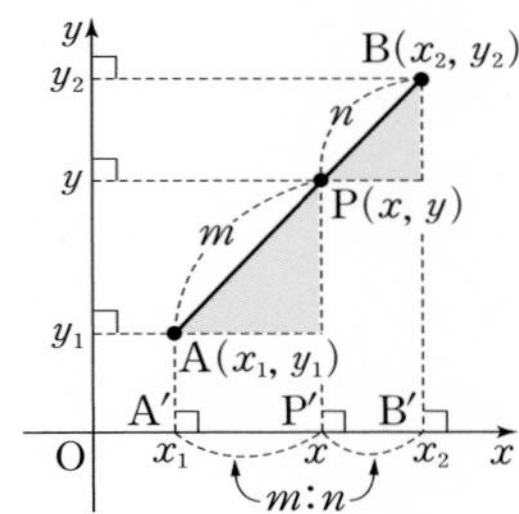

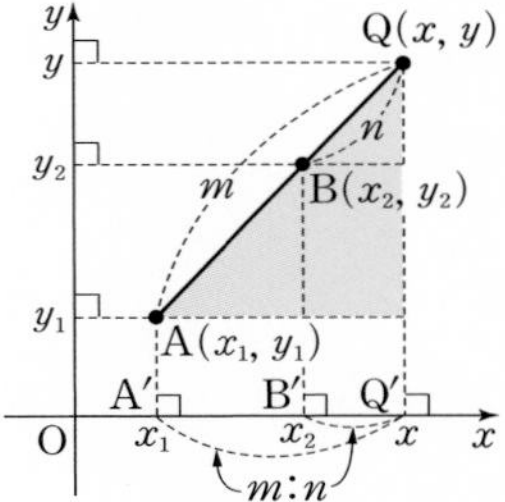

(2) 선분 AB의 중점을 M이라 하면

$$M\left(\frac{x_1+x_2}{2}, \frac{y_1+y_2}{2}\right)$$

4. 삼각형의 무게중심

세 점 $A(x_1, y_1)$, $B(x_2, y_2)$, $C(x_3, y_3)$에 대하여
삼각형 ABC의 무게중심 G의 좌표는

$$G\left(\frac{x_1+x_2+x_3}{3}, \frac{y_1+y_2+y_3}{3}\right)$$

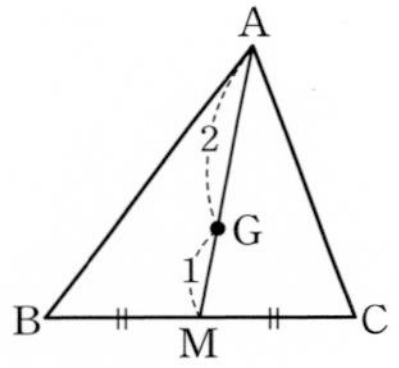

참고 변 BC의 중점을 M이라 하면 삼각형 ABC의 무게중심은 선분 AM을 2 : 1로 내분하는 점이다.

5. 평행사변형과 마름모의 대각선의 성질

(1) 평행사변형 : 두 대각선은 서로 다른 것을 이등분한다.
(2) 마름모 : 두 대각선은 서로 다른 것을 수직이등분한다.

내분점과 외분점을 구하는 공식은 서로 부호만 다르다는 것을 기억하면 암기하기 쉽다.

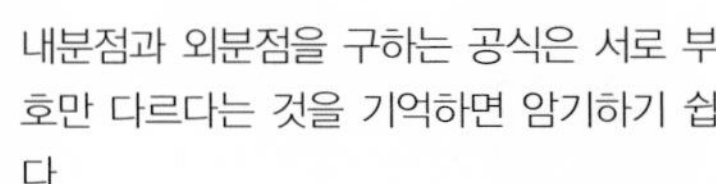

각의 이등분선의 정리

① 삼각형 ABC에서 ∠A의 이등분선이 선분 BC와 만나는 점을 D라 하면
$\overline{AB}:\overline{AC}=\overline{BD}:\overline{CD}$

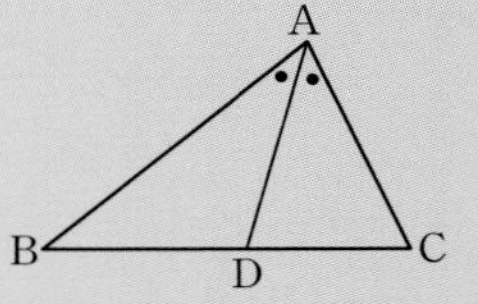

② 삼각형 ABC에서 ∠A의 외각의 이등분선이 선분 BC의 연장선과 만나는 점을 D라 하면
$\overline{AB}:\overline{AC}=\overline{BD}:\overline{CD}$

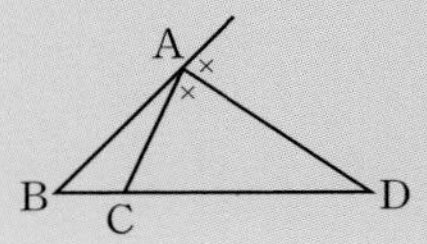

삼각형 ABC의 세 변 AB, BC, CA의 중점을 각각 D, E, F라 할 때, 삼각형 ABC의 무게중심과 삼각형 DEF의 무게중심은 같다.

평행사변형과 마름모의 두 대각선은 서로 다른 것을 이등분하므로 두 대각선의 중점이 서로 일치한다.

1 수직선 위의 두 점 사이의 거리

[1576-1577] 다음 수직선 위의 두 점 A, B 사이의 거리를 구하시오.

1576

1577

[1578-1579] 다음 두 점 A, B 사이의 거리를 구하시오.

1578 A(1), B(8)

1579 A(-4), B(7)

2 좌표평면 위의 두 점 사이의 거리

[1580-1581] 피타고라스 정리를 이용하여 다음 직각삼각형의 빗변의 길이를 구하시오.

1580

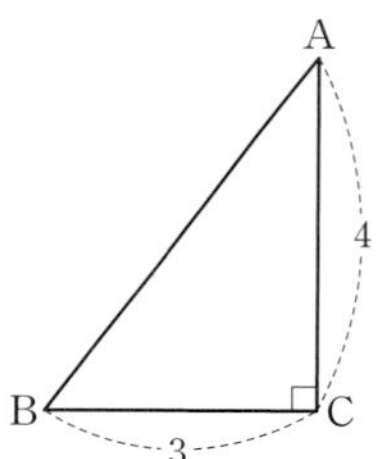

1581

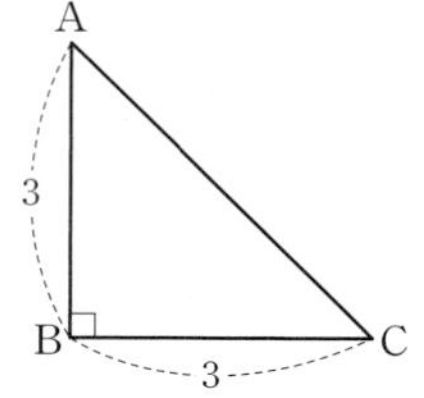

[1582-1584] 다음 좌표평면 위의 두 점 A, B 사이의 거리를 구하시오.

1582

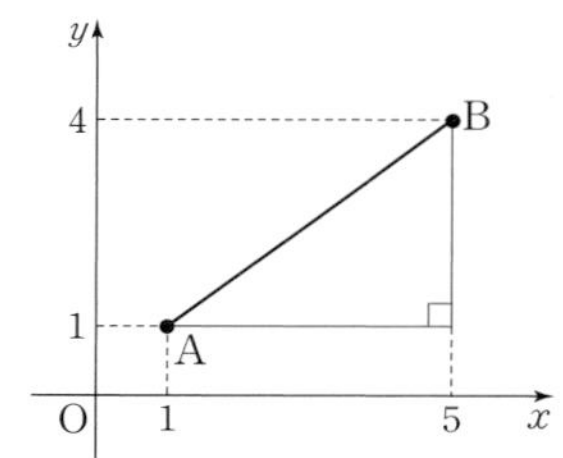

1583

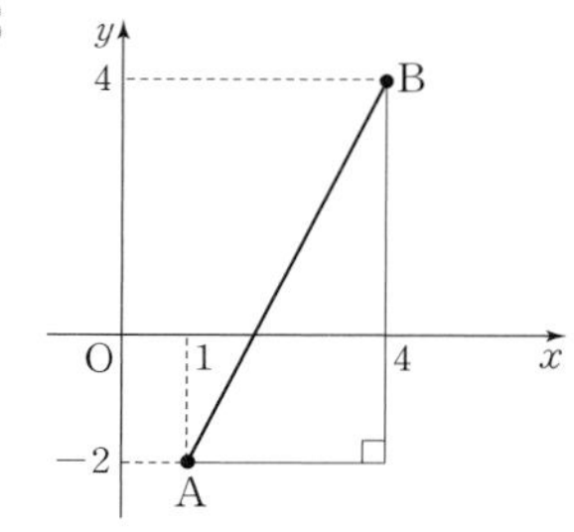

1584

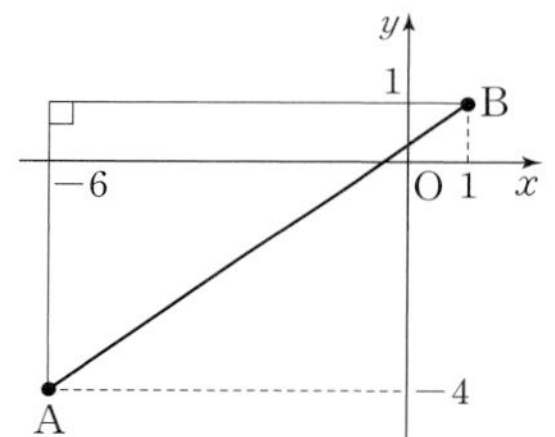

[1585-1589] 다음 두 점 A, B 사이의 거리를 구하시오.

1585 A(2, -1), B(3, 2)

1586 A(-3, 2), B(2, 2)

1587 $\mathrm{A}(0, 0)$, $\mathrm{B}(3, -4)$

1588 $\mathrm{A}(5, 3)$, $\mathrm{B}(-7, -2)$

1589 $\mathrm{A}(2, 2\sqrt{3})$, $\mathrm{B}(4, 0)$

[1590-1591] 다음 조건을 만족시키는 a의 값을 구하시오.

1590 두 점 $\mathrm{A}(a, -3)$, $\mathrm{B}(3, -1)$에 대하여 $\overline{\mathrm{AB}}=2$

1591 두 점 $\mathrm{A}(5, 5)$, $\mathrm{B}(2, a)$에 대하여 $\overline{\mathrm{AB}}=5$

[1592-1593] 중선정리 $(\overline{\mathrm{AB}}^2+\overline{\mathrm{AC}}^2=2(\overline{\mathrm{AM}}^2+\overline{\mathrm{BM}}^2))$를 이용하여 x의 값을 구하시오.

1592

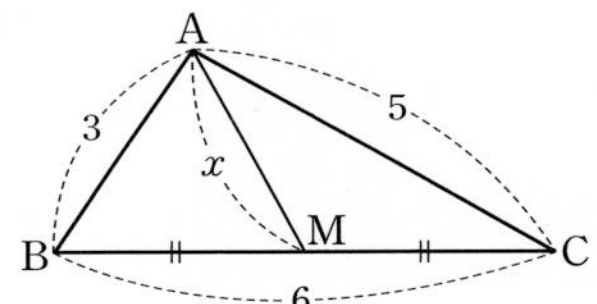

1593

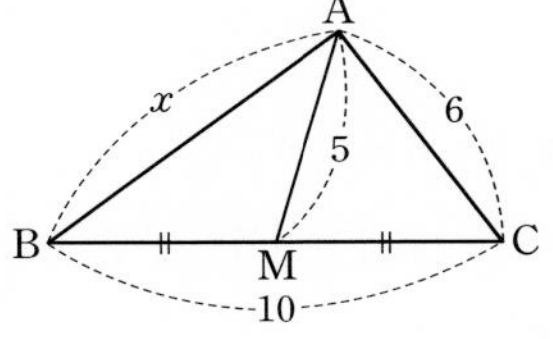

3 내분하는 점과 외분하는 점

1594 그림에서 선분 AB를 $1:2$로 내분하는 점 P의 좌표를 구하시오.

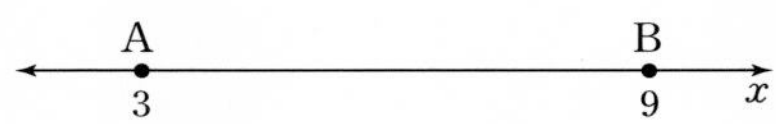

1595 그림에서 선분 AB를 $3:2$로 외분하는 점 Q의 좌표를 구하시오.

1596 그림에서 선분 AB를 $1:3$으로 외분하는 점 Q의 좌표를 구하시오.

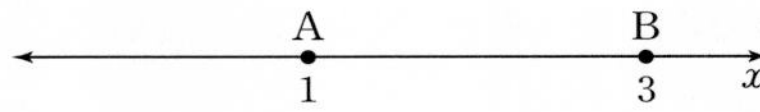

[1597-1599] 수직선 위의 두 점 $\mathrm{A}(3)$, $\mathrm{B}(11)$에 대하여 다음 점의 좌표를 구하시오.

1597 선분 AB를 $3:1$로 내분하는 점 P

1598 선분 AB를 $2:1$로 외분하는 점 Q

1599 선분 AB의 중점 M

[1600-1603] 좌표평면 위의 두 점 $A(1, 2)$, $B(5, -2)$에 대하여 다음 점의 좌표를 구하시오.

1600 선분 AB를 $2:3$으로 내분하는 점 P

1601 선분 AB를 $3:2$로 내분하는 점 P

1602 선분 AB를 $3:1$로 외분하는 점 Q

1603 선분 AB의 중점 M

[1604-1607] 좌표평면 위의 두 점 $A(5, 2)$, $B(3, -6)$에 대하여 다음 점의 좌표를 구하시오.

1604 선분 AB를 $5:3$으로 내분하는 점 P

1605 선분 BA를 $5:3$으로 내분하는 점 P

1606 선분 AB를 $2:1$로 외분하는 점 Q

1607 선분 AB의 중점 M

1608 선분 AB의 한 끝점 A의 좌표가 $(3, 2)$이고 중점의 좌표가 $(1, 4)$일 때, 점 B의 좌표를 구하시오.

[1609-1610] 다음 세 점을 꼭짓점으로 하는 삼각형 ABC의 무게중심 G의 좌표를 구하시오.

1609 $A(-2, 3)$, $B(4, -5)$, $C(1, 8)$

1610 $A(2, 1)$, $B(-1, 0)$, $C(3, -6)$

1611 세 점 $A(-1, -2)$, $B(2, 3)$, $C(a, 5)$를 꼭짓점으로 하는 삼각형 ABC의 무게중심 G의 좌표가 $(3, 2)$일 때, a의 값을 구하시오.

[1612-1613] 그림의 평행사변형에 대하여 다음 점의 좌표를 구하시오.

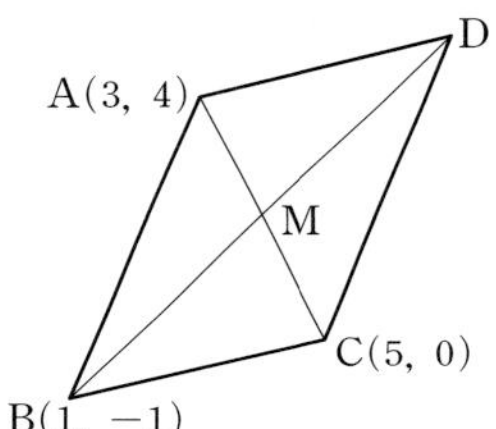

1612 두 대각선의 교점 M

1613 꼭짓점 D

1614 세 점 $A(2, 4)$, $B(1, 1)$, $D(5, 7)$을 꼭짓점으로 하는 평행사변형 ABCD에서 대각선 BD의 중점의 좌표가 $(3, 4)$일 때, 꼭짓점 C의 좌표를 구하시오.

문제

내신 출제 유형 정복하기

해설 224쪽

유형 01 두 점 사이의 거리

내신 중요도 유형 난이도 ★★☆☆☆

(1) 수직선 위의 두 점 $A(x_1)$, $B(x_2)$ 사이의 거리는
$\overline{AB}=|x_2-x_1|=|x_1-x_2|$

(2) 좌표평면 위의 두 점 $A(x_1, y_1)$, $B(x_2, y_2)$ 사이의 거리는
$\overline{AB}=\sqrt{(x_2-x_1)^2+(y_2-y_1)^2}$

1615

수직선 위의 두 점 $A(a)$, $B(2)$에 대하여 $\overline{AB}=7$일 때, a의 값을 구하시오.

1616 중요

좌표평면 위의 두 점 $P(a, 1)$, $Q(3, a)$에 대하여 $\overline{PQ}=\sqrt{2}$일 때, a의 값은?

① 1 ② $\sqrt{2}$ ③ $\sqrt{3}$
④ 2 ⑤ $\sqrt{5}$

1617

좌표평면 위의 세 점 $A(-2, 5)$, $B(x, 4)$, $C(1, 0)$에 대하여 $\overline{AB}=\overline{BC}$일 때, x의 값을 구하시오.

1618

원점 O에서 두 점 $A(4, -3)$, $B(a, a+1)$에 이르는 거리가 같을 때, 양수 a의 값은?

① 1 ② 2 ③ 3
④ 4 ⑤ 5

1619 중요

좌표평면 위의 세 점 $A(3, 0)$, $B(2, 3)$, $C(-1, 2)$로부터 같은 거리에 있는 점 $P(a, b)$가 있다. 이때, $a+b$의 값은?

① 1 ② 2 ③ 3
④ 4 ⑤ 5

1620

그림과 같이 좌표평면 위의 점 $P(-6, 3)$을 지나고 x축에 평행한 직선이 일차함수 $y=4x-5$의 그래프와 만나는 점을 Q라고 한다. 이때, 선분 PQ의 길이는?

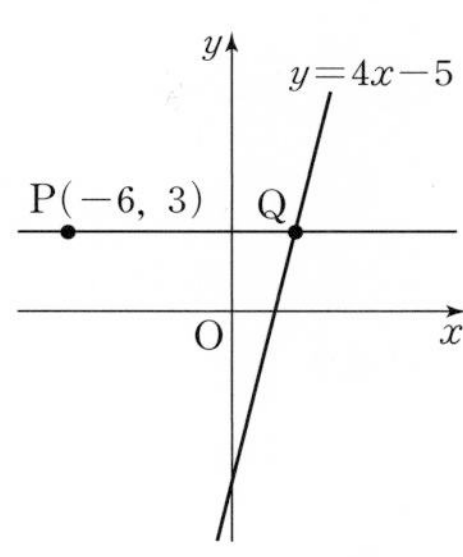

① 6 ② $\frac{13}{2}$
③ 7 ④ $\frac{15}{2}$
⑤ 8

1621

좌표평면 위의 두 점 $A(-1, a)$, $B(a, -3)$을 지름의 양 끝점으로 하는 원의 넓이가 5π일 때, 양수 a의 값은?

① 1 ② 2 ③ 3
④ 4 ⑤ 5

1622

다음과 같이 주어진 좌표평면 위의 두 점 P, Q에 대하여 선분 PQ의 길이의 최솟값은?

$$P(a+1, -3), Q(1, -a+1)$$

① 1 ② $\sqrt{2}$ ③ $2\sqrt{2}$
④ $3\sqrt{2}$ ⑤ $4\sqrt{2}$

1623 교육청 기출

이차함수 $f(x)=x^2+4x+3$의 그래프와 직선 $y=2x+k$가 서로 다른 두 점 P, Q에서 만난다. 점 P가 이차함수 $y=f(x)$의 그래프의 꼭짓점일 때, 선분 PQ의 길이는? (단, k는 상수이다.)

① $\sqrt{5}$ ② $2\sqrt{5}$ ③ $3\sqrt{5}$
④ $4\sqrt{5}$ ⑤ $5\sqrt{5}$

유형 02 삼각형에의 응용

내신 중요도 / 유형 난이도 ★★★★★

삼각형의 세 변의 길이가 a, b, c일 때,
(1) $a=b=c$이면 정삼각형
(2) $a^2+b^2=c^2$이면 빗변이 c인 직각삼각형
(3) $a=b$ 또는 $b=c$ 또는 $c=a$이면 이등변삼각형

1624

세 점 $A(1, 2)$, $B(-3, 0)$, $C(-1, -2)$를 꼭짓점으로 하는 삼각형 ABC는 어떤 삼각형인가?

① 정삼각형
② $\angle A$가 직각인 직각삼각형
③ $\angle C$가 직각인 직각삼각형
④ $\overline{AB}=\overline{CA}$인 이등변삼각형
⑤ $\overline{AB}=\overline{BC}$인 이등변삼각형

1625

두 점 $A(1, 2)$, $B(-1, -2)$를 두 꼭짓점으로 하는 정삼각형 ABC의 꼭짓점 C의 좌표를 (x, y)라 할 때, $x+y$의 값은?
(단, 점 C는 제4사분면 위의 점이다.)

① $\sqrt{2}$ ② $2\sqrt{2}$ ③ $\sqrt{3}$
④ $3\sqrt{3}$ ⑤ $4\sqrt{3}$

1626 중요

세 꼭짓점의 좌표가 각각 $A(a, 3)$, $B(-1, -5)$, $C(3, 7)$인 삼각형 ABC에서 $\angle A=90°$일 때, 모든 a의 값의 합은?

① -2 ② -1 ③ 0
④ 1 ⑤ 2

유형 03 같은 거리에 있는 x축, y축 위의 점

내신 중요도 유형 난이도 ★★★★★

(1) x축 위의 점의 좌표 ⇨ $(a, 0)$
(2) y축 위의 점의 좌표 ⇨ $(0, b)$

1627 중요

두 점 $A(-4, 1)$, $B(-3, -2)$에서 같은 거리에 있는 x축 위의 점의 x좌표는?

① -2 ② -1 ③ $-\frac{1}{2}$
④ $\frac{1}{2}$ ⑤ 1

1628

두 점 $A(2, 3)$, $B(-4, 1)$에서 같은 거리에 있는 y축 위의 점 P에 대하여 원점 O에서 점 P까지의 거리를 구하시오.

1629

두 점 $A(2, 2)$, $B(-1, 3)$과 x축 위의 점 $P(a, 0)$에 대하여 삼각형 ABP가 $\overline{AP}=\overline{BP}$인 이등변삼각형일 때, a의 값은?

① $-\frac{1}{4}$ ② $-\frac{1}{3}$ ③ $-\frac{1}{2}$
④ -1 ⑤ $-\frac{3}{2}$

1630

두 점 $A(3, 3)$, $B(5, 1)$에서 같은 거리에 있는 x축 위의 점을 P, y축 위의 점을 Q라 할 때, 선분 PQ의 길이는?

① $\sqrt{2}$ ② $2\sqrt{2}$ ③ $2\sqrt{3}$
④ $3\sqrt{2}$ ⑤ 5

1631

좌표평면에서 x축 위의 서로 다른 두 점에서 점 $A(2, 1)$까지의 거리가 $\sqrt{5}$로 서로 같다. 이때, 이 두 점 사이의 거리는?

① 2 ② $2\sqrt{3}$ ③ 4
④ $3\sqrt{2}$ ⑤ 5

1632 중요

좌표평면 위의 한 점 $A(3, 4)$에서 $4\sqrt{2}$만큼 떨어진 x축 위의 두 점을 각각 P, Q라 할 때, 삼각형 APQ의 둘레의 길이를 구하시오.

10 평면좌표

유형 04 같은 거리에 있는 직선 위의 점

내신 중요도 유형 난이도 ★★★☆☆

점 (a, b)가 $y=f(x)$ 위에 있다.
⇨ $x=a$, $y=b$를 $y=f(x)$에 대입한다.

1633 중요 ●●○○

두 점 $A(2, -2)$, $B(-2, 4)$와 직선 $y=x$ 위의 점 P에 대하여 $\overline{AP}=\overline{BP}$일 때, 선분 AP의 길이는?

① $\sqrt{22}$ ② $\sqrt{23}$ ③ $2\sqrt{6}$
④ 5 ⑤ $\sqrt{26}$

1634 ●●○○

두 점 $A(1, -3)$, $B(2, -4)$와 직선 $y=3x-1$ 위의 점 P에 대하여 $\overline{AP}=\overline{BP}$일 때, 점 P의 좌표를 구하시오.

1635 ●●○○

두 점 $A(0, 6)$, $B(2, 2)$에서 같은 거리에 있는 직선 $x+y=2$ 위의 점의 좌표는?

① $(-3, 5)$ ② $(-2, 4)$ ③ $(-1, 3)$
④ $(2, 0)$ ⑤ $(3, -1)$

유형 05 선분의 길이의 합의 최솟값

내신 중요도 유형 난이도 ★★★★☆

어떤 축의 같은 쪽에 있는 두 점에 대하여 축 위의 점에서 두 점까지의 거리의 합의 최솟값을 구하는 문제는 한 점을 축에 대하여 대칭이동시키고, 그 대칭이동한 점과 다른 한 점을 선분으로 이으면 최단거리를 구할 수 있다.

1636 짱중요 ●●○○

좌표평면 위의 두 점 $A(1, 4)$, $B(5, 2)$와 x축 위를 움직이는 점 P에 대하여 $\overline{AP}+\overline{BP}$의 최솟값은?

① $2\sqrt{7}$ ② $2\sqrt{10}$ ③ $4\sqrt{3}$
④ $5\sqrt{2}$ ⑤ $2\sqrt{13}$

1637 ●●○○

좌표평면 위의 두 점 $A(7, 1)$, $B(1, 7)$과 y축 위의 점 P에 대하여 $\overline{AP}+\overline{BP}$의 최솟값을 구하시오.

1638 ●●○○

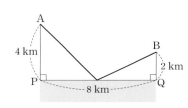

그림과 같이 A 마을에서 강변의 어느 한 지점을 거쳐 B 마을을 연결하는 도로를 만들려고 한다. $\overline{PQ}=8\,\text{km}$, $\overline{AP}=4\,\text{km}$, $\overline{BQ}=2\,\text{km}$이고 두 선분 AP, BQ는 모두 선분 PQ에 수직일 때, 가장 짧게 만들 수 있는 도로의 길이는?

(단, 도로의 폭은 생각하지 않는다.)

① 10 km ② 11 km ③ 12 km
④ 13 km ⑤ 14 km

1639 ●●●○

그림과 같이 좌표평면 위에 두 점 A$(1, 2)$, B$(2, 1)$이 있다. x축 위를 움직이는 점 P와 y축 위를 움직이는 점 Q에 대하여 $\overline{AQ}+\overline{QP}+\overline{PB}$의 최솟값을 구하시오.

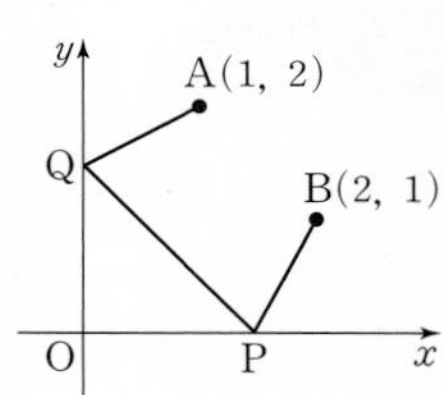

1640 ●●●○

좌표평면 위의 두 점 A$(1, 4)$, B$(4, 3)$과 직선 $y=2$ 위를 움직이는 점 P에 대하여 $\overline{AP}+\overline{BP}$의 최솟값을 구하시오.

1641 중요 ●●●○

x, y가 실수일 때,

$$\sqrt{(x-3)^2+(y+1)^2}+\sqrt{(x-6)^2+(y-3)^2}$$

의 최솟값은?

① 1 ② 2 ③ 3 ④ 4 ⑤ 5

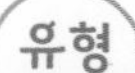

유형 06 거리의 제곱의 합의 최솟값

내신 중요도 ▬▬▬▬▬ 유형 난이도 ★★★★★

$\overline{PA}^2+\overline{PB}^2+\overline{PC}^2$의 최솟값을 구할 때
⇨ P(x, y)라 하고, $\overline{PA}^2+\overline{PB}^2+\overline{PC}^2$을 전개한 후 x, y의 완전제곱식으로 나타내어 최솟값을 구한다.

1642 ●○○○

두 점 A$(3, 0)$, B$(4, 2)$와 y축 위의 점 P에 대하여 $\overline{AP}^2+\overline{BP}^2$의 최솟값을 구하시오.

1643 ●●○○

직선 $y=2x$ 위를 움직이는 점 P와 세 점 A$(0, 0)$, B$(5, 3)$, C$(0, 2)$에 대하여 $\overline{PA}^2+\overline{PB}^2+\overline{PC}^2$의 최솟값은?

① 21 ② 23 ③ 25 ④ 27 ⑤ 29

1644 짱중요 ●●○○

두 점 A$(2, 5)$, B$(3, -4)$와 직선 $y=x-1$ 위의 점 P에 대하여 $\overline{AP}^2+\overline{BP}^2$의 값이 최소일 때, 점 P의 x좌표를 구하시오.

1645

두 점 A(1, −1), B(5, 3)에 대하여 $\overline{PA}^2+\overline{PB}^2$의 값이 최소가 되는 점 P의 좌표를 (a, b)라 할 때, $a+b$의 값은?

① 1 ② 2 ③ 3
④ 4 ⑤ 5

1646

세 점 A(0, 5), B(−5, −2), C(2, 0)이 있다. 이때, 임의의 점 P에 대하여 $\overline{PA}^2+\overline{PB}^2+\overline{PC}^2$의 최솟값은?

① 47 ② 49 ③ 52
④ 54 ⑤ 57

1647

세 점 A(6, 4), B(0, 0), C(8, 0)을 꼭짓점으로 하는 삼각형 ABC의 변 BC 위에 한 점 P가 있다. $\overline{AP}^2+\overline{BP}^2$이 최소가 될 때, $\dfrac{\overline{BP}}{\overline{CP}}$의 값은?

① $\dfrac{1}{2}$ ② $\dfrac{3}{5}$ ③ 1
④ $\dfrac{3}{2}$ ⑤ 2

유형 07 수직선 위의 내분점과 외분점

내신 중요도 ▬▬▬▬ 유형 난이도 ★★☆☆☆

(1) 수직선 위의 두 점 $A(x_1)$, $B(x_2)$에 대하여 선분 AB를 $m:n$ $(m>0,\ n>0)$으로 내분하는 점을 P, 외분하는 점을 Q라 하면
$$P\left(\frac{mx_2+nx_1}{m+n}\right),\ Q\left(\frac{mx_2-nx_1}{m-n}\right)\ (\text{단, } m\neq n)$$
(2) 선분 AB의 중점을 M이라 하면
$$M\left(\frac{x_1+x_2}{2}\right)$$

1648 중요

그림과 같이 수직선 위에 점 A부터 점 H까지 같은 간격으로 8개의 점이 있을 때, 선분 AD를 2 : 1로 내분하는 점을 P, 2 : 1로 외분하는 점을 Q라고 한다. 이때, 선분 PQ의 중점은?

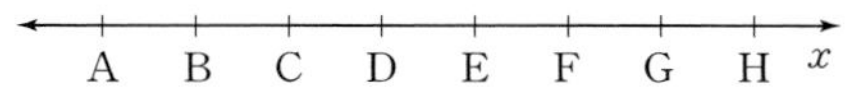

① C ② D ③ E
④ F ⑤ G

1649 교육청 기출

수직선 위의 두 점 A(1), B(7)에 대하여 선분 AB를 1 : 3으로 내분하는 점을 $P(a)$라 할 때, a의 값을 구하시오.

1650

수직선 위의 세 점 A(−1), B(3), C(x)에 대하여 $\overline{AC}=3\overline{BC}$일 때, x의 값을 구하시오. (단, $x>3$)

1651 ●○○○

수직선 위의 두 점 A(-1), B(9)를 이은 선분 AB를 $2:3$으로 내분하는 점을 P, 외분하는 점을 Q라 할 때, $\overline{PQ}$의 길이를 구하시오.

1652 ●●○○

수직선 위의 세 점 A(x), B(1), C(y)에 대하여 선분 AB를 $2:1$로 내분하는 점이 P(-2)이고, $\overline{BC}=3$일 때, $x+y$의 값은? (단, $xy<0$)

① -4 ② -2 ③ 0
④ 2 ⑤ 4

1653 교육청 기출 ●●●○

그림과 같이 두 점 P$(\sqrt{2})$, Q$(\sqrt{3})$을 수직선 위에 나타내었다.

P$(\sqrt{2})$ Q$(\sqrt{3})$ x

세 점 A$\left(\frac{\sqrt{2}+\sqrt{3}}{2}\right)$, B$\left(\frac{\sqrt{3}+3\sqrt{2}}{1+3}\right)$, C$\left(\frac{3\sqrt{3}-\sqrt{2}}{3-1}\right)$를 수직선 위에 나타낼 때, 세 점의 위치를 왼쪽부터 순서대로 나열한 것은?

① A, B, C ② A, C, B ③ B, A, C
④ B, C, A ⑤ C, B, A

유형 08 좌표평면 위의 내분점과 외분점

내신 중요도 ■■■■■ 유형 난이도 ★★★☆☆

(1) 좌표평면 위의 두 점 A(x_1, y_1), B(x_2, y_2)에 대하여 선분 AB를 $m:n$ $(m>0, n>0)$으로 내분하는 점을 P, 외분하는 점을 Q라 하면

$$\mathrm{P}\left(\frac{mx_2+nx_1}{m+n}, \frac{my_2+ny_1}{m+n}\right)$$

$$\mathrm{Q}\left(\frac{mx_2-nx_1}{m-n}, \frac{my_2-ny_1}{m-n}\right) \text{ (단, } m\neq n\text{)}$$

(2) 선분 AB의 중점을 M이라 하면

$$\mathrm{M}\left(\frac{x_1+x_2}{2}, \frac{y_1+y_2}{2}\right)$$

1654 ●○○○

두 점 A$(a, 1)$, B$(2, b)$에 대하여 선분 AB의 중점 M의 좌표가 $(3, -2)$일 때, $a+b$의 값을 구하시오.

1655 짱중요 ●○○○

두 점 A$(-2, 5)$, B$(2, 1)$에 대하여 선분 AB를 $3:1$로 내분하는 점을 P, 외분하는 점을 Q라 할 때, 선분 PQ의 길이를 구하시오.

1656 중요 ●●○○

두 점 A$(6, -4)$, B$(1, 1)$을 이은 선분 AB를 $2:3$으로 내분하는 점 P와 $2:3$으로 외분하는 점 Q에 대하여 선분 PQ의 중점의 좌표를 구하시오.

1657 중요

두 점 A$(8, -6)$, B$(a, 14)$에 대하여 선분 AB를 $2:b$로 내분하는 점의 좌표가 $(4, 2)$일 때, ab의 값은? (단, $b>0$)

① -6 ② -3 ③ 0
④ 3 ⑤ 6

1658

두 점 A$(1, 3)$, B$(0, 7)$에 대하여 점 B에서 점 A의 방향으로 그은 선분 AB의 연장선 위에 $2\overline{AB}=\overline{BC}$를 만족시키는 점 C의 좌표를 C$(a, b)$라 하자. 이때, $a-b$의 값을 구하시오.

1659

그림과 같이 두 점 A$(a, 1)$, B$(9, 16)$을 이은 선분 AB를 $2:3$으로 내분하는 점이 P$(0, b)$일 때, $b-a$의 값은?

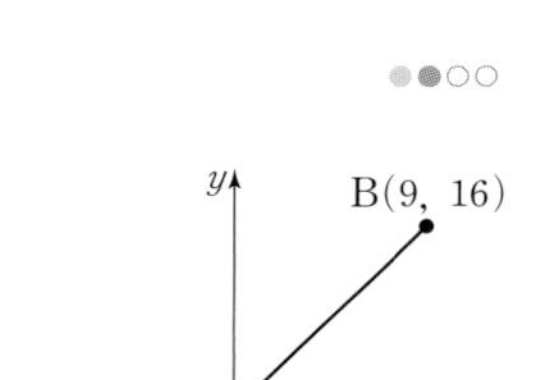
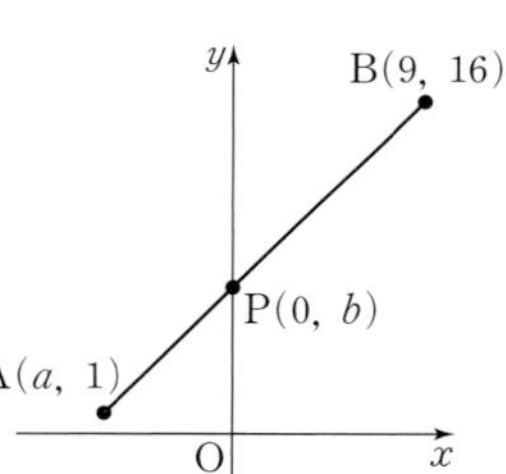

① 11 ② 12
③ 13 ④ 14
⑤ 15

1660

두 점 A$(-2, -1)$, B$(3, 5)$를 이은 선분 AB를 $m:n$으로 내분하는 점이 직선 $y=-2x+1$ 위에 있을 때, $m+n$의 값은?
(단, m과 n은 서로소인 자연수이다.)

① 8 ② 10 ③ 12
④ 14 ⑤ 16

1661

좌표평면 위의 두 점 A, B에 대하여 선분 AB의 삼등분하는 점 중에서 점 A에 가까운 쪽의 점을 A◀B, 점 B에 가까운 쪽의 점을 A▶B라 할 때, 세 점 A$(1, -4)$, B$(-2, 5)$, C$(5, -1)$에 대하여 (A▶B)◀C의 좌표를 구하시오.

1662

두 점 A$(-1, 3)$, B$(5, -2)$를 이은 선분 AB를 $t:(1-t)$로 내분하는 점 P(a, b)가 제1사분면 위의 점일 때, t의 값의 범위를 구하시오. (단, $0<t<1$)

유형 09 내신 중요도 유형 난이도 ★★★☆☆

식으로 표현된 내분점과 외분점

세 점 A, B, C에 대하여 $m\overline{AB}=n\overline{BC}$ $(m>0,\ n>0)$일 때 $\overline{AB}:\overline{BC}=n:m$에서

① 점 B는 $\overline{AC}$를 $n:m$으로 내분하는 점

② 점 C는 $\overline{AB}$를 $(n+m):m$ 또는 $(m-n):m$으로 외분하는 점

1663

두 점 $A(-1,\ 3)$, $B(3,\ 5)$를 잇는 선분 AB 위에 있지 않고 $\overline{AB}$의 연장선 위에 $2\overline{AC}=3\overline{BC}$가 되도록 하는 점 $C(a,\ b)$에 대하여 $a+b$의 값은?

① 17 ② 18 ③ 19
④ 20 ⑤ 21

1664 중요

두 점 $A(-4,\ a)$, $B(b,\ 1)$을 이은 선분 AB 위에 있는 점 P에 대하여 $3\overline{AP}=4\overline{BP}$를 만족시키는 점 P의 좌표가 $(0,\ 1)$일 때, $a+b$의 값은?

① 1 ② 2 ③ 3
④ 4 ⑤ 5

1665

두 점 $A(a,\ b)$, $B(c,\ d)$를 이은 선분 위에 점 $P(x,\ y)$가 있다. $\overline{AB}=24$이고, $4x=a+3c$, $4y=b+3d$가 성립할 때, 선분 AP의 길이는?

① 14 ② 15 ③ 16
④ 17 ⑤ 18

유형 10 내신 중요도 유형 난이도 ★★☆☆☆

평행사변형과 마름모

(1) 평행사변형의 성질

① 두 대각선은 서로 다른 것을 이등분한다.

② 두 쌍의 대변의 길이가 각각 같다.

(2) 마름모의 성질

① 두 대각선은 서로 다른 것을 수직이등분한다.

② 네 변의 길이가 모두 같다.

참고 평행사변형과 마름모의 두 대각선은 서로 다른 것을 이등분하므로 두 대각선의 중점이 서로 일치한다.

1666 중요

네 점 $A(1,\ 1)$, $B(-5,\ -1)$, $C(-1,\ -5)$, $D(x,\ y)$가 평행사변형 ABCD의 꼭짓점일 때, $x+y$의 값을 구하시오.

1667

네 점 $A(a,\ 1)$, $B(3,\ 5)$, $C(7,\ 3)$, $D(b,\ -1)$을 꼭짓점으로 하는 사각형 ABCD가 마름모일 때, $a+b$의 값을 구하시오. (단, $a>3$)

1668

네 점 $A(a,\ 5)$, $B(b,\ -4)$, $C(c,\ -1)$, $D(7,\ d)$를 꼭짓점으로 하는 평행사변형 ABCD의 두 대각선의 교점이 직선 $y=x$ 위에 있을 때, $a+b+c+d$의 값을 구하시오.

유형 11 삼각형의 무게중심

내신 중요도 ▬▬▬▬ 유형 난이도 ★★★★★

좌표평면 위의 세 점 $A(x_1, y_1)$, $B(x_2, y_2)$, $C(x_3, y_3)$에 대하여 삼각형 ABC의 무게중심 G의 좌표는

$$G\left(\frac{x_1+x_2+x_3}{3}, \frac{y_1+y_2+y_3}{3}\right)$$

1669 중요

그림에서 세 점 $A(3, 7)$, $B(-1, 3)$, $C(1, -1)$을 꼭짓점으로 하는 삼각형 ABC의 무게중심을 G라 할 때, $\overline{AG}^2$의 값을 구하시오.

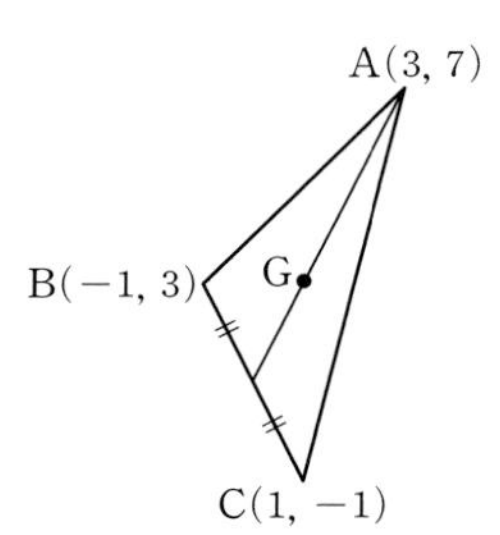

1670

두 점 $A(4, -5)$, $B(5, 2)$와 점 C를 꼭짓점으로 하는 삼각형 ABC의 무게중심이 $G(-3, 0)$일 때, 점 C의 좌표를 구하시오.

1671 교육청 기출

좌표평면 위의 세 점 $A(a, 3)$, $B(-1, b)$, $C(4, -5)$를 꼭짓점으로 하는 삼각형 ABC의 무게중심의 좌표가 $(4, 0)$일 때, $a+b$의 값은?

① 7 ② 8 ③ 9 ④ 10 ⑤ 11

1672 중요

삼각형 ABC에서 꼭짓점 A의 좌표가 $(2, 5)$이고 변 BC의 중점의 좌표가 $(-1, 2)$일 때, 삼각형 ABC의 무게중심 G의 좌표는?

① $(-2, 3)$ ② $(-2, 4)$ ③ $(0, 3)$ ④ $(0, 9)$ ⑤ $(2, 1)$

1673

삼각형 ABC에서 변 BC의 중점의 좌표가 $(-2, 3)$, 무게중심 G의 좌표가 $(-1, 2)$일 때, 꼭짓점 A의 좌표를 구하시오.

1674

세 점 $A(-3, 4)$, $B(a, -a)$, $C(2, 3)$을 연결한 삼각형 ABC의 무게중심 $G(m, n)$이 y축 위에 있을 때, $a+m+n$의 값은?

① 1 ② $\frac{3}{2}$ ③ 2 ④ $\frac{5}{2}$ ⑤ 3

해설 233쪽

1675

삼각형 ABC에서 세 변 AB, BC, CA의 중점의 좌표가 각각 P$(2, 0)$, Q$(3, 5)$, R$(-1, 1)$이라고 한다. 이 삼각형의 무게중심의 좌표를 (a, b)라 할 때, $3a+b$의 값은?

① 3　② 4　③ 5
④ 6　⑤ 7

1676 중요

삼각형 ABC의 세 변 AB, BC, CA를 $2:1$로 내분하는 점이 각각 D$(-1, -1)$, E$(4, 3)$, F$(0, 1)$이다. 삼각형 ABC의 무게중심의 좌표를 (a, b)라 할 때, $a+b$의 값을 구하시오.

1677

그림의 직사각형 ABCD에서 $\overline{AB}=18$, $\overline{AD}=12$이고, 두 대각선의 교점은 M이다. 삼각형 ABC의 무게중심을 G, 삼각형 CDM의 무게중심을 H라 할 때, 두 점 G와 H 사이의 거리는?

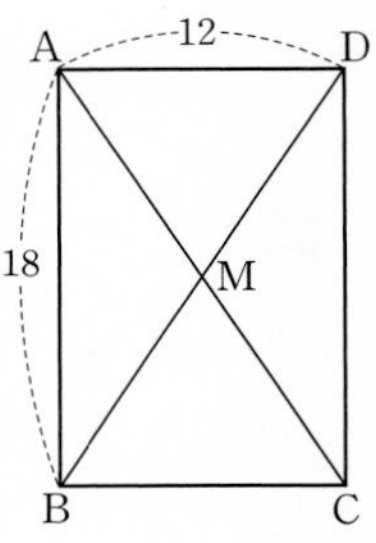

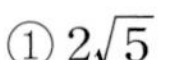
① $2\sqrt{5}$　② $3\sqrt{5}$
③ $4\sqrt{5}$　④ $5\sqrt{5}$
⑤ $6\sqrt{5}$

유형 12 내신 중요도 유형 난이도 ★★★★★

내분점과 외분점의 도형에의 응용

(1) 삼각형 ABC에서
$\overline{BM}=\overline{CM}$이면
$\triangle ABM=\triangle ACM$

(2) 삼각형 ABC에서
$\overline{BP}=\overline{PQ}=\overline{QC}$이면
$\triangle ABP=\triangle APQ=\triangle ACQ$

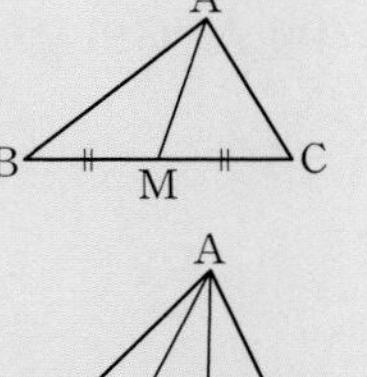

1678

좌표평면 위의 세 점 O$(0, 0)$, A$(3, 4)$, B$(1, 2)$에 대하여 $y=ax$가 삼각형 OAB의 넓이를 이등분할 때, 상수 a의 값을 구하시오.

1679 교육청 기출

좌표평면 위의 두 점 A$(2, 3)$, B$(0, 4)$에 대하여 선분 AB를 $m:n\ (m>n>0)$으로 외분하는 점을 Q라 하자. 삼각형 OAQ의 넓이가 16일 때, $\frac{n}{m}$의 값을 구하시오. (단, O는 원점이다.)

1680

그림과 같은 두 점 A$(6, 0)$, D$(0, 3)$을 이은 선분 AD 위의 두 점 B, C에 대하여 세 삼각형 AOB, BOC, COD의 넓이가 모두 같을 때, 점 C의 좌표는?

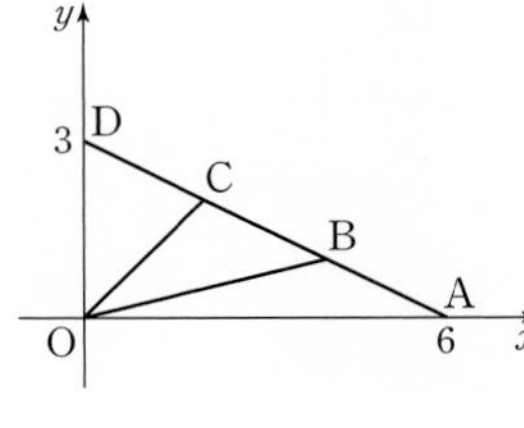

① $\left(1, \frac{5}{2}\right)$　② $(2, 2)$　③ $\left(3, \frac{3}{2}\right)$
④ $(4, 1)$　⑤ $\left(1, \frac{1}{2}\right)$

1681 중요

세 점 A(0, 3), B(−2, −3), C(4, 0)을 꼭짓점으로 하는 삼각형 ABC의 변 BC 위에 점 P(a, b)가 있다. 삼각형 ABP와 삼각형 APC의 넓이의 비가 2 : 1일 때, $a+b$의 값은?

① −3 ② −1 ③ 0
④ 1 ⑤ 3

1682 교육청 기출

직선 $y=\frac{1}{3}x$ 위의 두 점 A(3, 1), B(a, b)가 있다. 제2사분면 위의 한 점 C에 대하여 삼각형 BOC와 삼각형 OAC의 넓이의 비가 2 : 1일 때, $a+b$의 값을 구하시오. (단, $a<0$이고, O는 원점이다.)

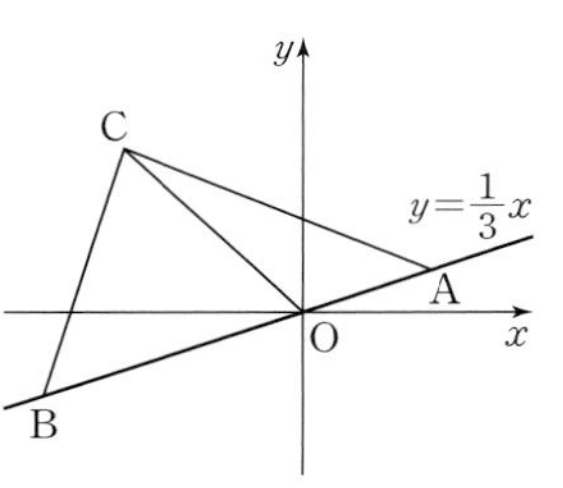

1683

그림과 같이 국자 모양의 별자리 북두칠성을 좌표평면 위에 나타내면 국자 부분의 두 별의 위치가 A(−4, 2), B(−2, 1)이라 한다. 이때, 직선 AB 위에 점 B로부터 오른쪽 방향으로 선분 AB의 길이의 5배가 되는 위치에 북극성이 있다고 한다. 북극성의 위치를 좌표로 나타내면?

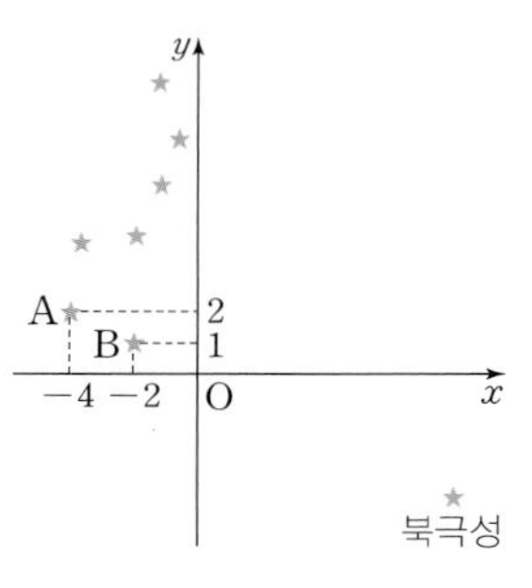

① (11, −7) ② (9, −7) ③ (8, −4)
④ (7, −6) ⑤ (6, −6)

유형 13 중선정리와 각의 이등분선의 성질

내신 중요도 유형 난이도 ★★★★★

(1) 중선정리(파푸스의 정리)
삼각형 ABC에서 변 BC의 중점을 M이라 하면
$\overline{AB}^2+\overline{AC}^2=2(\overline{AM}^2+\overline{BM}^2)$

(2) 각의 이등분선의 성질
① 삼각형 ABC에서 ∠A의 이등분선이 변 BC와 만나는 점을 D라 하면
$\overline{AB}:\overline{AC}=\overline{BD}:\overline{CD}$
② 삼각형 ABC에서 ∠A의 외각의 이등분선이 변 BC의 연장선과 만나는 점을 D라 하면
$\overline{AB}:\overline{AC}=\overline{BD}:\overline{CD}$

1684 중요

그림과 같이 $\overline{AB}=4$, $\overline{AC}=6$, B(−2, −1), C(2, −3)이고 점 A에서 변 BC에 선을 그었을 때, 삼각형 ABC의 넓이를 이등분하며 만나는 점을 D라 하자. 이때, 선분 AD의 길이를 구하시오.

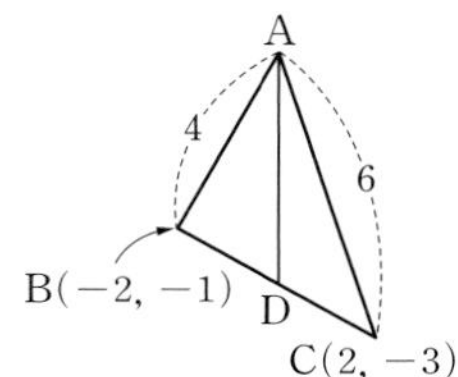

1685

그림에서 점 M은 변 BC의 중점이다. $\overline{AB}=8$, $\overline{AC}=4$, $\overline{AM}=2\sqrt{3}$일 때, 선분 BM의 길이를 구하시오.

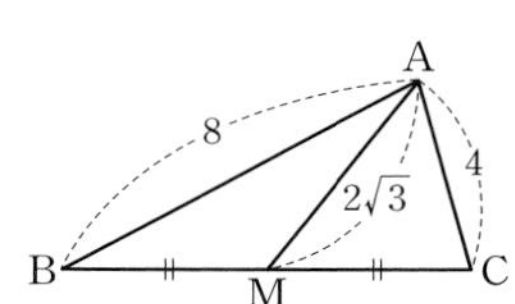

해설 236쪽

1686 ●●●○

그림과 같이 좌표평면 위의 두 점 A(1, 2), B(4, −2)에 대하여 ∠AOB의 이등분선이 선분 AB와 만나는 점을 P라 하자. 이때, 선분 AP의 길이를 구하시오.

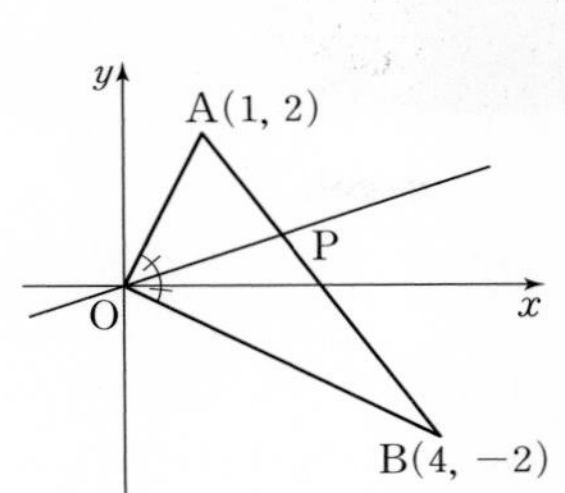

1687 교육청 기출 ●●●○

좌표평면 위의 두 점 P(3, 4), Q(12, 5)에 대하여 ∠POQ의 이등분선과 선분 PQ와의 교점의 x좌표를 $\frac{b}{a}$라 할 때, $a+b$의 값을 구하시오. (단, 점 O는 원점이고, a와 b는 서로소인 자연수이다.)

1688 중요 ●●●○

그림과 같은 직각삼각형 ABC에서 선분 AD는 ∠A의 이등분선이다. 세 점 B, C, D의 좌표가 각각 B(2, 0), C(−4, 3), D(0, 1)일 때, 변 AC의 길이를 구하시오.

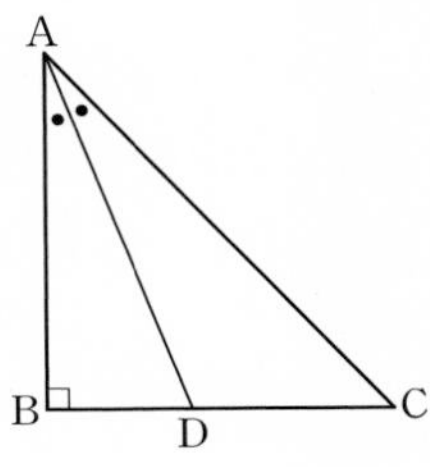

유형 **14** 자취의 방정식

내신 중요도 ■■■■■ 유형 난이도 ★★★★★

구하는 자취의 임의의 점을 P(x, y)로 놓고, 주어진 조건식을 이용하여 x, y의 관계식을 구한다.

1689 ●●○○

두 점 A(1, 2), B(3, 4)로부터 같은 거리에 있는 점 P의 자취의 방정식이 $ax+by=5$일 때, 상수 a, b의 합 $a+b$의 값은?

① 1　② 2　③ 3　④ 4　⑤ 5

1690 ●●●●

점 A(−1, 4)와 직선 $2x-y-4=0$ 위의 점을 이은 선분의 중점의 자취의 방정식을 구하시오.

1691 ●●●○

두 점 A(3, 2), B(1, 1)에 대하여 $\overline{AP}^2-\overline{BP}^2=5$를 만족시키는 점 P의 자취의 방정식이 $ax+y+b=0$일 때, 두 상수 a, b에 대하여 $a-b$의 값은?

① 2　② 3　③ 4　④ 5　⑤ 6

1692

좌표평면 위의 두 점 $\mathrm{A}(2,\ 1)$, $\mathrm{B}(4,\ a)$ 사이의 거리가 $2\sqrt{5}$가 되도록 하는 양수 a의 값은?

① 2　② 3　③ 4　④ 5　⑤ 6

1693

세 점 $\mathrm{O}(0,\ 0)$, $\mathrm{A}(1,\ a)$, $\mathrm{B}(-1,\ \sqrt{3})$을 꼭짓점으로 하는 삼각형 OAB가 정삼각형이 되도록 하는 a의 값은?

① $\sqrt{2}$　② $\sqrt{3}$　③ 2　④ $\sqrt{5}$　⑤ $\sqrt{6}$

1694

두 점 $\mathrm{A}(3,\ 2)$, $\mathrm{B}(1,\ 4)$에서 같은 거리에 있는 x축 위의 점 P의 좌표를 구하시오.

1695

좌표평면 위의 두 점 $\mathrm{A}(5,\ 2)$, $\mathrm{B}(1,\ 4)$와 x축 위의 점 P, y축 위의 점 Q에 대하여 $\overline{\mathrm{AP}}+\overline{\mathrm{PQ}}+\overline{\mathrm{QB}}$의 최솟값은?

① 4　② $4\sqrt{2}$　③ 6　④ $6\sqrt{2}$　⑤ 10

1696

두 점 $\mathrm{A}(1,\ 2)$, $\mathrm{B}(4,\ 5)$와 직선 $y=x$ 위의 점 $\mathrm{P}(a,\ b)$에 대하여 $\overline{\mathrm{AP}}^2+\overline{\mathrm{BP}}^2$의 최솟값을 m이라 할 때, $a+b+m$의 값을 구하시오.

1697

수직선 위의 두 점 $\mathrm{A}(-4)$, $\mathrm{B}(8)$에 대하여 직선 AB 위에 $3\overline{\mathrm{AP}}=\overline{\mathrm{BP}}$를 만족시키는 점 P를 각각 P_1, P_2라 할 때, $\overline{\mathrm{P}_1\mathrm{P}_2}$의 값은?

① 5　② 6　③ 7　④ 8　⑤ 9

1698 서술형

두 점 $A(2, 1)$, $B(5, 4)$에 대하여 선분 AB를 $1:2$로 내분하는 점을 P, $1:2$로 외분하는 점을 Q라 할 때, 선분 PQ의 길이를 구하시오.

1699

두 점 $A(-2, 0)$, $B(0, 7)$을 이은 선분 AB를 $1:k$로 내분하는 점이 직선 $y=-x+1$ 위에 있을 때, 양수 k의 값은?

① 1 ② 2 ③ 3 ④ 4 ⑤ 5

1700 서술형

두 점 $A(2, 2)$, $B(4, 6)$을 이은 선분 AB의 연장선 위에 있는 점 C가 $3\overline{AB}=2\overline{BC}$를 만족할 때, 점 C의 좌표를 모두 구하시오.

1701

세 점 $A(2, -2)$, $B(0, 3)$, $C(a, b)$를 꼭짓점으로 하는 삼각형 ABC의 무게중심 G의 좌표가 $(-1, 1)$일 때, $a+b$의 값은?

① -3 ② -2 ③ -1 ④ 0 ⑤ 1

1702

세 점 $A(0, 5)$, $B(-4, -3)$, $C(5, 3)$을 꼭짓점으로 하는 삼각형 ABC에 대하여 꼭짓점 A를 지나는 직선 l이 선분 BC와 만나는 점을 D라 하자.

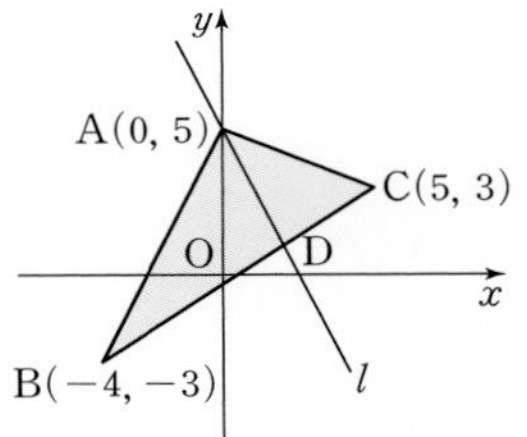

$\triangle ACD=\frac{1}{3}\triangle ABC$일 때, 점 D의 좌표를 구하시오.

1703

세 점 $A(1, 5)$, $B(-2, 1)$, $C(7, -3)$을 꼭짓점으로 하는 삼각형 ABC가 있다. $\angle A$의 이등분선이 변 BC와 만나는 점을 D라 할 때, 두 삼각형 ABD와 ACD의 넓이의 비를 구하시오.

고난도 문제 일등급 go! go!

Level 1

1704

한 변의 길이가 5인 정사각형 ABCD의 내부의 점 P에 대하여 $\overline{\mathrm{AP}}=2\sqrt{2}$, $\overline{\mathrm{BP}}=\sqrt{13}$일 때, 선분 DP의 길이는?

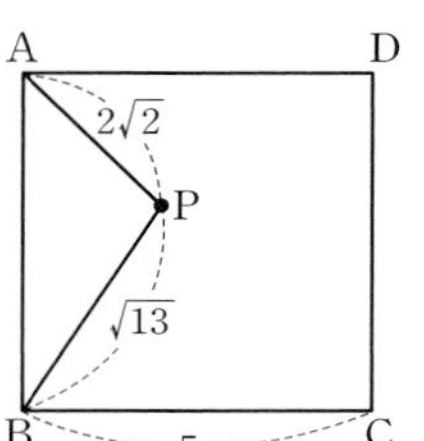

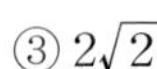
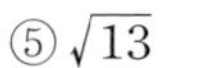

① $\sqrt{6}$　② $\sqrt{7}$　③ $2\sqrt{2}$　④ 3　⑤ $\sqrt{13}$

1705

좌표평면 위에 점 O(0, 0), A (a, b), B(4, -2)가 있다. 이때, $\sqrt{a^2+b^2}+\sqrt{(a-4)^2+(b+2)^2}$의 최솟값은?

① $\sqrt{7}$　② 3　③ $\sqrt{13}$　④ 4　⑤ $2\sqrt{5}$

1706

좌표평면 위의 두 점 A(-1, 1), B(2, 5)와 x축 위를 움직이는 점 P를 세 꼭짓점으로 하는 삼각형 APB의 둘레의 길이의 최솟값은?

① $4+3\sqrt{5}$　② $5+3\sqrt{5}$　③ $6+3\sqrt{5}$　④ $5+6\sqrt{5}$　⑤ $6+6\sqrt{5}$

1707

그림과 같이 점 P가 x축 위를 움직이고 점 Q가 직선 $y=10$ 위를 움직일 때, 두 점 A(0, 2), B(20, 7)에 대하여 $\overline{\mathrm{AP}}+\overline{\mathrm{PQ}}+\overline{\mathrm{QB}}$의 최솟값은?

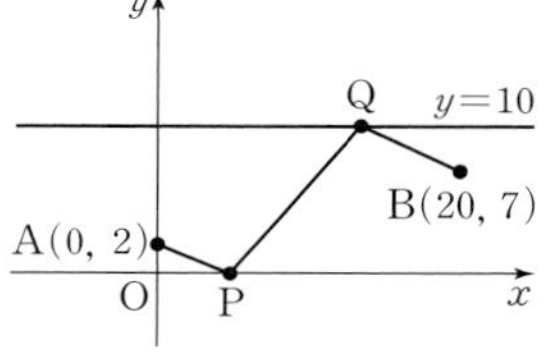

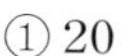

① 20　② 25　③ 30　④ 35　⑤ 40

1708

그림과 같이 좌표평면 위의 한 점 A$(4,\ 3)$을 꼭짓점으로 하는 정삼각형 ABC의 무게중심이 원점 O일 때, 삼각형 ABC의 넓이는?

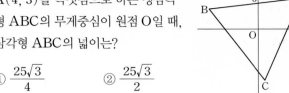

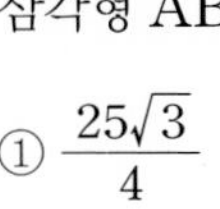

① $\frac{25\sqrt{3}}{4}$　② $\frac{25\sqrt{3}}{2}$　③ $\frac{75\sqrt{3}}{4}$　④ $\frac{75\sqrt{3}}{2}$　⑤ $\frac{125\sqrt{3}}{4}$

1709

중심이 O, O′인 두 원이 서로 다른 두 점 A, B에서 만나고 $\overline{OO'}=4$이고, 선분 OO′을 $3:1$로 내분하는 점을 P, 외분하는 점을 Q라 한다. 두 삼각형 OPA와 OQB의 넓이의 비가 $m:n$일 때, $m+n$의 값을 구하시오. (단, m, n은 서로소이다.)

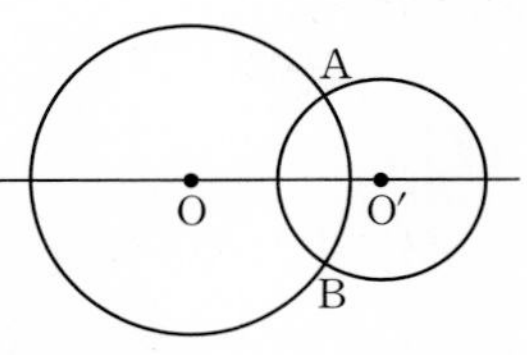

1710

두 점 P$(a,\ b)$, Q$(a+b,\ a-2b)$에 대하여 점 P가 직선 $y=x-1$ 위를 움직일 때, 점 Q의 자취의 방정식은?

① $x+2y=1$　② $x+2y=3$　③ $x-2y=1$　④ $x-2y=3$　⑤ $x-2y=-3$

Level 2

1711

세 점 A$(1,\ 1)$, B$(3,\ 5)$, C$(7,\ 3)$을 꼭짓점으로 하는 삼각형 ABC의 세 변의 수직이등분선이 한 점 $(a,\ b)$에서 만날 때, $a+b$의 값은?

① 3　② 4　③ 5　④ 6　⑤ 7

1712

그림과 같이 좌표평면 위의 세 점 P$(3,\ 7)$, Q$(1,\ 1)$, R$(9,\ 3)$으로부터 같은 거리에 있는 직선 l이 선분 PQ, PR와 만나는 점을 각각 A, B라 하고, 선분 QR의 중점을 C라 하자. 삼각형 ABC의 무게중심의 좌표를 G$(x,\ y)$라 할 때, $x+y$의 값은?

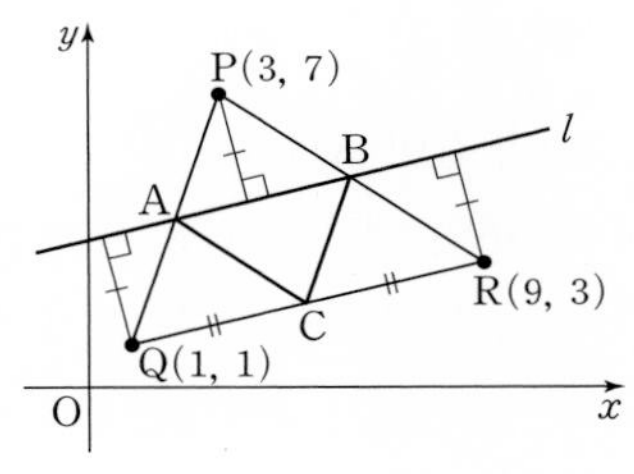

① $\frac{16}{3}$　② 6　③ $\frac{20}{3}$　④ $\frac{22}{3}$　⑤ 8

1713

좌표평면 위에 세 점 O(0, 0), A(8, 8), B(12, 0)이 있다. 선분 OB 위의 점 C(a, b)와 선분 AC 위의 점 D(c, d)에 대하여 4개의 삼각형 OAD, OCD, ABD, BCD의 넓이가 모두 같을 때, $a+b+c+d$의 값은?

① 13 ② 14 ③ 15
④ 16 ⑤ 17

1714

그림과 같이 $\overline{AB}=6$, $\overline{AC}=4$, $\overline{BC}=6$인 삼각형 ABC에 대하여 변 BC의 삼등분점을 각각 D, E라 하고, $\overline{AD}=a$, $\overline{AE}=b$라 할 때, a^2+b^2의 값은?

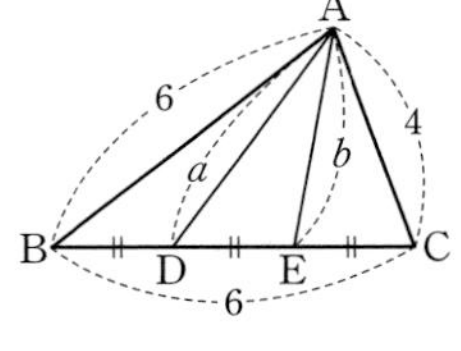

① 2 ② 8 ③ 13
④ 36 ⑤ 52

1715 교육청 기출

삼각형 ABC에서 선분 BC를 1 : 3으로 내분하는 점을 D, 선분 BC를 2 : 3으로 외분하는 점을 E, 선분 AB를 1 : 2로 외분하는 점을 F라 하자. 삼각형 FEB의 넓이는 삼각형 ABD의 넓이의 k배이다. 이때, 상수 k의 값을 구하시오.

Level 3

1716 교육청 기출

수직선 위의 서로 다른 세 점 A(a), B(b), C(c)에 대하여 선분 AC를 m : n으로 내분하는 점 P(p)가 선분 BC를 m : n으로 외분하는 점이 될 때, 〈보기〉에서 옳은 것만을 있는 대로 고른 것은? (단, $m\neq n$, $m>0$, $n>0$)

보기

ㄱ. $a=1$, $b=5$, $m=1$, $n=2$이면 $c=7$이다.
ㄴ. $m>n$이면 $a<p<b<c$이다.
ㄷ. $p=\dfrac{a+b}{2}$

① ㄱ ② ㄴ ③ ㄱ, ㄷ
④ ㄴ, ㄷ ⑤ ㄱ, ㄴ, ㄷ

1717 교육청 기출

그림과 같이 좌표평면에 원점 O를 한 꼭짓점으로 하는 삼각형 OAB가 있다. 선분 OA를 2 : 1로 외분하는 점을 C, 선분 OB를 2 : 1로 외분하는 점을 D라 할 때, 두 선분 AD와 BC의 교점을 E(p, q)라 하자. 삼각형 OAB의 무게중심의 좌표가 $(5, 4)$일 때, $p+q$의 값을 구하시오.

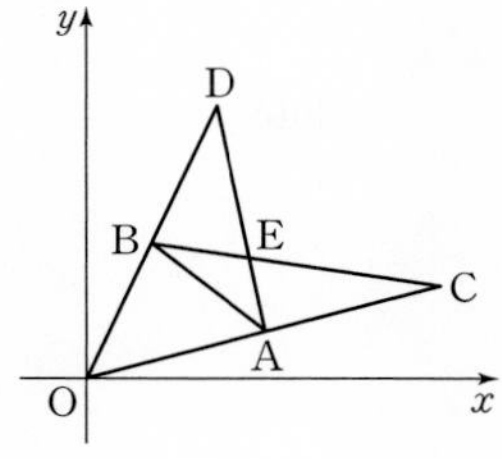

1718

좌표평면 위의 네 점 A$(-1, 0)$, B$(-1, -1)$, C$(0, -1)$, D(a, a)를 꼭짓점으로 하는 사각형 ABCD가 있다. y축이 사각형 ABCD의 넓이를 이등분할 때, 양수 a의 값은?

① $\frac{-1+\sqrt{5}}{2}$ ② $\frac{\sqrt{5}}{2}$ ③ $\frac{1+\sqrt{5}}{2}$
④ $\frac{2+\sqrt{5}}{2}$ ⑤ $\sqrt{5}$

1719 교육청 기출

$\overline{AB}=2\sqrt{3}$, $\overline{BC}=2$인 삼각형 ABC에서 선분 BC의 중점을 D라 할 때, $\overline{AD}=\sqrt{7}$이다. 각 ACB의 이등분선이 선분 AB와 만나는 점을 E, 선분 CE와 선분 AD가 만나는 점을 P, 각 APE의 이등분선이 선분 AB와 만나는 점을 R, 선분 PR의 연장선이 선분 BC와 만나는 점을 Q라 하자. 삼각형 PRE의 넓이를 S_1, 삼각형 PQC의 넓이를 S_2라 할 때, $\frac{S_2}{S_1}=a+b\sqrt{7}$이다. ab의 값을 구하시오. (단, a, b는 유리수이다.)

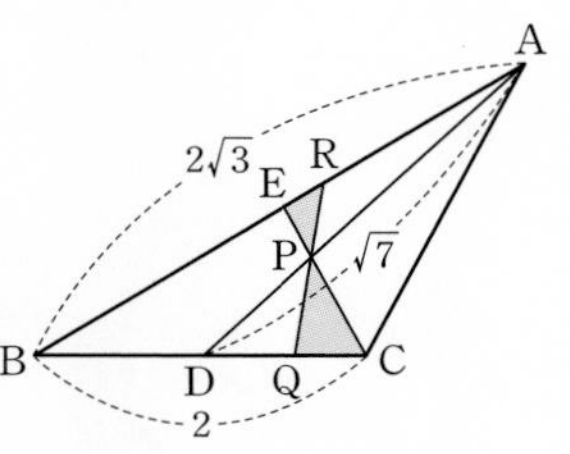

Reading Material

" 세계 최초의 여성 수학자 "

수학의 역사를 들여다보면 수많은 수학자들의 이름을 만나게 되지만, 여성 수학자의 이름은 현대에 들어서기까지 좀처럼 눈에 띄지 않는다.

하지만 4세기경 나타난 첫 여성 수학자가 있는데, 바로 히파티아이다. 고대에서 근대에 이르기까지 여성이 제대로 된 교육을 받지 못하고, 인간 대접도 받지 못하던 시대에서 역사에 이름을 새길 정도라면 그의 위치와 능력이 매우 뛰어났음을 알 수 있다.

히파티아는 그녀의 아버지 테온에게 수학을 배운 것으로 알려져 있다. 그녀는 복잡한 수학 이론에 대한 쉽고 뛰어난 해석과 그에 따른 주석을 내놓았다. 또한 이를 바탕으로 아폴로니오스, 디오판토스, 아르키메데스 등이 이룬 수학적 업적을 사람들에게 쉽게 가르칠 수 있는 책들을 만들었다고 한다.

물론 직접 학생들에게 수학을 가르치기도 했다. 히파티아의 이런 교사로서의 능력은 지금까지 전해지는 여러 자료들에 많이 언급되어 있다.

이렇듯 뛰어난 수학자의 면모를 보여 준 히파티아였지만 그녀가 활발하게 활동하던 때는 철학과 기독교의 갈등이 지속되던 시기였는데, 그녀의 수학 연구 활동은 로마 기독교의 교리에 위배되었다.

이 때문에 그녀는 광적인 기독교 신도들의 표적이 되었고, 안타깝게도 히파티아는 결국 광신적인 기독교 수도승에 의해 살해당했다.

그러나 히파티아는 편협한 종교의 공격을 받아 채 피우지 못한 사상과 여성의 자유를 훗날 자신의 죽음을 발판으로 되살리게 되고, 근대 계몽사상가들에 의해 그녀의 삶은 재조명되었다.

'가장 아름답고 순결하며, 탁월한 지성을 갖춘 여성'으로 인정받았으며, 페미니스트 철학계에서도 그녀의 이름이 다양한 방식으로 언급되고 있다.

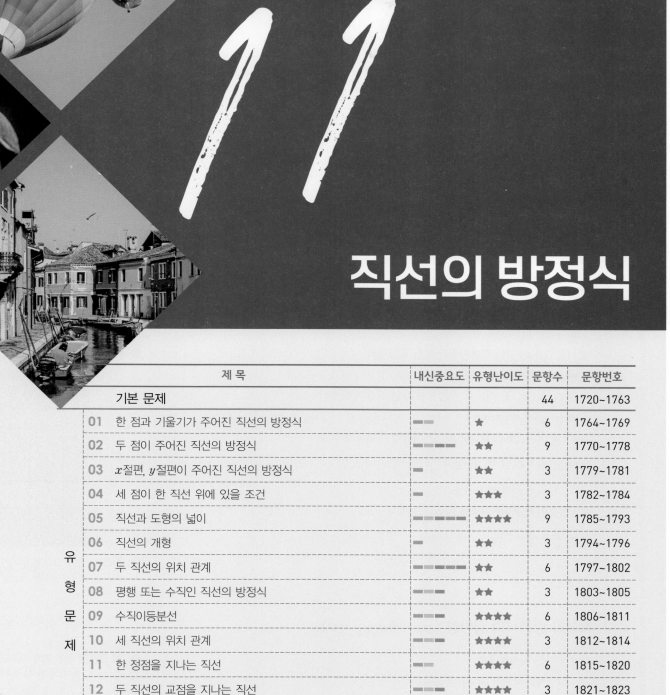

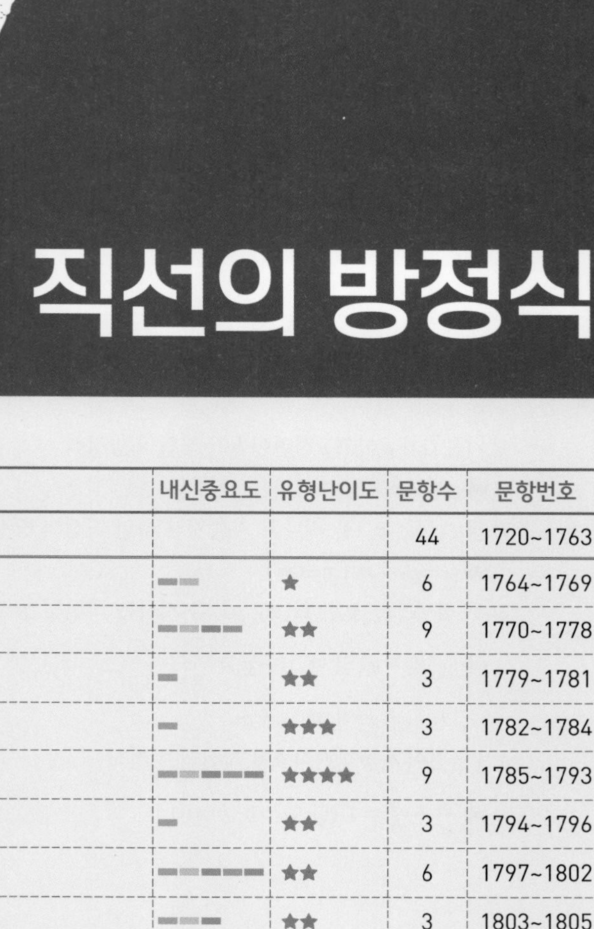

11 직선의 방정식

		제 목	내신중요도	유형난이도	문항수	문항번호
		기본 문제			44	1720~1763
유형 문제	01	한 점과 기울기가 주어진 직선의 방정식	▬▬	★	6	1764~1769
	02	두 점이 주어진 직선의 방정식	▬▬▬▬	★★	9	1770~1778
	03	x절편, y절편이 주어진 직선의 방정식	▬	★★	3	1779~1781
	04	세 점이 한 직선 위에 있을 조건	▬	★★★	3	1782~1784
	05	직선과 도형의 넓이	▬▬▬▬▬	★★★★	9	1785~1793
	06	직선의 개형	▬	★★	3	1794~1796
	07	두 직선의 위치 관계	▬▬▬▬▬	★★	6	1797~1802
	08	평행 또는 수직인 직선의 방정식	▬▬▬	★★	3	1803~1805
	09	수직이등분선	▬▬▬	★★★★	6	1806~1811
	10	세 직선의 위치 관계	▬▬▬	★★★★	3	1812~1814
	11	한 정점을 지나는 직선	▬▬	★★★★	6	1815~1820
	12	두 직선의 교점을 지나는 직선	▬▬▬	★★★★	3	1821~1823
	13	점과 직선 사이의 거리	▬▬▬▬▬	★★★	9	1824~1832
	14	평행한 두 직선 사이의 거리	▬▬	★★★	3	1833~1835
	15	점과 직선 사이의 거리의 응용	▬▬▬	★★★★★	6	1836~1841
	16	자취의 방정식	▬▬	★★★★	5	1842~1846
		적중 문제			12	1847~1858
		고난도 문제			18	1859~1876

직선의 방정식

1. 직선의 방정식

(1) 기울기가 a이고 y절편이 b인 직선의 방정식

➡ $y=ax+b$

(2) 점 $\mathrm{A}(x_1, y_1)$을 지나고 기울기가 m인 직선의 방정식

➡ $y-y_1=m(x-x_1)$

(3) 두 점 $\mathrm{A}(x_1, y_1)$, $\mathrm{B}(x_2, y_2)$를 지나는 직선의 방정식

➡ ① $x_1 \neq x_2$일 때, $y-y_1=\dfrac{y_2-y_1}{x_2-x_1}(x-x_1)$

② $x_1=x_2$일 때, $x=x_1$

(4) x절편이 a, y절편이 b인 직선의 방정식

➡ $\dfrac{x}{a}+\dfrac{y}{b}=1$ (단, $a\neq 0$, $b\neq 0$)

● 축에 평행한 직선의 방정식

① x절편이 a이고 y축에 평행한 직선의 방정식 ⇨ $x=a$

② y절편이 b이고 x축에 평행한 직선의 방정식 ⇨ $y=b$

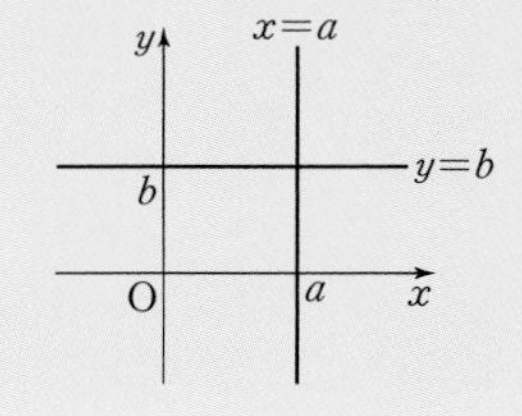

● 직선이 x축의 양의 방향과 이루는 각의 크기가 $x°$이면 기울기는 $\tan x°$이다.
(단, $0° < x° < 90°$)

2. 직선의 방정식의 일반형 $(ax+by+c=0)$

x, y에 대한 일차방정식

$ax+by+c=0$ ($a\neq 0$ 또는 $b\neq 0$)

의 꼴을 직선의 방정식의 일반형이라고 한다.

(1) $a\neq 0$, $b\neq 0$일 때 ➡ $y=-\dfrac{a}{b}x-\dfrac{c}{b}$

(2) $a=0$, $b\neq 0$일 때 ➡ $y=-\dfrac{c}{b}$

(3) $a\neq 0$, $b=0$일 때 ➡ $x=-\dfrac{c}{a}$

● 세 점이 한 직선 위에 있을 조건

세 점 A, B, C가 한 직선 위에 있다.

➡ ($\overline{\mathrm{AB}}$의 기울기)=($\overline{\mathrm{BC}}$의 기울기)
=($\overline{\mathrm{CA}}$의 기울기)

➡ 두 점 A, B를 지나는 직선 위에 점 C가 있다.

3. 두 직선의 위치 관계

두 직선 $y=mx+n$, $y=m'x+n'$에 대하여

(1) 한 점에서 만난다. ➡ $m\neq m'$

(2) 평행하다. ➡ $m=m'$, $n\neq n'$

(3) 일치한다. ➡ $m=m'$, $n=n'$

(4) 수직이다. ➡ $mm'=-1$

두 직선
$ax+by+c=0$, $a'x+b'y+c'=0$
에 대하여

① 평행하다. ➡ $\frac{a}{a'}=\frac{b}{b'}\neq\frac{c}{c'}$

② 수직이다. ➡ $aa'+bb'=0$

4. 교점을 지나는 직선의 방정식

(1) 두 직선 $ax+by+c=0$, $a'x+b'y+c'=0$이 평행하지 않을 때,
직선 $ax+by+c+k(a'x+b'y+c')=0$은 실수 k의 값에 관계없이 항상 두 직선 $ax+by+c=0$, $a'x+b'y+c'=0$의 교점을 지난다.

(2) 한 점에서 만나는 두 직선 $ax+by+c=0$, $a'x+b'y+c'=0$의 교점을 지나는 직선의 방정식은

$$ax+by+c+k(a'x+b'y+c')=0 \text{ (단, } k\text{는 실수)}$$

수직이등분선

선분 AB의 수직이등분선을 l이라 하면

① 직선 l은 선분 AB의 중점을 지난다.

② $l\perp\overline{\mathrm{AB}}$이므로 두 직선의 기울기의 곱은 -1이다.

직선 $(x-x_1)m+y-y_1=0$은 실수 m의 값에 관계없이 점 (x_1, y_1)을 지난다.

5. 점과 직선 사이의 거리

점 $\mathrm{P}(x_1, y_1)$과 직선 $ax+by+c=0$ 사이의 거리 d는

$$d=\frac{|ax_1+by_1+c|}{\sqrt{a^2+b^2}}$$

또한, 원점과 직선 $ax+by+c=0$ 사이의 거리 d는

$$d=\frac{|c|}{\sqrt{a^2+b^2}}$$

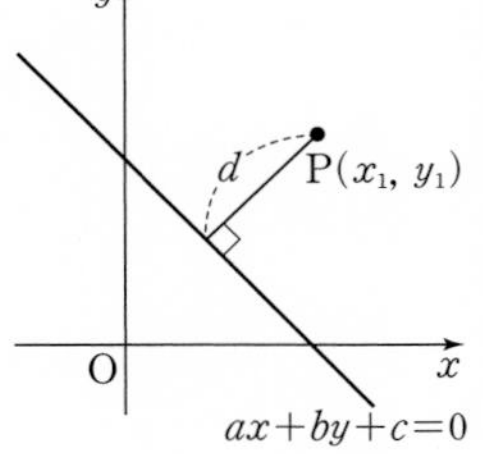

평행한 두 직선 사이의 거리 구하기

평행한 두 직선
$ax+by+c=0$, $a'x+b'y+c'=0$
사이의 거리는 한 직선 위의 임의의 점과 다른 직선 사이의 거리와 같다.

1 직선의 방정식

[1720-1722] 다음 직선의 x절편, y절편, 기울기를 구하시오.

1720 $y=2x+5$

1721 $y=-x+1$

1722 $4x-y+2=0$

2 한 점과 기울기가 주어진 직선의 방정식

[1723-1724] 다음 그림을 보고, 직선의 방정식을 구하시오.

1723

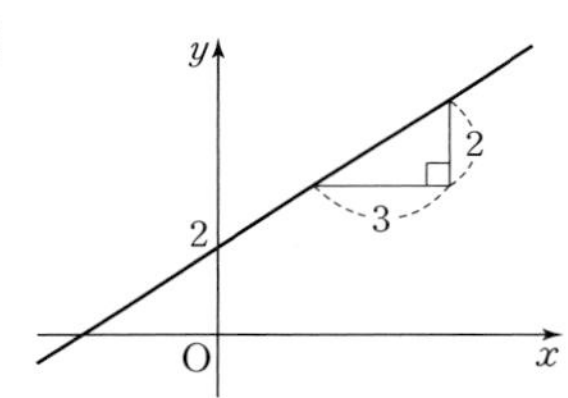

1724

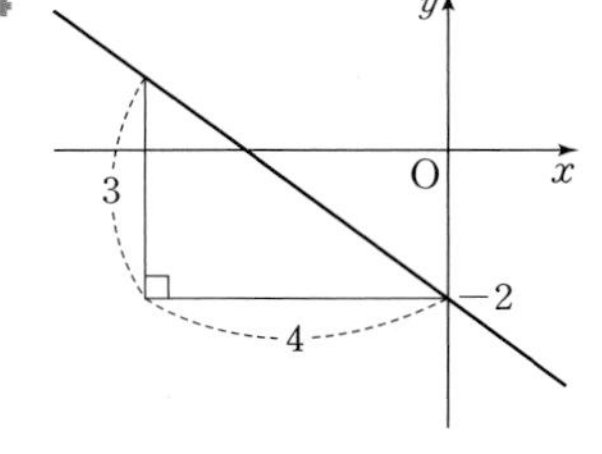

[1725-1728] 다음 직선의 방정식을 구하시오.

1725 기울기가 -1이고, y절편이 2인 직선

1726 기울기가 -3이고, 원점을 지나는 직선

1727 기울기가 4이고, 점 $(0, 3)$을 지나는 직선

1728 기울기가 5이고, 점 $(-3, 10)$을 지나는 직선

3 두 점이 주어진 직선의 방정식

[1729-1730] 다음 두 점을 지나는 직선의 기울기를 구하시오.

1729 $(0, 0)$, $(3, 5)$

1730 $(-2, 1)$, $(2, 3)$

[1731-1735] 다음 두 점을 지나는 직선의 방정식을 구하시오.

1731 $(0, 0)$, $(2, 4)$

1732 $(2, 1)$, $(4, 4)$

1733 $(4, -5)$, $(1, 1)$

1734 $(-3, 4)$, $(-3, -1)$

1735 $(6, 5)$, $(-2, 5)$

4 x절편, y절편이 주어진 직선의 방정식

[1736-1737] 다음 직선의 방정식을 구하시오.

1736 x절편이 8, y절편이 2인 직선

1737 x절편이 -3, y절편이 9인 직선

5 직선의 방정식의 일반형

[1738-1740] 다음 직선의 방정식을 $ax+by+c=0$의 꼴로 나타내시오.

1738 기울기가 $\frac{6}{5}$이고, 점 $(5, 3)$을 지나는 직선

1739 두 점 $(-3, 5)$, $(6, -7)$을 지나는 직선

1740 x절편이 -6, y절편이 -4인 직선

6 직선의 개형

[1741-1742] 직선 $y=ax+b$의 그래프가 다음과 같을 때, a, b의 부호를 말하시오.

1741

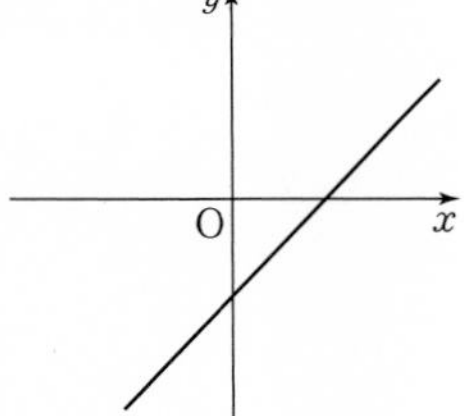

1742

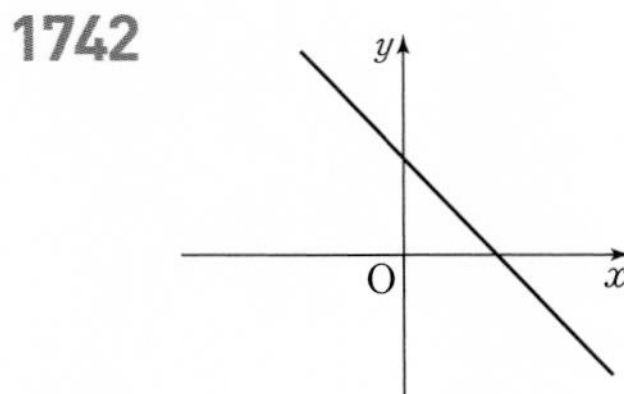

[1743-1744] 직선 $ax+by+c=0$의 그래프가 다음과 같다. $a>0$일 때, b, c의 부호를 말하시오.

1743

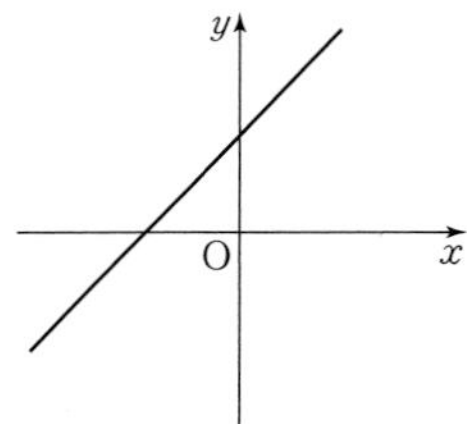

1744

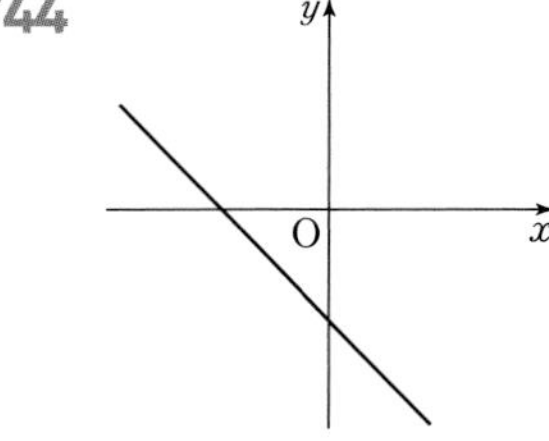

7 두 직선의 위치 관계

[1745-1746] 두 직선 $y=-3x+1$, $y=mx+5$에 대하여 다음 조건을 만족시키도록 상수 m의 값을 구하시오.

1745 두 직선이 평행

1746 두 직선이 수직

[1747-1748] 두 직선 $x-2y+2=0$, $x-ay-1=0$에 대하여 다음 조건을 만족시키도록 상수 a의 값을 구하시오.

1747 두 직선이 평행

1748 두 직선이 수직

[1749-1751] 다음 물음에 답하시오.

보기

ㄱ. $2x+y-4=0$　　ㄴ. $2x+y-2=0$

ㄷ. $x-y+2=0$　　ㄹ. $x+2y-3=0$

ㅁ. $x-2y-3=0$　　ㅂ. $3x-3y+6=0$

1749 서로 평행한 직선을 〈보기〉에서 있는 대로 고르시오.

1750 서로 수직인 직선을 〈보기〉에서 있는 대로 고르시오.

1751 서로 일치하는 직선을 〈보기〉에서 있는 대로 고르시오.

[1752-1754] 점 $(1,\ 4)$를 지나고, 다음 직선에 평행한 직선의 방정식을 구하시오.

1752 $y=2x-1$

1753 $y=-4x+1$

1754 $3x-y+4=0$

[1755-1757] 점 $(-1,\ -2)$를 지나고, 다음 직선에 수직인 직선의 방정식을 구하시오.

1755 $y=x+3$

1756 $y=-3x-2$

1757 $x+2y-5=0$

8 점과 직선 사이의 거리

[1758-1763] 다음과 같이 주어진 점과 직선 사이의 거리를 구하시오.

1758 점 $(0,\ 0)$, 직선 $3x-4y+5=0$

1759 점 $(0,\ -4)$, 직선 $x+y-2=0$

1760 점 $(4,\ -5)$, 직선 $3x-2y+4=0$

1761 점 $(7,\ 3)$, 직선 $2x-y+4=0$

1762 점 $(2,\ -3)$, 직선 $y=5x$

1763 점 $(0,\ 5)$, 직선 $y=2x+10$

유형 문제

내신 출제 유형 정복하기

유형 01 내신 중요도 ▬▬▬▬▬ 유형 난이도 ★☆☆☆☆

한 점과 기울기가 주어진 직선의 방정식

(1) 기울기가 a이고 y절편이 b인 직선의 방정식은
$y=ax+b$

(2) 점 $A(x_1, y_1)$을 지나고, 기울기가 m인 직선의 방정식은
$y-y_1=m(x-x_1)$

1764 ●○○○

점 $(2, 5)$를 지나고, 기울기가 a인 직선의 방정식을 $y=-3x+b$라 할 때, 두 상수 a, b의 합 $a+b$의 값은?

① 6 ② 7 ③ 8
④ 9 ⑤ 10

1765 짱중요 ●○○○

점 $(2, -4)$를 지나고, 기울기가 -3인 직선의 x절편을 a, y절편을 b라 할 때, ab의 값을 구하시오.

1766 ●●○○

기울기가 $\sqrt{3}$인 직선이 직선 $y=-x+2$와 x축 위에서 만난다. 이 직선이 y축과 만나는 점의 y좌표는?

① $-2\sqrt{3}$ ② $-\sqrt{3}$ ③ 0
④ $\sqrt{3}$ ⑤ $2\sqrt{3}$

1767 ●●○○

점 $(3, 2\sqrt{3})$을 지나고 x축의 양의 방향과 이루는 각의 크기가 60°인 직선의 방정식이 $y=ax+b$일 때, $a-b$의 값을 구하시오. (단, a, b는 상수이다.)

1768 ●●○○

다음과 같이 주어진 세 점 A, B, C에 대하여 삼각형 ABC의 무게중심 G를 지나고, 기울기가 -2인 직선의 y절편은?

$A(-1, 3)$, $B(3, 5)$, $C(4, 1)$

① 5 ② 6 ③ 7
④ 8 ⑤ 9

1769 중요 ●●○○

점 $A(1, -2)$를 지나고, x축에 평행한 직선과 점 $B(4, 2)$를 지나고, 기울기가 -1인 직선의 교점의 좌표는 (a, b)이다. 이때, $a+b$의 값은?

① 2 ② 4 ③ 6
④ 8 ⑤ 10

해설 247쪽

내신 중요도 ▬▬▬▬▬ 유형 난이도 ★★★★★

유형 02 두 점이 주어진 직선의 방정식

두 점 $A(x_1, y_1)$, $B(x_2, y_2)$를 지나는 직선의 방정식은

$$y-y_1=\frac{y_2-y_1}{x_2-x_1}(x-x_1) \text{ (단, } x_1\neq x_2)$$

1770 짱중요 ●○○○

두 점 $A(-1, -2)$, $B(1, 4)$를 지나는 직선의 방정식이 $ax+by+1=0$일 때, 두 상수 a, b의 합 $a+b$의 값을 구하시오.

1771 ●○○○

두 점 $A(2, 1)$, $B(6, -3)$에 대하여 선분 AB의 중점 P와 점 $(5, 2)$를 지나는 직선의 방정식을 구하시오.

1772 ●●○○

점 $(-1, 2)$를 지나고, x절편이 -2인 직선이 점 $(a, 6)$을 지날 때, a의 값은?

① 1 ② 2 ③ 3
④ 4 ⑤ 5

1773 중요 ●●○○

두 점 $(1, -2)$, $(2, a)$를 지나는 직선의 방정식을 $y=4x+b$라 할 때, $a-b$의 값은? (단, b는 상수이다.)

① 7 ② 8 ③ 9
④ 10 ⑤ 11

1774 ●○○○

두 직선 $x=-4$, $y=2$의 교점을 지나고, 점 $(2, -1)$을 지나는 직선의 y절편을 구하시오.

1775 ●●○○

두 점 $A(1, 2)$, $B(6, -3)$에 대하여 선분 AB를 3 : 2로 내분하는 점 P와 점 $(5, 2)$를 지나는 직선의 방정식은?

① $y=-x+3$ ② $y=x+4$ ③ $y=3x-9$
④ $y=3x-13$ ⑤ $y=4x+2$

1776 ●●○○

세 점 A$(3, 5)$, B$(-1, 1)$, C를 꼭짓점으로 하는 삼각형 ABC의 무게중심 G의 좌표가 $(2, 2)$일 때, 두 점 C와 G를 지나는 직선의 방정식은 $y=ax+b$이다. 이때, 두 상수 a, b에 대하여 ab의 값을 구하시오.

1777 ●●●○

좌표평면에서 △ABC의 무게중심을 G라 하면 점 A의 좌표는 A$(-3, 0)$이고 직선 GB의 방정식은 $y=3$, 직선 GC의 방정식은 $y=3x$일 때, 직선 AC의 방정식은?

① $2x-3y+5=0$ ② $2x+3y-5=0$
③ $6x-5y+18=0$ ④ $6x+5y-18=0$
⑤ $6x-5y-18=0$

1778 교육청 기출 ●●●●

0이 아닌 실수 p에 대하여 이차함수 $f(x)=x^2+px+p$의 그래프의 꼭짓점을 A라 하고, 이 그래프가 y축과 만나는 점을 B라 하자. 이때, 두 점 A, B를 지나는 직선 l의 x절편을 구하시오.

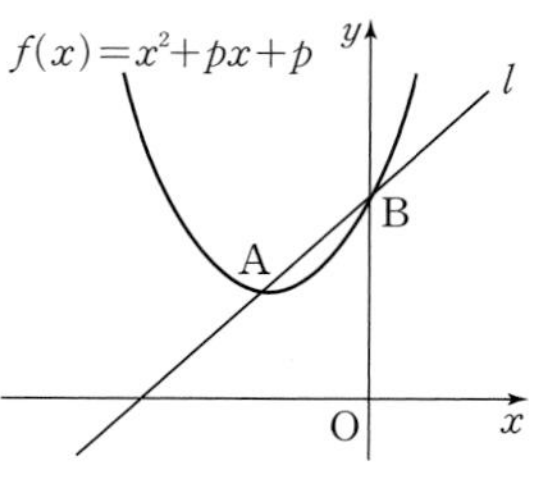

유형 03 x절편, y절편이 주어진 직선의 방정식

내신 중요도 ▬▬▬▬▬ 유형 난이도 ★★★★★

x절편이 a, y절편이 b인 직선의 방정식은

$$\frac{x}{a}+\frac{y}{b}=1 \text{ (단, } a\neq0,\ b\neq0)$$

1779 ●○○○

x절편이 3, y절편이 -6인 직선의 방정식이 $ax+by=6$일 때, 두 상수 a, b에 대하여 $2a+b$의 값은?

① 1 ② 2 ③ 3
④ 4 ⑤ 5

1780 ●●○○

x절편이 4이고, y절편이 -2인 직선이 두 점 $(a, 1)$, $(3, b)$를 지날 때, ab의 값을 구하시오.

1781 ●●○○

x절편, y절편의 절댓값이 같고, 부호가 다른 직선 중에서 점 $(2, -2)$를 지나는 직선의 방정식을 $y=ax+b$라 할 때, 상수 a, b에 대하여 ab의 값은?

① -6 ② -5 ③ -4
④ -3 ⑤ -2

해설 248쪽

유형 04 세 점이 한 직선 위에 있을 조건

내신 중요도 유형 난이도 ★★★★★

세 점 A, B, C가 한 직선 위에 있다.
⇨ ($\overline{AB}$의 기울기)=($\overline{BC}$의 기울기)=($\overline{CA}$의 기울기)
⇨ 두 점 A, B를 지나는 직선 위에 점 C가 있다.

1782 ●●○○

세 점 $A(0, 1)$, $B(-2, 5)$, $C(-3, a)$가 같은 직선 위에 있을 때, a의 값은?

① 4 ② 5 ③ 6
④ 7 ⑤ 8

1783 ●●○○

세 점 $A(2, 4)$, $B(a, -3)$, $C(-a, 3)$에 대하여 점 A가 직선 BC 위에 있도록 하는 a의 값을 구하시오.

1784 ●●○○

서로 다른 세 점 $A(1, k)$, $B(k, 7)$, $C(5, 11)$이 삼각형을 이루지 않도록 하는 모든 실수 k의 값의 합은?

① 7 ② 10 ③ 13
④ 16 ⑤ 19

유형 05 직선과 도형의 넓이

내신 중요도 유형 난이도 ★★★★★

(1) 삼각형에서 한 꼭짓점을 지나면서 그 넓이를 이등분하는 직선은 대변의 중점을 지난다.
(2) 직사각형의 넓이를 이등분하는 직선은 두 대각선의 교점을 지난다.

1785 중요 ●○○○

두 점 $A(2, -3)$, $B(-2, 1)$을 지나는 직선과 x축, y축으로 둘러싸인 도형의 넓이를 S라 할 때, $2S$의 값은?

① 1 ② 2 ③ 3
④ 4 ⑤ 5

1786 짱중요 ●●○○

세 점 $A(1, 2)$, $B(4, 5)$, $C(2, -3)$을 꼭짓점으로 하는 삼각형 ABC에 대하여 점 A를 지나고, 삼각형 ABC의 넓이를 이등분하는 직선의 방정식은?

① $x-2y+3=0$ ② $x+2y-5=0$
③ $2x+y-5=0$ ④ $2x+3y-1=0$
⑤ $2x+3y-5=0$

1787 ●●○○

점 $(-1, -6)$을 지나며 그림과 같은 마름모 ABCD의 넓이를 이등분하는 직선의 방정식을 $y=ax+b$라 할 때, 두 상수 a, b의 합 $a+b$의 값은?

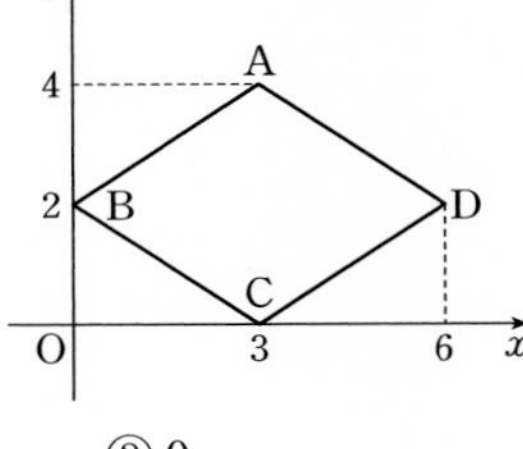
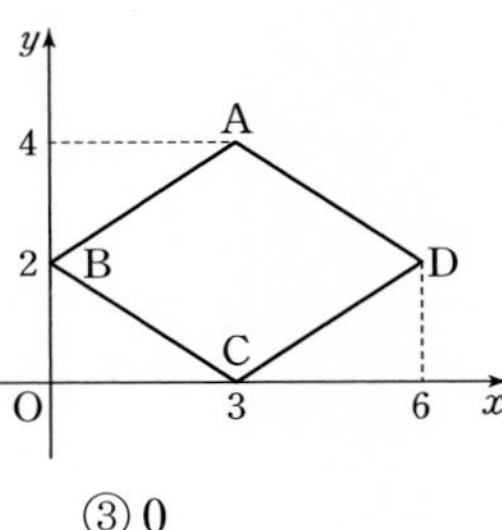

① -2 ② -1 ③ 0
④ 1 ⑤ 2

1788 ●●○○

직선 $x+ay-1=0$과 x축, y축으로 둘러싸인 삼각형의 넓이가 $\frac{1}{8}$일 때, 양수 a의 값은?

① 1 ② 2 ③ 3
④ 4 ⑤ 5

1789 중요 ●●○○

두 상수 a, b에 대하여 좌표평면 위의 두 직선 $y=ax-8$, $y=x+b$의 교점이 점 $(3,\ 4)$일 때, 두 직선과 x축으로 둘러싸인 삼각형의 넓이는?

① 4 ② 6 ③ 8
④ 10 ⑤ 12

1790 ●●●○

직선 $\frac{x}{2}+\frac{y}{4}=1$과 x축, y축으로 둘러싸인 부분의 넓이를 직선 $y=mx$가 이등분할 때, 상수 m의 값은?

① -2 ② -1 ③ 1
④ 2 ⑤ 3

1791 ●●○○

직선 $\frac{x}{a}+\frac{y}{b}=1$과 x축, y축의 교점을 각각 P, Q라 하자. 삼각형 OPQ의 넓이가 4일 때, $\overline{OP}\cdot\overline{OQ}$의 값을 구하시오.

(단, a, b는 양수이다.)

1792 중요 ●●●○

그림과 같이 두 직선 $y=x+2$, $y=-2x+8$이 x축과 만나는 점을 각각 A, B라 하고 두 직선의 교점을 C라 하자. 점 C를 지나고, 삼각형 ABC의 넓이를 이등분하는 직선의 방정식을 $y=ax+b$라 할 때, 두 상수 a, b에 대하여 ab의 값을 구하시오.

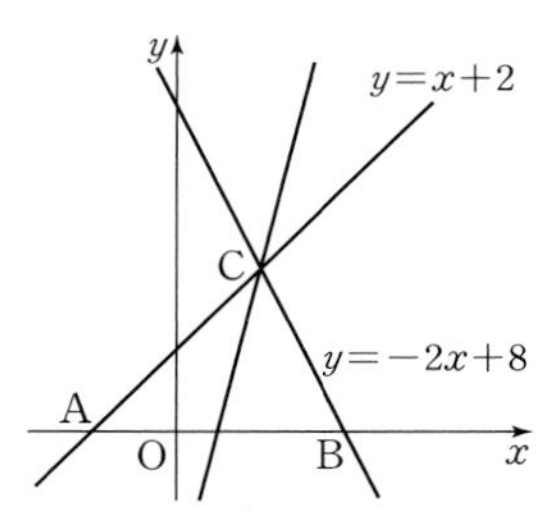

1793 교육청 기출 ●●●○

그림과 같이 일차함수 $y=-\frac{4}{3}x+4$의 그래프가 x축, y축과 만나는 점을 각각 A, B라 하자. 일차함수 $y=ax+2$의 그래프가 y축과 만나는 점을 C, 일차함수 $y=-\frac{4}{3}x+4$의 그래프와 제1사분면에서 만나는 점을 D라 하자. 삼각형 BCD와 사각형 COAD의 넓이의 비가 1 : 2일 때, 상수 a의 값을 구하시오.

(단, O는 원점이다.)

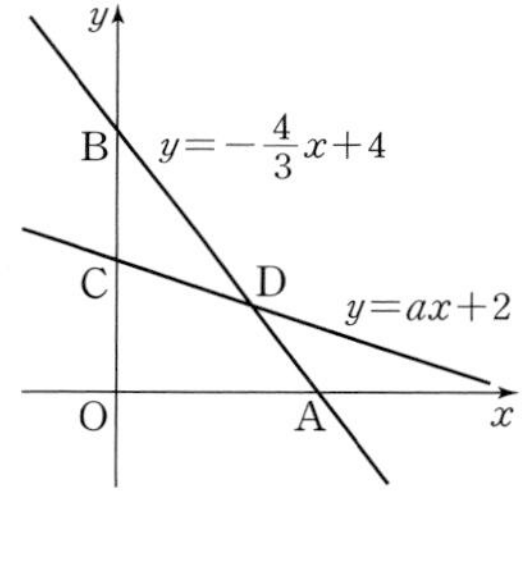

유형 06 직선의 개형

내신 중요도 ■■■■■ 유형 난이도 ★★★★★

직선 $ax+by+c=0$ $(b\neq0)$의 개형은 $y=-\frac{a}{b}x-\frac{c}{b}$의 꼴로 변형한 후, 기울기와 y절편의 부호를 찾는다.

1794 ●●○○

$\frac{a}{c}<0$, $\frac{c}{b}>0$일 때, 직선 $ax+by+c=0$이 지나는 사분면은?

① 제1, 2, 3사분면 ② 제1, 2, 4사분면
③ 제1, 3, 4사분면 ④ 제2, 3, 4사분면
⑤ 제1, 3사분면

1795 ●●○○

직선 $ax+by+c=0$이 그림과 같을 때, 직선 $cx+by+a=0$이 지나지 않는 사분면을 구하시오.

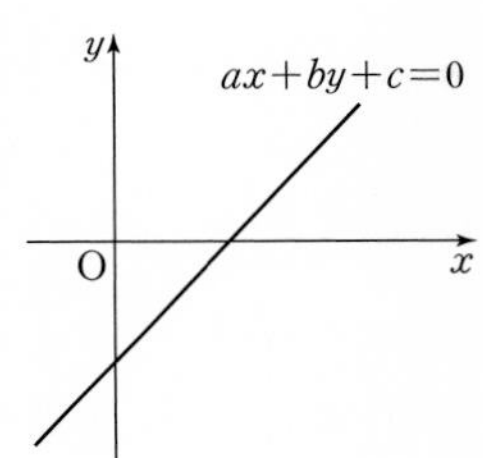

1796 ●●●○

좌표평면 위에서 두 직선

$l : y=ax+b$,

$m : y=cx+d$

가 그림과 같을 때, 〈보기〉에서 옳은 것만을 있는 대로 고른 것은?

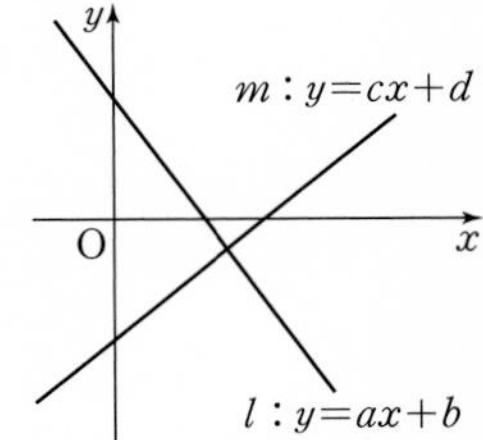

보기		
ㄱ. $ac>0$	ㄴ. $b>d$	ㄷ. $\frac{b}{a}>\frac{d}{c}$

① ㄴ ② ㄷ ③ ㄱ, ㄴ
④ ㄴ, ㄷ ⑤ ㄱ, ㄷ

유형 07 두 직선의 위치 관계

내신 중요도 ■■■■■ 유형 난이도 ★★★★★

	$\begin{cases} y=mx+n \\ y=m'x+n' \end{cases}$	$\begin{cases} ax+by+c=0 \\ a'x+b'y+c'=0 \end{cases}$
평행하다.	$m=m'$, $n\neq n'$	$\frac{a}{a'}=\frac{b}{b'}\neq\frac{c}{c'}$
수직이다.	$mm'=-1$	$aa'+bb'=0$

1797 중요 교육청 기출 ●○○○

두 직선 $(2+k)x-y-10=0$과 $y=-\frac{1}{3}x+1$이 서로 수직일 때, 상수 k의 값은?

① -5 ② -3 ③ -1
④ 1 ⑤ 3

1798 교육청 기출 ●○○○

두 직선 $x+ky-1=0$, $kx+(2k+3)y-3=0$이 서로 평행할 때, 상수 k의 값을 구하시오.

1799 중요 ●●○○

세 직선

$l : y=-\frac{1}{2}x+2$,

$m : x+2y-2=0$,

$n : 2x-y+4=0$

에 대하여 〈보기〉에서 옳은 것만을 있는 대로 고른 것은?

보기		
ㄱ. $l\,/\!/\,m$	ㄴ. $m\perp n$	ㄷ. $l\perp n$

① ㄱ ② ㄱ, ㄴ ③ ㄴ, ㄷ
④ ㄱ, ㄷ ⑤ ㄱ, ㄴ, ㄷ

1800 짱중요 ●●○○

직선 $2x-ay+1=0$이 직선 $2x+3y-4=0$과 서로 평행하고 점 $(-5, b)$를 지날 때, $a+b$의 값은? (단, a는 상수이다.)

① -2 ② -1 ③ 0
④ 1 ⑤ 2

1801 중요 ●●○○

직선 $x+ay+2=0$이 직선 $3x-by+5=0$과는 수직이고, 직선 $x-(b-4)y-2=0$과는 평행할 때, a^2+b^2의 값은?
(단, a, b는 상수이다.)

① 9 ② 10 ③ 11
④ 12 ⑤ 13

1802 ●●●○

점 $P(a, b)$가 직선 $\frac{x}{4}+\frac{y}{3}=1$ 위를 움직이고, 직선 $\frac{a}{4}x+\frac{b}{3}y=1$이 직선 $\frac{x}{4}+\frac{y}{3}=1$에 평행할 때, 점 P의 좌표를 구하시오.

유형 08 평행 또는 수직인 직선의 방정식

내신 중요도 ▬▬▬▬ 유형 난이도 ★★★★★

(1) 점 $A(x_1, y_1)$을 지나고, 기울기가 m인 직선과 평행한 직선의 방정식은 $y-y_1=m(x-x_1)$
(2) 점 $A(x_1, y_1)$을 지나고, 기울기가 m인 직선과 수직인 직선의 방정식은 $y-y_1=-\frac{1}{m}(x-x_1)$

1803 ●●○○

점 $(1, 2)$를 지나고, 직선 $x-2y+3=0$에 수직인 직선의 방정식이 $ax+y+b=0$일 때, 두 상수 a, b의 곱 ab의 값은?

① -8 ② -6 ③ -4
④ -2 ⑤ 0

1804 중요 ●●○○

점 $(-1, 2)$를 지나고, 두 점 $(-1, 1)$, $(2, 10)$을 지나는 직선에 평행한 직선의 방정식을 $y=ax+b$라 할 때, 두 상수 a, b에 대하여 ab의 값은?

① 11 ② 12 ③ 13
④ 14 ⑤ 15

1805 ●●●●

좌표평면 위의 두 점 $A(4, 5)$, $B(1, 2)$에 대하여 선분 AB를 $1:2$로 내분하는 점을 지나고, 직선 AB에 수직인 직선의 방정식을 $ax+y+b=0$이라 할 때, $a-b$의 값을 구하시오.
(단, a, b는 상수이다.)

유형 09 내신 중요도 유형 난이도 ★★★★☆

수직이등분선

선분 AB의 수직이등분선을 직선 l이라 하면
(1) 직선 l은 선분 AB의 중점을 지난다.
(2) $l \perp \overline{AB}$이므로 두 직선의 기울기의 곱은 -1이다.

1806

두 점 $A(1, 3)$, $B(4, 0)$을 이은 선분 AB를 수직이등분하는 직선의 방정식은?

① $y=-x-2$ ② $y=-x-1$ ③ $y=x-3$
④ $y=x-2$ ⑤ $y=x-1$

1807 짱중요

두 점 $A(-1, 5)$, $B(7, -3)$을 이은 선분 AB의 수직이등분선이 x축, y축과 만나는 점을 각각 P, Q라 할 때, 삼각형 OQP의 넓이를 구하시오. (단, O는 원점이다.)

1808

그림과 같이 두 점 $P(-2, 1)$, $Q(a, b)$를 이은 선분 PQ의 수직이등분선이 $x+y-3=0$일 때, ab의 값을 구하시오.

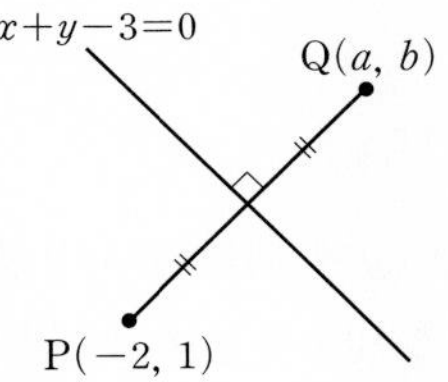

1809 중요 교육청 기출

두 점 $A(1, a)$, $B(9, b)$를 이은 선분 AB의 수직이등분선의 방정식이 $2x+y-15=0$일 때, ab의 값은?

① 20 ② 21 ③ 22
④ 23 ⑤ 24

1810

점 $P(2, -1)$에서 직선 $x-y+5=0$에 내린 수선의 발을 H라 하고 점 H의 좌표를 (a, b)라 할 때, ab의 값은?

① -8 ② -6 ③ -4
④ -2 ⑤ 0

1811

점 $A(3, 2)$의 직선 $2x-y-1=0$에 대한 대칭점의 좌표를 구하시오.

유형 10 세 직선의 위치 관계

내신 중요도 유형 난이도 ★★★★★

서로 다른 세 직선이 삼각형을 이루지 않는 경우는 다음과 같다.
(1) 세 직선이 한 점에서 만날 때
(2) 세 직선 중 두 직선이 서로 평행할 때
(3) 세 직선이 모두 평행할 때

1812 ●●○○

세 직선 $x+2y=3$, $4x-3y=10$, $ax+y=-1$의 교점을 이은 삼각형이 직각삼각형이 될 때, 모든 실수 a의 값의 합은?

① $-\frac{3}{2}$ ② $-\frac{5}{4}$ ③ -1
④ $-\frac{4}{5}$ ⑤ $-\frac{2}{3}$

1813 ●●○○

서로 평행하지 않은 세 직선 $x+y-1=0$, $x-2y-4=0$, $3x-ky-4=0$이 삼각형을 만들 수 없을 때, 상수 k의 값을 구하시오.

1814 짱중요 ●●●○

세 직선 $x-2y=-2$, $4x+2y=12$, $kx-y=2$가 삼각형을 만들지 않도록 하는 모든 실수 k의 값의 곱은?

① -2 ② -1 ③ 0
④ 1 ⑤ 2

유형 11 한 정점을 지나는 직선

내신 중요도 유형 난이도 ★★★★★

두 직선 $ax+by+c=0$, $a'x+b'y+c'=0$이 평행하지 않을 때, 직선 $ax+by+c+k(a'x+b'y+c')=0$은 실수 k의 값에 관계없이 항상 두 직선

$ax+by+c=0$, $a'x+b'y+c'=0$

의 교점을 지난다.

1815 ●●○○

직선 $y=(k+1)x+3k+5$는 실수 k의 값에 관계없이 항상 일정한 점 (a, b)를 지난다. 이때, $a+b$의 값은?

① -2 ② -1 ③ $-\frac{1}{2}$
④ 1 ⑤ 2

1816 중요 ●●○○

직선 $k(x-1)+(k-1)y=1$은 실수 k의 값에 관계없이 한 정점을 지난다. 이때, 이 점을 지나고, 직선 $y=2x+1$과 평행한 직선의 방정식은?

① $y=2x$ ② $y=2x-1$ ③ $y=2x+1$
④ $y=2x-5$ ⑤ $y=2x+5$

1817 ●●○○

x, y에 대한 일차방정식 $x-ky-4k=0$이 나타내는 직선과 x축 및 y축으로 둘러싸인 삼각형의 넓이가 32일 때, 양수 k의 값을 구하시오.

1818

직선 $y=kx-2k+2$가 세 점 $A(2, 2)$, $B(-2, -1)$, $C(4, -3)$을 꼭짓점으로 하는 삼각형 ABC의 넓이를 이등분할 때, 상수 k의 값은?

① 1 ② 2 ③ 3 ④ 4 ⑤ 5

1819

직선 $y=m(x+2)-1$이 그림의 색칠한 부분과 만나도록 하는 상수 m의 최댓값과 최솟값의 합을 구하시오. (단, 경계선을 포함한다.)

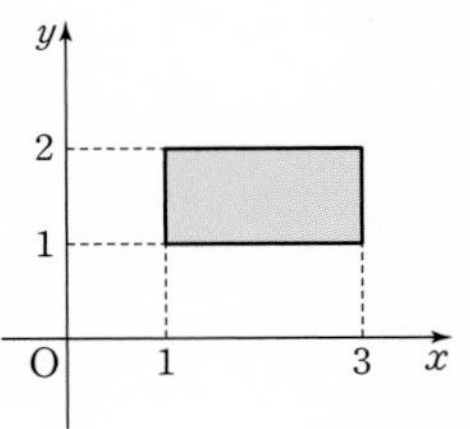

1820

두 직선 $2x+y-4=0$과 $mx-y-3m+1=0$이 제1사분면에서 만나도록 하는 실수 m의 값의 범위를 $a<m<b$라 할 때, $a+b$의 값을 구하시오.

유형 12 두 직선의 교점을 지나는 직선

내신 중요도 유형 난이도 ★★★★★

한 점에서 만나는 두 직선 $ax+by+c=0$, $a'x+b'y+c'=0$의 교점을 지나는 직선의 방정식은

$ax+by+c+k(a'x+b'y+c')=0$ (단, k는 실수)

1821 중요

두 직선 $2x+y=3$, $x-4y-1=0$의 교점과 점 $(3, 1)$을 지나는 직선의 방정식을 $ax+by-5=0$이라 할 때, 두 상수 a, b의 합 $a+b$의 값을 구하시오.

1822

두 직선 $x+y-1=0$, $x-2y+2=0$의 교점을 지나고, 직선 $4x+y-3=0$에 수직인 직선의 방정식은 $ax+by-4=0$이다. 이때, 상수 a, b에 대하여 $a+b$의 값은?

① -3 ② -2 ③ -1 ④ 2 ⑤ 3

1823

직선 $(2k-1)x+(k+3)y-(k+10)=0$은 두 직선 l_1, l_2의 교점을 지나는 직선을 나타낸다. 두 직선 l_1, l_2의 교점과 원점 사이의 거리를 구하시오.

유형 13 점과 직선 사이의 거리

내신 중요도 ▬▬▬▬▬ 유형 난이도 ★★★★★

(1) 점 (x_1, y_1)과 직선 $ax+by+c=0$ 사이의 거리 d는

$$d=\frac{|ax_1+by_1+c|}{\sqrt{a^2+b^2}}$$

(2) 원점과 직선 $ax+by+c=0$ 사이의 거리 d는

$$d=\frac{|c|}{\sqrt{a^2+b^2}}$$

1824 ●○○○

점 $(-1, a)$와 직선 $12x-5y-4=0$ 사이의 거리가 2일 때, 양수 a의 값은?

① 1 ② $\frac{3}{2}$ ③ $\frac{5}{3}$
④ 2 ⑤ $\frac{5}{2}$

1825 짱중요 ●○○○

점 $(1, -1)$과 직선 $3x-4y+k=0$ 사이의 거리가 3일 때, 모든 실수 k의 값의 합을 구하시오.

1826 ●●○○

$\triangle$ABC의 두 꼭짓점이 A$(-1, 3)$, B$(2, 4)$이고 무게중심이 $(-2, 5)$일 때, 꼭짓점 C와 직선 $x+2y=-1$ 사이의 거리는?

① $\sqrt{5}$ ② $2\sqrt{5}$ ③ $3\sqrt{5}$
④ $4\sqrt{5}$ ⑤ $5\sqrt{5}$

1827 ●●○○

두 직선 $2x+5y=0$, $x+3y=1$의 교점과 직선 $3x+2y=2$ 사이의 거리를 구하시오.

1828 ●●●○

직선 $2x-y-2=0$에 대하여 점 A$(5, 3)$의 대칭점을 B라 할 때, 선분 AB의 길이를 구하시오.

1829 ●●●○

직선 $(1-k)x+(2+k)y+4k-1=0$은 실수 k의 값에 관계없이 한 점 A를 지난다. 점 A와 직선 $2x-y+m=0$ 사이의 거리가 $\sqrt{5}$일 때, 상수 m의 값을 모두 구하시오.

1830 ●●○○

좌표평면 위에 세 점 $A(0, 0)$, $B(1, 5)$, $C(3, 3)$이 있다. 점 A와 직선 BC 사이의 거리를 구하시오.

1831 중요 ●●●○

두 직선 $x-y-2=0$, $x+y=0$의 교점을 지나는 직선과 원점 사이의 거리를 d라 할 때, d의 최댓값은?

① 1 ② $\sqrt{2}$ ③ $\sqrt{3}$
④ 2 ⑤ $\sqrt{5}$

1832 ●●●○

원점에서 직선 $(k+2)x+(k+1)y-5=0$에 내린 수선의 길이를 $f(k)$라 할 때, $f(k)$의 최댓값은? (단, k는 실수이다.)

① 2 ② $2\sqrt{2}$ ③ $3\sqrt{2}$
④ 5 ⑤ $5\sqrt{2}$

유형 14 평행한 두 직선 사이의 거리

내신 중요도 ▬▬▬▬▬ 유형 난이도 ★★★★★

평행한 두 직선 사이의 거리는 한 직선 위의 임의의 점과 다른 직선 사이의 거리와 같다.

1833 중요 ●●○○

평행한 두 직선 $x+y-1=0$과 $x+y+3=0$ 사이의 거리는?

① $\sqrt{2}$ ② 2 ③ $2\sqrt{2}$
④ 4 ⑤ $3\sqrt{2}$

1834 ●●○○

두 직선 $3x+y=8$, $mx+(m-4)y=-4$가 평행할 때, 두 직선 사이의 거리는?

① $2\sqrt{2}$ ② 3 ③ $\sqrt{10}$
④ $2\sqrt{3}$ ⑤ 4

1835 ●●○○

두 직선 $3x-y+a=0$, $3x-y+2=0$ 사이의 거리가 $\sqrt{10}$일 때, 양수 a의 값은?

① 9 ② 10 ③ 11
④ 12 ⑤ 13

유형 15 내신 중요도 유형 난이도 ★★★★★

점과 직선 사이의 거리의 응용

삼각형의 높이는 한 꼭짓점에서 대변 또는 그 연장선에 그은 수선의 길이와 같다.

1836

세 점 $O(0, 0)$, $A(1, 2)$, $B(2, 1)$을 꼭짓점으로 하는 삼각형 OAB의 넓이를 구하시오.

1837 중요

다음 세 직선으로 만들어지는 삼각형의 넓이를 구하시오.

$$2x-3y+4=0,\ 3x-y-8=0,\ x+2y-5=0$$

1838

그림과 같이 평행한 두 직선 $x+y=5$, $ax+y=3$ 위에 사각형 ABCD가 정사각형이 되도록 네 점 A, B, C, D를 잡을 때, 이 정사각형의 넓이를 구하시오.

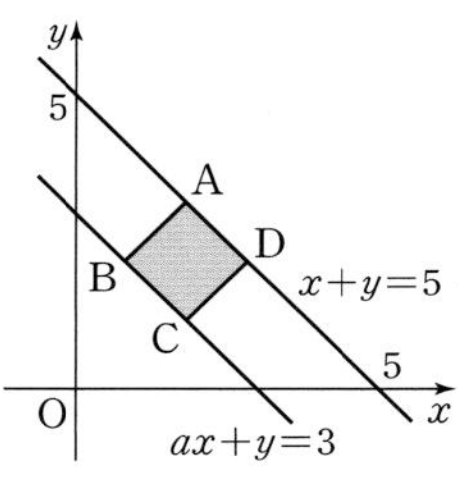

1839 중요

두 점 $A(-2, 3)$, $B(2, -1)$과 직선 $y=-x+4$ 위의 한 점 P를 꼭짓점으로 하는 삼각형 PAB의 넓이를 구하시오.

1840

두 점 $A(-1, 3)$, $B(4, 2)$를 이은 선분과 직선 $4x+3y-12=0$이 만나는 점을 C라 할 때, $\overline{AC} : \overline{BC}$는?

① 4 : 3 ② 6 : 5 ③ 5 : 8
④ 7 : 8 ⑤ 7 : 10

1841

좌표평면 위의 네 직선 l_1, l_2, l_3, l_4의 방정식이

$l_1 : 3x-4y+5=0$, $l_2 : 3x-4y-10=0$,
$l_3 : 4x+3y+15=0$, $l_4 : 4x+3y-20=0$

일 때, 네 직선 l_1, l_2, l_3, l_4로 둘러싸인 사각형의 넓이를 구하시오.

유형 16 **자취의 방정식**

내신 중요도 ━━━━━ 유형 난이도 ★★★★★

다음 순서로 자취의 방정식을 구한다.
① 구하는(주어진 조건을 만족시키는) 점의 좌표를 (x, y)로 놓는다.
② 주어진 조건을 이용하여 x, y 사이의 관계식을 구한다.

1842

점 (a, b)가 직선 $x-2y=3$ 위를 움직일 때, 점 $(a, a-b)$가 그리는 자취의 방정식은?

① $x-2y-3=0$　② $x-2y+3=0$
③ $x+2y-3=0$　④ $x+2y+3=0$
⑤ $x+3y-2=0$

1843 중요

두 직선 $2x-y=0$, $x-2y+3=0$이 이루는 각의 이등분선의 방정식 중 기울기가 양수인 것은?

① $y=x-2$　② $y=x-1$　③ $y=x$
④ $y=x+1$　⑤ $y=x+2$

1844

두 직선 $2x-y=1$, $2x-4y=3$에서 같은 거리에 있는 점의 자취의 방정식이 다음과 같을 때, $ab-cd$의 값을 구하시오.
(단, a, b, c, d는 상수이다.)

$$ax+by+1=0,\ cx+dy-5=0$$

1845

점 Q가 직선 $4x+6y-5=0$ 위를 움직일 때, 점 $\mathrm{A}(0, 0)$과 점 Q를 이은 선분 AQ를 $2:1$로 내분하는 점을 P라 한다. 이때, 점 P의 자취의 방정식은?

① $4x+9y-5=0$　② $6x+9y-5=0$
③ $6x+9y-3=0$　④ $12x+18y-5=0$
⑤ $12x+18y-7=0$

1846

세 점 $\mathrm{A}(0, 3)$, $\mathrm{B}(-2, 2)$, $\mathrm{C}(2, 7)$을 꼭짓점으로 하는 삼각형 ABC가 있다. $\angle\mathrm{A}$의 이등분선의 방정식이 $y=ax+b$일 때, $a+b$의 값을 구하시오. (단, a, b는 상수이다.)

1847

두 점 $(-4, 2)$, $(6, 6)$을 이은 선분의 중점을 지나고, 기울기가 2인 직선의 방정식을 $y=ax+b$라 할 때, 두 상수 a, b의 합 $a+b$의 값은?

① 1 ② 2 ③ 3
④ 4 ⑤ 5

1848

다음 두 직선 l_1과 l_2의 교점의 좌표는?

l_1 : 기울기가 3이고, 점 $(1, 8)$을 지나는 직선
l_2 : 두 점 $(-3, 4)$, $(2, -1)$을 지나는 직선

① $(3, -2)$ ② $(2, -1)$ ③ $(1, 0)$
④ $(-1, 2)$ ⑤ $(-2, -1)$

1849

일차함수 $y=-2x+k$의 그래프와 x축 및 y축으로 둘러싸인 삼각형의 넓이가 5가 되도록 하는 양수 k의 값은?

① $2\sqrt{2}$ ② $2\sqrt{3}$ ③ $2\sqrt{5}$
④ $3\sqrt{3}$ ⑤ $5\sqrt{2}$

1850 서술형

직선 $x+ay-1=0$이 직선 $x-by+1=0$과는 서로 수직이고, 직선 $x-(b-2)y+1=0$과는 서로 평행할 때, 두 상수 a, b에 대하여 $\frac{1}{a}+\frac{1}{b}$의 값을 구하시오.

1851

두 점 $A(2, 4)$, $B(m, 2)$를 지나는 직선이 직선 $y=mx-3$과 수직일 때, m의 값은?

① -3 ② -2 ③ -1
④ 1 ⑤ 2

1852

두 점 $A(1, 3)$, $B(5, -1)$을 이은 선분의 수직이등분선과 x축, y축과 만나는 점을 각각 P, Q라 할 때, △OPQ의 넓이를 구하시오. (단, 점 O는 원점이다.)

1853

세 직선 $x-y+1=0$, $x+y+3=0$, $y=k(x-1)$이 삼각형을 이루지 않도록 하는 모든 실수 k의 값의 곱을 구하시오.

1854 서술형

두 직선 $x+y-3=0$, $k(x+1)-y-1=0$이 제1사분면에서 만나도록 하는 실수 k의 값의 범위가 $a<k<b$일 때, ab의 값을 구하시오.

1855

두 직선 $x+y+1=0$, $2x-y-4=0$의 교점을 지나고, 직선 $x-2y+2=0$과 평행한 직선의 방정식을 $y=ax+b$라 할 때, 두 상수 a, b의 합 $a+b$의 값은?

① -5　② -4　③ -3
④ -2　⑤ -1

1856

직선 $x+ky-2k+3=0$이 실수 k의 값에 관계없이 항상 점 P를 지날 때, 점 P와 직선 $3x+4y-4=0$ 사이의 거리는?

① 1　② $\sqrt{2}$　③ 2
④ $2\sqrt{2}$　⑤ 3

1857

다음 세 직선으로 만들어지는 삼각형의 넓이를 구하시오.

$$y=3x-5,\ y=-\frac{1}{2}x+2,\ y=\frac{2}{3}x+2$$

1858

두 직선 $2x-y-1=0$, $x+2y-1=0$이 이루는 각을 이등분하는 직선이 점 $(3, a)$를 지날 때, 모든 a의 값의 합은?

① -8　② -6　③ -4
④ -2　⑤ 0

Level 1

1859

점 $(4,\ -3)$을 지나고 제1사분면을 지나는 직선이 있다. 이 직선과 x축, y축으로 둘러싸인 삼각형의 넓이가 3일 때, 이 직선의 방정식을 구하시오.

1860

두 직선

$l : y=x+2,\ m : 2x+y=5$

와 x축으로 둘러싸인 삼각형의 넓이를 l, m의 교점을 지나는 직선 $n : y=ax+b$가 이등분할 때, 상수 a, b의 합 $a+b$의 값을 구하시오.

1861 교육청 기출

두 직선 $l : ax-y+a+2=0$, $m : 4x+ay+3a+8=0$에 대하여 〈보기〉에서 옳은 것만을 있는 대로 고른 것은?

(단, a는 실수이다.)

보기

ㄱ. $a=0$일 때 두 직선 l과 m은 서로 수직이다.

ㄴ. 직선 l은 a의 값에 관계없이 항상 점 $(1,\ 2)$를 지난다.

ㄷ. 두 직선 l과 m이 평행이 되기 위한 a의 값은 존재하지 않는다.

① ㄱ ② ㄴ ③ ㄱ, ㄷ
④ ㄴ, ㄷ ⑤ ㄱ, ㄴ, ㄷ

1862 교육청 기출

좌표평면 위에 세 점 $\mathrm{A}(5,\ 3)$, $\mathrm{B}(2,\ 1)$, $\mathrm{C}(3,\ 0)$을 꼭짓점으로 하는 삼각형 ABC가 있다. 선분 OC 위를 움직이는 점 D에 대하여 삼각형 ABC의 넓이와 삼각형 ADC의 넓이가 같을 때, 직선 AD의 기울기는? (단, O는 원점이다.)

① $\frac{5}{7}$ ② $\frac{3}{4}$ ③ $\frac{7}{9}$
④ $\frac{4}{5}$ ⑤ $\frac{9}{11}$

1863

직선 $x+2y=11$ 위의 점 중에서 원점과의 거리가 가장 가까운 점을 $\mathrm{P}(a, b)$라 할 때, $a+b$의 값을 구하시오.

1864

좌표평면 위의 직선 $y=-2x$ $(0\le x\le 1)$ 위의 임의의 점 (x, y)에 대하여 $\dfrac{y-4}{x-4}$의 최댓값을 M, 최솟값을 m이라 할 때, M^2+m^2의 값을 구하시오.

1865

교육청 기출

곡선 $y=-x^2+4$ 위의 점과 직선 $y=2x+k$ 사이의 거리의 최솟값이 $2\sqrt{5}$가 되도록 하는 상수 k의 값을 구하시오.

1866

교육청 기출

그림과 같이 한 변의 길이가 10인 정사각형 ABCD에 내접하는 원이 있다. 선분 BC를 $1:2$로 내분하는 점을 P라 하자. 선분 AP가 정사각형 ABCD에 내접하는 원과 만나는 두 점을 Q, R라 할 때, 선분 QR의 길이는?

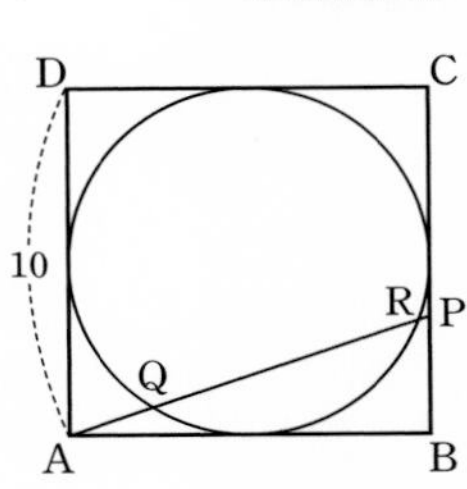

① $2\sqrt{11}$ ② $4\sqrt{3}$ ③ $2\sqrt{13}$
④ $2\sqrt{14}$ ⑤ $2\sqrt{15}$

Level 2

1867

교육청 기출

제1사분면 위의 점 A와 제3사분면 위의 점 B에 대하여 두 점 A, B가 다음 조건을 만족시킨다.

> (가) 두 점 A, B는 직선 $y=x$ 위에 있다.
> (나) $\overline{OB}=2\overline{OA}$

점 A에서 y축에 내린 수선의 발을 H, 점 B에서 x축에 내린 수선의 발을 L이라 하자. 직선 AL과 직선 BH가 만나는 점을 P, 직선 OP가 직선 LH와 만나는 점을 Q라 하자. 세 점 O, Q, L을 지나는 원의 넓이가 $\frac{81}{2}\pi$일 때, $\overline{OA}\times\overline{OB}$의 값을 구하시오.

(단, O는 원점이다.)

1868

직선 $y=mx-4m+2$가 세 점 A$(1, 2)$, B$(-1, 1)$, C$(3, -1)$을 꼭짓점으로 하는 삼각형 ABC와 만나도록 하는 상수 m의 값의 범위는?

① $0\le m\le 3$
② $0<m<5$
③ $3<m<5$
④ $m\le 0$ 또는 $m\ge 3$
⑤ $m<0$ 또는 $m>5$

1869

그림과 같이 한 변의 길이가 2인 정사각형 모양의 종이를 꼭짓점 A가 선분 MN 위에 놓이도록 접었을 때, 점 A가 선분 MN과 만나는 점을 A′이라 하자. 이때, 점 A와 직선 A′B 사이의 거리는? (단, M은 선분 AB의 중점, N은 선분 CD의 중점이다.)

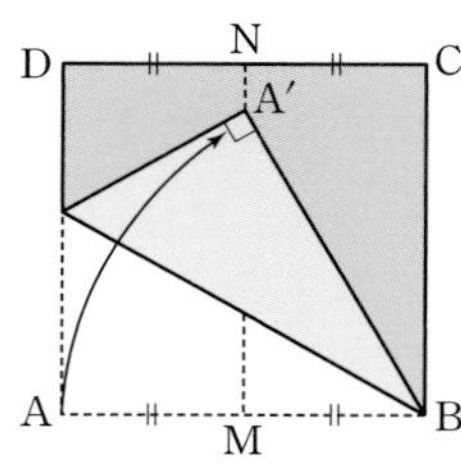

① $\sqrt{2}$
② $\frac{3}{2}$
③ $\sqrt{3}$
④ 2
⑤ $\frac{3\sqrt{2}}{2}$

1870

두 점 A$(-3, 0)$, B$(3, 0)$과 직선 $3x+4y-25=0$ 위를 움직이는 점 P에 대하여 $\overline{AP}^2+\overline{BP}^2$의 최솟값을 구하시오.

1871

곡선 $y=x^2$ 위의 점 P와 두 점 A$(5, 2)$, B$(3, -2)$를 꼭짓점으로 하는 삼각형 APB가 있다. 이때, 삼각형 APB의 넓이의 최솟값은?

① 7 ② 8 ③ 9
④ 10 ⑤ 11

1872

교육청 기출

가로의 길이가 16, 세로의 길이가 8인 직사각형 모양의 종이가 있다. [그림 1]은 네 꼭짓점을 A, B, C, D라 하고 변 BC, CD, DA와 접하는 원을 그린 것이다.

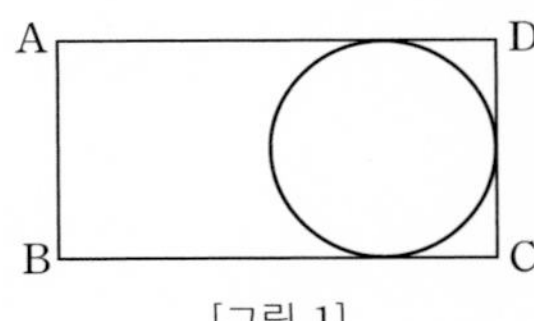

[그림 1]

[그림 2]와 같이 점 A와 C가 만나도록 종이를 접었다가 다시 펼쳤을 때 생기는 선이 원과 만나는 점을 P, Q라 하자. 선분 PQ의 길이를 k라 할 때, $5k^2$의 값을 구하시오.

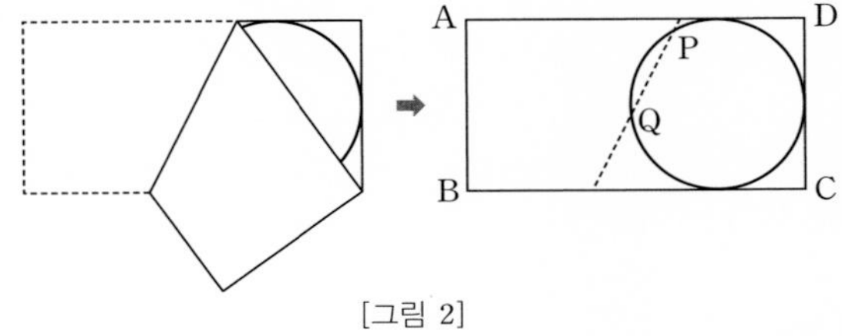

[그림 2]

Level 3

1873

교육청 기출

그림과 같이 좌표평면 위의 네 점 O$(0, 0)$, A$(4, 0)$, B$(4, 5)$, C$(0, 5)$에 대하여 선분 BA의 양 끝점이 아닌 서로 다른 두 점 D, E가 선분 BA 위에 있다. 직선 OD와 직선 CE가 만나는 점을 F(a, b)라 하면 사각형 OAEF의 넓이는 사각형 BCFD의 넓이보다 4만큼 크고, 직선 OD와 직선 CE의 기울기의 곱은 $-\frac{7}{9}$이다. 두 상수 a, b에 대하여 $22(a+b)$의 값을 구하시오. (단, $0<a<4$)

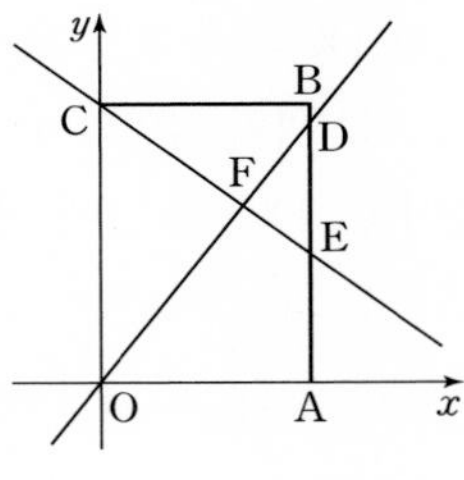

1874

교육청 기출

그림과 같이 좌표평면 위의 네 점 O$(0, 0)$, A$(18, 0)$, B$(18, 18)$, C$(0, 18)$을 꼭짓점으로 하는 정사각형 OABC에 대하여 점 $(9, 9)$를 지나고 x축과 만나는 세 직선 l, m, n이 정사각형 OABC의 넓이를 6등분한다. 직선 l의 x절편을 a라 하고 $6 \le a \le 10$일 때, 두 직선 m과 n의 기울기의 곱의 최댓값은 α, 최솟값은 β이다. $\alpha^2+\beta^2=\frac{q}{p}$일 때, $p+q$의 값을 구하시오. (단, p와 q는 서로소인 자연수이다.)

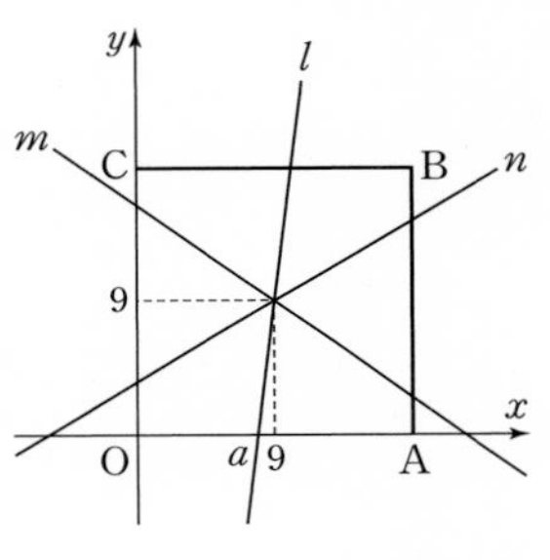

1875

교육청 기출

그림과 같이 가로의 길이가 4, 세로의 길이가 6인 직사각형 ABCD가 있다. 선분 DC의 중점을 M이라 하고, 대각선 AC 위의 임의의 한 점 P에서 세 직선 BC, DC, AM에 내린 수선의 발을 각각 Q, R, S라 하자. 점 P가 $\overline{PQ}=\overline{PS}$를 만족시킬 때, 선분 PR의 길이는 $\frac{q}{p}$이다. 이때, $p+q$의 값을 구하시오.

(단, p와 q는 서로소인 자연수이다.)

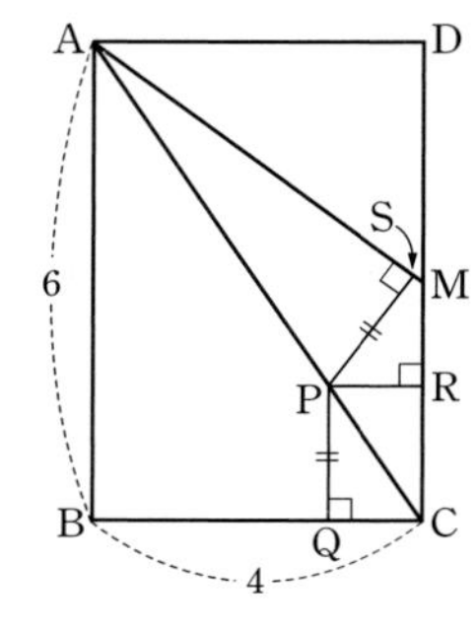

1876

좌표평면 위의 임의의 점 P에서 두 직선 $3x-y+1=0$, $x+3y+2=0$에 내린 수선의 발을 각각 Q, R라 할 때, $\overline{PQ}=2\overline{PR}$를 만족한다고 한다. 다음 〈보기〉 중 옳은 것을 모두 고른 것은?

보기

ㄱ. $3x-y+1=0$, $x+3y+2=0$은 수직이다.

ㄴ. 점 P의 자취는 두 직선이다.

ㄷ. 점 P의 자취는 점 $\left(-\frac{1}{2}, -\frac{1}{2}\right)$을 교점으로 갖는다.

① ㄱ　② ㄱ, ㄴ　③ ㄱ, ㄷ　④ ㄴ, ㄷ　⑤ ㄱ, ㄴ, ㄷ

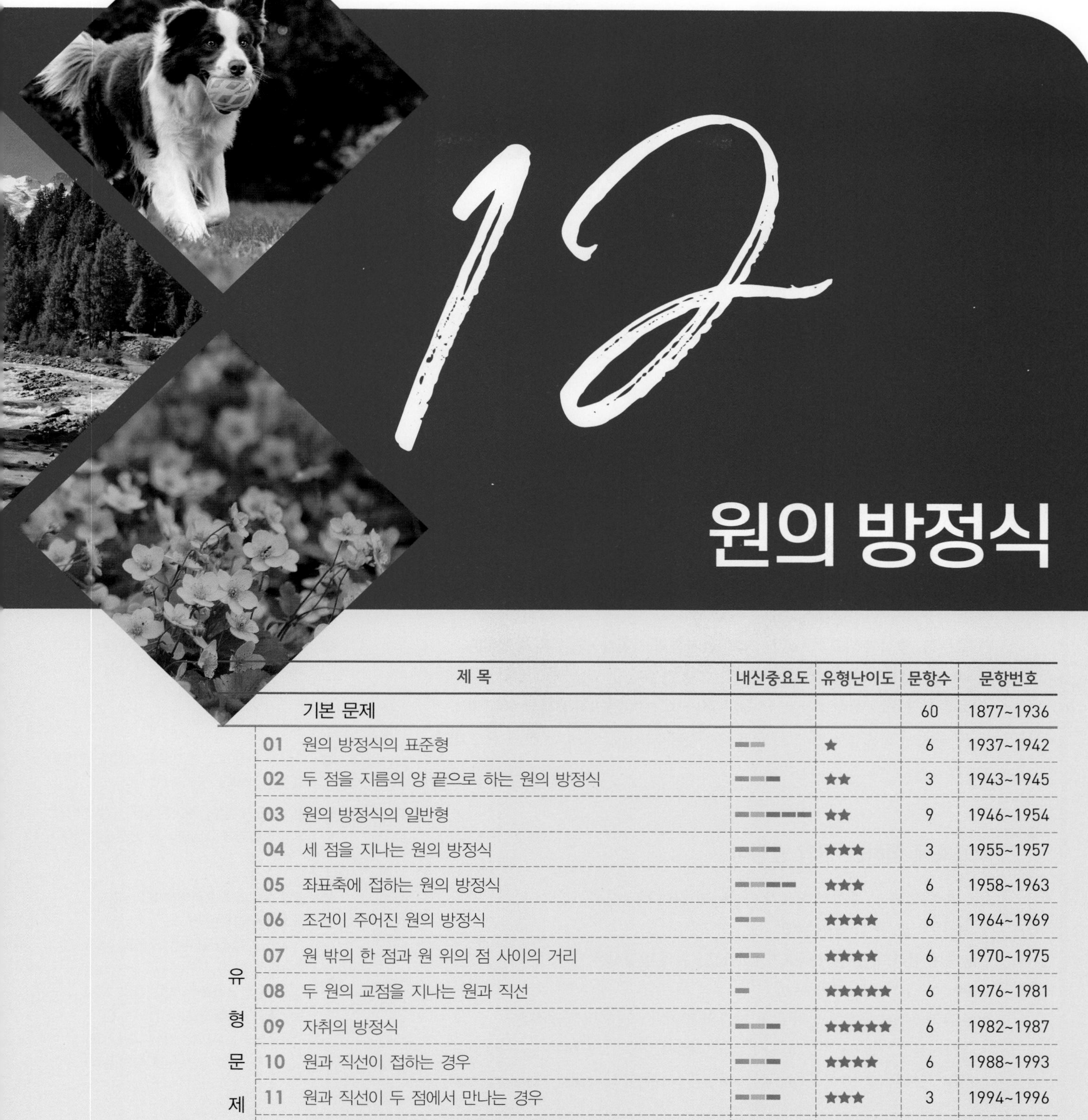

12 원의 방정식

		제 목	내신중요도	유형난이도	문항수	문항번호
		기본 문제			60	1877~1936
유형 문제	01	원의 방정식의 표준형	▬▬	★	6	1937~1942
	02	두 점을 지름의 양 끝으로 하는 원의 방정식	▬▬▬	★★	3	1943~1945
	03	원의 방정식의 일반형	▬▬▬▬▬	★★	9	1946~1954
	04	세 점을 지나는 원의 방정식	▬▬▬	★★★	3	1955~1957
	05	좌표축에 접하는 원의 방정식	▬▬▬▬	★★★	6	1958~1963
	06	조건이 주어진 원의 방정식	▬▬	★★★★	6	1964~1969
	07	원 밖의 한 점과 원 위의 점 사이의 거리	▬▬	★★★★	6	1970~1975
	08	두 원의 교점을 지나는 원과 직선	▬	★★★★★	6	1976~1981
	09	자취의 방정식	▬▬▬	★★★★★	6	1982~1987
	10	원과 직선이 접하는 경우	▬▬▬	★★★★	6	1988~1993
	11	원과 직선이 두 점에서 만나는 경우	▬▬▬	★★★	3	1994~1996
	12	원과 직선이 만나지 않는 경우	▬▬	★★★	3	1997~1999
	13	현의 길이	▬▬▬▬▬	★★★★★	9	2000~2008
	14	접선의 길이	▬▬▬	★★★★	6	2009~2014
	15	원 위의 점과 직선 사이의 거리	▬▬▬	★★★★★	6	2015~2020
	16	기울기가 주어진 접선의 방정식	▬▬▬	★★★	6	2021~2026
	17	접점이 주어진 접선의 방정식	▬▬▬▬	★★★★	6	2027~2032
	18	원 밖의 한 점이 주어진 접선의 방정식	▬▬▬▬▬	★★★★★	6	2033~2038
		적중 문제			12	2039~2050
		고난도 문제			23	2051~2073

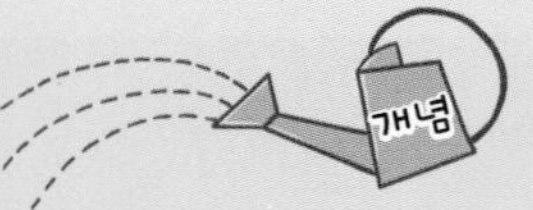

원의 방정식

1. 원의 방정식

(1) **표준형**: 중심의 좌표가 (a, b)이고, 반지름의 길이가 r인 원의 방정식은

➡ $(x-a)^2+(y-b)^2=r^2$

(2) **일반형**: 이차방정식 $x^2+y^2+Ax+By+C=0$ (단, $A^2+B^2-4C>0$)

① 중심의 좌표: $\left(-\frac{A}{2}, -\frac{B}{2}\right)$ ② 반지름의 길이: $\frac{\sqrt{A^2+B^2-4C}}{2}$

- 두 점 A, B를 지름의 양 끝점으로 하는 원이 주어진 경우
  ① (원의 중심)=($\overline{\mathrm{AB}}$의 중점)
  ② (반지름의 길이)=$\frac{1}{2}\overline{\mathrm{AB}}$
- 중심이 원점이고, 반지름의 길이가 r인 원의 방정식 ➡ $x^2+y^2=r^2$
- 원 위의 세 점이 주어진 경우, 원의 방정식의 일반형에 대입하여 구하면 편리하다.

2. 좌표축에 접하는 원의 방정식

(1) x축에 접하고, 중심의 좌표가 (a, b)인 원의 방정식은

➡ $(x-a)^2+(y-b)^2=b^2$

(2) y축에 접하고, 중심의 좌표가 (a, b)인 원의 방정식은

➡ $(x-a)^2+(y-b)^2=a^2$

(3) x축과 y축에 동시에 접하고, 반지름의 길이가 r인 원의 방정식은

제1사분면: $(x-r)^2+(y-r)^2=r^2$, 제2사분면: $(x+r)^2+(y-r)^2=r^2$

제3사분면: $(x+r)^2+(y+r)^2=r^2$, 제4사분면: $(x-r)^2+(y+r)^2=r^2$

- 원의 중심의 좌표와 반지름의 길이
  ① x축에 접하는 원
  |(중심의 y좌표)|=(반지름의 길이)
  ② y축에 접하는 원
  |(중심의 x좌표)|=(반지름의 길이)
  ③ x축과 y축에 동시에 접하는 원
  |(중심의 x좌표)|=|(중심의 y좌표)|
  =(반지름의 길이)

3. 두 원의 교점을 지나는 직선

두 원 $x^2+y^2+Ax+By+C=0$, $x^2+y^2+A'x+B'y+C'=0$이 서로 다른 두 점에서 만날 때, 두 원의 교점을 지나는 직선의 방정식(공통현의 방정식)은

➡ $(x^2+y^2+Ax+By+C)-(x^2+y^2+A'x+B'y+C')=0$

즉, $(A-A')x+(B-B')y+(C-C')=0$

- 두 원의 교점을 지나는 원의 방정식은
  ➡ $(x^2+y^2+Ax+By+C)$
  $+k(x^2+y^2+A'x+B'y+C')=0$
  (단, $k\neq-1$)
  이때, $k=-1$을 대입하면 두 원의 교점을 지나는 직선의 방정식(공통현의 방정식)이 된다.

4. 원과 직선의 위치 관계

(1) 원 $x^2+y^2+Ax+By+C=0$과 직선 $y=mx+n$을 연립하여 만든 x에 대한 이차방정식의 판별식을 D라 하면
① $D>0$ ➡ 서로 다른 두 점에서 만난다.
② $D=0$ ➡ 한 점에서 만난다. (접한다.)
③ $D<0$ ➡ 만나지 않는다.

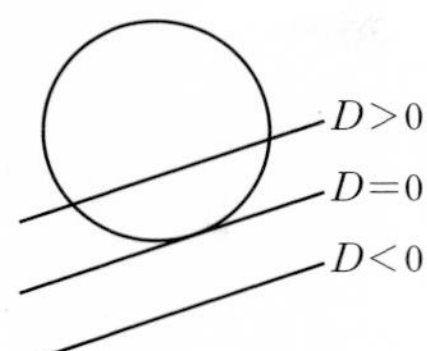

(2) 반지름의 길이가 r인 원의 중심에서 직선까지의 거리를 d라 하면
① $d<r$ ➡ 서로 다른 두 점에서 만난다.
② $d=r$ ➡ 한 점에서 만난다. (접한다.)
③ $d>r$ ➡ 만나지 않는다.

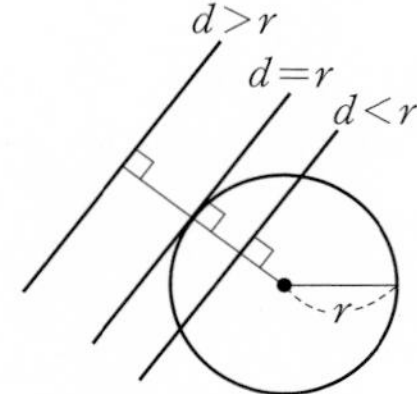

- 원과 직선이 만나서 생기는 현의 길이는 다음 두 가지의 원의 성질을 이용하여 구한다.
① 원의 중심에서 현에 내린 수선은 그 현을 수직이등분한다.
② 현의 수직이등분선은 그 원의 중심을 지난다.
- 점과 직선 사이의 거리
점 (x_1, y_1)과 직선 $ax+by+c=0$ 사이의 거리는 $\dfrac{|ax_1+by_1+c|}{\sqrt{a^2+b^2}}$
- 현의 길이
: $2\sqrt{r^2-\overline{OH}^2}$

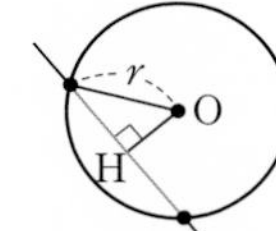

- 접선의 길이
: $\sqrt{\overline{OP}^2-r^2}$

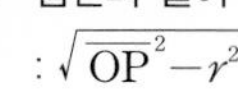

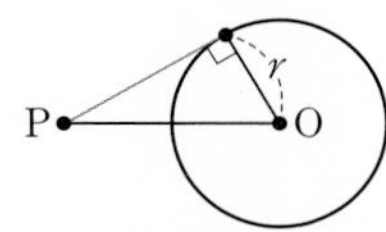

5. 원의 접선의 방정식

(1) **기울기가 m인 접선의 방정식**
원 $x^2+y^2=r^2$에 접하고, 기울기가 m인 직선의 방정식
➡ $y=mx\pm r\sqrt{m^2+1}$

(2) **원 위의 점에서의 접선의 방정식**
원 $x^2+y^2=r^2$ 위의 점 $P(x_1, y_1)$에서의 접선의 방정식
➡ $x_1x+y_1y=r^2$

참고 중심이 원점이 아닌 원 위의 점에서의 접선의 방정식
➡ 원의 중심과 접점을 지나는 직선이 접선과 서로 수직임을 이용한다.

- 원 $(x-a)^2+(y-b)^2=r^2$에 접하고, 기울기가 m인 접선의 방정식은
$y-b=m(x-a)\pm r\sqrt{m^2+1}$
- 원 $(x-a)^2+(y-b)^2=r^2$ 위의 점 $P(x_1, y_1)$에서의 접선의 방정식은
$(x_1-a)(x-a)+(y_1-b)(y-b)=r^2$

6. 원 밖의 한 점이 주어진 접선의 방정식

다음 두 가지 방법 중에서 한 가지를 이용하여 구한다.

(1) 접점의 좌표를 이용 ➡ (x_1, y_1)
① 접점을 $P(x_1, y_1)$이라 놓고, 구한 접선의 방정식에 주어진 점을 대입한다.
② 점 (x_1, y_1)을 원의 방정식에 대입한다.
③ ①, ②에서 구한 두 식을 연립하여 푼다.

(2) 접선의 기울기를 이용 ➡ m
① 접선의 기울기를 m이라 하면 이 접선이 원 밖의 점 (a, b)를 지나므로 구하는 접선의 방정식은
$y-b=m(x-a)$ ⋯⋯㉠
② 접선과 원의 중심 사이의 거리를 구한 후 이 값과 원의 반지름의 길이가 같음을 이용하여 m의 값을 구한다.
③ m의 값을 ㉠에 대입하여 접선의 방정식을 구한다.

- 원 밖의 한 점에서 원에 그을 수 있는 접선은 항상 2개 존재한다.

1 원의 방정식

[1877-1879] 중심의 좌표와 반지름의 길이가 다음과 같은 원의 방정식을 구하시오.

1877 중심의 좌표 : $(0, 0)$, 반지름의 길이 : 1

1878 중심의 좌표 : $(1, 1)$, 반지름의 길이 : 3

1879 중심의 좌표 : $(-2, 3)$, 반지름의 길이 : 4

[1880-1881] 다음 그림과 같은 원의 방정식을 구하시오.

1880

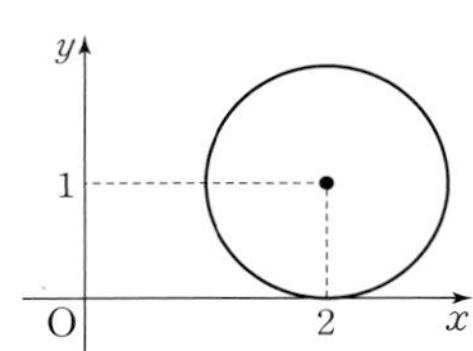

1881

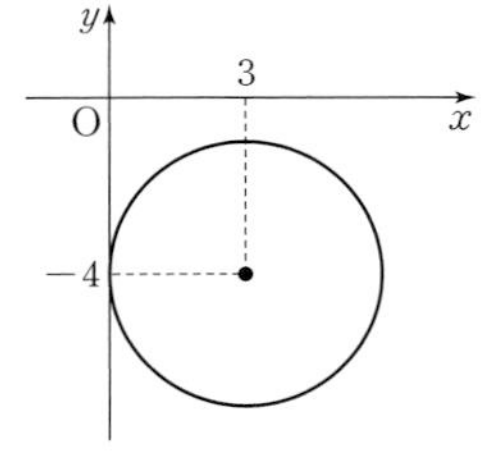

[1882-1884] 다음 원의 방정식이 나타내는 원의 중심의 좌표와 반지름의 길이를 구하시오.

1882 $x^2+y^2=4$

1883 $(x-3)^2+(y-4)^2=16$

1884 $(x+2)^2+(y-1)^2=3$

[1885-1888] 다음 원의 방정식이 나타내는 원을 좌표평면 위에 나타내시오.

1885 $x^2+y^2=4$

1886 $(x+1)^2+y^2=1$

1887 $x^2+(y-3)^2=25$

1888 $(x-2)^2+(y-3)^2=9$

[1889-1892] 다음 그림은 선분 AB를 지름으로 하는 원이다. 원의 방정식을 구하시오.

1889

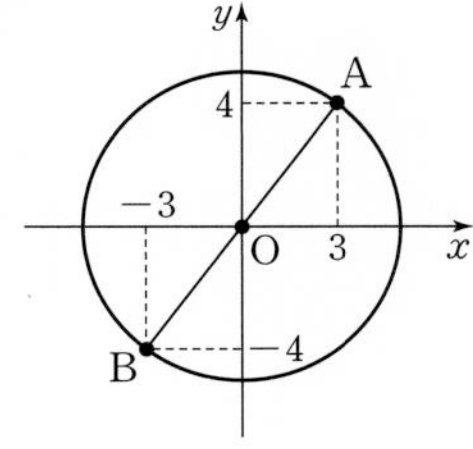

1890

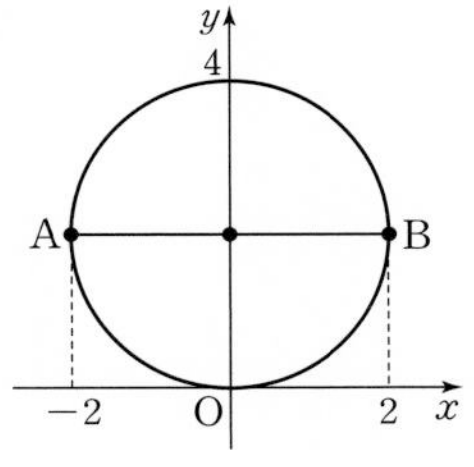

1891

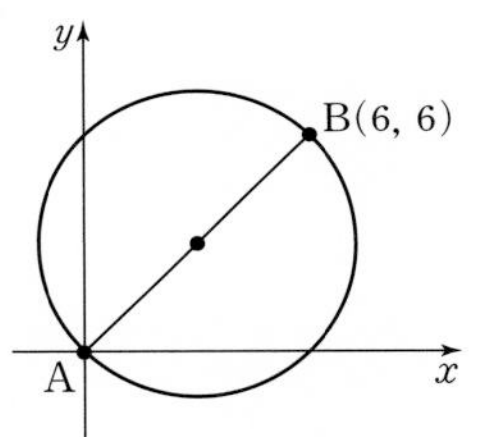

1892

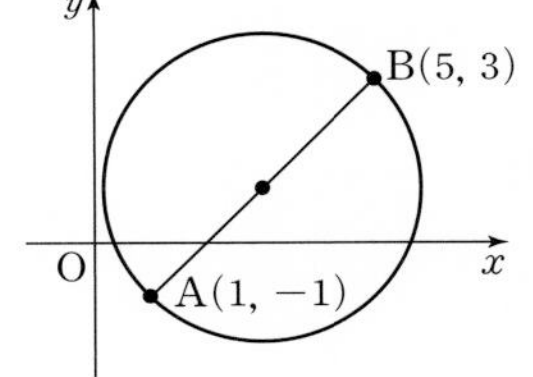

[1893-1894] 다음과 같은 원의 방정식을 구하시오.

1893 중심의 좌표가 $(-2, 3)$이고, 점 $(0, 2)$를 지나는 원

1894 중심의 좌표가 $(3, 1)$이고, 점 $(1, -1)$을 지나는 원

[1895-1897] 다음과 같은 원의 방정식을 구하시오.

1895 중심의 좌표가 $(5, 5)$이고, x축과 y축에 동시에 접하는 원

1896 중심의 좌표가 $(4, -2)$이고, x축에 접하는 원

1897 중심의 좌표가 $(4, -8)$이고, y축에 접하는 원

[1898-1900] 다음 원의 방정식을 $x^2+y^2+ax+by+c=0$의 꼴로 나타내시오.

1898 $(x-2)^2+y^2=1$

1899 $x^2+(y-5)^2=4$

1900 $(x+3)^2+(y-2)^2=13$

12 원의 방정식

[1901-1903] 다음 원의 방정식을 완전제곱식을 이용하여 $(x-a)^2+(y-b)^2=c$의 꼴로 나타내시오.

1901 $x^2+4x+y^2+3=0$

1902 $x^2+y^2-6y+8=0$

1903 $x^2+y^2-2x+8y+1=0$

[1904-1907] 다음 방정식이 나타내는 원의 중심의 좌표와 반지름의 길이를 구하시오.

1904 $x^2+2x+y^2-3=0$

1905 $x^2+y^2+4y+3=0$

1906 $x^2+y^2+6x-2y+6=0$

1907 $x^2+y^2+2x-4y+1=0$

2 원과 직선의 위치 관계

[1908-1910] 원과 직선의 위치 관계가 다음과 같을 때, □ 안에 등호 또는 부등호를 써넣으시오. (단, D는 원의 방정식과 직선의 방정식을 연립하여 얻은 이차방정식의 판별식, d는 원의 중심에서 직선까지의 거리, r는 원의 반지름의 길이이다.)

1908

d □ r
D □ 0

1909

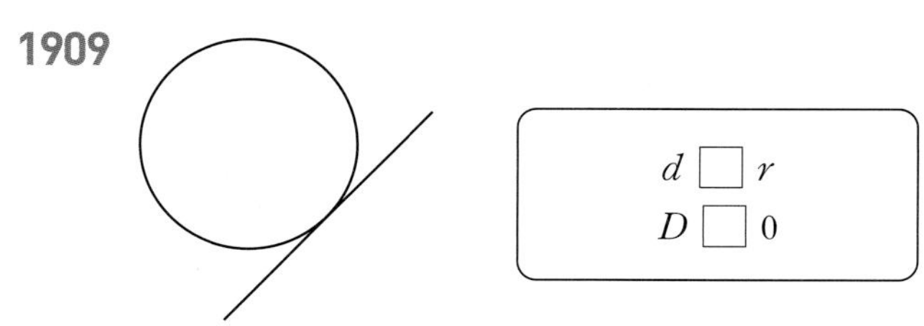

1910

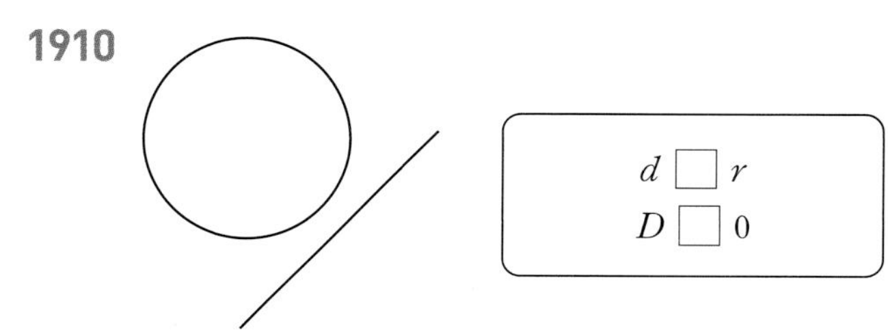

[1911-1913] 원 O와 직선 l의 방정식이 다음과 같을 때, 점과 직선 사이의 거리를 이용하여 교점의 개수를 구하시오.

1911 $O : x^2+y^2=5,\ l : x-y+2=0$

1912 $O : x^2+y^2=4$, $l : 2x-y+2\sqrt{5}=0$

1913 $O : x^2+y^2-2x+4y=0$, $l : y=\frac{1}{2}x+5$

[1914-1916] 원 O와 직선 l의 방정식이 다음과 같을 때, 이차방정식의 판별식을 이용하여 위치 관계를 말하시오.

1914 $O : x^2+y^2=10$, $l : y=3x-1$

1915 $O : x^2+y^2=2$, $l : y=-x-2$

1916 $O : (x+1)^2+(y-1)^2=9$, $l : 2x-y-6=0$

[1917-1919] 원 $x^2+y^2=4$와 직선 $x+y-k=0$의 위치 관계가 다음과 같을 때, 상수 k의 값 또는 범위를 구하시오.

1917 서로 다른 두 점에서 만난다.

1918 접한다.

1919 만나지 않는다.

[1920-1921] 그림과 같이 반지름의 길이가 3, 원의 중심에서 직선 l 사이의 거리가 5인 원과 직선이 있다.

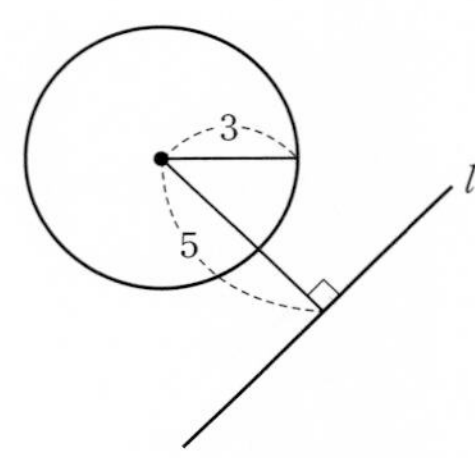

1920 원 위의 임의의 점 A와 직선 l 사이의 거리의 최솟값을 구하시오.

1921 원 위의 임의의 점 A와 직선 l 사이의 거리의 최댓값을 구하시오.

1922 그림과 같이 반지름의 길이가 6, 원의 중심에서 직선 l 사이의 거리가 3인 원과 직선이 있다. 원 위의 임의의 점 A와 직선 l 사이의 거리의 최댓값을 구하시오.

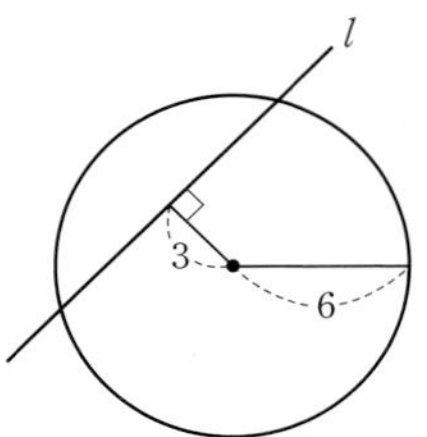

[1923-1924] 다음 그림과 같이 주어진 원에 대하여 원 밖의 점 A에서 그은 접선 AH의 길이를 구하시오.

1923

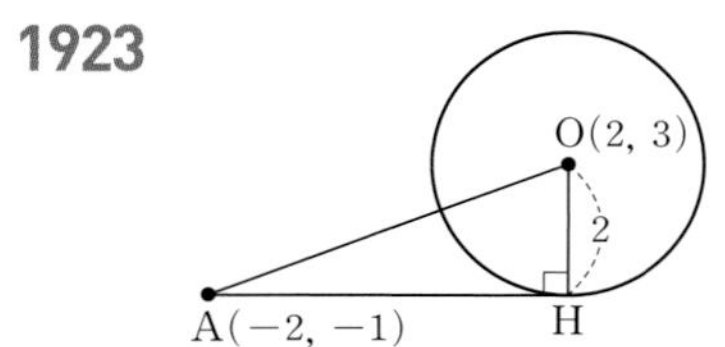

1924

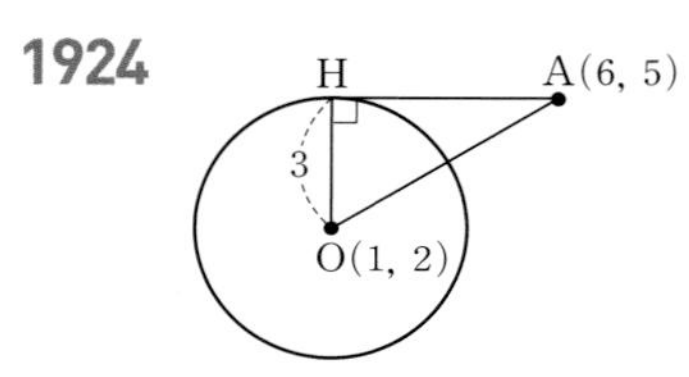

3 접선의 방정식

[1925-1926] 다음 원에 접하고 주어진 조건에 맞는 접선의 방정식을 구하시오.

1925 $x^2+y^2=9$ [기울기 : 2]

1926 $x^2+y^2=4$ [기울기 : -3]

[1927-1929] 그림에서 주어진 조건에 맞는 접선의 방정식을 구하시오.

1927

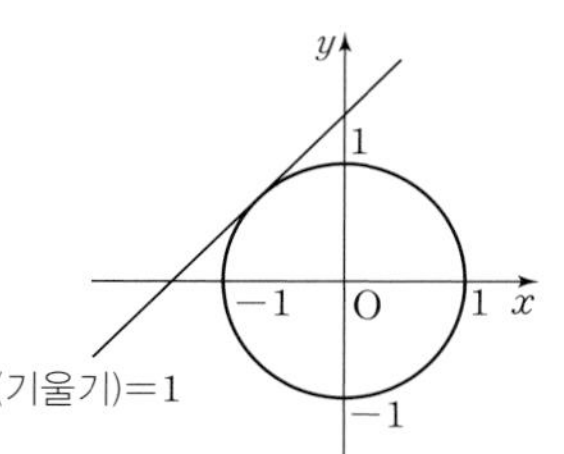

1928

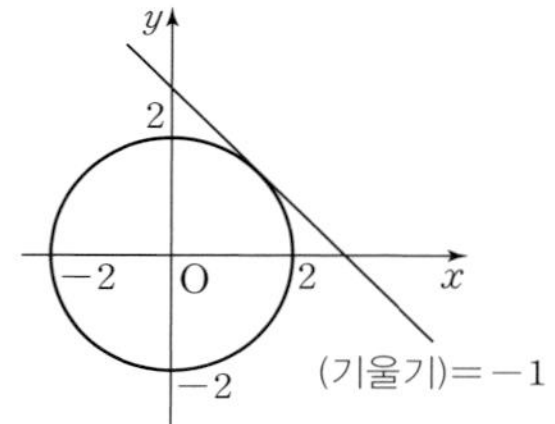

1929

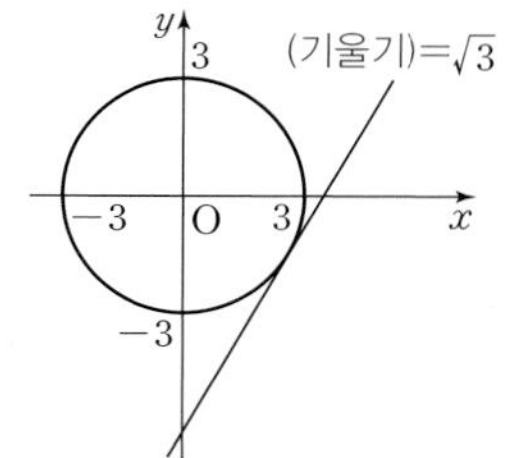

[1930-1932] 다음 원에 접하고 [ ] 안의 점을 지나는 접선의 방정식을 구하시오.

1930 $x^2+y^2=16$ [점 $(4,\ 0)$]

1931 $x^2+y^2=25$ [점 $(3,\ -4)$]

1932 $x^2+y^2=10$ [점 $(1,\ -3)$]

[1933-1934] 그림에서 주어진 접선의 방정식을 구하시오.

1933

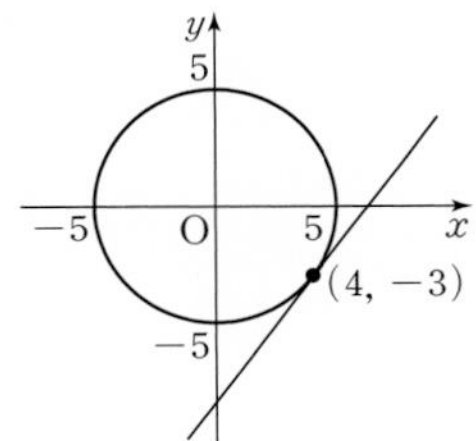

1934

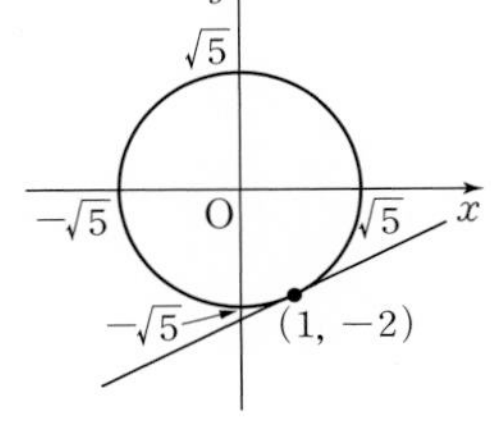

[1935-1936] 원 밖의 점 $(4,\ 0)$에서 원 $x^2+y^2=8$에 그은 접선의 방정식을 구하는 과정이다. □ 안에 알맞은 것을 써넣으시오.

1935 원과 직선의 접점의 좌표를 이용

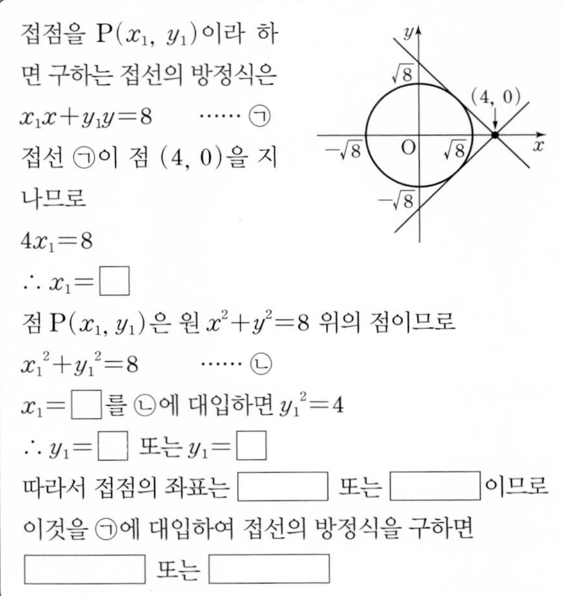

접점을 $\mathrm{P}(x_1,\ y_1)$이라 하면 구하는 접선의 방정식은

$x_1x+y_1y=8$ …… ㉠

접선 ㉠이 점 $(4,\ 0)$을 지나므로

$4x_1=8$

$\therefore x_1=$□

점 $\mathrm{P}(x_1,\ y_1)$은 원 $x^2+y^2=8$ 위의 점이므로

${x_1}^2+{y_1}^2=8$ …… ㉡

$x_1=$□를 ㉡에 대입하면 ${y_1}^2=4$

$\therefore y_1=$□ 또는 $y_1=$□

따라서 접점의 좌표는 □ 또는 □이므로

이것을 ㉠에 대입하여 접선의 방정식을 구하면

□ 또는 □

1936 접선의 기울기를 이용

점 $(4,\ 0)$을 지나는 접선의 기울기를 m이라 하면 접선의 방정식은

□

이 직선이 원 $x^2+y^2=8$에 접하므로 원의 중심 $(0,\ 0)$과 직선 사이의 거리는 반지름의 길이 $\sqrt{8}$과 같다. 즉,

$\dfrac{|0-0-4m|}{\sqrt{m^2+(-1)^2}}=$□

$|-4m|=$□$\sqrt{m^2+1}$

양변을 제곱하여 정리하면

$8m^2=8,\ m^2=1$

$\therefore m=$□ 또는 $m=$□

$m=$□일 때, 접선의 방정식은 □

$m=$□일 때, 접선의 방정식은 □

y
√8
(4, 0)
−√8
O
√8
x
−√8

12 원의 방정식

유형 01 **원의 방정식의 표준형**

내신 중요도 ━━━━ 유형 난이도 ★★★★★

(1) 중심이 점 (a, b)이고, 반지름의 길이가 r인 원의 방정식
⇨ $(x-a)^2+(y-b)^2=r^2$

(2) 중심이 원점이고, 반지름의 길이가 r인 원의 방정식
⇨ $x^2+y^2=r^2$

1937

그림은 좌표평면 위에 원을 나타낸 것이다. 이 원의 방정식은?

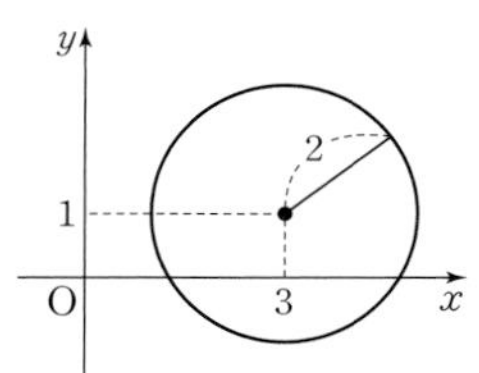

① $(x-3)^2+(y-1)^2=2$
② $(x-1)^2+(y-3)^2=2$
③ $(x-3)^2+(y-1)^2=4$
④ $(x-1)^2+(y-3)^2=4$
⑤ $(x-3)^2+(y-1)^2=\sqrt{2}$

1938 중요

원 $(x-3)^2+(y+1)^2=4$와 중심이 같고 점 $(3, -2)$를 지나는 원이 점 $(a, 0)$을 지날 때, a의 값을 구하시오.

1939 교육청 기출

좌표평면 위의 두 점 $\mathrm{A}(1, 1)$, $\mathrm{B}(3, a)$에 대하여 선분 AB의 수직이등분선이 원 $(x+2)^2+(y-5)^2=4$의 넓이를 이등분할 때, 상수 a의 값은?

① 5 ② 6 ③ 7
④ 8 ⑤ 9

1940

원 $(x+a)^2+(y-2)^2=1$의 중심과 원 $(x+3)^2+(y-b)^2=4$의 중심을 각각 P, Q라 하자. 선분 PQ의 중점 M의 좌표가 $(-1, 4)$일 때, 두 상수 a, b에 대하여 $a+b$의 값을 구하시오.

1941

중심의 좌표가 $(-3, 1)$이고, 반지름의 길이가 2인 원이 x축과 만나는 두 점을 $\mathrm{A}(\alpha, 0)$, $\mathrm{B}(\beta, 0)$이라 할 때, $\alpha\beta$의 값을 구하시오.

1942

두 원 $(x+1)^2+(y+3)^2=9$, $(x-2)^2+(y-1)^2=r^2$이 접하도록 하는 모든 양수 r의 값의 합을 구하시오.

해설 274쪽

유형 02 내신 중요도 유형 난이도 ★★☆☆☆

두 점을 지름의 양 끝으로 하는 원의 방정식

두 점 A, B를 지름의 양 끝으로 하는 원의 방정식은
(1) (원의 중심)=($\overline{\text{AB}}$의 중점)
(2) (반지름의 길이)=$\frac{1}{2}\overline{\text{AB}}$
임을 이용하여 구한다.

1943 중요

두 점 $\text{A}(-2,\ -4)$, $\text{B}(6,\ 2)$를 지름의 양 끝점으로 하는 원의 방정식은?

① $(x-2)^2+(y+1)^2=25^2$
② $(x+2)^2+(y+1)^2=5^2$
③ $(x-2)^2+(y-1)^2=5^2$
④ $(x-2)^2+(y-1)^2=25^2$
⑤ $(x-2)^2+(y+1)^2=5^2$

1944

다음 두 원의 중심을 지름의 양 끝점으로 하는 원의 방정식을 구하시오.

$$x^2+y^2=1,\ (x-2)^2+(y+4)^2=20$$

1945

두 점 $\text{A}(-3,\ 0)$, $\text{B}(k,\ 0)$을 지름의 양 끝점으로 하는 원의 방정식이 $(x+a)^2+(y+b)^2=4$일 때, $a+b+k$의 값을 구하시오. (단, $k>0$)

유형 03 내신 중요도 유형 난이도 ★★☆☆☆

원의 방정식의 일반형

원의 방정식
$$x^2+y^2+Ax+By+C=0\ (A^2+B^2-4C>0)$$
에서
(1) 중심의 좌표 : $\left(-\frac{A}{2},\ -\frac{B}{2}\right)$
(2) 반지름의 길이 : $\frac{\sqrt{A^2+B^2-4C}}{2}$

1946 중요

원 $x^2+y^2+2x-4y-4=0$의 중심의 좌표를 $(a,\ b)$, 반지름의 길이를 r라 할 때, $a+b+r$의 값은?

① 1 ② 2 ③ 3
④ 4 ⑤ 5

1947

원 $x^2+y^2-4x+6y+12=0$과 중심이 같고, 점 $(3,\ -1)$을 지나는 원의 넓이는?

① 5π ② 6π ③ 7π
④ 8π ⑤ 9π

1948

두 원 $x^2-7x+y^2-9y+30=0$, $x^2-4x+y^2=21$이 있다. 이 두 원의 중심 사이의 거리를 구하시오.

12 원의 방정식

1949

원 $x^2+y^2+2kx-ky+3k=0$의 중심의 좌표가 $(-4,\ 2)$일 때, 이 원의 둘레의 길이는?

① $3\sqrt{2}\pi$ ② $4\sqrt{2}\pi$ ③ $5\sqrt{2}\pi$
④ $6\sqrt{2}\pi$ ⑤ $7\sqrt{2}\pi$

1950

직선 $y=3x+2$가 원 $x^2+y^2+2ax+4ay+10=0$의 넓이를 이등분할 때, 상수 a의 값은?

① $\frac{1}{2}$ ② 1 ③ $\frac{3}{2}$
④ 2 ⑤ $\frac{5}{2}$

1951 중요

원 $x^2+y^2-8kx+4ky+20k-9=0$의 넓이가 최소가 될 때의 원의 중심의 좌표를 (a, b), 반지름의 길이를 r라 하자. 이때, $a+b+r$의 값을 구하시오. (단, k는 상수이다.)

1952

두 직선 $y=ax$와 $y=bx+c$가 원 $x^2+y^2-2x-4y=0$의 넓이를 4등분할 때, abc의 값을 구하시오. (단, a, b, c는 상수이다.)

1953 짱중요

방정식 $x^2+y^2-6x+2y+k+1=0$이 원을 나타내도록 하는 실수 k의 값의 범위는?

① $k>3$ ② $3<k<6$ ③ $k>9$
④ $k<9$ ⑤ $3<k<9$

1954

x, y에 대한 이차방정식 $x^2+y^2-2ax+2ay-a+1=0$은 원을 나타낸다고 한다. 상수 a의 값이 될 수 있는 양의 정수 중에서 최솟값을 m, 음의 정수 중에서 최댓값을 M이라 할 때, $m-M$의 값을 구하시오.

유형 04 내신 중요도 유형 난이도 ★★★★★

세 점을 지나는 원의 방정식

① 구하는 원의 방정식을 $x^2+y^2+Ax+By+C=0$으로 놓는다.
② 원이 지나는 점의 좌표를 각각 대입하여 A, B, C에 대한 방정식을 세운다.
③ ②의 방정식을 연립하여 세 상수 A, B, C의 값을 구한다.

1955

세 점 A(1, 1), B(0, 0), C(3, 2)를 지나는 원의 방정식을 $x^2+y^2+ax+by+c=0$이라 할 때, 세 상수 a, b, c에 대하여 $a-b-c$의 값을 구하시오.

1956 중요

세 점 A(0, 0), B(−2, 0), C(2, 4)를 꼭짓점으로 하는 삼각형 ABC의 외접원의 넓이는?

① 8π ② 10π ③ 12π
④ 14π ⑤ 16π

1957

어느 물류 회사는 세 물류 창고 A, B, C를 보유하고 있다. B 창고는 A 창고에서 동쪽으로 1 km, 북쪽으로 1 km 떨어진 곳에 있고, C 창고는 A 창고에서 서쪽으로 6 km, 북쪽으로 8 km 떨어진 곳에 있다. 각 물류 창고에서 같은 거리에 있는 위치에 물류 회사의 새 사옥을 지으려고 할 때, 새 사옥과 물류 창고 사이의 거리는 몇 km인지 구하시오.

유형 05 내신 중요도 유형 난이도 ★★★★★

좌표축에 접하는 원의 방정식

(1) x축에 접하고, 중심의 좌표가 (a, b)인 원의 방정식
⇨ $(x-a)^2+(y-b)^2=b^2$
(2) y축에 접하고, 중심의 좌표가 (a, b)인 원의 방정식
⇨ $(x-a)^2+(y-b)^2=a^2$

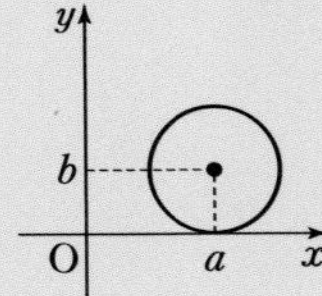

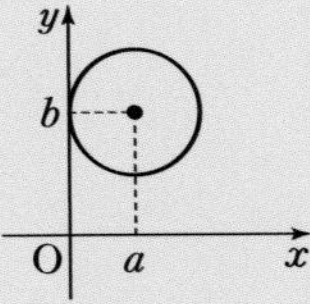

(3) 반지름의 길이가 r이고 x축과 y축에 동시에 접하는 원
① 중심이 제1사분면 ⇨ $(x-r)^2+(y-r)^2=r^2$
② 중심이 제2사분면 ⇨ $(x+r)^2+(y-r)^2=r^2$
③ 중심이 제3사분면 ⇨ $(x+r)^2+(y+r)^2=r^2$
④ 중심이 제4사분면 ⇨ $(x-r)^2+(y+r)^2=r^2$

1958

중심의 좌표가 (3, −1)이고, y축에 접하는 원의 넓이는?

① π ② 3π ③ 5π
④ 7π ⑤ 9π

1959 중요

원 $x^2+y^2-2x+8y=0$과 중심이 같고, x축에 접하는 원의 반지름의 길이를 구하시오.

1960

중심이 (5, 6)이고, y축에 접하는 원이 점 $(1, k)$를 지나게 되는 모든 k의 값의 합을 구하시오.

1961

중심의 좌표가 $(2, a)$이고, x축에 접하는 원이 점 $(5, 1)$을 지날 때, a의 값을 구하시오.

1962

점 $(-1, 2)$를 지나고, x축과 y축에 동시에 접하는 두 원의 중심 사이의 거리는?

① $\sqrt{2}$　② $2\sqrt{2}$　③ $3\sqrt{2}$
④ $4\sqrt{2}$　⑤ $5\sqrt{2}$

1963 중요

원 $x^2+y^2-6x+2ay+13-b=0$이 x축과 y축에 동시에 접할 때, 두 양수 a, b에 대하여 $a+b$의 값을 구하시오.

유형 06 조건이 주어진 원의 방정식

내신 중요도 ■■■■■ 유형 난이도 ★★★★☆

(1) 중심이 x축 위에 있는 원의 방정식
⇨ $(x-a)^2+y^2=r^2$

(2) 중심이 y축 위에 있는 원의 방정식
⇨ $x^2+(y-a)^2=r^2$

(3) 중심이 직선 $y=x$ 위에 있는 원의 방정식
⇨ $(x-a)^2+(y-a)^2=r^2$

1964

중심이 x축 위에 있고, 두 점 $\mathrm{A}(0, -1)$, $\mathrm{B}(2, 3)$을 지나는 원의 방정식을 구하시오.

1965 중요

중심이 직선 $y=x$ 위에 있고, 두 점 $(1, -1)$, $(-1, 3)$을 지나는 원의 중심의 좌표를 (p, q)라 할 때, $p+q$의 값을 구하시오.

1966

중심이 직선 $y=x-1$ 위에 있고, x축에 접하는 원이 점 $(1, 2)$를 지날 때, 이 원의 반지름의 길이를 구하시오.

1967

다음 세 조건을 만족하는 원의 방정식을 모두 구하시오.

(가) 중심이 직선 $y=x+1$ 위에 있다.
(나) y축에 접한다.
(다) 점 $(1, 3)$을 지난다.

1968

중심이 직선 $y=-x+6$ 위에 있고, x축과 y축에 동시에 접하는 원의 넓이는?

① 4π ② 6π ③ 8π
④ 9π ⑤ 10π

1969

원 $x^2+y^2-2kx-4ky-2k-1=0$에 대한 설명 중 옳은 것만을 〈보기〉에서 있는 대로 고른 것은? (단, k는 실수이다.)

보기
ㄱ. 원은 점 $(-1, 0)$을 지난다.
ㄴ. 원의 중심은 직선 $y=2x$ 위에 있다.
ㄷ. 원은 x축과 서로 다른 두 점에서 만난다.

① ㄱ ② ㄷ ③ ㄱ, ㄴ
④ ㄴ, ㄷ ⑤ ㄱ, ㄴ, ㄷ

유형 07 원 밖의 한 점과 원 위의 점 사이의 거리

내신 중요도 유형 난이도 ★★★★★

원 밖의 한 점 P와 원 위의 점 사이의 거리의
(1) 최댓값 ⇨ $\overline{PO}+\overline{OB}=d+r$
(2) 최솟값 ⇨ $\overline{PO}-\overline{OA}=d-r$

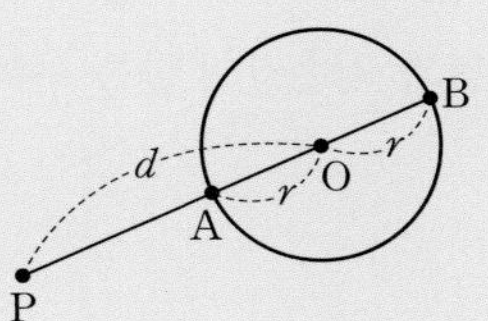

1970

원 $(x-2)^2+(y-2)^2=4$ 위의 임의의 점 $P(x, y)$와 원점 O에 대하여 $\overline{OP}$의 길이의 최솟값과 최댓값의 합은?

① $2\sqrt{2}$ ② 4 ③ $3\sqrt{2}$
④ $4\sqrt{2}$ ⑤ 8

1971 중요

중심의 좌표가 $(4, 3)$이고, x축에 접하는 원 위의 점 P에 대하여 선분 OP의 길이의 최댓값을 구하시오. (단, O는 원점이다.)

1972

그림과 같이 원 밖의 한 점 $A(-3, a)$에서 원 $x^2+y^2=4$ 위의 동점 P까지의 최단 거리가 3일 때, a의 값을 구하시오. (단, $a>0$)

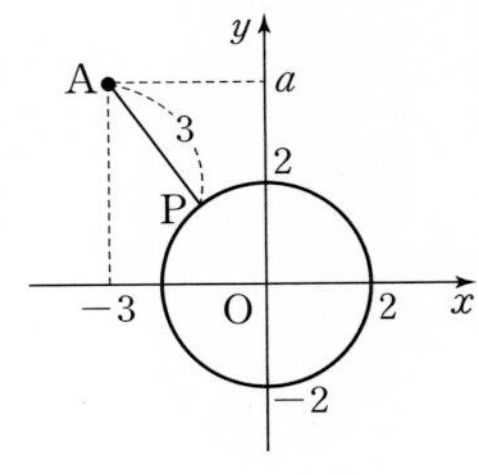

1973

원 $(x+2)^2+(y+1)^2=1$ 위의 점을 P,
원 $(x-1)^2+(y-3)^2=4$ 위의 점을 Q라 할 때, 선분 PQ의 최댓값과 최솟값의 합을 구하시오.

1974

점 A$(5, 10)$과 원 $x^2+y^2+2x-4y-11=0$ 위의 점 P 사이의 거리가 자연수인 점 P의 개수를 구하시오.

1975

원 $x^2+(y-1)^2=1$ 위의 점 P와 포물선 $y=x^2-1$ 위의 점 Q에 대하여 선분 PQ의 길이의 최솟값은?

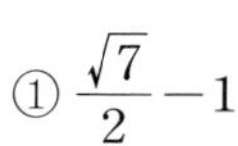

① $\frac{\sqrt{7}}{2}-1$ ② $\frac{3}{4}$

③ $\frac{\sqrt{7}}{2}+1$ ④ $\frac{5}{2}$

⑤ $\frac{11}{4}$

유형 08 두 원의 교점을 지나는 원과 직선

내신 중요도 유형 난이도 ★★★★★

두 원
$x^2+y^2+Ax+By+C=0$, $x^2+y^2+A'x+B'y+C'=0$의
두 교점을 지나는 원의 방정식은
$x^2+y^2+Ax+By+C$
$+k(x^2+y^2+A'x+B'y+C')=0$ (단, $k\neq-1$)
두 교점을 지나는 직선(공통현)의 방정식은
$x^2+y^2+Ax+By+C-(x^2+y^2+A'x+B'y+C')=0$

1976

두 원 $x^2+y^2+4x=0$, $x^2+y^2-6=0$의 두 교점과 점 $(1, 0)$을 지나는 원의 반지름의 길이는?

① $\sqrt{2}$ ② 2 ③ $2\sqrt{2}$
④ 4 ⑤ $4\sqrt{2}$

1977

두 원 $x^2+y^2-2x+4y-3=0$, $x^2+y^2-2x-8y+1=0$의 두 교점과 원점을 세 꼭짓점으로 하는 삼각형의 외심의 좌표는?

① $\left(1, \frac{5}{4}\right)$ ② $\left(1, \frac{5}{3}\right)$ ③ $\left(1, \frac{5}{2}\right)$
④ $\left(\frac{5}{3}, 1\right)$ ⑤ $\left(\frac{5}{2}, 1\right)$

1978 중요

두 원 $x^2+y^2=16$, $x^2+y^2-2x-5y-3=0$의 두 교점을 지나는 직선이 점 $(a, 3)$을 지날 때, a의 값을 구하시오.

1979

두 원 $x^2+y^2+2x-1=0$, $x^2+y^2-2x+4y-3=0$의 두 교점을 지나는 직선에 수직이고, 점 $(-4, 8)$을 지나는 직선의 방정식을 구하시오.

1980

두 원 $(x-2)^2+y^2=4$, $(x-3)^2+(y+1)^2=2$의 공통현의 중점의 좌표를 (a, b)라 할 때, $a-b$의 값을 구하시오.

1981

그림과 같이 원 $x^2+y^2=16$을 선분 AB를 접는 선으로 하여 접었을 때, 점 $(2, 0)$에서 x축에 접한다. 직선 AB의 방정식이 $x+ay+b=0$일 때, 상수 a, b에 대하여 $a+b$의 값을 구하시오.

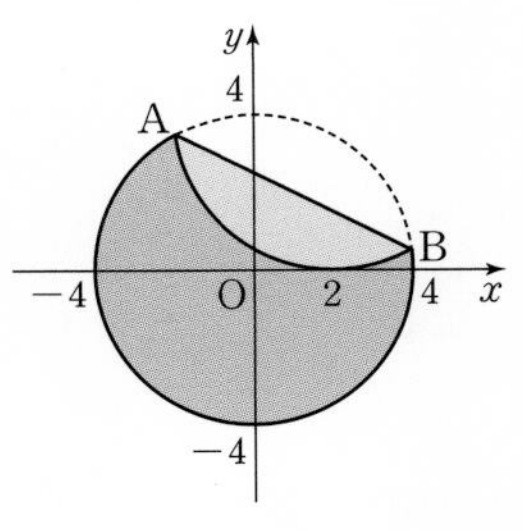

유형 09 자취의 방정식

내신 중요도 유형 난이도 ★★★★★

① 주어진 조건을 만족하는 점의 좌표를 (x, y)로 놓는다.
② 주어진 조건에서 x, y 사이의 관계식을 구한다.

참고 아폴로니오스의 원
두 점 A, B에 대하여 $\overline{AP}:\overline{BP}=m:n$ $(m\neq n)$을 만족시키는 점 P의 자취
⇨ 선분 AB를 $m:n$으로 내분하는 점과 외분하는 점을 지름의 양 끝점으로 하는 원

1982

두 정점 $A(-2, 0)$, $B(2, 0)$에 대하여 $\overline{AP}^2+\overline{BP}^2=40$을 만족시키는 점 P가 그리는 도형의 길이를 구하시오.

1983

점 $A(2, -1)$과 원 $x^2+y^2+4x+2y+1=0$ 위의 점 Q에 대하여 선분 AQ의 중점 P의 자취의 방정식은?

① $x^2+(y-1)^2=1$
② $x^2+(y+1)^2=1$
③ $x^2+(y+1)^2=2$
④ $(x-1)^2+y^2=1$
⑤ $(x-1)^2+y^2=2$

1984 중요

두 점 $A(-1, 0)$, $B(4, 0)$에 대하여 $\overline{AP}:\overline{BP}=3:2$를 만족하는 점 P의 자취의 방정식을 구하시오.

12 원의 방정식

1985 ●●○○

두 점 A$(1,\ -4)$, B$(5,\ 8)$에 대하여 $\overline{\mathrm{AP}}\perp\overline{\mathrm{BP}}$를 만족시키는 점 P가 나타내는 도형의 방정식은?

① $(x-2)^2+(y-3)^2=40$ ② $(x-3)^2+(y-2)^2=\sqrt{40}$
③ $(x-3)^2+(y-2)^2=40$ ④ $(x+3)^2+(y+2)^2=\sqrt{40}$
⑤ $(x+3)^2+(y+2)^2=40$

1986 ●●●○

좌표평면 위에 두 점 A$(7,\ 6)$, B$(11,\ 0)$과 원 $x^2+y^2=36$이 있다. 이 원 위를 움직이는 점 P에 대하여 삼각형 APB의 무게중심 G가 나타내는 도형의 넓이를 구하시오.

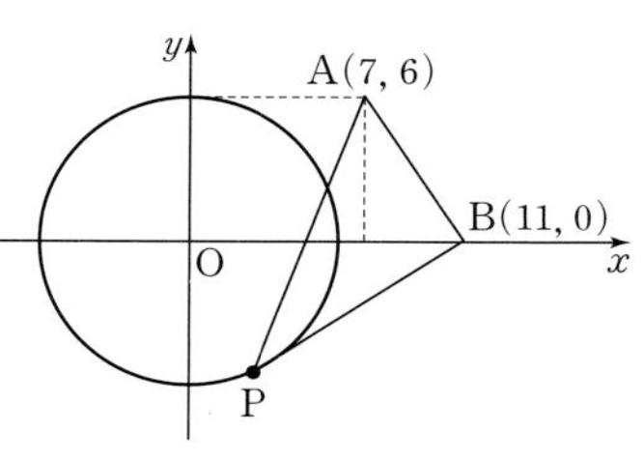

1987 ●●●●

그림과 같이 길이가 10인 막대의 위 끝이 벽을 타고 내려오면 아래 끝은 바닥에 닿은 상태로 오른쪽 방향으로 움직인다. 막대의 중점 M이 나타내는 도형의 길이를 구하시오. (단, 막대의 두께는 고려하지 않는다.)

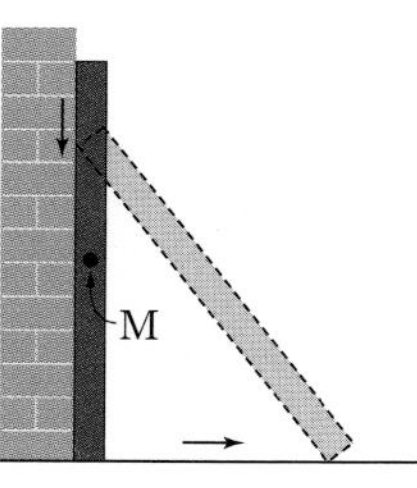

유형 10 원과 직선이 접하는 경우

내신 중요도 ▬▬▬▬▬ 유형 난이도 ★★★★★

(1) 원의 방정식과 직선의 방정식을 연립한 이차방정식의 판별식을 D라 할 때
⇨ $D=0$

(2) 원의 중심과 직선 사이의 거리를 d, 반지름의 길이를 r라 할 때
⇨ $d=r$

1988 짱중요 ●○○○

직선 $x+y-4=0$과 원 $x^2+(y-a)^2=4$가 한 점에서 만나도록 하는 상수 a의 모든 값의 합은?

① 4 ② 5 ③ 6
④ 7 ⑤ 8

1989 ●○○○

직선 $x+y+k=0$이 원 $x^2+y^2-2x+2y=0$에 접할 때, 상수 k의 값을 구하시오.

1990 교육청 기출 ●●○○

직선 $y=x+2$와 평행하고 원 $x^2+y^2=9$에 접하는 직선의 y절편을 k라 할 때, k^2의 값을 구하시오.

1991 중요 교육청 기출

직선 $y=mx+n$이 두 원 $x^2+y^2=9$, $(x+4)^2+y^2=4$에 동시에 접할 때, 상수 m, n에 대하여 $20mn$의 값을 구하시오.

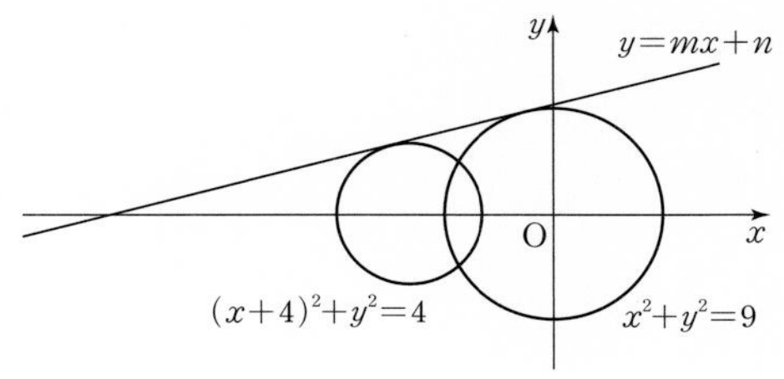

1992

점 $(2, 0)$에서 x축에 접하면서 직선 $4x-3y+16=0$에 접하는 두 원의 넓이의 합은?

① 100π ② 125π ③ 144π ④ 153π ⑤ 168π

1993 교육청 기출

이차함수 $y=x^2$의 그래프 위의 점을 중심으로 하고 y축에 접하는 원 중에서 직선 $y=\sqrt{3}x-2$와 접하는 원은 2개이다. 두 원의 반지름의 길이를 각각 a, b라 할 때, $100ab$의 값을 구하시오.

유형 11 원과 직선이 두 점에서 만나는 경우

내신 중요도 유형 난이도 ★★★★★

(1) 원의 방정식과 직선의 방정식을 연립한 이차방정식의 판별식을 D라 할 때
⇨ $D>0$

(2) 원의 중심과 직선 사이의 거리를 d, 반지름의 길이를 r라 할 때
⇨ $d<r$

1994 중요

원 $(x+1)^2+(y-2)^2=5$와 직선 $y=2x+k$가 서로 다른 두 점에서 만나게 되는 정수 k의 개수를 구하시오.

1995

원 $x^2+y^2=16$과 직선 $x+\sqrt{3}y+k=0$이 만나도록 하는 정수 k의 개수를 구하시오.

1996

원 $x^2+y^2=r^2$ $(r>0)$이 직선 $2x+y=4$와 제1사분면에서 만나게 되는 r의 값의 범위를 $\alpha\le r<\beta$라 할 때, $5\alpha\beta$의 값을 구하시오.

유형 12 원과 직선이 만나지 않는 경우

내신 중요도 ■■■■■ 유형 난이도 ★★★☆☆

(1) 원의 방정식과 직선의 방정식을 연립한 이차방정식의 판별식을 D라 할 때
⇨ $D<0$

(2) 원의 중심과 직선 사이의 거리를 d, 반지름의 길이를 r라 할 때
⇨ $d>r$

1997 ●○○○

원 $x^2+y^2=r^2$과 직선 $4x-3y=15$가 만나지 않도록 하는 양수 r의 값의 범위가 $a<r<b$일 때, a^2+b^2의 값을 구하시오.

1998 중요 ●●○○

원 $(x+1)^2+y^2=1$과 직선 $y=m(x-2)$가 만나지 않을 때, 상수 m의 값의 범위를 구하시오.

1999 ●●●○

직선 $y=x+k$가 두 원 $x^2+y^2=1$과 $x^2+(y-6)^2=1$ 사이를 지나도록 하는 k의 값의 범위가 $a<k<b$일 때, $b-a$의 값을 구하시오.

유형 13 현의 길이

내신 중요도 ■■■■■ 유형 난이도 ★★★★★

반지름의 길이가 r인 원의 중심에서 d만큼 떨어진 현의 길이를 l이라 하면

$l=2\sqrt{r^2-d^2}$

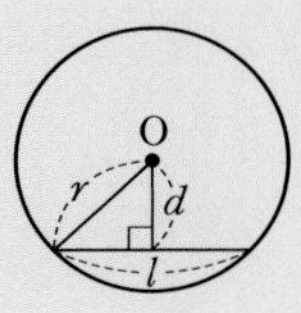

2000 ●●○○

그림과 같이 중심의 좌표가 $(-3, 1)$이고, 반지름의 길이가 2인 원이 x축과 만나는 두 점을 $\mathrm{A}(\alpha, 0)$, $\mathrm{B}(\beta, 0)$이라 할 때, $\alpha\beta$의 값을 구하시오.

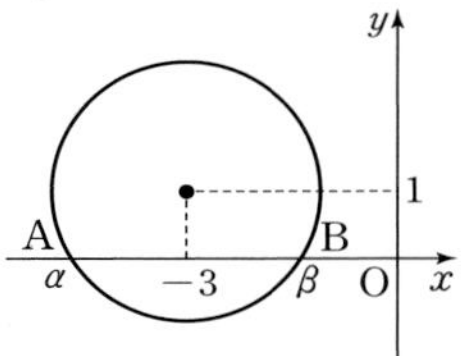

2001 짱중요 ●●○○

원 $(x+1)^2+y^2=25$와 직선 $y=3x-2$의 두 교점을 A, B라 할 때, 선분 AB의 길이를 구하시오.

2002 교육청 기출 ●●●○

그림은 원 $(x+1)^2+(y-3)^2=4$와 직선 $y=mx+2$를 좌표평면 위에 나타낸 것이다. 원과 직선의 두 교점을 각각 A, B라 할 때, 선분 AB의 길이가 $2\sqrt{2}$가 되도록 하는 상수 m의 값을 구하시오. (단, O는 원점이다.)

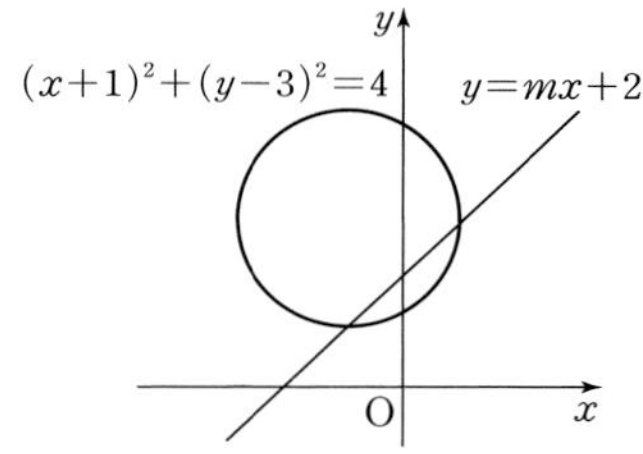

2003 중요

직선 $y=-2x+a$와 원 $x^2+y^2-4x-2y-4=0$이 만나서 생기는 현의 길이가 4일 때, 양수 a의 값은?

① 6 ② 7 ③ 8
④ 9 ⑤ 10

2004

원 $x^2+y^2=9$와 직선 $3x-4y+5=0$의 두 교점을 지나는 원의 넓이의 최솟값은?

① 5π ② 6π ③ 7π
④ 8π ⑤ 9π

2005

좌표평면 위에 원 $x^2+y^2=16$이 있다. 점 (3, 0)을 지나면서 길이가 자연수인 현의 개수를 구하시오.

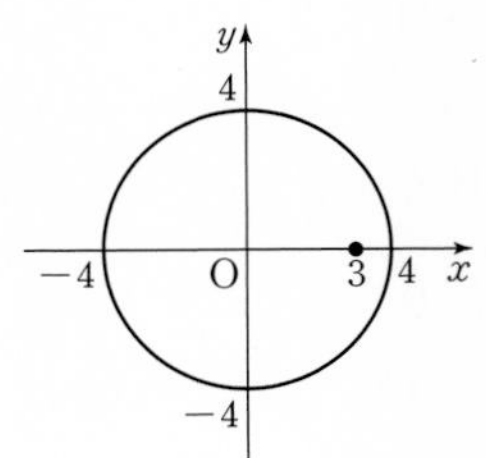

2006

두 원 $x^2+y^2=4$, $x^2+y^2+3x-4y+1=0$의 공통현의 길이는?

① $\sqrt{2}$ ② $\sqrt{3}$ ③ $\sqrt{5}$
④ $2\sqrt{2}$ ⑤ $2\sqrt{3}$

2007

두 원 $x^2+y^2-2y-8=0$, $x^2+y^2-x+k=0$의 공통현의 길이가 $2\sqrt{5}$가 되도록 하는 모든 상수 k의 값의 합을 구하시오.

2008

두 원 $C : x^2+y^2=4$, $C' : x^2+y^2+2x-4=0$의 공통현을 $\overline{AB}$라 할 때, 원 C'의 중심 O′에 대하여 삼각형 O′AB의 넓이를 구하시오.

유형 14 접선의 길이

내신 중요도 ■■■■□ 유형 난이도 ★★★★☆

원 밖의 한 점 P에서 원에 그은 접선의 접점을 Q라 하면

$\overline{PQ}=\sqrt{\overline{OP}^2-\overline{OQ}^2}$

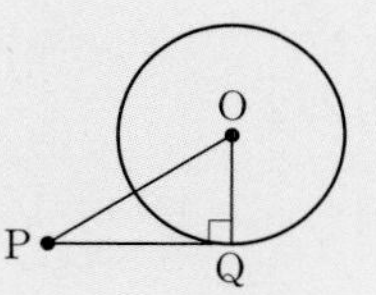

2009

원 $x^2+y^2=1$ 밖의 점 A$(3, 1)$에서 원에 접선을 그었을 때, 점 A에서 접점까지의 거리는?

① 3 ② 4 ③ 5
④ 6 ⑤ 7

2010 중요

점 P$(4, 1)$에서 원 $(x+1)^2+(y-2)^2=a$에 그은 접선의 접점을 Q라 하면 $\overline{PQ}=4$일 때, 상수 a의 값을 구하시오.

2011

원 $x^2+y^2-2x+4y-11=0$의 중심을 A라 하고, 원 밖의 점 P$(-2, 3)$에서 이 원에 그은 접선의 접점을 T라 할 때, 삼각형 APT의 넓이를 구하시오.

2012

좌표평면 위에 원 $(x-1)^2+(y-1)^2=r^2$과 원 밖의 점 A$(5, 3)$이 있다. 점 A에서 원에 그은 두 접선이 서로 $60°$의 각을 이룰 때, r^2의 값을 구하시오.

2013 교육청 기출

좌표평면에서 원점을 지나고 기울기가 양수인 직선 l은 원 $x^2+y^2-8x+12=0$과 점 P에서 접한다. 또 직선 m은 l과 수직이고 점 P를 지난다. 이때 두 직선 l, m 그리고 x축으로 둘러싸인 부분의 넓이는?

① 2 ② 3 ③ $2\sqrt{3}$
④ $3\sqrt{2}$ ⑤ $3\sqrt{3}$

2014

그림과 같이 점 P$(3, 2)$를 지나는 직선이 원 $x^2+y^2=1$과 두 점 A, B에서 만날 때, $\overline{PA}\cdot\overline{PB}$의 값은?

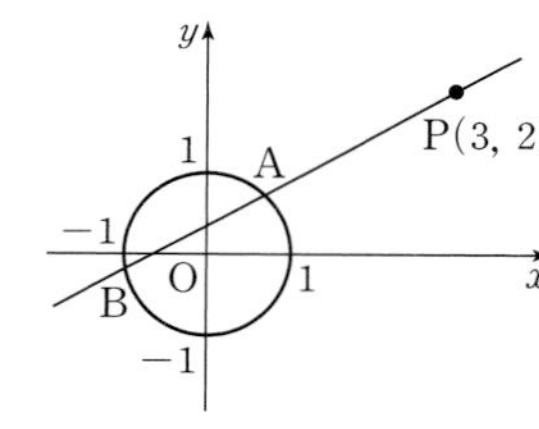

① 9 ② 10
③ 11 ④ 12
⑤ 13

유형 15 원 위의 점과 직선 사이의 거리

내신 중요도 유형 난이도 ★★★★★

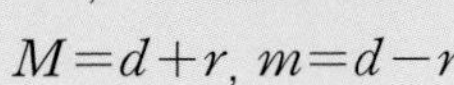

원의 중심 O와 직선 l 사이의 거리를 d, 원의 반지름의 길이를 r라 할 때, 원 위의 점과 직선 사이의 거리의 최댓값을 M, 최솟값을 m이라 하면

$M=d+r,\ m=d-r$

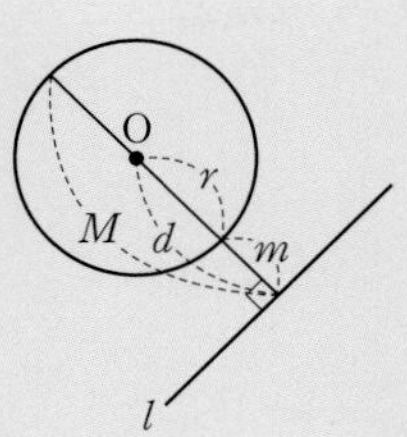

2015

원 $x^2+y^2=16$ 위의 점과 직선 $3x-4y+40=0$ 사이의 거리의 최솟값은?

① 1 ② 2 ③ 3 ④ 4 ⑤ 5

2016 중요

원 $x^2+y^2-4x-10y+25=0$ 위의 한 점에서 직선 $3x-4y-1=0$에 이르는 거리의 최댓값을 M, 최솟값을 m이라 할 때, $M+m$의 값을 구하시오.

2017 짱중요

원 $(x-5)^2+(y+1)^2=5^2$ 위에 두 점 A$(0,\ -1)$, B$(8,\ 3)$이 있다. △PAB의 넓이가 최대가 되도록 하는 원 위의 한 점 P와 원의 중심을 지나는 직선의 방정식을 $y=ax+b$라 할 때, 상수 a, b에 대하여 ab의 값을 구하시오.

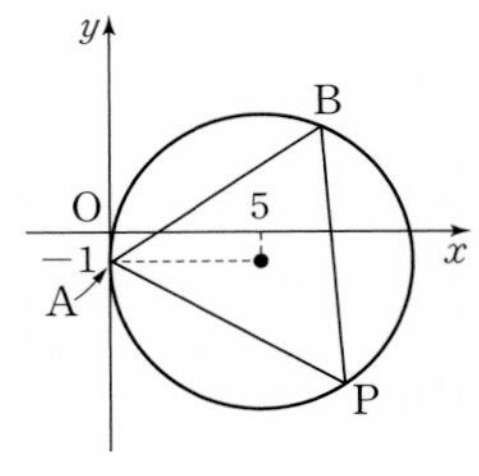

2018

두 점 A$(4,\ 0)$, B$(0,\ 4)$와 원 $x^2+y^2=4$ 위의 임의의 점 P에 대하여 삼각형 ABP의 넓이의 최댓값을 구하시오.

2019 교육청 기출

좌표평면 위의 점 $(3,\ 4)$를 지나는 직선 중에서 원점과의 거리가 최대인 직선을 l이라 하자. 원 $(x-7)^2+(y-5)^2=1$ 위의 점 P와 직선 l 사이의 거리의 최솟값을 m이라 할 때, $10m$의 값을 구하시오.

2020

그림과 같이 원 $x^2+y^2=5$ 내부의 두 점 $(-1,\ 0)$, $(0,\ 1)$과 원 위의 한 점 P가 만드는 삼각형의 넓이가 1이 되는 점 P의 개수를 구하시오.

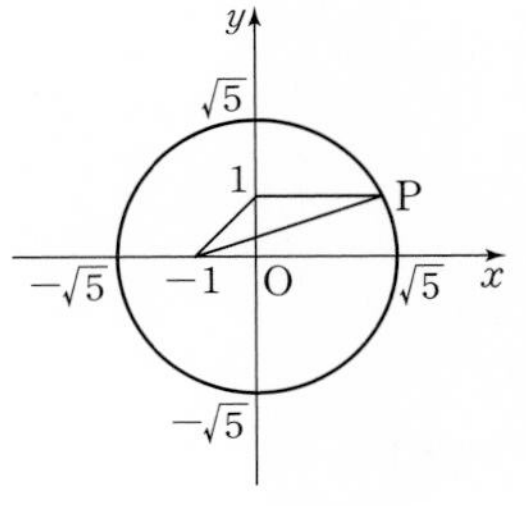

12 원의 방정식

유형 16 내신 중요도 유형 난이도 ★★★☆☆

기울기가 주어진 접선의 방정식

원 $x^2+y^2=r^2$에 접하고, 기울기가 m인 접선의 방정식은

$y=mx\pm r\sqrt{m^2+1}$

참고 원 $(x-a)^2+(y-b)^2=r^2$ $(r>0)$에 접하고 기울기가 m인 직선의 방정식

⇨ $y-b=m(x-a)\pm r\sqrt{m^2+1}$

2021

원 $x^2+y^2=49$에 접하고 직선 $2x+y+1=0$에 평행한 직선의 방정식을 구하시오.

2022 중요

직선 $x+2y=4$에 수직이고, 원 $x^2+y^2=4$에 접하는 직선의 방정식은 $y=ax+b$이다. 이때, 두 상수 a, b에 대하여 ab의 값은? (단, $b>0$)

① 4 ② 5 ③ 6
④ $3\sqrt{5}$ ⑤ $4\sqrt{5}$

2023

기울기가 2인 직선이 원 $x^2+y^2=5$와 제2사분면에서 접할 때, 이 직선과 x축과 y축으로 둘러싸인 삼각형의 넓이를 구하시오.

2024

원 $x^2+y^2=16$과 제2사분면에서 접하고, x축과 양의 방향으로 60°의 각을 이루는 접선의 방정식을 구하시오.

2025

기울기가 2이고, 원 $(x+2)^2+(y-1)^2=5$에 접하는 두 직선의 y절편의 합을 구하시오.

2026

원 $x^2+y^2=4$에 접하며 y절편이 $2\sqrt{5}$인 두 직선의 기울기의 곱을 구하시오.

유형 17 내신 중요도 유형 난이도 ★★★★☆

접점이 주어진 접선의 방정식

원 $x^2+y^2=r^2$ 위의 점 $\mathrm{P}(x_1, y_1)$에서의 접선의 방정식은
$x_1x+y_1y=r^2$

2027 교육청 기출 ●○○○

원 $x^2+y^2=5$ 위의 점 $(2, 1)$에서의 접선과 평행하고 점 $(-1, 3)$을 지나는 직선의 방정식은?

① $x+2y-5=0$　② $x-2y+1=0$
③ $2x+y-1=0$　④ $2x-y+5=0$
⑤ $2x+2y+1=0$

2028 중요 ●●○○

원 $x^2+y^2=5^2$ 위의 점 $(-4, 3)$을 지나고 이 점에서의 접선에 수직인 직선의 방정식을 구하시오.

2029 짱중요 ●●○○

그림과 같이 원 $x^2+y^2=10$ 위의 점 $(1, -3)$에서의 접선이 x축, y축과 만나서 이루는 삼각형 AOB의 넓이는?

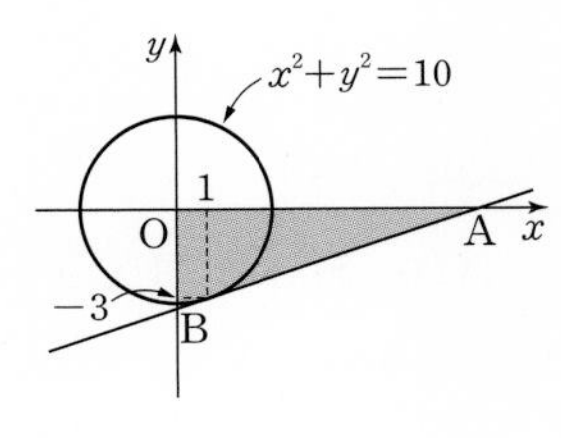

① 16　② $\frac{50}{3}$
③ $\frac{52}{3}$　④ 18
⑤ $\frac{56}{3}$

2030 ●●○○

원 $x^2+y^2=20$ 위의 점 (a, b)에서의 접선의 기울기가 $\frac{1}{3}$일 때, ab의 값을 구하시오.

2031 ●●●○

원 $x^2+y^2=5$와 직선 $y=x-3$의 교점에서의 접선의 방정식을 $ax+by=5$, $cx+dy=5$라 할 때, 상수 a, b, c, d에 대하여 $a+b+c+d$의 값을 구하시오.

2032 ●●●○

원 $(x-3)^2+(y-1)^2=5$ 위의 점 $(2, 3)$에서의 접선의 x절편을 a, y절편을 b라 할 때, $a+b$의 값을 구하시오.

유형 18 내신 중요도 ▬▬▬▬▬ 유형 난이도 ★★★★★

원 밖의 한 점이 주어진 접선의 방정식

① 접점을 $\mathrm{P}(x_1, y_1)$이라 놓고, 구한 접선의 방정식에 주어진 점을 대입한다.
② 점 (x_1, y_1)을 원의 방정식에 대입한다.
③ ①, ②에서 구한 두 식을 연립하여 푼다.

2033 짱중요

점 $(-3, 1)$에서 원 $x^2+y^2=2$에 그은 접선의 방정식을 모두 고르면? (정답 2개)

① $x-y+2=0$ ② $x+y+2=0$ ③ $x-y-2=0$
④ $x-7y+10=0$ ⑤ $x+7y+10=0$

2034 교육청 기출

점 $(-6, 0)$에서 원 $x^2+y^2=9$에 그은 접선의 방정식이 $y=mx+n$일 때, mn의 값은? (단, m, n은 상수이다.)

① $\frac{\sqrt{3}}{3}$ ② 2 ③ 3
④ $2\sqrt{3}$ ⑤ $3\sqrt{3}$

2035 중요

점 $(4, 0)$에서 원 $x^2+y^2=4$에 그은 두 접선의 방정식의 기울기가 m_1, m_2일 때, m_1m_2의 값을 구하시오.

2036

원 $x^2+y^2=5$ 밖의 점 $(3, 1)$에서 이 원에 그은 두 접선과 y축으로 둘러싸인 삼각형의 넓이를 S라 할 때, $4S$의 값은?

① 41 ② 42 ③ 43
④ 44 ⑤ 45

2037

점 $\mathrm{P}(1, 4)$에서 원 $x^2+y^2=5$에 그은 두 접선의 접점을 지나는 직선의 방정식이 $ax+by-5=0$일 때, $a+b$의 값을 구하시오.
(단, a, b는 상수이다.)

2038

점 $\mathrm{A}(0, a)$에서 원 $x^2+(y+2)^2=9$에 그은 두 접선이 수직이 되도록 하는 모든 상수 a의 값의 합을 구하시오.

해설 293쪽

2039

직선 $y=2x+k$가 원 $(x+2)^2+(y+3)^2=18$의 둘레를 이등분할 때, 상수 k의 값은?

① -2　② -1　③ 0
④ 1　⑤ 2

2040

원 $x^2+y^2+2x-8y-10=0$의 중심 A와 원 $x^2+y^2-6x-1=0$의 중심 B에 대하여 두 점 A, B를 지름의 양 끝점으로 하는 원의 방정식은?

① $(x-1)^2+(y-2)^2=4$　② $(x-1)^2+(y-2)^2=8$
③ $(x-1)^2+(y-2)^2=16$　④ $(x-2)^2+(y+2)^2=4$
⑤ $(x-2)^2+(y+2)^2=8$

2041

세 점 A$(0, 0)$, B$(1, -2)$, C$(2, 1)$을 지나는 원의 방정식을 $x^2+y^2+ax+by+c=0$이라 할 때, 세 상수 a, b, c에 대하여 $a+b+c$의 값을 구하시오.

2042

중심의 좌표가 $(a, 1)$이고, y축에 접하는 원이 점 $(2, 3)$을 지날 때, a의 값을 구하시오.

2043

두 원

C_1: $x^2-2x+y^2+4y+4=0$,

C_2: $x^2+4x+y^2-2y+4=0$

에 대하여 C_1 위의 임의의 점 P와 C_2 위의 임의의 점 Q에 대하여 두 점 P, Q 사이의 거리의 최댓값과 최솟값의 곱을 구하시오.

2044

두 점 A$(2, -4)$, B$(5, 2)$에 대하여 $\overline{AP}:\overline{BP}=2:1$을 만족시키는 점 P가 나타내는 도형의 방정식은?

① $(x-3)^2+(y-4)^2=20$　② $(x-5)^2+(y-4)^2=25$
③ $(x-5)^2+(y-6)^2=30$　④ $(x-6)^2+(y-4)^2=20$
⑤ $(x-6)^2+(y-5)^2=25$

해설 294쪽

2045

원 $(x-1)^2+(y-2)^2=1$이 직선 $2x-y+a=0$과 만나도록 하는 정수 a의 개수를 구하시오.

2046 서술형

원 $(x-2)^2+(y-a)^2=16$과 직선 $ax+y=0$이 두 점 P, Q에서 만난다고 한다. $\overline{PQ}=6$일 때, 양수 a의 값을 구하시오.

2047

그림과 같이 원 밖의 한 점 P(7, 4)에서 원 $x^2+y^2-4x-8y+16=0$에 접선을 그을 때, 두 접점 A, B 사이의 거리를 구하시오.

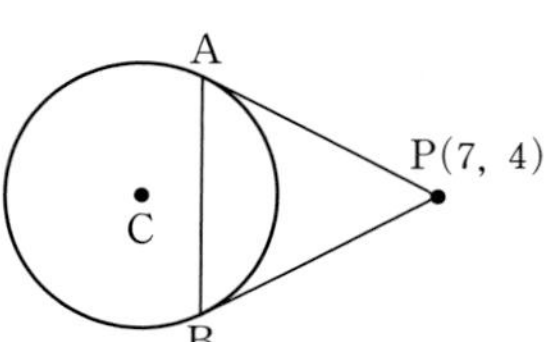

2048

그림과 같이 원 $(x-4)^2+(y-2)^2=9$가 직선 $y=ax$와 x축과 각각 두 점에서 만난다. 원과 x축으로 둘러싸인 부분의 넓이를 S_1, 원과 직선 $y=ax$로 둘러싸인 부분의 넓이를 S_2라 할 때, $S_1=S_2$가 성립하도록 하는 상수 a의 값은? (단, $a\neq0$)

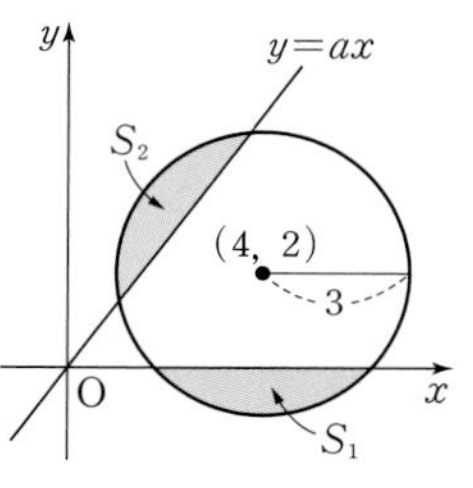

① 3 ② 2 ③ $\frac{3}{2}$ ④ $\frac{4}{3}$ ⑤ $\frac{5}{4}$

2049

두 직선 $x+y=-1$, $2x+y=2$의 교점을 지나고 원 $x^2+y^2=25$에 접하는 직선의 기울기를 구하시오.

2050 서술형

점 $(0, 5)$에서 원 $x^2+y^2=9$에 그은 두 접선과 x축으로 둘러싸인 삼각형의 넓이를 S라 할 때, $4S$의 값을 구하시오.

해설 296쪽

Level 1

2051

직선 $(k+1)x-3y+k-2=0$이 실수 k의 값에 관계없이 원 $x^2+y^2+ax+by-1=0$의 넓이를 이등분할 때, 두 상수 a, b에 대하여 $a+b$의 값을 구하시오.

2052

다음 세 직선으로 만들어지는 삼각형의 외접원의 중심의 좌표를 (p, q), 반지름의 길이를 r라 할 때, $p+q+r^2$의 값을 구하시오.

$$x-y+2=0,\ x+y-6=0,\ x+3y-6=0$$

2053

좌표평면에서 제1사분면 위의 점 (a, b)를 중심으로 하고, y축에 접하는 원이 있다. 이 원이 두 점 $\mathrm{A}(2, 2)$, $\mathrm{B}(9, 9)$를 지날 때, 원의 중심과 직선 AB 사이의 거리는?

① $\frac{\sqrt{2}}{2}$ ② $\frac{3\sqrt{2}}{4}$ ③ $\sqrt{2}$
④ $\frac{5\sqrt{2}}{4}$ ⑤ $\frac{3\sqrt{2}}{2}$

2054

그림과 같이 원과 반원으로 이루어진 태극 문양이 직선 $y=m(x+1)$과 서로 다른 다섯 개의 점에서 만나도록 하는 상수 m의 값의 범위를 구하시오.

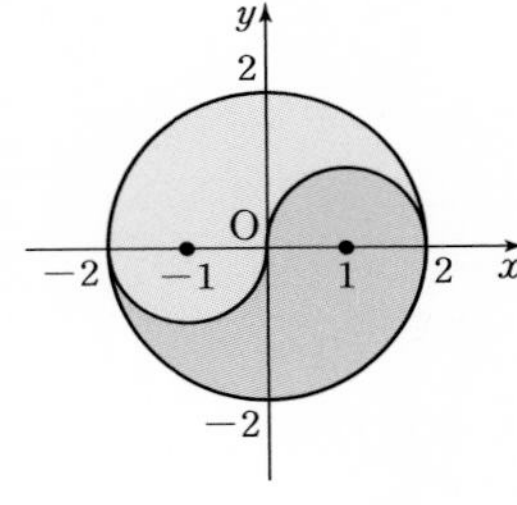

2055

그림과 같이 원 $(x+1)^2+(y-3)^2=1$ 위를 움직이는 점 P와 두 점 A$(3,\ 0)$, B$(0,\ -4)$에 대하여 삼각형 ABP의 넓이의 최댓값을 M, 최솟값을 m이라 할 때, $M+m$의 값을 구하시오.

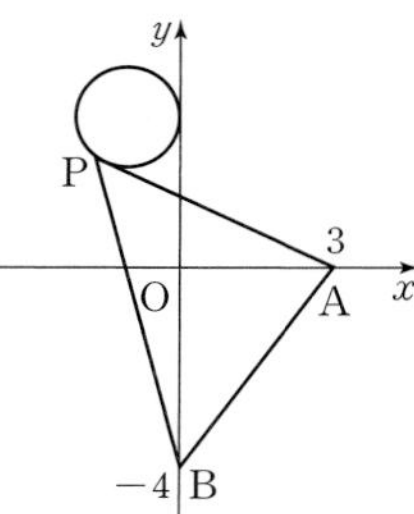

2056

교육청 기출

좌표평면에 두 원

$C_1:x^2+y^2=1,\ C_2:x^2+y^2-8x+6y+21=0$

이 있다. 그림과 같이 x축 위의 점 P에서 원 C_1에 그은 한 접선의 접점을 Q, 점 P에서 원 C_2에 그은 한 접선의 접점을 R라 하자. $\overline{\mathrm{PQ}}=\overline{\mathrm{PR}}$일 때, 점 P의 x좌표는?

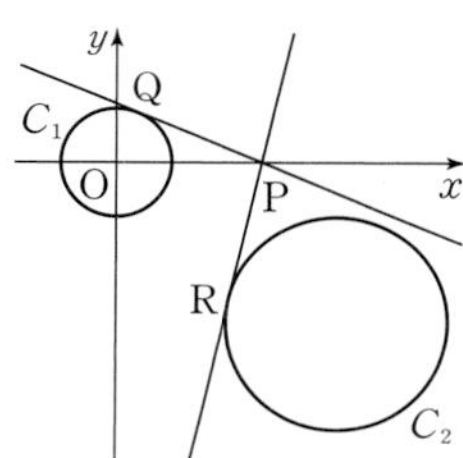

① $\frac{19}{8}$　② $\frac{5}{2}$　③ $\frac{21}{8}$　④ $\frac{11}{4}$　⑤ $\frac{23}{8}$

2057

교육청 기출

좌표평면 위에 원 $C:(x-1)^2+(y-2)^2=4$와 두 점 A$(4,\ 3)$, B$(1,\ 7)$이 있다. 원 C 위를 움직이는 점 P에 대하여 삼각형 PAB의 무게중심과 직선 AB 사이의 거리의 최솟값은?

① $\frac{1}{15}$　② $\frac{2}{15}$　③ $\frac{1}{5}$　④ $\frac{4}{15}$　⑤ $\frac{1}{3}$

2058

그림과 같이 좌표평면에서 원 $x^2+y^2=1$의 제1사분면 위의 점 P에서의 접선이 x축, y축과 만나는 점을 각각 Q, R라 하자. $\overline{\mathrm{QR}}=4$일 때, $(\overline{\mathrm{OQ}}+\overline{\mathrm{OR}})^2$의 값을 구하시오.

(단, O는 원점이다.)

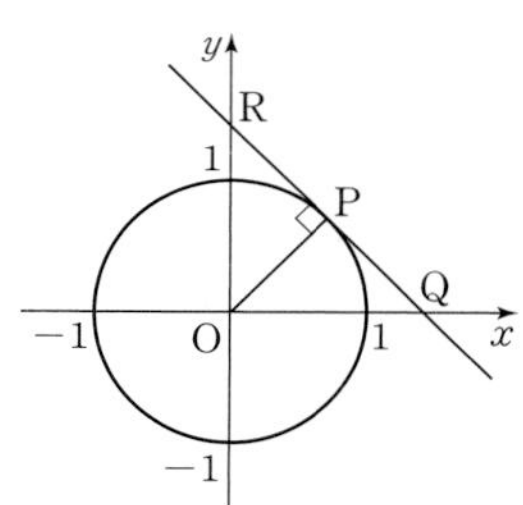

해설 297쪽

Level 2

2059

그림은 반지름의 길이가 $\sqrt{50}$인 원 모양의 종이를 $\angle ABC=90°$가 되도록 잘라 낸 것이다. $\overline{AB}=6$, $\overline{BC}=2$일 때, 원의 중심 O와 점 B 사이의 거리를 구하시오.

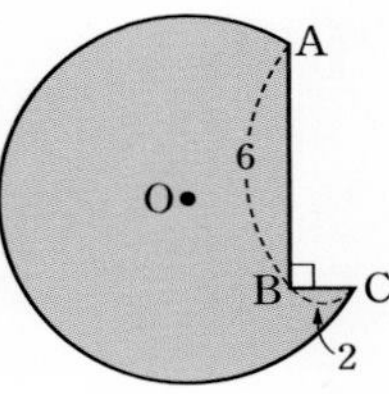

2060

원 $(x-2)^2+(y-1)^2=1$ 위를 움직이는 점 (x, y)에 대하여 x^2+y^2의 최댓값과 최솟값의 곱을 구하시오.

2061

좌표평면 위의 두 원

$$x^2+y^2+2x-4y+4=0,\ (x-a)^2+y^2=4+a^2$$

이 만나는 서로 다른 두 점 사이의 거리가 최대가 되도록 하는 실수 a의 값은?

① -2　② $-\frac{3}{2}$　③ -1　④ $-\frac{1}{2}$　⑤ 0

2062

교육청 기출

좌표평면에서 중심이 $(1,\ 1)$이고 반지름의 길이가 1인 원과 직선 $y=mx(m>0)$가 두 점 A, B에서 만난다. 두 점 A, B에서 각각 이 원에 접하는 두 직선이 서로 수직이 되도록 하는 모든 실수 m의 값의 합은?

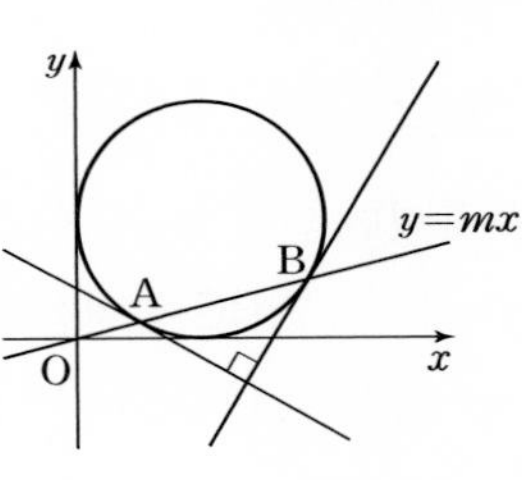

① 2　② $\frac{5}{2}$　③ 3　④ $\frac{7}{2}$　⑤ 4

12 원의 방정식

2063

그림과 같이 반지름의 길이가 $\sqrt{2}$인 원의 중심 $\mathrm{C}(a, b)$가 포물선 $y=x^2$ 위를 움직인다.
이 원이 직선 $x-y+4=0$과 접할 때, 원의 중심의 x좌표 a의 최댓값과 최솟값의 합을 구하시오.

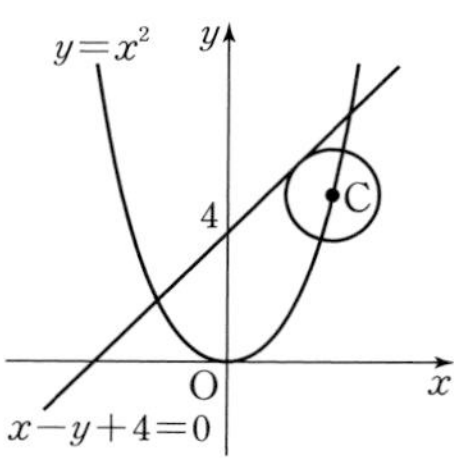

2064

교육청 기출

좌표평면 위의 세 점 $\mathrm{A}(6, 0)$, $\mathrm{B}(0, -3)$, $\mathrm{C}(10, -8)$에 대하여 삼각형 ABC에 내접하는 원의 중심을 P라 할 때, 선분 OP의 길이는? (단, O는 원점이다.)

① $2\sqrt{7}$　② $\sqrt{30}$　③ $4\sqrt{2}$
④ $\sqrt{34}$　⑤ 6

2065

좌표평면 위에 원 $x^2+y^2=16$이 있다. 이 원에 접하고 서로 수직인 두 직선의 교점을 P라 할 때, 점 P가 나타내는 도형의 넓이를 구하시오.

2066

그림과 같이 원점을 중심으로 하고, 반지름의 길이가 2인 원 위에 점 $\mathrm{P}(a, b)$가 있다. 점 P에서의 접선이 점 $(6, 0)$을 중심으로 하고, 반지름의 길이가 1인 원과 서로 다른 두 점에서 만나도록 하는 a의 값의 범위를 구하시오.

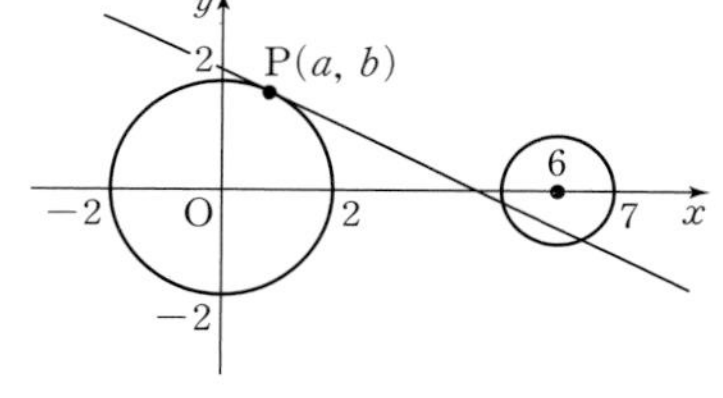

2067

교육청 기출

좌표평면 위에 원 C: $x^2+y^2=r^2(0<r<2\sqrt{2})$와 점 A$(2,\ 2)$가 있다. 점 A에서 원 C에 그은 접선 l이 원 C와 만나는 접점을 P라 하고, 점 P를 지나고 직선 l과 수직인 직선이 원 C와 만나는 다른 한 점을 Q라 하자. 삼각형 APQ가 이등변삼각형이 되도록 하는 점 P의 좌표를 $(a,\ b)$라 할 때, $a\times b$의 값은?

① $-\frac{18}{25}$　② $-\frac{16}{25}$　③ $-\frac{14}{25}$　④ $-\frac{12}{25}$　⑤ $-\frac{2}{5}$

Level 3

2068

교육청 기출

좌표평면 위의 두 점 A$(-1,\ -9)$, B$(5,\ 3)$에 대하여 $\angle$APB$=45°$를 만족시키는 점 P가 있다.
서로 다른 세 점 A, B, P를 지나는 원의 중심을 C라 하자. 선분 OC의 길이를 k라 할 때, k의 최솟값은? (단, O는 원점이다.)

① 3　② 4　③ 5　④ 6　⑤ 7

2069

좌표평면 위의 원 $x^2+y^2=1$ 위를 움직이는 점 P와 원 $(x-4)^2+y^2=4$ 위를 움직이는 점 Q에 대하여 선분 PQ의 중점 M이 존재하는 부분의 넓이를 구하시오.

2070

원 $x^2+y^2-2x+2y=0$ 위를 움직이는 점 P$(x,\ y)$에 대하여 $\frac{y+3}{x+1}$의 최댓값을 M, 최솟값을 m이라 할 때, Mm의 값을 구하시오.

2071

두 도형 $x^2+y^2=4\ (y>0)$, $y=-x+|x+k|$가 서로 다른 두 점에서 만나기 위한 실수 k의 값의 범위를 $a<k<b$ 또는 $c<k<d$라 할 때, $a+b+c+d$의 값을 구하시오.

2072

교육청 기출

좌표평면 위에 $0<\frac{b}{2}<a<b$인 두 실수 a, b에 대하여 세 원

C_1: $x^2+y^2=a^2$,
C_2: $(x-b)^2+y^2=(b-a)^2$,
C_3: $(x-b+a)^2+y^2=b^2$

이 있다. 직선 $y=-\frac{4}{3}x$와 원 C_1이 만나는 점 중 제2사분면 위에 있는 점을 P라 하고, 점 P에서 원 C_2에 그은 두 접선을 l_1, l_2라 하자. 직선 l_1은 x축에 평행하고, 직선 l_2는 원 C_2 위의 점 Q에서 접한다. 원 C_3 위의 점 R에 대하여 삼각형 PQR의 넓이의 최댓값이 240일 때, $a+b$의 값을 구하시오.

2073

교육청 기출

좌표평면 위에 두 원

C_1: $x^2+(y-4)^2=4$
C_2: $(x-6)^2+(y-4+6\sqrt{3})^2=16$

이 있다. 원 C_1 위를 움직이는 점 $\mathrm{P}(x_1, y_1)$과 원 C_2 위를 움직이는 점 $\mathrm{Q}(x_2, y_2)$가 다음 조건을 만족시킨다.

(가) $0\le x_1\le 1$, $\frac{2x_1+x_2}{3}=2$
(나) $y_1\le 4$, $y_2\ge 4-6\sqrt{3}$

선분 PQ가 그리는 도형의 넓이가 $a-b\pi$일 때, $a+9b$의 값을 구하시오. (단, a, b는 유리수이다.)

13 도형의 이동

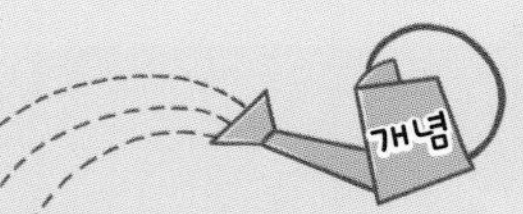

도형의 이동

1. 평행이동

(1) 점의 평행이동

점 $\mathrm{P}(x, y)$를 x축의 방향으로 a만큼, y축의 방향으로 b만큼 평행이동한 점 P'은 $\mathrm{P}'(x+a, y+b)$이다. 즉,

$$(x, y) \xrightarrow[\text{평행이동}]{x\text{축}: a,\ y\text{축}: b} (x+a, y+b)$$

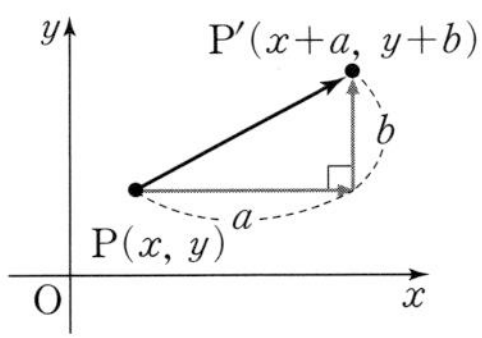

(2) 도형의 평행이동

방정식 $f(x, y)=0$이 나타내는 도형을 x축의 방향으로 a만큼, y축의 방향으로 b만큼 평행이동한 도형의 방정식은

$$f(x-a, y-b)=0$$

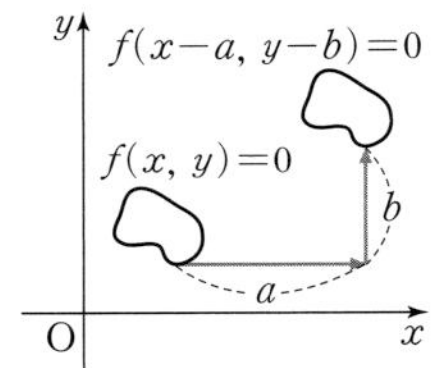

$f:(x, y) \longrightarrow (x+a, y+b)$의 의미

① 점의 이동

⇨ x 대신에 $x+a$, y 대신에 $y+b$를 대입한다.

② 도형의 이동

⇨ x 대신에 $x-a$, y 대신에 $y-b$를 대입한다.

원의 평행이동은 원의 중심의 평행이동을 말한다. 이때, 원을 평행이동하여도 반지름의 길이는 변하지 않는다. 포물선의 평행이동 역시 포물선의 꼭짓점의 평행이동을 말한다.

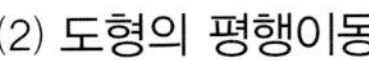

2. 대칭이동

(1) 점의 대칭이동

① x축에 대한 대칭이동 : $(x, y) \longrightarrow (x, -y)$

② y축에 대한 대칭이동 : $(x, y) \longrightarrow (-x, y)$

③ 원점에 대한 대칭이동 : $(x, y) \longrightarrow (-x, -y)$

④ 직선 $y=x$에 대한 대칭이동 : $(x, y) \longrightarrow (y, x)$

(2) 도형의 대칭이동

방정식 $f(x, y)=0$이 나타내는 도형을

① x축에 대한 대칭이동 : $f(x, -y)=0$

② y축에 대한 대칭이동 : $f(-x, y)=0$

③ 원점에 대한 대칭이동 : $f(-x, -y)=0$

④ 직선 $y=x$에 대한 대칭이동 : $f(y, x)=0$

참고 직선 $y=-x$에 대한 대칭이동

(1) 점 (x, y)를 직선 $y=-x$에 대하여 대칭이동한 점의 좌표는 $(-y, -x)$

(2) 도형 $f(x, y)=0$을 직선 $y=-x$에 대하여 대칭이동한 도형의 방정식은 $f(-y, -x)=0$

대칭이동과 최단 거리

두 점 A, B와 x축 위의 점 P에 대하여 $\overline{AP}+\overline{BP}$의 최솟값은 점 A 또는 점 B를 x축에 대하여 대칭이동하여 구한다.

즉, 점 A를 x축에 대하여 대칭이동한 점을 A′이라 하면

$\overline{AP}+\overline{BP}=\overline{A'P}+\overline{BP}\geq\overline{A'B}$

따라서 $\overline{AP}+\overline{BP}$의 최솟값은 $\overline{A'B}$이다.

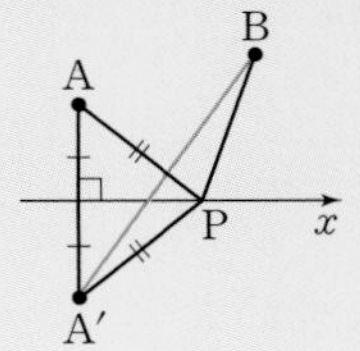

3. 점에 대한 대칭이동

(1) 점 $P(x, y)$를 점 $A(a, b)$에 대하여 대칭이동한 점 P′은

$P'(2a-x, 2b-y)$

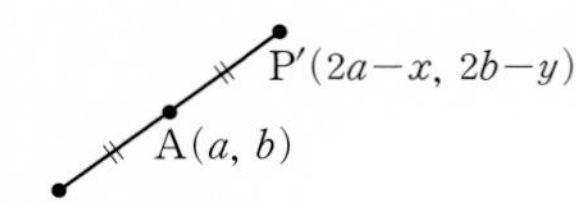

(2) 도형 $f(x, y)=0$을 점 $A(a, b)$에 대하여 대칭이동한 도형의 방정식은

$f(2a-x, 2b-y)=0$

점 A가 선분 PP′의 중점이므로 점 P′의 좌표를 (x', y')이라 하면

$a=\dfrac{x+x'}{2}$, $b=\dfrac{y+y'}{2}$

$\therefore x'=2a-x,\ y'=2b-y$

$\therefore P'(2a-x, 2b-y)$

4. 직선에 대한 대칭이동

점 $P(x, y)$를 직선 $y=ax+b$에 대하여 대칭이동한 점 $P'(x', y')$을 구할 때에는 다음 조건을 이용한다.

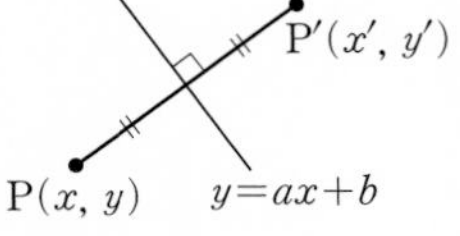

(1) 선분 PP′의 중점 $\left(\dfrac{x+x'}{2}, \dfrac{y+y'}{2}\right)$은 직선 $y=ax+b$ 위에 있다.

(2) 직선 $y=ax+b$와 직선 PP′은 수직으로 만난다. 즉, 직선 PP′의 기울기를 m이라 하면 $am=-1$이다.

직선 $x=a$, $y=b$에 대한 대칭이동

방정식 $f(x, y)=0$이 나타내는 도형을

① 직선 $x=a$에 대하여 대칭이동한 도형의 방정식: $f(2a-x, y)=0$

② 직선 $y=b$에 대하여 대칭이동한 도형의 방정식: $f(x, 2b-y)=0$

1 점의 평행이동

[2074-2075] 점 $(3, 4)$를 다음과 같이 평행이동한 점의 좌표를 구하시오.

2074 x축의 방향으로 3

2075 x축의 방향으로 -9

[2076-2077] 점 $(1, 6)$을 다음과 같이 평행이동한 점의 좌표를 구하시오.

2076 y축의 방향으로 2

2077 y축의 방향으로 -2

[2078-2080] 점 $(-2, 4)$를 다음과 같이 평행이동한 점의 좌표를 구하시오.

2078 x축의 방향으로 1, y축의 방향으로 3

2079 x축의 방향으로 2, y축의 방향으로 -4

2080 x축의 방향으로 -5, y축의 방향으로 -2

[2081-2083] 평행이동 $(x, y) \longrightarrow (x+4, y-5)$에 의하여 다음 점이 옮겨지는 점의 좌표를 구하시오.

2081 $(0, 0)$

2082 $(-4, 5)$

2083 $(1, 6)$

[2084-2086] 평행이동 $(x, y) \longrightarrow (x-3, y+6)$에 의하여 다음 점이 옮겨지는 점의 좌표를 구하시오.

2084 $(1, 1)$

2085 $(5, -2)$

2086 $(-1, -3)$

[2087-2088] 다음에서 m 또는 n의 값을 구하시오.

2087 $(1, 2) \xrightarrow[\text{평행이동}]{x\text{축 방향} : m} (5, 2)$

2088 $(6, 2) \xrightarrow[\text{평행이동}]{y\text{축 방향} : n} (6, -3)$

해설 304쪽

[2089-2091] 다음에서 m, n의 값을 구하시오.

2089 $(3, 4) \xrightarrow[\text{평행이동}]{x\text{축 방향} : m,\, y\text{축 방향} : n} (5, 8)$

2090 $(1, -1) \xrightarrow[\text{평행이동}]{x\text{축 방향} : m,\, y\text{축 방향} : n} (-4, 2)$

2091 $(-2, 5) \xrightarrow[\text{평행이동}]{x\text{축 방향} : m,\, y\text{축 방향} : n} (-5, 1)$

[2092-2095] 평행이동 $(x, y) \longrightarrow (x+m, y+n)$에 의하여 다음과 같이 점이 옮겨진다. m, n의 값을 구하시오.

2092 $(0, 0) \longrightarrow (3, 7)$

2093 $(3, -6) \longrightarrow (2, -1)$

2094 $(0, 2) \longrightarrow (2, -3)$

2095 $(-3, 5) \longrightarrow (-7, -8)$

[2096-2097] 평행이동 $(x, y) \longrightarrow (x-2, y+2)$에 의하여 다음 점으로 옮겨지는 점의 좌표를 구하시오.

2096 $(3, 1)$

2097 $(-5, -6)$

2 도형의 평행이동

[2098-2100] 직선 $x+2y=0$을 다음과 같이 평행이동한 직선의 방정식을 구하시오.

2098 x축의 방향으로 1

2099 y축의 방향으로 -2

2100 x축의 방향으로 2, y축의 방향으로 3

[2101-2103] 원 $x^2+y^2=9$를 다음과 같이 평행이동한 원의 방정식을 구하시오.

2101 x축의 방향으로 -3

2102 y축의 방향으로 4

2103 x축의 방향으로 2, y축의 방향으로 -5

[2104-2105] 곡선 $y=2x^2+1$을 다음과 같이 평행이동한 곡선의 방정식을 구하시오.

2104 x축의 방향으로 1

2105 x축의 방향으로 -2, y축의 방향으로 6

[2106-2110] 평행이동 $(x, y) \longrightarrow (x+3, y-1)$에 의하여 다음 도형이 옮겨지는 도형의 방정식을 구하시오.

2106 $x-3y-5=0$

2107 $4x+y-5=0$

2108 $x^2+y^2=9$

2109 $(x+1)^2+(y-4)^2=16$

2110 $y=x^2+3$

3 점의 대칭이동

[2111-2112] 그림에서 점 B, C, D는 점 A를 각각 x축, y축, 원점에 대하여 대칭이동한 것이다. 점 B, C, D의 좌표를 구하시오.

2111

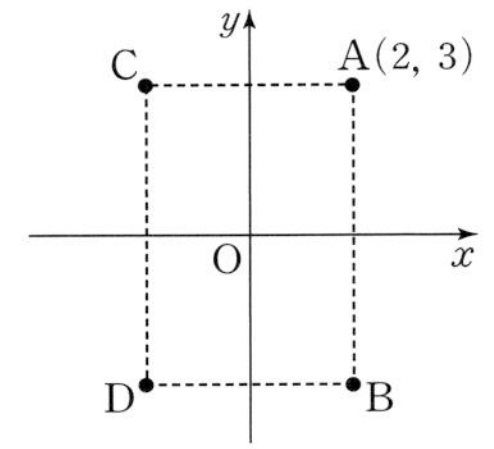

2112

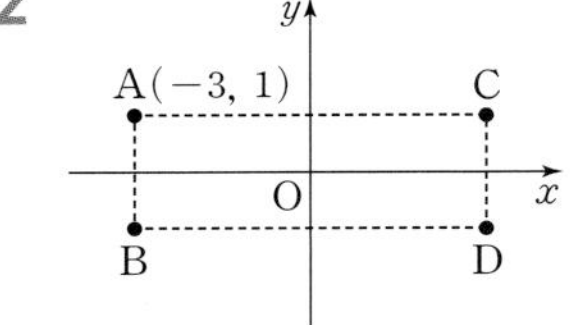

[2113-2114] 그림에서 점 B, C는 점 A를 각각 직선 $y=x$, $y=-x$에 대하여 대칭이동한 것이다. 점 B, C의 좌표를 구하시오.

2113

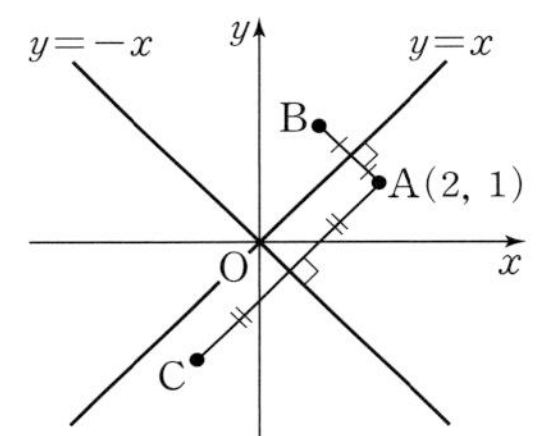

2114

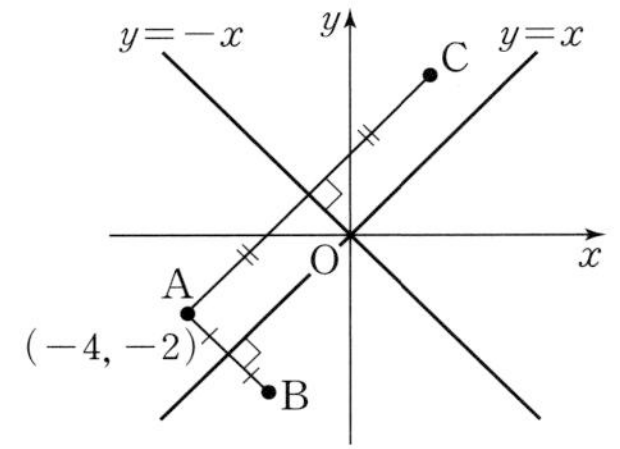

[2115-2119] 점 $(2, -5)$를 다음 점 또는 직선에 대하여 대칭이동한 점의 좌표를 구하시오.

2115 x축

2116 y축

2117 원점

2118 직선 $y=x$

2119 직선 $y=-x$

4 도형의 대칭이동

[2120-2121] 다음 도형을 x축에 대하여 대칭이동한 도형의 방정식을 구하시오.

2120 $y=2x+3$

2121 $(x+1)^2+(y-2)^2=1$

[2122-2123] 다음 도형을 y축에 대하여 대칭이동한 도형의 방정식을 구하시오.

2122 $3x-y+2=0$

2123 $y=x^2-x+2$

[2124-2125] 다음 도형을 원점에 대하여 대칭이동한 도형의 방정식을 구하시오.

2124 $y=x+1$

2125 $(x-5)^2+(y-2)^2=4$

[2126-2127] 다음 도형을 직선 $y=x$에 대하여 대칭이동한 도형의 방정식을 구하시오.

2126 $x-2y+3=0$

2127 $(x+4)^2+(y+6)^2=1$

[2128-2129] 다음에서 a, b, c, d의 값을 구하시오.

2128 점 $\mathrm{A}(4, 6)$을 x축의 방향으로 1만큼, y축의 방향으로 -3만큼 평행이동하면 점 $\mathrm{B}(a, b)$가 되고, 점 B를 x축에 대하여 대칭이동하면 점 $\mathrm{C}(c, d)$가 된다.

2129 직선 $4x+3y-1=0$을 x축의 방향으로 -2만큼, y축의 방향으로 5만큼 평행이동하면 직선 $4x+ay+b=0$이 되고, 이 평행이동한 직선을 원점에 대하여 대칭이동하면 직선 $4x+cy+d=0$이 된다.

2130 그림과 같이 점 $\mathrm{A}(-2, 1)$이고, 선분 AB의 중점 M의 좌표가 $\mathrm{M}(0, 2)$일 때, 점 B의 좌표를 구하시오.

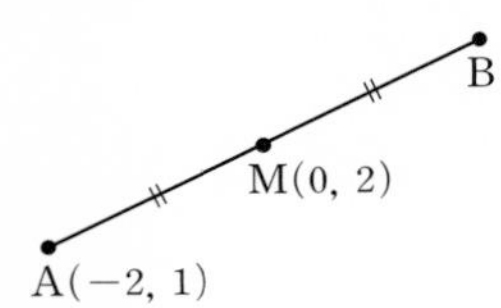

내신 출제 유형 정복하기

유형 01 **점의 평행이동**

내신 중요도 유형 난이도 ★★★★★

점 $\mathrm{P}(x, y)$를 x축의 방향으로 a만큼, y축의 방향으로 b만큼 평행이동한 점을 P'이라 하면 $\mathrm{P}'(x+a, y+b)$이다.
즉, $(x, y) \longrightarrow (x+a, y+b)$

2131 짱중요

점 $(2, -1)$을 x축의 방향으로 1만큼, y축의 방향으로 2만큼 평행이동한 점의 좌표를 (p, q)라 할 때, $p-q$의 값은?

① -2 ② -1 ③ 0
④ 1 ⑤ 2

2132

점 (a, b)를 x축의 방향으로 -2만큼, y축의 방향으로 3만큼 평행이동한 점의 좌표는 $(0, -3)$이다. 이때, $a+b$의 값을 구하시오.

2133 중요

점 $(2, a)$를 x축의 방향으로 1만큼, y축의 방향으로 -2만큼 평행이동한 점이 직선 $y=-2x+1$ 위에 있을 때, a의 값은?

① -5 ② -4 ③ -3
④ -2 ⑤ -1

2134

평행이동 $(x, y) \longrightarrow (x-1, y+3)$에 의하여 점 (a, b)가 점 $(2, 1)$로 옮겨질 때, $a-b$의 값을 구하시오.

2135

평행이동 $(x, y) \longrightarrow (x+a, x+b)$에 의하여 점 $(3, 4)$가 점 $(1, 1)$로 옮겨질 때, 점 $(4, 2)$로 옮겨지는 점의 좌표는?

① $(2, 3)$ ② $(3, 2)$ ③ $(4, 4)$
④ $(5, 4)$ ⑤ $(6, 5)$

2136

점 $(1, -3)$을 점 $(-3, -1)$로 옮기는 평행이동에 의하여 점 (a, b)가 원점 $(0, 0)$으로 옮겨질 때, $a+b$의 값을 구하시오.

유형 02 직선의 평행이동

내신 중요도 ▬▬▬▬▬ 유형 난이도 ★★★★★

직선 $y=mx+n$을 x축의 방향으로 a만큼, y축의 방향으로 b만큼 평행이동한 직선의 방정식은
$y-b=m(x-a)+n$, 즉 $y=mx-ma+n+b$

2137 ●○○○

평행이동 $(x, y) \longrightarrow (x+2, y-3)$에 의하여 직선 $2x+y-3=0$을 평행이동시키면 점 $(4, k)$를 지난다. 이때, k의 값은?

① -5 ② -4 ③ -3
④ -2 ⑤ -1

2138 짱중요 ●○○○

직선 $3x+y-5=0$을 x축의 방향으로 1만큼, y축의 방향으로 n만큼 평행이동하면 직선 $3x+y-1=0$이 된다. 이때, 상수 n의 값을 구하시오.

2139 ●●○○

직선 $3x+2y-1=0$을 x축의 방향으로 k만큼, y축의 방향으로 1만큼 평행이동하여 얻은 직선이 점 $(0, 3)$을 지날 때, 상수 k의 값은?

① 1 ② 2 ③ 3
④ 4 ⑤ 5

2140 중요 ●●○○

직선 $y=ax+b$를 x축의 방향으로 1만큼, y축의 방향으로 -2만큼 평행이동하였더니 직선 $y=2x-1$과 y축 위에서 수직으로 만났다. 두 상수 a, b에 대하여 $a+b$의 값을 구하시오.

2141 교육청 기출 ●●○○

직선 $2x-y+1=0$을 x축의 방향으로 a만큼, y축의 방향으로 b만큼 평행이동하였더니 직선 $2x-y+3=0$과 일치하였다. 이때, b를 a에 관한 식으로 나타내면?

① $b=-2a+2$ ② $b=-a+2$
③ $b=a+2$ ④ $b=2a+2$
⑤ $b=3a+2$

2142 ●●○○

평행이동 $(x, y) \longrightarrow (x+2, y-1)$에 의하여 직선 l이 직선 $x-2y+1=0$으로 이동될 때, 직선 l의 방정식은?

① $x-2y-3=0$ ② $x-2y+5=0$
③ $x+2y-3=0$ ④ $x+2y+5=0$
⑤ $2x-y-3=0$

유형 03 곡선의 평행이동

내신 중요도 ▬▬▬▬▬ 유형 난이도 ★★★★★

(1) 원 $x^2+y^2=r^2$을 x축의 방향으로 m만큼, y축의 방향으로 n만큼 평행이동한 원의 방정식은

$$(x-m)^2+(y-n)^2=r^2$$

(2) 곡선 $y=ax^2+bx+c$를 x축의 방향으로 m만큼, y축의 방향으로 n만큼 평행이동한 곡선의 방정식은

$$y-n=a(x-m)^2+b(x-m)+c$$

참고 원의 평행이동은 원의 중심의 평행이동으로, 포물선의 평행이동은 꼭짓점의 평행이동으로 생각할 수 있다.

2143

곡선 $y=x^2-2x-8$을 x축의 방향으로 1만큼, y축의 방향으로 3만큼 평행이동하였더니 곡선 $y=x^2+ax+b$와 일치하였다. 이때, 상수 a, b에 대하여 $a+b$의 값을 구하시오.

2144 중요

이차함수 $y=2x^2-1$의 그래프를 x축의 방향으로 m만큼, y축의 방향으로 n만큼 평행이동한 그래프의 꼭짓점이 $(-1, 2)$일 때, mn의 값을 구하시오.

2145

평행이동 $(x, y) \longrightarrow (x-a, y+3)$에 의하여 원 $x^2+y^2=1$을 평행이동한 원의 중심에서 원점까지의 거리가 5가 되었다. 이때, 양수 a의 값은?

① 1 ② 2 ③ 3 ④ 4 ⑤ 5

2146 짱중요

점 $(2, 2)$가 점 $(5, -1)$로 옮겨지는 평행이동에 의하여 원 $(x-3)^2+(y+3)^2=9$가 원 $(x+a)^2+(y+b)^2=9$로 옮겨질 때, $a+b$의 값은?

① 0 ② 1 ③ 2 ④ 3 ⑤ 4

2147

원 $x^2+y^2-2y=0$을 x축의 방향으로 a만큼, y축의 방향으로 1만큼 평행이동하였더니 직선 $3x-4y=5$에 접하였을 때, 모든 실수 a의 값의 합은?

① $\frac{25}{3}$ ② $\frac{26}{3}$ ③ $\frac{28}{3}$ ④ $\frac{29}{3}$ ⑤ $\frac{31}{3}$

2148

원 $(x+1)^2+(y+4)^2=4$를 x축의 방향으로 m만큼, y축의 방향으로 $2m$만큼 평행이동한 원이 x축과 y축에 동시에 접한다고 할 때, 상수 m의 값을 구하시오.

해설 308쪽

유형 04 평행이동의 활용

내신 중요도 유형 난이도 ★★★★★

(1) 직선이 원의 넓이를 이등분한다.
⇨ 직선이 원의 중심을 지난다.
(2) 직선이 원에 접한다.
⇨ 원의 중심과 직선 사이의 거리가 원의 반지름의 길이이다.

2149 교육청 기출

원 $x^2+y^2=1$을 x축의 방향으로 a만큼 평행이동하면 직선 $3x-4y-4=0$에 접한다. 이때, 양수 a의 값은?

① $\frac{8}{3}$ ② $2\sqrt{2}$ ③ 3
④ $\sqrt{10}$ ⑤ $\frac{7}{2}$

2150 짱중요

직선 $2x+y-a=0$을 x축의 방향으로 3만큼, y축의 방향으로 -1만큼 평행이동하면 원 $x^2+y^2-2x+4y+4=0$의 넓이를 이등분할 때, 상수 a의 값을 구하시오.

2151 중요

원 $x^2+y^2=4$를 x축의 방향으로 m만큼, y축의 방향으로 2만큼 평행이동시키면 직선 $y=-x+2\sqrt{2}$와 한 점에서 만난다. 이때, 양수 m의 값은?

① 2 ② $2\sqrt{2}$ ③ $4\sqrt{2}$
④ $2\sqrt{2}-1$ ⑤ $4\sqrt{2}-2$

2152

직선 $x-y+3=0$을 x축의 방향으로 m만큼, y축의 방향으로 -1만큼 평행이동한 직선과 x축 및 y축으로 둘러싸인 부분의 넓이가 18일 때, m의 값을 구하시오. (단, $m>2$)

2153

직선 $y=2x$ 위의 점 $\mathrm{P}(a, b)$가 제1사분면에 있다. 점 P를 x축의 방향으로 -3만큼 평행이동한 점을 P′이라 할 때, 삼각형 OPP′의 넓이는 6이다. 이때, a의 값을 구하시오. (단, O는 원점이다.)

2154 교육청 기출

두 양수 m, n에 대하여 좌표평면 위의 점 $\mathrm{A}(-2, 1)$을 x축의 방향으로 m만큼 평행이동한 점을 B라 하고, 점 B를 y축의 방향으로 n만큼 평행이동한 점을 C라 하자. 세 점 A, B, C를 지나는 원의 중심의 좌표가 $(3, 2)$일 때, mn의 값은?

① 16 ② 18 ③ 20
④ 22 ⑤ 24

유형 05 점의 대칭이동

내신 중요도 ▬▬▬▬▬ 유형 난이도 ★★☆☆☆

점 (x, y)를 대칭이동한 점의 좌표

(1) x축에 대한 대칭이동 ⇨ $(x, -y)$

(2) y축에 대한 대칭이동 ⇨ $(-x, y)$

(3) 원점에 대한 대칭이동 ⇨ $(-x, -y)$

(4) 직선 $y=x$에 대한 대칭이동 ⇨ (y, x)

2155 ●○○○

점 $(2, -4)$를 x축에 대하여 대칭이동시킨 후에 다시 원점에 대하여 대칭이동시킨 점의 좌표를 구하시오.

2156 짱중요 ●●○○

점 $P(2, 1)$을 x축에 대하여 대칭이동한 점을 Q, 원점에 대하여 대칭이동한 점을 R라 할 때, 세 점 P, Q, R를 꼭짓점으로 하는 삼각형 PQR의 넓이는?

① 2 ② 4 ③ 6
④ 8 ⑤ 10

2157 ●●○○

점 $A(6, 2)$를 직선 $y=x$에 대하여 대칭이동한 점을 P, 원점에 대하여 대칭이동한 점을 Q라 할 때, 직선 PQ의 방정식이 $y=ax+b$라 한다. 이때, 상수 a, b에 대하여 ab의 값은?

① 1 ② 2 ③ 4
④ 6 ⑤ 8

2158 ●●○○

좌표평면 위의 점 $A(3, 2)$를 직선 $y=x$에 대하여 대칭이동한 점을 B, 점 $A(3, 2)$를 직선 $y=-x$에 대하여 대칭이동한 점을 C라 할 때, 선분 BC의 길이는?

① $\sqrt{10}$ ② $\sqrt{13}$ ③ $3\sqrt{2}$
④ $2\sqrt{5}$ ⑤ $2\sqrt{13}$

2159 중요 ●●○○

직선 $y=\frac{1}{2}x$ 위의 점 $P(a, b)$를 x축, y축에 대하여 각각 대칭이동한 점을 P_1, P_2라 하자. 삼각형 PP_1P_2의 넓이가 4일 때, 양수 a, b의 값을 구하시오.

2160 교육청 기출 ●●●○

좌표평면에서 두 점 $A(4, a)$, $B(2, 1)$을 직선 $y=x$에 대하여 대칭이동한 점을 각각 A′, B′이라 하고, 두 직선 AB, A′B′의 교점을 P라 하자. 두 삼각형 APA′, BPB′의 넓이의 비가 9 : 4일 때, a의 값은? (단, $a>4$)

① 5 ② $\frac{11}{2}$ ③ 6
④ $\frac{13}{2}$ ⑤ 7

유형 06 직선의 대칭이동

내신 중요도 ▬▬▬▬▬ 유형 난이도 ★★★★★

직선 $ax+by+c=0$을 다음에 대하여 대칭이동하면

(1) x축 : $ax-by+c=0$

(2) y축 : $-ax+by+c=0$

(3) 원점 : $-ax-by+c=0$

(4) 직선 $y=x$: $ay+bx+c=0$

2161 중요 ●○○○

직선 $2x-3y+1=0$을 x축에 대하여 대칭이동한 직선이 점 $(-5, a)$를 지날 때, 상수 a의 값을 구하시오.

2162 ●○○○

직선 $2x+y+1=0$을 원점에 대하여 대칭이동한 후, 다시 직선 $y=x$에 대하여 대칭이동한 도형의 방정식은?

① $x-y-7=0$ ② $x-y+5=0$ ③ $x-2y-1=0$
④ $x+2y-1=0$ ⑤ $x-3y+1=0$

2163 중요 ●●○○

직선 $ax+by+c=0$을 직선 $y=x$에 대하여 대칭이동하였더니 직선 $2x-6y-3=0$과 수직이 되었을 때, $\frac{b}{a}$의 값을 구하시오.

(단, a, b는 0이 아닌 상수이다.)

2164 교육청 기출 ●○○○

직선 $y=2x+2$를 직선 $y=x$에 대하여 대칭이동한 직선을 l_1, 직선 l_1을 x축에 대하여 대칭이동한 직선을 l_2라 할 때, 직선 l_2의 방정식은?

① $x-2y-2=0$ ② $2x+y-2=0$
③ $x+2y-2=0$ ④ $2x+y+2=0$
⑤ $x+2y+2=0$

2165 ●●○○

직선 $2x+y-2=0$과 이 직선을 x축, y축, 원점에 대하여 대칭이동한 네 개의 직선에 의하여 둘러싸인 사각형의 넓이는?

① 2 ② 3 ③ 4
④ 5 ⑤ 6

2166 ●●●○

점 A$(1, -2)$를 지나는 직선 l을 y축에 대하여 대칭이동한 다음, 직선 $y=x$에 대하여 대칭이동하였더니 다시 점 A를 지나는 직선이 되었다. 직선 l의 방정식은?

① $y=-x-1$ ② $y=x-3$ ③ $y=2x-4$
④ $y=3x-5$ ⑤ $y=4x-6$

유형 07 곡선의 대칭이동

내신 중요도 ■■■■■ 유형 난이도 ★★★★★

원 $(x-a)^2+(y-b)^2=r^2$을 다음에 대하여 대칭이동하면

(1) x축 : $(x-a)^2+(y+b)^2=r^2$

(2) y축 : $(x+a)^2+(y-b)^2=r^2$

(3) 원점 : $(x+a)^2+(y+b)^2=r^2$

(4) 직선 $y=x$: $(y-a)^2+(x-b)^2=r^2$

참고 ① 포물선의 꼭짓점은 대칭이동된 포물선의 꼭짓점으로 옮겨진다.
② 원의 중심은 대칭이동된 원의 중심으로 옮겨진다.
③ 대칭이동하여도 포물선의 폭, 원의 반지름의 길이는 변하지 않는다.

2167 ●○○○

원 $(x-1)^2+(y+2)^2=1$을 원점에 대하여 대칭이동한 후, 다시 직선 $y=x$에 대하여 대칭이동한 도형의 방정식은?

① $(x-2)^2+(y+1)^2=1$　② $(x+2)^2+(y-1)^2=1$
③ $(x-2)^2+(y-1)^2=1$　④ $(x-1)^2+(y+2)^2=1$
⑤ $(x+1)^2+(y-2)^2=1$

2168 교육청 기출 ●○○○

좌표평면 위에서 원 $(x-1)^2+(y-3)^2=4$와 이 원을 직선 $y=x$에 대하여 대칭이동한 원의 중심거리는?

① $\sqrt{2}$　② 2　③ 3
④ $2\sqrt{2}$　⑤ $3\sqrt{2}$

2169 ●○○○

원 $x^2+y^2-4x+6y+12=0$을 원점에 대하여 대칭이동한 후, 다시 y축에 대하여 대칭이동한 원의 중심의 좌표는?

① $(1, 3)$　② $(1, -3)$　③ $(2, 3)$
④ $(2, -3)$　⑤ $(2, 4)$

2170 ●●○○

원 $(x-1)^2+(y-2)^2=4$의 중심을 A라 하고, 이 원을 x축에 대하여 대칭이동, 직선 $y=x$에 대하여 대칭이동시킨 원의 중심을 각각 B, C라 할 때, △ABC의 넓이를 구하시오.

2171 짱중요 교육청 기출 ●●●○

원 C_1: $x^2-2x+y^2+4y+4=0$을 직선 $y=x$에 대하여 대칭이동한 원을 C_2라 하자. 원 C_1 위의 임의의 점 P와 원 C_2 위의 임의의 점 Q에 대하여 두 점 P, Q 사이의 최소 거리를 구하시오.

2172 ●●○○

포물선 $y=x^2+ax+b$를 x축에 대하여 대칭이동하였더니 꼭짓점이 $(-1, 2)$인 포물선이 되었다. 이때, $a+b$의 값을 구하시오.

유형 08 평행이동과 대칭이동

내신 중요도 유형 난이도 ★★★☆☆

평행이동, 대칭이동을 두 번 이상 하는 문제는 따로따로 단계별로 이동된 점이나 도형을 구해 나가면 된다.

2173

점 $(-1, 2)$를 원점에 대하여 대칭이동한 후, x축의 방향으로 a만큼, y축의 방향으로 b만큼 평행이동한다. 다시 이 점을 x축에 대하여 대칭이동하면 점 $(2, 1)$과 일치할 때, ab의 값을 구하시오.

2174 짱중요

점 $(-2, 1)$을 y축에 대하여 대칭이동한 후, 직선 $y=x$에 대하여 대칭이동한 것을 x축의 방향으로 -2만큼 평행이동시켰더니 직선 $y=ax+1$ 위의 점이 되었다. 이때, 상수 a의 값은?

① -3 ② -1 ③ 1
④ 3 ⑤ 5

2175

점 $P(a, 4)$를 x축의 방향으로 -3만큼, y축의 방향으로 -2만큼 평행이동한 후, 다시 원점에 대하여 대칭이동한 점의 좌표가 $(5, b)$일 때, a^2+b^2의 값은?

① 4 ② 6 ③ 8
④ 10 ⑤ 12

2176

직선 $y=x+3$을 x축에 대하여 대칭이동한 후, y축의 방향으로 k만큼 평행이동하면 점 $(3, 4)$를 지난다. 이때, k의 값을 구하시오.

2177 중요

원 $x^2+y^2=1$을 x축, y축의 방향으로 각각 3, -2만큼 평행이동한 후, x축에 대하여 대칭이동하였더니 원 $(x-a)^2+(y-b)^2=1$이 되었다. 이때, ab의 값은?

① 2 ② 4 ③ 6
④ 8 ⑤ 10

2178 교육청 기출

다음은 점과 도형의 평행이동과 대칭이동에 대한 설명이다. 〈보기〉 중에서 옳은 것을 모두 고른 것은?

보기

ㄱ. 점 $(2, 4)$를 x축의 방향으로 4만큼, y축의 방향으로 -4만큼 평행이동하면 점 $(6, 0)$이 된다.
ㄴ. 직선 $x-2y+3=0$을 x축에 대하여 대칭이동하면 직선 $x-2y-3=0$이 된다.
ㄷ. 직선 $x-2y+3=0$을 직선 $y=x$에 대하여 대칭이동한 후 x축의 방향으로 3만큼 평행이동하면 직선 $2x-y-9=0$이 된다.

① ㄱ ② ㄱ, ㄴ ③ ㄱ, ㄷ
④ ㄴ, ㄷ ⑤ ㄱ, ㄴ, ㄷ

2179

직선 $3x+ay+b=0$을 y축에 대하여 대칭이동한 직선과 직선 $y=x$에 대하여 대칭이동한 후, y축의 방향으로 a만큼 평행이동한 직선의 교점이 $(2,\ 2)$일 때, $a+b$의 값을 구하시오.

(단, a, b는 상수이다.)

2180

곡선 $y=x^2-2$를 x축에 대하여 대칭이동한 후, y축의 방향으로 a만큼 평행이동하면 직선 $y=2x+1$에 접하게 된다. 이때, 상수 a의 값은?

① -2　② -1　③ 0　④ 1　⑤ 2

2181

점 $(5,\ 3)$을 지나는 직선을 y축의 방향으로 1만큼 평행이동한 후, 다시 원점에 대하여 대칭이동하였을 때, 이동된 직선이 점 $(-10,\ -5)$를 지난다고 한다. 이동되기 전의 직선의 방정식을 구하시오.

유형 09 대칭이동의 활용

내신 중요도 / 유형 난이도 ★★★★★

(1) 직선이 원의 넓이를 이등분한다.
⇨ 직선이 원의 중심을 지난다.

(2) 직선이 원에 접한다.
⇨ (원의 중심과 직선 사이의 거리)=(원의 반지름의 길이)

2182

직선 $2x-3y-1=0$을 원점에 대하여 대칭이동한 후, 다시 직선 $y=x$에 대하여 대칭이동하였더니 원 $(x-1)^2+(y-a)^2=5$의 넓이를 이등분하였다. 이때, 상수 a의 값은?

① 1　② $\sqrt{2}$　③ $\sqrt{3}$　④ 2　⑤ $\sqrt{5}$

2183 중요

직선 $y=kx+1$을 y축에 대하여 대칭이동하면 원 $x^2+y^2-6x+4y+9=0$의 넓이를 이등분할 때, 상수 k의 값을 구하시오.

2184

평행이동 $(x,\ y) \longrightarrow (x+2,\ y-1)$에 의하여 직선 $3x-y+a+1=0$을 평행이동한 후, 이 직선을 다시 y축에 대하여 대칭이동하였더니 원 $x^2+y^2-4x+2y=0$의 넓이를 이등분하였다. 이때, 상수 a의 값을 구하시오.

해설 314쪽

2185

직선 $y=-3x+k$를 직선 $y=x$에 대하여 대칭이동한 직선이 원 $x^2+y^2=10$에 접할 때, 양수 k의 값을 구하시오.

2186

직선 $3x-4y+a=0$을 x축에 대하여 대칭이동하였더니 원 $(x-1)^2+(y+1)^2=1$에 접했다. 이때, 양수 a의 값을 구하시오.

2187

원 C_1: $(x-1)^2+(y-2)^2=k$를 x축에 대하여 대칭이동한 다음 다시 직선 $y=x$에 대하여 대칭이동한 원을 C_2라 한다. 두 원 C_1, C_2의 공통접선의 개수가 3일 때, 양수 k의 값은?

① $\frac{3}{2}$ ② $\frac{5}{2}$ ③ $\frac{7}{2}$
④ $\frac{9}{2}$ ⑤ $\frac{11}{2}$

유형 10 대칭이동을 이용한 거리의 최솟값

내신 중요도 ■■■■■ 유형 난이도 ★★★★★

좌표평면 위의 두 점 A, B와 직선 l 위의 점 P에 대하여 점 A를 직선 l에 대하여 대칭이동한 점을 A′이라 하면

⇨ $\overline{AP}+\overline{BP}=\overline{A'P}+\overline{BP}\geq\overline{A'B}$

⇨ $\overline{AP}+\overline{BP}$의 최솟값은 $\overline{A'B}$

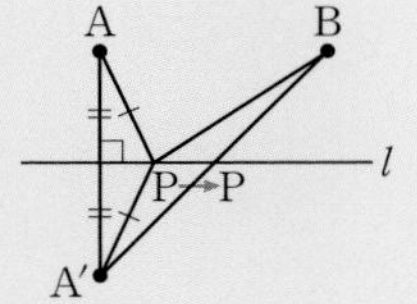

2188

두 점 A(2, 3), B(6, 1)이 있다. 점 P가 x축 위에 있을 때, $\overline{AP}+\overline{BP}$의 최솟값은?

① $\sqrt{6}$ ② $2\sqrt{2}$ ③ $2\sqrt{3}$
④ $4\sqrt{2}$ ⑤ $4\sqrt{3}$

2189 짱중요

좌표평면 위의 두 점 A(1, −1), B(1, 3)과 y축 위의 점 P에 대하여 $\overline{AP}+\overline{BP}$의 최솟값을 구하시오.

2190 중요

점 A(1, 2)에서 출발하여 x축 위의 임의의 점 P(a, 0)을 거쳐 점 B(3, 4)에 이르는 거리가 최소일 때, a의 값을 구하시오.

2191

두 점 $A(2, 5)$, $B(3, 1)$에 대하여 점 A를 출발하여 y축 위의 점 P를 지나 점 B에 도달하는 거리의 최솟값을 구하시오.

2192

좌표평면 위의 두 점 $A(-1, 2)$, $B(5, 4)$와 x축 위의 점 P에 대하여 삼각형 ABP의 둘레의 길이의 최솟값은 $a\sqrt{2}+b\sqrt{10}$이다. 이때, 정수 a, b에 대하여 $a+b$의 값을 구하시오.

2193 교육청 기출

좌표평면 위의 두 점 $A(7, 4)$, $B(8, 6)$과 직선 $y=x$ 위를 움직이는 점 P에 대하여 $\overline{PA}+\overline{PB}$의 값을 최소가 되게 하는 점 P의 x좌표를 a라 할 때, $5a$의 값을 구하시오.

2194 중요 교육청 기출

좌표평면에서 제1사분면 위의 점 A를 직선 $y=x$에 대하여 대칭이동시킨 점을 B라 하자. x축 위의 점 P에 대하여 $\overline{AP}+\overline{PB}$의 최솟값이 $10\sqrt{2}$일 때, 선분 OA의 길이를 구하시오. (단, O는 원점이다.)

2195 짱중요

그림과 같이 좌표평면 위에 두 점 $A(1, 2)$, $B(2, 1)$이 있다. 점 P는 x축 위의 점이고, 점 Q는 y축 위의 점일 때, $\overline{AQ}+\overline{QP}+\overline{PB}$의 최솟값을 구하시오.

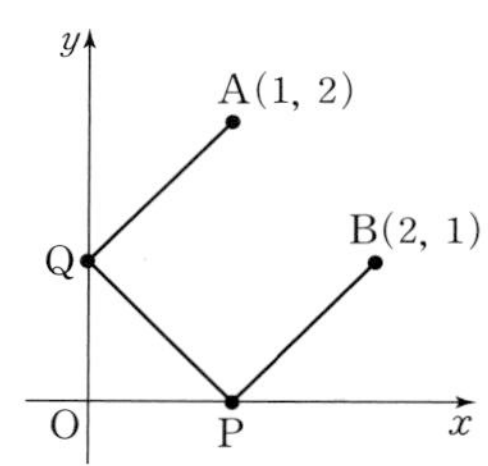

2196 교육청 기출

그림과 같이 좌표평면 위에 두 점 $A(-10, 0)$, $B(10, 10)$과 선분 AB 위의 두 점 $C(-8, 1)$, $D(4, 7)$이 있다. 선분 AO 위의 점 E와 선분 OB 위의 점 F에 대하여 $\overline{CE}+\overline{EF}+\overline{FD}$의 값이 최소가 되도록 하는 점 E의 x좌표는? (단, O는 원점이다.)

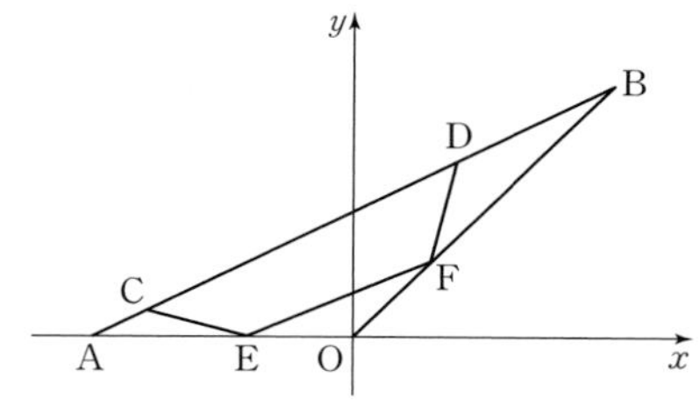

① -5 ② $-\frac{9}{2}$ ③ -4 ④ $-\frac{7}{2}$ ⑤ -3

해설 316쪽

유형 11 내신 중요도 유형 난이도 ★★★★★

점 (a, b)에 대한 대칭이동

점 $\mathrm{P}(x, y)$를 점 $\mathrm{A}(a, b)$에 대하여 대칭이동한 점을 P'이라 하면 점 A는 $\overline{\mathrm{PP}'}$의 중점임을 이용한다.

2197 ●●○○

점 $\mathrm{A}(1, 0)$을 점 $\mathrm{P}(2, 4)$에 대하여 대칭이동한 점의 좌표가 $\mathrm{A}'(a, b)$일 때, $a+b$의 값은?

① 5 ② 7 ③ 9
④ 11 ⑤ 13

2198 ●●●○

원 $(x-3)^2+(y+2)^2=4$를 점 $\mathrm{P}(1, 2)$에 대하여 대칭이동하였더니 $(x-a)^2+(y-b)^2=4$가 되었다. 이때, 상수 a, b의 합 $a+b$의 값을 구하시오.

2199 ●●●●

점 $(2, 1)$에 대하여 점 (a, b)와 대칭인 점을 (α, β)라 한다. 점 (a, b)가 직선 $y=2x+1$ 위를 움직일 때, 점 (α, β)가 나타내는 도형의 방정식은?

① $y=2x-7$ ② $y=2x+5$ ③ $y=-2x-7$
④ $y=-2x+7$ ⑤ $y=2x-5$

유형 12 내신 중요도 유형 난이도 ★★★★★

직선 $y=ax+b$에 대한 대칭이동 [교육과정 응용]

점 $\mathrm{P}(x, y)$를 직선 $l : y=mx+n$에 대하여 대칭이동한 점을 $\mathrm{P}'(x', y')$이라 하면

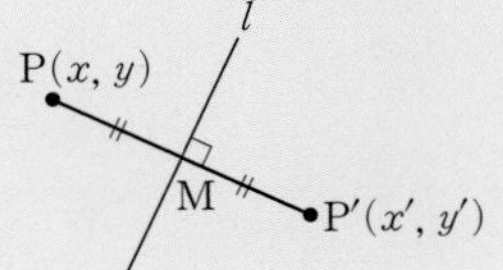

(1) $\overline{\mathrm{PP}'}$의 중점 M이 직선 l 위에 있다.
(2) $\overline{\mathrm{PP}'}\perp l$ ⇨ (기울기의 곱)$=-1$

2200 중요 ●●●○

두 점 $\mathrm{A}(2, 0)$, $\mathrm{B}(a, b)$가 직선 $y=x-1$에 대하여 서로 대칭일 때, ab의 값을 구하시오.

2201 ●●●○

원 $(x+5)^2+(y+3)^2=5$와 원 $x^2+y^2-14x+44=0$이 직선 $y=ax+b$에 대하여 대칭일 때, 상수 a, b에 대하여 ab의 값은?

① -10 ② -9 ③ -8
④ -7 ⑤ -6

2202 ●●●○

원 $x^2+y^2-8x-2y+16=0$을 직선 $y=x+1$에 대하여 대칭이동한 원의 방정식을 구하시오.

13 도형의 이동

2203

점 $(2,\ 1)$을 직선 $y=x+3$에 대하여 대칭이동한 후, 다시 점 $(4,\ 5)$에 대하여 대칭이동한 점의 좌표를 구하시오.

2204

직선 $x+2y+3=0$을 직선 $x+y-1=0$에 대하여 대칭이동한 직선이 점 $(1,\ k)$를 지날 때, k의 값을 구하시오.

2205

두 점 $\mathrm{A}(2,\ 5)$, $\mathrm{B}(7,\ 0)$과 직선 $x+y=2$ 위의 점 P에 대하여 $\overline{\mathrm{AP}}+\overline{\mathrm{BP}}$의 최솟값을 구하시오.

유형 **13** 도형 $f(x,\ y)=0$의 평행이동과 대칭이동

내신 중요도 ━━━━━ 유형 난이도 ★★★★★

① 도형 $f(x,\ y)=0 \rightarrow f(x-a,\ y-b)=0$: x축의 방향으로 a만큼, y축의 방향으로 b만큼 평행이동
② 도형 $f(x,\ y)=0 \rightarrow f(x,\ -y)=0$: x축 대칭
③ 도형 $f(x,\ y)=0 \rightarrow f(-x,\ y)=0$: y축 대칭
④ 도형 $f(x,\ y)=0 \rightarrow f(-x,\ -y)=0$: 원점 대칭
⑤ 도형 $f(x,\ y)=0 \rightarrow f(y,\ x)=0$: $y=x$에 대하여 대칭

2206 중요 교육청 기출

좌표평면에서 방정식 $f(x,\ y)=0$이 나타내는 도형이 그림과 같은 ㄱ 모양일 때, 다음 중 방정식 $f(x+1,\ 2-y)=0$이 좌표평면에 나타내는 도형은?

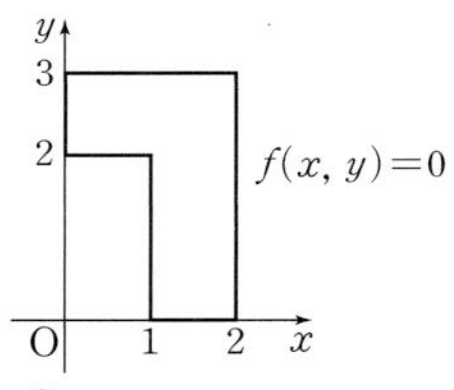

①
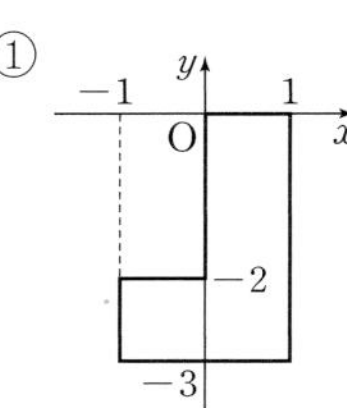

②
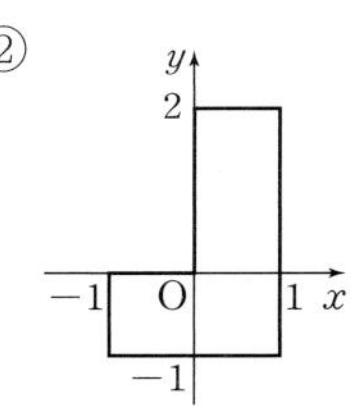

③
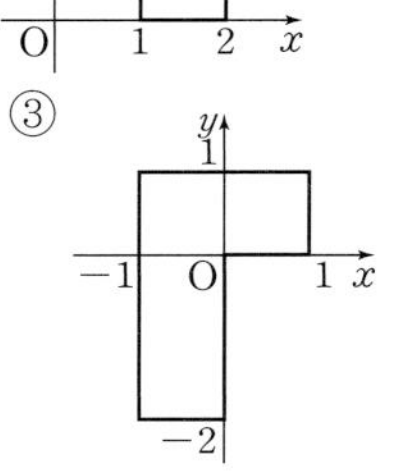

④
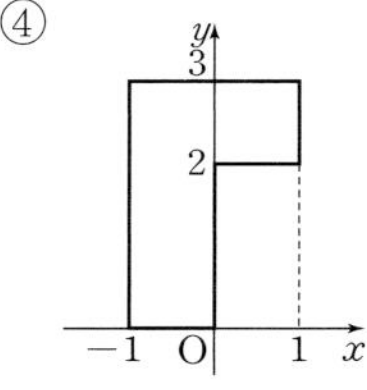

⑤
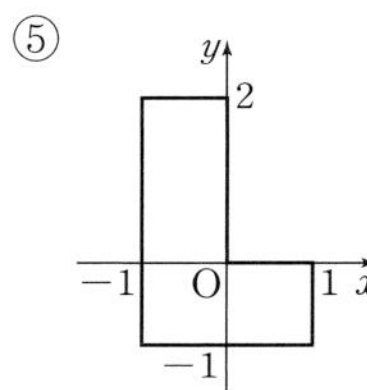

2207

[그림 1]의 도형이 평행이동 및 대칭이동에 의하여 [그림 2]의 도형이 되었다.

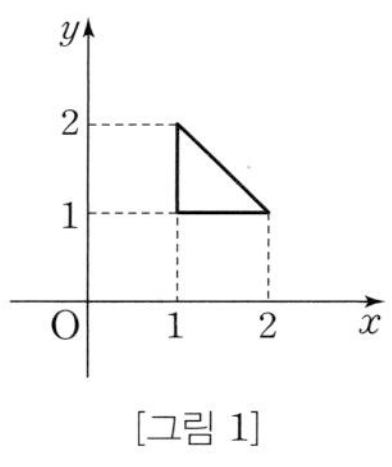

[그림 1]

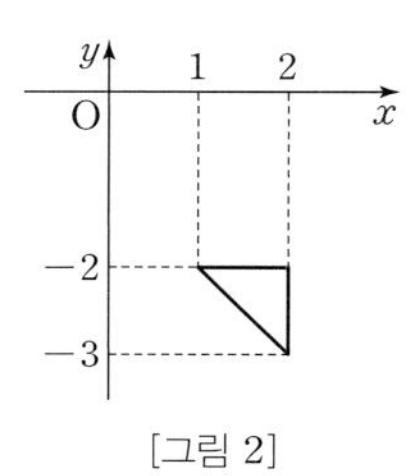

[그림 2]

[그림 1]의 도형의 방정식이 $f(x,\ y)=0$일 때, [그림 2]의 도형의 방정식은?

① $f(x+3,\ -y)=0$
② $f(-x+3,\ y+1)=0$
③ $f(-x+3,\ -y-1)=0$
④ $f(-x+3,\ y-1)=0$
⑤ $f(-x-3,\ -y-1)=0$

해설 320쪽

2208

평행이동 $(x, y) \longrightarrow (x+2, y+9)$에 의하여 점 $(-1, 3)$이 직선 $y=mx+9$ 위의 점으로 옮겨질 때, 상수 m의 값을 구하시오.

2209

점 $(1, 3)$을 점 $(4, 2)$로 옮기는 평행이동에 의하여 직선 $y=3x+1$이 직선 $y=ax+b$로 옮겨질 때, $a+b$의 값은?

(단, a, b는 상수)

① -10　② -9　③ -8
④ -7　⑤ -6

2210

원 $(x+3)^2+(y-4)^2=25$가 평행이동 $(x, y) \longrightarrow (x+a, y+b)$에 의하여 원 $x^2+y^2=r^2$으로 옮겨질 때, abr의 값을 구하시오. (단, $r>0$)

2211

포물선 $y=x^2-2x+3$을 x축의 방향으로 1만큼, y축의 방향으로 -1만큼 평행이동한 포물선의 꼭짓점의 좌표가 (a, b)일 때, $a+b$의 값을 구하시오.

2212 서술형

원 $x^2+(y-1)^2=36$의 넓이를 이등분하는 직선 $y=mx+n$을 x축의 방향으로 1만큼, y축의 방향으로 2만큼 평행이동하였더니 원 $(x-4)^2+(y+3)^2=49$의 넓이를 이등분하였다. 실수 m, n에 대하여 $m+n$의 값을 구하시오.

2213

점 A$(1, 2)$를 두 직선 $y=0$, $y=x$에 대하여 대칭이동한 점을 각각 점 B, C라 할 때, 삼각형 ABC의 넓이를 구하시오.

해설 321쪽

2214

직선 $x-2y+3=0$을 x축에 대하여 대칭이동한 직선에 평행하고, 점 $(4,\ -2)$를 지나는 직선의 방정식은?

① $x-2y=0$　② $x+2y=0$　③ $x+3y=0$
④ $x-y=0$　⑤ $2x+y=0$

2215

원 $(x-2)^2+(y-4)^2=6$을 x축, y축에 대하여 대칭이동한 원의 중심을 각각 A, B라 할 때, $\overline{\mathrm{AB}}$의 길이를 구하시오.

2216 서술형

점 $(4,\ -1)$을 x축에 대하여 대칭이동한 후, 직선 $y=x$에 대하여 대칭이동한 것을 다시 x축의 방향으로 -2만큼 평행이동하였더니 직선 $y=ax+3$ 위의 점이 되었다. 이때, 상수 a의 값을 구하시오.

2217

원 $x^2+(y-1)^2=9$를 직선 $y=x$에 대하여 대칭이동한 원에 직선 $y=x-k$가 접한다고 할 때, 양수 k의 값은?

① $3\sqrt{2}$　② $1+\sqrt{2}$　③ $1+2\sqrt{2}$
④ $1+3\sqrt{2}$　⑤ $2+3\sqrt{2}$

2218

두 정점 $\mathrm{A}(-3,\ 1)$, $\mathrm{B}(2,\ 5)$와 직선 $y=x$ 위를 움직이는 점 P에 대하여 $\overline{\mathrm{AP}}+\overline{\mathrm{BP}}$의 최솟값을 구하시오.

2219

원 $(x+3)^2+(y+1)^2=5$와 원 $x^2+y^2-10x+4y+24=0$이 직선 $y=ax+b$에 대하여 대칭일 때, ab의 값을 구하시오.

(단, a, b는 상수이다.)

해설 322쪽

Level 1

2220

직선 $x-y+5=0$을 x축의 방향으로 m만큼 평행이동하여 두 점 $\mathrm{A}(4, 2)$, $\mathrm{B}(1, 5)$를 양 끝점으로 하는 $\overline{\mathrm{AB}}$와 한 점에서 만나도록 하는 실수 m의 값의 범위가 $a \le m \le b$일 때, $a+b$의 값을 구하시오.

2221

원 $x^2+y^2=1$을 x축의 방향으로 a만큼, y축의 방향으로 b만큼 평행이동시킨 원과 원 $x^2+y^2+2x=0$이 외접할 때, $2a+b$의 최댓값을 구하시오.

2222

직선 $y=-x$에 대한 대칭이동을 f, 원점에 대한 대칭이동을 g라 할 때

$$f \rightarrow g \rightarrow f \rightarrow g \rightarrow f \rightarrow \cdots$$

과 같은 순서로 직선 $x+y+1=0$을 2022번 이동시킨 직선의 y절편을 구하시오.

2223

직선 $x+2y-3=0$을 y축에 대하여 대칭이동한 후, 다시 직선 $x=-1$에 대하여 대칭이동하면 점 $(a, 2)$를 지날 때, a의 값을 구하시오.

2224

교육청 기출

원 $(x-4)^2+(y-4)^2=16$ 위를 움직이는 점 $\mathrm{P}(x, y)$를 직선 $y=x$에 대하여 대칭이동한 점을 Q라 하자. 점 P, Q에서 x축에 내린 수선의 발을 각각 P′, Q′라 할 때, $|\overline{\mathrm{PP'}}-\overline{\mathrm{QQ'}}|$의 최댓값은?

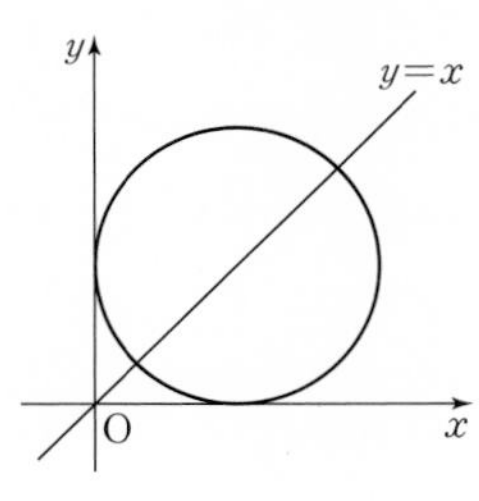

① $3\sqrt{3}$ ② $4\sqrt{2}$ ③ $4\sqrt{3}$
④ $5\sqrt{2}$ ⑤ $3\sqrt{6}$

2225

교육청 기출

그림과 같이 두 함수 $y=-(x-1)^2+1$, $y=x^2$의 그래프 위에 각각 점 A와 C를, 직선 $y=x$ 위에 서로 다른 두 점 B와 D를 잡아 사각형 ABCD가 정사각형이 되도록 하였다. 이때, 정사각형 ABCD의 한 변의 길이는? (단, 점 A, B, C, D의 x좌표는 양수이다.)

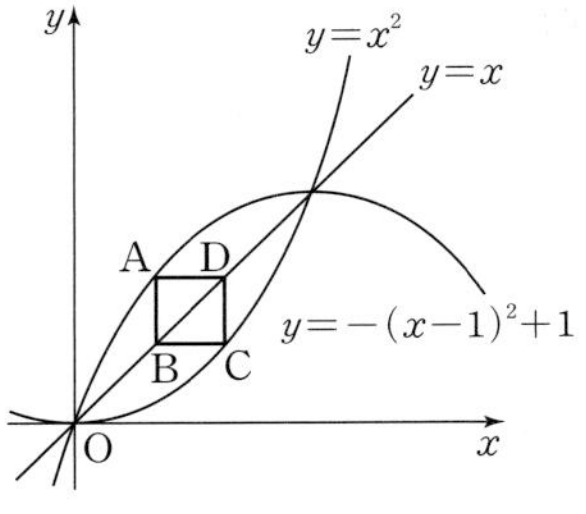

① $\frac{\sqrt{5}}{2}-1$　② $\sqrt{5}-2$　③ $2-\sqrt{3}$
④ $\sqrt{3}-1$　⑤ $3-\sqrt{5}$

2226

좌표평면의 x축, y축 $(x\geq 0,\ y\geq 0)$ 위에 직각으로 평면거울이 놓여 있다고 하자. 빛이 점 L$(3, 3)$에서 출발하여 그림과 같이 L → P → Q → E의 최단 경로로 움직여 점 E$(7, 2)$를 지나갈 때, 점 Q의 x좌표를 구하시오.

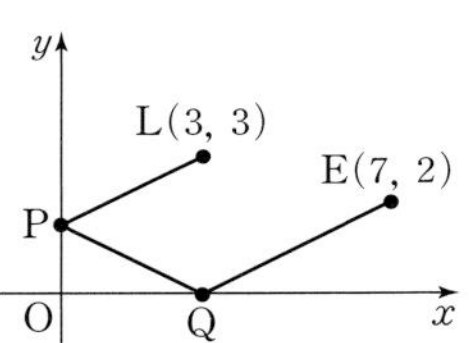

2227

교육청 기출

좌표평면 위에 점 A$(-1, 0)$과 원 C: $(x+3)^2+(y-8)^2=5$가 있다. y축 위의 점 P와 원 C 위의 점 Q에 대하여 $\overline{\text{AP}}+\overline{\text{PQ}}$의 최솟값을 k라 할 때, k^2의 값을 구하시오.

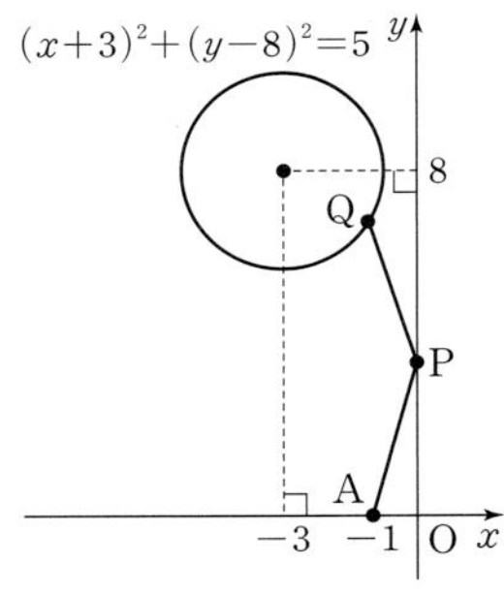

2228

그림과 같이 반지름의 길이가 1, 중심각의 크기가 $45°$인 부채꼴 OAB에서 호 AB를 이등분하는 점을 P라 하자. $\overline{\text{OA}}$, $\overline{\text{OB}}$ 위를 움직이는 점 X, Y에 대하여 삼각형 PXY의 둘레의 길이의 최솟값을 구하시오.

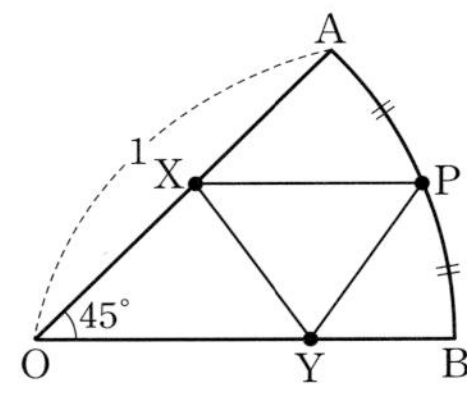

2229

점 (a, b)를 점 $(3, 2)$에 대하여 대칭이동한 점을 P(p, q)라 하자. 점 (a, b)가 직선 $y=2x+1$ 위를 움직일 때 점 P(p, q)가 움직이는 도형의 방정식은?

① $y=x-5$　② $y=x-7$　③ $y=2x-5$
④ $y=2x-7$　⑤ $y=2x-9$

Level 2

2230

교육청 기출

그림과 같이 좌표평면에서 원 C_1: $x^2+y^2=4$를 x축의 방향으로 4만큼, y축의 방향으로 -3만큼 평행이동한 원을 C_2라 하자. 원 C_1과 직선 $4x-3y-6=0$이 만나는 두 점 A, B를 x축의 방향으로 4만큼, y축의 방향으로 -3만큼 평행이동한 점을 각각 C, D라 하자. 선분 AC, 선분 BD, 호 AB 및 호 CD로 둘러싸인 색칠된 부분의 넓이를 구하시오.

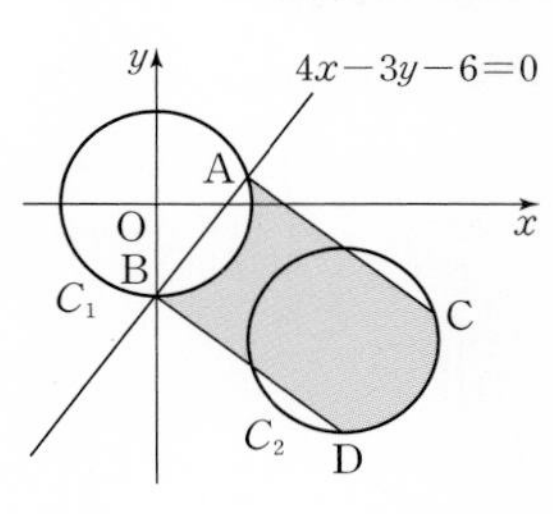

2231

네 점 A$(-6, 1)$, B$(-a, 0)$, C$(a, 3)$, D$(2, 4)$를 꼭짓점으로 하는 평행사변형 ABCD에 대하여 점 B를 x축의 방향으로 a만큼, y축의 방향으로 b만큼 평행이동한 점을 B′, 점 D를 x축의 방향으로 $-a$만큼, y축의 방향으로 $-b$만큼 평행이동한 점을 D′이라 하면 사각형 AB′CD′이 마름모가 된다. 이때, $a+b$의 값을 구하시오.

2232

주사위를 던져 나온 눈의 수 n에 따라 좌표평면 위의 원을 다음과 같은 규칙으로 이동한다.

> (가) n이 홀수이면 원을 x축의 방향으로 $n+1$만큼, y축의 방향으로 $2n$만큼 평행이동한다.
> (나) n이 짝수이면 원을 직선 $y=x$에 대하여 대칭이동한다.

주사위를 세 번 던져 나온 눈의 수가 차례로 4, 5, 2일 때, 이 순서에 따라 원 $x^2+y^2-2x-4y+4=0$을 이동하면 원 $x^2+y^2+Ax+By+C=0$과 일치한다. 이때, 상수 A, B, C의 합 $A+B+C$의 값을 구하시오.

2233

교육청 기출

원 $x^2+(y-1)^2=9$ 위의 점 P가 있다. 점 P를 y축의 방향으로 -1만큼 평행이동한 후 y축에 대하여 대칭이동한 점을 Q라 하자. 두 점 A$(1, -\sqrt{3})$, B$(3, \sqrt{3})$에 대하여 삼각형 ABQ의 넓이가 최대일 때, 점 P의 y좌표는?

① $\frac{5}{2}$ ② $\frac{11}{4}$ ③ 3
④ $\frac{13}{4}$ ⑤ $\frac{7}{2}$

2234

교육청 기출

좌표평면 위에 세 점 A$(0, 1)$, B$(0, 2)$, C$(0, 4)$와 직선 $y=x$ 위의 두 점 P, Q가 있다. $\overline{AP}+\overline{PB}+\overline{BQ}+\overline{QC}$의 값이 최소가 되도록 하는 두 점 P, Q에 대한 선분 PQ의 길이는?

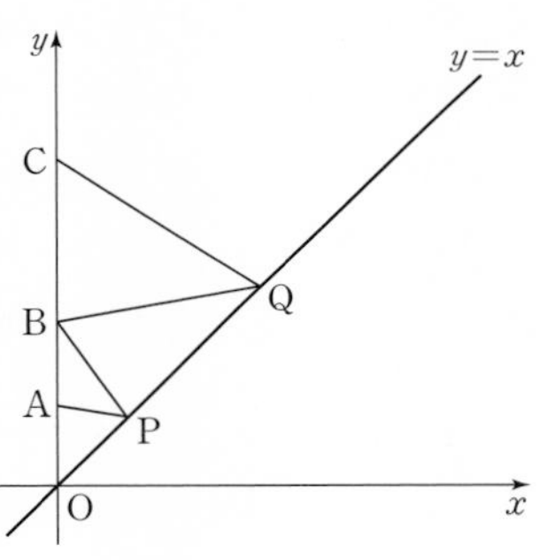

① $\frac{\sqrt{2}}{2}$ ② $\frac{2\sqrt{2}}{3}$ ③ $\frac{5\sqrt{2}}{6}$
④ $\sqrt{2}$ ⑤ $\frac{7\sqrt{2}}{6}$

2235

그림과 같이 좌표평면 위에 두 점 P(12, 0), Q(0, 5)가 있다. 길이가 $5\sqrt{2}$ 인 선분 RS가 반직선 $y=-x\ (x\geq-5)$ 위에서 움직일 때, 사각형 PQRS의 둘레의 길이의 최솟값은?

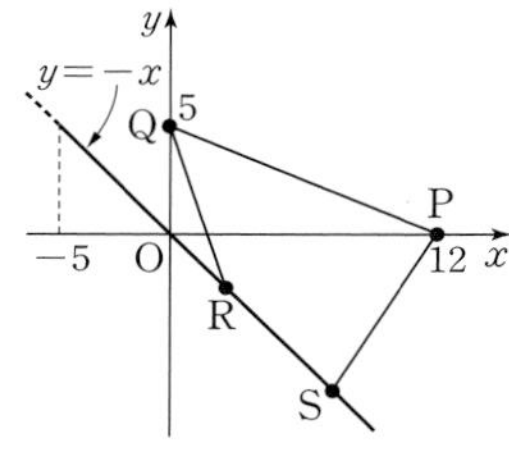

① $20+6\sqrt{2}$　② $22+6\sqrt{2}$　③ $22+8\sqrt{2}$　④ $24+5\sqrt{2}$　⑤ $26+5\sqrt{2}$

Level 3

2236

교육청 기출

그림과 같이 좌표평면에서 세 점 O(0, 0), A(4, 0), B(0, 3)을 꼭짓점으로 하는 삼각형 OAB를 평행이동한 도형을 삼각형 O′A′B′이라 하자. 점 A′의 좌표가 (9, 2)일 때, 삼각형 O′A′B′에 내접하는 원의 방정식은 $x^2+y^2+ax+by+c=0$ 이다. $a+b+c$의 값을 구하시오. (단, a, b, c는 상수이다.)

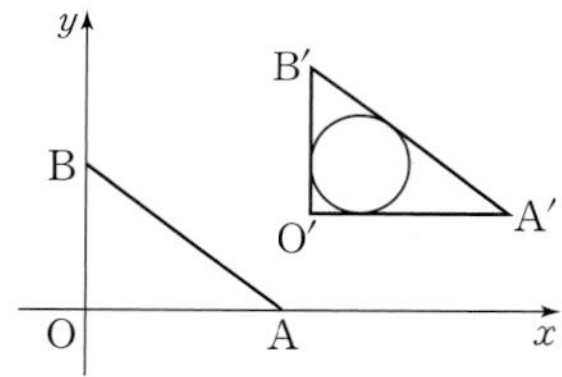

2237

직선 $y=2x-1$을 직선 $y=-x+3$에 대하여 대칭이동한 직선의 방정식이 $mx-2y+n=0$일 때, 상수 m, n의 합 $m+n$의 값을 구하시오.

2238

교육청 기출

그림과 같이 $\overline{AB}=3\sqrt{2}$, $\overline{BC}=4$, $\overline{CA}=\sqrt{10}$인 삼각형 ABC에 대하여 세 선분 AB, BC, CA 위의 점을 각각 D, E, F라 하자. 삼각형 DEF의 둘레의 길이의 최솟값이 $\frac{q}{p}\sqrt{5}$일 때, $p+q$의 값을 구하시오.

(단, p와 q는 서로소인 자연수이다.)

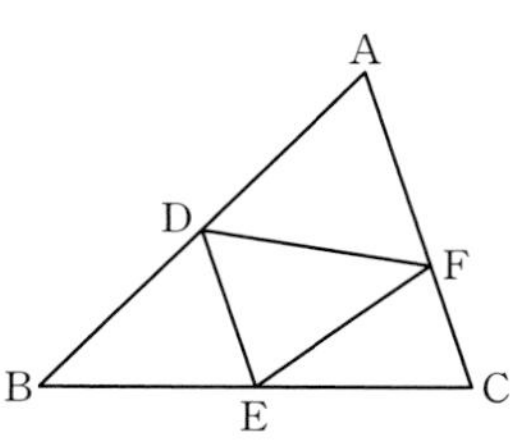

2239

방정식 $f(x, y)=0$을 만족시키는 x, y에 대하여 점 (x, y)를 좌표평면 위에 나타내면 그림과 같을 때, 다음 3개의 방정식들이 나타내는 도형으로 둘러싸인 부분의 넓이를 구하시오.

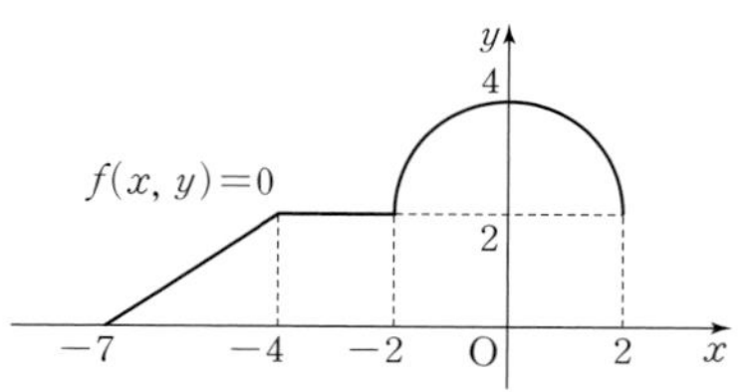

$$f(4-x, y)=0,\qquad f(4-x, -y)=0,\qquad f(y, x)=0$$

빠른 정답 확인

01 다항식의 연산

본책 004~031쪽

0001 $2x,\ -7y,\ -5$
0002 -5
0003 2
0004 -7
0005 $6x^2+(3y+1)x-y^2-9y+1$
0006 $-y^2-9y+1+(3y+1)x+6x^2$
0007 $2x^2+x+7$
0008 $-4x^2+3x-1$
0009 $-2x^2-8xy+y^2+4$
0010 $-4x^2-2xy-y^2+4$
0011 $3x+33$
0012 $6x^2+3x+9$
0013 $-x^2-x+8$
0014 $-2x^3+2x^2+7x+6$
0015 $-4x^2-3x+6$
0016 a^7
0017 a^7
0018 a^{10}
0019 a^{14}
0020 a^4
0021 $\frac{1}{a^2}$
0022 x^6y^2
0023 $\frac{b^{20}}{a^8}$
0024 $9a^8b^5$
0025 $2ab^4c$
0026 $3x+3y$
0027 $6x^2-8x$
0028 $-2xy-2y^2$
0029 $-a^2b+3ab^2$
0030 $3x^2+5x-2$
0031 $2xy-3x+10y-15$
0032 $2x^2+xy-x-3y^2+y$
0033 $2x^4-5x^3-2x^2+15x-12$
0034 10
0035 -3
0036 $x^4+6x^3+13x^2+12x+3$
0037 $x^4+10x^3+35x^2+50x+24$
0038 $x^4+2x^3-13x^2-14x+24$
0039 $x^2+8x+16$
0040 $9x^2-12xy+4y^2$
0041 a^2-4b^2
0042 $x^2-2x-48$
0043 $28x^2-x-15$
0044 $a^2+b^2+c^2+2ab-2bc-2ca$
0045 $a^2+4b^2+c^2+4ab-4bc-2ca$
0046 $x^3+6x^2+12x+8$
0047 x^3-3x^2+3x-1
0048 $x^3+3x^2-18x-40$
0049 a^8-1
0050 x^8-y^8
0051 6
0052 14
0053 -2
0054 7
0055 7
0056 $\pm\sqrt{5}$
0057 4
0058 1
0059 14
0060 52
0061 $3y^2-\frac{5}{2}x^3z$
0062 $3a^4-\frac{ac^2}{3b}-b$
0063 $+3,\ +4x,\ x-1,\ 2x+3$
0064 $Q=x^2+2,\ R=3,\ x^4+3x^2+5=(x^2+1)(x^2+2)+3$
0065 $Q=x+3,\ R=5x-9,$
$x^3-3x^2-5x+15=(x^2-6x+8)(x+3)+5x-9$
0066 몫 : x^2+x+3, 나머지 : 14
0067 몫 : $2x-2$, 나머지 : $x+1$
0068 $8,\ 8,\ 4,\ 4,\ 3,\ 4,\ 4,\ 3,\ 3x^2+4x+4,\ 3$
0069 몫 : x^2+3x+6, 나머지 : 10
0070 몫 : x^2+3, 나머지 : -2
0071 몫 : $3x+8$, 나머지 : 17
0072 몫 : $2x^2-2x+1$, 나머지 : -2
0073 ③
0074 ④
0075 0
0076 ④
0077 $-x^2+2xy-y^2$
0078 ⑤
0079 ④
0080 0
0081 ②
0082 ③
0083 $x^2-2xy-2y^2$
0084 ①
0085 ③
0086 ②
0087 -5
0088 ⑤
0089 ③
0090 20
0091 -11
0092 ①
0093 ③
0094 -4
0095 ①
0096 ③
0097 ③
0098 ⑤
0099 6
0100 ①
0101 $8x^3+27$
0102 ③
0103 27
0104 ④
0105 ④
0106 ①
0107 ③
0108 1
0109 ②
0110 18
0111 ④
0112 ⑤
0113 ②
0114 16
0115 ②
0116 ⑤
0117 36
0118 ④
0119 16
0120 ②
0121 18
0122 ⑤
0123 ④
0124 ③
0125 82
0126 ①
0127 ④
0128 ④
0129 2
0130 ④
0131 ②
0132 ④
0133 100
0134 ②
0135 ②
0136 -1
0137 ②
0138 1
0139 ①
0140 2
0141 ①
0142 ⑤
0143 ③
0144 $3a^2x+a^3$
0145 4
0146 ④
0147 6
0148 ③
0149 ⑤
0150 ②
0151 ②
0152 ①
0153 ①
0154 1
0155 ②
0156 ①
0157 ②
0158 19
0159 $Q=x+3,\ R=5x-9,$
$x^3-3x^2-5x+15=(x^2-6x+8)(x+3)+5x-9$
0160 ①
0161 ③
0162 ②
0163 ②
0164 4
0165 ⑤
0166 ④
0167 ⑤
0168 몫: $2x^2-6x+13$, 나머지: -35
0169 2
0170 ④
0171 (가): $\frac{1}{2}$, (나): $4x^2-4x$, (다): -1, (라): $2x^2-2x$
0172 ①
0173 ⑤
0174 -7
0175 ①
0176 48
0177 ④
0178 ②
0179 -1
0180 ⑤
0181 1
0182 ③
0183 ①
0184 56
0185 7
0186 몫: $2x^2+4x+3$, 나머지: 7
0187 ③
0188 (1) 해설 참조 (2) 몫: $2x^2-4x+2$, 나머지: 2
(3) 몫: x^2-2x+1, 나머지: 2
0189 $x^4y^2-xy^5$
0190 ⑤
0191 ①
0192 ①
0193 ②
0194 몫: $x+2$, 나머지: $-x+4$
0195 ①
0196 135
0197 ②
0198 ⑤
0199 ⑤
0200 16

02 항등식과 나머지정리

본책 036~061쪽

0201 ㄷ, ㅁ
0202 ㄱ, ㄴ, ㄹ
0203 2, 5
0204 2, 3, 7
0205 $a=-1$, $b=3$
0206 $a=1$, $b=-6$, $c=16$
0207 $a=2$, $b=-1$, $c=-6$
0208 $a=1$, $b=2$, $c=1$
0209 $a=1$, $b=1$, $c=-1$
0210 $a=5$, $b=-2$
0211 $a=5$, $b=-1$, $c=2$
0212 $a=1$, $b=3$, $c=4$
0213 $a=3$, $b=6$, $c=2$
0214 $a=1$, $b=2$, $c=-1$
0215 $x+1$, 6
0216 $2x-17$, 69
0217 4
0218 2
0219 $a=-7$, $b=6$
0220 $a=-5$, $b=7$
0221 3
0222 -3
0223 6
0224 21
0225 -6
0226 -27
0227 21
0228 3
0229 6
0230 7
0231 3
0232 -3
0233 0
0234 $\frac{3}{4}$
0235 3
0236 $\frac{7}{2}$
0237 $a=2$, $b=-1$
0238 9
0239 -14
0240 3
0241 ④
0242 11
0243 ④
0244 $a=0$, $b=1$, $c=2$
0245 -2
0246 ②
0247 $a=3$, $b=0$, $c=-2$
0248 20
0249 13
0250 0
0251 ⑤
0252 $P=-3x-2$, $Q=3x-7$
0253 $a=1$, $b=-6$, $c=12$, $p=-2$
0254 0
0255 7
0256 ③
0257 13
0258 -1
0259 ③
0260 7
0261 -14
0262 ④
0263 2
0264 ③
0265 ①
0266 $a=0$, $b=2$, 나머지 : $x+2$
0267 ③
0268 14
0269 $x+1$
0270 -4
0271 $R(x)=20x-20$
0272 $a=-5$, $b=6$
0273 1
0274 14
0275 ①
0276 ①
0277 ④
0278 8
0279 -13
0280 ②
0281 2
0282 ③
0283 -1
0284 4
0285 $2x+1$
0286 2
0287 ①
0288 ③
0289 $x+5$
0290 $3x+2$
0291 ⑤
0292 $2x^2+2x$
0293 5
0294 x^2-x+4
0295 x^2+x+3
0296 -2
0297 ④
0298 몫: $2xQ(x)+1$, 나머지: $-\frac{1}{2}$
0299 몫: $xQ(x)+r$, 나머지: $-r-3$
0300 ①
0301 2
0302 ①
0303 ①
0304 ①
0305 -27
0306 6
0307 ②
0308 -11
0309 ④
0310 ①
0311 5
0312 ③
0313 ⑤
0314 2
0315 ①
0316 ①
0317 29
0318 ③
0319 ①
0320 6
0321 ①
0322 -6
0323 -30
0324 ②
0325 ②
0326 $x+3$
0327 ①
0328 ②
0329 5
0330 ④
0331 50
0332 -5
0333 24
0334 ①
0335 1930702
0336 ③
0337 ④
0338 -4
0339 ⑤
0340 ⑤
0341 -16
0342 1
0343 ④
0344 -2
0345 6
0346 ④
0347 14
0348 ④
0349 ②
0350 ①
0351 ③
0352 14
0353 42
0354 ④
0355 ①
0356 ③
0357 26
0358 ④
0359 ③
0360 2
0361 ④
0362 27

03 인수분해

본책 066~088쪽

0363 $a(x+y)$
0364 $m(2m+3)$
0365 $xy(x-y)$
0366 $(a-b)(x+1)$
0367 $(a+1)(a-b)$
0368 $(a+1)^2$
0369 $(x-2)^2$
0370 $(2x+1)^2$
0371 $(a+b)(a-b)$
0372 $(a+3b)(a-3b)$
0373 $(2x+5y)(2x-5y)$
0374 $(a-b+c-d)(a-b-c+d)$
0375 $(a+b+c)(a+b-c)$
0376 $(x+1)(x+3)$
0377 $(x-3)(x+1)$
0378 $(x-4)(x+3)$
0379 $(x+1)(x-6)$
0380 $(x-3)(x-7)$
0381 $(2a+1)(a+3)$
0382 $(2x-3)(x-4)$
0383 $(2x-1)(3x+1)$
0384 $(x+1)(2x-3)$
0385 $(x+1)(x^2-x+1)$
0386 $(x-1)(x^2+x+1)$
0387 $(a+2)(a^2-2a+4)$
0388 $(x-2)(x^2+2x+4)$
0389 $(x+y+z)^2$
0390 $(x+y-z)^2$
0391 $(x-2y+3z)^2$
0392 $(x^2+xy+y^2)(x^2-xy+y^2)$
0393 $(x^2+x+1)(x^2-x+1)$
0394 $(x+4)(x-3)$
0395 $(a+b+1)(a+b-3)$
0396 $(x-1)(x+2)(x^2+x-4)$
0397 $(x+y+2)(x+y-6)$
0398 $(x+1)(x-1)(x^2-3)$
0399 $(x+1)(x-1)(x^2-2)$
0400 $(x^2+3)(x^2-2)$
0401 $(x+2)(x-2)(x+3)(x-3)$
0402 $(x^2+x-1)(x^2-x-1)$
0403 $(x^2+x+3)(x^2-x+3)$
0404 $(x^2+2x+2)(x^2-2x+2)$
0405 0, $x-1$, x^2+x-2
0406 $(x-1)(x+2)(x-4)$
0407 $(x+1)(x-2)(x-3)$
0408 $(x+1)(x^2-x+3)$
0409 $(x+1)^2(x-2)$
0410 $(x+1)(x^2-6x+6)$
0411 $(x+1)(x+2)(3x-2)$
0412 $(x-1)(x+1)(x^2-3x+1)$
0413 $(x+2)(x+1)(x-1)^2$
0414 ②
0415 ②
0416 $4a+4b+2$
0417 ④
0418 9
0419 ①
0420 48
0421 ②
0422 ⑤
0423 ③
0424 ④
0425 ①
0426 -4
0427 ⑤
0428 ①

0429 0　0430 ⑤
0431 $3(x-y)(y-z)(z-x)$　0432 ③
0433 10　0434 ①　0435 ⑤
0436 ①　0437 -6　0438 8
0439 ①　0440 ①　0441 ②
0442 ⑤　0443 ③　0444 -16
0445 ①　0446 $16x(x+2)(2x+1)$
0447 ④　0448 0　0449 ⑤
0450 ⑤　0451 ③　0452 ③
0453 ①　0454 -6　0455 ⑤
0456 ⑤　0457 ⑤　0458 ②
0459 1　0460 ①　0461 4
0462 ②　0463 ③　0464 ⑤
0465 ④　0466 $(a+b)(b+c)(c+a)$
0467 ①　0468 ②　0469 $-\frac{3}{4}$
0470 ⑤　0471 ③　0472 104
0473 ③　0474 191　0475 ③
0476 ⑤　0477 9　0478 7
0479 13　0480 ③　0481 정삼각형
0482 $b=c$인 이등변삼각형　0483 ⑤
0484 $a=c$인 이등변삼각형　0485 ①
0486 ⑤　0487 ①　0488 ③
0489 ⑤
0490 ①
0491 $(x-y+z)(x+y-z)(x-y-z)(x+y+z)$
0492 1　0493 ②　0494 ⑤
0495 ①　0496 3　0497 ②
0498 ③　0499 271
0500 $a=b$인 이등변삼각형　0501 ①
0502 $(a+b+c)^2$　0503 ④　0504 ①
0505 $(a+b)(b+c)(c+a)$　0506 ③
0507 ⑤　0508 ②　0509 ⑤
0510 10　0511 ⑤　0512 ⑤
0513 ⑤　0514 ①　0515 ②
0516 15　0517 146

04 복소수

본책 092~121쪽

0518 $\sqrt{5}i$　0519 $3i$
0520 $-3\sqrt{3}i$　0521 $1+\sqrt{2}i$
0522 $x=-1$ 또는 $x=1$　0523 $x=-3$ 또는 $x=3$
0524 $x=-i$ 또는 $x=i$　0525 $x=-\sqrt{3}i$ 또는 $x=\sqrt{3}i$
0526 $x=-4i$ 또는 $x=4i$　0527 $-\sqrt{2}$ 또는 $\sqrt{2}$
0528 -5 또는 5　0529 $-2i$ 또는 $2i$
0530 $-2\sqrt{2}i$ 또는 $2\sqrt{2}i$　0531 $-\sqrt{17}i$ 또는 $\sqrt{17}i$
0532 ㄷ, ㅁ, ㅂ, ㅅ, ㅈ　0533 ㄱ, ㄴ, ㄹ, ㅇ, ㅊ
0534 ㄱ, ㄴ, ㄹ　0535 $x=8$
0536 $x=7$　0537 $x=0$, $y=3$
0538 $x=3$, $y=3$　0539 $x=2$, $y=2$
0540 $x=4$, $y=-4$　0541 $x=-5$, $y=3$
0542 $x=1$, $y=-3$　0543 $x=3$, $y=2$
0544 $x=4$, $y=1$　0545 $1-6i$
0546 $3+5i$　0547 $-2i-1$
0548 $-i$　0549 $3i$
0550 5　0551 -8
0552 $3+\sqrt{7}$　0553 $-4+\sqrt{2}i$
0554 $7+3i$　0555 $-8-3i$
0556 $5+3i$　0557 $-11+5i$
0558 $2+8i$　0559 $3i+1$
0560 $-2i-10$　0561 $2i$
0562 2　0563 $8+26i$
0564 $-5-14i$　0565 $-2i+6$
0566 $\frac{5-i}{26}$　0567 i
0568 $-i$　0569 $\frac{-3+4i}{5}$
0570 $10+4i$　0571 4
0572 $17+6i$　0573 $11+2i$
0574 $17+20i$　0575 $\frac{25-8i}{13}$
0576 $4-2i$　0577 $4+2i$
0578 8　0579 $4i$
0580 20　0581 $\frac{3+4i}{5}$
0582 -1　0583 $-i$
0584 1　0585 i
0586 $-i$　0587 1
0588 -1　0589 2
0590 -2　0591 $i-1$
0592 $2i$　0593 $32i$
0594 $-2i$　0595 -64
0596 -1　0597 -1
0598 i　0599 -1
0600 $-i$　0601 1
0602 $-\sqrt{6}$　0603 -4
0604 $\sqrt{15}i$　0605 $-\sqrt{3}i$
0606 2　0607 $2i$
0608 $-2\sqrt{6}-\sqrt{3}i$
0609 3　0610 ①　0611 5
0612 ⑤　0613 ③　0614 ⑤
0615 ①　0616 ④　0617 ③
0618 3　0619 ③　0620 ①
0621 ③　0622 ②　0623 -1
0624 21　0625 ②　0626 7
0627 ④　0628 ①　0629 38
0630 ③　0631 ②　0632 ④
0633 ①　0634 ②　0635 -2
0636 34　0637 ①　0638 ②
0639 ⑤　0640 ①　0641 12
0642 $-2-3i$　0643 ④　0644 i
0645 ⑤　0646 10　0647 ④
0648 $1+\sqrt{5}i$　0649 ③　0650 $2-3i$
0651 -6 또는 6　0652 ⑤　0653 ①
0654 ②　0655 ④　0656 3

0657 ④ 0658 ⑤ 0659 7
0660 10 0661 3 0662 $-\frac{\sqrt{3}}{4}$
0663 ⑤ 0664 ④ 0665 ③
0666 ② 0667 ① 0668 ②
0669 50 0670 ② 0671 ②
0672 ④ 0673 ⑤ 0674 ①
0675 ④ 0676 ① 0677 ④
0678 ③ 0679 ③ 0680 ⑤
0681 ① 0682 ② 0683 $-i$
0684 0 0685 ⑤ 0686 ③
0687 ③ 0688 ③ 0689 ④
0690 ④ 0691 ③ 0692 $32i$
0693 $n=8$, $z=128$ 0694 ② 0695 ③
0696 ③ 0697 $\frac{-1+\sqrt{3}i}{2}$ 0698 ③
0699 ⑤ 0700 ③ 0701 ①
0702 $-4-2i$ 0703 ③ 0704 $a=\sqrt{10}$, $b=5$
0705 ③ 0706 ③ 0707 ②
0708 ④ 0709 ⑤ 0710 $-a-b-c-d$
0711 ③
0712 ④ 0713 ① 0714 ④
0715 ④ 0716 ② 0717 $3i$
0718 ③ 0719 ③ 0720 100
0721 ② 0722 ④ 0723 2
0724 ④ 0725 $\frac{3}{5}$ 0726 ③
0727 0 0728 ⑤ 0729 17
0730 -3 0731 74 0732 ③
0733 ③ 0734 ② 0735 ⑤
0736 27 0737 50 0738 ②
0739 150

05 이차방정식

본책 126~149쪽

0740 $x=-1$ 또는 $x=3$ 0741 $x=-4$ 또는 $x=5$
0742 $x=\frac{1}{2}$ 또는 $x=3$ 0743 $x=-\frac{1}{2}$ 또는 $x=1$
0744 $x=6$ 0745 $x=-\sqrt{2}$ 또는 $x=\sqrt{2}$
0746 $x=\frac{2}{5}$ 또는 $x=-1$ 0747 $x=\frac{3\pm\sqrt{13}}{2}$
0748 $x=\frac{-5\pm\sqrt{7}i}{4}$ 0749 $x=\frac{3\pm\sqrt{7}i}{4}$
0750 $x=\frac{1}{3}$ 또는 $x=-3$ 0751 $x=3\pm2\sqrt{2}$
0752 $x=\frac{-2\pm\sqrt{2}i}{3}$ 0753 -6
0754 -3 0755 5
0756 서로 다른 두 실근 0757 서로 다른 두 허근
0758 중근 0759 서로 다른 두 실근
0760 서로 다른 두 허근 0761 중근
0762 3 0763 -20 또는 20
0764 $k<4$ 0765 $k>4$
0766 $k=4$ 0767 2

0768 -3 0769 10
0770 -6 0771 $-\frac{2}{3}$
0772 4 0773 5
0774 -2 0775 52
0776 4 0777 52
0778 $a=-6$, $b=1$ 0779 $a=4$, $b=1$
0780 $a=1$, $b=-4$ 0781 $(x-1-\sqrt{2})(x-1+\sqrt{2})$
0782 $(x+1-\sqrt{5})(x+1+\sqrt{5})$ 0783 $(x-\sqrt{2}i)(x+\sqrt{2}i)$
0784 $x^2-8x+12=0$ 0785 $x^2+x-12=0$
0786 $x^2-8x+13=0$ 0787 $x^2-6x+13=0$
0788 -2 0789 $a=-4$, $b=1$
0790 $a=2$, $b=2$
0791 ④ 0792 -4 0793 -5
0794 ③ 0795 20 cm 0796 ①
0797 $x=-2$ 또는 $x=2$ 0798 ①
0799 ⑤ 0800 ① 0801 10
0802 $k<-2$ 또는 $-2<k<-\frac{2}{3}$ 0803 ③
0804 $\frac{5}{4}$ 0805 4 0806 5
0807 ⑤ 0808 $-2\le k<1$
0809 15 0810 ① 0811 서로 다른 두 실근
0812 ③ 0813 ⑤ 0814 10
0815 2 0816 ④ 0817 -2 또는 6
0818 ④ 0819 ③ 0820 정삼각형
0821 ② 0822 112 0823 18
0824 $-\frac{7}{8}$ 0825 ② 0826 ④
0827 ⑤ 0828 ① 0829 161
0830 5 0831 20 0832 10
0833 2 0834 ① 0835 ③
0836 $k=\frac{3}{2}$ 또는 $k=\frac{2}{3}$ 0837 2
0838 ④ 0839 ② 0840 12
0841 ① 0842 9 0843 ③
0844 1 0845 ① 0846 $4x^2-12x+5=0$
0847 ② 0848 ① 0849 ④
0850 1 0851 ④ 0852 16
0853 6 0854 -16 0855 $\frac{1}{2}$
0856 ① 0857 $x=1$ 또는 $x=3$
0858 2 0859 $1\pm\sqrt{3}$ 0860 ①
0861 $\frac{21}{2}$ 0862 4 0863 ④
0864 ⑤ 0865 ④ 0866 ⑤
0867 2 0868 ② 0869 ⑤
0870 ③ 0871 ⑤ 0872 -3
0873 ③ 0874 ④
0875 ③ 0876 ① 0877 ①
0878 3 0879 ② 0880 63
0881 -1 0882 2 0883 -60
0884 ④ 0885 7 0886 ②
0887 ② 0888 $-\frac{4}{3}$ 0889 14
0890 $4x^2-8x+3=0$ 0891 8 0892 ③

0893 ③　0894 ①　0895 ②
0896 ①　0897 ①　0898 19
0899 ①　0900 10　0901 $\frac{13}{3}$
0902 -2

06 이차함수의 활용

본책 154~181쪽

0903 1　0904 2
0905 0　0906 0
0907 2　0908 1
0909 $k<1$　0910 $k>-9$
0911 $\frac{9}{4}$　0912 $\frac{1}{8}$
0913 $k>4$　0914 $k<-\frac{2}{3}$
0915 $k<3$　0916 $(-2, 0)$, $(0, 0)$
0917 $(-2, 0)$, $(1, 0)$　0918 $(3, 0)$
0919 -18　0920 -4
0921 1, 2　0922 3, 0, 4, 0
0923 -6, 8　0924 $a=-1$, $b=-2$
0925 $a=-5$, $b=4$　0926 $a=1$, $b=6$
0927 $a=7$, $b=-10$　0928 2
0929 0　0930 1
0931 $k>-\frac{1}{4}$　0932 $k<\frac{7}{4}$
0933 $k>-6$　0934 $\frac{15}{4}$
0935 $\frac{1}{8}$　0936 $-\frac{29}{4}$
0937 $k<2$　0938 $k>-\frac{1}{8}$
0939 $k<-10$　0940 $(0, -1)$, $(2, 3)$
0941 $(-1, -2)$, $(5, 16)$　0942 $(1, 6)$
0943 최댓값 : 없다, 최솟값 : -3　0944 최댓값 : 1, 최솟값 : 없다.
0945 최댓값 : 없다, 최솟값 : 0　0946 최댓값 : -2, 최솟값 : 없다.
0947 최댓값 : 3, 최솟값 : -1　0948 최댓값 : 8, 최솟값 : -1
0949 최댓값 : 24, 최솟값 : 8　0950 최댓값 : 없다, 최솟값 : -1
0951 최댓값 : 4, 최솟값 : -5　0952 최댓값 : 4, 최솟값 : -5
0953 최댓값 : -12, 최솟값 : -32　0954 최댓값 : 4, 최솟값 : 없다.
0955 ④　0956 ③　0957 ②
0958 ③　0959 -16　0960 ③
0961 -3　0962 ②　0963 -20
0964 ⑤　0965 $\frac{2\sqrt{3}}{3}$　0966 ①
0967 ①　0968 1　0969 ①
0970 ③　0971 $m<-\frac{1}{4}$　0972 0
0973 -1　0974 -2　0975 ①
0976 ②　0977 17　0978 ②
0979 ③　0980 25　0981 7
0982 ①　0983 10　0984 ⑤
0985 ⑤　0986 -21　0987 ⑤
0988 $\sqrt{58}$　0989 5　0990 -1
0991 -1　0992 $x=0$ 또는 $x=9$　0993 ①
0994 ②　0995 ②　0996 -18
0997 $\frac{19}{2}$　0998 -1　0999 ③
1000 ①　1001 ①　1002 -1
1003 ④　1004 10　1005 ②
1006 ①　1007 1　1008 ②
1009 ①　1010 ②　1011 ①
1012 4　1013 ①　1014 10
1015 -6　1016 7　1017 ①
1018 -8　1019 25　1020 10
1021 14　1022 11　1023 -5
1024 50　1025 54　1026 4
1027 3　1028 $\frac{4}{3}$　1029 -9
1030 8　1031 30　1032 ③
1033 ①　1034 ④　1035 162 m^2
1036 ③　1037 ③　1038 ④
1039 12　1040 ①　1041 ⑤
1042 ②　1043 110　1044 $\frac{5}{2}$ cm
1045 9
1046 ③　1047 ①　1048 ③
1049 -2　1050 5　1051 $2\sqrt{2}$
1052 ③　1053 ③　1054 48
1055 2　1056 26　1057 35 m
1058 ③　1059 5　1060 ③
1061 ①　1062 8　1063 ②
1064 45　1065 ①　1066 ①
1067 750　1068 ①　1069 ④
1070 39　1071 ⑤　1072 33
1073 11　1074 43　1075 ⑤
1076 31　1077 ③

07 여러 가지 방정식

본책 186~214쪽

1078 $x=1$ 또는 $x=2$ 또는 $x=3$　1079 $x=-1$ (중근) 또는 $x=4$
1080 $x=-3$ (삼중근)　1081 $x=-1$ 또는 $x=1$ 또는 $x=4$
1082 $x=2$ 또는 $x=2\pm\sqrt{2}i$　1083 $x=2$ 또는 $x=-1\pm\sqrt{3}i$
1084 $x=-3$ 또는 $x=0$ 또는 $x=4$
1085 $x=-9$ 또는 $x=-1$ 또는 $x=1$
1086 $x=-1$ 또는 $x=1$ 또는 $x=2$
1087 $x=-2$ 또는 $x=1$ 또는 $x=3$
1088 $x=2$ 또는 $x=1\pm i$　1089 $x=-2$ 또는 $x=1\pm\sqrt{2}$
1090 $x=1$ 또는 $x=\frac{-1\pm\sqrt{7}i}{2}$　1091 $a=-3$, $x=1\pm\sqrt{2}$
1092 $a=2$, $x=\frac{1\pm\sqrt{5}}{2}$　1093 $a=-3$, $x=1\pm\sqrt{3}$
1094 3　1095 4
1096 -2　1097 1
1098 -2　1099 $1-\sqrt{2}$
1100 $1-i$　1101 $2-\sqrt{3}$, 1

1102 $2+i$, $\frac{2}{5}$
1103 $x^3-4x^2+x+6=0$
1104 $x^3+x^2-14x-24=0$
1105 $x^3-5x^2+8x-6=0$
1106 1
1107 0
1108 -1
1109 -1
1110 -1
1111 0
1112 1
1113 0
1114 0
1115 1
1116 1
1117 0
1118 -1
1119 0
1120 $x=-2$ 또는 $x=3$ (중근) 또는 $x=5$
1121 $x=-2$ (삼중근) 또는 $x=5$
1122 $x=-3$ 또는 $x=-2$ 또는 $x=2$ 또는 $x=3$
1123 $x=-4$ 또는 $x=-1$ 또는 $x=\frac{1\pm\sqrt{3}i}{2}$
1124 $x=-3$ 또는 $x=0$ 또는 $x=1$ 또는 $x=6$
1125 $x=-i$ 또는 $x=i$ 또는 $x=-1$ 또는 $x=1$
1126 $x=-2i$ 또는 $x=2i$ 또는 $x=-2$ 또는 $x=2$
1127 $x=0$ 또는 $x=2$ 또는 $x=-1\pm\sqrt{3}i$
1128 $x=-2$ 또는 $x=1$ (삼중근)
1129 $x=-3$ 또는 $x=-1$ 또는 $x=2$ (중근)
1130 $x=2$ (중근) 또는 $x=\frac{-1\pm\sqrt{3}i}{2}$
1131 $x=1$ 또는 $x=2$ 또는 $x=-i$ 또는 $x=i$
1132 $x=-1$ 또는 $x=2$ 또는 $x=1\pm\sqrt{2}i$
1133 $x=1$, $y=-2$
1134 $x=6$, $y=1$
1135 $x=2$, $y=-4$
1136 $x=1$, $y=4$
1137 $x=3$, $y=1$
1138 $x=-6$, $y=-4$
1139 $x=2$, $y=1$
1140 $\begin{cases} x=-2 \\ y=-1 \end{cases}$ 또는 $\begin{cases} x=1 \\ y=2 \end{cases}$
1141 $\begin{cases} x=-3 \\ y=-1 \end{cases}$ 또는 $\begin{cases} x=1 \\ y=3 \end{cases}$
1142 $x=2$, $y=1$
1143 $x=1$, $y=-1$
1144 $\begin{cases} x=-9 \\ y=-5 \end{cases}$ 또는 $\begin{cases} x=5 \\ y=2 \end{cases}$
1145 $\begin{cases} x=-1 \\ y=-1 \end{cases}$ 또는 $\begin{cases} x=1 \\ y=1 \end{cases}$
또는 $\begin{cases} x=-\sqrt{3} \\ y=\sqrt{3} \end{cases}$ 또는 $\begin{cases} x=\sqrt{3} \\ y=-\sqrt{3} \end{cases}$
1146 $\begin{cases} x=-1 \\ y=-2 \end{cases}$ 또는 $\begin{cases} x=1 \\ y=2 \end{cases}$
또는 $\begin{cases} x=-\frac{1}{2} \\ y=-\frac{1}{2} \end{cases}$ 또는 $\begin{cases} x=\frac{1}{2} \\ y=\frac{1}{2} \end{cases}$
1147 $\begin{cases} x=-4 \\ y=2 \end{cases}$ 또는 $\begin{cases} x=4 \\ y=-2 \end{cases}$
또는 $\begin{cases} x=-\sqrt{10} \\ y=-\sqrt{10} \end{cases}$ 또는 $\begin{cases} x=\sqrt{10} \\ y=\sqrt{10} \end{cases}$
1148 $\begin{cases} x=-2\sqrt{2} \\ y=\sqrt{2} \end{cases}$ 또는 $\begin{cases} x=2\sqrt{2} \\ y=-\sqrt{2} \end{cases}$
또는 $\begin{cases} x=-3 \\ y=-1 \end{cases}$ 또는 $\begin{cases} x=3 \\ y=1 \end{cases}$
1149 $\begin{cases} x=-2\sqrt{3} \\ y=-\sqrt{3} \end{cases}$ 또는 $\begin{cases} x=2\sqrt{3} \\ y=\sqrt{3} \end{cases}$
또는 $\begin{cases} x=-3 \\ y=-1 \end{cases}$ 또는 $\begin{cases} x=3 \\ y=1 \end{cases}$

1150 $\begin{cases} x=-2 \\ y=-4 \end{cases}$ 또는 $\begin{cases} x=2 \\ y=4 \end{cases}$
또는 $\begin{cases} x=-1 \\ y=-1 \end{cases}$ 또는 $\begin{cases} x=1 \\ y=1 \end{cases}$
1151 $\begin{cases} x=-2 \\ y=-2 \end{cases}$ 또는 $\begin{cases} x=2 \\ y=2 \end{cases}$
또는 $\begin{cases} x=-\sqrt{2} \\ y=\sqrt{2} \end{cases}$ 또는 $\begin{cases} x=\sqrt{2} \\ y=-\sqrt{2} \end{cases}$
1152 $\begin{cases} x=-2\sqrt{2} \\ y=-2\sqrt{2} \end{cases}$ 또는 $\begin{cases} x=2\sqrt{2} \\ y=2\sqrt{2} \end{cases}$
또는 $\begin{cases} x=-4 \\ y=-2 \end{cases}$ 또는 $\begin{cases} x=4 \\ y=2 \end{cases}$
1153 $\begin{cases} x=-1 \\ y=1 \end{cases}$ 또는 $\begin{cases} x=1 \\ y=-1 \end{cases}$
또는 $\begin{cases} x=-2 \\ y=-1 \end{cases}$ 또는 $\begin{cases} x=2 \\ y=1 \end{cases}$
1154 $\begin{cases} x=-3 \\ y=3 \end{cases}$ 또는 $\begin{cases} x=2 \\ y=-2 \end{cases}$
또는 $\begin{cases} x=-\frac{6}{5} \\ y=-\frac{18}{5} \end{cases}$ 또는 $\begin{cases} x=1 \\ y=3 \end{cases}$

1155 ④
1156 14
1157 ①
1158 -8
1159 -6
1160 ①
1161 $k<0$
1162 $k\ge-\frac{1}{4}$
1163 $k<-\frac{3}{2}$
1164 -17
1165 ②
1166 17
1167 ④
1168 ②
1169 ⑤
1170 1
1171 3
1172 17
1173 ③
1174 ③
1175 $\frac{65}{72}$
1176 ②
1177 ①
1178 ③
1179 ①
1180 ④
1181 16
1182 ②
1183 $x^3+x+2=0$
1184 $x^3+x^2-3x+4=0$
1185 ④
1186 ⑤
1187 ②
1188 ④
1189 0
1190 ④
1191 ③
1192 ①
1193 ⑤
1194 -1
1195 ④
1196 $\frac{5}{2}$
1197 ④
1198 -1
1199 $-3-i$
1200 ②
1201 -3
1202 ②
1203 -6
1204 ④
1205 1
1206 ①
1207 6
1208 8
1209 ①
1210 ②
1211 1
1212 68
1213 $(1+\sqrt{65})$cm
1214 200 cm^2
1215 10
1216 6 cm
1217 4 또는 $2+2\sqrt{5}$
1218 ③
1219 ①
1220 ⑤
1221 -3
1222 ⑤
1223 $\frac{14}{3}$
1224 36
1225 ②
1226 1
1227 $-\frac{3}{5}$
1228 -2
1229 25
1230 $\frac{5}{4}$
1231 ③
1232 $\begin{cases} x=2 \\ y=3 \end{cases}$ 또는 $\begin{cases} x=3 \\ y=2 \end{cases}$
1233 7
1234 ③
1235 2
1236 -1
1237 5
1238 ③

1239 ①
1240 ①
1241 9 m, 12 m
1242 8
1243 25
1244 ⑤
1245 14
1246 ③
1247 1
1248 5
1249 3
1250 ③
1251 ①
1252 ①
1253 ②
1254 ②
1255 ②
1256 ②
1257 ④
1258 -1
1259 ③
1260 1 또는 3
1261 ②
1262 8
1263 9
1264 5 km
1265 ①
1266 ④
1267 ①
1268 -1
1269 ②
1270 ③
1271 ①
1272 10
1273 ①
1274 ⑤
1275 ⑤
1276 ②
1277 $\overline{PA}=5$, $\overline{PB}=3$
1278 394
1279 21
1280 ③

08 일차부등식

본책 218~238쪽

1281 $x>2$
1282 $x<2$
1283 $x\le -1$
1284 $x\le -5$
1285 $x<5$
1286 $x\ge 2$
1287 $x\ge 6$
1288 $x<-\frac{27}{5}$
1289 $x\ge 1$
1290 $x<6$
1291 (i) $a>0$일 때, $x>2$
(ii) $a=0$일 때, 해가 없다.
(iii) $a<0$일 때, $x<2$
1292 (i) $a>2$일 때, $x>-\frac{3}{a-2}$
(ii) $a=2$일 때, 해는 모든 실수
(iii) $a<2$일 때, $x<-\frac{3}{a-2}$
1293 (i) $a>1$일 때, $x>\frac{-a-1}{a-1}$
(ii) $a=1$일 때, 해는 모든 실수
(iii) $a<1$일 때, $x<\frac{-a-1}{a-1}$
1294 해설 참조
1295 해설 참조
1296 해설 참조
1297 해설 참조
1298 $3\le x<5$
1299 $1\le x<5$
1300 $-3<x\le -2$
1301 $-3<x<2$
1302 $x\le 3$
1303 $\begin{cases} 4\le x+3 \\ x+3<2x \end{cases}$
1304 $\begin{cases} 3x-4<x+1 \\ x+1\le 4x-5 \end{cases}$
1305 $\begin{cases} \frac{x-1}{2}\le 3x+1 \\ 3x+1\le 5(x+1) \end{cases}$
1306 $-1<x\le 1$
1307 $2<x\le 8$
1308 $-4<x\le 6$
1309 해는 없다.
1310 해는 없다.
1311 $x=2$
1312 $x=8$
1313 해는 없다.
1314 $x+3<24$
1315 $x\ge 2x-5$
1316 $4000\le 400x\le 6000$
1317 8 또는 9
1318 3, 4, 5 또는 4, 5, 6
1319 $-2\le x\le 2$
1320 $x<-5$ 또는 $x>5$
1321 $x\le 0$ 또는 $x\ge 6$
1322 $-3<x<4$
1323 $-4\le x\le -1$ 또는 $1\le x\le 4$
1324 ⑤
1325 ③
1326 ㄴ

1327 ①
1328 ①
1329 ⑤
1330 2
1331 ③
1332 ③
1333 ②
1334 5
1335 2
1336 ③
1337 ③
1338 1
1339 ③
1340 $-2<x\le 2$
1341 ②
1342 ②
1343 1
1344 $x=8$
1345 $(-1, 5)$, $(0, 3)$
1346 ②
1347 -56
1348 4
1349 ②
1350 ⑤
1351 1
1352 -10
1353 0
1354 12
1355 ④
1356 $-2<a\le -1$
1357 14
1358 $x=-3$
1359 ⑤
1360 -1
1361 9
1362 $a<-5$
1363 ④
1364 ③
1365 ③
1366 ⑤
1367 ①
1368 3
1369 9, 10, 11 또는 10, 11, 12
1370 ④
1371 8권 또는 9권 또는 10권
1372 ①
1373 ②
1374 35
1375 7명 또는 8명 또는 9명
1376 ⑤
1377 ②
1378 ①
1379 ③
1380 1
1381 ①
1382 11
1383 ③
1384 ③
1385 ①
1386 5
1387 $k>-2$
1388 ①
1389 -3
1390 ④
1391 ②
1392 ②
1393 5
1394 1
1395 ①
1396 4
1397 ①
1398 ②
1399 2
1400 ⑤
1401 5
1402 12
1403 ④
1404 ⑤
1405 $a\le -5$
1406 ③
1407 ③
1408 ③
1409 -4
1410 4
1411 ②
1412 3
1413 ①, ⑤
1414 ④
1415 ⑤
1416 54
1417 -2
1418 ②

09 이차부등식

본책 242~266쪽

1419 $x<-2$ 또는 $x>4$
1420 $x\le -2$ 또는 $x\ge 4$
1421 $-2<x<4$
1422 $-2\le x\le 4$
1423 $x\ne 2$인 모든 실수
1424 모든 실수
1425 해가 없다.
1426 $x=2$
1427 모든 실수
1428 모든 실수
1429 해가 없다.
1430 해가 없다.
1431 $2\le x\le 5$
1432 $-1<x<3$
1433 $x<1$ 또는 $x>3$
1434 $x\le -5$ 또는 $x\ge 2$
1435 $-3\le x\le 1$
1436 $x<-2$ 또는 $x>3$
1437 $\frac{1}{3}\le x\le \frac{1}{2}$
1438 $x<\frac{2}{3}$ 또는 $x>1$
1439 $x=5$
1440 $x\ne -\frac{3}{2}$인 모든 실수
1441 모든 실수
1442 $x\ne -2$인 모든 실수
1443 해가 없다.
1444 해가 없다.

1445 해가 없다.
1446 모든 실수
1447 모든 실수
1448 $x^2-4x-12\le0$
1449 $x^2+x-12<0$
1450 $x^2-5x-14\ge0$
1451 $x^2+4x-5>0$
1452 $0\le x\le1$
1453 $-3\le x<1$
1454 $5\le x<7$
1455 $-1\le x\le3$
1456 $-5\le x<2$
1457 $\frac{1}{2}<x<1$
1458 $4\le x\le5$
1459 $-2<x<-1$ 또는 $5<x<6$
1460 $-1\le x\le3$
1461 ①
1462 $x\le1$ 또는 $x\ge3$
1463 ④
1464 5
1465 ③
1466 -15
1467 ⑤
1468 4
1469 ②
1470 ③
1471 ③
1472 ②
1473 ㄴ, ㄷ
1474 ⑤
1475 37
1476 ①
1477 ⑤
1478 $x<-1$ 또는 $x>\frac{1}{2}$
1479 13
1480 42
1481 56
1482 ②
1483 $4\sqrt{5}$
1484 9
1485 ③
1486 18
1487 ③
1488 ②
1489 ⑤
1490 3
1491 5
1492 $a\ge2$
1493 ④
1494 $p<-2$ 또는 $-2<p<-\sqrt{3}$ 또는 $p>\sqrt{3}$
1495 $1\le k\le2$
1496 3
1497 ③
1498 ③
1499 $-2\le a<\frac{6}{5}$
1500 ⑤
1501 ①
1502 ④
1503 $\frac{3}{2}$
1504 $x<-1$ 또는 $x>3$
1505 ④
1506 $-1<x<2$
1507 $m>-2$
1508 ③
1509 ②
1510 18
1511 ③
1512 9
1513 ①
1514 3초
1515 ④
1516 20
1517 ②
1518 ③
1519 15
1520 ⑤
1521 ②
1522 9
1523 $1<a\le3$
1524 -39
1525 6
1526 ⑤
1527 $0\le k<1$
1528 $a=-1$, $b=-2$, $c=1$, $d=-6$
1529 $a<-1$ 또는 $a>3$
1530 ③
1531 9
1532 ③
1533 4
1534 ②
1535 $-1<x<1$ 또는 $7<x<8$
1536 ③
1537 ④
1538 $3+\sqrt{3}$
1539 8
1540 ③
1541 18
1542 ④
1543 $-2\sqrt{2}<k\le-1$ 또는 $2\le k<2\sqrt{2}$
1544 $2\le k<4$
1545 $-\frac{3}{2}\le k<0$ 또는 $k>0$
1546 ②
1547 ④
1548 ④
1549 ④
1550 ㄴ, ㄹ
1551 ④
1552 ④
1553 ⑤
1554 ④
1555 ②
1556 ⑤
1557 -17
1558 3
1559 $\frac{20}{3}\le$(세로의 길이)≤10
1560 ③
1561 ①
1562 ②
1563 ②
1564 ④
1565 ①
1566 ⑤
1567 ③
1568 27
1569 11
1570 ⑤
1571 1
1572 ⑤
1573 $0<a\le\frac{1}{4}$ 또는 $a=1$ 또는 $a\ge4$
1574 $\frac{3}{2}$
1575 6

10 평면좌표

본책 270~291쪽

1576 4
1577 2
1578 7
1579 11
1580 5
1581 $3\sqrt{2}$
1582 5
1583 $3\sqrt{5}$
1584 $\sqrt{74}$
1585 $\sqrt{10}$
1586 5
1587 5
1588 13
1589 4
1590 3
1591 1 또는 9
1592 $2\sqrt{2}$
1593 8
1594 P(5)
1595 Q(12)
1596 Q(0)
1597 P(9)
1598 Q(19)
1599 M(7)
1600 $\mathrm{P}\left(\frac{13}{5}, \frac{2}{5}\right)$
1601 $\mathrm{P}\left(\frac{17}{5}, -\frac{2}{5}\right)$
1602 Q(7, -4)
1603 M(3, 0)
1604 $\mathrm{P}\left(\frac{15}{4}, -3\right)$
1605 $\mathrm{P}\left(\frac{17}{4}, -1\right)$
1606 Q(1, -14)
1607 M(4, -2)
1608 B(-1, 6)
1609 G(1, 2)
1610 $\mathrm{G}\left(\frac{4}{3}, -\frac{5}{3}\right)$
1611 8
1612 M(4, 2)
1613 D(7, 5)
1614 C(4, 4)
1615 -5 또는 9
1616 ④
1617 2
1618 ③
1619 ②
1620 ⑤
1621 ①
1622 ③
1623 ②
1624 ④
1625 ③
1626 ⑤
1627 ①
1628 1
1629 ②
1630 ②
1631 ③
1632 $8+8\sqrt{2}$
1633 ⑤
1634 (-2, -7)
1635 ③
1636 ⑤
1637 10
1638 ①
1639 $3\sqrt{2}$
1640 $3\sqrt{2}$
1641 ⑤
1642 27
1643 ②
1644 2
1645 ④
1646 ③
1647 ②
1648 ③
1649 $\frac{5}{2}$
1650 5
1651 24
1652 ①
1653 ③
1654 -1
1655 $3\sqrt{2}$
1656 (10, -8)
1657 ①
1658 3
1659 ③
1660 ①
1661 (1, 1)
1662 $\frac{1}{6}<t<\frac{3}{5}$
1663 ④
1664 ④
1665 ⑤
1666 2
1667 14
1668 9
1669 20
1670 C(-18, 3)
1671 ⑤
1672 ③
1673 A(1, 0)
1674 ⑤

1675 ④ 1676 2 1677 ②
1678 $\frac{3}{2}$ 1679 $\frac{3}{4}$ 1680 ②
1681 ④ 1682 -8 1683 ③
1684 $\sqrt{21}$ 1685 $2\sqrt{7}$ 1686 $\frac{5}{3}$
1687 13 1688 $2\sqrt{15}$ 1689 ②
1690 $2x-y+1=0$ 1691 ④
1692 ④ 1693 ② 1694 $(-1, 0)$
1695 ④ 1696 16 1697 ⑤
1698 $4\sqrt{2}$ 1699 ②
1700 $(7, 12)$ 또는 $(1, 0)$ 1701 ①
1702 $D(2, 1)$ 1703 $1:2$
1704 ⑤ 1705 ⑤ 1706 ②
1707 ② 1708 ③ 1709 3
1710 ② 1711 ④ 1712 ⑤
1713 ⑤ 1714 ④ 1715 16
1716 ③ 1717 18 1718 ③
1719 -16

11 직선의 방정식

본책 296~320쪽

1720 x절편 : $-\frac{5}{2}$, y절편 : 5, 기울기 : 2
1721 x절편 : 1, y절편 : 1, 기울기 : -1
1722 x절편 : $-\frac{1}{2}$, y절편 : 2, 기울기 : 4
1723 $y=\frac{2}{3}x+2$ 1724 $y=-\frac{3}{4}x-2$
1725 $y=-x+2$ 1726 $y=-3x$
1727 $y=4x+3$ 1728 $y=5x+25$
1729 $\frac{5}{3}$ 1730 $\frac{1}{2}$
1731 $y=2x$ 1732 $y=\frac{3}{2}x-2$
1733 $y=-2x+3$ 1734 $x=-3$
1735 $y=5$ 1736 $y=-\frac{1}{4}x+2$
1737 $y=3x+9$ 1738 $6x-5y-15=0$
1739 $4x+3y-3=0$ 1740 $2x+3y+12=0$
1741 $a>0$, $b<0$ 1742 $a<0$, $b>0$
1743 $b<0$, $c>0$ 1744 $b>0$, $c>0$
1745 -3 1746 $\frac{1}{3}$
1747 2 1748 $-\frac{1}{2}$
1749 ㄱ과 ㄴ 1750 ㄱ과 ㅁ, ㄴ과 ㅁ
1751 ㄷ과 ㅂ 1752 $y=2x+2$
1753 $y=-4x+8$ 1754 $y=3x+1$
1755 $y=-x-3$ 1756 $y=\frac{1}{3}x-\frac{5}{3}$
1757 $y=2x$ 1758 1
1759 $3\sqrt{2}$ 1760 $2\sqrt{13}$
1761 $3\sqrt{5}$ 1762 $\frac{\sqrt{26}}{2}$
1763 $\sqrt{5}$

1764 ③ 1765 $\frac{4}{3}$ 1766 ①
1767 $2\sqrt{3}$ 1768 ③ 1769 ③
1770 2 1771 $y=3x-13$ 1772 ①
1773 ② 1774 0 1775 ④
1776 -4 1777 ③ 1778 -2
1779 ③ 1780 -3 1781 ③
1782 ④ 1783 $-\frac{3}{2}$ 1784 ④
1785 ① 1786 ② 1787 ①
1788 ④ 1789 ② 1790 ④
1791 8 1792 -16 1793 $-\frac{1}{3}$
1794 ③ 1795 제3사분면 1796 ④
1797 ④ 1798 -1 1799 ⑤
1800 ③ 1801 ② 1802 $P\left(\frac{12}{7}, \frac{12}{7}\right)$
1803 ① 1804 ⑤ 1805 8
1806 ⑤ 1807 2 1808 10
1809 ② 1810 ② 1811 $\left(\frac{3}{5}, \frac{16}{5}\right)$
1812 ② 1813 -2 1814 ①
1815 ② 1816 ④ 1817 4
1818 ④ 1819 $\frac{7}{5}$ 1820 0
1821 -3 1822 ⑤ 1823 $\sqrt{10}$
1824 ④ 1825 -14 1826 ②
1827 $\sqrt{13}$ 1828 $2\sqrt{5}$
1829 $m=-12$ 또는 $m=-2$
1830 $3\sqrt{2}$ 1831 ② 1832 ⑤
1833 ③ 1834 ③ 1835 ④
1836 $\frac{3}{2}$ 1837 $\frac{7}{2}$ 1838 2
1839 6 1840 ⑤ 1841 21
1842 ② 1843 ④ 1844 40
1845 ② 1846 2
1847 ④ 1848 ④ 1849 ③
1850 2 1851 ② 1852 2
1853 $-\frac{1}{3}$ 1854 1 1855 ④
1856 ① 1857 $\frac{7}{2}$ 1858 ②
1859 $\frac{x}{2}+\frac{y}{3}=1$ (또는 $3x+2y=6$) 1860 3
1861 ③ 1862 ⑤ 1863 $\frac{33}{5}$
1864 5 1865 15 1866 ⑤
1867 162 1868 ① 1869 ③
1870 68 1871 ① 1872 64
1873 130 1874 106 1875 15
1876 ⑤

12 원의 방정식

본책 324~354쪽

1877 $x^2+y^2=1$
1878 $(x-1)^2+(y-1)^2=9$
1879 $(x+2)^2+(y-3)^2=16$
1880 $(x-2)^2+(y-1)^2=1$
1881 $(x-3)^2+(y+4)^2=9$
1882 중심의 좌표 : $(0, 0)$, 반지름의 길이 : 2
1883 중심의 좌표 : $(3, 4)$, 반지름의 길이 : 4
1884 중심의 좌표 : $(-2, 1)$, 반지름의 길이 : $\sqrt{3}$
1885 해설 참조
1886 해설 참조
1887 해설 참조
1888 해설 참조
1889 $x^2+y^2=25$
1890 $x^2+(y-2)^2=4$
1891 $(x-3)^2+(y-3)^2=18$
1892 $(x-3)^2+(y-1)^2=8$
1893 $(x+2)^2+(y-3)^2=5$
1894 $(x-3)^2+(y-1)^2=8$
1895 $(x-5)^2+(y-5)^2=25$
1896 $(x-4)^2+(y+2)^2=4$
1897 $(x-4)^2+(y+8)^2=16$
1898 $x^2+y^2-4x+3=0$
1899 $x^2+y^2-10y+21=0$
1900 $x^2+y^2+6x-4y=0$
1901 $(x+2)^2+y^2=1$
1902 $x^2+(y-3)^2=1$
1903 $(x-1)^2+(y+4)^2=16$
1904 중심의 좌표 : $(-1, 0)$, 반지름의 길이 : 2
1905 중심의 좌표 : $(0, -2)$, 반지름의 길이 : 1
1906 중심의 좌표 : $(-3, 1)$, 반지름의 길이 : 2
1907 중심의 좌표 : $(-1, 2)$, 반지름의 길이 : 2
1908 $<$, $>$
1909 $=$, $=$
1910 $>$, $<$
1911 2
1912 1
1913 0
1914 서로 다른 두 점에서 만난다.
1915 한 점에서 만난다. (접한다.)
1916 만나지 않는다.
1917 $-2\sqrt{2}<k<2\sqrt{2}$
1918 $k=-2\sqrt{2}$ 또는 $k=2\sqrt{2}$
1919 $k<-2\sqrt{2}$ 또는 $k>2\sqrt{2}$
1920 2
1921 8
1922 9
1923 $2\sqrt{7}$
1924 5
1925 $y=2x\pm3\sqrt{5}$
1926 $y=-3x\pm2\sqrt{10}$
1927 $y=x+\sqrt{2}$
1928 $y=-x+2\sqrt{2}$
1929 $y=\sqrt{3}x-6$
1930 $x-4=0$
1931 $3x-4y-25=0$
1932 $x-3y-10=0$
1933 $4x-3y-25=0$
1934 $x-2y-5=0$
1935 $2, 2, -2, 2, (2, -2), (2, 2), x-y-4=0, x+y-4=0$
1936 $mx-y-4m=0, \sqrt{8}, \sqrt{8}, -1, 1, -1,$
$x+y-4=0, 1, x-y-4=0$
1937 ③
1938 3
1939 ①
1940 5
1941 6
1942 10
1943 ⑤
1944 $(x-1)^2+(y+2)^2=5$
1945 2
1946 ④
1947 ①
1948 $\frac{3\sqrt{10}}{2}$
1949 ②
1950 ④
1951 3
1952 $-\frac{5}{2}$
1953 ④
1954 3
1955 -16
1956 ②
1957 5 km
1958 ⑤
1959 4
1960 12
1961 5
1962 ④
1963 7
1964 $(x-3)^2+y^2=10$

1965 4
1966 2
1967 $(x-1)^2+(y-2)^2=1$, $(x-5)^2+(y-6)^2=25$
1968 ④
1969 ③
1970 ④
1971 8
1972 4
1973 10
1974 16
1975 ①
1976 ②
1977 ③
1978 -1
1979 $y=-x+4$
1980 4
1981 -3
1982 8π
1983 ②
1984 $(x-8)^2+y^2=36$
1985 ③
1986 4π
1987 $\frac{5}{2}\pi$
1988 ⑤
1989 -2 또는 2
1990 18
1991 16
1992 ④
1993 200
1994 9
1995 17
1996 $16\sqrt{5}$
1997 9
1998 $m<-\frac{\sqrt{2}}{4}$ 또는 $m>\frac{\sqrt{2}}{4}$
1999 $6-2\sqrt{2}$
2000 6
2001 $3\sqrt{10}$
2002 1
2003 ⑤
2004 ④
2005 5
2006 ⑤
2007 -20
2008 2
2009 ①
2010 10
2011 $6\sqrt{2}$
2012 5
2013 ③
2014 ④
2015 ④
2016 6
2017 -18
2018 $8+4\sqrt{2}$
2019 22
2020 4
2021 $y=-2x\pm7\sqrt{5}$
2022 ⑤
2023 $\frac{25}{4}$
2024 $y=\sqrt{3}x+8$
2025 10
2026 -4
2027 ③
2028 $y=-\frac{3}{4}x$
2029 ②
2030 -6
2031 0
2032 -2
2033 ②, ④
2034 ②
2035 $-\frac{1}{3}$
2036 ⑤
2037 5
2038 -4
2039 ④
2040 ②
2041 -2
2042 2
2043 14
2044 ④
2045 5
2046 $\frac{\sqrt{14}}{2}$
2047 $\frac{4\sqrt{21}}{5}$
2048 ④
2049 $\frac{3}{4}$
2050 75
2051 4
2052 14
2053 ①
2054 $0<m<\frac{\sqrt{3}}{3}$
2055 25
2056 ④
2057 ⑤
2058 24
2059 $\sqrt{26}$
2060 16
2061 ③
2062 ⑤
2063 1
2064 ④
2065 32π
2066 $\frac{1}{3}<a<1$
2067 ④
2068 ②
2069 2π
2070 1
2071 $-2-2\sqrt{5}$
2072 28
2073 25

13 도형의 이동

본책 358~380쪽

2074 (6, 4)
2075 (−6, 4)
2076 (1, 8)
2077 (1, 4)
2078 (−1, 7)
2079 (0, 0)
2080 (−7, 2)
2081 (4, −5)
2082 (0, 0)
2083 (5, 1)
2084 (−2, 7)
2085 (2, 4)
2086 (−4, 3)
2087 $m=4$
2088 $n=-5$
2089 $m=2$, $n=4$
2090 $m=-5$, $n=3$
2091 $m=-3$, $n=-4$
2092 $m=3$, $n=7$
2093 $m=-1$, $n=5$
2094 $m=2$, $n=-5$
2095 $m=-4$, $n=-13$
2096 (5, −1)
2097 (−3, −8)
2098 $x+2y-1=0$
2099 $x+2y+4=0$
2100 $x+2y-8=0$
2101 $(x+3)^2+y^2=9$
2102 $x^2+(y-4)^2=9$
2103 $(x-2)^2+(y+5)^2=9$
2104 $y=2x^2-4x+3$
2105 $y=2x^2+8x+15$
2106 $x-3y-11=0$
2107 $4x+y-16=0$
2108 $(x-3)^2+(y+1)^2=9$
2109 $(x-2)^2+(y-3)^2=16$
2110 $y=x^2-6x+11$
2111 B(2, −3), C(−2, 3), D(−2, −3)
2112 B(−3, −1), C(3, 1), D(3, −1)
2113 B(1, 2), C(−1, −2)
2114 B(−2, −4), C(2, 4)
2115 (2, 5)
2116 (−2, −5)
2117 (−2, 5)
2118 (−5, 2)
2119 (5, −2)
2120 $y=-2x-3$
2121 $(x+1)^2+(y+2)^2=1$
2122 $3x+y-2=0$
2123 $y=x^2+x+2$
2124 $y=x-1$
2125 $(x+5)^2+(y+2)^2=4$
2126 $2x-y-3=0$
2127 $(x+6)^2+(y+4)^2=1$
2128 $a=5$, $b=3$, $c=5$, $d=-3$
2129 $a=3$, $b=-8$, $c=3$, $d=8$
2130 (2, 3)
2131 ⑤
2132 −4
2133 ③
2134 5
2135 ⑤
2136 2
2137 ②
2138 −7
2139 ①
2140 0
2141 ④
2142 ②
2143 −6
2144 −3
2145 ④
2146 ①
2147 ②
2148 3
2149 ③
2150 −5
2151 ⑤
2152 8
2153 2
2154 ③
2155 (−2, −4)
2156 ②
2157 ③
2158 ⑤
2159 $a=2$, $b=1$
2160 ②
2161 3
2162 ④
2163 3
2164 ③
2165 ③
2166 ④
2167 ①
2168 ④
2169 ③
2170 2
2171 $3\sqrt{2}-2$
2172 1
2173 1
2174 ②
2175 ③
2176 10
2177 ③
2178 ③
2179 2
2180 ①
2181 $y=\frac{1}{5}x+2$
2182 ①
2183 1
2184 11
2185 10
2186 6
2187 ②
2188 ④
2189 $2\sqrt{5}$
2190 $\frac{5}{3}$
2191 $\sqrt{41}$
2192 8
2193 32
2194 10
2195 $3\sqrt{2}$
2196 ①
2197 ④
2198 5
2199 ①
2200 1
2201 ①
2202 $x^2+(y-5)^2=1$
2203 (10, 5)
2204 4
2205 10
2206 ②
2207 ③
2208 3
2209 ⑤
2210 −60
2211 3
2212 −1
2213 2
2214 ②
2215 $4\sqrt{5}$
2216 −1
2217 ④
2218 $\sqrt{65}$
2219 −76
2220 8
2221 $-2+2\sqrt{5}$
2222 −1
2223 −3
2224 ②
2225 ②
2226 3
2227 45
2228 $\sqrt{2}$
2229 ⑤
2230 16
2231 1
2232 146
2233 ①
2234 ②
2235 ⑤
2236 26
2237 3
2238 17
2239 $30+2\pi$

Take a Break

아름다운 샘 BOOK LIST

개념기본서 수학의 기본을 다지는 최고의 수학 개념기본서

❖ 수학의 샘

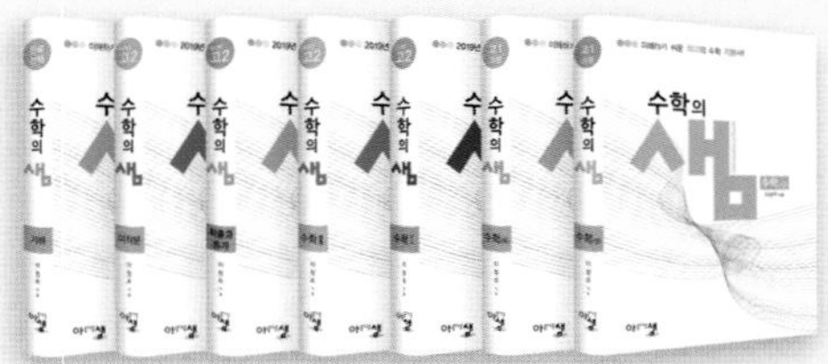

- 수학(상)
- 수학(하)
- 수학Ⅰ
- 수학Ⅱ
- 확률과 통계
- 미적분
- 기하

문제기본서 {기본, 유형}, {유형, 심화}로 구성된 수준별 문제기본서

❖ 아샘 Hi Math

- 수학(상)
- 수학(하)
- 수학Ⅰ
- 수학Ⅱ
- 확률과 통계
- 미적분
- 기하

❖ 아샘 Hi High

- 수학(상)
- 수학(하)
- 수학Ⅰ
- 수학Ⅱ
- 확률과 통계
- 미적분

예비 고1 교재 고교 수학의 기본을 다지는 참 쉬운 기본서

❖ 그래 할 수 있어

- 수학(상)
- 수학(하)

단기 특강 교재 유형을 다지는 단기특강 교재

❖ 10&2

- 수학(상)
- 수학(하)
- 수학Ⅰ
- 수학Ⅱ

수능 기출유형 문제집 수능 대비하는 수준별·유형별 문제집

❖ 짱 쉬운 유형 / 확장판

- 수학Ⅰ
- 수학Ⅱ
- 확률과 통계
- 미적분
- 기하

- 수학Ⅰ
- 수학Ⅱ
- 확률과 통계

❖ 짱 중요한 유형

- 수학Ⅰ
- 수학Ⅱ
- 확률과 통계
- 미적분
- 기하

❖ 짱 어려운 유형

- 수학Ⅰ
- 수학Ⅱ
- 확률과 통계
- 미적분
- 기하

수능 실전모의고사 수능 대비 파이널 실전모의고사

❖ 짱 Final 실전모의고사

- 수학 영역

내신 기출유형 문제집 내신 대비하는 수준별·유형별 문제집

❖ 짱 쉬운 내신

- 수학(상)
- 수학(하)

❖ 짱 중요한 내신

- 수학(상)
- 수학(하)

중간·기말고사 교재 학교 시험 대비 실전모의고사

❖ 아샘 내신 FINAL (고1 수학, 고2 수학Ⅰ, 고2 수학Ⅱ)

- 1학기 중간고사
- 1학기 기말고사
- 2학기 중간고사
- 2학기 기말고사

한 권으로 끝내는 내신 교재

Total 짱

아름다운샘 참고서 시리즈

개념기본서

수학의 샘

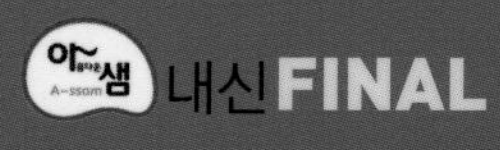

중간·기말고사 문제집

아름다운샘 내신 FINAL

수능기출·유형 문제집

짱 쉬운 유형

수능기출·유형 문제집

짱 중요한 유형

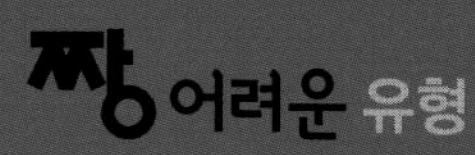

수능기출·유형 문제집

짱 어려운 유형

펴낸이/펴낸곳 ㈜아름다운샘
펴낸날 2021년 10월
등록번호 제324-2013-41호
주소 서울시 강동구 상암로 257, 진승빌딩 3층
전화 02-892-7878
팩스 02-892-7874
홈페이지 www.a-ssam.co.kr
교재 내용 문의 02-892-7879 / assam7878@hanmail.net

한 권으로 끝내는 내신 교재

Total 짱

2239

정답 및 해설

수학(상)

아름다운샘

아름다운 샘과 함께
수학의 자신감과 최고 실력을 완성!!!

한 권으로 끝내는 내신 교재

Total 짱

2239

정답 및 해설

수학(상)

01 다항식의 연산

본책 004~031쪽

0001

답 $2x,\ -7y,\ -5$

0002

답 -5

0003

답 2

0004

답 -7

0005

x에 대하여 차수가 높은 항부터 정리하면

$6x^2+(3y+1)x-y^2-9y+1$

답 $6x^2+(3y+1)x-y^2-9y+1$

0006

x에 대하여 차수가 낮은 항부터 정리하면

$-y^2-9y+1+(3y+1)x+6x^2$

답 $-y^2-9y+1+(3y+1)x+6x^2$

0007

$A+B=(-x^2+2x+3)+(3x^2-x+4)$

$=-x^2+2x+3+3x^2-x+4$

$=2x^2+x+7$

답 $2x^2+x+7$

0008

$A-B=(-x^2+2x+3)-(3x^2-x+4)$

$=-x^2+2x+3-3x^2+x-4$

$=-4x^2+3x-1$

답 $-4x^2+3x-1$

0009

$A+B=(-3x^2-5xy+4)+(x^2-3xy+y^2)$

$=-3x^2-5xy+4+x^2-3xy+y^2$

$=-2x^2-8xy+y^2+4$

답 $-2x^2-8xy+y^2+4$

0010

$A-B=(-3x^2-5xy+4)-(x^2-3xy+y^2)$

$=-3x^2-5xy+4-x^2+3xy-y^2$

$=-4x^2-2xy-y^2+4$

답 $-4x^2-2xy-y^2+4$

0011

$4A+B=4(x^2+x+7)+(-4x^2-x+5)$

$=4x^2+4x+28-4x^2-x+5$

$=3x+33$

답 $3x+33$

0012

$2A-B=2(x^2+x+7)-(-4x^2-x+5)$

$=2x^2+2x+14+4x^2+x-5$

$=6x^2+3x+9$

답 $6x^2+3x+9$

0013

$A+2B-(2A+B)=A+2B-2A-B$

$=-A+B$

$=-(2x^2-3)+(x^2-x+5)$

$=-2x^2+3+x^2-x+5$

$=-x^2-x+8$

답 $-x^2-x+8$

0014

$A-(B-C)$

$=A-B+C$

$=(-x^2+3x+4)-(x^3+x-2)+(-x^3+3x^2+5x)$

$=-x^2+3x+4-x^3-x+2-x^3+3x^2+5x$

$=-2x^3+2x^2+7x+6$

답 $-2x^3+2x^2+7x+6$

0015

$(A-B)-C$

$=A-B-C$

$=(-x^2+3x+4)-(x^3+x-2)-(-x^3+3x^2+5x)$

$=-x^2+3x+4-x^3-x+2+x^3-3x^2-5x$

$=-4x^2-3x+6$

답 $-4x^2-3x+6$

0016

$a^2\times a^5=a^{2+5}=a^7$

답 a^7

0017

$a^4\times a\times a^2=a^{4+1+2}=a^7$

답 a^7

0018

$(a^5)^2=a^{5\times2}=a^{10}$

답 a^{10}

0019

$(a^2)^3\times(a^4)^2=a^6\times a^8=a^{14}$

답 a^{14}

0020

$a^5\div a=a^{5-1}=a^4$

답 a^4

0021

$a^3\div a^5=\dfrac{1}{a^{5-3}}=\dfrac{1}{a^2}$

답 $\dfrac{1}{a^2}$

0022

$(x^3y)^2=x^{3\times2}y^{1\times2}=x^6y^2$

답 x^6y^2

0023

$\left(-\dfrac{b^5}{a^2}\right)^4=(-1)^4\times\dfrac{b^{5\times4}}{a^{2\times4}}=\dfrac{b^{20}}{a^8}$

답 $\dfrac{b^{20}}{a^8}$

0024

$(a^2b)^3\times(-3ab)^2=a^6b^3\times9a^2b^2=9a^8b^5$

답 $9a^8b^5$

0025

$2a^3b^5c^2 \div a^2bc = \dfrac{2a^3b^5c^2}{a^2bc} = 2ab^4c$

답 $2ab^4c$

0026

$3(x+y) = 3x+3y$

답 $3x+3y$

0027

$2x(3x-4) = 6x^2-8x$

답 $6x^2-8x$

0028

$-2y(x+y) = -2xy-2y^2$

답 $-2xy-2y^2$

0029

$-ab(a-3b) = -a^2b+3ab^2$

답 $-a^2b+3ab^2$

0030

$(3x-1)(x+2) = 3x^2+6x-x-2$
$= 3x^2+5x-2$

답 $3x^2+5x-2$

0031

$(x+5)(2y-3) = 2xy-3x+10y-15$

답 $2xy-3x+10y-15$

0032

$(x-y)(2x+3y-1) = 2x^2+3xy-x-2xy-3y^2+y$
$= 2x^2+xy-x-3y^2+y$

답 $2x^2+xy-x-3y^2+y$

0033

$(x^2-3)(2x^2-5x+4)$
$= 2x^4-5x^3+4x^2-6x^2+15x-12$
$= 2x^4-5x^3-2x^2+15x-12$

답 $2x^4-5x^3-2x^2+15x-12$

0034

$\underbrace{(3x^2+2x+1)}_{=A}\underbrace{(3x^2+2x+1)}_{=B}$에서 이차항은

(i) (다항식 A의 이차항)×(다항식 B의 상수항)
➡ $3x^2 \times 1 = 3x^2$

(ii) (다항식 A의 일차항)×(다항식 B의 일차항)
➡ $2x \times 2x = 4x^2$

(iii) (다항식 A의 상수항)×(다항식 B의 이차항)
➡ $1 \times 3x^2 = 3x^2$

(i), (ii), (iii)에서 x^2의 계수는
$3+4+3=10$

답 10

0035

$(x^3-5x^2+4x-3)(2x+1)^2$
$= \underbrace{(x^3-5x^2+4x-3)}_{=A}\underbrace{(4x^2+4x+1)}_{=B}$
에서 삼차항은

(i) (다항식 A의 삼차항)×(다항식 B의 상수항)
➡ $x^3 \times 1 = x^3$

(ii) (다항식 A의 이차항)×(다항식 B의 일차항)
➡ $(-5x^2) \times 4x = -20x^3$

(iii) (다항식 A의 일차항)×(다항식 B의 이차항)
➡ $4x \times 4x^2 = 16x^3$

(i), (ii), (iii)에서 x^3의 계수는
$1-20+16=-3$

답 -3

0036

$x^2+3x=X$로 치환하여 전개하면
$(x^2+3x+1)(x^2+3x+3)$
$=(X+1)(X+3)$
$=X^2+4X+3$
$=(x^2+3x)^2+4(x^2+3x)+3$
$=x^4+6x^3+9x^2+4x^2+12x+3$
$=x^4+6x^3+13x^2+12x+3$

답 $x^4+6x^3+13x^2+12x+3$

0037

$(x+1)(x+2)(x+3)(x+4)$
$=\{(x+1)(x+4)\}\{(x+2)(x+3)\}$
$=(x^2+5x+4)(x^2+5x+6)$
$x^2+5x=X$로 치환하여 전개하면
$(X+4)(X+6)=X^2+10X+24$
$=(x^2+5x)^2+10(x^2+5x)+24$
$=x^4+10x^3+25x^2+10x^2+50x+24$
$=x^4+10x^3+35x^2+50x+24$

답 $x^4+10x^3+35x^2+50x+24$

0038

$(x-1)(x+2)(x-3)(x+4)$
$=\{(x-1)(x+2)\}\{(x-3)(x+4)\}$
$=(x^2+x-2)(x^2+x-12)$
$x^2+x=X$로 치환하여 전개하면
$(X-2)(X-12)=X^2-14X+24$
$=(x^2+x)^2-14(x^2+x)+24$
$=x^4+2x^3+x^2-14x^2-14x+24$
$=x^4+2x^3-13x^2-14x+24$

답 $x^4+2x^3-13x^2-14x+24$

0039

$(x+4)^2=x^2+2\times x\times 4+4^2=x^2+8x+16$

답 $x^2+8x+16$

0040

$(3x-2y)^2=(3x)^2-2\times 3x\times 2y+(2y)^2$
$=9x^2-12xy+4y^2$

답 $9x^2-12xy+4y^2$

0041

$(a+2b)(a-2b)=a^2-(2b)^2=a^2-4b^2$

답 a^2-4b^2

0042

$(x+6)(x-8)=x^2+(6-8)x+6\times(-8)$

$=x^2-2x-48$　답 $x^2-2x-48$

0043

$(7x+5)(4x-3)=7\times4x^2+(-21+20)x+5\times(-3)$

$=28x^2-x-15$

답 $28x^2-x-15$

0044

$(a+b-c)^2$

$=\{a+b+(-c)\}^2$

$=a^2+b^2+(-c)^2+2ab+2b\times(-c)+2\times(-c)\times a$

$=a^2+b^2+c^2+2ab-2bc-2ca$

답 $a^2+b^2+c^2+2ab-2bc-2ca$

0045

$(a+2b-c)^2$

$=\{a+2b+(-c)\}^2$

$=a^2+(2b)^2+(-c)^2+2\times a\times2b$

$+2\times2b\times(-c)+2\times(-c)\times a$

$=a^2+4b^2+c^2+4ab-4bc-2ca$

답 $a^2+4b^2+c^2+4ab-4bc-2ca$

0046

$(x+2)^3=x^3+3\times x^2\times2+3\times x\times2^2+2^3$

$=x^3+6x^2+12x+8$　답 $x^3+6x^2+12x+8$

0047

$(x-1)^3=x^3-3\times x^2\times1+3\times x\times1^2-1^3$

$=x^3-3x^2+3x-1$　답 x^3-3x^2+3x-1

0048

$(x+2)(x-4)(x+5)$

$=x^3+(2-4+5)x^2+(-8-20+10)x+2\times(-4)\times5$

$=x^3+3x^2-18x-40$　답 $x^3+3x^2-18x-40$

0049

$(a-1)(a+1)(a^2+1)(a^4+1)$

$=(a^2-1)(a^2+1)(a^4+1)$

$=(a^4-1)(a^4+1)$

$=a^8-1$　답 a^8-1

0050

$(x-y)(x+y)(x^2+y^2)(x^4+y^4)$

$=(x^2-y^2)(x^2+y^2)(x^4+y^4)$

$=(x^4-y^4)(x^4+y^4)$

$=x^8-y^8$　답 x^8-y^8

0051

$(a+b)^2=a^2+2ab+b^2$에서

$a^2+b^2=(a+b)^2-2ab$

$=2^2-2\times(-1)=6$　답 6

0052

$(a+b)^3=a^3+b^3+3ab(a+b)$에서

$a^3+b^3=(a+b)^3-3ab(a+b)$

$=2^3-3\times(-1)\times2=14$　답 14

0053

$(a+b)^2=a^2+2ab+b^2$에서

$ab=\dfrac{(a+b)^2-(a^2+b^2)}{2}$

$=\dfrac{1^2-5}{2}=-2$　답 -2

0054

$a^3+b^3=(a+b)^3-3ab(a+b)$

$=1^3-3\times(-2)\times1=7$　답 7

0055

$x^2+\dfrac{1}{x^2}=\left(x+\dfrac{1}{x}\right)^2-2$

$=3^2-2=7$　답 7

0056

$\left(x-\dfrac{1}{x}\right)^2=\left(x+\dfrac{1}{x}\right)^2-4=3^2-4=5$

$\therefore x-\dfrac{1}{x}=\pm\sqrt{5}$　답 $\pm\sqrt{5}$

0057

$a+b=(2+\sqrt{3})+(2-\sqrt{3})=4$　답 4

0058

$ab=(2+\sqrt{3})(2-\sqrt{3})=1$　답 1

0059

$a^2+b^2=(a+b)^2-2ab$

$=4^2-2\times1=14$　답 14

0060

$a^3+b^3=(a+b)^3-3ab(a+b)$

$=4^3-3\times1\times4=52$　답 52

0061

$(6xy^3z^2-5x^4yz^3)\div2xyz^2=\dfrac{6xy^3z^2}{2xyz^2}-\dfrac{5x^4yz^3}{2xyz^2}$

$=3y^2-\dfrac{5}{2}x^3z$　답 $3y^2-\dfrac{5}{2}x^3z$

0062

$(9a^5b^2c-a^2bc^3-3ab^3c)\div3ab^2c$

$=\dfrac{9a^5b^2c}{3ab^2c}-\dfrac{a^2bc^3}{3ab^2c}-\dfrac{3ab^3c}{3ab^2c}$

$=3a^4-\dfrac{ac^2}{3b}-b$　답 $3a^4-\dfrac{ac^2}{3b}-b$

0063

$$
\begin{array}{r}
2x\boxed{+3} \\
x^2+x-2\,\overline{)\,2x^3+5x^2-7} \\
\underline{2x^3+2x^2-4x} \\
3x^2\boxed{+4x}-7 \\
\underline{3x^2+3x-6} \\
\boxed{x-1}
\end{array}
$$

$\therefore 2x^3+5x^2-7=(x^2+x-2)(\boxed{2x+3})+x-1$

답 풀이 참조

0064

$$
\begin{array}{rl}
x^2+2 & \leftarrow Q \\
x^2+1\,\overline{)\,x^4+3x^2+5} & \\
\underline{x^4+\ x^2} & \\
2x^2+5 & \\
\underline{2x^2+2} & \\
3 & \leftarrow R
\end{array}
$$

답 $Q=x^2+2,\ R=3,\ x^4+3x^2+5=(x^2+1)(x^2+2)+3$

0065

$$
\begin{array}{rl}
x+3 & \leftarrow Q \\
x^2-6x+8\,\overline{)\,x^3-3x^2-\ 5x+15} & \\
\underline{x^3-6x^2+\ 8x} & \\
3x^2-13x+15 & \\
\underline{3x^2-18x+24} & \\
5x-\ 9 & \leftarrow R
\end{array}
$$

답 $Q=x+3,\ R=5x-9,$
$x^3-3x^2-5x+15=(x^2-6x+8)(x+3)+5x-9$

0066

$$
\begin{array}{rl}
x^2+x+3 & \leftarrow 몫 \\
x-3\,\overline{)\,x^3-2x^2+\ 5} & \\
\underline{x^3-3x^2} & \\
x^2+\ 5 & \\
\underline{x^2-3x} & \\
3x+\ 5 & \\
\underline{3x-\ 9} & \\
14 & \leftarrow 나머지
\end{array}
$$

답 몫 : x^2+x+3, 나머지 : 14

0067

$$
\begin{array}{rl}
2x-2 & \leftarrow 몫 \\
x^2+1\,\overline{)\,2x^3-2x^2+3x-1} & \\
\underline{2x^3+2x} & \\
-2x^2+\ x-1 & \\
\underline{-2x^2-2} & \\
x+1 & \leftarrow 나머지
\end{array}
$$

답 몫 : $2x-2$, 나머지 : $x+1$

0068

$$
\begin{array}{r|rrr|r}
2 & 3 & -2 & -4 & -5 \\
 & & 6 & \boxed{8} & \boxed{8} \\
\hline
 & 3 & \boxed{4} & \boxed{4} & \boxed{3}
\end{array}
$$

$3x^3-2x^2-4x-5=(x-2)(3x^2+\boxed{4}x+\boxed{4})+\boxed{3}$

몫 : $\boxed{3x^2+4x+4}$, 나머지 : $\boxed{3}$

답 풀이 참조

0069

$$
\begin{array}{r|rrrr}
1 & 1 & 2 & 3 & 4 \\
 & & 1 & 3 & 6 \\
\hline
 & 1 & 3 & 6 & \boxed{10}
\end{array}
$$

따라서 x^3+2x^2+3x+4를 $x-1$로 나누었을 때의
몫은 x^2+3x+6, 나머지는 10이다.

답 몫 : x^2+3x+6, 나머지 : 10

0070

$$
\begin{array}{r|rrrr}
-2 & 1 & 2 & 3 & 4 \\
 & & -2 & 0 & -6 \\
\hline
 & 1 & 0 & 3 & \boxed{-2}
\end{array}
$$

따라서 x^3+2x^2+3x+4를 $x+2$로 나누었을 때의
몫은 x^2+3, 나머지는 -2이다.

답 몫 : x^2+3, 나머지 : -2

0071

$$
\begin{array}{r|rrr}
2 & 3 & 2 & 1 \\
 & & 6 & 16 \\
\hline
 & 3 & 8 & \boxed{17}
\end{array}
$$

$\therefore$ 몫 : $3x+8$, 나머지 : 17

답 몫 : $3x+8$, 나머지 : 17

0072

$$
\begin{array}{r|rrrr}
-1 & 2 & 0 & -1 & -1 \\
 & & -2 & 2 & -1 \\
\hline
 & 2 & -2 & 1 & \boxed{-2}
\end{array}
$$

$\therefore$ 몫 : $2x^2-2x+1$, 나머지 : -2

답 몫 : $2x^2-2x+1$, 나머지 : -2

0073

> 두 다항식 $A=x^2-1,\ B=2x^2-3x+1$에 대하여 $3A-B$를 간단히 하면?
> 두 다항식 A, B를 대입하자.

$$
\begin{aligned}
3A-B&=3(x^2-1)-(2x^2-3x+1) \\
&=3x^2-3-2x^2+3x-1 \\
&=x^2+3x-4
\end{aligned}
$$

답 ③

0074

> 두 다항식 $A=2x^2+3,\ B=x^2+x-2$에 대하여 $A+2B-(3A+B)$를 계산하면?
> 괄호를 먼저 풀고 정리한 후 대입하자.

$$
\begin{aligned}
A+2B-(3A+B)&=A+2B-3A-B \\
&=-2A+B \\
&=-2(2x^2+3)+(x^2+x-2)
\end{aligned}
$$

$=-4x^2-6+x^2+x-2$
$=-3x^2+x-8$ 답 ④

0075

두 다항식 $A=2x^2+4xy-3y^2$, $B=x^2-2xy+2y^2$에 대하여 $(2A-B)-(A+2B)=ax^2+bxy+cy^2$일 때, $a+b+c$의 값을 구하시오. (단, a, b, c는 상수이다.)
→ 괄호를 먼저 풀고 정리한 후 대입하자.

$2A-B=(4x^2+8xy-6y^2)-(x^2-2xy+2y^2)$
$=3x^2+10xy-8y^2$
$A+2B=(2x^2+4xy-3y^2)+(2x^2-4xy+4y^2)$
$=4x^2+y^2$
$\therefore (2A-B)-(A+2B)=-x^2+10xy-9y^2$
$a=-1$, $b=10$, $c=-9$
$\therefore a+b+c=0$ 답 0

0076

두 다항식 A, B에 대하여 $A*B=2A-B$라 할 때, $(x^2+x-2y+1)*(2x-y-3)$을 계산하면?
→ 앞의 식에 2배한 후 뒤의 식을 빼면 된다.

$(x^2+x-2y+1)*(2x-y-3)$
$=2(x^2+x-2y+1)-(2x-y-3)$
$=2x^2+2x-4y+2-2x+y+3$
$=2x^2-3y+5$ 답 ④

0077

세 다항식
$A=x^2-xy$, $B=2x^2-2xy-y^2$, $C=xy-2y^2$
에 대하여 $A-(B-C)$를 계산하시오.
→ $A-B+C$를 계산하자.

$A-(B-C)$
$=A-B+C$
$=(x^2-xy)-(2x^2-2xy-y^2)+(xy-2y^2)$
$=x^2-xy-2x^2+2xy+y^2+xy-2y^2$
$=-x^2+2xy-y^2$ 답 $-x^2+2xy-y^2$

0078

세 다항식
$A=x^2+3xy$, $B=y^2-2xy+3$, $C=-2x^2+xy-6$
에 대하여 $A-\{B+C-(A-B)\}$를 계산하면?
→ 괄호를 먼저 풀고 정리한 후 대입하자.

$A-\{B+C-(A-B)\}$
$=A-(B+C-A+B)$
$=A-(-A+2B+C)$
$=2A-2B-C$
$=2(x^2+3xy)-2(y^2-2xy+3)-(-2x^2+xy-6)$
$=4x^2+9xy-2y^2$ 답 ⑤

0079

두 다항식 A, B에 대하여
$A-B=-3x^2+2xy-2y^2$, $A+B=x^2-2y^2$
일 때, 다항식 $A+2B$를 계산하면?
→ 주어진 두 식을 더하면 A를 구할 수 있다.

$A-B=-3x^2+2xy-2y^2$ ……㉠
$A+B=x^2-2y^2$ ……㉡
㉠+㉡을 하면
$2A=-2x^2+2xy-4y^2$
$\therefore A=-x^2+xy-2y^2$
이것을 ㉡에 대입하면
$(-x^2+xy-2y^2)+B=x^2-2y^2$
$\therefore B=2x^2-xy$
$\therefore A+2B=-x^2+xy-2y^2+2(2x^2-xy)$
$=-x^2+xy-2y^2+4x^2-2xy$
$=3x^2-xy-2y^2$ 답 ④

0080

두 다항식 A, B에 대하여
$A+B=2x^2+3x-7$
$A-2B=5x^2-6x+2$
→ 가감법을 이용하여 A, B를 구하자.
일 때, $A-B=ax^2+bx+c$이다. 이때, 세 상수 a, b, c에 대하여 $a+b+c$의 값을 구하시오.

$A+B=2x^2+3x-7$ ……㉠
$A-2B=5x^2-6x+2$ ……㉡
㉠−㉡을 하면 $3B=-3x^2+9x-9$
$\therefore B=-x^2+3x-3$
이것을 ㉠에 대입하면 $A+(-x^2+3x-3)=2x^2+3x-7$
$\therefore A=2x^2+3x-7-(-x^2+3x-3)$
$=2x^2+3x-7+x^2-3x+3$
$=3x^2-4$
$\therefore A-B=(3x^2-4)-(-x^2+3x-3)$
$=3x^2-4+x^2-3x+3$
$=4x^2-3x-1$
따라서 $a=4$, $b=-3$, $c=-1$이므로
$a+b+c=0$ 답 0

0081

세 다항식 A, B, C에 대하여
$A+B=x^2+6xy-3y^2$, $B+C=3x^2-5xy$,
$C+A=-2x^2+3xy-5y^2$
일 때, $A+B+C$를 계산하면?
→ 세 다항식을 모두 더해서 $A+B+C$를 구하자.

$A+B=x^2+6xy-3y^2$ ······㉠
$B+C=3x^2-5xy$ ······㉡
$C+A=-2x^2+3xy-5y^2$ ······㉢
㉠+㉡+㉢을 하면
$2(A+B+C)=2x^2+4xy-8y^2$
$\therefore A+B+C=x^2+2xy-4y^2$

답 ②

0082

> 두 다항식 $A=x^3+x-2$, $B=x^2+5x-3$에 대하여 $X+B=2A$를 만족시키는 다항식 X는?
> └ $X=2A-B$임을 이용하자.

$X+B=2A$에서 $X=2A-B$
$2A-B=2(x^3+x-2)-(x^2+5x-3)$
$=2x^3+2x-4-x^2-5x+3$
$=2x^3-x^2-3x-1$

답 ③

0083

> 두 다항식 $A=x^2-xy+3y^2$, $B=4x^2-6xy+2y^2$에 대하여 $2(X+A)=B$를 만족시키는 다항식 X를 구하시오.
> └ $X=$ ☐ 꼴로 표현하자.

$2(X+A)=B$에서
$X=-A+\frac{1}{2}B$
$=-(x^2-xy+3y^2)+\frac{1}{2}(4x^2-6xy+2y^2)$
$=-x^2+xy-3y^2+2x^2-3xy+y^2$
$=x^2-2xy-2y^2$

답 $x^2-2xy-2y^2$

0084

> 두 다항식 A, B에 대하여
> $A+B=3x^2+4x+3$, $A-B=x^2+2x+1$
> 일 때, $X+2(2A-B)=3A$를 만족시키는 다항식 X는?
> └ $X=$ ☐ 꼴로 표현하자.

$A+B=3x^2+4x+3$ ······㉠
$A-B=x^2+2x+1$ ······㉡
㉠+㉡을 하면
$2A=4x^2+6x+4$ $\therefore A=2x^2+3x+2$
㉠−㉡을 하면
$2B=2x^2+2x+2$ $\therefore B=x^2+x+1$
$X+2(2A-B)=3A$에서
$X=-A+2B$
$=-2x^2-3x-2+2x^2+2x+2$
$=-x$

답 ①

0085

> 다항식 $(x-2)(x^2-x+2)$를 전개한 식이 x^3+ax^2+bx+c일 때, 세 상수 a, b, c에 대하여 $a+b+c$의 값은?
> └ 분배법칙을 이용하여 전개하자.

$(x-2)(x^2-x+2)=x(x^2-x+2)-2(x^2-x+2)$
$=x^3-x^2+2x-2x^2+2x-4$
$=x^3-3x^2+4x-4$
$=x^3+ax^2+bx+c$
$\therefore a=-3,\ b=4,\ c=-4$
$\therefore a+b+c=-3$

답 ③

0086

> 다항식 $(x-4y)(2x+3y)-(x^2-2xy-4y^2)$을 계산한 식에서 xy의 계수는?
> └ 분배법칙을 이용하여 전개하자.

(주어진 식)$=2x^2-5xy-12y^2-(x^2-2xy-4y^2)$
$=x^2-3xy-8y^2$
따라서 xy의 계수는 -3이다.

답 ②

0087

> $(a-2b+3)(2a-b-1)$을 전개할 때, ab의 계수를 구하시오.
> └ 분배법칙을 이용하여 전개하자.

$(a-2b+3)(2a-b-1)$
$=2a^2-ab-a-4ab+2b^2+2b+6a-3b-3$
$=2a^2+2b^2-5ab+5a-b-3$
따라서 ab의 계수는 -5이다.

답 -5

0088

> 세 다항식 $A=3x^3+2x^2+x-1$, $B=x^2+2$, $C=x-1$에 대하여 $A-2BC$를 계산하면?
> └ 다항식을 대입하여 계산하자.

$A=3x^3+2x^2+x-1$, $B=x^2+2$, $C=x-1$이므로
$A-2BC$
$=(3x^3+2x^2+x-1)-2(x^2+2)(x-1)$
$=(3x^3+2x^2+x-1)-2(x^3-x^2+2x-2)$
$=3x^3+2x^2+x-1-2x^3+2x^2-4x+4$
$=x^3+4x^2-3x+3$

답 ⑤

0089

> 세 다항식 $A=2x^2-x+1$, $B=-x^2+x-2$, $C=x+3$에 대하여 다음을 계산하면?
>
> $A(C-B)+(A+C)B$
>
> └ 다항식을 대입하여 계산하기 쉽도록 식을 간단히 하자.

$A(C-B)+(A+C)B$
$=AC-AB+AB+CB$
$=AC+CB$
$=(A+B)C$

$=\{(2x^2-x+1)+(-x^2+x-2)\}\times(x+3)$
$=(x^2-1)\times(x+3)$
$=x^3+3x^2-x-3$ 답 ③

0090

다항식 $(1+2x+3x^2+4x^3)(4+3x+2x^2+x^3)$의 전개식에서 x^4의 계수를 구하시오.
x^4항이 나오는 경우만 확인해도 된다.

$(1+2x+3x^2+4x^3)(4+3x+2x^2+x^3)$의 전개식에서 x^4의 항은
$2x\times x^3+3x^2\times 2x^2+4x^3\times 3x=2x^4+6x^4+12x^4=20x^4$
따라서 x^4의 계수는 20이다. 답 20

0091

다항식 $(2x-1)^2(3x-2)^2$의 전개식에서 x^3의 계수를 a, x^2의 계수를 b라 할 때, $a+b$의 값을 구하시오.
각각을 전개한 후 필요한 항의 곱셈만 조사해도 된다.

$(2x-1)^2(3x-2)^2=(4x^2-4x+1)(9x^2-12x+4)$
이 식의 전개식에서 x^3의 계수만 구하면
$4x^2\times(-12x)+(-4x)\times(9x^2)=-48x^3-36x^3=-84x^3$
$\therefore a=-84$
x^2의 계수만 구하면
$4x^2\times 4+(-4x)\times(-12x)+1\times 9x^2=73x^2$
$\therefore b=73$
따라서 $a+b=(-84)+73=-11$ 답 -11

0092

다항식 $(3x^2-2x+6)(x^2+2x+k)$의 전개식에서 x^2의 계수가 17일 때, x의 계수는? (단, k는 상수이다.)
x^2의 계수가 나오는 경우만 확인해도 된다.

$3x^2\times k+(-2x)\times 2x+6\times x^2=(3k+2)x^2$
$3k+2=17$ $\therefore k=5$
x의 계수는
$(-2x)\times k+6\times 2x=(-2k+12)x$
$k=5$이므로 x의 계수는 2이다. 답 ①

0093

다항식 $(x^2+ax+2b)(2x^2-4x+b)$의 전개식에서 x^3의 계수는 2, x의 계수는 10이었다. 이때, 상수 a, b에 대하여 $a+b$의 값은?
x^3과 x가 나오는 항만 조사하자.

x^3의 계수는 $-4+2a=2$이고
x의 계수는 $ab-8b=10$이므로 $a=3$, $b=-2$이다.
따라서 $a+b=1$ 답 ③

0094

다항식 $(x^2+x-1)(x^2+x-2)$를 전개한 식이 $ax^4+2x^3+bx^2+cx+2$일 때, $a+b+c$의 값을 구하시오.
공통부분을 치환하여 전개하자.
(단, a, b, c는 상수이다.)

$x^2+x=t$로 놓으면
$(x^2+x-1)(x^2+x-2)$
$=(t-1)(t-2)$
$=t^2-3t+2$
$=(x^2+x)^2-3(x^2+x)+2$
$=x^4+2x^3+x^2-3x^2-3x+2$
$=x^4+2x^3-2x^2-3x+2$
$=ax^4+2x^3+bx^2+cx+2$
따라서 $a=1$, $b=-2$, $c=-3$이므로
$a+b+c=-4$ 답 -4

0095

다항식 $x(x+1)(x-1)(x-2)$를 전개하였을 때, x^3의 계수를 a, x^2의 계수를 b라 하자. 이때, $a+b$의 값은?
공통부분이 나오도록 두 항씩 먼저 곱해 보자.

$x(x+1)(x-1)(x-2)$
$=\{(x+1)(x-2)\}\{x(x-1)\}$
$=(x^2-x-2)(x^2-x)$
$x^2-x=t$로 놓으면
(주어진 식)$=(t-2)\times t=t^2-2t$
$=(x^2-x)^2-2(x^2-x)$
$=x^4-2x^3+x^2-2x^2+2x$
$=x^4-2x^3-x^2+2x$
따라서 $a=-2$, $b=-1$
$\therefore a+b=-3$ 답 ①

0096

다항식 $(a+b-c^2)(a-b+c^2)$을 전개하면?
공통부분을 치환하여 전개하자.

$(a-b+c^2)(a+b-c^2)=\{a-(b-c^2)\}\{a+(b-c^2)\}$
$b-c^2=t$로 놓으면
(주어진 식)$=(a-t)(a+t)=a^2-t^2$
$=a^2-(b-c^2)^2$
$=a^2-(b^2-2bc^2+c^4)$
$=a^2-b^2-c^4+2bc^2$ 답 ③

0097

$(1+x+x^2+x^3+\cdots+x^{100})^2$의 전개식에서 x^5의 계수는?
x^5항이 나오는 경우만 조사하자.

$(1+x+x^2+x^3+\cdots+x^{100})^2$의 전개식에서 x^5의 항은
$1\times x^5+x\times x^4+x^2\times x^3+x^3\times x^2+x^4\times x+x^5\times 1=6x^5$
따라서 x^5의 계수는 6이다. 답 ③

0098

$(1+x+2x^2+\cdots+100x^{100})^2$의 전개식에서 x^3의 계수는?

x^3항이 나오는 경우만 조사하자.

$(1+x+2x^2+\cdots+100x^{100})^2$
$=(1+x+2x^2+\cdots+100x^{100})(1+x+2x^2+\cdots+100x^{100})$
이 식의 전개식에서 x^3의 항은
$1\times 3x^3+x\times 2x^2+2x^2\times x+3x^3\times 1=10x^3$
따라서 x^3의 계수는 10이다.

답 ⑤

0099

다항식 $(3x^7+7x^6+9x^5-8x^4+7x^3+x^2+ax+3)^2$을 전개하면 x^{13}의 계수와 x^2의 계수가 서로 같을 때, 상수 a의 값을 구하시오. (단, $a>0$)

x^{13}과 x^2항이 나오는 경우만 조사하자.

$(3x^7+7x^6+9x^5-8x^4+7x^3+x^2+ax+3)^2$의 전개식에서 x^{13}의 항은
$3x^7\times 7x^6+7x^6\times 3x^7=42x^{13}$
x^2의 항은 $x^2\times 3+(ax)^2+3\times x^2=(a^2+6)x^2$
x^{13}의 계수와 x^2의 계수가 서로 같으므로
$a^2+6=42 \quad \therefore a=6\ (\because a>0)$

답 6

0100

$(2a-b)^3$의 전개식에서 a^2b의 계수는?

공식 $(a-b)^3=a^3-3a^2b+3ab^2-b^3$에 대입하자.

$(2a-b)^3=8a^3-12a^2b+6ab^2-b^3$
따라서 a^2b의 계수는 -12이다.

답 ①

0101

$(2x+3)(4x^2-6x+9)$를 전개하시오.

공식 $(a+b)(a^2-ab+b^2)=a^3+b^3$에 대입하자.

$(2x+3)\{(2x)^2-2x\times 3+3^2\}=(2x)^3+3^3=8x^3+27$

답 $8x^3+27$

0102

공식에 대입하거나 직접 전개하면 된다.

$(2x-y+1)^2=4$를 만족시키는 x, y에 대하여 $4x^2+y^2-4xy+4x-2y$의 값은?

$(2x-y+1)^2=4$의 좌변을 전개하면
$4x^2+y^2+1-4xy+4x-2y=4$
$\therefore 4x^2+y^2-4xy+4x-2y=3$

답 ③

0103

각 식을 전개하여 계수를 구하자.

다항식 $(x+2)^3+(x^2+x-4)^2$의 전개식에서 x^2의 계수를 a, x의 계수를 b, 상수항을 c라 할 때, $a+b+c$의 값을 구하시오.

$(x+2)^3=x^3+6x^2+12x+8$에서 x^2의 계수는 6, x의 계수는 12, 상수항은 8이다.
$(x^2+x-4)^2=x^4+x^2+16+2x^3-8x^2-8x$
$\qquad\qquad =x^4+2x^3-7x^2-8x+16$
에서 x^2의 계수는 -7, x의 계수는 -8, 상수항은 16이다.
$\therefore a+b+c=6+12+8+(-7)+(-8)+16$
$\qquad\qquad =27$

답 27

0104

다항식 $(x+y)(x-y)(x^2+xy+y^2)(x^2-xy+y^2)$을 전개하면?

두 식씩 묶어 곱셈 공식을 이용하자.

$(x+y)(x-y)(x^2+xy+y^2)(x^2-xy+y^2)$
$=\{(x-y)(x^2+xy+y^2)\}\{(x+y)(x^2-xy+y^2)\}$
$=(x^3-y^3)(x^3+y^3)$
$=x^6-y^6$

답 ④

0105

다음 중 식을 전개한 것으로 옳은 것은?

① $(x-2y)^2=x^2-2xy+4y^2$
② $(x+3)(x^2-6x+9)=x^3+9$
③ $(x-1)(x^3+x^2+x+1)=x^4-x^2-1$
④ $(2a-b)^3=8a^3-12a^2b+6ab^2-b^3$
⑤ $(x+y-z)^2=x^2+y^2-z^2+2xy-2yz-2zx$

곱셈 공식을 이용하자.

① $(x-2y)^2=x^2-4xy+4y^2$
② $(x+3)(x^2-6x+9)=x^3-3x^2-9x+27$
③ $(x-1)(x^3+x^2+x+1)=x^4-1$
⑤ $(x+y-z)^2=x^2+y^2+z^2+2xy-2yz-2zx$

답 ④

0106

$x^4=4$일 때, $(x-1)(x+1)(x^2+1)(x^4+1)$의 값은?

합차공식이 반복됨을 이해하자.

$(x-1)(x+1)(x^2+1)(x^4+1)$
$=(x^2-1)(x^2+1)(x^4+1)$
$=(x^4-1)(x^4+1)$
$=(4-1)\times(4+1)=15$

답 ①

0107

$x^3=3$일 때, $(x-1)(x+1)(x^4+x^2+1)$의 값은?

x^2을 치환한 후 곱셈 공식을 이용하자.

$(x-1)(x+1)(x^4+x^2+1)=(x^2-1)(x^4+x^2+1)$
여기서 $x^2=X$라 하면
(주어진 식)$=(X-1)(X^2+X+1)$
$\qquad\qquad =X^3-1$

$=x^6-1$
$=(x^3)^2-1$
$=9-1=8$

답 ③

0108

> $x^2+y^2+z^2=1$, $\frac{1}{x}+\frac{1}{y}+\frac{1}{z}=0$일 때, $(x+y+z)^2$의 값을 구하시오.
> 공식 $(x+y+z)^2=x^2+y^2+z^2+2xy+2yz+2zx$를 이용하자.

$\frac{1}{x}+\frac{1}{y}+\frac{1}{z}=0$에서 $\frac{xy+yz+zx}{xyz}=0$
$\therefore xy+yz+zx=0$
이때 $x^2+y^2+z^2=1$이므로
$(x+y+z)^2=x^2+y^2+z^2+2(xy+yz+zx)$
$=1+2\times 0=1$

답 1

0109

> $a+b=3$, $ab=-2$일 때, a^3+b^3의 값은?
> 공식 $a^3+b^3=(a+b)^3-3ab(a+b)$를 이용하자.

$a^3+b^3=(a+b)^3-3ab(a+b)$
$=3^3-3\times(-2)\times 3$
$=45$

답 ②

0110

> $x+y=3$, $\frac{1}{x}+\frac{1}{y}=3$일 때, x^3+y^3의 값을 구하시오.
> 공식 $a^3+b^3=(a+b)^3-3ab(a+b)$를 이용하자.

$\frac{1}{x}+\frac{1}{y}=\frac{x+y}{xy}=\frac{3}{xy}=3$에서 $xy=1$
$\therefore x^3+y^3=(x+y)^3-3xy(x+y)$
$=3^3-3\times 1\times 3=18$

답 18

0111

> $a-b=4$, $ab=-2$일 때, a^3-b^3의 값은?
> 공식 $a^3-b^3=(a-b)^3+3ab(a-b)$를 이용하자.

$a^3-b^3=(a-b)^3+3ab(a-b)$
$=4^3+3\times(-2)\times 4=40$

답 ④

0112

> $x-y=2$, $xy=-1$일 때, $\frac{x^2}{y}-\frac{y^2}{x}$의 값은?
> 통분하면 $\frac{x^3-y^3}{xy}$이다.

$x^3-y^3=(x-y)^3+3xy(x-y)$
$=2^3+3\times(-1)\times 2=2$
$\frac{x^2}{y}-\frac{y^2}{x}=\frac{x^3-y^3}{xy}=\frac{2}{-1}=-2$

답 ⑤

0113

> $a+b=-2$, $ab=3$일 때, $a^2(a-1)+b^2(b-1)$의 값은?
> $a+b$, ab를 이용한 식으로 정리하자.

$a^2(a-1)+b^2(b-1)$
$=a^3-a^2+b^3-b^2$
$=(a^3+b^3)-(a^2+b^2)$
$=\{(a+b)^3-3ab(a+b)\}-\{(a+b)^2-2ab\}$
$=\{(-2)^3-3\times 3\times(-2)\}-\{(-2)^2-2\times 3\}$
$=10-(-2)=12$

답 ②

0114

> $x+y=4$, $x^2+y^2=8$일 때, x^3+y^3의 값을 구하시오.
> xy를 먼저 구하자.

$x^2+y^2=(x+y)^2-2xy$에서
$8=4^2-2xy$ $\quad\therefore xy=4$
$\therefore x^3+y^3=(x+y)^3-3xy(x+y)$
$=4^3-3\times 4\times 4=16$

답 16

0115

> $x+y=2$, $x^3+y^3=14$일 때, x^2+y^2의 값은?
> xy를 먼저 구하자.

$x^3+y^3=(x+y)^3-3xy(x+y)$에서
$14=2^3-3xy\times 2$ $\quad\therefore xy=-1$
$\therefore x^2+y^2=(x+y)^2-2xy$
$=2^2-2\times(-1)=6$

답 ②

0116

> $a-b=3$, $a^3-b^3=18$일 때, a^2+b^2+ab의 값은?
> ab를 먼저 구하자.

$a^3-b^3=(a-b)^3+3ab(a-b)$에서
$18=27+9ab$
$\therefore ab=-1$
$\therefore a^2+b^2+ab=(a-b)^2+3ab=9-3=6$

답 ⑤

0117

> 실수 x, y에 대하여 $x+y=3$, $x^2+xy+y^2=10$일 때, x^3+y^3의 값을 구하시오.
> xy를 먼저 구하자.

$x^2+xy+y^2=(x+y)^2-xy$에서

$10=3^2-xy \quad \therefore xy=-1$

$\therefore x^3+y^3=(x+y)^3-3xy(x+y)$

$=3^3-3\times(-1)\times3=36$

답 36

0118

> $a=2+\sqrt{3}$, $b=2-\sqrt{3}$일 때, a^3-b^3의 값은?
>
> → $a+b$, ab의 값을 먼저 구하자.

$a-b=(2+\sqrt{3})-(2-\sqrt{3})=2\sqrt{3}$

$ab=(2+\sqrt{3})(2-\sqrt{3})=1$

$\therefore a^3-b^3=(a-b)^3+3ab(a-b)$

$=(2\sqrt{3})^3+3\times1\times2\sqrt{3}$

$=24\sqrt{3}+6\sqrt{3}=30\sqrt{3}$

답 ④

0119

> $x=1+\sqrt{2}$, $y=1-\sqrt{2}$일 때, $x^3+y^3-x^2y-xy^2$의 값을 구하시오.
>
> → $x+y$, xy의 값을 먼저 구하자.

$x+y=2$, $xy=-1$이므로

$x^3+y^3-x^2y-xy^2=x^3+y^3-(x^2y+xy^2)$

$=x^3+y^3-xy(x+y)$

$=(x+y)^3-3xy(x+y)-xy(x+y)$

$=2^3-3\times(-1)\times2-(-1)\times2$

$=8+6+2=16$

답 16

0120

> 실수 x, y에 대하여 $x^3=3+2\sqrt{2}$, $y^3=3-2\sqrt{2}$이고, $x+y=a$라 할 때, a^3-3a의 값은?
>
> → xy를 먼저 구하자.

$x^3=3+2\sqrt{2}$, $y^3=3-2\sqrt{2}$에서

$x^3y^3=(xy)^3=\{(3+2\sqrt{2})(3-2\sqrt{2})\}^3=1$

$\therefore xy=1$

$x^3+y^3=(x+y)^3-3xy(x+y)$

$x^3+y^3=6$이고, $x+y=a$이므로

$6=a^3-3a$

답 ②

0121

> 실수 x에 대하여 $x^2-3x+1=0$일 때, $x^3+\frac{1}{x^3}$의 값을 구하시오.
>
> → 변형하여 $x+\frac{1}{x}$의 값을 구하자.

$x^2-3x+1=0$에서 $x^2+1=3x$

$x\neq0$이므로 양변을 x로 나누면 $x+\frac{1}{x}=3$

$\therefore x^3+\frac{1}{x^3}=\left(x+\frac{1}{x}\right)^3-3\left(x+\frac{1}{x}\right)$

$=3^3-3\times3=18$

답 18

0122

> $x+\frac{1}{x}=4$일 때, $x+x^2-x^3-\frac{1}{x}+\frac{1}{x^2}-\frac{1}{x^3}$의 값은? (단, $x>1$)
>
> → $x+\frac{1}{x}$을 이용하는 식으로 표현하자.

$\left(x-\frac{1}{x}\right)^2=\left(x+\frac{1}{x}\right)^2-4=4^2-4=12$

$\therefore x-\frac{1}{x}=2\sqrt{3}$ ($\because x>1$)

$x^2+\frac{1}{x^2}=\left(x+\frac{1}{x}\right)^2-2=4^2-2=14$

$x^3+\frac{1}{x^3}=\left(x+\frac{1}{x}\right)^3-3\left(x+\frac{1}{x}\right)=4^3-3\times4=52$

(주어진 식)$=\left(x-\frac{1}{x}\right)+\left(x^2+\frac{1}{x^2}\right)-\left(x^3+\frac{1}{x^3}\right)$

$=2\sqrt{3}+14-52$

$=2\sqrt{3}-38$

답 ⑤

0123

> $x^2-\frac{1}{x^2}=-\sqrt{21}$일 때, $\frac{1+x+x^2+x^3+x^4+x^5+x^6}{x^3}$의 값은? (단, $x>0$)
>
> → $x^2+\frac{1}{x^2}$과 $x+\frac{1}{x}$의 값을 먼저 구하자.

$x^2-\frac{1}{x^2}=-\sqrt{21}$의 양변을 제곱하면

$x^4+\frac{1}{x^4}-2=21 \Longrightarrow x^4+\frac{1}{x^4}=23$

$\Longrightarrow \left(x^2+\frac{1}{x^2}\right)^2-2=23$

$\Longrightarrow \left(x^2+\frac{1}{x^2}\right)^2=25$

$\therefore x^2+\frac{1}{x^2}=5$ ($\because x>0$)

$x^2+\frac{1}{x^2}=5$

$\Longrightarrow \left(x+\frac{1}{x}\right)^2-2=5$

$\Longrightarrow \left(x+\frac{1}{x}\right)^2=7$

$\therefore x+\frac{1}{x}=\sqrt{7}$ ($\because x>0$)

이때 $x^3+\frac{1}{x^3}=\left(x+\frac{1}{x}\right)^3-3\left(x+\frac{1}{x}\right)=4\sqrt{7}$

$\frac{1+x+x^2+x^3+x^4+x^5+x^6}{x^3}$

$=x^3+\frac{1}{x^3}+x^2+\frac{1}{x^2}+x+\frac{1}{x}+1$

$=4\sqrt{7}+5+\sqrt{7}+1=6+5\sqrt{7}$

답 ④

0124

> $a+b=5$, $ab=3$일 때, a^4+b^4의 값은?
>
> → $(a^2+b^2)^2$의 전개식에서 a^4+b^4을 찾자.

$a^4+b^4=(a^2+b^2)^2-2a^2b^2$

$=\{(a+b)^2-2ab\}^2-2(ab)^2$
$=(5^2-2\times3)^2-2\times3^2=343$ 답 ③

0125

두 실수 x, y에 대하여 $x+y=2$, $xy=-1$일 때, x^5+y^5의 값을 구하시오. (x^2+y^2)(x^3+y^3)의 전개식을 이용하자.

$x^2+y^2=(x+y)^2-2xy=4+2=6$
$x^3+y^3=(x+y)^3-3xy(x+y)=8+6=14$
$\therefore x^5+y^5=(x^2+y^2)(x^3+y^3)-x^2y^2(x+y)$
$=84-2=82$ 답 82

0126

xy, x^2+y^2의 값을 구하자.

$x+y=2$, $x^3+y^3=20$일 때, x^4+y^4의 값은? (단, x, y는 실수이다.) $(x^2+y^2)^2$의 전개식을 이용하자.

$x^3+y^3=(x+y)^3-3xy(x+y)$
$=8-3xy\times2=20$
$\therefore xy=-2$
$x^2+y^2=(x+y)^2-2xy=4+4=8$
$x^4+y^4=(x^2+y^2)^2-2x^2y^2$
$=8^2-2\times(-2)^2$
$=64-8=56$ 답 ①

0127

ab, a^3-b^3의 값을 구하자.

$a-b=-1$, $a^2+b^2=3$일 때, a^5-b^5의 값은? $(a^2+b^2)(a^3-b^3)$을 이용하자.

$(a^2+b^2)(a^3-b^3)=a^5-b^5-a^2b^3+a^3b^2$
$=a^5-b^5+a^2b^2(a-b)$
에서
$a^5-b^5=(a^2+b^2)(a^3-b^3)-a^2b^2(a-b)$ ······㉠
$(a-b)^2=a^2+b^2-2ab$
$1=3-2ab$ $\therefore ab=1$
$a^3-b^3=(a-b)^3+3ab(a-b)$
$=(-1)+3\times1\times(-1)=-4$
㉠에서
$a^5-b^5=3\times(-4)-1^2\times(-1)=-11$ 답 ④

0128

$x+y=2$, $x^2+y^2=6$을 만족하는 두 실수 x, y에 대하여 x^7+y^7의 값은? $(x^3+y^3)(x^4+y^4)$의 전개식을 이용하자.

$x^2+y^2=(x+y)^2-2xy$에서
$6=2^2-2xy$ $\therefore xy=-1$
$x^3+y^3=(x+y)^3-3xy(x+y)$
$=2^3-3\times(-1)\times2=14$
$x^4+y^4=(x^2+y^2)^2-2(xy)^2$
$=6^2-2\times(-1)^2=34$
한편, $(x^3+y^3)(x^4+y^4)=x^7+y^7+x^3y^3(x+y)$에서
$x^7+y^7=(x^3+y^3)(x^4+y^4)-x^3y^3(x+y)$
$=14\times34-(-1)^3\times2=478$ 답 ④

0129

$a-b=-2$이고 $a^3-b^3=-2$일 때, $a^{12}+b^{18}$의 값을 구하시오. ab를 찾아서 b의 값을 구하자.

$a^3-b^3=(a-b)^3+3ab(a-b)$
$=(-2)^3+3ab\times(-2)$
$=-8-6ab=-2$
$\therefore ab=-1$
$a-b=-2$에서 $a=b-2$이므로 $ab=-1$에 대입하면
$(b-2)\times b=-1$, $b^2-2b+1=0$, $(b-1)^2=0$
$\therefore b=1$
$b=1$을 $a-b=-2$에 대입하면 $a=-1$
$\therefore a^{12}+b^{18}=(-1)^{12}+1=2$ 답 2

0130

$a+b+c=9$, $ab+bc+ac=8$일 때, $a^2+b^2+c^2$의 값은?
공식 $a^2+b^2+c^2=(a+b+c)^2-2(ab+bc+ca)$를 이용하자.

$(a+b+c)^2=a^2+b^2+c^2+2ab+2bc+2ca$에서
$a^2+b^2+c^2=(a+b+c)^2-2(ab+bc+ca)$
$=81-16=65$ 답 ④

0131

$a^2+b^2+c^2$의 값을 먼저 구하자.

$a+b+c=4$, $ab+bc+ca=5$일 때,
$(a+b)^2+(b+c)^2+(c+a)^2$의 값은?

$a^2+b^2+c^2=(a+b+c)^2-2(ab+bc+ca)$
$=4^2-2\times5=6$
$a^2+b^2+c^2+ab+bc+ca=\frac{1}{2}\{(a+b)^2+(b+c)^2+(c+a)^2\}$에서
$(a+b)^2+(b+c)^2+(c+a)^2=2(a^2+b^2+c^2+ab+bc+ca)$
$=2(6+5)$
$=22$ 답 ②

0132

$c-a$의 값을 구하자.

$a-b=1+\sqrt{3}$, $b-c=1-\sqrt{3}$ 일 때,
$a^2+b^2+c^2-ab-bc-ca$의 값은?
변형공식을 이용하자.

$c-a=-\{(a-b)+(b-c)\}$
$=-(1+\sqrt{3}+1-\sqrt{3})=-2$
$\therefore a^2+b^2+c^2-ab-bc-ca=\frac{1}{2}\{(a-b)^2+(b-c)^2+(c-a)^2\}$

$=\frac{1}{2}\{(1+\sqrt{3})^2+(1-\sqrt{3})^2+(-2)^2\}$

$=\frac{1}{2}\times 12=6$ 답 ④

공식 $a^2+b^2+c^2=(a+b+c)^2-2(ab+bc+ca)$ 에서 c대신 $2c$가 들어가 있음을 이해하자.

0133

세 실수 a, b, c에 대하여 $a^2+b^2+4c^2=44$, $ab+2bc+2ca=28$일 때, $(a+b+2c)^2$의 값을 구하시오.

$(a+b+2c)^2=a^2+b^2+(2c)^2+2ab+2b\times 2c+2\times 2c\times a$
$=a^2+b^2+4c^2+2(ab+2bc+2ca)$
$=44+2\times 28$
$=100$ 답 100

0134

세 실수 a, b, c에 대하여 $a+b+c=0$, $a^2+b^2+c^2=1$, $ab+bc+ca=-\frac{1}{2}$일 때, $a^4+b^4+c^4$의 값은?

$(a^2+b^2+c^2)^2$의 전개식을 이용하여 구하자.

$(a^2+b^2+c^2)^2=a^4+b^4+c^4+2(a^2b^2+b^2c^2+c^2a^2)$에서
$1=a^4+b^4+c^4+2(a^2b^2+b^2c^2+c^2a^2)$ …… ㉠
$(ab+bc+ca)^2=a^2b^2+b^2c^2+c^2a^2+2(ab^2c+abc^2+a^2bc)$
에서 $\frac{1}{4}=a^2b^2+b^2c^2+c^2a^2+2abc(a+b+c)$
$\therefore a^2b^2+b^2c^2+c^2a^2=\frac{1}{4}$
이것을 ㉠에 대입하면
$1=a^4+b^4+c^4+\frac{1}{2}$
$\therefore a^4+b^4+c^4=\frac{1}{2}$ 답 ②

0135

$x+y+z=0$, $x^2+y^2+z^2=4$일 때, $x^2y^2+y^2z^2+z^2x^2$의 값은?

$(xy+yz+zx)^2$의 전개식을 이용하여 구하자.

$(x+y+z)^2=x^2+y^2+z^2+2(xy+yz+zx)$에서
$0=4+2(xy+yz+zx)$ $\therefore xy+yz+zx=-2$
$(xy+yz+zx)^2=x^2y^2+y^2z^2+z^2x^2+2xyz(x+y+z)$에서
$\therefore 4=x^2y^2+y^2z^2+z^2x^2$ 답 ②

0136

$a+b+c=3$, $a^2+b^2+c^2=15$, $abc=3$일 때, $\frac{1}{a}+\frac{1}{b}+\frac{1}{c}$의 값을 구하시오.

$ab+bc+ca$의 값을 구하자.

$a^2+b^2+c^2=(a+b+c)^2-2(ab+bc+ca)$에서
$15=3^2-2(ab+bc+ca)$
$\therefore ab+bc+ca=-3$
$\therefore \frac{1}{a}+\frac{1}{b}+\frac{1}{c}=\frac{ab+bc+ca}{abc}=\frac{-3}{3}=-1$ 답 -1

0137

세 실수 a, b, c에 대하여 $a+b+c=5$, $a^2+b^2+c^2=13$, $abc=-4$일 때, $a^2b^2+b^2c^2+c^2a^2$의 값은?

$(ab+bc+ca)^2$의 전개식을 이용하여 구하자.

$(a+b+c)^2=a^2+b^2+c^2+2(ab+bc+ca)$에서
$ab+bc+ca=\frac{1}{2}\{(a+b+c)^2-(a^2+b^2+c^2)\}$
$=\frac{1}{2}(25-13)=6$
$(ab+bc+ca)^2=a^2b^2+b^2c^2+c^2a^2+2(ab^2c+abc^2+a^2bc)$
$=a^2b^2+b^2c^2+c^2a^2+2abc(a+b+c)$
$\therefore a^2b^2+b^2c^2+c^2a^2=(ab+bc+ca)^2-2abc(a+b+c)$
$=36+40=76$ 답 ②

0138

$x+y+z=1$, $xy+yz+zx=-4$, $xyz=-4$일 때, $x^3+y^3+z^3$의 값을 구하시오.

공식 $a^3+b^3+c^3=(a+b+c)(a^2+b^2+c^2-ab-bc-ca)+3abc$를 이용하자.

$x^2+y^2+z^2=(x+y+z)^2-2(xy+yz+zx)$
$=1^2-2\times(-4)=9$
$\therefore x^3+y^3+z^3$
$=(x+y+z)(x^2+y^2+z^2-xy-yz-zx)+3xyz$
$=1\times\{9-(-4)\}+3\times(-4)=1$ 답 1

0139

$(2+1)(2^2+1)(2^4+1)(2^8+1)+1$의 값은?

$(2-1)$을 추가하여 합차공식을 이용하자.

$(2+1)(2^2+1)(2^4+1)(2^8+1)+1$
$=(2-1)(2+1)(2^2+1)(2^4+1)(2^8+1)+1$
$=(2^2-1)(2^2+1)(2^4+1)(2^8+1)+1$
$=(2^4-1)(2^4+1)(2^8+1)+1$
$=(2^8-1)(2^8+1)+1$
$=2^{16}-1+1$
$=2^{16}$ 답 ①

0140

$101\times 9901-99\times 10101$을 계산하시오.

$100=a$라 하고, 모든 수를 a로 표현해 보자.

$100=a$라 하면
$101\times 9901-99\times 10101$
$=(a+1)(a^2-a+1)-(a-1)(a^2+a+1)$
$=a^3+1-(a^3-1)$
$=2$ 답 2

0141

$(100+1)(10001-100)-99^3$의 값은?

100=a라 하고, 모든 수를 a로 표현해 보자.

100=a라 하면

$(100+1)(10001-100)-99^3$
$=(a+1)(a^2+1-a)-(a-1)^3$
$=(a^3+1)-(a^3-3a^2+3a-1)$
$=3a^2-3a+2$
$=30000-300+2$
$=29702$

답 ①

0142

한 모서리의 길이가 $(x+y)$인 정육면체에서 한 모서리의 길이가 x인 정육면체와 한 모서리의 길이가 y인 정육면체를 잘라내었을 때, 남은 부분의 부피를 x, y로 나타내면?

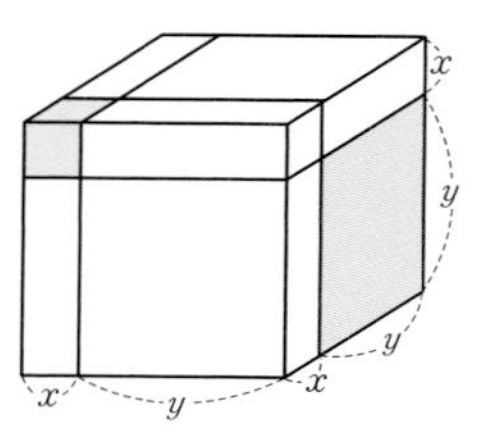

□ − □ − □ 임을 이해하자.

한 모서리의 길이가 $(x+y)$인 정육면체의 부피는 $(x+y)^3$이고, 한 모서리의 길이가 x, y인 정육면체의 부피는 각각 x^3, y^3이므로 남은 부분의 부피는

$(x+y)^3-x^3-y^3=(x^3+3x^2y+3xy^2+y^3)-x^3-y^3$
$=3x^2y+3xy^2$
$=3xy(x+y)$

답 ⑤

0143

− □ 임을 이해하자.

그림과 같이 밑면의 가로, 세로의 길이가 a이고 높이가 $a-2$인 직육면체 모양의 나무토막에 정육면체 모양의 구멍을 뚫어 블록을 만들었다. 이 블록의 부피는? (단, $a>2$)

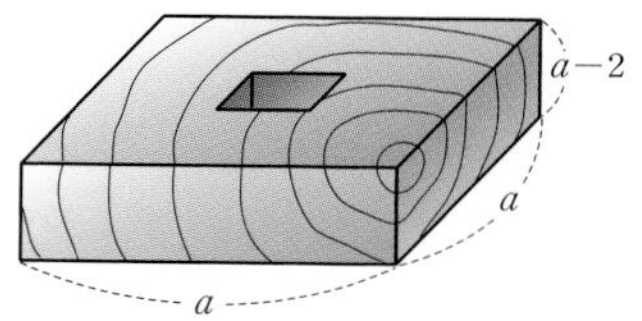

정육면체의 한 모서리의 길이는 직육면체인 나무 도막의 높이와 같으므로 $a-2$

∴ (블록의 부피)=(직육면체의 부피)−(정육면체의 부피)
$=a^2(a-2)-(a-2)^3$
$=a^3-2a^2-a^3+6a^2-12a+8$
$=4a^2-12a+8$

답 ③

0144

임을 이해하자.

오른쪽 그림은 한 모서리의 길이가 $x+a$인 정육면체의 각 면의 한가운데에 밑면의 가로의 길이, 세로의 길이와 높이가 각각 x, x, $x+a$인 직육면체 모양으로 구멍을 뚫은 것이다. 이 입체도형의 부피를 구하시오. (단, 구멍의 각 모서리는 정육면체의 모서리와 평행하다.)

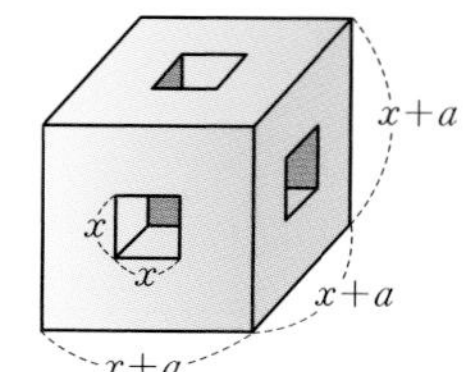

구하는 입체도형의 부피는

$(x+a)^3-3\times x^2(x+a)+2\times x^3$
$=x^3+3ax^2+3a^2x+a^3-3x^3-3ax^2+2x^3$
$=3a^2x+a^3$

답 $3a^2x+a^3$

0145

$4a+4b+4c$

가로의 길이, 세로의 길이, 높이가 각각 a, b, c인 직육면체의 모든 모서리의 길이의 합이 16, 겉넓이가 12일 때, $a^2+b^2+c^2$의 값을 구하시오.

$ab+bc+ca$

직육면체의 모든 모서리의 길이의 합이 16이므로

$4(a+b+c)=16$
$\therefore a+b+c=4$

직육면체의 겉넓이가 12이므로

$2(ab+bc+ca)=12$
$\therefore ab+bc+ca=6$
$\therefore a^2+b^2+c^2=(a+b+c)^2-2(ab+bc+ca)$
$=4^2-2\times 6=4$

답 4

0146

세로의 길이, 가로의 길이, 높이를 각각 a, b, c로 놓고 주어진 내용을 식으로 표현한다.

그림과 같은 직육면체의 겉넓이가 40이고, 삼각형 BGD의 세 변의 길이의 제곱의 합이 48일 때, 직육면체의 모든 모서리의 길이의 합은?

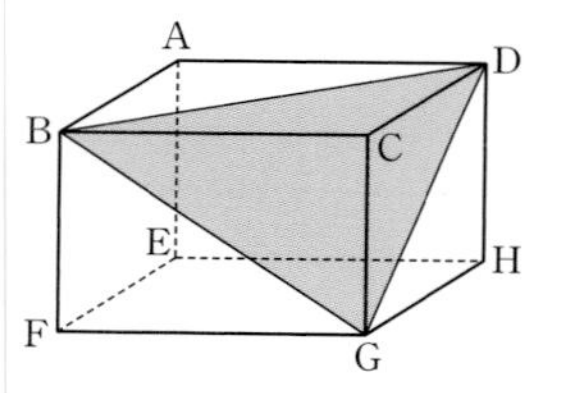

$\overline{AB}=a$, $\overline{BC}=b$, $\overline{BF}=c$라 하면 직육면체의 겉넓이는

$2(ab+bc+ca)=40$
$\therefore ab+bc+ca=20$

△BGD의 세 변의 길이의 제곱의 합은

$\overline{DB}^2+\overline{BG}^2+\overline{GD}^2=48$
$(a^2+b^2)+(b^2+c^2)+(c^2+a^2)=48$
$\therefore a^2+b^2+c^2=24$

직육면체의 모든 모서리의 길이의 합은 $4(a+b+c)$이고

$(a+b+c)^2=a^2+b^2+c^2+2(ab+bc+ca)$
$=24+2\times 20=64$
$\therefore a+b+c=8$ ($\because a+b+c>0$)

따라서 모든 모서리의 길이의 합은 32이다.

답 ④

0147

그림과 같은 직육면체 모양의 상자가 있다. 이 상자의 겉넓이가 28이고, 모서리의 길이의 합이 32일 때, 이 상자의 대각선 AG의 길이를 구하시오.

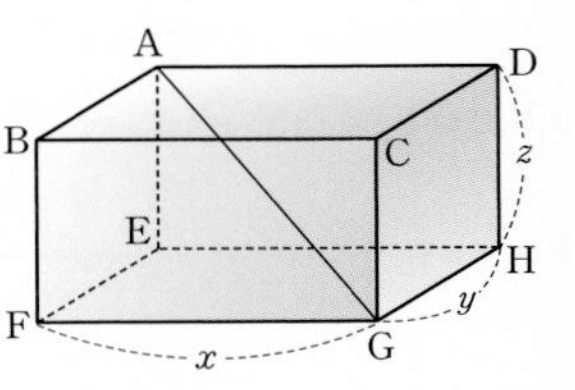

직육면체의 대각선의 길이는 $\sqrt{x^2+y^2+z^2}$임을 외워두자!

겉넓이가 28이므로

$2(xy+yz+zx)=28 \quad \therefore xy+yz+zx=14$

모서리의 길이의 합이 32이므로

$4(x+y+z)=32 \quad \therefore x+y+z=8$

이때, 삼각형 AEG가 직각삼각형이므로

$\overline{AG}=\sqrt{x^2+y^2+z^2}$

$\therefore x^2+y^2+z^2=(x+y+z)^2-2(xy+yz+zx)$

$=64-28=36$

$\therefore \overline{AG}=6 \ (\because \overline{AG}>0)$

답 6

0148

나머지 세 부분의 넓이를 적어보자.

다음 중 아래 그림과 가장 연관이 많은 곱셈 공식은?

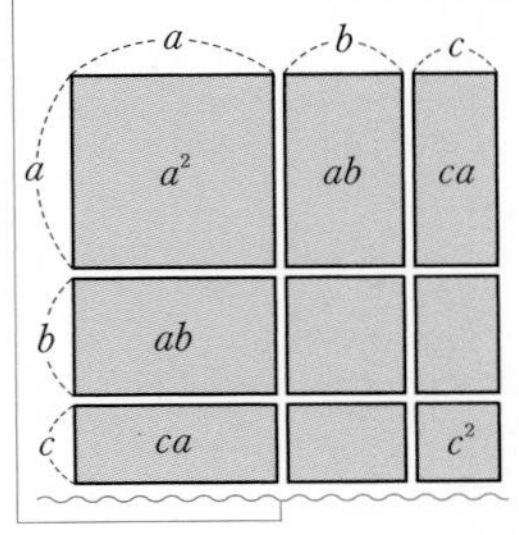

③ $(a+b+c)^2=a^2+b^2+c^2+2ab+2bc+2ca$이므로

$a^2+b^2+c^2=(a+b+c)^2-2(ab+bc+ca)$

답 ③

0149

두 직사각형의 넓이의 합으로 구하자.

다음 그림과 같이 모든 변이 꼭짓점에서 수직으로 만나는 도형의 넓이는?

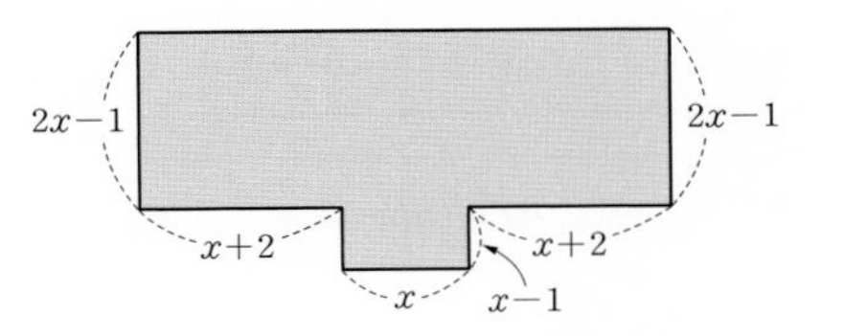

주어진 도형의 넓이는

$\{(x+2)+x+(x+2)\}\times(2x-1)+\{x\times(x-1)\}$

$=(3x+4)(2x-1)+x(x-1)$

$=(6x^2+5x-4)+(x^2-x)$

$=7x^2+4x-4$

답 ⑤

0150

오른쪽 그림은 어느 집의 평면도로 거실과 방은 정사각형 모양, 욕실은 직사각형 모양의 구조로 되어 있다. 평면도 전체는 가로의 길이가 $3x$, 세로의 길이가 $2y$인 직사각형 모양이라 할 때, 욕실의 넓이를 x, y에 대한 식으로 바르게 나타낸 것은? (단, $2y<3x<4y$)

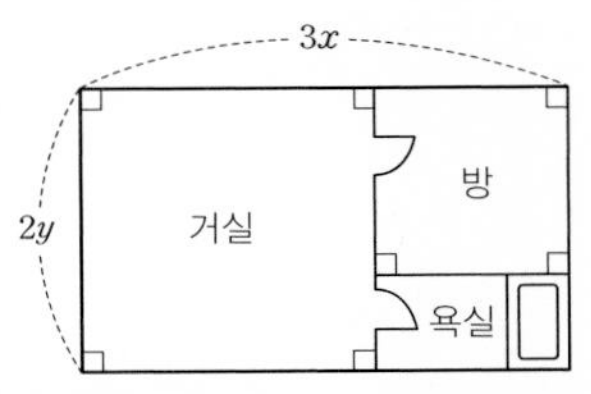

(욕실의 가로의 길이)=(방의 한 변의 길이),
(욕실의 세로의 길이)={2y−(방의 한 변의 길이)}임을 이용해!

거실과 방은 정사각형이고 거실의 한 변의 길이는 $2y$이므로 방의 한 변의 길이는 $3x-2y$이다.

욕실의 가로는 $3x-2y$, 세로의 길이는 $2y-(3x-2y)=4y-3x$

이므로 욕실의 넓이는

$(3x-2y)(4y-3x)=-9x^2+18xy-8y^2$

답 ②

0151

반지름의 길이가 r인 원의 넓이는 πr^2이다.

그림과 같이 서로 외접하는 두 원이 반지름의 길이가 4인 원에 내접하고 있다. 큰 원에 내접하는 작은 두 원의 넓이의 합이 10π일 때, 작은 두 원의 반지름의 길이의 곱은?

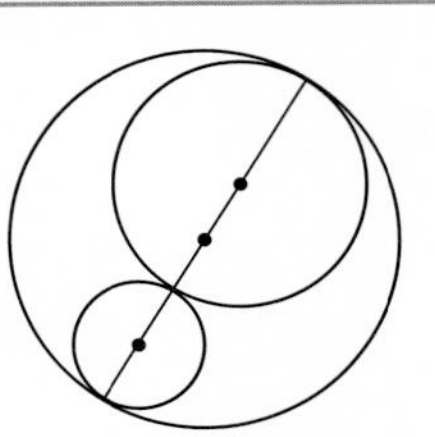

작은 두 원의 반지름의 길이를 각각 a, b라 하면

큰 원의 반지름의 길이가 4이므로

$2a+2b=8 \quad \therefore a+b=4$

작은 두 원의 넓이의 합이 10π이므로

$\pi a^2+\pi b^2=10\pi \quad \therefore a^2+b^2=10$

$a^2+b^2=(a+b)^2-2ab$에서 $10=4^2-2ab$

$\therefore ab=3$

답 ②

0152

직사각형의 대각선의 길이는 반지름의 길이와 같다.

오른쪽 그림과 같이 반지름의 길이가 8 cm이고, 중심각의 크기가 90°인 부채꼴에 내접하는 직사각형이 있다. 이 직사각형의 둘레의 길이가 20 cm일 때, 직사각형의 넓이는?

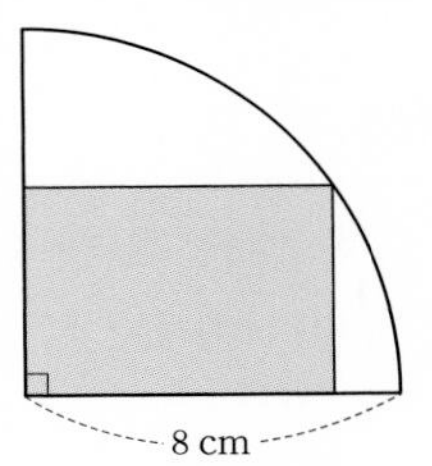

직사각형의 가로, 세로의 길이를 각각 x cm, y cm라 하면 직사각형의 대각선의 길이가 부채꼴의 반지름의 길이와 같으므로

$x^2+y^2=64$

또 직사각형의 둘레의 길이가 20 cm이므로

$2(x+y)=20 \quad \therefore x+y=10$

이때 $x^2+y^2=(x+y)^2-2xy$에서

$64=10^2-2xy \quad \therefore xy=18$

따라서 직사각형의 넓이는 18 cm^{2}이다.

답 ①

0153

아래의 그림과 같이 반지름의 길이가 30 m인 반원 모양의 땅에 내접하고 넓이가 700 m²인 직사각형 모양의 밭 ABCD가 있다고 할 때, $\overline{AB}+\overline{AD}+\overline{CD}$의 길이는?

→ 직사각형의 가로의 길이와 세로의 길이를 각각 $2x$, y로 놓고서 주어진 조건을 이용하자.

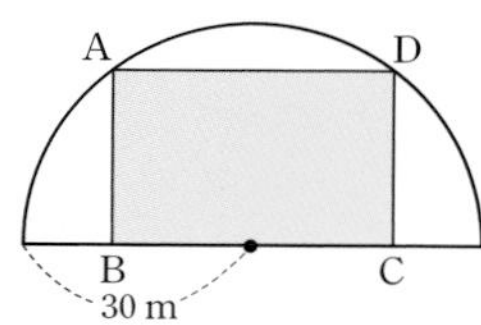

반원의 중심을 O라고 하고 $\overline{OC}=x$ m, $\overline{CD}=y$ m $(x>0,\ y>0)$라고 하자.

$\overline{OD}=30$ m이므로 $x^2+y^2=30^2=900$

또한 $\overline{BC}=2x$ m이므로 $2xy=700$

$\therefore (x+y)^2=900+700=1600$

$\therefore x+y=40$

$\therefore \overline{AB}+\overline{AD}+\overline{CD}=y+2x+y$

$=2(x+y)=80$ (m)

답 ①

0154

다항식 x^3+x^2-5x+4를 x^2+2x-1로 나눈 몫이 $ax+b$이고, 나머지가 $cx+d$일 때, 상수 a, b, c, d의 합 $a+b+c+d$의 값을 구하시오.

→ 직접 나눗셈을 해서 구하자.

$$\begin{array}{rl} & x-1 \\ x^2+2x-1\big) & \overline{x^3+x^2-5x+4} \\ & x^3+2x^2-x \\ \hline & -x^2-4x+4 \\ & -x^2-2x+1 \\ \hline & -2x+3 \end{array}$$

따라서 몫은 $x-1$, 나머지는 $-2x+3$이므로

$a=1,\ b=-1,\ c=-2,\ d=3$

$\therefore a+b+c+d=1$

답 1

0155

다항식 $4x^3-2x^2+4x+1$을 $2x+1$로 나눈 몫을 $Q(x)$라 할 때, $Q(1)$의 값은?

→ 직접 나눗셈을 해서 구하자.

$$\begin{array}{rl} & 2x^2-2x+3 \\ 2x+1\big) & \overline{4x^3-2x^2+4x+1} \\ & 4x^3+2x^2 \\ \hline & -4x^2+4x+1 \\ & -4x^2-2x \\ \hline & 6x+1 \\ & 6x+3 \\ \hline & -2 \end{array}$$

따라서 $Q(x)=2x^2-2x+3$이므로

$Q(1)=3$

답 ②

0156

다항식 $2x^3-3x^2+x+2$를 x^2-x-1로 나누었을 때의 몫을 $Q(x)$, 나머지를 $R(x)$라 하자. 이때, $Q(10)+R(10)$의 값은?

→ 직접 나눗셈을 해서 구하자.

$$\begin{array}{rl} & 2x-1 \\ x^2-x-1\big) & \overline{2x^3-3x^2+x+2} \\ & 2x^3-2x^2-2x \\ \hline & -x^2+3x+2 \\ & -x^2+x+1 \\ \hline & 2x+1 \end{array}$$

따라서 $Q(x)=2x-1$, $R(x)=2x+1$이므로

$Q(10)+R(10)=19+21=40$

답 ①

0157

다항식 $2x^3-x^2+ax-b$가 x^2-x+1로 나누어떨어지도록 하는 상수 a, b에 대하여 a^2+b^2의 값은?

직접 나눗셈을 하여 나머지가 0이 되도록 한다. ←

$$\begin{array}{rl} & 2x+1 \\ x^2-x+1\big) & \overline{2x^3-x^2+ax-b} \\ & 2x^3-2x^2+2x \\ \hline & x^2+(a-2)x-b \\ & x^2-x+1 \\ \hline & (a-1)x-b-1 \end{array}$$

$a-1=0,\ -b-1=0$이므로

$\therefore a=1,\ b=-1$

$\therefore a^2+b^2=1+1=2$

답 ②

0158

다음은 다항식 $3x^3+5x^2+2$를 x^2-a로 나눈 과정을 나타낸 것이다. 이때, 5개의 상수 a, b, c, d, e의 합 $a+b+c+d+e$의 값을 구하시오.

$$\begin{array}{rl} & bx+c \\ x^2-a\big) & \overline{3x^3+5x^2+2} \\ & 3x^3-3x \\ \hline & 5x^2+3x+2 \\ & cx^2-ac \\ \hline & dx+e \end{array}$$

$(x^2-a)\times bx$의 값이 $3x^3-3x$이다.

$(x^2-a)bx=3x^3-3x$에서 $bx^3-abx=3x^3-3x$

$\therefore a=1,\ b=3$

이 값을 대입하여 계산하면

$$\begin{array}{rl} & 3x+5 \\ x^2-1\big) & \overline{3x^3+5x^2+2} \\ & 3x^3-3x \\ \hline & 5x^2+3x+2 \\ & 5x^2-5 \\ \hline & 3x+7 \end{array}$$

$\therefore c=5,\ d=3,\ e=7$
$\therefore a+b+c+d+e=19$ 답 19

0159

> $A=x^3-3x^2-5x+15,\ B=x^2-6x+8$일 때 A를 B로 나눈 몫 Q와 나머지 R를 구하고, $A=BQ+R$의 꼴로 나타내시오.
> └• 직접 나눗셈을 해서 구하자.

$$\begin{array}{r} x+3 \quad \leftarrow Q \\ x^2-6x+8 \overline{)\, x^3-3x^2-\ \ 5x+15} \\ \underline{x^3-6x^2+\ \ 8x\quad\ \ } \\ 3x^2-13x+15 \\ \underline{3x^2-18x+24} \\ 5x-\ \ 9 \quad \leftarrow R \end{array}$$

답 $Q=x+3,\ R=5x-9,$
$x^3-3x^2-5x+15=(x^2-6x+8)(x+3)+5x-9$

0160

•─ $A=BQ+R$의 꼴로 나타낸 후 전개한다.

> 다항식 ax^3+bx^2+cx+d를 x^2+2x-2로 나누었을 때의 몫은 $2x+1$이고 나머지는 $x-2$이다. $a+d$의 값은?
> (단, $a,\ b,\ c,\ d$는 상수이다.)

ax^3+bx^2+cx+d를 x^2+2x-2로 나누었을 때 몫이 $2x+1$, 나머지가 $x-2$이므로
ax^3+bx^2+cx+d
$=(x^2+2x-2)(2x+1)+x-2$
$=2x(x^2+2x-2)+(x^2+2x-2)+x-2$
$=2x^3+5x^2-x-4$
$\therefore a=2,\ b=5,\ c=-1,\ d=-4$
$\therefore a+d=-2$ 답 ①

0161

•─ 몫을 $3x+k$의 꼴로 하자.

> 다항식 $3x^3+ax+b$를 다항식 x^2+x-1로 나누었을 때, 나머지가 $2x+3$이면 $a+b$의 값은? (단, $a,\ b$는 상수이다.)

$3x^3+ax+b$를 다항식 x^2+x-1로 나누었을 때의 몫을 $3x+k$라 하면
$3x^3+ax+b=(x^2+x-1)(3x+k)+2x+3$
$=(3x^3+3x^2-3x+kx^2+kx-k)+2x+3$
$=3x^3+(3+k)x^2+(k-1)x-k+3$
$\therefore k=-3,\ a=-4,\ b=6$
$\therefore a+b=2$ 답 ③

0162

•─ $f(x)=BQ+R$를 이용하여 $f(x)$부터 구하자.

> 다항식 $f(x)$를 x^2+2x+3으로 나누었을 때의 몫이 $x-1$, 나머지가 $2x-1$일 때, $f(x)$를 x^2-x-1로 나누었을 때의 몫과 나머지의 합은?

$f(x)=(x^2+2x+3)(x-1)+2x-1$
$=x^3+x^2+3x-4$
이므로 $f(x)$를 x^2-x-1로 나누면

$$\begin{array}{r} x+2 \\ x^2-x-1 \overline{)\, x^3+\ \ x^2+3x-4} \\ \underline{x^3-\ \ x^2-\ \ x\quad\ \ } \\ 2x^2+4x-4 \\ \underline{2x^2-2x-2} \\ 6x-2 \end{array}$$

따라서 몫은 $x+2$이고 나머지는 $6x-2$이므로 몫과 나머지의 합은
$(x+2)+(6x-2)=7x$ 답 ②

0163

> 다항식 x^3-2x^2+x-3을 다항식 A로 나누었더니 몫이 $x+1$, 나머지가 -7이었다. 다항식 A는?
> └• 나머지가 상수항이므로 $x+1$로 나눈 나머지도 같다.

$x^3-2x^2+x-3=A(x+1)-7=(x+1)A-7$
즉 다항식 x^3-2x^2+x-3을 $x+1$로 나누면 몫이 A이고 나머지가 -7이라 할 수 있다.
따라서 아래와 같이 나눗셈을 하면

$$\begin{array}{r} x^2-3x+4 \\ x+1 \overline{)\, x^3-2x^2+\ \ x-3} \\ \underline{x^3+x^2\qquad\qquad} \\ -3x^2+\ \ x-3 \\ \underline{-3x^2-3x\quad\ \ } \\ 4x-3 \\ \underline{4x+4} \\ -7 \end{array}$$

따라서 $A=x^2-3x+4$ 답 ②

0164

> $x^2+2x-1=0$일 때, $x^4+3x^3+2x^2+x+3$의 값을 구하시오.
> └• x^2+2x-1로 나누어 몫과 나머지를 구하고 $A=BQ+R$로 표현해 보자.

$x^4+3x^3+2x^2+x+3$을 x^2+2x-1로 나누면

$$\begin{array}{r} x^2+x+1 \\ x^2+2x-1 \overline{)\, x^4+3x^3+2x^2+\ \ x+3} \\ \underline{x^4+2x^3-\ \ x^2\qquad\qquad} \\ x^3+3x^2+\ \ x+3 \\ \underline{x^3+2x^2-\ \ x\quad\ \ } \\ x^2+2x+3 \\ \underline{x^2+2x-1} \\ 4 \end{array}$$

$x^4+3x^3+2x^2+x+3=(x^2+2x-1)(x^2+x+1)+4$
이때 $x^2+2x-1=0$이므로
$x^4+3x^3+2x^2+x+3=4$ 답 4

0165

A=BQ+R의 꼴에서 $x+1$을 $3x+3$으로 변형하자.

> 다항식 $f(x)$를 $x+1$로 나누었을 때의 몫을 $Q(x)$, 나머지를 R라 할 때, $f(x)$를 $3x+3$으로 나누었을 때의 몫과 나머지를 순서대로 적은 것은?

$f(x)=(x+1)Q(x)+R=(3x+3)\frac{1}{3}Q(x)+R$

$\therefore$ 몫 : $\frac{1}{3}Q(x)$, 나머지 : R

답 ⑤

0166

> 두 다항식 $P(x)=3x^3+x+11$, $Q(x)=x^2-x+1$에 대하여 다항식 $P(x)+4x$를 다항식 $Q(x)$로 나눈 나머지가 $5x+a$일 때, 상수 a의 값은?

직접 나눗셈을 이용하여 구하자.

$P(x)+4x=3x^3+5x+11$을 $Q(x)=x^2-x+1$로 나누면

$$\begin{array}{r} 3x+3 \\ x^2-x+1\overline{)3x^3 \qquad +5x+11} \\ \underline{3x^3-3x^2+3x} \\ 3x^2+2x+11 \\ \underline{3x^2-3x+\ 3} \\ 5x+\ 8 \end{array}$$

따라서 몫은 $3x+3$이고 나머지는 $5x+8$이므로

$a=8$

답 ④

0167

> 다항식 $f(x)$를 $x-1$로 나눈 몫을 $Q(x)$, 나머지를 R라 할 때, $xf(x)+5$를 $x-1$로 나눈 몫과 나머지는?

$f(x)=(x-1)Q(x)+R$를 이용하여 나타내어 보자.

$f(x)=(x-1)Q(x)+R$이므로

$xf(x)+5=x(x-1)Q(x)+Rx+5$

$=(x-1)\{xQ(x)\}+R(x-1)+R+5$

$=(x-1)\{xQ(x)+R\}+R+5$

따라서 구하는 몫은 $xQ(x)+R$, 나머지는 $R+5$이다.

답 ⑤

0168

> 조립제법을 이용하여 다음 나눗셈의 몫과 나머지를 각각 구하시오.
>
> $(2x^3-5x+4)\div(x+3)$

조립제법에서 이차항의 계수 자리에 0을 써야 한다.

조립제법을 완성하면 다음과 같다.

-3	2	0	-5	4
		-6	18	-39
	2	-6	13	-35

따라서 구하는 몫은 $2x^2-6x+13$, 나머지는 -35이다.

답 몫: $2x^2-6x+13$, 나머지: -35

0169

> 다항식 $3x^3-9x^2-3x+12$를 $x-2$로 나눌 때의 몫과 나머지를 조립제법을 이용하여 구하는 과정이다. 이때, $a-b+c$의 값을 구하시오.
>
> | a | 3 | -9 | -3 | 12 |
> |---|---|---|---|---|
> | | | 6 | b | -18 |
> | | 3 | -3 | -9 | c |

$x-2$가 0이 되는 x의 값이 a이다.

$3x^3-9x^2-3x+12$를 $x-2$로 나눌 때의 몫과 나머지를 조립제법을 이용하여 구하는 과정이므로 $a=2$

$-3+b=-9$에서 $b=-6$

$12-18=c$에서 $c=-6$

$\therefore a-b+c=2$

답 2

0170

조립제법의 순서대로 □와 a, b, c의 값을 구하자.

> 다음은 조립제법을 이용하여 다항식 x^3-3x^2+5x-5를 $x-2$로 나누었을 때, 나머지를 구하는 과정을 나타낸 것이다. 위 과정에 들어갈 세 상수 a, b, c에 대하여 abc의 값은?
>
> | 2 | 1 | -3 | 5 | -5 |
> |---|---|---|---|---|
> | | | □ | □ | □ |
> | | 1 | a | b | c |

조립제법에 의하여

2	1	-3	5	-5
		2	-2	6
	1	-1	3	1

$a=-1$, $b=3$, $c=1$이므로

$abc=-3$

답 ④

0171

> 다음은 조립제법을 이용하여 $(4x^3-6x^2+2x-1)\div(2x-1)$의 몫과 나머지를 구하는 과정이다. (가), (나), (다), (라)를 옳게 채우시오.
>
> $2x-1=2\left(x-\frac{1}{2}\right)$이므로 다음의 조립제법에서
>
> | (가) | 4 | -6 | 2 | -1 |
> |---|---|---|---|---|
> | | | 2 | □ | 0 |
> | | 4 | □ | 0 | □ |
>
> $4x^3-6x^2+2x-1=\left(x-\frac{1}{2}\right)($ (나) $)+($ (다) $)$
>
> 따라서 구하는 몫은 (라) 이고, 나머지는 □ 이다.

구하는 몫은 $\left(x-\frac{1}{2}\right)($ (나) $)$를 변형하여 구한다.

조립제법을 완성하면 아래와 같으므로

$\frac{1}{2}$	4	-6	2	-1
		2	-2	0
	4	-4	0	-1

$4x^3-6x^2+2x-1$

$=\left(x-\frac{1}{2}\right)(\boxed{4x^2-4x})+\boxed{-1}$

$=(2x-1)(2x^2-2x)-1$에서

구하는 몫은 $\boxed{2x^2-2x}$이고, 나머지는 $\boxed{-1}$이다.

답 (가): $\frac{1}{2}$, (나): $4x^2-4x$, (다): -1, (라): $2x^2-2x$

0172

다항식 $2x^3-5x^2+x+4$를 다항식 $2x-3$으로 나누었을 때의 몫과 나머지는?

조립제법은 $x-\frac{3}{2}$으로 나눈 몫이 나타남을 잊지 말자!

$\frac{3}{2}$	2	-5	1	4
		3	-3	-3
	2	-2	-2	1

$2x^3-5x^2+x+4=\left(x-\frac{3}{2}\right)(2x^2-2x-2)+1$

$=(2x-3)(x^2-x-1)+1$

이므로 몫은 x^2-x-1, 나머지는 1이다.

답 ①

0173

다항식 $3x^3-x^2+7x+4$를 $3x+2$로 나눈 몫을 $Q(x)$, 나머지를 R라 할 때, $Q(3)+R$의 값은?

$x+\frac{2}{3}$로 나눈 몫을 구한 후 $Q(x)$를 구한다.

$-\frac{2}{3}$	3	-1	7	4
		-2	2	-6
	3	-3	9	-2

$3x^3-x^2+7x+4=\left(x+\frac{2}{3}\right)(3x^2-3x+9)-2$

$=(3x+2)(x^2-x+3)-2$

이때, $Q(x)=x^2-x+3$, $R=-2$

$\therefore Q(3)+R=9-3+3-2=7$

답 ⑤

0174

$2x+1$이 0이 되는 x의 값이 k이다.

다항식 $2x^3+ax^2+bx-4$를 $2x+1$로 나눌 때의 몫과 나머지를 조립제법을 이용하여 구하는 과정이다. 이때, 네 상수 a, b, c, d에 대하여 $a+b+c+d$의 값을 구하시오.

k	2	a	b	-4
		c	2	-3
	2	-4	6	d

나누는 식 $2x+1$에서 $2x+1=0$을 만족시키는 x의 값은

$x=-\frac{1}{2}$이므로 $k=-\frac{1}{2}$

$2k=c$에서 $c=-1$

$a+c=-4$에서 $a=-3$

$b+2=6$에서 $b=4$

$-4+(-3)=d$에서 $d=-7$

$\therefore a+b+c+d=-7$

답 -7

0175

$A=BQ+R$로 표현한 후 항등식의 성질을 이용하자.

다항식 $x^{10}+1$을 $x+1$로 나누었을 때의 몫을 $Q(x)$, 나머지를 R라 할 때, $Q(1)+R$의 값은?

$x^{10}+1$을 $x+1$로 나누었을 때의 몫을 $Q(x)$, 나머지를 R라 하면

$x^{10}+1=(x+1)Q(x)+R$

양변에 $x=-1$을 대입하면 $R=2$

따라서 $x^{10}+1=(x+1)Q(x)+2$이므로

$x^{10}-1=(x+1)Q(x)$

이때 조립제법을 이용해 $x^{10}-1$을 $(x+1)$로 나누면

$x^{10}-1=(x+1)(x^9-x^8+x^7-\cdots+x-1)$이므로

$(x+1)Q(x)=(x+1)(x^9-x^8+x^7-\cdots+x-1)$

이 식의 양변에 $x=1$을 대입하면

$2Q(1)=0 \qquad \therefore Q(1)=0$

$\therefore Q(1)+R=2$

답 ①

0176

$(x-1)(x^{15}+x^{14}+\cdots+x+1)$로 인수분해된다.

다항식 $x^{16}-1$을 $(x-1)^2$으로 나누었을 때의 나머지를 $R(x)$라 할 때, $R(4)$의 값을 구하시오.

나머지 $R(x)$는 일차식 또는 상수이므로 $ax+b$의 꼴로 놓는다.

나머지 $R(x)=ax+b$라 하면

$x^{16}-1=(x-1)^2Q(x)+ax+b$

$x=1$을 대입하면 $0=a+b$

$b=-a$

$x^{16}-1=(x-1)^2Q(x)+ax-a$

$=(x-1)^2Q(x)+a(x-1)$

$=(x-1)\{(x-1)Q(x)+a\}$

조립제법을 이용해 $x^{16}-1$을 $(x-1)$로 나누면

$x^{16}-1=(x-1)(x^{15}+x^{14}+\cdots+x+1)$

$(x-1)(x^{15}+x^{14}+\cdots+x+1)=(x-1)\{(x-1)Q(x)+a\}$

$x^{15}+x^{14}+\cdots+x+1=(x-1)Q(x)+a$

$x=1$을 대입하면 $16=a$

$\therefore R(x)=16x-16$

$\therefore R(4)=64-16=48$

답 48

0177

두 다항식 A, B가 다음과 같을 때, $(A+B)-(2A-B)$를 계산하면?

괄호를 풀고 다항식을 대입하자.

$A=x^2+xy-y^2$, $B=x^2-3y^2-2xy$

$(A+B)-(2A-B)$

$=-A+2B$

$=-x^2-xy+y^2+2x^2-4xy-6y^2$

$=x^2-5xy-5y^2$

답 ④

0178

두 다항식 $A=2x^2-xy+4y^2$, $B=-x^2-xy+3y^2$에 대하여 $X+2(2A-B)=3A$를 만족시키는 다항식 X를 구하면?

→ $X=\square$ 꼴로 변형하자.

$X+2(2A-B)=3A$이므로 $X+4A-2B=3A$이고,
$X=-A+2B$이다.
$-A+2B=-2x^2+xy-4y^2+2(-x^2-xy+3y^2)$
$=-4x^2-xy+2y^2$

답 ②

0179

x에 대한 다항식 $(3x-2)(x^2+ax+1)$의 전개식에서 x^2의 계수가 4일 때, x의 계수를 구하시오. (단, a는 상수이다.)

→ x^2항은 (이차항)×(상수항), (일차항)×(일차항)에서 나온다.

$(3x-2)(x^2+ax+1)$의 전개식에서 x^2의 계수는
$-2+3a=4$이므로
$a=2$
x의 계수는
$-2a+3=-1$

답 -1

0180

→ ab의 값을 구하자.

$a+b=3$이고 $(a+1)(b+1)=1$일 때, a^3+b^3의 값은?

→ 공식 $a^3+b^3=(a+b)^3-3ab(a+b)$를 이용하자.

$a+b=3$, $(a+1)(b+1)=1$에서
$ab+a+b+1=1$이므로 $ab=-3$
$\therefore a^3+b^3=(a+b)^3-3ab(a+b)$
$=3^3-3\times(-3)\times3$
$=54$

답 ⑤

0181

$x-y=2$, $x^3-y^3=14$일 때, xy의 값을 구하시오.

→ 공식 $a^3-b^3=(a-b)^3+3ab(a-b)$를 이용하자.

$x^3-y^3=(x-y)^3+3xy(x-y)$
$14=2^3+3xy\times2$
$6xy=6$이므로
$xy=1$

답 1

0182

→ $x+y$, xy의 값을 구하자.

두 실수 $x=2+\sqrt{2}$, $y=2-\sqrt{2}$에 대하여 x^5+y^5의 값은?

→ $(x^2+y^2)(x^3+y^3)$의 전개식을 이용하자.

$x+y=(2+\sqrt{2})+(2-\sqrt{2})=4$
$xy=(2+\sqrt{2})(2-\sqrt{2})=2^2-(\sqrt{2})^2=2$
$x^2+y^2=(x+y)^2-2xy=4^2-2\times2=12$
$x^3+y^3=(x+y)^3-3xy(x+y)=4^3-3\times2\times4=40$
$\therefore x^5+y^5=(x^2+y^2)(x^3+y^3)-x^2y^2(x+y)$
$=12\times40-2^2\times4=464$

답 ③

0183

→ $x+y=3-z$, $y+z=3-x$, $z+x=3-y$임을 찾자.

$x+y+z=3$, $xy+yz+zx=4$, $xyz=2$일 때, $(x+y)(y+z)(z+x)$의 값은?

$x+y+z=3$에서
$x+y=3-z$, $y+z=3-x$, $z+x=3-y$
이므로
$(x+y)(y+z)(z+x)$
$=(3-z)(3-x)(3-y)$
$=3^3-(x+y+z)\times3^2+(xy+yz+zx)\times3-xyz$
$=27-3\times9+4\times3-2=10$

답 ①

0184 서술형

→ 직육면체의 대각선의 길이는 $\sqrt{a^2+b^2+c^2}$이다.

그림은 $\overline{AB}=4$이고, 겉넓이가 180인 직육면체이다. 이 직육면체의 모든 모서리의 길이의 합을 구하시오.

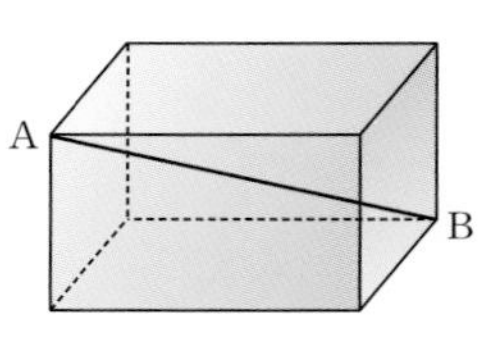

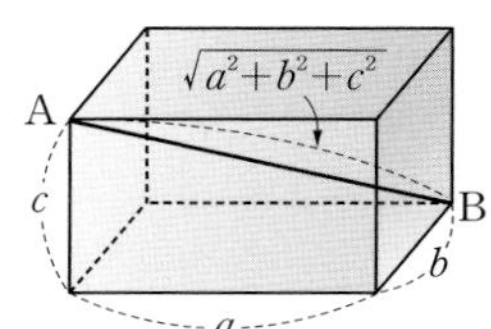

그림과 같이 직육면체의 가로의 길이, 세로의 길이, 높이를 각각 a, b, c라 하면
$\overline{AB}=\sqrt{a^2+b^2+c^2}=4$
$\therefore a^2+b^2+c^2=16$ ...... ㉠
직육면체의 겉넓이를 S라 하면
$S=2ab+2bc+2ca=180$ ...... ㉡ 50%
㉠, ㉡에서
$(a+b+c)^2=a^2+b^2+c^2+2ab+2bc+2ca$
$=16+180=196$
$\therefore a+b+c=14$ ($\because a+b+c>0$) 30%
따라서 구하는 모든 모서리의 길이의 합은
$4a+4b+4c=4(a+b+c)$
$=4\times14$
$=56$ 20%

답 56

0185 서술형

→ 직접 나눗셈을 해서 몫과 나머지를 구하자.

다항식 $4x^3-5x^2-x+3$을 x^2-x-1로 나눈 몫을 $Q(x)$, 나머지를 $R(x)$라 할 때, $Q(1)+R(1)$의 값을 구하시오.

$4x^3-5x^2-x+3$을 x^2-x-1으로 나누면

$$\begin{array}{r} 4x-1 \\ x^2-x-1\overline{)4x^3-5x^2-\ \ x+3} \\ \underline{4x^3-4x^2-4x\quad} \\ -\ x^2+3x+3 \\ \underline{-\ x^2+\ \ x+1} \\ 2x+2 \end{array}$$

…… 40%

$4x^3-5x^2-x+3=(x^2-x-1)(4x-1)+2x+2$

따라서 $Q(x)=4x-1$, $R(x)=2x+2$이므로 …… 40%

$Q(1)+R(1)=7$ …… 20%

답 7

0186 A=BQ+R로 표현하여 f(x)를 먼저 구하자.

> 다항식 $f(x)$를 $x+1$로 나누었을 때의 몫은 $2x^2-1$이고, 나머지는 5이다. 다항식 $f(x)$를 $x-1$로 나누었을 때의 몫과 나머지를 각각 구하시오.

다항식 $f(x)$를 $x+1$로 나누었을 때의 몫이 $2x^2-1$이고 나머지가 5이므로

$f(x)=(x+1)(2x^2-1)+5$
$\quad=2x^3+2x^2-x+4$

$2x^3+2x^2-x+4$를 $x-1$로 나누면

$$\begin{array}{r} 2x^2+4x+3 \\ x-1\overline{)2x^3+2x^2-\ \ x+4} \\ \underline{2x^3-2x^2\qquad\quad} \\ 4x^2-\ \ x+4 \\ \underline{4x^2-4x\quad} \\ 3x+4 \\ \underline{3x-3} \\ 7 \end{array}$$

따라서 몫은 $2x^2+4x+3$이고 나머지는 7이다.

답 몫: $2x^2+4x+3$, 나머지: 7

0187 나머지가 상수이므로 $x+1$로 나눈 나머지도 같다.

> 다항식 x^3-2x^2+x+6을 다항식 B로 나누었더니 몫이 $x+1$, 나머지가 2이었다. 이때, 다항식 B는?

$x^3-2x^2+x+6=B(x+1)+2$이므로

$x^3-2x^2+x+6=(x+1)B+2$

즉, x^3-2x^2+x+6을 $x+1$로 나누면 몫이 B이고, 나머지가 2이다.

$$\begin{array}{r} x^2-3x+4 \\ x+1\overline{)x^3-2x^2+\ \ x+6} \\ \underline{x^3+\ \ x^2\qquad\quad} \\ -3x^2+\ \ x+6 \\ \underline{-3x^2-3x\quad} \\ 4x+6 \\ \underline{4x+4} \\ 2 \end{array}$$

따라서 x^3-2x^2+x+6을 $x+1$로 나누면 몫이 x^2-3x+4이므로

$B=x^2-3x+4$

답 ③

0188 $x+\frac{3}{2}$으로 나눈 몫과 나머지를 구한 후, 식을 변형하여 구하자.

> 조립제법을 이용하여 다항식 $2x^3-x^2-4x+5$를 $2x+3$으로 나누었을 때의 몫과 나머지를 다음 순서대로 구하시오.
>
> (1) 다음 조립제법을 완성하시오.
>
> | $-\frac{3}{2}$ | 2 | −1 | −4 | 5 |
> |---|---|---|---|---|
> | | | □ | □ | □ |
> | | □ | □ | □ | □ |
>
> (2) $2x^3-x^2-4x+5$를 $x+\frac{3}{2}$으로 나눈 몫과 나머지를 구하시오.
>
> 몫: 나머지:
>
> (3) $2x^3-x^2-4x+5$를 $2x+3$으로 나눈 몫과 나머지를 구하시오.
>
> 몫: 나머지:

(1)

$-\frac{3}{2}$	2	−1	−4	5
		−3	6	−3
	2	−4	2	2

(2) $2x^3-x^2-4x+5$를 $x+\frac{3}{2}$으로 나누었을 때의 몫은 $2x^2-4x+2$이고 나머지는 2이다.

(3) $2x^3-x^2-4x+5$를 $2x+3$으로 나누었을 때의 몫은 x^2-2x+1이고 나머지는 2이다.

답 (1) 풀이 참조 (2) 몫: $2x^2-4x+2$, 나머지: 2
(3) 몫: x^2-2x+1, 나머지: 2

0189

> 두 다항식 A, B에 대하여 연산 $A\ominus B$와 $A\otimes B$를
> $A\ominus B=A-3B$, $A\otimes B=(A+B)B$와 같이 정의한다.
> $P=2x^3+2x^2y+3xy^2-y^3$, $Q=x^3+x^2y+xy^2$이라고 할 때, $(P\ominus Q)\otimes Q$를 x, y에 대한 다항식으로 나타내시오.
>
> 주어진 연산을 먼저 해서 P, Q의 사칙연산의 형태로 만들자.

$(P\ominus Q)\otimes Q=(P-3Q)\otimes Q$
$\quad=(P-3Q+Q)Q$
$\quad=(P-2Q)Q$

에서

$P-2Q=2x^3+2x^2y+3xy^2-y^3-2(x^3+x^2y+xy^2)$
$\quad=xy^2-y^3$

$\therefore (P-2Q)Q=(xy^2-y^3)(x^3+x^2y+xy^2)$
$\quad=x^4y^2+x^3y^3+x^2y^4-x^3y^3-x^2y^4-xy^5$
$\quad=x^4y^2-xy^5$

답 $x^4y^2-xy^5$

0190 직사각형의 변의 길이를 미지수로 놓고서 주어진 조건을 식으로 표현해 보자.

> 그림과 같이 점 O를 중심으로 하는 반원에 내접하는 직사각형 ABCD가 다음 조건을 만족시킨다.
>
> 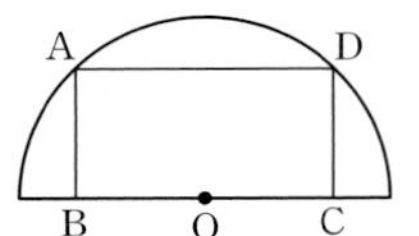
>
>
> (가) $\overline{OC}+\overline{CD}=x+y+3$
> (나) $\overline{DA}+\overline{AB}+\overline{BO}=3x+y+5$
>
> 직사각형 ABCD의 넓이를 x, y에 대한 식으로 나타내면?

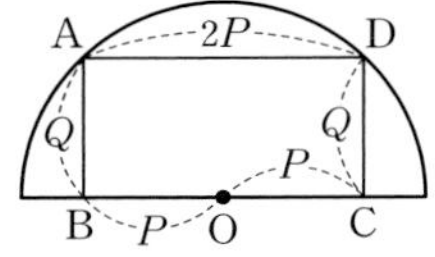

$\overline{OC}=P$, $\overline{CD}=Q$로 놓으면 조건 (가)에서
$P+Q=x+y+3$ ······ ㉠
$\overline{DA}=2P$, $\overline{AB}=Q$, $\overline{BO}=P$이므로 조건 (나)에서
$2P+Q+P=3x+y+5$
$\therefore 3P+Q=3x+y+5$ ······ ㉡
㉡−㉠을 하면
$2P=2x+2$ $\therefore P=x+1$
이것을 ㉠에 대입하면
$x+1+Q=x+y+3$ $\therefore Q=y+2$
따라서 직사각형 ABCD의 넓이는
$2P\times Q=2(x+1)(y+2)$ 답 ⑤

0191

> $x+y=-2$, $x^2+y^2=2$일 때, $x^7+y^7+x^4y^3+x^3y^4$의 값은?
>
> x^2+y^2 → xy의 값을 구하자.
> $x^7+y^7+x^4y^3+x^3y^4$ → $(x^3+y^3)(x^4+y^4)$의 전개식을 이용하자.

$x^2+y^2=(x+y)^2-2xy$에서
$2=4-2xy$
$\therefore xy=1$
$x^3+y^3=(x+y)^3-3xy(x+y)$
$=(-2)^3-3\times1\times(-2)=-2$
$x^4+y^4=(x^2+y^2)^2-2x^2y^2$
$=2^2-2\times1=2$
$\therefore x^7+y^7+x^4y^3+x^3y^4=x^4(x^3+y^3)+y^4(x^3+y^3)$
$=(x^3+y^3)(x^4+y^4)$
$=(-2)\times2$
$=-4$ 답 ①

다른풀이 $x+y=-2$이므로 $y=-x-2$
$x^2+y^2=2$에 대입하면 $x^2+(-x-2)^2=2$
$x^2+x^2+4x+4=2$
$2(x+1)^2=0$
$\therefore x=-1$
$y=-x-2$이므로
$\therefore y=-1$
$x^7+y^7+x^4y^3+x^3y^4=-4$

0192

> $x-y-z=3$, $\frac{1}{x}-\frac{1}{y}-\frac{1}{z}=1$일 때, $(x-1)(y+1)(z+1)$의 값은?
>
> $\frac{1}{x}-\frac{1}{y}-\frac{1}{z}$ → 통분한 식을 구하자.

$\frac{1}{x}-\frac{1}{y}-\frac{1}{z}=\frac{yz-zx-xy}{xyz}=1$
$xyz=yz-zx-xy=-(xy-yz+zx)$
$\therefore (x-1)(y+1)(z+1)$
$=xyz+(xy-yz+zx)+(x-y-z)-1$
$=(x-y-z)-1$
$=2$ 답 ①

0193

> 세 실수 a, b, c에 대하여 $a+b+c=0$, $a^2+b^2+c^2=2$, $ab+bc+ca=-1$일 때, $a^4+b^4+c^4$의 값은?
>
> $a^4+b^4+c^4$ → $(a^2+b^2+c^2)^2$의 전개식을 이용하자.

$(a^2+b^2+c^2)^2=a^4+b^4+c^4+2(a^2b^2+b^2c^2+c^2a^2)$에서
$4=a^4+b^4+c^4+2(a^2b^2+b^2c^2+c^2a^2)$ ······ ㉠
$(ab+bc+ca)^2=a^2b^2+b^2c^2+c^2a^2+2(a^2bc+ab^2c+abc^2)$
에서 $1=a^2b^2+b^2c^2+c^2a^2+2abc(a+b+c)$
$\therefore a^2b^2+b^2c^2+c^2a^2=1$
이것을 ㉠에 대입하면
$4=a^4+b^4+c^4+2$
$\therefore a^4+b^4+c^4=2$ 답 ②

0194

> x에 대한 다항식 $f(x)$를 $x-1$로 나눈 몫과 나머지는 각각 $Q(x)$, 3이고 $Q(x)$를 $x+2$로 나눈 몫과 나머지는 각각 $x+1$, -1이다. 이때, $f(x)$를 x^2-1로 나눈 몫과 나머지를 구하시오.
>
> → $A=BQ+R$의 표현을 이용하여 $f(x)$를 구하자.

$f(x)$를 $x-1$로 나눈 몫과 나머지가 각각 $Q(x)$, 3이므로
$f(x)=(x-1)Q(x)+3$ ······ ㉠
또 $Q(x)$를 $x+2$로 나눈 몫과 나머지는 각각 $x+1$, -1이므로
$Q(x)=(x+2)(x+1)-1$ ······ ㉡
㉡을 ㉠에 대입하면
$f(x)=(x-1)\{(x+2)(x+1)-1\}+3$
$=(x-1)(x+1)(x+2)-(x-1)+3$
$=(x^2-1)(x+2)-x+4$
따라서 $f(x)$를 x^2-1로 나눈 몫은 $x+2$, 나머지는 $-x+4$이다.
답 몫: $x+2$, 나머지: $-x+4$

0195

> 다항식 $(1+x+x^2+x^3)^2(1+x)+(1-x+x^2-x^3)^3$의 전개식에서 일차항의 계수는?
>
> 일차항의 계수 → (일차항)은 (일차항)×(상수)인 경우만 나오는 것을 이해하자.

$1+x=A$, $1-x=B$라 하면

$(1+x+x^2+x^3)^2(1+x)=(A+x^2+x^3)^2A$이고, 일차항의 계수는 A^3에서만 나온다.

$(1-x+x^2-x^3)^3=(B+x^2-x^3)^3$이고, 일차항의 계수는 B^3에서만 나온다.

$A^3=(1+x)^3=1+3x+3x^2+x^3$

$B^3=(1-x)^3=1-3x+3x^2-x^3$

따라서 주어진 다항식의 일차항의 계수는

$3+(-3)=0$ 답 ①

0196

세 실수 x, y, z가 다음 조건을 만족시킨다.

> (가) x, y, $2z$ 중에서 적어도 하나는 3이다.
> (나) $3(x+y+2z)=xy+2yz+2zx$

• $(x-3)(y-3)(2z-3)=0$으로 표현할 수 있다.

$10xyz$의 값을 구하시오.

조건 (가)에서

$(x-3)(y-3)(2z-3)=0$

이 식의 좌변을 전개하면

$(xy-3x-3y+9)(2z-3)=0$

$2xyz-3xy-6zx+9x-6yz+9y+18z-27=0$

$2xyz-3(xy+2yz+2zx)+9(x+y+2z)-27=0$

이때 조건 (나)에서 $xy+2yz+2zx=3(x+y+2z)$이므로

$2xyz-3\times3(x+y+2z)+9(x+y+2z)-27=0$

$2xyz-9(x+y+2z)+9(x+y+2z)-27=0$

$2xyz-27=0 \qquad \therefore xyz=\frac{27}{2}$

$\therefore 10xyz=135$ 답 135

0197

• $x+\frac{1}{x}$의 값을 구하자.

$x^2-x+1=0$일 때, $x^{64}+\frac{1}{x^{64}}$의 값은?

• $\left(x^{32}+\frac{1}{x^{32}}\right)^2-2$임을 이용하자.

$x^2-x+1=0$에서 $x\neq0$이므로 양변을 x로 나누면

$x-1+\frac{1}{x}=0 \qquad \therefore x+\frac{1}{x}=1$

$x^2+\frac{1}{x^2}=\left(x+\frac{1}{x}\right)^2-2=-1$

$x^4+\frac{1}{x^4}=\left(x^2+\frac{1}{x^2}\right)^2-2=-1$

$x^8+\frac{1}{x^8}=\left(x^4+\frac{1}{x^4}\right)^2-2=-1$

$x^{16}+\frac{1}{x^{16}}=\left(x^8+\frac{1}{x^8}\right)^2-2=-1$

$x^{32}+\frac{1}{x^{32}}=\left(x^{16}+\frac{1}{x^{16}}\right)^2-2=-1$

$x^{64}+\frac{1}{x^{64}}=\left(x^{32}+\frac{1}{x^{32}}\right)^2-2=-1$ 답 ②

다른풀이 $x^2-x+1=0$에서 $x\neq0$이므로 양변을 x로 나누면

$x-1+\frac{1}{x}=0 \qquad \therefore x+\frac{1}{x}=1$

$x^2-x+1=0$의 양변에 $(x+1)$을 곱하면

$(x+1)(x^2-x+1)=0$, $x^3+1=0$

$\therefore x^3=-1$

$$\therefore x^{64}+\frac{1}{x^{64}}=(x^3)^{21}\times x+\frac{1}{(x^3)^{21}\times x}$$
$$=-x+\frac{1}{-x}=-1$$

0198

모든 실수 x에 대하여 두 이차다항식 $P(x)$, $Q(x)$가 다음 조건을 만족시킨다.

• $Q(x)=4-P(x)$이다.

> (가) $P(x)+Q(x)=4$
> (나) $\{P(x)\}^3+\{Q(x)\}^3=12x^4+24x^3+12x^2+16$

• $P(x)=t$라 하면 $t^3+(4-t)^3$ 꼴이 된다.

$P(x)$의 최고차항의 계수가 음수일 때, $P(2)+Q(3)$의 값은?

$P(x)=ax^2+bx+c$ $(a<0)$, $Q(x)=4-(ax^2+bx+c)$라 하자.

$\{P(x)\}^3+\{Q(x)\}^3$

$=(ax^2+bx+c)^3+64-48(ax^2+bx+c)$

$+12(ax^2+bx+c)^2-(ax^2+bx+c)^3$

$=12a^2x^4+24abx^3+(12b^2+24ac-48a)x^2$

$+(24bc-48b)x+(12c^2-48c+64)$

$=12x^4+24x^3+12x^2+16$

에서 $12a^2=12$이므로 $a=-1$ ($\because a<0$)

$24ab=24$에서 $b=-1$이다.

$12b^2+24ac-48a=12$에서 $c=2$이다.

$b=-1$, $c=2$를 $24bc-48b=0$, $12c^2-48c+64=16$에 대입하면 등식이 성립하므로

$P(x)=-x^2-x+2$

$Q(x)=4-(-x^2-x+2)=x^2+x+2$

이다.

따라서 $P(2)+Q(3)=-4+14=10$이다. 답 ⑤

다른풀이 $\{P(x)\}^3+\{Q(x)\}^3=12x^4+24x^3+12x^2+16$에서

$\{P(x)+Q(x)\}^3-3P(x)Q(x)\{P(x)+Q(x)\}$

$=12x^4+24x^3+12x^2+16$

$P(x)+Q(x)=4$이므로

$64-12P(x)Q(x)=12x^4+24x^3+12x^2+16$

$-12P(x)Q(x)=12x^4+24x^3+12x^2-48$

$-P(x)Q(x)=x^4+2x^3+x^2-4$

$=(x^2+x)^2-4$

$=(x^2+x-2)(x^2+x+2)$

$P(x)+Q(x)=4$이고 $P(x)$의 최고차항의 계수가 음수이므로 조건 (가), (나)를 만족시키는 두 이차다항식 $P(x)$, $Q(x)$는

$P(x)=-x^2-x+2$, $Q(x)=x^2+x+2$

이다. 따라서 $P(2)+Q(3)=10$이다.

0199

> 다항식 $f(x)$를 x^4+x^3+3x+2로 나누었을 때의 나머지는 x^3-3x^2-5x+3이고, x^2+2x-1로 나누었을 때의 몫은 $2x^3-x^2+x-2$이라 한다. 이때, $f(1)$의 값은?
>
> → 두 조건을 각각 $A=BQ+R$의 형태로 나타내고, 두 식을 비교한다.

$f(x)$를 x^4+x^3+3x+2로 나눈 몫을 $Q(x)$라 하면

$f(x)=(x^4+x^3+3x+2)Q(x)+x^3-3x^2-5x+3$ …… ㉠

$f(x)$를 x^2+2x-1로 나눈 나머지를 $ax+b$ (a, b는 상수)라고 하면

$f(x)=(x^2+2x-1)(2x^3-x^2+x-2)+ax+b$ …… ㉡

㉡에서 $f(x)$는 최고차항이 $2x^5$이므로 ㉠에서

$Q(x)=2x+c$ (c는 상수)로 놓을 수 있다.

$\therefore f(x)=(x^4+x^3+3x+2)(2x+c)+x^3-3x^2-5x+3$ …… ㉢

㉡, ㉢에서 x^4의 항은 $4x^4-x^4=cx^4+2x^4$

x^4의 계수를 비교하면 $c=1$

$\therefore f(x)=(x^4+x^3+3x+2)(2x+1)+x^3-3x^2-5x+3$

$\therefore f(1)=7\times3-4=17$ 답 ⑤

0200

> 최고차항의 계수가 음수인 이차다항식 $P(x)$가 모든 실수 x에 대하여
>
> → $P(x)=-x^2+px+q$임을 파악하자.
>
> $\{P(x)+x\}^2=(x-a)(x+a)(x^2+5)+9$
>
> 를 만족시킨다. $\{P(a)\}^2$의 값을 구하시오. (단, $a>0$)

$\{P(x)+x\}^2=(x^2-a^2)(x^2+5)+9$

$=x^4+(5-a^2)x^2-5a^2+9$

이고 $P(x)$의 최고차항의 계수가 음수이므로

$P(x)+x=-x^2+px+q$

라 하자.

$(-x^2+px+q)^2=x^4-2px^3+(p^2-2q)x^2+2pqx+q^2$

$=x^4+(5-a^2)x^2-5a^2+9$

에서

$-2p=0$

$p^2-2q=5-a^2$

$2pq=0$

$q^2=-5a^2+9$

이므로 $p=0$이고 $a^2=2q+5$이다.

$q^2+10q+16=0$

$(q+8)(q+2)=0$

$q=-8$ 또는 $q=-2$

$q=-8$이면 $a^2=-11<0$이므로 모순이다.

그러므로 $q=-2$이다. $a^2=2q+5$에 $q=-2$를 대입하면 a가 양수이므로 $a=1$이다.

그러므로 $P(x)+x=-x^2-2$, 즉 $P(x)=-x^2-x-2$이다.

따라서 $\{P(a)\}^2=\{P(1)\}^2=16$이다. 답 16

다른풀이 $P(x)+x$가 이차다항식이므로

$(x-a)(x+a)(x^2+5)+9$

도 이차다항식의 완전제곱식이어야 한다.

$(x-a)(x+a)(x^2+5)+9$

$=(x^2-a^2)(x^2+5)+9$

$=x^4+(5-a^2)x^2-5a^2+9$

$=x^4+(5-a^2)x^2+\frac{(5-a^2)^2}{4}-\frac{(5-a^2)^2}{4}-5a^2+9$

$=\left\{x^4+(5-a^2)x^2+\frac{(5-a^2)^2}{4}\right\}-\frac{(5-a^2)^2-4(-5a^2+9)}{4}$

$=\left(x^2+\frac{5-a^2}{2}\right)^2-\frac{(5-a^2)^2-4(-5a^2+9)}{4}$

에서

$(5-a^2)^2-4(-5a^2+9)=0$

$a^4+10a^2-11=0$

$(a^2+11)(a^2-1)=0$

이고 $a=1$ ($\because a>0$)

$\{P(x)+x\}^2=(x^2+2)^2$에서

$P(x)=x^2-x+2$ 또는 $P(x)=-x^2-x-2$

이고 이차항의 계수가 음수이므로

$P(x)=-x^2-x-2$

이다. 따라서 $\{P(a)\}^2=\{P(1)\}^2=16$이다.

항등식과 나머지정리

본책 036~061쪽

0201

ㄱ, ㄴ, ㄹ은 양변의 계수가 같지 않으므로 항등식이 아니다.

ㄷ. 주어진 식의 우변을 전개하여 정리하면

$2(x-1)+3=2x+1$

ㅁ. 주어진 식의 좌변을 전개하여 정리하면

$(x-1)(x+3)=x^2+2x-3$

따라서 항등식인 것은 ㄷ, ㅁ이다. 답 ㄷ, ㅁ

0202

ㄷ. 주어진 식의 우변을 전개하여 정리하면

$x(x-4)+5=x^2-4x+5$

ㅁ. 주어진 식의 좌변을 전개하여 정리하면

$(x+1)^2-(x+1)=x^2+2x+1-(x+1)=x^2+x$

따라서 항등식이 아닌 것은 ㄱ, ㄴ, ㄹ이다. 답 ㄱ, ㄴ, ㄹ

0203

답 2, 5

0204

답 2, 3, 7

0205

답 $a=-1$, $b=3$

0206

답 $a=1$, $b=-6$, $c=16$

0207

주어진 식의 좌변을 전개하여 정리하면

$(x-2)(ax+3)=ax^2+(-2a+3)x-6=2x^2+bx+c$

양변의 계수를 비교하면

$a=2$, $-2a+3=b$, $-6=c$

$\therefore a=2$, $b=-1$, $c=-6$ 답 $a=2$, $b=-1$, $c=-6$

0208

주어진 식의 좌변을 전개하여 정리하면

$(2x-3)(x^2+ax+b)$

$=2x^3+(2a-3)x^2+(-3a+2b)x-3b$

$=2x^3-x^2+cx-6$

양변의 계수를 비교하면

$2a-3=-1$, $-3a+2b=c$, $-3b=-6$

$\therefore a=1$, $b=2$, $c=1$ 답 $a=1$, $b=2$, $c=1$

0209

주어진 식의 우변을 전개하여 정리하면

$(x-1)(ax^2+bx+c)=ax^3+(-a+b)x^2+(-b+c)x-c$

$=x^3-2x+1$

양변의 계수를 비교하면

$a=1$, $-a+b=0$, $-b+c=-2$, $-c=1$

$\therefore a=1$, $b=1$, $c=-1$ 답 $a=1$, $b=1$, $c=-1$

0210

양변에 $x=1$을 대입하면 $-b=2$ $\quad\therefore b=-2$

양변에 $x=2$를 대입하면 $a=5$ 답 $a=5$, $b=-2$

0211

양변에 $x=0$을 대입하면 $4=2c$ $\quad\therefore c=2$

양변에 $x=1$을 대입하면 $1-a+4=0$ $\quad\therefore a=5$

양변에 $x=2$를 대입하면

$4-2a+4=2b$ $\quad\therefore b=-1$ 답 $a=5$, $b=-1$, $c=2$

0212

양변에 $x=1$을 대입하면

$-b+c=1$ ······ ㉠

양변에 $x=2$를 대입하면 $c=4$

이것을 ㉠에 대입하면 $b=3$

이차항의 계수를 비교하면 $a=1$ 답 $a=1$, $b=3$, $c=4$

0213

양변에 $x=1$을 대입하면 $a=3$

양변에 $x=2$를 대입하면

$a+b=9$ $\quad\therefore b=6$

이차항의 계수를 비교하면 $c=2$ 답 $a=3$, $b=6$, $c=2$

0214

양변에 $x=0$을 대입하면

$-2=-2a$ $\quad\therefore a=1$

양변에 $x=-1$을 대입하면

$6=3b$ $\quad\therefore b=2$

양변에 $x=2$를 대입하면

$-6=6c$ $\quad\therefore c=-1$ 답 $a=1$, $b=2$, $c=-1$

0215

답 $x+1$, 6

0216

답 $2x-17$, 69

0217

$x^2+px+2=(x-1)(x+5)+7$

$=x^2+4x-5+7$

$=x^2+4x+2$

$\therefore p=4$ 답 4

0218

$x^3-ax^2+2ax-5=(x-2)(x^2+4)+3$

$=x^3-2x^2+4x-8+3$

$=x^3-2x^2+4x-5$

$\therefore a=2$ 답 2

[0219-0220]

x^3+ax+b를 $(x-1)(x-2)$로 나눈 몫을 $Q(x)$라 하면

0219

$x^3+ax+b=(x-1)(x-2)Q(x)$

$x=1$을 대입하면

$1+a+b=0$ ……㉠

$x=2$를 대입하면

$8+2a+b=0$ ……㉡

㉠, ㉡을 연립하여 풀면

$a=-7,\ b=6$ 답 $a=-7,\ b=6$

0220

$x^3+ax+b=(x-1)(x-2)Q(x)+2x+1$

$x=1$을 대입하면

$1+a+b=3$ ……㉠

$x=2$를 대입하면

$8+2a+b=5$ ……㉡

㉠, ㉡을 연립하여 풀면

$a=-5,\ b=7$ 답 $a=-5,\ b=7$

0221

$f(x)=2x^3-3x^2-x+1$로 놓으면

$f(x)$를 $x-2$로 나눈 나머지는 $f(2)$이므로

$f(2)=16-12-2+1=3$ 답 3

0222

$f(x)=x^3-3x-1$로 놓으면

$f(x)$를 $x+2$로 나눈 나머지는 $f(-2)$이므로

$f(-2)=-8+6-1=-3$ 답 -3

[0223-0226]

$P(x)=2x^3-x^2+4x+1$로 놓으면

0223

$P(x)$를 $x-1$로 나눈 나머지는 $P(1)$이므로

$P(1)=2-1+4+1=6$ 답 6

0224

$P(x)$를 $x-2$로 나눈 나머지는 $P(2)$이므로

$P(2)=16-4+8+1=21$ 답 21

0225

$P(x)$를 $x+1$로 나눈 나머지는 $P(-1)$이므로

$P(-1)=-2-1-4+1=-6$ 답 -6

0226

$P(x)$를 $x+2$로 나눈 나머지는 $P(-2)$이므로

$P(-2)=-16-4-8+1=-27$ 답 -27

0227

$2x-4=0$에서 $x=2$이므로

$f(x)$를 $2x-4$로 나눈 나머지는 $f(2)$이다.

$\therefore f(2)=32-8-8+5=21$ 답 21

0228

$2x-1=0$에서 $x=\frac{1}{2}$이므로

$f(x)$를 $2x-1$로 나눈 나머지는 $f\left(\frac{1}{2}\right)$이다.

$\therefore f\left(\frac{1}{2}\right)=\frac{1}{2}-\frac{1}{2}-2+5=3$ 답 3

0229

$2x+1=0$에서 $x=-\frac{1}{2}$이므로

$f(x)$를 $2x+1$로 나눈 나머지는 $f\left(-\frac{1}{2}\right)$이다.

$\therefore f\left(-\frac{1}{2}\right)=-\frac{1}{2}-\frac{1}{2}+2+5=6$ 답 6

0230

$P(x)=x^3-4x^2+x+a$에서

$P(1)=5$이므로

$P(1)=1-4+1+a=5$

$\therefore a=7$ 답 7

0231

$f(x)=x^3+ax^2+2x+4$에서

$f(-2)=4$이므로

$f(-2)=-8+4a-4+4=4$

$\therefore a=3$ 답 3

0232

인수정리에 의하여 $f(x)$가 $x-1$로 나누어떨어지면

$f(1)=0$이므로

$f(1)=1+2+a=0$

$\therefore a=-3$ 답 -3

0233

인수정리에 의하여 $f(x)$가 $x+2$로 나누어떨어지면

$f(-2)=0$이므로

$f(-2)=4-4+a=0$

$\therefore a=0$ 답 0

0234

인수정리에 의하여 $f(x)$가 $2x+1$로 나누어떨어지면

$f\left(-\frac{1}{2}\right)=0$이므로

$f\left(-\frac{1}{2}\right)=\frac{1}{4}-1+a=0$

$\therefore a=\frac{3}{4}$ 답 $\frac{3}{4}$

0235

$f(x)=x^3+kx^2+3x+2$로 놓으면 인수정리에 의하여

$f(-2)=0$이므로

$f(-2)=-8+4k-6+2=0$

$4k-12=0 \quad \therefore k=3$ 답 3

0236

$f(x)=2x^3-5x^2+kx-3$으로 놓으면 인수정리에 의하여

$f(2)=0$이므로

$f(2)=16-20+2k-3=0$

$2k-7=0 \quad \therefore k=\frac{7}{2}$

답 $\frac{7}{2}$

0237

$f(x)=ax^3+bx^2-4x+12$로 놓으면

$f(-2)=0$, $f(3)=45$이므로

$f(-2)=-8a+4b+8+12=0$

$\therefore -2a+b=-5$ …… ㉠

$f(3)=27a+9b-12+12=45$

$\therefore 3a+b=5$ …… ㉡

㉠, ㉡을 연립하여 풀면

$a=2,\ b=-1$

답 $a=2,\ b=-1$

0238

$f(x)=2x^3-x^2-4x+12$를 $x-1$로 나눈 나머지는

$f(1)$이므로

$f(1)=2-1-4+12=9$

답 9

0239

$f(x)=2x^3-5x^2+ax-3$으로 놓으면 인수정리에 의하여

$f\left(-\frac{3}{2}\right)=0$이므로

$f\left(-\frac{3}{2}\right)=-\frac{27}{4}-\frac{45}{4}-\frac{3}{2}a-3=0$

$-\frac{3}{2}a-21=0$

$\therefore a=-14$

답 -14

0240

등식 $2ax^2+4x-3=bx^2+bx+c$가 x에 대한 항등식일 때, 상수 a, b, c에 대하여 $a+b+c$의 값을 구하시오.

같은 차수의 항의 계수를 비교하자.

$2ax^2+4x-3=bx^2+bx+c$에서

$2a=b,\ 4=b,\ -3=c$이므로

$a=2,\ b=4,\ c=-3$

$\therefore a+b+c=3$

답 3

0241

항등식이므로 계수비교법을 이용하자.

모든 실수 x에 대하여

$$(x+2)(x+a)=x^2+bx+6$$

이 성립할 때, 두 상수 $a,\ b$의 합 $a+b$의 값은?

$(x+2)(x+a)=x^2+(2+a)x+2a$

$=x^2+bx+6$

이 식이 x에 대한 항등식이므로

$2+a=b,\ 2a=6$

$\therefore a=3,\ b=5$

$\therefore a+b=8$

답 ④

0242

모든 실수 x에 대하여 등식

$$x^3+ax^2-36=(x+3)(x^2+bx-12)$$

가 성립할 때, 두 상수 $a,\ b$의 합 $a+b$의 값을 구하시오.

항등식이므로 계수비교법을 이용하자.

$x^3+ax^2-36=(x+3)(x^2+bx-12)$

$=x^3+(b+3)x^2+(3b-12)x-36$

이 식이 x에 대한 항등식이므로

$a=b+3,\ 3b-12=0$

$\therefore a=7,\ b=4$

$\therefore a+b=11$

답 11

0243

등식 $x^3+1=(x+1)^2(x+a)+bx+c$가 x에 대한 항등식이 되도록 상수 $a,\ b,\ c$의 값을 정할 때, $a+b+c$의 값은?

우변을 전개한 후 계수비교법을 이용하자.

$x^3+1=(x+1)^2(x+a)+bx+c$

$=x^3+(a+2)x^2+(2a+b+1)x+(a+c)$

이 식이 x에 대한 항등식이므로

$a+2=0,\ 2a+b+1=0,\ a+c=1$

$\therefore a=-2,\ b=3,\ c=3$

$\therefore a+b+c=4$

답 ④

0244

등식 $6x^3-7x^2+ax+b=(x-1)(cx-1)(3x+1)$이 x에 대한 항등식이 되도록 하는 상수 $a,\ b,\ c$의 값을 구하시오.

우변을 전개한 후 계수비교법을 이용하자.

주어진 식의 우변을 전개하여 정리하면

$6x^3-7x^2+ax+b=3cx^3-(3+2c)x^2+(2-c)x+1$

이 식이 x에 대한 항등식이므로

$6=3c,\ 7=3+2c,\ a=2-c,\ b=1$

$\therefore a=0,\ b=1,\ c=2$

답 $a=0,\ b=1,\ c=2$

0245

모든 실수 $x,\ y$에 대하여 등식

$$a(x+2y)+b(2x-y)+10y=0$$

이 성립할 때, 두 상수 $a,\ b$의 합 $a+b$의 값을 구하시오.

$x,\ y$에 관한 식으로 간단히 정리하자.

주어진 등식을 x, y에 대하여 정리하면
$(a+2b)x+(2a-b+10)y=0$
이 식이 x, y에 대한 항등식이므로
$a+2b=0$, $2a-b+10=0$
두 식을 연립하여 풀면 $a=-4$, $b=2$
$\therefore a+b=-2$

답 -2

0246

$a(x-1)+b(x-2)=2x-3$이 x에 대한 항등식일 때, 두 상수 a, b의 합 $a+b$의 값은?
→ $x=1$, $x=2$를 등식에 대입해 보자.

주어진 등식의 양변에
$x=1$을 대입하면 $-b=-1$ $\therefore b=1$
$x=2$를 대입하면 $a=1$
$\therefore a+b=2$

답 ②

0247

등식 $ax(x-1)+b(x-1)(x-2)+cx(x-2)=x^2+x$가 x의 값에 관계없이 항상 성립할 때, 상수 a, b, c의 값을 구하시오.
→ 등식에 $x=0$, $x=1$, $x=2$를 대입해도 성립한다.

주어진 등식의 양변에
$x=0$을 대입하면 $2b=0$ $\therefore b=0$
$x=1$을 대입하면 $-c=2$ $\therefore c=-2$
$x=2$를 대입하면 $2a=6$ $\therefore a=3$

답 $a=3$, $b=0$, $c=-2$

0248

등식
$$x^3+x^2=a+b(x-1)+c(x-1)(x-2)+d(x-1)(x-2)(x-3)$$
이 x의 값에 관계없이 항상 성립할 때, 네 상수 a, b, c, d의 합 $a+b+c+d$의 값을 구하시오.
→ 등식에 $x=1$, $x=2$, $x=3$을 대입해도 성립한다.

주어진 등식의 양변에
$x=1$을 대입하면 $a=2$
$x=2$를 대입하면 $12=a+b$
$\therefore b=10$
$x=3$을 대입하면 $36=a+2b+2c$
$\therefore c=7$
x^3의 계수를 비교하면 $d=1$
$\therefore a+b+c+d=20$

답 20

0249

등식 $(x-1)(x-2)f(x)=x^5+ax^2+bx+8$이 x에 대한 항등식일 때, 두 상수 a, b에 대하여 $b-a$의 값을 구하시오.
→ 수치대입법을 이용하여 $f(x)$를 구하자.

주어진 등식의 양변에
$x=1$을 대입하면
$0=1+a+b+8$
$\therefore a+b=-9$ ……㉠
$x=2$를 대입하면
$0=32+4a+2b+8$
$\therefore 2a+b=-20$ ……㉡
㉠, ㉡을 연립하여 풀면 $a=-11$, $b=2$
$\therefore b-a=13$

답 13

0250

x에 대한 다항식 $f(x)$에 대하여
$$x^5-ax^2+b=(x+1)(x-2)f(x)+x$$
가 x에 대한 항등식일 때, $f(1)$의 값을 구하시오.
→ 수치대입법을 이용하여 a, b의 값을 구하자.

주어진 등식의 양변에
$x=-1$을 대입하면 $-1-a+b=-1$
$\therefore a-b=0$ ……㉠
$x=2$를 대입하면 $32-4a+b=2$
$\therefore 4a-b=30$ ……㉡
㉠, ㉡을 연립하여 풀면 $a=10$, $b=10$
$\therefore x^5-10x^2+10=(x+1)(x-2)f(x)+x$
양변에 $x=1$을 대입하면 $1=-2f(1)+1$
$\therefore f(1)=0$

답 0

0251

x에 대한 다항식 $f(x)$에 대하여
$$(x+2)(x^2-2)f(x)=x^4-ax^2+b$$
가 x에 대한 항등식일 때, 상수 a, b의 값은?
→ 수치대입법을 이용하여 a, b의 값을 구하자.

주어진 등식의 양변에
$x=-2$를 대입하면 $16-4a+b=0$
$\therefore 4a-b=16$ ……㉠
$x^2=2$를 대입하면 $4-2a+b=0$
$\therefore 2a-b=4$ ……㉡
㉠, ㉡을 연립하여 풀면 $a=6$, $b=8$

답 ⑤

0252

→ $P=ax+b$, $Q=cx+d$로 놓고 수치대입법을 이용하자.

x에 대한 일차식 P, Q에 대하여 등식
$$(x+1)(x-3)P+(x-1)(x+2)Q=20$$
이 x에 대한 항등식일 때, P와 Q를 구하시오.

$P=ax+b$, $Q=cx+d$ (a, b, c, d는 상수)라고 하면
$(x+1)(x-3)(ax+b)+(x-1)(x+2)(cx+d)=20$
양변에 $x=1$, $x=-2$를 대입하면
$-4(a+b)=20$, $5(-2a+b)=20$

$a+b=-5,\ -2a+b=4$
두 식을 연립하여 풀면 $a=-3,\ b=-2$
$\therefore P=-3x-2$
양변에 $x=-1,\ x=3$을 대입하면
$-2(-c+d)=20,\ 10(3c+d)=20$
$-c+d=-10,\ 3c+d=2$
두 식을 연립하여 풀면 $c=3,\ d=-7$
$\therefore Q=3x-7$
답 $P=-3x-2,\ Q=3x-7$

0253

임의의 실수 x에 대하여 다음 등식이 성립할 때, 실수 $a,\ b,\ c,\ p$의 값을 구하시오.

$$x^3+8=a(x-p)^3+b(x-p)^2+c(x-p)$$

• $x=p$를 대입하여 먼저 p의 값을 구하자.

주어진 등식이 x에 대한 항등식이므로
양변에 $x=p$를 대입하면
$p^3+8=0$
$(p+2)(p^2-2p+4)=0$
이때, p는 실수이므로 $p=-2$
$\therefore x^3+8=a(x+2)^3+b(x+2)^2+c(x+2)$
양변의 x^3의 계수를 비교하면 $a=1$
양변에 $x=0$을 대입하면
$8=8a+4b+2c \quad \therefore 2b+c=0$ ……㉠
양변에 $x=-1$을 대입하면
$7=a+b+c \quad \therefore b+c=6$ ……㉡
㉠, ㉡을 연립하여 풀면 $b=-6,\ c=12$
답 $a=1,\ b=-6,\ c=12,\ p=-2$

0254

다항식 $f(x)$가 모든 실수 $x,\ y$에 대하여
$f(x)f(y)=f(x+y)+f(x-y)$, $f(1)=1$을 만족시킬 때, $f(-1)+f(2)$의 값을 구하시오.

• 수치대입법을 이용하여 $f(0)$의 값을 먼저 구하자.

주어진 식에 $x=1,\ y=0$을 대입하면
$f(1)f(0)=f(1)+f(1)$에서 $f(1)=1$이므로
$f(0)=2$
주어진 식에 $x=0,\ y=1$을 대입하면
$f(0)f(1)=f(1)+f(-1)$에서 $f(0)=2,\ f(1)=1$이므로
$f(-1)=1$
주어진 식에 $x=1,\ y=1$을 대입하면
$f(1)f(1)=f(2)+f(0)$이므로
$f(2)=-1$
$\therefore f(-1)+f(2)=0$
답 0

0255

• k에 관한 식으로 정리하자.

등식 $kx+(2k+1)y+(k+3)=5$가 k의 값에 관계없이 항상 성립할 때, 상수 $x,\ y$에 대하여 $y-x$의 값을 구하시오.

주어진 식을 전개하면 $kx+2ky+y+k+3-5=0$
k에 대하여 정리하면
$k(x+2y+1)+(y-2)=0$
k에 대한 항등식이므로 $x+2y+1=0,\ y=2$
따라서 $x=-5$
$\therefore y-x=7$
답 7

0256

• k에 관한 식으로 정리하자.

등식 $(k+2)x-(k+1)y+k-7=0$이 실수 k의 값에 관계없이 항상 성립할 때, 두 상수 $x,\ y$에 대하여 $x+y$의 값은?

주어진 등식을 k에 대하여 정리하면
$(x-y+1)k+(2x-y-7)=0$
이 식이 k에 대한 항등식이므로
$x-y+1=0,\ 2x-y-7=0$
두 식을 연립하여 풀면 $x=8,\ y=9$
$\therefore x+y=17$
답 ③

0257

• k에 관한 식으로 정리하자.

등식 $(y+k)x+ky+2-3k=0$이 k의 값에 관계없이 항상 성립할 때, 실수 $x,\ y$에 대하여 x^2+y^2의 값을 구하시오.

k에 대하여 정리하면 $k(x+y-3)+(xy+2)=0$
k에 대한 항등식이므로 $x+y-3=0,\ xy+2=0$
따라서 $x+y=3,\ xy=-2$이다.
$\therefore x^2+y^2=(x+y)^2-2xy=3^2-2\times(-2)=13$
답 13

0258

• k에 관한 식으로 정리하자.

직선 $y=(2k+1)x+4k+3$의 그래프가 실수 k의 값에 관계없이 항상 일정한 점 $\mathrm{P}(a,\ b)$를 지난다. 이때, $a+b$의 값을 구하시오.

$y=(2k+1)x+4k+3$이 실수 k의 값에 관계없이 항상 성립하므로 이 등식은 k에 대한 항등식이다.
주어진 식을 k에 대하여 정리하면
$(2x+4)k+(x-y+3)=0$
즉, $2x+4=0$이고 $x-y+3=0$이므로
연립방정식 $\begin{cases} 2x+4=0 \\ x-y+3=0 \end{cases}$ 을 풀면 $x=-2,\ y=1$
따라서 주어진 직선은 실수 k의 값에 관계없이 항상 점 $(-2,\ 1)$을 지난다.
$\therefore a=-2,\ b=1$
$\therefore a+b=-1$
답 -1

0259

> x에 대한 다항식
> $mx^2+(k+3)x-n(2+k)+m+3=0$
> 이 k의 값에 관계없이 항상 2를 근으로 가질 때, 상수 m, n에 대하여 mn의 값은?
> └ 등식에 $x=2$를 대입하면 성립한다.

$mx^2+(k+3)x-n(2+k)+m+3=0$에 $x=2$를 대입하면
$4m+2(k+3)-n(2+k)+m+3=0$
위의 등식을 k에 대하여 정리하면
$(2-n)k+5m-2n+9=0$
이 식이 k에 대한 항등식이므로
$2-n=0,\ 5m-2n+9=0$
$\therefore m=-1,\ n=2$
$\therefore mn=-2$

답 ③

0260

> └ x, y에 관한 내림차순으로 정리하자.
> 등식 $a(x-2y)+b(2x+y-2)+3=x-7y+c$가 x, y의 값에 관계없이 항상 성립할 때, 세 상수 a, b, c에 대하여 $a+b+c$의 값을 구하시오.

좌변을 전개하여 x, y에 대하여 정리하면
$ax-2ay+2bx+by-2b+3=x-7y+c$
$(a+2b)x+(-2a+b)y+(3-2b)=x-7y+c$
이 식이 x, y에 대하여 항등식이므로
$a+2b=1,\ -2a+b=-7,\ 3-2b=c$
세 식을 연립하여 풀면
$a=3,\ b=-1,\ c=5$
$\therefore a+b+c=7$

답 7

0261

> └ $x=y+1$ 또는 $y=x-1$을 이용하자.
> $x-y=1$을 만족시키는 모든 실수 x, y에 대하여 등식 $ax-by+7=0$이 항상 성립할 때, 두 상수 a, b의 합 $a+b$의 값을 구하시오.

$x-y=1$에서 $x=y+1$ ⋯⋯ ㉠
㉠을 $ax-by+7=0$에 대입하면
$a(y+1)-by+7=0$
$\therefore (a-b)y+a+7=0$
이 식이 y에 대한 항등식이므로
$a-b=0,\ a+7=0$
$\therefore a=-7,\ b=-7$
$\therefore a+b=-14$

답 -14

0262

> └ $y=1-x$를 이용하자.
> $x+y=1$을 만족하는 모든 실수 x, y에 대하여 $ax^2+bxy+cy^2=2$가 성립할 때, 상수 a, b, c의 합 $a+b+c$의 값은?
> └ x에 대한 항등식의 성질을 이용하자.

$x+y=1$에서 $y=1-x$ ⋯⋯ ㉠
$ax^2+bxy+cy^2=2$에 ㉠을 대입하면
$ax^2+bx(1-x)+c(1-x)^2=2$
x에 대하여 정리하면
$(a-b+c)x^2+(b-2c)x+c-2=0$
이 식이 x에 대한 항등식이므로
$a-b+c=0,\ b-2c=0,\ c-2=0$
세 식을 연립하여 풀면
$a=2,\ b=4,\ c=2$
$\therefore a+b+c=8$

답 ④

0263

> └ $x=1+2y$를 이용하자.
> $x-2y=1$을 만족하는 모든 실수 x, y에 대하여 $ax^2+by^2+2x+c=0$이 항상 성립할 때, $a+b+c$의 값을 구하시오. (단, a, b, c는 상수이다.)
> └ y에 대한 항등식이다.

$x=1+2y$
이것을 주어진 식에 대입하면
$a(1+2y)^2+by^2+2(1+2y)+c=0$
y에 관한 항등식이므로
$(4a+b)y^2+(4a+4)y+a+2+c=0$
$4a+b=0,\ 4a+4=0,\ a+2+c=0$
$a=-1,\ b=4,\ c=-1$
$\therefore a+b+c=2$

답 2

0264

> 다항식 $3x^3-6x^2+3x+a$를 $x-b$로 나눈 몫이 $3x^2+3$이고 나머지가 13일 때, $a-2b$의 값은? (단, a, b는 상수이다.)
> └ $A=BQ+R$의 형태로 표현하고 항등식의 성질을 이용하자.

$3x^3-6x^2+3x+a=(x-b)(3x^2+3)+13$
$=3x^3-3bx^2+3x-3b+13$
이 식이 x에 대한 항등식이므로
$-6=-3b,\ a=-3b+13$
$\therefore a=7,\ b=2$
$\therefore a-2b=7-4=3$

답 ③

0265

> 다항식 x^3+px^2+3x-2를 x^2+p로 나눈 몫이 $x+2$이고 나머지가 $ax+b$일 때, 세 상수 p, a, b에 대하여 $p+a+b$의 값은?
> └ $A=BQ+R$의 형태로 표현하고 항등식의 성질을 이용하자.

$x^3+px^2+3x-2=(x^2+p)(x+2)+ax+b$
$=x^3+2x^2+(a+p)x+b+2p$
이 식이 x에 대한 항등식이므로
$p=2,\ 3=a+p,\ -2=b+2p$
$\therefore p=2,\ a=1,\ b=-6$
$\therefore p+a+b=-3$

답 ①

0266 나머지는 일차식 또는 상수항이다.

> x에 대한 다항식 x^4+ax^3+4x를 x^2-x+b로 나눈 몫이 x^2+x-1일 때, 두 상수 a, b의 값과 나머지를 구하시오.

x^4+ax^3+4x를 x^2-x+b로 나눈 나머지를

$px+q$ (p, q는 상수)로 놓으면

$x^4+ax^3+4x=(x^2-x+b)(x^2+x-1)+px+q$

$\qquad\qquad=x^4+(b-2)x^2+(1+b+p)x-b+q$

이 식이 x에 대한 항등식이므로

$a=0,\ b-2=0,\ 4=1+b+p,\ -b+q=0$

$\therefore a=0,\ b=2,\ p=1,\ q=2$

따라서 구하는 나머지는 $x+2$이다.

답 $a=0$, $b=2$, 나머지 : $x+2$

0267 몫은 일차항의 계수가 1인 일차식이다.

> 다항식 x^3+ax+b를 x^2-x+1로 나눈 나머지가 $2x+3$일 때, a^2+b^2의 값은? (단, a, b는 상수이다.)

x^3+ax+b를 x^2-x+1로 나눈 몫을

$x+p$ (p는 상수)로 놓으면

$x^3+ax+b=(x^2-x+1)(x+p)+2x+3$

$\qquad=x^3+(p-1)x^2+(-p+3)x+p+3$

이 식이 x에 대한 항등식이므로

$p-1=0,\ -p+3=a,\ p+3=b$

$\therefore p=1,\ a=2,\ b=4$

$\therefore a^2+b^2=4+16=20$

답 ③

0268 $P(x)=(x+1)(x^2+1)+R$

> 다항식 $P(x)$를 $x+1$로 나누었을 때의 몫이 x^2+1이고, $P(x)$를 $x-1$로 나누었을 때의 나머지가 3일 때, $P(2)$의 값을 구하시오. $P(x)=(x-1)Q(x)+3$

$P(x)$를 $x+1$로 나눈 나머지를 R라 하면

$P(x)=(x+1)(x^2+1)+R$ ······㉠

$P(x)=(x-1)Q(x)+3$에서 $P(1)=3$이다.

㉠에 $x=1$을 대입하면

$3=4+R$에서 $R=-1$

따라서 $P(x)=(x+1)(x^2+1)-1$이므로

$P(2)=3\times5-1=14$

답 14

0269

> 두 상수 a, b에 대하여 $x^3-ax^2-(b+1)x+b^2-2$를 $(x-a)^2$으로 나누면 $-x-2$가 남는다고 할 때, 몫을 구하시오. (단, $a\neq0$)
>
> 몫을 $g(x)$라 하고 $A=BQ+R$의 형태로 표현하자.

몫을 $g(x)$라고 하면

$x^3-ax^2-(b+1)x+b^2-2=(x-a)^2g(x)-x-2$

$\therefore x^3-ax^2-bx+b^2=(x-a)^2g(x)$ ······㉠

이 식의 양변에 $x=a$를 대입하면 $a^3-a^3-ba+b^2=0$

$\therefore b^2=ab$ ······㉡

㉠의 양변에 ㉡을 대입하면

$x^3-ax^2-bx+ab=(x-a)^2g(x)$

$x^2(x-a)-b(x-a)=(x-a)^2g(x)$

양변을 $x-a$로 나누면

$x^2-b=(x-a)g(x)$

양변에 $x=a$를 대입하면

$a^2-b=0$ ······㉢

㉡에서 $b(b-a)=0$

(i) $b=0$을 ㉢에 대입하면 $a=0$이 되어 조건에 부적절하다.

(ii) $b=a$를 ㉢에 대입하면 $a^2-a=0$

$\quad a(a-1)=0 \qquad \therefore a=1\ (\because a\neq0)$

$a=1,\ b=1$을 $x^2-b=(x-a)g(x)$에 대입하면 $g(x)=x+1$

답 $x+1$

다른풀이 $x^3-ax^2-bx+b^2=(x-a)^2g(x)$에서

조립제법을 이용하면

a	1	$-a$	$-b$	b^2
		a	0	$-ab$
	1	0	$-b$	b^2-ab
a		a	a^2	
	1	a	a^2-b	

$b^2-ab=0$, $a^2-b=0$에서 $a=1$, $b=1$

$\therefore g(x)=x+a=x+1$

0270 $A=BQ+R$의 형태로 표현하자.

> 다항식 $x^{10}+ax^5+b$를 x^2-1로 나눈 나머지가 $2x-1$이 되도록 상수 a, b의 값을 정할 때, ab의 값을 구하시오.
>
> $(x-1)(x+1)$

$x^{10}+ax^5+b=(x^2-1)Q(x)+2x-1$

$\qquad=(x-1)(x+1)Q(x)+2x-1$

$x=1$을 대입하면 $1+a+b=1$ ······㉠

$x=-1$을 대입하면 $1-a+b=-3$ ······㉡

㉠, ㉡을 연립하여 풀면 $a=2$, $b=-2$

$\therefore ab=-4$

답 -4

0271

> 다항식 $x^{20}-1$을 $(x-1)^2$으로 나누었을 때의 나머지 $R(x)$를 구하시오.
>
> $ax+b$ 꼴로 나타내자.

2차식으로 나눈 나머지 $R(x)=ax+b$ (a, b는 상수)라 하면

$x^{20}-1=(x-1)^2Q(x)+ax+b$

위 식에 $x=1$을 대입하면 $0=a+b$에서 $b=-a$

$x^{20}-1=(x-1)^2Q(x)+ax-a$

$(x-1)(x^{19}+x^{18}+\cdots+x+1)=(x-1)^2Q(x)+a(x-1)$

따라서 $x^{19}+x^{18}+\cdots+x+1=(x-1)Q(x)+a$

다시 $x=1$을 대입하면 $a=20$

그러므로 $R(x)=20x-20$

답 $R(x)=20x-20$

0272

A=BQ+R의 형태로 표현하자.

> 다항식 $x^n(x^2+ax+b)$를 $(x-3)^n$으로 나누었을 때, 나머지가 $3^n(x-3)$이 되도록 실수 a, b의 값을 구하시오.
> (단, n은 $n\ge2$인 자연수이다.)

$x^n(x^2+ax+b)$를 $(x-3)^n$으로 나눈 몫을 $Q(x)$라고 하면
$x^n(x^2+ax+b)=(x-3)^nQ(x)+3^n(x-3)$
이 식의 양변에 $x=3$을 대입하면
$3^n(9+3a+b)=0 \quad \therefore b=-3a-9$ ······㉠
$x^n(x^2+ax-3a-9)=(x-3)^nQ(x)+3^n(x-3)$에서
$x^n(x-3)(x+a+3)=(x-3)\{(x-3)^{n-1}Q(x)+3^n\}$
$x\ne3$일 때에도 등식이 성립하므로
$x^n(x+a+3)=(x-3)^{n-1}Q(x)+3^n$
이 식의 양변에 $x=3$을 대입하면
$3^n(3+a+3)=3^n$, $a+6=1$
$\therefore a=-5$
$\therefore b=15-9=6$ ($\because$ ㉠)

답 $a=-5$, $b=6$

0273

수치대입법을 이용하자.

> x에 대한 항등식
> $(x^2+x+1)^5=a_{10}(x+1)^{10}+a_9(x+1)^9+\cdots+a_1(x+1)+a_0$
> 에서 $a_0+a_1+\cdots+a_9+a_{10}$의 값을 구하시오.
> (단, a_0, a_1, $\cdots$, a_{10}은 상수이다.)

주어진 등식의 양변에 $x=0$을 대입하면
$1=a_{10}+a_9+\cdots+a_1+a_0$
$\therefore a_0+a_1+\cdots+a_9+a_{10}=1$

답 1

0274

$x=1$, $x=-1$을 대입해 보자.

> 모든 실수 x에 대하여 등식
> $(1+x+x^2)^3=a_0+a_1x+a_2x^2+\cdots+a_6x^6$
> 이 성립할 때, $a_0+a_2+a_4+a_6$의 값을 구하시오.
> (단, a_0, a_1, $\cdots$, a_6은 상수이다.)

주어진 등식의 양변에
$x=1$을 대입하면 $27=a_0+a_1+a_2+\cdots+a_6$
$\therefore a_0+a_1+a_2+\cdots+a_6=27$ ······㉠
$x=-1$을 대입하면 $1=a_0-a_1+a_2-\cdots+a_6$
$\therefore a_0-a_1+a_2-\cdots+a_6=1$ ······㉡
㉠+㉡을 하면 $2(a_0+a_2+a_4+a_6)=28$
$\therefore a_0+a_2+a_4+a_6=14$

답 14

0275

$x=2$, $x=0$을 대입해 보자.

> 모든 실수 x에 대하여 등식
> $x^{50}-1=a_0+a_1(x-1)+a_2(x-1)^2+\cdots+a_{50}(x-1)^{50}$
> 이 성립할 때, $a_1+a_3+a_5+\cdots+a_{49}$의 값은?
> (단, a_0, a_1, $\cdots$, a_{50}은 상수이다.)

주어진 등식의 양변에
$x=2$를 대입하면
$2^{50}-1=a_0+a_1+a_2+\cdots+a_{50}$ ······㉠
$x=0$을 대입하면
$-1=a_0-a_1+a_2-a_3+\cdots+a_{50}$ ······㉡
㉠−㉡을 하면
$2^{50}=2(a_1+a_3+\cdots+a_{49})$
$\therefore a_1+a_3+\cdots+a_{49}=2^{49}$

답 ①

0276

> 다항식 $P(x)=-x^3-4x^2+ax+1$을 $x+2$로 나누었을 때, 나머지가 3이 되도록 하는 상수 a의 값은?
> → $P(-2)=3$

$P(x)=-x^3-4x^2+ax+1$을 $x+2$로 나누었을 때의 나머지는 나머지정리에 의하여 $P(-2)=3$이므로
$P(-2)=8-16-2a+1=3$, $2a=-10$
$\therefore a=-5$

답 ①

0277

> 다항식 x^3+4x^2-ax+5를 $x-1$로 나누었을 때의 나머지와 $x+2$로 나누었을 때의 나머지가 같도록 하는 상수 a의 값은?
> → 다항식을 $f(x)$라 하면 $f(1)=f(-2)$이다.

$f(x)=x^3+4x^2-ax+5$라 하면 나머지정리에 의해
$f(1)=f(-2)$이므로
$1+4-a+5=-8+16+2a+5$
$10-a=13+2a$
$\therefore a=-1$

답 ④

0278

$f(1)=4$

> 다항식 $x^4+ax^3+bx^2-3$을 $x-1$로 나누었을 때의 나머지가 4, $x+1$로 나누었을 때의 나머지가 -4일 때, 상수 a, b의 곱 ab의 값을 구하시오.
> → $f(-1)=-4$

$f(x)=x^4+ax^3+bx^2-3$이라 하면 나머지정리에 의해
$f(1)=4$, $f(-1)=-4$이므로
$1+a+b-3=4$, $1-a+b-3=-4$
$\therefore a+b=6$, $a-b=2$
두 식을 연립하여 풀면 $a=4$, $b=2$
$\therefore ab=8$

답 8

0279

$f(1)=3$

> x에 대한 다항식 ax^5+bx^3+cx-5를 $x-1$로 나누었을 때의 나머지가 3일 때, 이 다항식을 $x+1$로 나누었을 때의 나머지를 구하시오. (단, a, b, c는 상수이다.)

$f(x)=ax^5+bx^3+cx-5$로 놓으면 나머지정리에 의하여
$f(1)=3$이므로
$f(1)=a+b+c-5=3$
$\therefore a+b+c=8$
따라서 $f(x)$를 $x+1$로 나눈 나머지는
$f(-1)=-a-b-c-5$
$=-(a+b+c)-5$
$=-8-5=-13$ 답 -13

0280

$f(3)=2$

다항식 $f(x)$를 $x-3$으로 나눈 나머지가 2일 때, 다항식 $(x^2+2x-5)f(x)$를 $x-3$으로 나눈 나머지는?

나머지정리에 의하여 $f(3)=2$이므로
$(x^2+2x-5)f(x)$를 $x-3$으로 나눈 나머지는
$(9+6-5)f(3)=10\times2=20$ 답 ②

0281

다항식 $f(x)$를 $x-3$으로 나눈 나머지는 2이고, 다항식 $g(x)$를 $x-3$으로 나눈 나머지는 -2이다. 이때, 다항식 $5f(x)+4g(x)$를 $x-3$으로 나눈 나머지를 구하시오.

$5f(3)+4g(3)$의 값을 구하면 된다.

나머지정리에 의하여 $f(3)=2$, $g(3)=-2$이므로
$5f(x)+4g(x)$를 $x-3$으로 나눈 나머지는
$5f(3)+4g(3)=5\times2+4\times(-2)=2$ 답 2

0282

$3f(2)=3$

다항식 $f(x)=x^2+ax+b$에 대하여 다항식 $(x+1)f(x)$를 $x-2$로 나눈 나머지가 3이고, 다항식 $(x-2)f(x)$를 $x+1$로 나눈 나머지가 6일 때, 상수 a, b에 대하여 a^2+b^2의 값은?

$-3f(-1)=6$

$(x+1)f(x)$를 $x-2$로 나눈 나머지가 3이므로
$3f(2)=3 \quad \therefore f(2)=1$
$f(2)=4+2a+b=1$에서
$2a+b=-3$ ……㉠
$(x-2)f(x)$를 $x+1$로 나눈 나머지가 6이므로
$-3f(-1)=6 \quad \therefore f(-1)=-2$
$f(-1)=1-a+b=-2$에서
$a-b=3$ ……㉡
㉠, ㉡을 연립하여 풀면 $a=0$, $b=-3$
$\therefore a^2+b^2=9$ 답 ③

0283

$f(1)+g(1)=0$

두 다항식 $f(x)$, $g(x)$에 대하여 $f(x)+g(x)$는 $x-1$로 나누어떨어지고, $f(x)-g(x)$를 $x-1$로 나누면 나머지가 2이다. 다항식 $f(x)g(x)$를 $x-1$로 나누었을 때의 나머지를 구하시오.

$f(1)\times g(1)$의 값을 구하면 된다.

$f(x)+g(x)$는 $x-1$로 나누어떨어지므로
$f(1)+g(1)=0$ ……㉠
$f(x)-g(x)$를 $x-1$로 나눈 나머지가 2이므로
$f(1)-g(1)=2$ ……㉡
㉠, ㉡을 연립하여 풀면 $f(1)=1$, $g(1)=-1$
따라서 $f(x)g(x)$를 $x-1$로 나누었을 때의 나머지는
$f(1)g(1)=-1$ 답 -1

0284

x에 대한 항등식이다.

모든 실수 x에 대하여 $f(3+x)=f(3-x)$를 만족하는 다항식 $f(x)$를 $x-5$로 나누었을 때의 나머지가 4이다. 이 다항식 $f(x)$를 $(x-1)(x-5)$로 나누었을 때의 나머지를 구하시오.

주어진 등식의 양변에
$x=2$를 대입하면 $f(5)=f(1)=4$
$f(x)$를 $(x-1)(x-5)$로 나누었을 때의 몫을
$Q(x)$, 나머지를 $ax+b$ (a, b는 상수)라 하면
$f(x)=(x-1)(x-5)Q(x)+ax+b$
이 등식의 양변에 $x=1$, $x=5$를 대입하면
$f(1)=a+b=4$
$f(5)=5a+b=4$
두 식을 연립하여 풀면 $a=0$, $b=4$
따라서 구하는 나머지는 4이다. 답 4

0285

다항식 $f(x)$를 $x-2$로 나눈 나머지는 5이고, $x-3$으로 나눈 나머지는 7이다. 이때, 다항식 $f(x)$를 $(x-2)(x-3)$으로 나눈 나머지를 구하시오.

$A=BQ+R$의 형태로 표현하자.

$f(x)$를 $(x-2)(x-3)$으로 나눈 몫을 $Q(x)$, 나머지를 $ax+b$ (a, b는 상수)라 하면
$f(x)=(x-2)(x-3)Q(x)+ax+b$
나머지정리에 의해 $f(2)=5$, $f(3)=7$이므로
$2a+b=5$, $3a+b=7$
두 식을 연립하여 풀면
$a=2$, $b=1$
따라서 구하는 나머지는 $2x+1$이다. 답 $2x+1$

0286

몫을 $Q(x)$, 나머지를 $R(x)=ax+b$라 하자.

다항식 $f(x)$를 $x-1$, $x+1$로 나누었을 때의 나머지를 각각 3, 5라 하고, $f(x)$를 x^2-1로 나누었을 때의 나머지를 $R(x)$라 하자. 이때, $R(2)$의 값을 구하시오.

$f(x)$를 $x^2-1=(x-1)(x+1)$로 나눈 몫을 $Q(x)$, 나머지를 $R(x)=ax+b$ (a, b는 상수)라 하면
$f(x)=(x-1)(x+1)Q(x)+ax+b$
나머지정리에 의해 $f(1)=3$, $f(-1)=5$이므로
$a+b=3$, $-a+b=5$
두 식을 연립하여 풀면 $a=-1$, $b=4$
따라서 $R(x)=-x+4$이므로
$R(2)=2$ 답 2

0287

다항식 $f(x)$를 $(x-2)(x+4)$로 나누었을 때의 나머지가 -2이고, 다항식 $g(x)$를 $(x-2)(x-3)$으로 나누었을 때의 나머지가 3일 때, $f(x)g(x)$를 $x-2$로 나누었을 때의 나머지는?
→ $f(2)\times g(2)$의 값을 구하면 된다.

$f(x)$를 $(x-2)(x+4)$로 나누었을 때의 몫을 $Q_1(x)$,
$g(x)$를 $(x-2)(x-3)$으로 나누었을 때의 몫을 $Q_2(x)$라 하면
$f(x)=(x-2)(x+4)Q_1(x)-2$
$g(x)=(x-2)(x-3)Q_2(x)+3$
$\therefore f(2)=-2$, $g(2)=3$
따라서 구하는 나머지는 $f(2)g(2)=-6$ 답 ①

0288

다항식 $f(x)$를 $x-1$, $x-2$로 나눈 나머지는 각각 1, 2이고, $(x-1)(x-2)$로 나눈 몫은 x^2+1이라고 한다. 이때, $xf(x)$를 $x-3$으로 나눈 나머지는?
→ 나머지를 $ax+b$라 하자.

$f(x)$를 $(x-1)(x-2)$로 나눈 나머지를 $ax+b$ (a, b는 상수)라고 하면
$f(x)=(x-1)(x-2)(x^2+1)+ax+b$
$f(1)=1$, $f(2)=2$이므로
$a+b=1$, $2a+b=2$
두 식을 연립하여 풀면
$a=1$, $b=0$
$f(x)=(x-1)(x-2)(x^2+1)+x$
따라서 구하는 나머지는
$3f(3)=3(20+3)=69$ 답 ③

0289

다항식 $f(x)$를 $x-1$로 나누었을 때의 나머지가 2, $x+1$로 나누었을 때의 나머지가 4일 때, 다항식 $(2x^2+x)f(x)$를 x^2-1로 나누었을 때의 나머지를 구하시오.
→ 몫을 $Q(x)$, 나머지를 $ax+b$라 하자.

나머지정리에 의하여
$f(1)=2$, $f(-1)=4$
$(2x^2+x)f(x)$를 x^2-1로 나누었을 때의 몫을 $Q(x)$라 하고 나머지를 $ax+b$ (a, b는 상수)로 놓으면
$(2x^2+x)f(x)=(x+1)(x-1)Q(x)+ax+b$
이 식의 양변에 $x=1$, $x=-1$을 각각 대입하면
$3f(1)=a+b=6$ ……㉠
$f(-1)=-a+b=4$ ……㉡
㉠, ㉡을 연립하여 풀면
$a=1$, $b=5$
따라서 구하는 나머지는 $x+5$이다. 답 $x+5$

0290

다항식 $f(x)$를 x^2+2x-3으로 나누었을 때의 나머지는 $x+4$이고, x^2-x-2로 나누었을 때의 나머지는 $2x+1$일 때, $f(x)$를 x^2-1로 나누었을 때의 나머지를 구하시오.
→ $f(x)=(x-2)(x+1)Q(x)+2x+1$에서 $f(2)$, $f(-1)$을 구하자.

$f(x)$를 $(x+3)(x-1)$로 나누었을 때 나머지가 $x+4$이므로
$f(-3)=-3+4=1$
$f(1)=1+4=5$
$f(x)$를 $(x-2)(x+1)$로 나누었을 때 나머지가 $2x+1$이므로
$f(2)=4+1=5$
$f(-1)=-2+1=-1$
$f(x)=(x^2-1)Q(x)+ax+b$라 하면
$f(x)=(x+1)(x-1)Q(x)+ax+b$
$f(-1)=-1$이므로 $-1=-a+b$ ……㉠
$f(1)=5$이므로 $5=a+b$ ……㉡
㉠, ㉡을 연립하여 풀면
$a=3$, $b=2$
따라서 구하는 나머지는 $3x+2$이다. 답 $3x+2$

0291

x에 대한 다항식 x^4+px^2+q를 $(x-2)(x^2-3)$으로 나누었을 때의 나머지가 0일 때, 두 상수 p, q의 합 $p+q$의 값은?
→ $x^4+px^2+q=(x-2)(x^2-3)Q(x)$이다.

x^4+px^2+q를 $(x-2)(x^2-3)$으로 나누었을 때의 몫을 $Q(x)$라 하면
$x^4+px^2+q=(x-2)(x^2-3)Q(x)$
이 식의 양변에 $x=2$를 대입하면
$16+4p+q=0$
$\therefore 4p+q=-16$ ……㉠
양변에 $x^2=3$을 대입하면
$9+3p+q=0$
$\therefore 3p+q=-9$ ……㉡
㉠, ㉡을 연립하여 풀면
$p=-7$, $q=12$
$\therefore p+q=5$ 답 ⑤

0292

→ $x(x-1)(x+1)$로 인수분해된다.

다항식 $x^{10}+x^9+x^6+x^3$을 x^3-x로 나누었을 때의 나머지를 구하시오.
→ $R(x)=ax^2+bx+c$로 놓자.

$x^{10}+x^9+x^6+x^3$을 x^3-x로 나누었을 때의 몫을 $Q(x)$라 하고 나머지를 $R(x)=ax^2+bx+c$ (a, b, c는 상수)로 놓으면

$x^{10}+x^9+x^6+x^3=(x^3-x)Q(x)+ax^2+bx+c$

$=x(x+1)(x-1)Q(x)+ax^2+bx+c$

양변에 $x=0$을 대입하면 $c=0$

양변에 $x=-1$을 대입하면

$0=a-b+c \quad \therefore a-b=0 \quad \cdots\cdots ㉠$

양변에 $x=1$을 대입하면

$4=a+b+c \quad \therefore a+b=4 \quad \cdots\cdots ㉡$

㉠, ㉡을 연립하여 풀면 $a=2$, $b=2$

따라서 구하는 나머지는 $2x^2+2x$이다.

답 $2x^2+2x$

0293 $A=BQ+R$의 꼴로 표현하고 $f(0)$, $f(1)$, $f(3)$의 값을 구하자.

> 다항식 $f(x)$를 $x(x-1)$로 나눈 나머지는 $-6x+9$이고, $(x-1)(x-3)$으로 나눈 나머지는 $6x-3$이다. $f(x)$를 $x(x-1)(x-3)$으로 나눈 나머지를 ax^2+bx+c라 할 때, 세 상수 a, b, c에 대하여 $a-b-c$의 값을 구하시오.

$f(x)$를 $x(x-1)$, $(x-1)(x-3)$으로 나누었을 때의 몫을 각각 $Q_1(x)$, $Q_2(x)$라 하면

$f(x)=x(x-1)Q_1(x)-6x+9$에서

$f(0)=9$, $f(1)=3$

$f(x)=(x-1)(x-3)Q_2(x)+6x-3$에서

$f(1)=3$, $f(3)=15$

$f(x)$를 $x(x-1)(x-3)$으로 나누었을 때의 몫을 $Q(x)$라 하면

$f(x)=x(x-1)(x-3)Q(x)+ax^2+bx+c$

$x=0, 1, 3$을 각각 대입하면

$f(0)=c=9$

$f(1)=a+b+c=3$

$\therefore a+b=-6 \quad \cdots\cdots ㉠$

$f(3)=9a+3b+9=15$

$\therefore 3a+b=2 \quad \cdots\cdots ㉡$

㉠, ㉡을 연립하여 풀면

$a=4$, $b=-10$

$\therefore a-b-c=5$

답 5

0294

> 다항식 $f(x)$를 $(x-1)^2$으로 나눈 나머지는 $x+3$이고, $x-2$로 나눈 나머지는 6이다. 이때, 다항식 $f(x)$를 $(x-1)^2(x-2)$로 나눈 나머지를 구하시오.
>
> 나머지를 ax^2+bx+c로 놓고서 항등식을 만들자.

$f(x)$를 $(x-1)^2(x-2)$로 나눈 몫을 $Q(x)$, 나머지를 ax^2+bx+c (a, b, c는 상수)라 하면

$f(x)=(x-1)^2(x-2)Q(x)+ax^2+bx+c$

$f(x)$를 $(x-1)^2$으로 나눈 나머지가 $x+3$이므로

ax^2+bx+c를 $(x-1)^2$으로 나눈 나머지도 $x+3$이다.

$\therefore f(x)=(x-1)^2(x-2)Q(x)+ax^2+bx+c$

$=(x-1)^2(x-2)Q(x)+(x-1)^2a+x+3$

이 식의 양변에 $x=2$를 대입하면

$f(2)=a+5=6 \quad \therefore a=1$

따라서 구하는 나머지는

$(x-1)^2a+x+3=x^2-x+4$

답 x^2-x+4

0295 $f(x)$에 $x^2=-1$을 대입하면 $x+2$가 남는다.

> 다항식 $f(x)$를 x^2+1로 나누었을 때의 나머지는 $x+2$이고, $x+1$로 나누었을 때의 나머지는 3이다. 다항식 $f(x)$를 $(x^2+1)(x+1)$로 나누었을 때의 나머지를 구하시오.

$f(x)$를 $(x^2+1)(x+1)$로 나누었을 때의 몫을 $Q(x)$, 나머지를 ax^2+bx+c (a, b, c는 상수)라 하면

$f(x)=(x^2+1)(x+1)Q(x)+ax^2+bx+c$

$f(x)$를 x^2+1로 나눈 나머지가 $x+2$이므로

ax^2+bx+c를 x^2+1로 나눈 나머지도 $x+2$이다.

$\therefore f(x)=(x^2+1)(x+1)Q(x)+a(x^2+1)+x+2$

이 식의 양변에 $x=-1$을 대입하면

$f(-1)=2a+1=3$

$\therefore a=1$

따라서 구하는 나머지는 $(x^2+1)+x+2=x^2+x+3$이다.

답 x^2+x+3

0296 몫과 나머지를 모두 $ax+b$로 놓을 수 있다.

> 삼차다항식 $f(x)$는 $(x-1)^2$으로 나눈 몫과 나머지가 같고 $f(1)=0$을 만족한다. $f(x)$를 $(x-1)^3$으로 나눈 나머지를 $R(x)$라 할 때, $R(2)$의 값을 구하시오. (단, $R(0)=2$이다.)

나누는 식이 이차식이므로 몫과 나머지를 $ax+b$라고 하면

$f(x)=(x-1)^2(ax+b)+(ax+b)$

이때, $f(1)=0$이므로 $a+b=0$

즉, $b=-a$이다.

따라서

$f(x)=(x-1)^2(ax-a)+(ax-a)$

$=a(x-1)^3+ax-a$

위 식에서 $R(x)=ax-a$이다.

$R(0)=2$이므로 $a=-2$

$\therefore R(x)=-2x+2$

$\therefore R(2)=-2\times2+2=-2$

답 -2

0297

> 다항식 $P(x)$를 $x-\frac{1}{5}$로 나누었을 때의 몫과 나머지를 각각 $Q(x)$, R라 하자. $P(x)$를 $5x-1$로 나누었을 때의 몫과 나머지를 구하면?
>
> $P(x)=\left(x-\frac{1}{5}\right)Q(x)+R$이다.

다항식 $P(x)$를 $\left(x-\frac{1}{5}\right)$로 나누었을 때의 몫이 $Q(x)$, 나머지가 R이므로 $P(x)=\left(x-\frac{1}{5}\right)Q(x)+R=(5x-1)\frac{1}{5}Q(x)+R$

따라서 다항식 $P(x)$를 $(5x-1)$로 나누었을 때의 몫은 $\frac{1}{5}Q(x)$이고 나머지는 R이다.

답 ④

0298

다항식 $f(x)$를 $2x+1$로 나누었을 때의 몫은 $Q(x)$이고, 나머지는 1이다. $xf(x)$를 $x+\frac{1}{2}$로 나누었을 때의 몫과 나머지를 구하시오.

→ $f(x)=(2x+1)Q(x)+1$

$f(x)=(2x+1)Q(x)+1$

$xf(x)=x(2x+1)Q(x)+x$

$=\left(x+\frac{1}{2}\right)\times 2xQ(x)+\left(x+\frac{1}{2}\right)-\frac{1}{2}$

$=\left(x+\frac{1}{2}\right)\{2xQ(x)+1\}-\frac{1}{2}$

따라서 몫은 $2xQ(x)+1$, 나머지는 $-\frac{1}{2}$이다.

답 몫: $2xQ(x)+1$, 나머지: $-\frac{1}{2}$

0299

→ $f(x)=(x+1)Q(x)+r$

다항식 $f(x)$를 $x+1$로 나누었을 때의 몫을 $Q(x)$, 나머지를 r라 할 때, $xf(x)-3$을 $x+1$로 나눈 몫과 나머지를 구하시오.

$f(x)=(x+1)Q(x)+r$

$xf(x)-3=x(x+1)Q(x)+rx-3$

$=x(x+1)Q(x)+r(x+1)-r-3$

$=(x+1)\{xQ(x)+r\}-r-3$

따라서 몫은 $xQ(x)+r$, 나머지는 $-r-3$이다.

답 몫: $xQ(x)+r$, 나머지: $-r-3$

0300

→ $R=f(2)$

다항식 $f(x)$를 $x-2$로 나눈 나머지를 R라 할 때, 다항식 $f(3x-4)$를 $x-2$로 나눈 나머지는?

나머지정리에 의하여 $f(2)=R$이므로

$f(3x-4)$를 $x-2$로 나눈 나머지는

$f(6-4)=f(2)=R$

답 ①

0301

→ $f(1)+g(1)=7$

다항식 $f(x)+g(x)$를 $x-1$로 나눈 나머지가 7이고 다항식 $2f(x)+g(x)$를 $x-1$로 나눈 나머지가 9일 때, 다항식 $f(3x-2)$를 $x-1$로 나눈 나머지를 구하시오.

→ $2f(1)+g(1)=9$

$f(x)+g(x)$를 $x-1$로 나눈 나머지가 7이므로

$f(1)+g(1)=7$ ······ ㉠

$2f(x)+g(x)$를 $x-1$로 나눈 나머지가 9이므로

$2f(1)+g(1)=9$ ······ ㉡

㉡$-$㉠을 하면 $f(1)=2$

따라서 $f(3x-2)$를 $x-1$로 나눈 나머지는

$f(3-2)=f(1)=2$

답 2

0302

다항식 $f(x)$를 $(2x+1)(x+2)$로 나누었을 때의 나머지가 $5x-1$일 때, 다항식 $f(3x+1)$을 $x+1$로 나누었을 때의 나머지는?

→ 구하는 나머지는 $f(-2)$이다.

$f(3x+1)$을 $x+1$로 나누었을 때의 나머지는

$f(-3+1)=f(-2)$

$f(x)$를 $(2x+1)(x+2)$로 나누었을 때의 몫을 $Q(x)$라 하면

$f(x)=(2x+1)(x+2)Q(x)+5x-1$

$\therefore f(-2)=-10-1=-11$

답 ①

0303

→ $f(1)-1=0$, $f(2)-1=0$이다.

x에 대한 다항식 $f(x)-1$이 $(x-1)(x-2)$로 나누어떨어질 때, $f(x+1)$을 $x(x-1)$로 나눈 나머지는?

$f(x)-1$을 $(x-1)(x-2)$로 나누었을 때의 몫을 $Q(x)$라고 하면

$f(x)-1=(x-1)(x-2)Q(x)$

$\therefore f(x)=(x-1)(x-2)Q(x)+1$

$\therefore f(x+1)=x(x-1)Q(x+1)+1$

따라서 $f(x+1)$을 $x(x-1)$로 나눈 나머지는 1이다.

답 ①

0304

→ $f(1)$, $f(-1)$의 값을 먼저 구하자.

다항식 $f(x)$를 $(x-1)(x+1)$로 나누었을 때의 나머지는 $x+2$이다. 다항식 $f(2x)$를 $2x-1$로 나누었을 때의 나머지를 R_1, 다항식 $f(x+1000)$을 $x+1001$로 나누었을 때의 나머지를 R_2라 할 때, R_1+R_2의 값은?

$f(x)$를 $(x-1)(x+1)$로 나누었을 때의 몫을 $Q(x)$라 하면

$f(x)=(x-1)(x+1)Q(x)+x+2$

$\therefore f(1)=3,\ f(-1)=1$

$f(2x)$를 $2x-1$로 나누었을 때의 몫을 $Q_1(x)$라 하면

$f(2x)=(2x-1)Q_1(x)+R_1$

이 식의 양변에 $x=\frac{1}{2}$을 대입하면

$f(1)=R_1=3$

또 $f(x+1000)$을 $x+1001$로 나누었을 때의 몫을 $Q_2(x)$라 하면

$f(x+1000)=(x+1001)Q_2(x)+R_2$

이 등식의 양변에 $x=-1001$을 대입하면

$f(-1)=R_2=1$

$\therefore R_1+R_2=3+1=4$

답 ①

0305

P(0)=3을 구할 수 있다.

> 이차식 $P(x)$에 대하여 $P(2-x)$를 $x-2$로 나누었을 때의 나머지가 3이다. $xP(x)+x^2$은 $(x+1)(x-1)$로 나누어떨어진다고 할 때, $P(3)$의 값을 구하시오.

$P(2-x)$를 $x-2$로 나누었을 때의 나머지가 3이므로
나머지정리에 의해 $P(0)=3$이다.
또한, $xP(x)+x^2$이 $(x+1)(x-1)$로 나누어떨어지므로
$-P(-1)+1=0$, $P(1)+1=0$이므로
이차방정식 $P(x)+x=0$의 두 근이 -1, 1이다.
$\therefore P(x)+x=a(x+1)(x-1)$
$x=0$을 대입하면 $P(0)=-a$
따라서 $a=-3$이므로 $P(x)=-3(x^2-1)-x$이다.
$\therefore P(3)=-27$

답 -27

0306

> 다항식 $f(x)$를 $x+1$로 나누었을 때의 몫이 $Q(x)$, 나머지가 2이고, $Q(x)$를 $x-3$으로 나누었을 때의 나머지가 1이다. 이때, $f(x)$를 $x-3$으로 나누었을 때의 나머지를 구하시오.

$Q(3)=1$이다.

$f(x)=(x+1)Q(x)+2$
$Q(x)$를 $x-3$으로 나누었을 때의 나머지가 1이므로
$Q(3)=1$
따라서 $f(x)$를 $x-3$으로 나누었을 때의 나머지는
$f(3)=(3+1)Q(3)+2=6$

답 6

0307

> 다항식 x^3-3x^2+ax+9를 $x-1$로 나누었을 때의 몫이 $Q(x)$, 나머지가 2이고, $Q(x)$를 $x+3$으로 나누었을 때의 나머지가 b일 때, 두 상수 a, b에 대하여 $b-a$의 값은?

$Q(-3)=b$이다.

$f(x)=x^3-3x^2+ax+9$로 놓으면 $f(1)=2$이므로
$f(1)=1-3+a+9=2$
$\therefore a=-5$
$Q(x)$를 $x+3$으로 나누었을 때의 나머지가 b이므로
$Q(-3)=b$
$x^3-3x^2-5x+9=(x-1)Q(x)+2$에서
양변에 $x=-3$을 대입하면
$-27-27+15+9=-4Q(-3)+2$
$4Q(-3)=32$
$\therefore Q(-3)=8$
따라서 $a=-5$, $b=8$이므로
$b-a=13$

답 ②

0308

$Q(x)=(x-1)Q'(x)+1$이라 하자.

> 다항식 $f(x)$를 x^2+x+1로 나누었을 때의 몫이 $Q(x)$, 나머지가 $x-12$이고, $Q(x)$를 $x-1$로 나누었을 때의 나머지가 1이다. $f(x)$를 x^3-1로 나누었을 때의 나머지를 $R(x)$라고 할 때, $R(0)$의 값을 구하시오.

$(x^2+x+1)(x-1)$로 인수분해하자.

$f(x)=(x^2+x+1)Q(x)+x-12$
$Q(x)$를 $x-1$로 나누었을 때의 몫을 $Q'(x)$라고 하면
$Q(x)=(x-1)Q'(x)+1$
$\therefore f(x)=(x^2+x+1)\{(x-1)Q'(x)+1\}+x-12$
$\qquad=(x^3-1)Q'(x)+x^2+2x-11$
따라서 $f(x)$를 x^3-1로 나누었을 때의 나머지는
$R(x)=x^2+2x-11$
$\therefore R(0)=-11$

답 -11

0309

나머지를 먼저 구하자.

> 다항식 $x^{20}+x+1$을 $x-1$로 나눈 몫을 $Q(x)$라 할 때, $Q(x)$를 $x+1$로 나눈 나머지는?

$x^{20}+x+1$을 $x-1$로 나눈 나머지를 R라 하면
$R=1+1+1=3$
$\therefore x^{20}+x+1=(x-1)Q(x)+3 \quad \cdots\cdots$ ㉠
$Q(x)$를 $x+1$로 나눈 나머지는 $Q(-1)$이므로
㉠의 양변에 $x=-1$을 대입하면
$1=-2Q(-1)+3$
$\therefore Q(-1)=1$

답 ④

0310

$f(2)$의 값을 구할 수 있다.

> 다항식 $f(x)$를 x^2-4로 나누었을 때의 몫은 $Q(x)$, 나머지는 $3x-2$이고, x^2+1로 나누었을 때의 몫은 $Q'(x)$, 나머지는 $2x-10$이다. 이때, $Q'(x)$를 $x-2$로 나누었을 때의 나머지는?

$Q'(2)$의 값이다.

$f(x)=(x^2-4)Q(x)+3x-2$에서
$f(2)=6-2=4$
$f(x)=(x^2+1)Q'(x)+2x-10$에서
$f(2)=5Q'(2)-6$
$Q'(x)$를 $x-2$로 나누었을 때 나머지는 $Q'(2)$이므로
$5Q'(2)-6=4$
$\therefore Q'(2)=2$

답 ①

0311

$Q_1(2)+Q_2(2)$의 값이다.

> 이차 이상의 다항식 $f(x)$가 다음 조건을 모두 만족시킬 때, 다항식 $Q_1(x)+Q_2(x)$를 $x-2$로 나눈 나머지를 구하시오.
>
> (가) $x-1$로 나눈 몫은 $Q_1(x)$이고 나머지는 2이다.
> (나) $x-3$으로 나눈 몫은 $Q_2(x)$이고 나머지는 7이다.

(가)에서 $f(x)=(x-1)Q_1(x)+2$ ⋯⋯㉠
(나)에서 $f(x)=(x-3)Q_2(x)+7$ ⋯⋯㉡
$Q_1(x)+Q_2(x)$를 $x-2$로 나눈 나머지는 $Q_1(2)+Q_2(2)$이므로
㉠, ㉡에 $x=2$를 대입하여 정리하면
$f(2)=Q_1(2)+2=-Q_2(2)+7$
$\therefore Q_1(2)+Q_2(2)=5$ 답 5

0312 — $x=16$이라 하면 $15=x-1$이다.

> 16^{12}을 15로 나누었을 때의 나머지를 r_1이라 하고, 16^{21}을 17로 나누었을 때의 나머지를 r_2라 할 때, r_1+r_2의 값은?

16^{12}을 15로 나누었을 때의 나머지는 r_1이므로
$x^{12}=(x-1)Q_1(x)+r_1$
$x=1$일 때, $r_1=1$
16^{21}을 17로 나누었을 때의 나머지는 r_2이므로
$x^{21}=(x+1)Q_2(x)+r_2$
$x=-1$일 때, $r_2=-1$
$0\le r_2<17$이므로
$16^{21}=17Q_2(16)-1=17\{Q_2(16)-1\}+16$
$\therefore r_2=16$
$\therefore r_1+r_2=17$ 답 ③

0313

> $99^{99}+99^{100}+99^{101}$을 100으로 나누었을 때의 나머지는?
> — $99=x$라 하면 $x^{99}+x^{100}+x^{101}$이다.

$x^{99}+x^{100}+x^{101}=(x+1)Q(x)+R$
$x=-1$을 대입하면 $R=-1$
$\therefore 99^{99}+99^{100}+99^{101}=100\times Q(99)-1$
$=100\times\{Q(99)-1\}+99$
따라서 나머지는 99이다. 답 ⑤

0314

> 2^{121}을 9로 나누었을 때의 나머지를 구하시오.
> — $x=8$이라 하면 $2^{121}=2\times 8^{40}=2x^{40}$이고, $9=x+1$이다.

$2^{121}=(2^3)^{40}\times 2=2\times 8^{40}$
$f(x)=2x^{40}$으로 놓으면 $f(x)$를 $x+1$로 나누었을 때의 나머지를 r, 몫을 $Q(x)$라 하면
$f(x)=(x+1)Q(x)+r$
$f(-1)=2$이므로 $r=2$
$2x^{40}=(x+1)Q(x)+2$
위의 식의 양변에 $x=8$을 대입하면
$2\times 8^{40}=(8+1)Q(8)+2$
$\therefore 2^{121}=9Q(8)+2$
따라서 2^{121}을 9로 나누었을 때의 나머지는 2이다. 답 2

0315

> x에 대한 다항식 $3x^3+kx^2-k^2x+9$가 $x-1$로 나누어떨어지도록 하는 모든 상수 k의 값의 합은?
> — 식을 $f(x)$라 하면 $f(1)=0$이다.

$f(x)=3x^3+kx^2-k^2x+9$로 놓으면
$f(x)$는 $x-1$로 나누어떨어지므로
$f(1)=3+k-k^2+9=0$
$k^2-k-12=0$
$(k+3)(k-4)=0$
$\therefore k=-3$ 또는 $k=4$
따라서 모든 상수 k의 값의 합은 1이다. 답 ①

0316

> 다항식 $f(x)=x^3-6x^2+ax-a-1$이 $x+2$를 인수로 가질 때, 상수 a의 값은?
> — $f(-2)=0$이다.

$f(x)=x^3-6x^2+ax-a-1$이 $x+2$를 인수로 가지므로
$f(-2)=-8-24-2a-a-1=0$
$-33-3a=0$ $\therefore a=-11$ 답 ①

0317

> 다항식 $f(x)=2x^3+ax^2+x+b$가 $x-1$, $x-2$를 인수로 가질 때, a^2+b^2의 값을 구하시오. (단, a, b는 실수이다.)
> — $f(1)=0$, $f(2)=0$이다.

$f(x)$가 $x-1$, $x-2$를 인수로 가지므로
$f(1)=2+a+1+b=0$
$\therefore a+b=-3$ ⋯⋯㉠
$f(2)=16+4a+2+b=0$
$\therefore 4a+b=-18$ ⋯⋯㉡
㉠, ㉡을 연립하여 풀면 $a=-5$, $b=2$
$\therefore a^2+b^2=25+4=29$ 답 29

0318

> 다항식 $2x^3+ax^2+bx+1$이 $x+1$로 나누어떨어지고, $x-1$로 나누면 나머지가 5일 때, 두 상수 a, b의 곱 ab의 값은?
> — 식을 $f(x)$라 하면 $f(-1)=0$, $f(1)=5$이다.

$f(x)=2x^3+ax^2+bx+1$로 놓으면 나머지정리에 의하여
$f(-1)=0$, $f(1)=5$이므로
$f(-1)=-2+a-b+1=0$에서 $a-b=1$ ⋯⋯㉠
$f(1)=2+a+b+1=5$에서 $a+b=2$ ⋯⋯㉡
㉠, ㉡을 연립하여 풀면
$a=\frac{3}{2}$, $b=\frac{1}{2}$
$\therefore ab=\frac{3}{4}$ 답 ③

0319

> 다항식 x^4-ax^2+bx+3은 $x+1$로 나누어떨어지고, 다항식 ax^2-bx+6은 $x+3$으로 나누어떨어질 때, 두 상수 a, b에 대하여 $a-b$의 값은?
>
> ($x=-1$을 대입하면 0이다.) ($x=-3$을 대입하면 0이다.)

$f(x)=x^4-ax^2+bx+3$, $g(x)=ax^2-bx+6$으로 놓으면
$f(x)$는 $x+1$로 나누어떨어지므로
$f(-1)=1-a-b+3=0$
$\therefore a+b=4$ ⋯⋯ ㉠
또 $g(x)$는 $x+3$으로 나누어떨어지므로
$g(-3)=9a+3b+6=0$
$\therefore 3a+b=-2$ ⋯⋯ ㉡
㉠, ㉡을 연립하여 풀면 $a=-3$, $b=7$
$\therefore a-b=-10$

답 ①

0320

> x에 대한 다항식 $f(x)=x^3+ax^2+3x+10$에 대하여 다항식 $f(x)-2x^2$이 $x+2$로 나누어떨어질 때, $2a$의 값을 구하시오. (단, a는 상수이다.)
>
> ($f(-2)-2\times(-2)^2=0$이다.)

$f(x)-2x^2$이 $x+2$로 나누어떨어지므로
$f(-2)-8=0$ $\quad\therefore f(-2)=8$
$f(x)=x^3+ax^2+3x+10$에서
$f(-2)=-8+4a-6+10=8$
$4a=12$ $\quad\therefore 2a=6$

답 6

0321

> $f(x)=x^3+a$는 $x-1$로 나누어떨어진다. $f(x)$를 $x-1$로 나누었을 때의 몫을 $Q(x)$라 할 때, $Q(x)$를 $x+1$로 나누었을 때의 나머지는?
>
> ($f(1)=0$이다.) ($Q(-1)$이다.)

$f(x)$는 $x-1$로 나누어떨어지므로
$f(1)=1+a=0$ $\quad\therefore a=-1$
$\therefore f(x)=x^3-1=(x-1)Q(x)$
$Q(x)$를 $x+1$로 나누었을 때의 나머지는 $Q(-1)$이므로
양변에 $x=-1$을 대입하면
$-2=-2Q(-1)$
$\therefore Q(-1)=1$

답 ①

0322

> 최고차항의 계수가 1인 x에 대한 삼차다항식 $P(x)$가 $P(2)=P(3)=P(4)=0$을 만족할 때, $P(1)$의 값을 구하시오.
>
> ($P(x)$는 $x-2$, $x-3$, $x-4$를 인수로 갖는다.)

최고차항의 계수가 1이고 x에 대한 삼차식이므로
$P(x)=(x-2)(x-3)(x-4)$
$\therefore P(1)=(-1)\times(-2)\times(-3)=-6$

답 -6

0323

> x^2의 계수가 1인 이차다항식 $f(x)$가 다음 조건을 만족시킨다.
>
> (가) $f(x)$는 $x+3$으로 나누어떨어진다.
> (나) $f(x^2)$을 $f(x)$로 나누었을 때의 나머지는 $340x+1032$이다.
>
> ($x+3$을 인수로 갖는다.)
>
> 이때, $f(2)$의 값을 구하시오.

$f(x)$는 x^2의 계수가 1인 이차다항식이므로
$f(x)$를 $x+3$으로 나누었을 때의 몫을 $x+k$ (k는 상수)라 하면
$f(x)=(x+3)(x+k)$
$f(x^2)$을 $f(x)$로 나눈 몫을 $Q(x)$라 하면
$f(x^2)=f(x)Q(x)+340x+1032$에서
$(x^2+3)(x^2+k)=(x+3)(x+k)Q(x)+340x+1032$
이 등식의 양변에 $x=-3$을 대입하면
$12(9+k)=12$ $\quad\therefore k=-8$
$\therefore f(x)=(x+3)(x-8)$
$\therefore f(2)=-30$

답 -30

0324

> x에 대한 다항식 $f(x)=4x^3-3x^2+px+q$가 $(x-1)(x+2)$를 인수로 가질 때, 두 상수 p, q에 대하여 $p-q$의 값은?
>
> ($f(1)=0$, $f(-2)=0$이다.)

$f(x)=4x^3-3x^2+px+q$가 $(x-1)(x+2)$를 인수로 가지므로
$f(1)=4-3+p+q=0$
$\therefore p+q=-1$ ⋯⋯ ㉠
$f(-2)=-32-12-2p+q=0$
$\therefore -2p+q=44$ ⋯⋯ ㉡
㉠, ㉡을 연립하여 풀면
$p=-15$, $q=14$
$\therefore p-q=-29$

답 ②

0325

> x에 대한 다항식 $f(x)=x^3+ax^2+bx+2$가 x^2-3x+2로 나누어떨어질 때, $a-b$의 값은? (단, a, b는 상수이다.)
>
> ($f(1)=0$, $f(2)=0$이다.)

$f(x)=x^3+ax^2+bx+2$가 $x^2-3x+2=(x-1)(x-2)$로 나누어떨어지므로
$f(1)=1+a+b+2=0$
$\therefore a+b=-3$ ⋯⋯ ㉠
$f(2)=8+4a+2b+2=0$
$\therefore 2a+b=-5$ ⋯⋯ ㉡
㉠, ㉡을 연립하여 풀면 $a=-2$, $b=-1$
$\therefore a-b=-1$

답 ②

0326

> 다항식 $P(x)$를 $x-1$로 나누면 나머지가 4이고, $x+3$으로 나누면 나누어떨어진다고 한다. 이때, $P(x)$를 $(x-1)(x+3)$으로 나누었을 때의 나머지를 구하시오.
> → $P(1)=4$, $P(-3)=0$이다.

$P(1)=4$, $P(-3)=0$이므로 $P(x)$를 $(x-1)(x+3)$으로 나누었을 때의 몫을 $Q(x)$, 나머지를 $ax+b$ (a, b는 상수)라 하면
$P(x)=(x-1)(x+3)Q(x)+ax+b$
이 식의 양변에 $x=1$, $x=-3$을 대입하면
$P(1)=a+b=4$
$P(-3)=-3a+b=0$
두 식을 연립하여 풀면 $a=1$, $b=3$
따라서 구하는 나머지는 $x+3$이다. 답 $x+3$

0327

> x에 대한 다항식 $f(x)-1$이 $(x-2)(x-3)$으로 나누어떨어질 때, 다항식 $f(x+2)$를 $x(x-1)$로 나눈 나머지는?
> → $f(x)-1=(x-2)(x-3)Q(x)$로 표현된다.

$f(x)-1$을 $(x-2)(x-3)$으로 나누었을 때의 몫을 $Q(x)$라 하면
$f(x)-1=(x-2)(x-3)Q(x)$
$\therefore f(x)=(x-2)(x-3)Q(x)+1$
따라서 $f(x+2)=x(x-1)Q(x+2)+1$이므로
$f(x+2)$를 $x(x-1)$로 나눈 나머지는 1이다. 답 ①

0328

> 삼차식 $f(x)$에 대하여 $f(x)+8$은 $(x+2)^2$으로 나누어떨어지고, $1-f(x)$는 x^2-1로 나누어떨어진다. 이때, $f(x)$를 $x-2$로 나누었을 때의 나머지는?
> → $f(x)+8=(x+2)^2Q_1(x)$
> → $1-f(x)=(x^2-1)Q_2(x)$

$f(x)+8$이 $(x+2)^2$으로 나누어떨어지면
$f(x)+8=(x+2)^2Q_1(x)$
이때 $f(x)$가 삼차식이므로
$f(x)=(x+2)^2(ax+b)-8$ …… ㉠
$1-f(x)$가 x^2-1로 나누어떨어지면
$1-f(x)=(x^2-1)Q_2(x)$,
$1-f(x)=(x-1)(x+1)Q_2(x)$ …… ㉡
㉡의 양변에 $x=1$, $x=-1$을 대입하면
$f(1)=1$, $f(-1)=1$
이것을 ㉠에 대입하면
$f(1)=1=9\times(a+b)-8$, $f(-1)=1=1\times(-a+b)-8$
두 식을 연립하여 풀면 $a=-4$, $b=5$이므로
따라서 $f(x)=(x+2)^2(-4x+5)-8$
이때 $f(x)$를 $x-2$으로 나누었을 때의 나머지는 $f(2)$이다.
$\therefore f(2)=(2+2)^2(-8+5)-8=-56$ 답 ②

0329

> 이차식 $P(x)$에 대하여 $P(x-2)$를 $x-2$로 나누었을 때의 나머지가 2이고, $xP(x)+x^2$은 $(x+1)(x+2)$로 나누어떨어진다. 이때, $P(1)$의 값을 구하시오.
> → $P(x)=ax^2+bx+c$라 하자.
> → $P(0)$의 값을 구하자.

$P(x)=ax^2+bx+c$ $(a\neq0)$라 하면
$P(x-2)$를 $x-2$로 나누었을 때의 나머지가 2이므로
$P(2-2)=P(0)=2$ $\therefore c=2$
$xP(x)+x^2$이 $(x+1)(x+2)$로 나누어떨어지므로
$-P(-1)+1=0$, $-2P(-2)+4=0$
$P(-1)=1$, $P(-2)=2$
따라서 $a-b+2=1$, $4a-2b+2=2$
두 식을 연립하여 풀면 $a=1$, $b=2$
따라서 $P(x)=x^2+2x+2$이므로
$P(1)=5$ 답 5

0330

> 삼차항의 계수가 1인 삼차식 $f(x)$에 대하여
> $f(-1)=f(0)=f(1)=-1$
> 일 때, $f(2)$의 값은?
> → $f(x)+1$은 $x+1$, x, $x-1$을 인수로 가진다.

$f(-1)=f(0)=f(1)=-1$이므로
$f(x)$를 $x+1$, x, $x-1$로 나누었을 때의 나머지가 모두 -1이다.
따라서 $g(x)=f(x)+1$로 놓으면 다항식 $g(x)$는 삼차항의 계수가 1인 삼차식이고 $g(-1)=g(0)=g(1)=0$이므로 인수정리에 의하여 $g(x)$는 $x+1$, x, $x-1$을 인수로 가진다.
따라서 $g(x)=(x+1)\times x\times(x-1)$
이므로 $f(x)=(x+1)\times x\times(x-1)-1$
$\therefore f(2)=3\times2\times1-1=5$ 답 ④

0331

> 삼차다항식 $f(x)$를 $x-1$, $x-2$, $x-3$으로 나누었을 때의 나머지가 모두 2이고, $x-4$로 나누었을 때의 나머지가 14일 때, $x-5$로 나누었을 때의 나머지를 구하시오.
> → $f(1)=f(2)=f(3)=2$이다.

삼차다항식 $f(x)$를 $x-1$, $x-2$, $x-3$으로 나누었을 때의 나머지가 모두 2이므로
$f(1)=f(2)=f(3)=2$
따라서 인수정리에 의해 다항식 $f(x)-2$는 $x-1$, $x-2$, $x-3$을 인수로 가진다.
$\therefore f(x)-2=k(x-1)(x-2)(x-3)$
$x-4$로 나누었을 때의 나머지가 14이므로
$f(4)=14=2+6k$
$\therefore k=2$
$x-5$로 나누었을 때의 나머지는
$f(5)=2+24k=2+24\times2=50$ 답 50

0332

x^3의 계수가 1인 삼차다항식 $f(x)$에 대하여 $f(1)=2$, $f(2)=3$, $f(3)=4$일 때, $f(0)$의 값을 구하시오.

→ 1, 2, 3은 방정식 $f(x)=x+1$의 세 근이다.

$2=1+1$, $3=2+1$, $4=3+1$이므로 세 조건을 $f(x)=x+1$을 만족하는 세 근이 1, 2, 3임으로 해석할 수 있다.
따라서 인수정리에 의해
다항식 $f(x)-(x+1)$은 $x-1$, $x-2$, $x-3$을 인수로 가진다.
$\therefore f(x)-(x+1)=(x-1)(x-2)(x-3)$
x에 0을 대입하면
$f(0)-(0+1)=(-1)\times(-2)\times(-3)$
$\therefore f(0)=-5$

답 -5

0333

등식 $x^3+2x^2-3x+2=(x+1)^3+a(x+1)^2+b(x+1)+c$가 x에 대한 항등식일 때, abc의 값을 구하시오. (단, a, b, c는 상수이다.)

→ $(x+1)\{(x+1)^2+a(x+1)+b\}+c$이므로 조립제법을 이용하여 { } 안의 식과 c의 값을 구하자.

조립제법을 이용하면

-1	1	2	-3	2
		-1	-1	4
-1	1	1	-4	$6=c$
		-1	0	
-1	1	0	$-4=b$	
		-1		
	1	$-1=a$		

$\therefore abc=(-1)\times(-4)\times 6=24$

답 24

0334

x에 대한 항등식
$x^3-4x^2+3x-5=a(x-2)^3+b(x-2)^2+c(x-2)+d$
를 만족하는 상수 a, b, c, d에 대하여 $a+b+c+d$의 값은?

→ $(x-2)\{a(x-2)^2+b(x-2)+c\}+d$이므로 조립제법을 반복 이용하여 a, b, c, d의 값을 구하자.

2	1	-4	3	-5
		2	-4	-2
2	1	-2	-1	$-7 \to d$
		2	0	
2	1	0	$-1 \to c$	
		2		
	1 ($\to a$)	$2 \to b$		

$\therefore a+b+c+d=-5$

답 ①

0335

다항식 $f(x)=2x^3+5x^2+3x+4$에서 $f(98)$의 값을 구하시오.

→ $f(x)=a(x+2)^3+b(x+2)^2+c(x+2)+d$의 꼴로 변형하자.

-2	2	5	3	4
		-4	-2	-2
-2	2	1	1	2
		-4	6	
-2	2	-3	7	
		-4		
	2	-7		

$\therefore f(x)=2(x+2)^3-7(x+2)^2+7(x+2)+2$
$\therefore f(98)=2\times100^3-7\times100^2+7\times100+2$
$=1930702$

답 1930702

0336

등식 $2x^2+5x+4=(x+a)(bx+1)+c$가 x에 대한 항등식일 때, 세 상수 a, b, c에 대하여 $a+b-c$의 값은?

→ 우변을 전개하여 계수를 비교하자.

$2x^2+5x+4=(x+a)(bx+1)+c$
$=bx^2+(ab+1)x+a+c$
이 식이 x에 대한 항등식이므로
$b=2$, $ab+1=5$, $a+c=4$
$\therefore a=2$, $b=2$, $c=2$
$\therefore a+b-c=2$

답 ③

0337

다음 등식이 x에 대한 항등식이 되도록 세 상수 a, b, c의 값을 정할 때, abc의 값은?

→ 수치대입법을 이용하여 구하자.

$$a(x-1)(x+1)+b(x-1)+c(x+1)=2x^2+x+3$$

주어진 등식의 양변에
$x=1$을 대입하면 $2c=6$ $\quad\therefore c=3$
$x=-1$을 대입하면 $-2b=4$
$\therefore b=-2$
x^2의 계수를 비교하면 $a=2$
$\therefore abc=-12$

답 ④

0338 서술형

등식 $(k-2)x+(3-k)y+2k-3=0$이 k의 값에 관계없이 항상 성립하도록 하는 실수 x, y에 대하여 $x+y$의 값을 구하시오.

→ k에 관한 식으로 정리한 후에 항등식의 성질을 이용하자.

주어진 등식을 k에 대하여 정리하면
$(x-y+2)k-(2x-3y+3)=0$ …… 30%
이 식이 k에 대한 항등식이므로
$x-y+2=0$, $2x-3y+3=0$ …… 50%
두 식을 연립하여 풀면 $x=-3$, $y=-1$
$\therefore x+y=-4$ …… 20%

답 -4

0339

다항식 x^3+px^2+qx+2를 $(x-1)(x+3)$으로 나눈 나머지가 $2x+1$일 때, 상수 p, q에 대하여 $p-q$의 값은?

• $A=BQ+R$의 꼴로 표현해 보자.

x^3+px^2+qx+2를 $(x-1)(x+3)$으로 나눈 몫을 $Q(x)$라고 하면
$x^3+px^2+qx+2=(x-1)(x+3)Q(x)+2x+1$
이 식이 x에 대한 항등식이므로
$x=1$, $x=-3$을 대입하면
$1+p+q+2=3$, $-27+9p-3q+2=-5$
$p+q=0$, $9p-3q=20$
두 식을 연립하여 풀면 $p=\frac{5}{3}$, $q=-\frac{5}{3}$
$\therefore p-q=\frac{10}{3}$

답 ⑤

0340

모든 실수 x에 대하여 등식
$x^{25}+1=a_{25}(x-1)^{25}+a_{24}(x-1)^{24}+\cdots+a_1(x-1)+a_0$
이 성립할 때, $a_{25}+a_{23}+a_{21}+\cdots+a_3+a_1$의 값은? (단, a_0, a_1, $\cdots$, a_{25}는 상수)

• 항등식이므로 양변에 $x=0$, $x=2$를 대입해 보자.

주어진 등식의 양변에
$x=0$을 대입하면
$1=-a_{25}+a_{24}-a_{23}+a_{22}-\cdots-a_1+a_0$ ······ ㉠
$x=2$를 대입하면
$2^{25}+1=a_{25}+a_{24}+\cdots+a_1+a_0$ ······ ㉡
㉡−㉠을 하면
$2^{25}=2(a_{25}+a_{23}+\cdots+a_3+a_1)$
$\therefore a_{25}+a_{23}+\cdots+a_3+a_1=2^{24}$

답 ⑤

0341

다항식 x^3+ax-2를 $x-1$로 나누었을 때의 나머지가 2일 때, x^3+ax-2를 $x+2$로 나누었을 때의 나머지를 구하시오. (단, a는 상수이다.)

• 식을 $f(x)$라 하면 $f(1)=2$이다.

$f(x)=x^3+ax-2$로 놓으면 나머지정리에 의하여
$f(1)=2$이므로
$f(1)=1+a-2=2$ $\quad\therefore a=3$
$\therefore f(x)=x^3+3x-2$
따라서 $f(x)$를 $x+2$로 나누었을 때의 나머지는
$f(-2)=-8-6-2=-16$

답 −16

0342 서술형

다항식 $f(x)$를 $x-1$로 나누었을 때의 나머지가 -1, $x+2$로 나누었을 때의 나머지가 -7이다. $f(x)$를 x^2+x-2로 나누었을 때의 나머지를 $R(x)$라 할 때, $R(2)$의 값을 구하시오.

• $f(1)=-1$, $f(-2)=-7$
• $(x+2)(x-1)$

나머지정리에 의하여 $f(1)=-1$, $f(-2)=-7$
$f(x)$를 x^2+x-2로 나누었을 때의 몫을 $Q(x)$라 하고
나머지를 $R(x)=ax+b$ (a, b는 상수)로 놓으면
$f(x)=(x^2+x-2)Q(x)+ax+b$
$\quad=(x-1)(x+2)Q(x)+ax+b$
이 식의 양변에 $x=1$, $x=-2$를 각각 대입하면
$f(1)=a+b=-1$ ······ ㉠ 50%
$f(-2)=-2a+b=-7$ ······ ㉡ 30%
㉠, ㉡을 연립하여 풀면 $a=2$, $b=-3$
따라서 $R(x)=2x-3$이므로
$R(2)=1$ ······ 20%

답 1

0343

다항식 $f(x)$를 x^2+1로 나누면 나머지가 $x+1$이고, $x-1$로 나누면 나머지가 4이다. $f(x)$를 $(x^2+1)(x-1)$로 나눌 때의 나머지를 $R(x)$라 할 때, $R(3)$의 값은?

• $R(x)=ax^2+bx+c$라 하고 몫을 $Q(x)$라 하자.

$f(x)$를 $(x^2+1)(x-1)$로 나누었을 때의 몫을 $Q(x)$라 하고
나머지를 $R(x)=ax^2+bx+c$ (a, b, c는 상수)로 놓으면
$f(x)=(x^2+1)(x-1)Q(x)+ax^2+bx+c$
$f(x)$를 x^2+1로 나눈 나머지가 $x+1$이므로
ax^2+bx+c를 x^2+1로 나눈 나머지도 $x+1$이다. 즉,
$f(x)=(x^2+1)(x-1)Q(x)+a(x^2+1)+x+1$
한편, $f(x)$를 $x-1$로 나눌 때의 나머지가 4이므로
$f(1)=2a+2=4$ $\quad\therefore a=1$
따라서 $R(x)=(x^2+1)+x+1=x^2+x+2$이므로
$R(3)=9+3+2=14$

답 ④

0344

다항식 $f(x)$를 $(x-1)(x-2)$로 나눈 나머지가 $2x-4$일 때, 다항식 $f(2x-3)$을 $x-2$로 나눈 나머지를 구하시오.

• $f(2x-3)$을 구하고 $(x-2)\times$(몫)+(나머지) 꼴로 나타내자.

$f(x)$를 $(x-1)(x-2)$로 나눈 몫을 $Q(x)$라 하면
$f(x)=(x-1)(x-2)Q(x)+2x-4$
$\therefore f(2x-3)=(2x-4)(2x-5)Q(2x-3)+4x-10$
$\quad=2(x-2)(2x-5)Q(2x-3)+4(x-2)-2$
$\quad=(x-2)\{2(2x-5)Q(2x-3)+4\}-2$
따라서 구하는 나머지는 -2이다.

답 −2

0345

다항식 $2x^3+ax^2+bx-12$가 $x-2$로 나누어떨어지고, $x-3$으로 나누면 나머지가 12일 때, 두 상수 a, b에 대하여 $a+b$의 값을 구하시오.

• 식을 $f(x)$라 하면 $f(2)=0$, $f(3)=12$이다.

$f(x)=2x^3+ax^2+bx-12$로 놓으면

$f(x)$가 $x-2$로 나누어떨어지므로
$f(2)=16+4a+2b-12=0$
$\therefore 2a+b=-2$ ……㉠
또한, $f(3)=12$에서
$f(3)=54+9a+3b-12=12$
$\therefore 3a+b=-10$ ……㉡
㉠, ㉡을 연립하여 풀면 $a=-8$, $b=14$
$\therefore a+b=6$

답 6

0346

> $f(1)=0$이다.
>
> x에 대한 다항식 $f(x)=x^3+p$를 $x-1$로 나누었을 때의 나머지는 0이다. 이때, $f(x)$를 $x-1$로 나누었을 때의 몫을 $Q(x)$라 하면 $Q(x)$를 $x+2$로 나누었을 때의 나머지는?
>
> $Q(-2)$의 값이다. (단, p는 상수이다.)

$f(x)=x^3+p$를 $x-1$로 나누었을 때의 나머지가 0이므로
$f(1)=1+p=0$ $\quad\therefore p=-1$
$\therefore f(x)=x^3-1=(x-1)Q(x)$ ……㉠
이때, $Q(x)$를 $x+2$로 나누었을 때의 나머지는 $Q(-2)$이므로 ㉠의 양변에 $x=-2$를 대입하면
$f(-2)=-8-1=-3Q(-2)$
$\therefore Q(-2)=3$

답 ④

0347

> 임의의 실수 x에 대하여 등식 (항등식이므로 수치대입법을 이용할 수 있다.)
>
> $x^3-2x^2+3x+1=(x-1)^3+a(x-1)^2+b(x-1)+c$
>
> 가 성립할 때, 세 상수 a, b, c에 대하여 $a^2+b^2+c^2$의 값을 구하시오.

주어진 등식의 양변에
$x=1$을 대입하면 $c=3$
$x=0$을 대입하면
$1=-1+a-b+c$
$\therefore a-b=-1$ ……㉠
$x=2$를 대입하면
$7=1+a+b+c$
$\therefore a+b=3$ ……㉡
㉠, ㉡을 연립하여 풀면 $a=1$, $b=2$
$\therefore a^2+b^2+c^2=1+4+9=14$

답 14

0348

> 상수 a, b에 대하여 $\dfrac{x-ay+4}{bx+3y-2}$의 값이 x, y의 값에 관계없이 항상 일정할 때, ab의 값은? (단, $bx+3y-2\neq0$)
>
> k라 놓고서 x, y에 관한 내림차순으로 정리한 후 항등식의 성질을 이용하자.

$\dfrac{x-ay+4}{bx+3y-2}=k$ ($k\neq0$인 상수)라 하고
x, y에 대하여 정리하면
$x-ay+4=bkx+3ky-2k$
$(1-bk)x-(a+3k)y+4+2k=0$
이 식이 x, y에 대한 항등식으로
$1-bk=0$, $a+3k=0$, $4+2k=0$
세 식을 연립하여 풀면 $k=-2$, $a=6$, $b=-\dfrac{1}{2}$
$\therefore ab=-3$

답 ④

0349

> 삼차식 $f(x)$가 다음 조건을 만족시킨다.
>
> (가) $f(0)=3$ 　항등식이므로 수치대입법으로 $f(1)$, $f(2)$의 값을 구하자.
> (나) $f(x+1)=f(x)+x^2$
>
> $f(x)$를 x^2-3x+2로 나눈 나머지는?

삼차식 $f(x)$를 x^2-3x+2로 나눈 몫을 $Q(x)$라 하고 나머지를 $ax+b$라 하면
$f(x)=(x^2-3x+2)Q(x)+ax+b$
$\quad=(x-1)(x-2)Q(x)+ax+b$ ……㉠
한편, $f(x+1)=f(x)+x^2$이므로
(i) $x=0$을 대입하면
　$f(1)=f(0)+0=3$ ($\because f(0)=3$)
(ii) $x=1$을 대입하면
　$f(2)=f(1)+1=4$ ($\because f(1)=3$)
(i), (ii)의 결과를 ㉠에 각각 대입하면
$f(1)=a+b=3$ ……㉡
$f(2)=2a+b=4$ ……㉢
㉢−㉡에서 $a=1$
a의 값을 ㉡에 대입하면 $b=2$
따라서 $a=1$, $b=2$이므로 삼차식 $f(x)$를 x^2-3x+2로 나눈 나머지는 $x+2$이다.

답 ②

0350

> 삼차다항식 $P(x)$가 다음 조건을 만족시킨다.
>
> 수치대입법으로 $P(1)$, $P(5)$의 값을 구하자.
>
> (가) $(x-1)P(x-2)=(x-7)P(x)$
> (나) $P(x)$를 x^2-4x+2로 나눈 나머지는 $2x-10$이다.
>
> $P(x)=(x^2-4x+2)Q(x)+2x-10$에서
>
> $P(4)$의 값은? $Q(x)$는 일차식이다.

조건 (가)에서 $x=1$을 대입하면 $P(1)=0$이다.
$x=7$을 대입하면 $P(5)=0$이다.
$P(x)$는 삼차다항식이므로 조건 (나)에 의해
$P(x)=(x^2-4x+2)(ax+b)+2x-10$($a$, b는 상수)이다.
$P(1)=0$이므로 $-a-b-8=0$
따라서 $a+b=-8$이다. ……㉠
$P(5)=0$이므로 $35a+7b=0$
따라서 $5a+b=0$이다. ……㉡

㉠과 ㉡에 의하여 $a=2$, $b=-10$이다.
따라서 $P(x)=(x^2-4x+2)(2x-10)+2x-10$이므로
$P(4)=-6$이다. 답 ①

0351

$x^{20}=(x-2)Q(x)+R$이다.

> x^{20}을 $x-2$로 나누었을 때의 몫을 $Q(x)$, 나머지를 R라 하고 $Q(x)$의 상수항을 포함한 계수의 총합을 A라 할 때, $A+R$의 값은?

$x^{20}=(x-2)Q(x)+R$
이 등식의 양변에 $x=2$를 대입하면
$2^{20}=R$
$\therefore x^{20}=(x-2)Q(x)+2^{20}$ ……㉠
㉠에서 $Q(x)$는 19차의 다항식이므로
$Q(x)=a_0+a_1x+a_2x^2+\cdots+a_{19}x^{19}$
이 등식의 양변에 $x=1$을 대입하면 구하는 총합 A는
$A=a_0+a_1+a_2+\cdots+a_{19}$
㉠의 양변에 $x=1$을 대입하면
$1=-Q(1)+2^{20}$ $\therefore Q(1)=2^{20}-1$
$Q(1)=A$이므로 $A=2^{20}-1$
$\therefore A+R=2^{20}-1+2^{20}=2^{21}-1$ 답 ③

0352

$f(-1)+g(-1)=2$

> 두 다항식 $f(x)$, $g(x)$에 대하여 $f(x)+g(x)$를 $x+1$로 나누었을 때의 나머지는 2이고, $f(x)g(x)$를 $x+1$로 나누었을 때의 나머지는 -1이다. $\{f(x)\}^3+\{g(x)\}^3$을 $x+1$로 나누었을 때의 나머지를 구하시오.

$f(-1)\times g(-1)=-1$

$f(x)+g(x)$를 $x+1$로 나누었을 때, 나머지는 2이므로
$f(-1)+g(-1)=2$ ……㉠
$f(x)g(x)$를 $x+1$로 나누었을 때, 나머지는 -1이므로
$f(-1)g(-1)=-1$ ……㉡
$\{f(x)\}^3+\{g(x)\}^3$을 $x+1$로 나누었을 때의 나머지는
$\{f(-1)\}^3+\{g(-1)\}^3$
$=\{f(-1)+g(-1)\}^3-3f(-1)g(-1)\{f(-1)+g(-1)\}$
$=2^3-3\times(-1)\times2$ ($\because$ ㉠, ㉡)
$=14$ 답 14

0353

> 다항식 $f(x)$가 다음 조건을 만족시킨다.
>
> $xf(x-1)=(x-2)Q_1(x)+12$
>
> (가) $xf(x-1)$을 $x-2$로 나눈 나머지는 12이다.
> (나) $(x+2)f(x+1)$을 $x-1$로 나눈 나머지는 30이다.
>
> $(x+2)f(x+1)=(x-1)Q_2(x)+30$
>
> $f(x)$를 x^2-3x+2로 나눈 나머지가 $R(x)$일 때, $R(10)$의 값을 구하시오.

(가)에서 $xf(x-1)$을 $x-2$로 나눈 몫을 $Q_1(x)$라 하면
$xf(x-1)=(x-2)Q_1(x)+12$
나머지정리에 의하여
$2f(1)=12$ $\therefore f(1)=6$
(나)에서 $(x+2)f(x+1)$을 $x-1$로 나눈 몫을 $Q_2(x)$라 하면
$(x+2)f(x+1)=(x-1)Q_2(x)+30$
나머지정리에 의하여
$3f(2)=30$ $\therefore f(2)=10$
$f(x)$를 $x^2-3x+2=(x-1)(x-2)$로 나눈 몫을 $Q(x)$, 나머지를 $R(x)=ax+b$ (a, b는 상수)라 하면
$f(x)=(x-1)(x-2)Q(x)+ax+b$
$f(1)=6$이므로 $f(1)=a+b=6$ ……㉠
$f(2)=10$이므로 $f(2)=2a+b=10$ ……㉡
㉠, ㉡을 연립하여 풀면 $a=4$, $b=2$
따라서 $R(x)=4x+2$이므로
$R(10)=4\times10+2=42$ 답 42

0354

> 임의의 실수 x에 대하여 $f(x^2)=xf(x+1)-3$을 만족하는 다항식 $f(x)$는?

$f(x)$의 차수를 찾아서 식을 만들어 보자.

$f(x^2)=xf(x+1)$에서 $f(x)$의 차수를 n이라고 하면
좌변의 차수는 $2n$, 우변의 차수는 $n+1$이므로
$2n=n+1$ $\therefore n=1$
$f(x)=ax+b$ (a, b는 상수)로 놓으면
$f(x^2)=ax^2+b$
$xf(x+1)-3=x\{a(x+1)+b\}-3$
$=ax^2+(a+b)x-3$
$\therefore ax^2+b=ax^2+(a+b)x-3$
이 식이 x에 대한 항등식이므로
$a+b=0$, $b=-3$ $\therefore a=3$
$\therefore f(x)=3x-3$ 답 ④

0355

> 다항식 $f(x)=\frac{1}{4}x-\frac{1}{4}$에 대하여 $\{f(x)\}^{100}$을 $f(x^2)$으로 나눈 나머지를 $R(x)$라 할 때, $R(2)$의 값은?

$\{f(x)\}^{100}=f(x^2)Q(x)+R(x)$라 하자.

$\{f(x)\}^{100}$을 $f(x^2)$으로 나눈 몫을 $Q(x)$, 나머지를 $R(x)=ax+b$ (a, b는 상수)라고 하면
$\{f(x)\}^{100}=f(x^2)Q(x)+R(x)$
$\left(\frac{1}{4}x-\frac{1}{4}\right)^{100}=\left(\frac{1}{4}x^2-\frac{1}{4}\right)Q(x)+ax+b$
$=\frac{1}{4}(x-1)(x+1)Q(x)+ax+b$
이 등식의 양변에
$x=1$을 대입하면 $0=a+b$ ……㉠
$x=-1$을 대입하면 $\left(-\frac{1}{2}\right)^{100}=-a+b$
$\therefore \left(\frac{1}{2}\right)^{100}=-a+b$ ……㉡

㉠+㉡을 하면 $\left(\frac{1}{2}\right)^{100}=2b$ $\quad \therefore b=\left(\frac{1}{2}\right)^{101}=\frac{1}{2^{101}}$

㉠−㉡을 하면 $-\left(\frac{1}{2}\right)^{100}=2a$

$\therefore a=-\left(\frac{1}{2}\right)^{101}=-\frac{1}{2^{101}}$

$\therefore R(x)=-\frac{1}{2^{101}}x+\frac{1}{2^{101}}$

$\therefore R(2)=-\frac{1}{2^{101}}\times 2+\frac{1}{2^{101}}=-\frac{1}{2^{101}}$ 답 ①

0356

$Q_1(x)=x+a$(a는 상수) 꼴임을 알 수 있다.

최고차항의 계수가 1인 이차식 $f(x)$를 $x-1$로 나누었을 때의 몫을 $Q_1(x)$라 하고, $f(x)$를 $x-2$로 나누었을 때의 몫을 $Q_2(x)$라 하면 $Q_1(x)$, $Q_2(x)$는 다음 조건을 만족시킨다.

(가) $Q_2(1)=f(2)$
(나) $Q_1(1)+Q_2(1)=6$

$f(3)$의 값은?

$f(x)$를 $x-1$로 나누었을 때의 몫을 $Q_1(x)$, 나머지를 R_1이라 하면
$f(x)=(x-1)Q_1(x)+R_1$ ……㉠
$f(x)$를 $x-2$로 나누었을 때의 몫을 $Q_2(x)$, 나머지를 R_2라 하면
$f(x)=(x-2)Q_2(x)+R_2$ ……㉡
㉡에 $x=2$를 대입하면
(가)에서 $R_2=f(2)=Q_2(1)$
$f(x)=(x-2)Q_2(x)+Q_2(1)$에 $x=1$을 대입하면
$f(1)=-Q_2(1)+Q_2(1)=0$
㉠에 $x=1$을 대입하면 $f(1)=R_1=0$
$f(x)$는 최고차항의 계수가 1인 이차식이므로
$Q_1(x)=x+a$라 하면 $f(x)=(x-1)(x+a)$
$Q_1(1)=1+a$, $f(2)=2+a=Q_2(1)$이므로
(나)에서 $Q_1(1)+Q_2(1)=(1+a)+(2+a)=2a+3=6$
$\therefore a=\frac{3}{2}$, $f(x)=(x-1)\left(x+\frac{3}{2}\right)$
따라서 $f(3)=(3-1)\left(3+\frac{3}{2}\right)=9$이다. 답 ③

0357

삼차다항식 $f(x)$가 다음 조건을 만족시킨다.

(가) $f(1)=2$
(나) $f(x)$를 $(x-1)^2$으로 나눈 몫과 나머지는 같다.

몫과 나머지를 $ax+b$라 하자.

$f(x)$를 $(x-1)^3$으로 나눈 나머지를 $R(x)$라 하자.
$R(0)=R(3)$일 때, $R(5)$의 값을 구하시오.

(나) 조건에 의해
$f(x)=(x-1)^2(ax+b)+(ax+b)$ ……㉠
라 둘 수 있다.

$f(1)=2$이므로 $ax+b=a(x-1)+2$이다.
㉠에 대입하여 정리하면
$f(x)=(x-1)^2\{a(x-1)+2\}+a(x-1)+2$
$\quad =a(x-1)^3+2(x-1)^2+a(x-1)+2$
그러므로 $f(x)$를 $(x-1)^3$으로 나눈 나머지
$R(x)=2(x-1)^2+a(x-1)+2$이다.
$R(0)=R(3)$이므로
$2-a+2=8+2a+2$
$\therefore a=-2$
따라서 $R(x)=2(x-1)^2-2(x-1)+2$이므로
$R(5)=26$이다. 답 26

0358

최고차항의 계수가 1인 x에 대한 삼차다항식 $P(x)$가 $ab=10$인 두 자연수 a, b에 대하여 $P(a)=P(b)=P(6)=0$, $P(1)=-20$을 만족시킬 때, 다항식 $P(x)$를 $x-3$으로 나눈 나머지는?

$P(x)$는 $x-a$, $x-b$, $x-6$을 인수로 갖는다.

$P(a)=P(b)=P(6)=0$이므로
$P(x)$는 $x-a$, $x-b$, $x-6$을 인수로 갖는다.
이때, $P(x)$는 삼차항의 계수가 1인 삼차다항식이므로
$P(x)=(x-a)(x-b)(x-6)$
$P(1)=(1-a)(1-b)(-5)=-20$이므로
$ab-(a+b)=3$ $\quad \therefore a+b=7$
이때, a, b는 $ab=10$을 만족하는 자연수이므로 각각 2, 5 중 하나의 값을 갖는다.
따라서 $P(x)$를 $x-3$으로 나누었을 때의 나머지는
$P(3)=(3-2)(3-5)(3-6)=6$ 답 ④

0359

$f(x)=g(x)Q(x)+R(x)$

상수가 아닌 두 다항식 $f(x)$, $g(x)$에 대하여 $f(x)$를 $g(x)$로 나눈 몫을 $Q(x)$, 나머지를 $R(x)$라 할 때, 〈보기〉에서 옳은 것만을 있는 대로 고른 것은?
(단, $f(x)$의 차수는 $g(x)$의 차수보다 작지 않다.)

보기
ㄱ. $f(x)-R(x)$는 $g(x)$로 나누어떨어진다.
ㄴ. $f(x)+g(x)$를 $g(x)$로 나눈 나머지는 $R(x)$이다.
ㄷ. $f(x)$를 $Q(x)$로 나눈 나머지는 $R(x)$이다.

($g(x)$의 차수)>($Q(x)$의 차수)인 경우를 생각해 보자.

다항식 $f(x)$를 $g(x)$로 나눌 때의 몫은 $Q(x)$,
나머지는 $R(x)$이므로
$f(x)=g(x)Q(x)+R(x)$
이때, $R(x)$의 차수는 $g(x)$의 차수보다 작다.
ㄱ. $f(x)-R(x)=g(x)Q(x)$이므로
$f(x)-R(x)$는 $g(x)$로 나누어 떨어진다. (참)
ㄴ. $f(x)+g(x)=g(x)Q(x)+R(x)+g(x)$
$\quad =g(x)\{Q(x)+1\}+R(x)$
이므로 $f(x)+g(x)$를 $g(x)$로 나눈 나머지는 $R(x)$이다. (참)

ㄷ. [반례] $f(x)=x^3+1$, $g(x)=x^2-1$이면
$Q(x)=x$, $R(x)=x+1$ (거짓)
따라서 옳은 것은 ㄱ, ㄴ이다. 답 ③

0360

삼차식 $f(x)$가
$f(1)=\frac{1}{3}$, $f(2)=\frac{1}{2}$, $f(3)=\frac{3}{5}$, $f(4)=\frac{2}{3}$
를 만족한다. $g(x)=(x+2)f(x)-x$라고 할 때, $g(7)$의 값을 구하시오.

$f(1)=\frac{1}{3}$, $f(2)=\frac{2}{4}$, $f(3)=\frac{3}{5}$, $f(4)=\frac{4}{6}$에서 1, 2, 3, 4는 방정식 $f(x)=\frac{x}{x+2}$의 해임을 알 수 있다.

$f(1)=\frac{1}{3}$, $f(2)=\frac{1}{2}=\frac{2}{4}$, $f(3)=\frac{3}{5}$, $f(4)=\frac{2}{3}=\frac{4}{6}$를 만족하며 $g(x)=(x+2)f(x)-x$이므로 4차식이다.
$g(x)$에 $x=1, 2, 3, 4$를 대입해 보면 그 값은 모두 0이다.
따라서 1, 2, 3, 4는 $g(x)=0$의 근임을 알 수 있고, 인수정리에 의해
$g(x)=a(x-1)(x-2)(x-3)(x-4)$ ······㉠
라고 쓸 수 있다.
$g(x)=(x+2)f(x)-x$이므로 $x=-2$를 대입하면
$g(-2)=2$
다시 ㉠에 $x=-2$를 대입하면
$2=a\times(-3)\times(-4)\times(-5)\times(-6)$이고
$\therefore a=\frac{1}{180}$
$\therefore g(7)=\frac{1}{180}\times6\times5\times4\times3=2$ 답 2

0361

사차항의 계수가 1인 사차다항식 $f(x)$에 대하여 $f(x)$를 x^2+x+2로 나눈 나머지는 x이고, x^2-x+2로 나눈 나머지는 $-x$일 때, 옳은 것만을 〈보기〉에서 있는 대로 고른 것은?

몫은 x^2+ax+b 꼴이다.

보기
ㄱ. $f(-x)$를 x^2-x+2로 나눈 나머지는 x이다.
ㄴ. $f(x)$를 각각 x^2+x+2, x^2-x+2로 나눈 두 몫의 상수항은 서로 같다.
ㄷ. $f(x)=f(-x)$

$f(x)$를 x^2+x+2로 나눈 몫을 $P(x)$라 하면
$f(x)=(x^2+x+2)P(x)+x$ ······㉠
$f(x)$를 x^2-x+2로 나눈 몫을 $Q(x)$라 하면
$f(x)=(x^2-x+2)Q(x)-x$ ······㉡
ㄱ. ㉠에서 $f(-x)=(x^2-x+2)P(-x)-x$
즉, $f(-x)$를 x^2-x+2로 나눈 나머지는 $-x$이다. (거짓)
ㄴ. ㉠에서 $f(x)$의 상수항은 $P(x)$의 상수항과 2의 곱이고,
㉡에서 $f(x)$의 상수항은 $Q(x)$의 상수항과 2의 곱이므로
$P(x)$와 $Q(x)$의 상수항은 서로 같다. (참)
ㄷ. 사차항의 계수가 1이고 ㄴ에서 $P(x)$와 $Q(x)$의 상수항이 서로 같으므로 세 실수 a, a', b에 대하여
$P(x)=x^2+ax+b$, $Q(x)=x^2+a'x+b$
로 놓으면
㉠에서
$f(x)=(x^2+x+2)(x^2+ax+b)+x$ ······㉢
$f(-x)=(x^2-x+2)(x^2-ax+b)-x$ ······㉣
㉡에서
$f(x)=(x^2-x+2)(x^2+a'x+b)-x$ ······㉤
$f(-x)=(x^2+x+2)(x^2-a'x+b)+x$ ······㉥
㉢$-$㉥에서
$f(x)-f(-x)=(x^2+x+2)(a+a')x$ ······㉦
㉤$-$㉣에서
$f(x)-f(-x)=(x^2-x+2)(a+a')x$ ······㉧
㉦$=$㉧이므로
$(x^2+x+2)(a+a')x=(x^2-x+2)(a+a')x$
이 식에 $x=1$을 대입하면
$4(a+a')=2(a+a')$
$\therefore a+a'=0$
즉, $f(x)-f(-x)=0$이므로 $f(x)=f(-x)$ (참)
따라서 옳은 것은 ㄴ, ㄷ이다. 답 ④

0362

다음 조건을 만족시키는 모든 이차다항식 $P(x)$의 합을 $Q(x)$라 하자.

(가) $P(1)P(2)=0$
(나) 사차다항식 $P(x)\{P(x)-3\}$은 $x(x-3)$으로 나누어떨어진다.

$P(1)=0$ 또는 $P(2)=0$이다.
$P(x)\{P(x)-3\}=x(x-3)Q(x)$에서 $x=0$, $x=3$을 대입해 보자.

$Q(x)$를 $x-4$로 나눈 나머지를 구하시오.

(i) $P(1)=0$, $P(2)=0$인 경우
$P(x)$는 이차다항식이므로 조건 (나)에 의해
$P(0)=3$, $P(3)=3$
$\therefore P(x)=\frac{3}{2}(x-1)(x-2)$
(ii) $P(1)=0$, $P(2)\neq0$인 경우
$P(x)$는 이차다항식이므로 조건 (나)에 의해 아래와 같이 세 가지 경우만 생각하면 된다.
① $P(0)=0$, $P(3)=3$일 때,
$P(1)=0$, $P(0)=0$, $P(3)=3$이므로
$P(x)=\frac{1}{2}x(x-1)$
② $P(0)=3$, $P(3)=0$일 때,
$P(1)=0$, $P(0)=3$, $P(3)=0$이므로
$P(x)=(x-1)(x-3)$
③ $P(0)=3$, $P(3)=3$일 때,
$P(1)=0$, $P(0)=3$, $P(3)=3$이므로
$P(x)=\frac{3}{2}(x-1)(x-2)$
그런데 $P(2)=0$이므로 모순이다.

(iii) $P(1)\neq 0$, $P(2)=0$인 경우

$P(x)$는 이차다항식이므로 조건 (나)에 의해 아래와 같이 세 가지 경우만 생각하면 된다.

① $P(0)=0$, $P(3)=3$일 때,

$P(2)=0$, $P(0)=0$, $P(3)=3$이므로

$P(x)=x(x-2)$

② $P(0)=3$, $P(3)=0$일 때,

$P(2)=0$, $P(0)=3$, $P(3)=0$이므로

$P(x)=\frac{1}{2}(x-2)(x-3)$

③ $P(0)=3$, $P(3)=3$일 때,

$P(2)=0$, $P(0)=3$, $P(3)=3$이므로

$P(x)=\frac{3}{2}(x-1)(x-2)$

그런데 $P(1)=0$이므로 모순이다.

그러므로 (i), (ii), (iii)에 의해

$$Q(x)=\frac{3}{2}(x-1)(x-2)+\frac{1}{2}x(x-1)+(x-1)(x-3)+x(x-2)+\frac{1}{2}(x-2)(x-3)$$

따라서 $Q(x)$를 $x-4$로 나눈 나머지는 $Q(4)=27$이다.

답 27

03 인수분해

본책 066~088쪽

0363

$ax+ay=a(x+y)$ 답 $a(x+y)$

0364

$2m^2+3m=m(2m+3)$ 답 $m(2m+3)$

0365

$x^2y-xy^2=xy(x-y)$ 답 $xy(x-y)$

0366

$a(x+1)-b(x+1)=(a-b)(x+1)$ 답 $(a-b)(x+1)$

0367

$a^2-ab+a-b=a(a-b)+(a-b)$

$=(a+1)(a-b)$ 답 $(a+1)(a-b)$

0368

$a^2+2a+1=(a+1)^2$ 답 $(a+1)^2$

0369

$x^2-4x+4=(x-2)^2$ 답 $(x-2)^2$

0370

$4x^2+4x+1=(2x+1)^2$ 답 $(2x+1)^2$

0371

$a^2-b^2=(a+b)(a-b)$ 답 $(a+b)(a-b)$

0372

$a^2-9b^2=(a+3b)(a-3b)$ 답 $(a+3b)(a-3b)$

0373

$4x^2-25y^2=(2x+5y)(2x-5y)$ 답 $(2x+5y)(2x-5y)$

0374

$(a-b)^2-(c-d)^2$

$=\{(a-b)+(c-d)\}\{(a-b)-(c-d)\}$

$=(a-b+c-d)(a-b-c+d)$

답 $(a-b+c-d)(a-b-c+d)$

0375

$(a+b)^2-c^2=\{(a+b)+c\}\{(a+b)-c\}$

$=(a+b+c)(a+b-c)$

답 $(a+b+c)(a+b-c)$

0376

$x^2+4x+3=(x+1)(x+3)$ 답 $(x+1)(x+3)$

0377

$x^2-2x-3=(x-3)(x+1)$ 답 $(x-3)(x+1)$

0378

$x^2-x-12=(x-4)(x+3)$ 답 $(x-4)(x+3)$

0379

$x^2-5x-6=(x+1)(x-6)$ 답 $(x+1)(x-6)$

0380

$x^2-10x+21=(x-3)(x-7)$ 답 $(x-3)(x-7)$

0381

$2a^2+7a+3=(2a+1)(a+3)$ 답 $(2a+1)(a+3)$

0382

$2x^2-11x+12=(2x-3)(x-4)$ 답 $(2x-3)(x-4)$

0383

$6x^2-x-1=(2x-1)(3x+1)$ 답 $(2x-1)(3x+1)$

0384

$2x^2-x-3=(x+1)(2x-3)$ 답 $(x+1)(2x-3)$

0385

$x^3+1=x^3+1^3=(x+1)(x^2-x+1)$

답 $(x+1)(x^2-x+1)$

0386

$x^3-1=x^3-1^3=(x-1)(x^2+x+1)$

답 $(x-1)(x^2+x+1)$

0387

$a^3+8=a^3+2^3=(a+2)(a^2-2a+4)$

답 $(a+2)(a^2-2a+4)$

0388

$x^3-8=x^3-2^3=(x-2)(x^2+2x+4)$

답 $(x-2)(x^2+2x+4)$

0389

$x^2+y^2+z^2+2xy+2yz+2zx=(x+y+z)^2$

답 $(x+y+z)^2$

0390

$x^2+y^2+z^2+2xy-2yz-2zx$

$=x^2+y^2+(-z)^2+2\times x\times y+2\times y\times(-z)+2\times(-z)\times x$

$=(x+y-z)^2$ 답 $(x+y-z)^2$

0391

$x^2+4y^2+9z^2-4xy-12yz+6xz$

$=x^2+(-2y)^2+(3z)^2+2\times x\times(-2y)$

$+2\times(-2y)\times 3z+2\times 3z\times x$

$=(x-2y+3z)^2$

답 $(x-2y+3z)^2$

0392

$x^4+x^2y^2+y^4=(x^2+xy+y^2)(x^2-xy+y^2)$

답 $(x^2+xy+y^2)(x^2-xy+y^2)$

0393

$x^4+x^2+1=x^4+x^2\times 1^2+1^4$

$=(x^2+x+1)(x^2-x+1)$

답 $(x^2+x+1)(x^2-x+1)$

0394

$x+1=X$로 치환하면

$(x+1)^2-(x+1)-12=X^2-X-12$

$=(X+3)(X-4)$

$=(x+1+3)(x+1-4)$

$=(x+4)(x-3)$

답 $(x+4)(x-3)$

0395

$a+b=X$로 치환하면

$(a+b)^2-2(a+b)-3=X^2-2X-3$

$=(X+1)(X-3)$

$=(a+b+1)(a+b-3)$

답 $(a+b+1)(a+b-3)$

0396

$x^2+x=X$로 치환하면

$(x^2+x)^2-6(x^2+x)+8=X^2-6X+8$

$=(X-2)(X-4)$

$=(x^2+x-2)(x^2+x-4)$

$=(x-1)(x+2)(x^2+x-4)$

답 $(x-1)(x+2)(x^2+x-4)$

0397

$x+y=X$로 치환하면

$(x+y)^2-4x-4y-12=(x+y)^2-4(x+y)-12$

$=X^2-4X-12$

$=(X+2)(X-6)$

$=(x+y+2)(x+y-6)$

답 $(x+y+2)(x+y-6)$

0398

$x^2=X$로 치환하면

$x^4-4x^2+3=X^2-4X+3$

$=(X-1)(X-3)$

$=(x^2-1)(x^2-3)$

$=(x+1)(x-1)(x^2-3)$

답 $(x+1)(x-1)(x^2-3)$

0399

$x^2=X$로 치환하면

$x^4-3x^2+2=X^2-3X+2=(X-1)(X-2)$

$=(x^2-1)(x^2-2)$

$=(x+1)(x-1)(x^2-2)$

답 $(x+1)(x-1)(x^2-2)$

0400

$x^2=X$로 치환하면

$$x^4+x^2-6=X^2+X-6$$
$$=(X+3)(X-2)$$
$$=(x^2+3)(x^2-2)$$

답 $(x^2+3)(x^2-2)$

0401

$x^2=X$로 치환하면

$$x^4-13x^2+36=X^2-13X+36$$
$$=(X-4)(X-9)$$
$$=(x^2-4)(x^2-9)$$
$$=(x+2)(x-2)(x+3)(x-3)$$

답 $(x+2)(x-2)(x+3)(x-3)$

0402

$$x^4-3x^2+1=(x^4-2x^2+1)-x^2$$
$$=(x^2-1)^2-x^2$$
$$=(x^2+x-1)(x^2-x-1)$$

답 $(x^2+x-1)(x^2-x-1)$

0403

$$x^4+5x^2+9=(x^4+6x^2+9)-x^2$$
$$=(x^2+3)^2-x^2$$
$$=(x^2+x+3)(x^2-x+3)$$

답 $(x^2+x+3)(x^2-x+3)$

0404

$$x^4+4=(x^4+4x^2+4)-4x^2$$
$$=(x^2+2)^2-(2x)^2$$
$$=(x^2+2x+2)(x^2-2x+2)$$

답 $(x^2+2x+2)(x^2-2x+2)$

0405

$f(x)=x^3-3x+2$로 놓으면

$f(1)=\boxed{0}$

즉, $f(x)$는 $\boxed{x-1}$로 나누어떨어지므로

조립제법을 이용하여 인수분해하면

1	1	0	−3	2
		1	1	−2
	1	1	−2	0

$\therefore f(x)=(x-1)(\boxed{x^2+x-2})$
$=(x-1)^2(x+2)$

답 0, $x-1$, x^2+x-2

0406

$f(x)=x^3-3x^2-6x+8$로 놓으면

$f(1)=1-3-6+8=0$이므로

조립제법을 이용하여 인수분해하면

1	1	−3	−6	8
		1	−2	−8
	1	−2	−8	0

$\therefore f(x)=(x-1)(x^2-2x-8)$
$=(x-1)(x+2)(x-4)$

답 $(x-1)(x+2)(x-4)$

0407

$f(x)=x^3-4x^2+x+6$으로 놓으면

$f(-1)=-1-4-1+6=0$이므로

조립제법을 이용하여 인수분해하면

−1	1	−4	1	6
		−1	5	−6
	1	−5	6	0

$\therefore f(x)=(x+1)(x^2-5x+6)$
$=(x+1)(x-2)(x-3)$

답 $(x+1)(x-2)(x-3)$

0408

$f(x)=x^3+2x+3$으로 놓으면

$f(-1)=-1-2+3=0$이므로

조립제법을 이용하여 인수분해하면

−1	1	0	2	3
		−1	1	−3
	1	−1	3	0

$\therefore f(x)=(x+1)(x^2-x+3)$

답 $(x+1)(x^2-x+3)$

0409

$f(x)=x^3-3x-2$로 놓으면

$f(-1)=-1+3-2=0$이므로

조립제법을 이용하여 인수분해하면

−1	1	0	−3	−2
		−1	1	2
	1	−1	−2	0

$\therefore f(x)=(x+1)(x^2-x-2)=(x+1)^2(x-2)$

답 $(x+1)^2(x-2)$

0410

$f(x)=x^3-5x^2+6$으로 놓으면

$f(-1)=-1-5+6=0$이므로

조립제법을 이용하여 인수분해하면

−1	1	−5	0	6
		−1	6	−6
	1	−6	6	0

$\therefore f(x)=(x+1)(x^2-6x+6)$

답 $(x+1)(x^2-6x+6)$

0411

$f(x)=3x^3+7x^2-4$로 놓으면

$f(-1)=-3+7-4=0$이므로

조립제법을 이용하여 인수분해하면

$$\begin{array}{r|rrrr} -1 & 3 & 7 & 0 & -4 \\ & & -3 & -4 & 4 \\ \hline & 3 & 4 & -4 & 0 \end{array}$$

$\therefore f(x)=(x+1)(3x^2+4x-4)$
$=(x+1)(x+2)(3x-2)$

답 $(x+1)(x+2)(3x-2)$

0412

$f(x)=x^4-3x^3+3x-1$로 놓으면
$f(1)=0,\ f(-1)=0$이므로
조립제법을 이용하여 인수분해하면

$$\begin{array}{r|rrrrr} 1 & 1 & -3 & 0 & 3 & -1 \\ & & 1 & -2 & -2 & 1 \\ \hline -1 & 1 & -2 & -2 & 1 & 0 \\ & & -1 & 3 & -1 & \\ \hline & 1 & -3 & 1 & 0 & \end{array}$$

$\therefore f(x)=(x-1)(x^3-2x^2-2x+1)$
$=(x-1)(x+1)(x^2-3x+1)$

답 $(x-1)(x+1)(x^2-3x+1)$

0413

$f(x)=x^4+x^3-3x^2-x+2$로 놓으면
$f(1)=0,\ f(-1)=0$이므로
조립제법을 이용하여 인수분해하면

$$\begin{array}{r|rrrrr} 1 & 1 & 1 & -3 & -1 & 2 \\ & & 1 & 2 & -1 & -2 \\ \hline -1 & 1 & 2 & -1 & -2 & 0 \\ & & -1 & -1 & 2 & \\ \hline & 1 & 1 & -2 & 0 & \end{array}$$

$\therefore f(x)=(x-1)(x^3+2x^2-x-2)$
$=(x-1)(x+1)(x^2+x-2)$
$=(x-1)(x+1)(x-1)(x+2)$
$=(x+2)(x+1)(x-1)^2$

답 $(x+2)(x+1)(x-1)^2$

0414

> $(a-b)x+y(b-a)$를 인수분해하면?
> 공통부분을 치환하자.

$(a-b)x+y(b-a)=(a-b)x-y(a-b)$
$=(a-b)(x-y)$

답 ②

0415

> 다항식 $a^2b^2-a^3b$의 인수인 것만을 〈보기〉에서 있는 대로 고른 것은?
> 공통부분 ab를 치환하자.
>
> **보기**
> ㄱ. ab　　ㄴ. ab^2
> ㄷ. $b-a$　　ㄹ. $a+b$

$a^2b^2-a^3b=a^2b(b-a)$
따라서 주어진 다항식의 인수인 것만을 있는 대로 고른 것은 ㄱ, ㄷ이다.

답 ②

0416

> 인수분해하여 $(a+2b)$(세로의 길이)로 나타내자.
>
> 그림과 같이 넓이가 $a^2+2ab+a+2b$인 직사각형이 있다. 가로의 길이가 $a+2b$일 때, 이 직사각형의 둘레의 길이를 구하시오.
>
> [그림: 넓이 $a^2+2ab+a+2b$, 가로 $a+2b$]

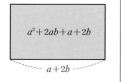

$a^2+2ab+a+2b=a(a+2b)+(a+2b)$
$=(a+1)(a+2b)$
이므로 세로의 길이는 $a+1$
$\therefore$ (직사각형의 둘레의 길이)$=2(a+2b)+2(a+1)$
$=2a+4b+2a+2$
$=4a+4b+2$

답 $4a+4b+2$

0417

> 다음 중 다항식을 인수분해한 것으로 옳지 않은 것은?
>
> ① $a^2+2ab+b^2=(a+b)^2$
> ② $a^2-b^2=(a+b)(a-b)$
> ③ $a^3-3a^2b+3ab^2-b^3=(a-b)^3$
> ④ $a^3-b^3=(a-b)(a^2-ab+b^2)$
> ⑤ $a^3+b^3=(a+b)(a^2-ab+b^2)$
>
> 인수분해 공식을 이용하자.

④ $a^3-b^3=(a-b)(a^2+ab+b^2)$

답 ④

0418

> 세 상수 $a,\ b,\ c$에 대하여 다항식 x^3-27이 $(x+a)(x^2+bx+c)$로 인수분해될 때, $a+b+c$의 값을 구하시오.
> 인수분해 공식 $a^3-b^3=(a-b)(a^2+ab+b^2)$을 이용하자.

$x^3-27=x^3-3^3=(x-3)(x^2+3x+9)$
$\therefore a=-3,\ b=3,\ c=9$
$\therefore a+b+c=9$

답 9

0419

> 다음 중 다항식 $8a^3-36a^2b+54ab^2-27b^3$의 인수인 것은?
>
> ① $2a-3b$　② $2a+3b$　③ $4a-9b$
> ④ $4a+9b$　⑤ $8a-27b$
>
> 인수분해 공식 $a^3-3a^2b+3ab^2-b^3=(a-b)^3$을 이용하자.

$8a^3-36a^2b+54ab^2-27b^3$
$=(2a)^3-3\times(2a)^2\times3b+3\times2a\times(3b)^2-(3b)^3$
$=(2a-3b)^3$

따라서 인수인 것은 ① $2a-3b$이다. 답 ①

0420

등식 $a^3+64=(a+4)f(a)$가 성립할 때, $f(-4)$의 값을 구하시오.
→ 인수분해 공식 $a^3+b^3=(a+b)(a^2-ab+b^2)$을 이용하자.

$a^3+64=(a+4)(a^2-4a+16)$이므로
$f(a)=a^2-4a+16$
$\therefore f(-4)=16+16+16=48$ 답 48

0421

→ 인수분해 공식을 이용하자.

다음 중 다항식 a^6-b^6의 인수가 아닌 것은?

① $a-b$ ② a^2+b^2 ③ a^2-ab+b^2
④ a^2+ab+b^2 ⑤ a^3+b^3

$a^6-b^6=(a^3+b^3)(a^3-b^3)$
$=(a+b)(a^2-ab+b^2)(a-b)(a^2+ab+b^2)$
따라서 a^6-b^6의 인수가 아닌 것은 ② a^2+b^2이다. 답 ②

0422

$(x-y)^3-y^3$을 인수분해하면?
→ 공식 $a^3-b^3=(a-b)(a^2+ab+b^2)$에서 a 대신 $x-y$를 b 대신 y를 대입하자.

$(x-y)^3-y^3=\{(x-y)-y\}\{(x-y)^2+(x-y)y+y^2\}$
$=(x-2y)(x^2-xy+y^2)$ 답 ⑤

0423

인수분해 공식 $a^2+b^2+c^2+2ab+2bc+2ca=(a+b+c)^2$을 이용하자.

다음 중 다항식 $x^2+y^2+z^2+2xy-2yz-2zx$의 인수인 것은?

① $x+y+z$ ② $x-y+z$ ③ $x+y-z$
④ $x-y-z$ ⑤ $-x+y-z$

$x^2+y^2+z^2+2xy-2yz-2zx$
$=x^2+y^2+(-z)^2+2xy+2y(-z)+2(-z)x$
$=(x+y-z)^2$
따라서 인수인 것은 ③ $x+y-z$이다. 답 ③

0424

다음과 같이 주어진 식의 인수인 것은?

$a^2+b^2+2ab+2bc+2ca$

→ c^2이 필요함을 이해하고, $+c^2$, $-c^2$을 이용하자.

① $a-b-c$ ② $a-b+c$ ③ $a+b-c$
④ $a+b+2c$ ⑤ $a+b-3c$

$a^2+b^2+2ab+2bc+2ca$
$=a^2+b^2+c^2+2ab+2bc+2ca-c^2$
$=(a+b+c)^2-c^2$
$=(a+b+2c)(a+b)$
따라서 인수인 것은 ④ $a+b+2c$이다. 답 ④

0425

세 실수 a, b, c에 대하여 기호 $[a,\ b,\ c]$를
$[a,\ b,\ c]=(a-b)(a-c)$
로 정의할 때, $[b,\ a,\ a]+4[c,\ a,\ b]$를 인수분해하면?
→ 주어진 연산대로 정리한 후 인수분해하자.

$[b,\ a,\ a]+4[c,\ a,\ b]$
$=(b-a)(b-a)+4(c-a)(c-b)$
$=a^2-2ab+b^2+4c^2-4bc-4ca+4ab$
$=a^2+b^2+4c^2+2ab-4bc-4ca$
$=a^2+b^2+(-2c)^2+2\times a\times b+2\times b\times(-2c)+2\times(-2c)\times a$
$=(a+b-2c)^2$ 답 ①

0426

두 상수 a, b에 대하여 다항식 $x^4+4x^2y^2+16y^4$이 $(x^2+axy+4y^2)(x^2+bxy+4y^2)$으로 인수분해될 때, ab의 값을 구하시오.
→ 인수분해 공식 $a^4+a^2b^2+b^4=(a^2+ab+b^2)(a^2-ab+b^2)$을 이용하자.

$x^4+4x^2y^2+16y^4=x^4+x^2\times(2y)^2+(2y)^4$
$=(x^2+2xy+4y^2)(x^2-2xy+4y^2)$
$\therefore ab=-4$ 답 -4

0427

세 실수 a, b, c에 대하여 $a+b+c=0$, $abc=3$일 때, $a^3+b^3+c^3$의 값은?
→ 인수분해 공식 $a^3+b^3+c^3-3abc=(a+b+c)(a^2+b^2+c^2-ab-bc-ca)$를 이용하자.

$a^3+b^3+c^3-3abc=(a+b+c)(a^2+b^2+c^2-ab-bc-ca)$에서
$a^3+b^3+c^3=(a+b+c)(a^2+b^2+c^2-ab-bc-ca)+3abc$
$=3abc=3\times 3=9$ 답 ⑤

0428

세 실수 a, b, c에 대하여 $a+b+c=1$, $a^2+b^2+c^2=5$, $a^3+b^3+c^3=1$일 때, abc의 값은?
→ 곱셈 공식 $(a+b+c)^2=a^2+b^2+c^2+2ab+2bc+2ca$를 이용하자.
인수분해 공식 $a^3+b^3+c^3-3abc=(a+b+c)(a^2+b^2+c^2-ab-bc-ca)$를 이용하자.

$(a+b+c)^2=a^2+b^2+c^2+2(ab+bc+ca)$에서
$1^2=5+2(ab+bc+ca)$

$\therefore ab+bc+ca=-2$

$a^3+b^3+c^3-3abc=(a+b+c)(a^2+b^2+c^2-ab-bc-ca)$

$1-3abc=7$

$\therefore abc=-2$

답 ①

0429

세 실수 a, b, c에 대하여
$a+b=2\sqrt{2}+\sqrt{3}$, $b+c=3\sqrt{3}-5\sqrt{2}$, $c+a=3\sqrt{2}-4\sqrt{3}$
일 때, $a^3+b^3+c^3-3abc$의 값을 구하시오.

• 각 변끼리 더해서 $a+b+c$의 값을 구해 보자.

$a+b=2\sqrt{2}+\sqrt{3}$, $b+c=3\sqrt{3}-5\sqrt{2}$, $c+a=3\sqrt{2}-4\sqrt{3}$
에서 각 변끼리 더하면

$2(a+b+c)=0 \quad \therefore a+b+c=0$

$\therefore a^3+b^3+c^3-3abc$
$=(a+b+c)(a^2+b^2+c^2-ab-bc-ca)=0$

답 0

0430

• $a^3+b^3+c^3-3abc$ 공식에서 $c=-1$인 경우를 생각해 보자.

다음 중 다항식 $x^3+y^3+3xy-1$의 인수인 것은?

① $x-1$ ② $x-y-1$
③ $x^2+y^2-x-y-1$ ④ $x^2+y^2+x+y+1$
⑤ $x^2+y^2-xy+x+y+1$

$x^3+y^3+3xy-1=x^3+y^3+(-1)^3-3\times x\times y\times(-1)$
$=(x+y-1)(x^2+y^2+1-xy+y+x)$
$=(x+y-1)(x^2+y^2-xy+x+y+1)$

따라서 인수인 것은 ⑤ $x^2+y^2-xy+x+y+1$이다.

답 ⑤

0431

다음 식을 인수분해하시오.

$$(x-y)^3+(y-z)^3+(z-x)^3$$

• 치환하여 인수분해 공식을 이용하자.

$x-y=A$, $y-z=B$, $z-x=C$로 치환하면

$(x-y)^3+(y-z)^3+(z-x)^3$
$=A^3+B^3+C^3$
$=(A+B+C)(A^2+B^2+C^2-AB-BC-CA)+3ABC$

이때, $A+B+C=(x-y)+(y-z)+(z-x)=0$이므로

$A^3+B^3+C^3=3ABC$

$\therefore (x-y)^3+(y-z)^3+(z-x)^3=3(x-y)(y-z)(z-x)$

답 $3(x-y)(y-z)(z-x)$

0432

다음 등식이 성립하도록 하는 상수 a, b의 합 $a+b$의 값은?

$$(x^2+x)^2-6(x^2+x)+8=(x-1)(x+2)(x^2+ax+b)$$

• 공통부분을 치환하여 인수분해하자.

$x^2+x=A$로 치환하면

$(x^2+x)^2-6(x^2+x)+8=A^2-6A+8$
$=(A-2)(A-4)$
$=(x^2+x-2)(x^2+x-4)$
$=(x-1)(x+2)(x^2+x-4)$
$=(x-1)(x+2)(x^2+ax+b)$

$\therefore a=1$, $b=-4$

$\therefore a+b=-3$

답 ③

0433

• 공통부분을 치환하여 인수분해하자.

$(x^2+x+3)(x^2+x+5)-15$를 인수분해한 식이 다음과 같을 때, 세 상수 a, b, c에 대하여 $a+b+c$의 값을 구하시오.

$$x(x+a)(x^2+bx+c)$$

$x^2+x=A$로 치환하면

$(x^2+x+3)(x^2+x+5)-15=(A+3)(A+5)-15$
$=A^2+8A$
$=A(A+8)$
$=(x^2+x)(x^2+x+8)$
$=x(x+1)(x^2+x+8)$

$\therefore a=1$, $b=1$, $c=8$

$\therefore a+b+c=10$

답 10

0434

다음 중 다항식 $(x^2+5x+6)(x^2+7x+6)-3x^2$의 인수인 것은?

• 공통부분을 치환하여 인수분해하자.

① x^2+4x+6 ② x^2+4x+8 ③ x^2+8x+4
④ x^2+8x+8 ⑤ $x^2+8x+12$

$x^2+6=A$로 치환하면

$(x^2+5x+6)(x^2+7x+6)-3x^2$
$=(A+5x)(A+7x)-3x^2$
$=A^2+12xA+32x^2$
$=(A+4x)(A+8x)$
$=(x^2+4x+6)(x^2+8x+6)$

따라서 인수인 것은 ① x^2+4x+6이다.

답 ①

0435

$(x+y)^2-3x-3y-10$을 인수분해하면?
공통부분을 치환하여 인수분해하자.

$x+y=A$로 치환하면

$(x+y)^2-3x-3y-10=(x+y)^2-3(x+y)-10$
$=A^2-3A-10$
$=(A+2)(A-5)$
$=(x+y+2)(x+y-5)$

답 ⑤

0436

공통부분이 나오도록 전개한 후 치환하여 인수분해하자.

다항식 $x(x-1)(x-2)(x-3)+1$이 $(x^2+ax+b)^2$으로 인수분해될 때, 두 상수 a, b에 대하여 ab의 값은?

$x(x-1)(x-2)(x-3)+1$
$=\{x(x-3)\}\{(x-1)(x-2)\}+1$
$=(x^2-3x)(x^2-3x+2)+1$

$x^2-3x=A$로 치환하면

$A(A+2)+1=A^2+2A+1$
$=(A+1)^2$
$=(x^2-3x+1)^2$

$\therefore a=-3,\ b=1$
$\therefore ab=-3$

답 ①

0437

공통부분이 나오도록 전개한 후 치환하여 인수분해하자.

다항식 $(x-3)(x-1)(x+3)(x+5)+35$가 $(x+a)(x+b)(x^2+cx+d)$로 인수분해될 때, 상수 a, b, c, d의 합 $a+b+c+d$의 값을 구하시오.

$(x-3)(x-1)(x+3)(x+5)+35$
$=\{(x-3)(x+5)\}\{(x-1)(x+3)\}+35$
$=(x^2+2x-15)(x^2+2x-3)+35$
$=(t-15)(t-3)+35$ $\leftarrow x^2+2x=t$
$=t^2-18t+80$
$=(t-8)(t-10)$
$=(x^2+2x-8)(x^2+2x-10)$
$=(x-2)(x+4)(x^2+2x-10)$

$\therefore a+b+c+d=-6$

답 -6

0438

공통부분이 나오도록 전개한 후 치환하여 인수분해하자.

$(x+2)^2(x-3)(x+7)+144=(x+a)(x+b)(x+c)(x+d)$ 일 때, 네 상수 a, b, c, d의 합 $a+b+c+d$의 값을 구하시오.

$(x+2)^2(x-3)(x+7)+144$
$=(x^2+4x+4)(x^2+4x-21)+144$

$x^2+4x=X$로 치환하면

$(X+4)(X-21)+144=X^2-17X+60$
$=(X-5)(X-12)$
$=(x^2+4x-5)(x^2+4x-12)$
$=(x+5)(x-1)(x+6)(x-2)$
$=(x+a)(x+b)(x+c)(x+d)$

$\therefore a+b+c+d=8$

답 8

0439

공통부분이 나오도록 전개한 후 치환하여 인수분해하자.

다항식 $(x+1)(x+2)(x+3)(x+4)+k$가 x에 대한 이차식의 완전제곱꼴로 인수분해되기 위한 상수 k의 값은?

$(x+1)(x+2)(x+3)(x+4)+k$
$=\{(x+1)(x+4)\}\{(x+2)(x+3)\}+k$
$=(x^2+5x+4)(x^2+5x+6)+k$

$x^2+5x=A$로 치환하면

$(A+4)(A+6)+k=A^2+10A+24+k$
$=(A+5)^2+k-1$
$=(x^2+5x+5)^2+k-1$

이 식이 x에 대한 이차식의 완전제곱꼴로 인수분해되려면

$k-1=0$ $\quad\therefore k=1$

답 ①

0440

$x-y=2$, $x^3-y^3+x^2y-xy^2=16$일 때, xy의 값은?
$x-y$항을 찾아내자.

$x^3-y^3+x^2y-xy^2=(x-y)(x^2+xy+y^2)+xy(x-y)$
$=(x-y)(x^2+2xy+y^2)$
$=(x-y)(x+y)^2$
$=(x-y)\{(x-y)^2+4xy\}$
$=2(4+4xy)=16$

$\therefore xy=1$

답 ①

0441

x^4-6x^2+8을 인수분해하면?
$x^2=X$로 치환하여 인수분해하자.

$x^2=X$로 치환하면

$x^4-6x^2+8=X^2-6X+8$
$=(X-4)(X-2)$
$=(x^2-4)(x^2-2)$
$=(x+2)(x-2)(x^2-2)$

답 ②

0442

복이차식의 인수분해를 이용하자.

다항식 x^4+x^2+1을 두 이차식의 곱으로 인수분해하였을 때, 두 이차식의 합은? (단, 이차항의 계수는 모두 양수이다.)

$x^4+x^2+1=x^4+2x^2+1-x^2$
$=(x^2+1)^2-x^2$
$=(x^2+x+1)(x^2-x+1)$

따라서 두 이차식의 합은

$(x^2+x+1)+(x^2-x+1)=2x^2+2$ 답 ⑤

0443

다음 중 다항식 x^4-8x^2+4의 인수인 것은?

① x^2-4x-4 ② x^2-4x-2 ③ x^2-2x-2
④ x^2-2x-4 ⑤ x^2-2x+4

• 이차항을 조정하여 완전제곱식이 되도록 변형하자.

$x^4-8x^2+4=x^4-4x^2+4-4x^2$

$=(x^2-2)^2-(2x)^2$

$=(x^2-2x-2)(x^2+2x-2)$

따라서 주어진 식의 인수인 것은 ③ x^2-2x-2이다. 답 ③

0444

다항식 x^4+64가 $(x^2+ax+8)(x^2+bx+8)$로 인수분해될 때, 두 상수 a, b의 곱 ab의 값을 구하시오.

• 이차항을 추가해서 완전제곱식이 되도록 변형하자.

$x^4+64=(x^4+16x^2+64)-16x^2$

$=(x^2+8)^2-(4x)^2$

$=(x^2+4x+8)(x^2-4x+8)$

$\therefore ab=-16$ 답 -16

0445

다음 중 다항식 $x^4+5x^2y^2+9y^4$의 인수인 것은?

① $x^2+xy+3y^2$ ② $x^2+xy-3y^2$
③ $x^2-3xy-3y^2$ ④ x^2+3y^2
⑤ x^2-3y^2

• x^2y^2항을 조정하여 완전제곱식이 되도록 변형하자.

$x^4+5x^2y^2+9y^4=(x^4+6x^2y^2+9y^4)-x^2y^2$

$=(x^2+3y^2)^2-(xy)^2$

$=(x^2+xy+3y^2)(x^2-xy+3y^2)$

따라서 인수인 것은 ① $x^2+xy+3y^2$이다. 답 ①

0446

$(x-1)^4-10(x-1)^2(x+1)^2+9(x+1)^4$을 인수분해하시오.

• $(x-1)^2(x+1)^2$항을 조정하여 완전제곱식이 되도록 변형하자.

$x-1=X$, $x+1=Y$로 놓으면

$(x-1)^4-10(x-1)^2(x+1)^2+9(x+1)^4$

$=X^4-10X^2Y^2+9Y^4$

$=(X^4-6X^2Y^2+9Y^4)-4X^2Y^2$

$=(X^2-3Y^2)^2-(2XY)^2$

$=(X^2-2XY-3Y^2)(X^2+2XY-3Y^2)$

$=(X-3Y)(X+Y)(X-Y)(X+3Y)$

$=\{(x-1)-3(x+1)\}\{(x-1)+(x+1)\}$
$\{(x-1)-(x+1)\}\{(x-1)+3(x+1)\}$

$=(-2x-4)(2x)(-2)(4x+2)$

$=16x(x+2)(2x+1)$ 답 $16x(x+2)(2x+1)$

0447

다항식 $x^3+6x^2+11x+6$이 $(x+a)(x+b)(x+c)$로 인수분해될 때, 상수 a, b, c의 합 $a+b+c$의 값은?

• 6의 약수 중에서 이 식의 값이 0이 되는 값을 찾아서 조립제법을 이용하자.

$f(x)=x^3+6x^2+11x+6$이라 하면

$f(-1)=-1+6-11+6=0$

$f(-2)=-8+24-22+6=0$

조립제법을 이용하여 인수분해하면

-1	1	6	11	6
		-1	-5	-6
-2	1	5	6	0
		-2	-6	
	1	3	0	

$\therefore f(x)=(x+1)(x+2)(x+3)$

$\therefore a+b+c=1+2+3=6$ 답 ④

0448

다항식 $f(x)=2x^3-3x^2-2x+a$를 인수분해하였더니 $(2x+b)(x+1)(x-1)$이었다. 두 상수 a, b에 대하여 $a+b$의 값을 구하시오.

• $f(-1)=f(1)=0$임을 이용하자.

$f(x)$가 $x-1$을 인수로 가지므로

$f(1)=-3+a=0$ $\therefore a=3$

$\therefore f(x)=2x^3-3x^2-2x+3$

조립제법을 이용하여 인수분해하면

1	2	-3	-2	3
		2	-1	-3
	2	-1	-3	0

$f(x)=(x-1)(2x^2-x-3)$

$=(x-1)(2x-3)(x+1)$

$\therefore b=-3$

$\therefore a+b=3+(-3)=0$ 답 0

0449

다항식 $f(x)=x^3+ax^2+8x+2a$가 $x+1$로 나누어떨어질 때, 다음 중 $f(x)$의 인수인 것은?

• $f(-1)=0$이다.

① x^2+5x-2 ② x^2-5x+3 ③ x^2+2x+3
④ x^2+2x-3 ⑤ x^2+2x+6

$f(x)$가 $x+1$로 나누어떨어지므로

$f(-1)=3a-9=0$ $\therefore a=3$

$\therefore f(x)=x^3+3x^2+8x+6$

조립제법을 이용하여 인수분해하면

−1	1	3	8	6
		−1	−2	−6
	1	2	6	0

$f(x)=(x+1)(x^2+2x+6)$

따라서 다항식 $f(x)$의 인수인 것은 ⑤ x^2+2x+6이다.

답 ⑤

0450

다음 중 $x^4+5x^3-2x^2-24x$의 인수가 아닌 것은?

인수정리와 조립제법을 이용하자.

① x ② $x-2$ ③ $x+3$
④ $x+4$ ⑤ $x-6$

$x^4+5x^3-2x^2-24x=x(x^3+5x^2-2x-24)$에서

$f(x)=x^3+5x^2-2x-24$라 하면

$f(2)=8+20-4-24=0$

조립제법을 이용하여 인수분해하면

2	1	5	−2	−24
		2	14	24
	1	7	12	0

$\therefore f(x)=(x-2)(x^2+7x+12)$

$=(x-2)(x+3)(x+4)$

$\therefore x^4+5x^3-2x^2-24x=x(x-2)(x+3)(x+4)$

따라서 인수가 아닌 것은 ⑤ $x-6$이다.

답 ⑤

0451

다음 중 다항식 $x^4-3x^3+3x^2+x-6$의 인수인 것은?

인수정리와 조립제법을 이용하자.

① x^2-x+3 ② x^2-2x-2 ③ x^2-2x+3
④ x^2-3x-2 ⑤ x^2-3x+3

$f(x)=x^4-3x^3+3x^2+x-6$으로 놓으면

$f(-1)=0,\ f(2)=0$이므로

조립제법을 이용하여 인수분해하면

−1	1	−3	3	1	−6
		−1	4	−7	6
2	1	−4	7	−6	0
		2	−4	6	
	1	−2	3	0	

$\therefore f(x)=(x+1)(x-2)(x^2-2x+3)$

따라서 인수인 것은 ③ x^2-2x+3이다.

답 ③

0452

$f(-1)=f(1)=0$임을 이용하자.

다항식 $f(x)=x^4+ax^3+bx^2-2x-3$이 $x+1,\ x-1$을 인수로 가질 때, $f(x)$를 인수분해한 것은?

$f(x)$가 $x+1,\ x-1$을 인수로 가지므로 인수정리에 의해

$f(-1)=-a+b=0$ ……㉠

$f(1)=a+b-4=0$ ……㉡

㉠, ㉡을 연립하여 풀면

$a=2,\ b=2$

$\therefore f(x)=x^4+2x^3+2x^2-2x-3$

$f(-1)=0,\ f(1)=0$이므로

조립제법을 이용하여 인수분해하면

−1	1	2	2	−2	−3
		−1	−1	−1	3
1	1	1	1	−3	0
		1	2	3	
	1	2	3	0	

$\therefore f(x)=(x+1)(x-1)(x^2+2x+3)$

답 ③

0453

다항식 $f(x)=x^4+ax^3+bx-1$에 대하여 $f(-1)=0$일 때, 다음 중 항상 옳은 것은?

① $f(1)=0$ ② $f(2)=0$ ③ $f(3)=0$
④ $f(4)=0$ ⑤ $f(5)=0$

$x+1$은 $f(x)$의 인수이다.

$f(x)=x^4+ax^3+bx-1$에서 $f(-1)=0$이므로

$f(-1)=1-a-b-1=0$

$\therefore b=-a$

$f(x)=x^4+ax^3-ax-1$

$=x^4-1+ax^3-ax$

$=(x^2-1)(x^2+1)+ax(x^2-1)$

$=(x^2-1)(x^2+1+ax)$

$=(x-1)(x+1)(x^2+ax+1)$

따라서 항상 옳은 것은 ① $f(1)=0$이다.

답 ①

0454

이차항의 계수가 1인 두 이차식 $P(x),\ Q(x)$의 곱이 $x^4-4x^3-3x^2+18x$이다. $P(-2)\neq0,\ Q(0)\neq0$일 때, $Q(1)$의 값을 구하시오.

$x+2$는 $P(x)$의 인수가 아니고, x는 $Q(x)$의 인수가 아니다.

$x^4-4x^3-3x^2+18x=x(x^3-4x^2-3x+18)$

$H(x)=x^3-4x^2-3x+18$이라 하면 $H(-2)=0$이므로 다음과 같이 조립제법을 이용하여 $H(x)$를 인수분해하면

−2	1	−4	−3	18
		−2	12	−18
	1	−6	9	0

$x^3-4x^2-3x+18=(x+2)(x^2-6x+9)$

$=(x+2)(x-3)^2$

$\therefore x^4-4x^3-3x^2+18x=x(x+2)(x-3)^2$

$P(x),\ Q(x)$는 각각 이차식이고 $P(-2)\neq0,\ Q(0)\neq0$이므로

$P(x)$는 $(x+2)$를 인수로 갖지 않고 $Q(x)$는 x를 인수로 갖지 않는다.

$P(x)=x(x-3)$
$Q(x)=(x+2)(x-3)$
$\therefore Q(1)=3\times(-2)=-6$ 답 -6

0455

인수정리와 조립제법을 이용하자.

$x^3+2(a+1)x^2+(4a-3)x-6a$의 인수인 것만을 〈보기〉에서 있는 대로 고른 것은? (단, a는 상수이다.)

보기
ㄱ. $x-2a$ ㄴ. $x+2a$
ㄷ. $x-1$ ㄹ. $x+3$

$P(x)=x^3+2(a+1)x^2+(4a-3)x-6a$라 하면
$P(1)=1+(2a+2)+(4a-3)-6a=0$
이므로 조립제법을 이용하여 $P(x)$를 인수분해하면

1	1	$2a+2$	$4a-3$	$-6a$
		1	$2a+3$	$6a$
	1	$2a+3$	$6a$	0

$\therefore x^3+2(a+1)x^2+(4a-3)x-6a$
$=(x-1)\{x^2+(2a+3)x+6a\}$
$=(x-1)(x+3)(x+2a)$
따라서 인수인 것은 ㄴ, ㄷ, ㄹ이다. 답 ⑤

0456

다음 중 다항식 x^2-y^2-4x+4의 인수인 것은?

① $x-y+1$ ② $x+y+1$ ③ $x+y+2$
④ $x-y+2$ ⑤ $x+y-2$

$(x^2-4x+4)-y^2$으로 정리해 보자.

$x^2-y^2-4x+4=(x^2-4x+4)-y^2$
$=(x-2)^2-y^2$
$=(x+y-2)(x-y-2)$
따라서 주어진 다항식의 인수는 ⑤ $x+y-2$이다. 답 ⑤

0457

다음 중 다항식 x^2-4y^2+4y-1의 인수인 것은?

① $x+y+1$ ② $x+y-1$ ③ $x-y-1$
④ $x+2y+1$ ⑤ $x+2y-1$

x에 관한 내림차순으로 정리해 보자.

$x^2-4y^2+4y-1=x^2-(4y^2-4y+1)$
$=x^2-(2y-1)^2$
$=(x+2y-1)(x-2y+1)$
따라서 인수인 것은 ⑤ $x+2y-1$이다. 답 ⑤

0458

$3x^2-2xy-y^2+5x-y+2$를 인수분해하면?

x에 관한 내림차순으로 정리하고, $-y^2-y+2=-(y-1)(y+2)$임을 이용하자.

주어진 식을 x에 대하여 내림차순으로 정리하면
$3x^2-2xy-y^2+5x-y+2$
$=3x^2-(2y-5)x-(y^2+y-2)$
$=3x^2-(2y-5)x-(y-1)(y+2)$
$=\{x-(y-1)\}\{3x+(y+2)\}$
$=(x-y+1)(3x+y+2)$ 답 ②

0459

$x^2-xy-6y^2-x+8y-2$를 인수분해하였더니 $(x+ay+b)(x-3y+c)$가 되었다. 이때, 상수 a, b, c의 합 $a+b+c$의 값을 구하시오.

x에 관한 내림차순으로 정리해 보자.

$x^2-xy-6y^2-x+8y-2$
$=x^2-(y+1)x-(6y^2-8y+2)$
$=x^2-(y+1)x-(3y-1)(2y-2)$
$=(x-3y+1)(x+2y-2)$
$=(x+ay+b)(x-3y+c)$
$\therefore a=2,\ b=-2,\ c=1$
$\therefore a+b+c=1$ 답 1

0460

$(x+2)(x-1)+xy+5y-2y^2$을 인수분해하면?

x에 관한 내림차순으로 정리해 보자.

$(x+2)(x-1)+xy+5y-2y^2$
$=(x^2+x-2)+xy+5y-2y^2$
$=x^2+(y+1)x-2y^2+5y-2$
$=x^2+(y+1)x-(2y-1)(y-2)$
$=\{x-(y-2)\}\{x+(2y-1)\}$
$=(x-y+2)(x+2y-1)$ 답 ①

0461

$x^2+xy-6y^2+ax+2y+4$가 x, y에 대한 일차식의 곱으로 인수분해될 때, 정수 a의 값을 구하시오.

x에 관한 내림차순으로 정리해 보자.

$x^2+xy-6y^2+ax+2y+4$
$=x^2+(y+a)x-(6y^2-2y-4)$
$=x^2+(y+a)x-2(3y^2-y-2)$
$=x^2+(y+a)x-2(3y+2)(y-1)$
주어진 식이 x, y에 대한 일차식의 곱으로 인수분해되려면
$(3y+2)-2(y-1)=y+a$
$\therefore a=4$ 답 4

0462

$x^3-xy^2-y^2z+x^2z$를 인수분해하면 $(x+A)(x+B)(x+C)$가 된다고 한다. 이때, $A+B+C$의 값은?

앞의 두 항과 뒤의 두 항에서 각각 공통부분을 찾아내면 새로운 공통부분이 보인다.

$$x^3-xy^2-y^2z+x^2z=x(x^2-y^2)+z(x^2-y^2)$$
$$=(x^2-y^2)(x+z)$$
$$=(x+y)(x-y)(x+z)$$

$\therefore A+B+C=y+(-y)+z=z$

답 ②

0463

다음 중 다항식 $a^2b-a^3c+bc-ac^2$의 인수인 것은?

① $b-a$ ② $b+ac$ ③ $b-ac$
④ a^2+b ⑤ a^2-c

최고차항의 차수가 낮은 문자 (b)에 대하여 내림차순으로 정리하자.

$$a^2b-a^3c+bc-ac^2=(a^2+c)b-(a^3c+ac^2)$$
$$=(a^2+c)b-ac(a^2+c)$$
$$=(a^2+c)(b-ac)$$

따라서 인수인 것은 ③ $b-ac$이다.

답 ③

0464

다음 중 다항식 $a^3-a^2b+ab^2+ac^2-b^3-bc^2$의 인수인 것은?

① $a+b$ ② $a-c$ ③ $a+b-c$
④ $a-b+c$ ⑤ $a^2+b^2+c^2$

최고차항의 차수가 낮은 문자 (c)에 대하여 내림차순으로 정리하자.

$$a^3-a^2b+ab^2+ac^2-b^3-bc^2$$
$$=(a-b)c^2+a^3-a^2b+ab^2-b^3$$
$$=(a-b)c^2+a^2(a-b)+b^2(a-b)$$
$$=(a-b)(a^2+b^2+c^2)$$

따라서 인수인 것은 ⑤ $a^2+b^2+c^2$이다.

답 ⑤

0465

다음은 다항식 $ab(b-a)+bc(c-b)+ca(a-c)$를 인수분해하는 과정이다.

$$ab(b-a)+bc(c-b)+ca(a-c)$$
$$=ab^2-a^2b+bc^2-b^2c+ca^2-c^2a$$
$$=(c-b)a^2-(c^2-b^2)a+bc^2-b^2c$$
$$=(c-b)a^2-(c-b)(c+b)a+\boxed{\text{(가)}}$$
$$=(c-b)\{a^2-(c+b)a+\boxed{\text{(나)}}\}$$
$$=(a-b)(b-c)(\boxed{\text{(다)}})$$

공통부분이 bc이다.

위의 과정에서 (가), (나), (다)에 알맞은 것을 순서대로 적은 것은?

$$ab(b-a)+bc(c-b)+ca(a-c)$$
$$=ab^2-a^2b+bc^2-b^2c+ca^2-c^2a$$
$$=(c-b)a^2-(c^2-b^2)a+bc^2-b^2c$$
$$=(c-b)a^2-(c-b)(c+b)a+\boxed{bc(c-b)}$$
$$=(c-b)\{a^2-(c+b)a+\boxed{bc}\}$$
$$=(c-b)(a-b)(a-c)$$
$$=(a-b)(b-c)(\boxed{c-a})$$

따라서 (가), (나), (다)에 알맞은 것을 순서대로 적은 것은 ④이다.

답 ④

0466

다항식 $a^2(b+c)+b^2(c+a)+c^2(a+b)+2abc$를 인수분해하시오.

세 문자의 차수가 같으므로 한 문자에 대하여 내림차순으로 정리하자.

주어진 식을 a에 대하여 내림차순으로 정리하면

$$a^2(b+c)+b^2(c+a)+c^2(a+b)+2abc$$
$$=a^2(b+c)+b^2c+b^2a+c^2a+c^2b+2abc$$
$$=(b+c)a^2+(b^2+2bc+c^2)a+b^2c+bc^2$$
$$=(b+c)a^2+(b+c)^2a+bc(b+c)$$
$$=(b+c)\{a^2+(b+c)a+bc\}$$
$$=(b+c)(a+b)(a+c)$$
$$=(a+b)(b+c)(c+a)$$

답 $(a+b)(b+c)(c+a)$

0467

세 실수 a, b, c에 대하여 $[a, b, c]=b(a^2-c^2)$일 때, 다음 중 $[a, b, c]+[b, c, a]+[c, a, b]$의 인수인 것은?

① $a-b$ ② $b+c$ ③ $c+a$
④ $a+b+c$ ⑤ abc

식을 정리한 후 한 문자에 대하여 내림차순으로 정리하자.

$$[a, b, c]+[b, c, a]+[c, a, b]$$
$$=b(a^2-c^2)+c(b^2-a^2)+a(c^2-b^2)$$

위의 식을 a에 대하여 내림차순으로 정리하면

$$ba^2-bc^2+cb^2-ca^2+ac^2-ab^2$$
$$=(b-c)a^2-(b^2-c^2)a+bc(b-c)$$
$$=(b-c)a^2-(b+c)(b-c)a+bc(b-c)$$
$$=(b-c)\{a^2-(b+c)a+bc\}$$
$$=(b-c)(a-b)(a-c)$$

따라서 인수인 것은 ① $a-b$이다.

답 ①

0468

다항식 $f(x)=x^3-ax+2$를 인수분해하면 $(x-1)g(x)$의 꼴이 된다. 이때, 다항식 $g(x)$의 일차항의 계수와 상수항의 합은?

$f(x)=(x-1)g(x)$이므로 $f(1)=0$이다.

$f(x)=x^3-ax+2=(x-1)g(x)$에서

$f(1)=1-a+2=0 \quad \therefore a=3$

$\therefore f(x)=x^3-3x+2$

조립제법을 이용하여 인수분해하면

$$\begin{array}{c|cccc} 1 & 1 & 0 & -3 & 2 \\ & & 1 & 1 & -2 \\ \hline & 1 & 1 & -2 & 0 \end{array}$$

$\therefore f(x)=(x-1)(x^2+x-2)$

따라서 $g(x)=x^2+x-2$이므로 다항식 $g(x)$의 일차항의 계수와 상수항의 합은

$1+(-2)=-1$

답 ②

0469

다항식 x^3+ax^2+b가 $(x-1)^2f(x)$로 인수분해될 때, ab의 값을 구하시오. (단, a, b는 상수이다.)

• $x-1$을 인수로 가진다.

$g(x)=x^3+ax^2+b=(x-1)^2f(x)$라 하면

다항식 $g(x)$는 $x-1$을 인수로 가진다.

따라서 $g(1)=1+a+b=0$

$\therefore b=-a-1$

조립제법을 이용하면

$$\begin{array}{c|cccc} 1 & 1 & a & 0 & -a-1 \\ & & 1 & a+1 & a+1 \\ \hline & 1 & a+1 & a+1 & 0 \end{array}$$

$g(x)=(x-1)\{x^2+(a+1)x+(a+1)\}=(x-1)^2f(x)$

$g(x)$는 $(x-1)^2$으로 나누어떨어지므로 $2a+3=0$이다.

$\therefore a=-\frac{3}{2},\ b=\frac{1}{2}$

$\therefore ab=-\frac{3}{4}$

답 $-\frac{3}{4}$

0470

$a+b\neq0$인 두 상수 a, b에 대하여 다항식 $f(x)=x^3-3kx-a^3-b^3$이고, 다항식 $g(x)$가 $f(x)=(x-a-b)g(x)$를 만족한다. $k+g(0)$의 값을 a와 b로 나타내면? (단, k는 상수이다.)

• $f(a+b)=0$이다.

$f(x)=(x-a-b)g(x)$에서 $f(a+b)=0$

$f(a+b)=(a+b)^3-3k(a+b)-a^3-b^3=0$

$3ab(a+b)=3k(a+b)$

$\therefore k=ab$

$f(x)=x^3-3abx-a^3-b^3$

$$\begin{array}{c|cccc} a+b & 1 & 0 & -3ab & -a^3-b^3 \\ & & a+b & (a+b)^2 & a^3+b^3 \\ \hline & 1 & a+b & a^2-ab+b^2 & 0 \end{array}$$

$\therefore f(x)=(x-a-b)\{x^2+(a+b)x+a^2-ab+b^2\}$

$g(x)=x^2+(a+b)x+a^2-ab+b^2$

$\therefore g(0)=a^2-ab+b^2$

$\therefore k+g(0)=a^2+b^2$

답 ⑤

0471

$\dfrac{1004^3-64}{1004\times1008+16}$를 계산하면?

• $64=4^3$, $1008=1004+4$, $16=4^2$이다.

$1004=a$, $4=b$로 치환하면

$$\frac{1004^3-64}{1004\times1008+16}=\frac{a^3-b^3}{a(a+b)+b^2}$$
$$=\frac{(a-b)(a^2+ab+b^2)}{a^2+ab+b^2}$$
$$=a-b=1000$$

답 ③

0472

$\dfrac{101^3-7\times101+6}{99\times100}$을 계산하시오.

• $101=x$라 하고, x에 관한 식으로 변형해서 풀자.

$\dfrac{101^3-7\times101+6}{99\times100}$에서

$x=101$이라 하면

$$\frac{x^3-7x+6}{(x-2)(x-1)}=\frac{(x+3)(x-2)(x-1)}{(x-2)(x-1)}$$
$$=x+3=104$$

답 104

0473

자연수 N이 다음과 같이

$$N=\frac{10^9-1}{10^3-1}$$

로 나타내어질 때, N은 몇 자리의 수인가?

• 10^3을 치환하고 인수분해 공식을 이용하자.

$10^3=A$로 치환하면 $10^9=(10^3)^3=A^3$

$$\therefore N=\frac{10^9-1}{10^3-1}=\frac{A^3-1}{A-1}$$
$$=\frac{(A-1)(A^2+A+1)}{A-1}=A^2+A+1$$
$$=(10^3)^2+10^3+1=1000000+1000+1=1001001$$

따라서 N은 7자리의 자연수이다.

답 ③

0474

$\sqrt{11\times13\times15\times17+16}$의 값을 구하시오.

• $11=x$라 하고, x에 관한 식으로 변형해서 풀자.

$11=x$라 하고 주어진 식을 x에 대하여 나타내면

$\sqrt{x(x+2)(x+4)(x+6)+16}$

$=\sqrt{\{x(x+6)\}\times\{(x+2)(x+4)\}+16}$

$=\sqrt{(x^2+6x)(x^2+6x+8)+16}$

$x^2+6x=A$로 치환하여 정리하면

$\sqrt{A(A+8)+16}=\sqrt{A^2+8A+16}=\sqrt{(A+4)^2}$

$=A+4\ (\because A+4>0)$

$x=11$이므로

$A+4=11^2+6\times11+4=191$ 답 191

0475

> $104^3-9\times104^2+24\times104-16$의 값은?
> └• $104=x$라 하고, x에 관한 식으로 변형해서 풀자.

$104=x$로 놓으면

$104^3-9\times104^2+24\times104-16=x^3-9x^2+24x-16$

이때, $f(x)=x^3-9x^2+24x-16$이라 하면

$f(1)=0$이므로 조립제법을 이용하여 인수분해하면

$$\begin{array}{r|rrrr} 1 & 1 & -9 & 24 & -16 \\ & & 1 & -8 & 16 \\ \hline & 1 & -8 & 16 & 0 \end{array}$$

$f(x)=(x-1)(x^2-8x+16)$

$=(x-1)(x-4)^2$

$=(104-1)(104-4)^2$

$=103\times100^2=1030000$ 답 ③

0476

> 인수분해 공식을 이용하여 $\dfrac{90000\cdot90001+1}{90301}$의 값을 구하면?
> $300=x$로 치환하고, 인수분해 공식 •
> $a^4+a^2b^2+b^4=(a^2+ab+b^2)(a^2-ab+b^2)$을 이용하자.

$300=x$로 치환하면 $90000=300^2=x^2$

$\therefore \dfrac{90000\times90001+1}{90301}=\dfrac{300^2(300^2+1)+1}{300^2+300+1}$

$=\dfrac{x^2(x^2+1)+1}{x^2+x+1}$

$=\dfrac{x^4+x^2+1}{x^2+x+1}$

$=\dfrac{(x^2+x+1)(x^2-x+1)}{x^2+x+1}$

$=x^2-x+1$

$=90000-300+1$

$=89701$ 답 ⑤

0477

> 100개의 다항식 x^2+2x-1, x^2+2x-2, x^2+2x-3, $\cdots$, $x^2+2x-100$이 있다. 이 중에서 자연수 m, n에 대하여 $(x+m)(x-n)$의 꼴로 인수분해되는 다항식의 개수를 구하시오. └• $x^2+(m-n)x-mn$이므로 $m-n=2$이다.

$(x+m)(x-n)=x^2+(m-n)x-mn$에서

$m-n=2$이므로 $n=m-2$

상수항은 $-m(m-2)$이다.

즉, $m(m-2)$이 1부터 100까지의 자연수로 표현되는 경우는

$1\le m(m-2)\le100$

따라서 $3\le m\le11$이므로 9개이다. 답 9

0478

> 등식 $x^2-xy-x+y-3=0$을 만족하는 정수 x, y에 대하여 $x+y$의 최댓값을 구하시오. └• (정수)×(정수)=3의 꼴로 변형하여 푼다.

$x(x-y)-(x-y)-3=0$

$(x-y)(x-1)=3$ ⋯⋯ ㉠

x, y가 모두 정수이므로 $x-y$, $x-1$도 모두 정수이다.

㉠을 만족하는 경우를 표로 나타내면

$x-y$	$x-1$	x	y	$x+y$
1	3	4	3	7
3	1	2	-1	1
-1	-3	-2	-1	-3
-3	-1	0	3	3

따라서 $x+y$의 최댓값은 7이다. 답 7

0479

> 다항식 $x^2+10x-n$이 계수가 정수인 두 일차식의 곱으로 인수분해되도록 하는 300보다 작은 자연수 n의 개수를 구하시오.
> └• $(x-a)(x-b)$로 인수분해 가능함을 이용하자.

다항식 $x^2+10x-n$이 계수가 정수인 두 일차식의 곱으로 인수분해되려면 이차방정식 $x^2+10x-n=0$의 두 근의 부호는 다르고, 절댓값이 10만큼 차이가 나면 되므로 만족하는 이차식을 구해 보면

두 근이 1, -11, 즉 $n=11$일 때: $x^2+10x-11$

두 근이 2, -12, 즉 $n=24$일 때: $x^2+10x-24$

두 근이 3, -13, 즉 $n=36$일 때: $x^2+10x-36$

⋮

두 근이 13, -23, 즉 $n=299$일 때: $x^2+10x-299$

따라서 300보다 작은 자연수 n의 개수는 13이다. 답 13

0480

> 세 변의 길이가 a, b, c인 삼각형 ABC에서
> $bc-ab+ac-b^2=0$
> 이 성립할 때, 삼각형 ABC는 어떤 삼각형인가?
> └• 세 변 a, b, c 사이의 관계를 조사하자.

주어진 식을 a에 대하여 내림차순으로 정리하면

$bc-ab+ac-b^2=(c-b)a+bc-b^2$

$=(c-b)a+b(c-b)$

$=-(a+b)(b-c)=0$

이때, a, b, c는 삼각형의 세 변의 길이이므로

$a+b>0$이고 $b-c=0$

$\therefore b=c$

따라서 주어진 조건을 만족시키는 삼각형 ABC는

$b=c$인 이등변삼각형이다. 답 ③

0481

> 삼각형의 세 변의 길이 a, b, c 사이에
> $a^2+b^2+c^2-ab-bc-ca=0$
> 이 성립할 때, 이 삼각형은 어떤 삼각형인지 구하시오.
> • 양변에 2를 곱한 후, 완전제곱식으로 변형하자.

$a^2+b^2+c^2-ab-bc-ca=0$에서

$\frac{1}{2}(2a^2+2b^2+2c^2-2ab-2bc-2ca)=0$

$\frac{1}{2}\{(a^2-2ab+b^2)+(b^2-2bc+c^2)+(c^2-2ca+a^2)\}=0$

$\frac{1}{2}\{(a-b)^2+(b-c)^2+(c-a)^2\}=0$

이때, a, b, c는 삼각형의 세 변의 길이이므로

$(a-b)^2\geq0$, $(b-c)^2\geq0$, $(c-a)^2\geq0$

$\therefore a=b$, $b=c$, $c=a$

따라서 주어진 삼각형은 $a=b=c$이므로 정삼각형이다.

답 정삼각형

0482

> 삼각형의 세 변의 길이 a, b, c에 대하여
> $b^2-ba-c^2+ca=0$
> 이 성립할 때, 이 삼각형은 어떤 삼각형인지 구하시오.
> • 최고차항의 차수가 낮은 문자 (a)에 대하여 내림차순으로 정리하자.

$b^2-ba-c^2+ca=(c-b)a+b^2-c^2$
$=(c-b)a+(b-c)(b+c)$
$=(c-b)a-(c-b)(b+c)$
$=(c-b)(a-b-c)=0$

이때, a, b, c는 삼각형의 세 변의 길이이므로

$a<b+c$

즉, $a-b-c\neq0$이므로 $c-b=0$ $\quad\therefore b=c$

따라서 주어진 삼각형은 $b=c$인 이등변삼각형이다.

답 $b=c$인 이등변삼각형

0483

> 세 변의 길이가 a, b, c인 삼각형에서
> $a^3+a^2b-ac^2+ab^2+b^3-bc^2=0$
> 이 성립할 때, 이 삼각형은 어떤 삼각형인가?
> • a^2, b^2, c^2으로 공통부분을 찾아 묶어보자.

$a^3+a^2b-ac^2+ab^2+b^3-bc^2$
$=-(a+b)c^2+a^3+a^2b+ab^2+b^3$
$=-(a+b)c^2+a^2(a+b)+b^2(a+b)$
$=(a+b)(-c^2+a^2+b^2)=0$

이때, a, b, c는 삼각형의 세 변의 길이이므로

$a+b>0$이고 $-c^2+a^2+b^2=0$

$\therefore a^2+b^2=c^2$

따라서 주어진 삼각형은 빗변의 길이가 c인 직각삼각형이다.

답 ⑤

0484

> 삼각형의 세 변의 길이 a, b, c 사이에
> $ab(a+b)-bc(b+c)-ca(c-a)=0$
> 이 성립할 때, 이 삼각형은 어떤 삼각형인지 구하시오.
> • 최고차항의 차수가 낮은 문자 (a)에 대하여 내림차순으로 정리하자.

$ab(a+b)-bc(b+c)-ca(c-a)$
$=a^2b+ab^2-b^2c-bc^2-c^2a+ca^2$
$=(b+c)a^2+(b^2-c^2)a-b^2c-bc^2$
$=(b+c)a^2+(b+c)(b-c)a-bc(b+c)$
$=(b+c)\{a^2+(b-c)a-bc\}$
$=(b+c)(a+b)(a-c)=0$

이때, a, b, c는 삼각형의 세 변의 길이이므로

$b+c>0$, $a+b>0$이고 $a-c=0$ $\quad\therefore a=c$

따라서 주어진 삼각형은 $a=c$인 이등변삼각형이다.

답 $a=c$인 이등변삼각형

0485

> 삼각형의 세 변의 길이 a, b, c에 대하여 $a^3+b^3+c^3-3abc=0$
> 이 성립할 때, 이 삼각형은 어떤 삼각형인가?
> 인수분해 공식 $a^3+b^3+c^3-3abc=(a+b+c)(a^2+b^2+c^2-ab-bc-ca)$를 이용하자.

주어진 식의 좌변을 인수분해하면

$a^3+b^3+c^3-3abc=(a+b+c)(a^2+b^2+c^2-ab-bc-ca)$
$=\frac{1}{2}(a+b+c)\{(a-b)^2+(b-c)^2+(c-a)^2\}$

즉 $(a+b+c)\{(a-b)^2+(b-c)^2+(c-a)^2\}=0$이고

$a+b+c\neq0$이므로

$(a-b)^2+(b-c)^2+(c-a)^2=0$

$\therefore a-b=0$, $b-c=0$, $c-a=0$

$\therefore a=b=c$

따라서 주어진 조건을 만족시키는 삼각형은 정삼각형이다.

답 ①

0486

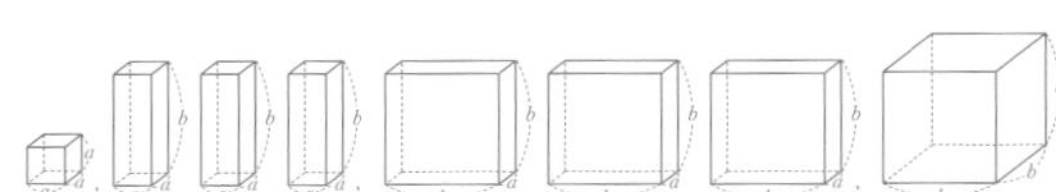

> 정육면체 모양의 나무토막을 그림과 같이 선을 따라서 자르면 8조각으로 나누어진다. 각 조각의 부피를 모두 합한 식과 자르기 전의 나무토막의 부피의 식을 비교하면 인수분해 공식 하나를 유도할 수 있다. 다음 중 이 인수분해 공식에 해당하는 것은?
>
> 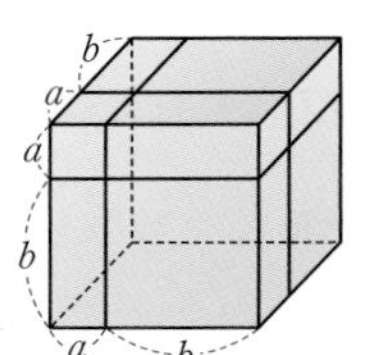
>
>
> ① $a^2-2ab+b^2=(a-b)^2$
> ② $a^3-b^3=(a-b)(a^2+ab+b^2)$
> ③ $a^3+b^3=(a+b)(a^2-ab+b^2)$
> ④ $a^3-3a^2b+3ab^2-b^3=(a-b)^3$
> ⑤ $a^3+3a^2b+3ab^2+b^3=(a+b)^3$

자르기 전의 나무토막은 한 변의 길이가 $a+b$인 정육면체이므로 부피는 $(a+b)^3$이다.
자른 후의 8조각은 다음과 같은 네 가지 모양이 나온다.

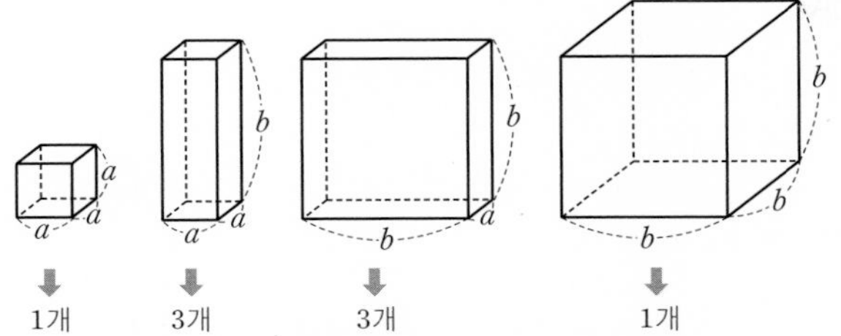

따라서 8조각의 부피의 합은 $a^3+3a^2b+3ab^2+b^3$이므로
$a^3+3a^2b+3ab^2+b^3=(a+b)^3$ 답 ⑤

0487

다음 그림과 같이 네 개의 직육면체가 있다. (가), (나), (다)의 부피의 합이 (라)의 부피의 3배와 같을 때, 다음 중 항상 성립하는 것은?
→ $3ab$이다.

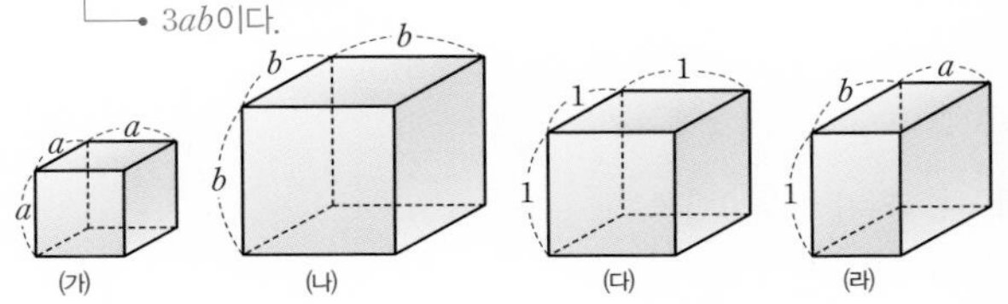

① $(a-1)^2+(b-1)^2=0$
② $a+b=ab$
③ $a^2+b^2+1=ab$
④ $a+b=\sqrt{ab}$
⑤ $a^2+b^2=a^2b^2$

(가), (나), (다)의 부피의 합은 a^3+b^3+1이고, (라)의 부피는 ab이므로
$a^3+b^3+1=3ab$
$a^3+b^3+1-3ab$
$=\frac{1}{2}(a+b+1)\{(a-b)^2+(b-1)^2+(1-a)^2\}=0$
이때, $a+b+1\neq0$이므로
$(a-b)^2+(b-1)^2+(1-a)^2=0$
$\therefore a=b=1$
$\therefore (a-1)^2+(b-1)^2=0$ 답 ①

0488

오른쪽 그림은 체육관을 공동으로 사용하는 A, B 두 고등학교의 평면도이다. 두 고등학교는 체육관을 포함하여 한 변의 길이가 각각 $a+x$, $a+y$인 정사각형 모양이고, 체육관은 가로, 세로의 길이가 각각 x, y인 직사각형 모양일 때, 체육관을 제외한 두 고등학교 넓이의 차는? (단, A고등학교가 B고등학교보다 넓다.)
→ A고등학교: $(a+x)^2$, B고등학교: $(a+y)^2$

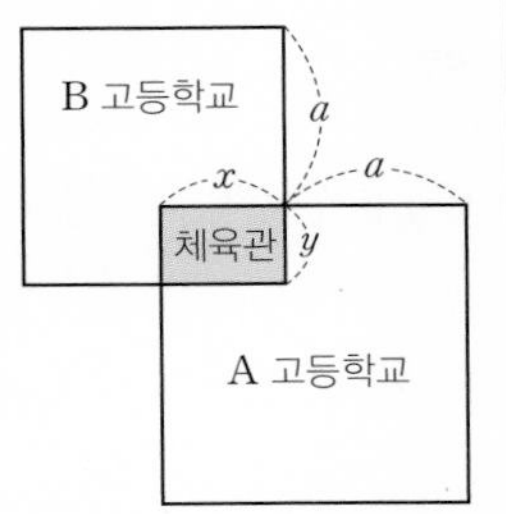

체육관을 제외한 A 고등학교의 넓이는 $(a+x)^2-xy$이고,
B 고등학교의 넓이는 $(a+y)^2-xy$이다.
따라서 체육관을 제외한 두 학교의 넓이의 차는
$\{(a+x)^2-xy\}-\{(a+y)^2-xy\}$
$=(a+x)^2-(a+y)^2$
$=(a+x+a+y)(a+x-a-y)$
$=(2a+x+y)(x-y)$ 답 ③

0489

$n+1$이 인수임을 이용해서 조립제법으로 인수분해하자.

자연수 n에 대하여 가로의 길이가 $n^3+7n^2+14n+8$, 세로의 길이가 n^2+4n+3인 직사각형 모양의 바닥이 있다. 한 변의 길이가 $n+1$인 정사각형의 모양의 타일로 이 바닥 전체를 겹치지 않게 빈틈없이 깔려고 한다. 이때, 필요한 타일의 개수는?

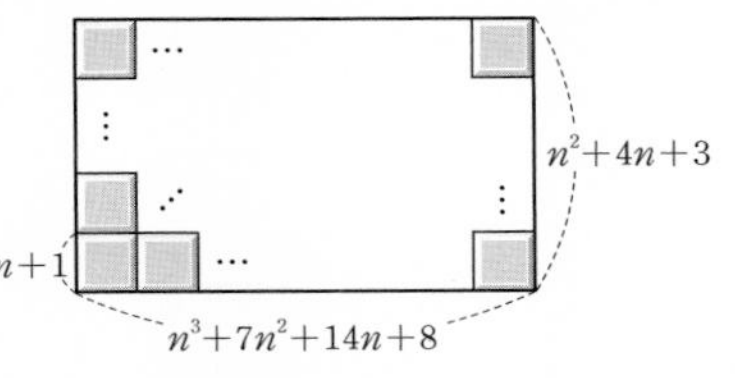

$f(n)=n^3+7n^2+14n+8$이라 하면 $f(-1)=0$
이므로 조립제법을 이용하여 인수분해하면

−1	1	7	14	8
		−1	−6	−8
	1	6	8	0

$f(n)=n^3+7n^2+14n+8$
$=(n+1)(n^2+6n+8)$
$=(n+1)(n+2)(n+4)$
즉, 바닥 전체의 가로의 길이는 $(n+1)(n+2)(n+4)$, 세로의 길이는 $n^2+4n+3=(n+1)(n+3)$이므로 한 변의 길이가 $n+1$인 정사각형의 모양의 타일을 가로에 $(n+2)(n+4)$개, 세로에 $(n+3)$개씩 깔 수 있다.
따라서 필요한 타일의 개수는 $(n+2)(n+3)(n+4)$이다.
답 ⑤

0490

인수분해 공식을 이용하자.

다음 〈보기〉 중 다항식 x^6-1의 인수인 것을 모두 고른 것은?

보기
ㄱ. x^2+x+1　　ㄴ. x^2-x+1
ㄷ. x^2+x-1　　ㄹ. x^2-x-1

$x^6-1=(x^3-1)(x^3+1)$
$=(x-1)(x^2+x+1)(x+1)(x^2-x+1)$
$=(x-1)(x+1)(x^2+x+1)(x^2-x+1)$
따라서 인수인 것은 ㄱ, ㄴ이다. 답 ①

0491

> $(x^2-y^2-z^2)^2-4y^2z^2$을 인수분해하시오.
> └ $(2yz)^2$이다.

$(x^2-y^2-z^2)^2-4y^2z^2$
$=\{(x^2-y^2-z^2)+2yz\}\{(x^2-y^2-z^2)-2yz\}$
$=\{x^2-(y^2+z^2-2yz)\}\{x^2-(y^2+z^2+2yz)\}$
$=\{x^2-(y-z)^2\}\{x^2-(y+z)^2\}$
$=(x-y+z)(x+y-z)(x-y-z)(x+y+z)$

답 $(x-y+z)(x+y-z)(x-y-z)(x+y+z)$

0492

> 다항식 $(x-1)(x-2)(x-3)(x-4)+k$가 x에 대한 이차의 완전제곱식으로 인수분해되기 위한 상수 k의 값을 구하시오.
> └ 공통부분이 나오도록 전개한 후 치환하여 인수분해하자.

$(x-1)(x-2)(x-3)(x-4)+k$
$=\{(x-1)(x-4)\}\{(x-2)(x-3)\}+k$
$=(x^2-5x+4)(x^2-5x+6)+k$
$x^2-5x=A$로 치환하면
$(A+4)(A+6)+k=A^2+10A+24+k$
이 식이 x에 대한 이차의 완전제곱식으로 인수분해되려면
A에 대한 일차의 완전제곱식으로 인수분해되어야 하므로
$24+k=25$
$\therefore k=1$

답 1

0493

> $x^4+3x^2+4=(x^2+x+2)(x^2+ax+b)$일 때, 두 상수 a, b의 곱 ab의 값은?
> └ 이차항을 조정하여 완전제곱식이 되도록 변형하자.

$x^4+3x^2+4=(x^4+4x^2+4)-x^2$
$=(x^2+2)^2-x^2$
$=(x^2+x+2)(x^2-x+2)$
$\therefore a=-1,\ b=2$
$\therefore ab=-2$

답 ②

0494

> 다항식 $f(x)=x^3+2x^2-4x+a$가 인수 $x+1$을 가질 때, 다음 중 $f(x)$의 인수인 것은?
> └ $f(-1)=0$이다.
>
> ① x^2+2x-3 ② x^2-2x+2 ③ x^2+x+2
> ④ x^2+x-3 ⑤ x^2+x-5

$f(x)$가 $x+1$을 인수로 가지므로 인수정리에 의해
$f(-1)=-1+2+4+a=0$
$\therefore a=-5$
즉, $f(x)=x^3+2x^2-4x-5$이므로
조립제법을 이용하여 인수분해하면

−1	1	2	−4	−5
		−1	−1	5
	1	1	−5	0

$\therefore f(x)=(x+1)(x^2+x-5)$
따라서 인수인 것은 ⑤ x^2+x-5이다.

답 ⑤

0495

> 다항식 x^4+ax^2+b가 $(x-1)^2$을 인수로 가질 때, 두 상수 a, b에 대하여 ab의 값은?
> └ $(x-1)^2$이 인수이므로 $x-1$을 두 번 이용해서 조립제법을 할 수 있다.

다항식 x^4+ax^2+b가 $(x-1)^2$을 인수로 가지므로
$x^4+ax^2+b=(x-1)^2Q(x)$의 꼴로 나타낼 수 있다.
조립제법을 이용하여 인수분해하면

1	1	0	a	0	b
		1	1	$a+1$	$a+1$
1	1	1	$a+1$	$a+1$	$a+b+1$
		1	2	$a+3$	
	1	2	$a+3$	$2a+4$	

이때, 나머지가 모두 0이므로
$a+b+1=0,\ 2a+4=0$
$\therefore a=-2,\ b=1$
$\therefore ab=-2$

답 ①

0496 서술형

> 다항식 $x^2-xy-2y^2+4x-5y+3$을 인수분해하면 $(x+ay+b)(x+cy+d)$일 때, 네 상수 a, b, c, d에 대하여 $a+b+c+d$의 값을 구하시오.
> └ x에 관한 내림차순으로 정리해 보자.

주어진 식을 x에 대하여 내림차순으로 정리하면
$x^2-xy-2y^2+4x-5y+3$
$=x^2-(y-4)x-(2y^2+5y-3)$ …… 30%
$=x^2-(y-4)x-(2y-1)(y+3)$
$=\{x-(2y-1)\}\{x+(y+3)\}$
$=(x-2y+1)(x+y+3)$ …… 50%
$\therefore a+b+c+d=3$ …… 20%

답 3

0497

> $a^3-a^2c-ab^2+b^2c$의 인수인 것은?
> └ 먼저 공통인수로 묶어보자.
>
> ① $a+c$ ② $a-c$ ③ $b+c$
> ④ $b-c$ ⑤ a^2+b^2

$a^3-a^2c-ab^2+b^2c=a^2(a-c)-b^2(a-c)$
$=(a-c)(a^2-b^2)$
$=(a-c)(a+b)(a-b)$
따라서 주어진 식의 인수인 것은 ② $a-c$이다.

답 ②

0498

다음 중 다항식 $(b-a)c^2+(c-b)a^2+(a-c)b^2$의 인수인 것은?

└• 세 문자의 차수가 같으므로 한 문자에 대하여 내림차순으로 정리하자.

① $a+b$ ② $2b-c$ ③ $c-a$
④ $a+c$ ⑤ $b+c$

주어진 식을 a에 대하여 내림차순으로 정리하면

$(b-a)c^2+(c-b)a^2+(a-c)b^2$
$=bc^2-ac^2+ca^2-ba^2+ab^2-cb^2$
$=(c-b)a^2-(c^2-b^2)a+bc^2-cb^2$
$=(c-b)a^2-(c+b)(c-b)a+bc(c-b)$
$=(c-b)\{a^2-(c+b)a+bc\}$
$=(c-b)(a-b)(a-c)$
$=(a-b)(b-c)(c-a)$

따라서 주어진 다항식의 인수인 것은 ③ $c-a$이다. 답 ③

0499 서술형

$\sqrt{15\times16\times17\times18+1}$ 의 값을 인수분해 공식을 이용하여 구하시오.

└• $15=x$라 하고, x에 관한 식으로 변형해서 풀자.

$15=x$로 치환하면

$15\times16\times17\times18+1=x(x+1)(x+2)(x+3)+1$ …… 30%
$=\{x(x+3)\}\{(x+1)(x+2)\}+1$
$=(x^2+3x)(x^2+3x+2)+1$

$x^2+3x=X$로 치환하면

$X(X+2)+1=X^2+2X+1$
$=(X+1)^2$ …… 50%
$=(x^2+3x+1)^2$
$=(225+45+1)^2$
$=271^2$

$\therefore \sqrt{15\times16\times17\times18+1}=\sqrt{271^2}=271$ …… 20%

답 271

0500

삼각형의 세 변의 길이 a, b, c에 대하여

$(b+c)a^2-(a+c)b^2+(a-b)c^2=0$

이 성립할 때, 이 삼각형은 어떤 삼각형인지 구하시오.

└• 인수분해한 후, 세 변 a, b, c 사이의 관계를 조사하자.

$(b+c)a^2-(a+c)b^2+(a-b)c^2=0$에서 a에 대하여 내림차순으로 정리하면

$(b+c)a^2-(b^2-c^2)a-bc(b+c)$
$=(b+c)a^2-(b+c)(b-c)a-bc(b+c)$
$=(b+c)\{a^2-(b-c)a-bc\}$
$=(b+c)(a-b)(a+c)=0$

$b+c>0$, $a+c>0$이므로 $a-b=0$

$\therefore a=b$

따라서 주어진 삼각형은 $a=b$인 이등변삼각형이다.

답 $a=b$인 이등변삼각형

0501

한 모서리의 길이가 x인 정육면체 모양의 나무토막이 있다. [그림 1]과 같이 이 나무토막의 윗면의 중앙에서 한 변의 길이가 y인 정사각형 모양으로 아랫면의 중앙까지 구멍을 뚫었다. 구멍은 정사각기둥 모양이고, 각 모서리는 처음 정육면체의 모서리와 평행하다. 이와 같은 방법으로 각 면에서 구멍을 뚫어 [그림 2]와 같은 입체를 얻었다.

└• xy^2이다.
관통하는 사각기둥 3개의 공통부분을 생각하자.

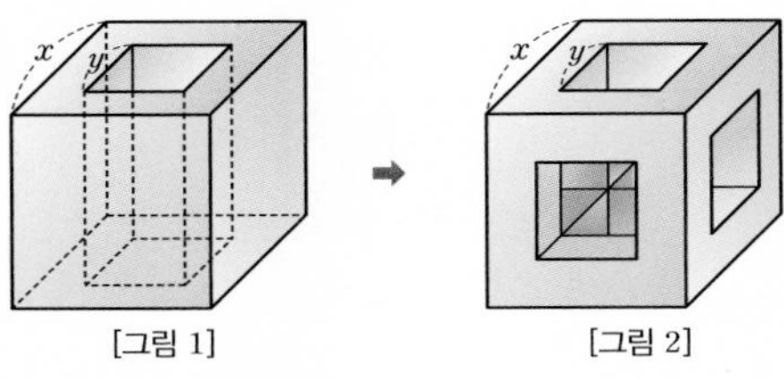

[그림 1] [그림 2]

이때, [그림 2]의 입체의 부피를 x, y로 나타낸 것은?

구멍 부분의 부피는 밑면의 한 변의 길이가 y인 정사각형이고, 높이가 x인 정사각기둥 3개의 부피에서 중복된 부분인 한 모서리의 길이가 y인 정육면체의 부피를 두 번 빼면 된다. 즉, 구멍 부분의 부피는 $3xy^2-2y^3$이다.

따라서 구하는 입체의 부피는

$x^3-(3xy^2-2y^3)=x^3-3xy^2+2y^3$

이때, $f(x)=x^3-3xy^2+2y^3$이라 하면 $f(y)=0$이므로 조립제법을 이용하여 인수분해하면

y	1	0	$-3y^2$	$2y^3$
		y	y^2	$-2y^3$
	1	y	$-2y^2$	0

$\therefore x^3-3xy^2+2y^3=(x-y)(x^2+xy-2y^2)$
$=(x-y)(x+2y)(x-y)$
$=(x-y)^2(x+2y)$

답 ①

0502

$[x, y, z]=x^2+yz$로 정의하고

$y+z=2a$, $z+x=2b$, $x+y=2c$

라 할 때, $P=[x, 2y, z]+[y, 2z, x]+[z, 2x, y]$를 a, b, c로 나타내시오.

└• 좌변과 우변을 각각 더하면 $2(x+y+z)=2a+2b+2c$이다.

$[x, y, z]=x^2+yz$에서

$P=(x^2+2yz)+(y^2+2zx)+(z^2+2xy)$
$=x^2+y^2+z^2+2xy+2yz+2zx$
$=(x+y+z)^2$

한편, 주어진 식을 변끼리 더하면

$2(x+y+z)=2(a+b+c)$

$\therefore x+y+z=a+b+c$

$\therefore P=(x+y+z)^2=(a+b+c)^2$ 답 $(a+b+c)^2$

0503

> x에 대한 다항식 $x^4-2x^3-6x^2-2x+1$을 인수분해하면?
> └ x^2을 묶어낸 식에서 $x+\frac{1}{x}$을 치환하여 인수분해한다.

$x^4-2x^3-6x^2-2x+1=x^2\left(x^2-2x-6-\frac{2}{x}+\frac{1}{x^2}\right)$

$x+\frac{1}{x}=t$로 치환하면

$$\begin{aligned}x^2(t^2-2-2t-6)&=x^2(t^2-2t-8)\\&=x^2(t-4)(t+2)\\&=x^2\left(x+\frac{1}{x}-4\right)\left(x+\frac{1}{x}+2\right)\\&=(x^2-4x+1)(x^2+2x+1)\\&=(x+1)^2(x^2-4x+1)\end{aligned}$$

답 ④

0504

> x^5+x^3+ax+b가 $(x+1)^2$을 인수로 가질 때, 상수 a, b에 대하여 $a-b$의 값은?
> └ $(x+1)^2$이 인수이므로 $x+1$을 두 번 이용해서 조립제법을 할 수 있다.

주어진 식이 $(x+1)^2$을 인수로 가지므로 조립제법을 이용하여 인수분해하면

-1	1	0	1	0	a	b
		-1	1	-2	2	$-a-2$
-1	1	-1	2	-2	$a+2$	$-a+b-2$
		-1	2	-4	6	
	1	-2	4	-6	$a+8$	

따라서 $-a+b-2=0$, $a+8=0$이므로 $a=-8$, $b=-6$

$\therefore a-b=-2$

답 ①

0505

> $a(b+c)^2+b(c+a)^2+c(a+b)^2-4abc$를 인수분해하시오.
> └ 전개한 후 한 문자에 관하여 정리해 보자.

$$\begin{aligned}&a(b+c)^2+b(c+a)^2+c(a+b)^2-4abc\\&=a(b^2+2bc+c^2)+b(c^2+2ca+a^2)+c(a^2+2ab+b^2)-4abc\\&=ab^2+2abc+ac^2+bc^2+2abc+a^2b+a^2c+2abc+b^2c-4abc\\&=(b+c)a^2+(b^2+2bc+c^2)a+b^2c+bc^2\\&=(b+c)a^2+(b+c)^2a+bc(b+c)\\&=(b+c)\{a^2+(b+c)a+bc\}\\&=(b+c)(a+b)(a+c)\\&=(a+b)(b+c)(c+a)\end{aligned}$$

답 $(a+b)(b+c)(c+a)$

0506

> 다항식 $5x^3+x^2-5x-1$이 $(x-1)(5x^2+6x+1)$로 인수분해됨을 이용하여 $N=\frac{5\times10^9+10^6-5\times10^3-1}{10^3-1}$을 계산하여 자연수로 나타냈을 때, 각 자리의 수의 합은?
> └ 10^3을 x로 치환하여 나타내어 보자.

$10^3=x$로 치환하면

$$\begin{aligned}\frac{5\times10^9+10^6-5\times10^3-1}{10^3-1}&=\frac{5x^3+x^2-5x-1}{x-1}\\&=\frac{(x-1)(5x^2+6x+1)}{x-1}\\&=5x^2+6x+1\\&=5\times10^6+6\times10^3+1\\&=5006001\end{aligned}$$

따라서 각 자리수의 합은

$5+6+1=12$

답 ③

0507

> $a+b+c=5$를 만족하는 세 실수 a, b, c에 대하여 $x=a+b-c$, $y=a-b+c$, $z=-a+b+c$라 할 때, $x^2+y^2+z^2+2(xy+yz+zx-2)$의 값은?
> └ 좌변과 우변을 각각 더하면 $x+y+z=a+b+c$이다.

주어진 세 식을 변끼리 더하면

$$\begin{aligned}x+y+z&=(a+b-c)+(a-b+c)+(-a+b+c)\\&=a+b+c=5\end{aligned}$$

$$\begin{aligned}\therefore\ &x^2+y^2+z^2+2(xy+yz+zx-2)\\&=x^2+y^2+z^2+2xy+2yz+2zx-4\\&=(x+y+z)^2-2^2=25-4=21\end{aligned}$$

답 ⑤

0508

> 세 실수 a, b, c에 대하여
> $(a-b)^3+(b-c)^3+(c-a)^3=36$
> 이 성립할 때, $(a-b)(b-c)(c-a)$의 값은?
> └ $a-b=x$, $b-c=y$, $c-a=z$라 하고, 인수분해 공식 $a^3+b^3+c^3-3abc=(a+b+c)(a^2+b^2+c^2-ab-bc-ca)$를 이용하자. 이때, $x+y+z=0$이다.

$(a-b)+(b-c)+(c-a)=0$이므로

$$\begin{aligned}&(a-b)^3+(b-c)^3+(c-a)^3\\&=\{(a-b)+(b-c)+(c-a)\}\\&\qquad\{(a-b)^2+(b-c)^2+(c-a)^2-(a-b)(b-c)\\&\qquad-(b-c)(c-a)-(c-a)(a-b)\}\\&\qquad+3(a-b)(b-c)(c-a)\\&=3(a-b)(b-c)(c-a)=36\end{aligned}$$

$\therefore (a-b)(b-c)(c-a)=12$

답 ②

0509

> x에 대한 다항식 $(x^2-4x+3)(x^2+12x+35)+k$가 x에 대한 이차식의 완전제곱꼴로 인수분해되기 위한 상수 k의 값은?
> └ 인수분해한 후 공통부분이 나오도록 다시 전개하여 치환하자.

$$\begin{aligned}&(x^2-4x+3)(x^2+12x+35)+k\\&=(x-1)(x-3)(x+5)(x+7)+k\\&=\{(x-1)(x+5)\}\{(x-3)(x+7)\}+k\\&=(x^2+4x-5)(x^2+4x-21)+k\end{aligned}$$

$x^2+4x=X$로 치환하면

$(X-5)(X-21)+k=X^2-26X+105+k$
$=(X-13)^2+k-64$
$=(x^2+4x-13)^2+k-64$

따라서 이 식이 이차식의 완전제곱꼴이 되기 위해서는

$k-64=0 \quad \therefore k=64$

답 ⑤

0510

모든 실수 x에 대하여 최고차항의 계수가 양수인 삼차식 $f(x)$와 이차식 $g(x)$는 다음 조건을 만족한다.

(가) $(x+1)f(x)=(x-2)^2g(x)$
(나) $f(x)g(x)=x^5-5x^4+7x^3+x^2-8x+4$

$x+1$은 $g(x)$의 인수이고, $(x-2)^2$은 $f(x)$의 인수이다.

이때, $f(3)+g(3)$의 값을 구하시오.

$f(x)g(x)=x^5-5x^4+7x^3+x^2-8x+4$를 조립제법을 이용하여 인수분해하면

1	1	−5	7	1	−8	4
		1	−4	3	4	−4
1	1	−4	3	4	−4	0
		1	−3	0	4	
−1	1	−3	0	4	0	
		−1	4	−4		
	1	−4	4	0		

$f(x)g(x)=(x-2)^2(x-1)^2(x+1)$

조건 (가)에 의하여

$f(x)=(x-2)^2(x-1),\ f(3)=2$

$g(x)=(x-1)(x+1),\ g(3)=8$

$\therefore f(3)+g(3)=10$

답 10

0511

다음 중 $a^3(b-c)+b^3(c-a)+c^3(a-b)$의 인수가 아닌 것은?

먼저 공통인수로 묶어보자.

① $a-b$ ② $b-c$ ③ $c-a$
④ $a+b+c$ ⑤ $a-b+c$

주어진 식을 a에 대하여 내림차순으로 정리하면

$a^3(b-c)+b^3(c-a)+c^3(a-b)$
$=a^3b-a^3c+b^3c-b^3a+c^3a-c^3b$
$=(b-c)a^3-(b^3-c^3)a+bc(b^2-c^2)$
$=(b-c)a^3-(b-c)(b^2+bc+c^2)a+bc(b-c)(b+c)$
$=(b-c)\{a^3-(b^2+bc+c^2)a+bc(b+c)\}$

위의 식을 b에 대하여 내림차순으로 정리하면

$(b-c)(a^3-ab^2-abc-ac^2+b^2c+bc^2)$
$=(b-c)\{(c-a)b^2+c(c-a)b-a(c^2-a^2)\}$
$=(b-c)\{(c-a)b^2+c(c-a)b-a(c+a)(c-a)\}$
$=(b-c)(c-a)(b^2+bc-ac-a^2)$
$=(b-c)(c-a)\{(b-a)c+(b^2-a^2)\}$
$=(b-c)(c-a)\{(b-a)c+(b-a)(b+a)\}$
$=(b-c)(c-a)(b-a)(a+b+c)$
$=-(a-b)(b-c)(c-a)(a+b+c)$

따라서 인수가 아닌 것은 ⑤ $a-b+c$이다.

답 ⑤

0512

삼각형 ABC에서 $\overline{AB}=c,\ \overline{BC}=a,\ \overline{CA}=b$라고 하자. 다항식 $x^3-(a+b)x^2-(a^2+b^2)x+a^3+b^3+a^2b+ab^2$이 $x-c$로 나누어떨어질 때, 이 삼각형은 어떤 삼각형인가?

주어진 식의 x에 c를 대입하면 0이 된다.

$f(x)=x^3-(a+b)x^2-(a^2+b^2)x+a^3+b^3+a^2b+ab^2$

이라 하면 다항식 $f(x)$가 $x-c$로 나누어떨어지므로

$f(c)=c^3-(a+b)c^2-(a^2+b^2)c+a^3+b^3+a^2b+ab^2$
$=c^3-(a+b)c^2-(a^2+b^2)c+a^2(a+b)+b^2(a+b)$
$=c^3-(a+b)c^2-(a^2+b^2)c+(a^2+b^2)(a+b)$
$=c(c^2-a^2-b^2)-(a+b)(c^2-a^2-b^2)$
$=(c-a-b)(c^2-a^2-b^2)=0$

$c\neq a+b$이므로 $c^2-a^2-b^2=0 \quad \therefore c^2=a^2+b^2$

따라서 삼각형 ABC는 빗변의 길이가 c인 직각삼각형이다.

답 ⑤

0513

9 이하의 자연수 n에 대하여 다항식 $P(x)$가

$P(x)=x^4+x^2-n^2-n$

일 때, 〈보기〉에서 옳은 것만을 있는 대로 고른 것은?

보기

ㄱ. $P(\sqrt{n})=0$

ㄴ. 방정식 $P(x)=0$의 실근의 개수는 2이다.

$P(x)$를 인수분해하자.

ㄷ. 모든 정수 k에 대하여 $P(k)\neq0$이 되도록 하는 모든 n의 값의 합은 31이다.

$P(k)=0$이 되는 경우를 생각해 보자.

ㄱ. $P(\sqrt{n})=(\sqrt{n})^4+(\sqrt{n})^2-n^2-n=0$ (참)

ㄴ. $P(x)=(x^2-n)(x^2+n+1)$이므로 방정식 $P(x)=0$은 $x=\sqrt{n},\ x=-\sqrt{n}$만을 실근으로 가진다.
따라서 실근의 개수는 2이다. (참)

ㄷ. 모든 정수 k에 대하여 $P(k)=(k^2-n)(k^2+n+1)$에서 $k^2+n+1>0$이고, $P(k)\neq0$을 만족시키려면 $n\neq k^2$이어야 하므로 n은 완전제곱수가 아닌 정수이다.
그러므로 n의 값은 2, 3, 5, 6, 7, 8이다.
따라서 모든 n의 값의 합은 31이다. (참)

따라서 옳은 것은 ㄱ, ㄴ, ㄷ이다.

답 ⑤

0514

세 변의 길이가 $a,\ b,\ c$인 △ABC에서 $\angle C=90°$일 때, $a^3+b^3+c^3+ab(a+b)-bc(b+c)-ca(c+a)$를 간단히 하면?

$a^2+b^2=c^2$이다.

$\triangle$ABC에서 $\angle C=90^\circ$이므로

$c^2=a^2+b^2 \quad \therefore a^2+b^2-c^2=0$

$\therefore a^3+b^3+c^3+ab(a+b)-bc(b+c)-ca(c+a)$
$=a^3+b^3+c^3+a^2b+ab^2-b^2c-bc^2-c^2a-ca^2$
$=a^3+a^2(b-c)+a(b^2-c^2)+b^3+c^3-b^2c-bc^2$
$=a^3+a^2(b-c)+a(b^2-c^2)+(b+c)(b^2-bc+c^2)-bc(b+c)$
$=a^2(a+b-c)+a(b^2-c^2)+(b+c)(b^2-2bc+c^2)$
$=a^2(a+b-c)+a(b^2-c^2)+(b+c)(b-c)^2$
$=a^2(a+b-c)+a(b^2-c^2)+(b^2-c^2)(b-c)$
$=a^2(a+b-c)+(b^2-c^2)(a+b-c)$
$=(a+b-c)(a^2+b^2-c^2)=0$

답 ①

0515

두 정수 a, b에 대하여 다항식 $f(x)=x^3+(ab-1)x+n$이 다음 조건을 만족시킨다.

(가) n은 100 이하의 자연수이다.
(나) $f(x)$는 $(x-1)(x-a)(x-b)$ 꼴의 서로 다른 세 개의 일차식의 곱으로 인수분해된다.

→ $f(1)=0$이다.

모든 다항식 $f(x)$의 개수는?

조건에 맞는 (a, b, n)의 순서쌍의 개수를 구하자.

$f(x)$가 $(x-1)$을 인수로 가지므로 $f(1)=0$이다.

$f(1)=1+ab-1+n=0$

$\therefore n=-ab$, $f(x)=x^3+(ab-1)x-ab$

$f(x)$를 $x-1$로 나누면

1	1	0	$ab-1$	$-ab$
		1	1	ab
	1	1	ab	0

$f(x)=(x-1)(x^2+x+ab)=(x-1)(x-a)(x-b)$

$\therefore a+b=-1$

위 식과 100 이하의 자연수 n을 만족하는 순서쌍 (a, b, n)을 구하면

$(-10, 9, 90)$, $(-9, 8, 72)$, $(-8, 7, 56)$, $(-7, 6, 42)$, $(-6, 5, 30)$, $(-5, 4, 20)$, $(-4, 3, 12)$, $(-3, 2, 6)$, $(-2, 1, 2)$, $(9, -10, 90)$, $(8, -9, 72)$, $(7, -8, 56)$, $(6, -7, 42)$, $(5, -6, 30)$, $(4, -5, 20)$, $(3, -4, 12)$, $(2, -3, 6)$, $(1, -2, 2)$

18개의 순서쌍 중 $f(x)$에 대입하면 중복되는 순서쌍을 제거하면

$(-10, 9, 90)$, $(-9, 8, 72)$, $(-8, 7, 56)$, $(-7, 6, 42)$, $(-6, 5, 30)$, $(-5, 4, 20)$, $(-4, 3, 12)$, $(-3, 2, 6)$, $(-2, 1, 2)$

이 중 $(-2, 1, 2)$는 $f(x)$에 대입하면 $f(x)=(x-1)^2(x+2)$이므로 서로 다른 세 개의 일차식의 곱으로 인수분해되지 않는다.

따라서 조건을 만족하는 $f(x)$의 개수는 8이다.

답 ②

0516

각 꼭짓점의 수를 각각 a, b, c, d, e, f라 하자.

그림과 같이 여덟 개의 정삼각형으로 이루어진 정팔면체가 있다. 여섯 개의 꼭짓점에는 자연수를 적고 여덟 개의 정삼각형의 면에는 각각의 삼각형의 꼭짓점에 적힌 세 수의 곱을 적는다. 여덟 개의 면에 적힌 수들의 합이 105일 때, 여섯 개의 꼭짓점에 적힌 수들의 합을 구하시오.

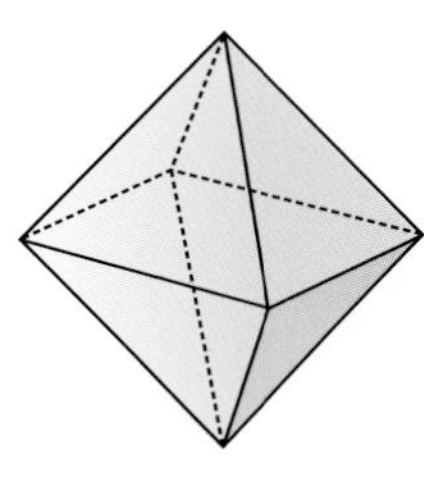

세 자연수를 곱해서 105가 되는 경우는 $3\times5\times7$이다.

각 꼭짓점에 적힌 숫자를 a, b, c, d, e, f라고 하자.

이때, 각 면에 적힌 수는 각각

abe, ade, acd, abc, bef, def, cdf, bcf이다.

$abc+acd+abe+ade+fbc+fcd+fbe+fde$
$=(a+f)(bc+cd+be+de)$
$=(a+f)\{c(b+d)+e(b+d)\}$
$=(a+f)(b+d)(c+e)=105$

이때, 여섯 개의 꼭짓점에 적힌 수는 모두 자연수이고, $105=3\times5\times7$이므로

$(a+f)+(b+d)+(c+e)=15$

답 15

0517

$x-a$가 인수이므로 조립제법을 이용해서 상수항을 구하면 0이 된다.

두 자연수 a, b에 대하여 일차식 $x-a$를 인수로 가지는 다항식 $P(x)=x^4-290x^2+b$가 다음 조건을 만족시킨다.

계수와 상수항이 모두 정수인 서로 다른 세 개의 다항식의 곱으로 인수분해된다.

조립제법으로 구한 몫을 인수분해하자.

모든 다항식 $P(x)$의 개수를 p라 하고, b의 최댓값을 q라 할 때, $\dfrac{q}{(p-1)^2}$의 값을 구하시오.

다항식 $P(x)$가 일차식 $x-a$를 인수로 가지므로 조립제법을 이용하면

a	1	0	-290	0	b
		a	a^2	a^3-290a	a^4-290a^2
	1	a	a^2-290	a^3-290a	$b+a^4-290a^2$

에서 몫은 $x^3+ax^2+(a^2-290)x+a^3-290a$이고 나머지는 $b+a^4-290a^2=0$이다.

따라서 $b=a^2(290-a^2)$이고 b가 자연수이므로 $290-a^2>0$에서 이를 만족하는 a의 값은 1, 2, 3, $\cdots$, 17이다.

몫 $x^3+ax^2+(a^2-290)x+a^3-290a$가 $x+a$를 인수로 가지므로 조립제법을 이용하면

$-a$	1	a	a^2-290	a^3-290a
		$-a$	0	$-a^3+290a$
	1	0	a^2-290	0

이고 다항식 $P(x)$는

$x^4-290x^2+b=(x-a)(x+a)(x^2+a^2-290)$

으로 인수분해된다.

조건에 의해 x^2+a^2-290이 계수와 상수항이 모두 정수인 서로 다른

두 개의 일차식의 곱으로 인수분해되는 경우는 제외한다.
$x^2+a^2-290=x^2-(290-a^2)$이 계수와 상수항이 모두 정수인 서로 다른 두 개의 일차식의 곱으로 인수분해되는 경우는 $290-a^2$이 제곱수인 경우이다.
$290=1^2+17^2=11^2+13^2$
이므로 $290-a^2$이 제곱수가 되는 자연수 a는 $a=1$, $a=11$, $a=13$, $a=17$인 경우이다.
그러므로 조건을 만족하는 자연수 a의 값의 개수는 $17-4=13$이므로 모든 다항식 $P(x)$의 개수는 13이다.
$b=a^2(290-a^2)=-(a^2-145)^2+145^2$이고 a가 자연수이므로 b의 최댓값은 $a=12$일 때
$12^2\times(290-12^2)$
이다. 그러므로 $p=13$이고 $q=12^2\times(290-12^2)$이다.
따라서 $\frac{q}{(p-1)^2}=\frac{12^2\times(290-12^2)}{(13-1)^2}=146$이다.

답 146

04 복소수

본책 092~121쪽

0518
$\sqrt{-5}=\sqrt{5}\sqrt{-1}=\sqrt{5}i$ 답 $\sqrt{5}i$

0519
$\sqrt{-9}=\sqrt{9}\sqrt{-1}=3i$ 답 $3i$

0520
$-\sqrt{-27}=-\sqrt{27}\sqrt{-1}=-3\sqrt{3}i$ 답 $-3\sqrt{3}i$

0521
$1+\sqrt{-2}=1+\sqrt{2}\sqrt{-1}=1+\sqrt{2}i$ 답 $1+\sqrt{2}i$

0522
$x^2=1$에서 $x=-1$ 또는 $x=1$ 답 $x=-1$ 또는 $x=1$

0523
$x^2=9$에서 $x=-3$ 또는 $x=3$ 답 $x=-3$ 또는 $x=3$

0524
$x^2=-1$에서 $x=\pm\sqrt{-1}=\pm i$
$\therefore x=-i$ 또는 $x=i$ 답 $x=-i$ 또는 $x=i$

0525
$x^2=-3$에서 $x=\pm\sqrt{-3}=\pm\sqrt{3}i$
$\therefore x=-\sqrt{3}i$ 또는 $x=\sqrt{3}i$ 답 $x=-\sqrt{3}i$ 또는 $x=\sqrt{3}i$

0526
$x^2=-16$에서 $x=\pm\sqrt{-16}=\pm 4i$
$\therefore x=-4i$ 또는 $x=4i$ 답 $x=-4i$ 또는 $x=4i$

0527
2의 제곱근을 x라 하면 $x^2=2$이므로
$x=-\sqrt{2}$ 또는 $x=\sqrt{2}$ 답 $-\sqrt{2}$ 또는 $\sqrt{2}$

0528
25의 제곱근을 x라 하면 $x^2=25$이므로
$x=-\sqrt{25}$ 또는 $x=\sqrt{25}$
$\therefore x=-5$ 또는 $x=5$ 답 -5 또는 5

0529
-4의 제곱근을 x라 하면 $x^2=-4$이므로
$x=-\sqrt{-4}$ 또는 $x=\sqrt{-4}$
$\therefore x=-2i$ 또는 $x=2i$ 답 $-2i$ 또는 $2i$

0530
-8의 제곱근을 x라 하면 $x^2=-8$이므로
$x=-2\sqrt{-2}$ 또는 $x=2\sqrt{-2}$
$\therefore x=-2\sqrt{2}i$ 또는 $x=2\sqrt{2}i$ 답 $-2\sqrt{2}i$ 또는 $2\sqrt{2}i$

0531

-17의 제곱근을 x라 하면 $x^2=-17$이므로

$x=-\sqrt{-17}$ 또는 $x=\sqrt{-17}$

$\therefore x=-\sqrt{17}i$ 또는 $x=\sqrt{17}i$ 답 $-\sqrt{17}i$ 또는 $\sqrt{17}i$

0532

ㄷ. $\sqrt{9}i^2=3\cdot(-1)=-3$, ㅁ. 0,

ㅂ. $(\sqrt{-5})^2=(\sqrt{5}i)^2=-5$, ㅅ. $2i^2=2\cdot(-1)=-2$,

ㅈ. $2-\sqrt{3}$

따라서 실수인 것은 ㄷ, ㅁ, ㅂ, ㅅ, ㅈ이다.

답 ㄷ, ㅁ, ㅂ, ㅅ, ㅈ

0533

ㄱ. $-i$, ㄴ. $\sqrt{2}i$, ㄹ. $\sqrt{-4}=\sqrt{4}i=2i$, ㅇ. $i-1$, ㅊ. $\sqrt{3}+2i$

따라서 허수인 것은 ㄱ, ㄴ, ㄹ, ㅇ, ㅊ이다.

답 ㄱ, ㄴ, ㄹ, ㅇ, ㅊ

0534

ㄱ. $-i$, ㄴ. $\sqrt{2}i$, ㄹ. $\sqrt{-4}=\sqrt{4}i=2i$

따라서 순허수인 것은 ㄱ, ㄴ, ㄹ이다. 답 ㄱ, ㄴ, ㄹ

0535

$3+(x-1)i=3+7i$에서 x가 실수이므로

복소수가 서로 같을 조건에 의하여

$x-1=7$ $\therefore x=8$ 답 $x=8$

0536

$(x-2)+4i=5+4i$에서 x가 실수이므로

복소수가 서로 같을 조건에 의하여

$x-2=5$ $\therefore x=7$ 답 $x=7$

0537

x, y가 실수이므로 복소수가 서로 같을 조건에 의하여

$x=0, y-3=0$

$\therefore x=0, y=3$ 답 $x=0, y=3$

0538

x, y가 실수이므로 복소수가 서로 같을 조건에 의하여

$x+1=4, y-3=0$

$\therefore x=3, y=3$ 답 $x=3, y=3$

0539

x, y가 실수이므로 복소수가 서로 같을 조건에 의하여

$x-2=0, y+1=3$

$\therefore x=2, y=2$ 답 $x=2, y=2$

0540

x, y가 실수이므로 복소수가 서로 같을 조건에 의하여

$2x=8, y-1=-5$

$\therefore x=4, y=-4$ 답 $x=4, y=-4$

0541

x, y가 실수이므로 복소수가 서로 같을 조건에 의하여

$x+y=-2, 12=4y$

두 식을 연립하여 풀면

$x=-5, y=3$ 답 $x=-5, y=3$

0542

x, y가 실수이므로 복소수가 서로 같을 조건에 의하여

$4x+5=9, x-2y=7$

두 식을 연립하여 풀면

$x=1, y=-3$ 답 $x=1, y=-3$

0543

x, y가 실수이므로 복소수가 서로 같을 조건에 의하여

$3x+y=11, x-y=1$

두 식을 연립하여 풀면

$x=3, y=2$ 답 $x=3, y=2$

0544

x, y가 실수이므로 복소수가 서로 같을 조건에 의하여

$x-y=3, x+y=5$

두 식을 연립하여 풀면

$x=4, y=1$ 답 $x=4, y=1$

0545

$\overline{1+6i}=1-6i$ 답 $1-6i$

0546

$\overline{3-5i}=3+5i$ 답 $3+5i$

0547

$\overline{2i-1}=-2i-1$ 답 $-2i-1$

0548

$\overline{i}=-i$ 답 $-i$

0549

$\overline{-3i}=3i$ 답 $3i$

0550

$\overline{5}=5$ 답 5

0551

$\overline{-8}=-8$ 답 -8

0552

$\overline{3+\sqrt{7}}=3+\sqrt{7}$ 답 $3+\sqrt{7}$

0553

$\overline{-4-\sqrt{2}i}=-4+\sqrt{2}i$ 답 $-4+\sqrt{2}i$

0554

$(4+2i)+(3+i)=(4+3)+(2+1)i$

$=7+3i$ 답 $7+3i$

0555

$$(-3-2i)+(-5-i)=(-3-5)+(-2-1)i$$
$$=-8-3i$$

답 $-8-3i$

0556

$$(11+5i)-(6+2i)=(11-6)+(5-2)i$$
$$=5+3i$$

답 $5+3i$

0557

$$(-9+i)-(2-4i)=(-9-2)+(1+4)i$$
$$=-11+5i$$

답 $-11+5i$

0558

$2(1+4i)=2+8i$

답 $2+8i$

0559

$i(3-i)=3i-i^2=3i+1$

답 $3i+1$

0560

$-2i(1-5i)=-2i+10i^2=-2i-10$

답 $-2i-10$

0561

$(1+i)(1+i)=1+2i+i^2=2i$

답 $2i$

0562

$(1+i)(1-i)=1-i^2=2$

답 2

0563

$$(5+7i)(3+i)=15+5i+21i+7i^2$$
$$=(15-7)+(5+21)i$$
$$=8+26i$$

답 $8+26i$

0564

$$(2+3i)(-4-i)=-8-2i-12i-3i^2$$
$$=(-8+3)+(-2-12)i$$
$$=-5-14i$$

답 $-5-14i$

0565

$$\frac{2+6i}{i}=\frac{i(2+6i)}{i^2}=-(2i+6i^2)=-2i+6$$

답 $-2i+6$

0566

$$\frac{1}{5+i}=\frac{5-i}{(5+i)(5-i)}=\frac{5-i}{25+1}=\frac{5-i}{26}$$

답 $\frac{5-i}{26}$

0567

$$\frac{1+i}{1-i}=\frac{(1+i)^2}{(1-i)(1+i)}=\frac{2i}{2}=i$$

답 i

0568

$$\frac{1-i}{1+i}=\frac{(1-i)^2}{(1+i)(1-i)}=\frac{-2i}{2}=-i$$

답 $-i$

0569

$$\frac{1+2i}{1-2i}=\frac{(1+2i)^2}{(1-2i)(1+2i)}=\frac{1+4i+4i^2}{1-4i^2}$$
$$=\frac{-3+4i}{5}$$

답 $\frac{-3+4i}{5}$

0570

$$\alpha+\beta=(2i+7)+(3+2i)$$
$$=(7+3)+(2+2)i$$
$$=10+4i$$

답 $10+4i$

0571

$$\alpha-\beta=(2i+7)-(3+2i)$$
$$=(7-3)+(2-2)i=4$$

답 4

0572

$$2\alpha+\beta=2(2i+7)+(3+2i)$$
$$=4i+14+3+2i$$
$$=(14+3)+(4+2)i$$
$$=17+6i$$

답 $17+6i$

0573

$$2\alpha-\beta=2(2i+7)-(3+2i)$$
$$=4i+14-3-2i$$
$$=(14-3)+(4-2)i$$
$$=11+2i$$

답 $11+2i$

0574

$$\alpha\beta=(2i+7)(3+2i)$$
$$=6i+4i^2+21+14i$$
$$=(-4+21)+(6+14)i$$
$$=17+20i$$

답 $17+20i$

0575

$$\frac{\alpha}{\beta}=\frac{2i+7}{3+2i}=\frac{(2i+7)(3-2i)}{(3+2i)(3-2i)}$$
$$=\frac{6i-4i^2+21-14i}{9-4i^2}=\frac{(4+21)+(6-14)i}{13}$$
$$=\frac{25-8i}{13}$$

답 $\frac{25-8i}{13}$

0576

$\overline{z}=\overline{4+2i}=4-2i$

답 $4-2i$

0577

$\overline{(\overline{z})}=\overline{(\overline{4+2i})}=\overline{4-2i}=4+2i$

답 $4+2i$

0578

$$z+\overline{z}=(4+2i)+(4-2i)$$
$$=(4+4)+(2-2)i=8$$

답 8

0579

$$z-\overline{z}=(4+2i)-(4-2i)$$
$$=(4-4)+(2+2)i=4i$$

답 $4i$

0580

$z\bar{z}=(4+2i)(4-2i)$
$=16-4i^2=20$ 답 20

0581

$\frac{z}{\bar{z}}=\frac{4+2i}{4-2i}=\frac{(4+2i)^2}{(4-2i)(4+2i)}=\frac{16+16i+4i^2}{16-4i^2}$
$=\frac{12+16i}{20}=\frac{3+4i}{5}$ 답 $\frac{3+4i}{5}$

0582

$i^2=i\cdot i=-1$ 답 -1

0583

$i^3=i^2\cdot i=-i$ 답 $-i$

0584

$i^4=i^2\cdot i^2=1$ 답 1

0585

$i^9=(i^4)^2\cdot i=i$ 답 i

0586

$(-i)^5=-i^5=-i^4\cdot i=-i$ 답 $-i$

0587

$i^{24}=(i^4)^6=1$ 답 1

0588

$(-i)^{30}=i^{30}=(i^4)^7\cdot i^2=i^2=-1$ 답 -1

0589

$i^{100}+i^{200}=(i^4)^{25}+(i^4)^{50}=2$ 답 2

0590

$i^{50}+(-i)^{50}=i^{50}+i^{50}=2i^{50}=2\cdot(i^4)^{12}\cdot i^2$
$=2i^2=-2$ 답 -2

0591

$i+i^2+i^3+i^4=i+(-1)+(-i)+1=0$
$i^5+i^6+i^7+i^8=i^4\cdot i+i^4\cdot i^2+i^4\cdot i^3+(i^4)^2=0$
$\therefore i+i^2+i^3+\cdots+i^{10}=i^9+i^{10}=(i^4)^2\cdot i+(i^4)^2\cdot i^2$
$=i+i^2=i-1$ 답 $i-1$

0592

$(1+i)^2=1+2i+i^2=2i$ 답 $2i$

0593

$(1+i)^2=2i$이므로
$(1+i)^{10}=\{(1+i)^2\}^5=(2i)^5$
$=32i^5=32\cdot i^4\cdot i=32i$ 답 $32i$

0594

$(1-i)^2=1-2i+i^2=-2i$ 답 $-2i$

0595

$(1-i)^2=-2i$이므로
$(1-i)^{12}=\{(1-i)^2\}^6=(-2i)^6$
$=64i^6=64\cdot i^4\cdot i^2=-64$ 답 -64

0596

$\frac{1+i}{1-i}=\frac{(1+i)^2}{(1-i)(1+i)}=\frac{2i}{2}=i$
$\therefore \left(\frac{1+i}{1-i}\right)^2=i^2=-1$ 답 -1

0597

$\frac{1-i}{1+i}=\frac{(1-i)^2}{(1+i)(1-i)}=\frac{-2i}{2}=-i$
$\therefore \left(\frac{1-i}{1+i}\right)^{10}=(-i)^{10}=i^{10}=(i^4)^2\cdot i^2=-1$ 답 -1

0598

$\left(\frac{1+i}{\sqrt{2}}\right)^2=\frac{2i}{2}=i$ 답 i

0599

$\left(\frac{1+i}{\sqrt{2}}\right)^2=i$이므로
$\left(\frac{1+i}{\sqrt{2}}\right)^{100}=\left\{\left(\frac{1+i}{\sqrt{2}}\right)^2\right\}^{50}=i^{50}$
$=(i^4)^{12}\cdot i^2=-1$ 답 -1

0600

$\left(\frac{1-i}{\sqrt{2}}\right)^2=\frac{-2i}{2}=-i$ 답 $-i$

0601

$\left(\frac{1-i}{\sqrt{2}}\right)^2=-i$이므로
$\left(\frac{1-i}{\sqrt{2}}\right)^8=\left\{\left(\frac{1-i}{\sqrt{2}}\right)^2\right\}^4=(-i)^4=1$ 답 1

0602

$\sqrt{-2}\sqrt{-3}=\sqrt{2}i\cdot\sqrt{3}i=\sqrt{6}i^2=-\sqrt{6}$ 답 $-\sqrt{6}$

0603

$\sqrt{-2}\sqrt{-8}=\sqrt{2}i\cdot\sqrt{8}i=\sqrt{16}i^2=-4$ 답 -4

0604

$\sqrt{-3}\sqrt{5}=\sqrt{3}i\cdot\sqrt{5}=\sqrt{15}i$ 답 $\sqrt{15}i$

0605

$\frac{\sqrt{9}}{\sqrt{-3}}=\frac{3}{\sqrt{3}i}=\frac{3\sqrt{3}i}{3i^2}=\frac{3\sqrt{3}i}{-3}=-\sqrt{3}i$ 답 $-\sqrt{3}i$

0606

$\frac{\sqrt{-16}}{\sqrt{-4}}=\frac{\sqrt{16}i}{\sqrt{4}i}=\sqrt{4}=2$ 답 2

0607

$\dfrac{\sqrt{-2}\sqrt{-6}}{\sqrt{-3}}=\dfrac{\sqrt{2}i\cdot\sqrt{6}i}{\sqrt{3}i}=2i$

답 $2i$

0608

$\sqrt{-4}\sqrt{-6}+\dfrac{\sqrt{12}}{\sqrt{-4}}=2i\cdot\sqrt{6}i+\dfrac{2\sqrt{3}}{2i}$

$=-2\sqrt{6}-\sqrt{3}i$

답 $-2\sqrt{6}-\sqrt{3}i$

0609

복소수 $a+bi$ (a, b는 실수)가 순허수이면 $a=0$, $b\neq0$이다.

〈보기〉에서 순허수의 개수를 구하시오. (단, $i=\sqrt{-1}$)

보기

$4-i$, 2, $-11i$, i^3, i^5

복소수 $a+bi$ (a, b는 실수)가 순허수이려면

$a=0$, $b\neq0$이어야 하므로 순허수인 것은

$-11i$, $i^3=i^2\cdot i=-i$, $i^5=i^4\cdot i=i$의 3개이다.

답 3

0610

복소수 $1-\dfrac{i}{2}$의 실수부분을 a, 허수부분을 b라고 할 때, $3a+4b$의 값은? (단, $i=\sqrt{-1}$)

복소수 $a+bi$ (a, b는 실수)에서 a는 실수부분, b는 허수부분이다.

$a=1$, $b=-\dfrac{1}{2}$

$\therefore 3a+4b=3-2=1$

답 ①

0611

복소수 $z=(x^2-4x-5)+(x+1)i$가 순허수가 되도록 하는 실수 x의 값을 구하시오. (단, $i=\sqrt{-1}$)

복소수가 $a+bi$ (a, b는 실수)가 순허수이려면 $a=0$, $b\neq0$이다.

복소수 $z=(x^2-4x-5)+(x+1)i$가 순허수가 되려면

$x^2-4x-5=0$, $x+1\neq0$

$(x+1)(x-5)=0$, $x\neq-1$

$\therefore x=5$

답 5

0612

다음 설명 중 옳지 않은 것은? (단, $i=\sqrt{-1}$)

① 제곱하여 -3이 되는 수는 $\sqrt{3}i$ 또는 $-\sqrt{3}i$이다.

두 개의 수가 존재한다.

② $\sqrt{-9}=3i$

③ 2의 허수부분은 0이다.

④ $-7i$는 순허수이다.

⑤ $a\neq0$, $b=0$이면 $a+bi$는 실수이다.

⑤ $a=3i$, $b=0$이면 $a+bi$는 순허수이다.

답 ⑤

0613

복소수 $a+bi$ (a, b는 실수)의 켤레복소수는 $a-bi$이다.

복소수 $1+3i$의 켤레복소수가 $a+bi$일 때, 두 실수 a, b의 곱 ab의 값은? (단, $i=\sqrt{-1}$)

$\overline{1+3i}=1-3i$ $\quad\therefore a=1$, $b=-3$

$\therefore ab=1\times(-3)=-3$

답 ③

0614

다음 중 켤레복소수를 잘못 구한 것은? (단, $i=\sqrt{-1}$)

복소수 $a+bi$ (a, b는 실수)의 켤레복소수는 $a-bi$이다.

① $\overline{3+4i}=3-4i$

② $\overline{2-\sqrt{3}i}=2+\sqrt{3}i$

③ $\overline{7}=7$

④ $\overline{9i}=-9i$

⑤ $\overline{3i-1}=3i+1$

복소수 $a+bi$ (a, b는 실수)의 켤레복소수는 $a-bi$이므로

⑤ $\overline{3i-1}=\overline{-1+3i}=-1-3i$

답 ⑤

0615

$(5-4i)-(4-3i)$의 값은?

실수부분은 실수부분끼리 허수부분은 허수부분끼리 계산하자.

$5-4i-4+3i=1-i$

답 ①

0616

$(2-\sqrt{3}i)(2+\sqrt{3}i)$의 값은?

i를 문자처럼 생각하고 계산하자.

$(2-\sqrt{3}i)(2+\sqrt{3}i)=2^2-(\sqrt{3}i)^2=4-3i^2=7$

답 ④

0617

$\dfrac{1+2i}{2-i}$를 $a+bi$의 꼴로 나타내면? (단, a, b는 실수이다.)

먼저 분모의 켤레복소수를 분모와 분자에 곱하여 분모를 실수화하자.

$\dfrac{1+2i}{2-i}=\dfrac{(1+2i)(2+i)}{(2-i)(2+i)}=\dfrac{2+i+4i+2i^2}{4-i^2}$

$=\dfrac{5i}{5}=i$

답 ③

0618

먼저 분모의 켤레복소수를 분모와 분자에 곱하여 분모를 실수화하자.

$3-2i+\dfrac{1-2i}{1-i}+3i+\dfrac{-1-2i}{1+i}$를 간단히 하시오.

먼저 분모의 켤레복소수를 분모와 분자에 곱하여 분모를 실수화하자.

$$\frac{1-2i}{1-i}=\frac{(1-2i)(1+i)}{(1-i)(1+i)}=\frac{3-i}{2}$$
$$\frac{-1-2i}{1+i}=\frac{(-1-2i)(1-i)}{(1+i)(1-i)}=\frac{-3-i}{2}$$
$$\therefore 3-2i+\frac{1-2i}{1-i}+3i+\frac{-1-2i}{1+i}$$
$$=3-2i+\frac{3-i}{2}+3i+\frac{-3-i}{2}$$
$$=\left(3+\frac{3}{2}-\frac{3}{2}\right)+\left(-2-\frac{1}{2}+3-\frac{1}{2}\right)i=3$$

답 3

0619

> $(3+i)(3-i)\left(\frac{-2+i}{1-3i}\right)=a+bi$일 때, $a-b$의 값은? (단, a, b는 실수이다.)
>
> 먼저 분모의 켤레복소수를 분모와 분자에 곱하여 분모를 실수화하자.

$(3+i)(3-i)=9-i^2=10$

$$\frac{-2+i}{1-3i}=\frac{(-2+i)(1+3i)}{(1-3i)(1+3i)}=-\frac{1+i}{2}$$

$\therefore 10\times\left(-\frac{1+i}{2}\right)=-5-5i$

$a=-5$, $b=-5$이므로

$a-b=0$

답 ③

0620

> $z=1+i$일 때, $\left(z-\frac{2}{z}\right)^2$의 값은?
>
> $\frac{2}{z}=\frac{2}{1+i}$임을 이용하자.

$$\frac{2}{z}=\frac{2}{1+i}=\frac{2(1-i)}{(1+i)(1-i)}=\frac{2(1-i)}{2}=1-i$$

$\therefore \left(z-\frac{2}{z}\right)^2=\{1+i-(1-i)\}^2=(2i)^2=-4$

답 ①

0621

> 다음 중 복소수의 계산이 옳은 것은?
>
> ① $(6+4i)+(4-i)=24+4i$
>
> ② $(i-5)-(2i-10)=i-5$
>
> ③ $(2-i)(2+i)=5$
>
> ④ $(1-i^2)(1+i^2)=2$
>
> ⑤ $\frac{1+i}{1-i}=-i$
>
> i^2에 -1을 대입하여 계산하자.

① $(6+4i)+(4-i)=10+3i$

② $(i-5)-(2i-10)=-i+5$

③ $(2-i)(2+i)=4-i^2=5$

④ $(1-i^2)(1+i^2)=(1+1)(1-1)=0$

⑤ $\frac{1+i}{1-i}=\frac{(1+i)^2}{(1-i)(1+i)}=\frac{2i}{2}=i$

답 ③

0622

> 다음 등식에서 두 실수 a, b에 대하여 $a+b$의 값은?
>
> $\overline{(3-8i)(3+2i)}=a+bi$
>
> 복소수 α, β에 대하여 $\overline{\alpha\beta}=\overline{\alpha}\,\overline{\beta}$이다.

$(3-8i)(3+2i)=9+6i-24i-16i^2$
$=25-18i$

따라서 $\overline{(3-8i)(3+2i)}=25+18i$이므로 $a=25$, $b=18$

$\therefore a+b=43$

답 ②

0623

> 두 복소수 a, b에 대하여 연산 ◎을 $a◎b=a+b+ab$라 할 때, $(2+3i)◎(1+2i)$의 실수부분을 구하시오.
>
> 연산의 정의대로 복소수의 연산을 적용하자.

$(2+3i)◎(1+2i)=(2+3i)+(1+2i)+(2+3i)(1+2i)$
$=3+5i+(2+4i+3i-6)=-1+12i$

따라서 구하는 실수부분은 -1이다.

답 -1

0624

> 두 실수 x, y에 대하여 등식
>
> $(1+i)x+(1-i)y-3-7i=0$
>
> 이 성립할 때, x^2-y^2의 값을 구하시오.
>
> 복소수 $a+bi=0$ (a, b는 실수)이면 $a=b=0$이다.

$(1+i)x+(1-i)y-3-7i=0$에서

$(x+y-3)+(x-y-7)i=0$

복소수가 서로 같을 조건에 의하여

$x+y-3=0$, $x-y-7=0$

$\therefore x+y=3$, $x-y=7$

$\therefore x^2-y^2=(x+y)(x-y)=3\cdot 7=21$

답 21

0625

> 등식 $(2-3i)x-(1-i)y=2+4i$를 만족시키는 두 실수 x, y에 대하여 xy의 값은?
>
> 실수부분은 실수부분끼리 허수부분은 허수부분끼리 같다.

$(2-3i)x-(1-i)y=2+4i$에서

$(2x-y)+(-3x+y)i=2+4i$

복소수가 서로 같을 조건에 의하여

$2x-y=2$, $-3x+y=4$

두 식을 연립하여 풀면 $x=-6$, $y=-14$

$\therefore xy=84$

답 ②

0626

> 실수 x, y에 대하여
> $$(x-i)(y-i)=\frac{3(1-i)}{1+i}$$
> 가 성립할 때, $\frac{y}{x}+\frac{x}{y}$의 값을 구하시오.
> • 좌변은 전개를 하고, 우변은 분모의 실수화를 하자.

$(x-i)(y-i)=\frac{3(1-i)}{1+i}$에서

$xy-1-(x+y)i=\frac{3(1-i)^2}{(1+i)(1-i)}$

$xy-1-(x+y)i=-3i$

복소수가 서로 같을 조건에 의하여

$xy-1=0,\ x+y=3$

$\therefore xy=1,\ x+y=3$

$\therefore \frac{y}{x}+\frac{x}{y}=\frac{x^2+y^2}{xy}=\frac{(x+y)^2-2xy}{xy}=\frac{9-2}{1}=7$

답 7

0627

> 실수 x, y에 대하여 등식
> $$(2+i)^2x+(2-i)^2y=-9-4i$$
> 가 성립할 때, xy의 값은?
> • 곱셈공식 $(a+b)^2=a^2+2ab+b^2$을 이용하자.

$(2+i)^2=4+4i-1=3+4i$

$(2-i)^2=4-4i-1=3-4i$

$\therefore (2+i)^2x+(2-i)^2y=(3+4i)x+(3-4i)y$

$=3(x+y)+4(x-y)i$

$=-9-4i$

복소수가 서로 같을 조건에 의하여

$3(x+y)=-9,\ 4(x-y)=-4$

$\therefore x+y=-3,\ x-y=-1$

두 식을 연립하여 풀면

$x=-2,\ y=-1$

$\therefore xy=2$

답 ④

0628

> 등식 $\frac{a}{2+i}+\frac{b}{2-i}=8-2i$를 만족시키는 두 실수 a, b에 대하여 $a-2b$의 값은?
> • 분모를 $(2+i)(2-i)$로 통분하자.

$\frac{a}{2+i}+\frac{b}{2-i}=\frac{a(2-i)}{(2+i)(2-i)}+\frac{b(2+i)}{(2-i)(2+i)}$

$=\frac{2a-ai+2b+bi}{5}$

$=\frac{2a+2b}{5}+\frac{-a+b}{5}i=8-2i$

복소수가 서로 같을 조건에 의하여

$\frac{2a+2b}{5}=8,\ \frac{-a+b}{5}=-2$

$a+b=20,\ a-b=10$

두 식을 연립하여 풀면 $a=15,\ b=5$

$\therefore a-2b=5$

답 ①

0629

> 등식 $(a-bi)^2=8i$를 만족시키는 실수 a, b에 대하여 $20a+b$의 값을 구하시오. (단, $a>0$이고 $i=\sqrt{-1}$이다.)
> • 등식의 좌변을 정리한 후, 복소수가 서로 같을 조건을 이용하자.

$(a-bi)^2=8i$에서 $a^2-b^2-2abi-8i=0$

$\therefore a^2-b^2-2(ab+4)i=0$

$a^2-b^2=0$ ……㉠

$ab+4=0$ ……㉡

㉠에서 $(a-b)(a+b)=0$ $\therefore a=b$ 또는 $a=-b$

(i) $a=b$일 때, ㉡에서 $a^2=-4$이므로 만족하는 실수 a의 값은 존재하지 않는다.

(ii) $a=-b$일 때, ㉡에서 $a^2=4$이므로

$a=2,\ b=-2$ ($\because a>0$)

$\therefore 20a+b=40-2=38$

답 38

0630

> 두 복소수 $\alpha=1+i,\ \beta=1-i$에 대하여 $\alpha^2+\beta^2$의 값은?
> 두 복소수의 합과 곱을 구한 뒤 공식 $\alpha^2+\beta^2=(\alpha+\beta)^2-2\alpha\beta$를 이용하자.

$\alpha=1+i,\ \beta=1-i$에서

$\alpha+\beta=1+i+1-i=2$

$\alpha\beta=(1+i)(1-i)=2$

$\therefore \alpha^2+\beta^2=(\alpha+\beta)^2-2\alpha\beta=2^2-2\cdot2=0$

답 ③

0631

> $x=3+i,\ y=3-i$일 때, $\frac{1}{x}+\frac{1}{y}$의 값은?
> • 두 복소수의 합과 곱을 구한 뒤 $\frac{1}{x}+\frac{1}{y}=\frac{x+y}{xy}$임을 이용하자.

$x=3+i,\ y=3-i$에서

$x+y=3+i+3-i=6$

$xy=(3+i)(3-i)=10$

$\therefore \frac{1}{x}+\frac{1}{y}=\frac{x+y}{xy}=\frac{6}{10}=\frac{3}{5}$

답 ②

0632

> $x=\sqrt{3}+2i,\ y=\sqrt{3}-2i$일 때, x^2+xy+y^2의 값은?
> 두 복소수의 합과 곱을 구한 뒤 $x^2+xy+y^2=(x+y)^2-xy$임을 이용하자.

$x=\sqrt{3}+2i,\ y=\sqrt{3}-2i$에서

$x+y=\sqrt{3}+2i+\sqrt{3}-2i=2\sqrt{3}$
$xy=(\sqrt{3}+2i)(\sqrt{3}-2i)=7$
$\therefore x^2+xy+y^2=(x+y)^2-xy=12-7=5$ 답 ④

0633

> $x=1+\sqrt{2}i$, $y=1-\sqrt{2}i$일 때, x^3+y^3의 값은?
> 두 복소수의 합과 곱을 구한 뒤 공식 $a^3+b^3=(a+b)^3-3ab(a+b)$를 이용하자.

$x=1+\sqrt{2}i$, $y=1-\sqrt{2}i$에서
$x+y=1+\sqrt{2}i+1-\sqrt{2}i=2$
$xy=(1+\sqrt{2}i)(1-\sqrt{2}i)=3$
$\therefore x^3+y^3=(x+y)^3-3xy(x+y)$
$=2^3-3\cdot3\cdot2=-10$ 답 ①

0634

> 두 복소수 $x=\dfrac{1+\sqrt{3}i}{2}$, $y=\dfrac{1-\sqrt{3}i}{2}$에 대하여 $\dfrac{x^2}{y}+\dfrac{y^2}{x}$의 값은?
> 두 복소수의 합과 곱을 구한 뒤 $\dfrac{x^2}{y}+\dfrac{y^2}{x}=\dfrac{x^3+y^3}{xy}$임을 이용하자.

$x+y=\dfrac{1+\sqrt{3}i}{2}+\dfrac{1-\sqrt{3}i}{2}=\dfrac{2}{2}=1$
$xy=\left(\dfrac{1+\sqrt{3}i}{2}\right)\left(\dfrac{1-\sqrt{3}i}{2}\right)=1$
$\therefore \dfrac{x^2}{y}+\dfrac{y^2}{x}=\dfrac{x^3+y^3}{xy}=\dfrac{(x+y)^3-3xy(x+y)}{xy}$
$=\dfrac{1-3\times1\times1}{1}=-2$ 답 ②

0635

> $a=1+2i$, $b=1-2i$일 때, $a^3+2a^2b+2ab^2+b^3$의 값을 구하시오.
> $a^3+2a^2b+2ab^2+b^3=(a+b)^3-ab(a+b)$임을 이용하자.

$a+b=(1+2i)+(1-2i)=2$
$ab=(1+2i)(1-2i)=5$
$\therefore a^3+2a^2b+2ab^2+b^3$
$=a^3+b^3+2ab(a+b)$
$=(a+b)^3-3ab(a+b)+2ab(a+b)$
$=(a+b)^3-ab(a+b)$
$=2^3-5\times2=-2$ 답 -2

0636

> $z=1+4i$일 때, $z\bar{z}^2+z^2\bar{z}$의 값을 구하시오.
> 켤레복소수를 구한 후 $z\bar{z}^2+z^2\bar{z}=z\bar{z}(\bar{z}+z)$임을 이용하자.

$z\bar{z}^2+z^2\bar{z}=z\bar{z}(\bar{z}+z)$
$=(1+4i)(1-4i)\{(1-4i)+(1+4i)\}$
$=(1^2+4^2)\cdot2=34$ 답 34

0637

> $z=1-i$일 때, $\dfrac{z-1}{z}+\dfrac{\bar{z}-1}{\bar{z}}$의 값은?
> 분모를 $z\bar{z}$로 통분하자.

$\dfrac{z-1}{z}+\dfrac{\bar{z}-1}{\bar{z}}=\dfrac{z\bar{z}-\bar{z}+z\bar{z}-z}{z\bar{z}}$
$=2-\dfrac{z+\bar{z}}{z\bar{z}}$
이때, $z=1-i$, $\bar{z}=1+i$이므로
$z+\bar{z}=2$, $z\bar{z}=2$
$\therefore \dfrac{z-1}{z}+\dfrac{\bar{z}-1}{\bar{z}}=2-\dfrac{z+\bar{z}}{z\bar{z}}=2-1=1$ 답 ①

0638

> 복소수 $\alpha=1+\sqrt{3}i$에 대하여 $z=\dfrac{\alpha-1}{\alpha+1}$일 때, $z\bar{z}$의 값은?
> (단, $\bar{z}$는 z의 켤레복소수이다.)
> $z=\dfrac{\sqrt{3}i}{2+\sqrt{3}i}$이다.

$\alpha=1+\sqrt{3}i$이므로
$z=\dfrac{\alpha-1}{\alpha+1}=\dfrac{\sqrt{3}i}{2+\sqrt{3}i}=\dfrac{\sqrt{3}i(2-\sqrt{3}i)}{(2+\sqrt{3}i)(2-\sqrt{3}i)}=\dfrac{3+2\sqrt{3}i}{7}$
$\therefore \bar{z}=\dfrac{3-2\sqrt{3}i}{7}$
$\therefore z\bar{z}=\dfrac{3+2\sqrt{3}i}{7}\times\dfrac{3-2\sqrt{3}i}{7}=\dfrac{21}{49}=\dfrac{3}{7}$ 답 ②

다른풀이 $\alpha=1+\sqrt{3}i$에서 $\bar{\alpha}=1-\sqrt{3}i$
$\therefore \alpha+\bar{\alpha}=2$, $\alpha\bar{\alpha}=4$
$\bar{z}=\overline{\left(\dfrac{\alpha-1}{\alpha+1}\right)}=\dfrac{\overline{\alpha-1}}{\overline{\alpha+1}}=\dfrac{\bar{\alpha}-1}{\bar{\alpha}+1}$이므로
$z\bar{z}=\dfrac{\alpha-1}{\alpha+1}\times\dfrac{\bar{\alpha}-1}{\bar{\alpha}+1}=\dfrac{\alpha\bar{\alpha}-(\alpha+\bar{\alpha})+1}{\alpha\bar{\alpha}+(\alpha+\bar{\alpha})+1}$
$=\dfrac{4-2+1}{4+2+1}=\dfrac{3}{7}$

0639

> $\alpha=3-5i$, $\beta=2-3i$일 때, $\alpha\bar{\alpha}-\bar{\alpha}\beta-\alpha\bar{\beta}+\beta\bar{\beta}$의 값은?
> (단, $\bar{\alpha}$, $\bar{\beta}$는 각각 α, β의 켤레복소수이다.)
> $\bar{\alpha}=3+5i$, $\bar{\beta}=2+3i$를 대입하여 구하자.

$\alpha=3-5i$, $\beta=2-3i$에서
$\bar{\alpha}=3+5i$, $\bar{\beta}=2+3i$
$\therefore \alpha\bar{\alpha}-\bar{\alpha}\beta-\alpha\bar{\beta}+\beta\bar{\beta}$
$=(3-5i)(3+5i)-(3+5i)(2-3i)-(3-5i)(2+3i)+(2-3i)(2+3i)$
$=(9+25)-(21+i)-(21-i)+(4+9)$
$=5$ 답 ⑤

다른풀이 $\alpha\bar{\alpha}-\bar{\alpha}\beta-\alpha\bar{\beta}+\beta\bar{\beta}=\alpha(\bar{\alpha}-\bar{\beta})-\beta(\bar{\alpha}-\bar{\beta})$

$=(\alpha-\beta)(\bar{\alpha}-\bar{\beta})$

$=(\alpha-\beta)(\overline{\alpha-\beta})$

이때, $\alpha=3-5i$, $\beta=2-3i$이므로

$\alpha-\beta=(3-5i)-(2-3i)=1-2i$

$\overline{\alpha-\beta}=1+2i$

$\therefore$ (주어진 식)$=(1-2i)(1+2i)=1^2-4i^2=5$

0640

복소수 $z=(1+i)x+(1-i)y-3+7i$일 때, $z\bar{z}=0$이 성립하도록 하는 실수 x, y에 대하여 x^2+y^2의 값은? (단, $\bar{z}$는 z의 켤레복소수이다.)

$z=a+bi$ (a, b는 실수)이면 $z\bar{z}=a^2+b^2$임을 이용하자.

$z=(1+i)x+(1-i)y-3+7i$

$=x+y-3+(x-y+7)i$

$\bar{z}=x+y-3-(x-y+7)i$

이때, $z\bar{z}=0$이므로 $(x+y-3)^2+(x-y+7)^2=0$

그런데 x, y는 실수이므로

$x+y-3=0$, $x-y+7=0$

두 식을 연립하여 풀면

$x=-2$, $y=5$

$\therefore x^2+y^2=(-2)^2+5^2=29$

답 ①

0641

실수 a에 대하여 복소수 $z=a+2i$가 $\bar{z}=\frac{z^2}{4i}$을 만족시킬 때, a^2의 값을 구하시오. (단, $i=\sqrt{-1}$이고, $\bar{z}$는 z의 켤레복소수이다.)

간단히 하면 $a-2i=\frac{a^2+4ai-4}{4i}$이다.

$\bar{z}=a-2i$, $z^2=(a+2i)^2=a^2+4ai-4$이므로

이것을 $\bar{z}=\frac{z^2}{4i}$에 대입하면

$a-2i=\frac{a^2+4ai-4}{4i}$

$4i(a-2i)=(a^2-4)+4ai$

$8+4ai=(a^2-4)+4ai$

$a^2-4=8 \qquad \therefore a^2=12$

답 12

0642

두 복소수 z_1, z_2에 대하여 $z_1=1+2i$, $\bar{z_2}=3-i$이고, $\alpha=z_1-\bar{z_2}$에 대하여 $\bar{\alpha}$를 구하시오.

$\bar{\alpha}=\overline{z_1-\bar{z_2}}=\bar{z_1}-z_2$이다.

$\bar{\alpha}=\overline{z_1-\bar{z_2}}=\bar{z_1}-\overline{(\bar{z_2})}=\bar{z_1}-z_2$

$=(1-2i)-(3+i)=-2-3i$

답 $-2-3i$

0643

두 복소수 z_1, z_2에 대하여

$z_1+z_2=(1+2i)x+(i-3)y+2-4i$

이고, $\bar{z_1}+\bar{z_2}=3-5i$일 때, xy의 값은? (단, x, y는 실수이다.)

정리하면 $(x-3y+2)+(2x+y-4)i$이다.

$z_1+z_2=(1+2i)x+(i-3)y+2-4i$

$=(x-3y+2)+(2x+y-4)i$

$\bar{z_1}+\bar{z_2}=\overline{z_1+z_2}=3-5i$이므로 $z_1+z_2=3+5i$

$\therefore (x-3y+2)+(2x+y-4)i=3+5i$

복소수가 서로 같을 조건에 의하여

$x-3y+2=3$, $2x+y-4=5$

두 식을 연립하여 풀면 $x=4$, $y=1$

$\therefore xy=4$

답 ④

0644

$\alpha+\bar{\beta}=\overline{\bar{\alpha}+\beta}$이다.

두 복소수 α, β가 $\bar{\alpha}+\beta=i$, $\bar{\alpha}\beta=-1$을 만족시킬 때, $\frac{1}{\alpha}+\frac{1}{\beta}$의 값을 구하시오. (단, $\bar{\alpha}$, $\bar{\beta}$는 각각 α, β의 켤레복소수이다.)

$\alpha\bar{\beta}=\overline{\bar{\alpha}\beta}$이다.

$\bar{\alpha}\beta=-1$이므로 $\alpha\bar{\beta}=\overline{(\bar{\alpha}\beta)}=\overline{-1}=-1$

$\bar{\alpha}+\beta=i$이므로 $\alpha+\bar{\beta}=\overline{\bar{\alpha}+\beta}=\bar{i}=-i$

$\therefore \frac{1}{\alpha}+\frac{1}{\beta}=\frac{\bar{\beta}+\alpha}{\alpha\bar{\beta}}=\frac{-i}{-1}=i$

답 i

0645

두 복소수 α, β에 대하여 $\alpha\bar{\beta}=1$, $\alpha+\frac{1}{\alpha}=2i$일 때, $\beta+\frac{1}{\beta}$의 값은? (단, $i=\sqrt{-1}$이고 $\bar{\alpha}$, $\bar{\beta}$는 각각 α, β의 켤레복소수이다.)

$\bar{\beta}=\frac{1}{\alpha}$이므로 $\frac{1}{\bar{\beta}}=\alpha$이고, $\overline{\alpha\bar{\beta}}=\bar{\alpha}\beta=1$이므로 $\beta=\frac{1}{\bar{\alpha}}$이다.

$\alpha\bar{\beta}=1$에서 $\frac{1}{\bar{\beta}}=\alpha$

복소수의 성질에 의하여

$\alpha\bar{\beta}=1$에서 $\overline{\alpha\bar{\beta}}=\bar{\alpha}\beta=1$이므로 $\beta=\frac{1}{\bar{\alpha}}$

$\therefore \beta+\frac{1}{\bar{\beta}}=\frac{1}{\bar{\alpha}}+\alpha=2i$

답 ⑤

0646

$\alpha=1+2i$, $\beta=2-i$일 때, 켤레복소수의 성질을 이용하여 $\alpha\bar{\alpha}+\beta\bar{\beta}+\alpha\bar{\beta}+\bar{\alpha}\beta$의 값을 구하시오.

공통인수로 묶은 후 인수분해하자.

$\alpha\bar{\alpha}+\beta\bar{\beta}+\alpha\bar{\beta}+\bar{\alpha}\beta=\alpha(\bar{\alpha}+\bar{\beta})+\beta(\bar{\alpha}+\bar{\beta})$

$=(\alpha+\beta)(\bar{\alpha}+\bar{\beta})$

$=(\alpha+\beta)(\overline{\alpha+\beta})$

이때, $\alpha+\beta=(1+2i)+(2-i)=3+i$, $\overline{\alpha+\beta}=3-i$
이므로
$\alpha\overline{\alpha}+\beta\overline{\beta}+\alpha\overline{\beta}+\overline{\alpha}\beta=(3+i)(3-i)=9+1=10$ 답 10

0647

두 복소수 α, β가 $\alpha+\beta=3-2i$를 만족시킬 때,
$\alpha\overline{\alpha}+\beta\overline{\beta}+\overline{\alpha}\beta+\alpha\overline{\beta}$의 값은?
(단, $\overline{\alpha}$, $\overline{\beta}$는 각각 α, β의 켤레복소수이다.)
• 공통인수로 묶은 후 인수분해하자.

$\alpha+\beta=3-2i$에서
$\overline{\alpha}+\overline{\beta}=\overline{\alpha+\beta}=3+2i$ ······㉠
$\therefore \alpha\overline{\alpha}+\beta\overline{\beta}+\overline{\alpha}\beta+\alpha\overline{\beta}=\alpha(\overline{\alpha}+\overline{\beta})+\beta(\overline{\alpha}+\overline{\beta})$
$=(\alpha+\beta)(\overline{\alpha}+\overline{\beta})$
$=(\alpha+\beta)(\overline{\alpha+\beta})$
$=(3-2i)(3+2i)$ ($\because$ ㉠)
$=13$

답 ④

0648

복소수 $z=a+bi$와 그 켤레복소수 $\overline{z}$에 대하여 $z+\overline{z}=2$, $z\overline{z}=6$일 때, 복소수 z를 구하시오. (단, a, b는 실수, $b>0$이다.)
$\overline{z}=a-bi$에서 $z+\overline{z}=2a$, $z\overline{z}=a^2+b^2$이므로 두 식을 연립하여 a, b를 구하자.

$z=a+bi$이므로 $\overline{z}=a-bi$
$z+\overline{z}=2$에서 $2a=2$ $\therefore a=1$
$z\overline{z}=6$에서 $a^2+b^2=6$
$a=1$을 대입하면
$1+b^2=6$, $b^2=5$
$\therefore b=\sqrt{5}$ ($\because b>0$)
$\therefore z=1+\sqrt{5}i$ 답 $1+\sqrt{5}i$

0649

복소수 z와 그 켤레복소수 $\overline{z}$에 대하여 $2z+\overline{z}=30-6i$일 때, $z\overline{z}$의 값은?
$\overline{z}=a-bi$에서 $2z+\overline{z}=3a+bi$이므로 복소수의 상등으로 a, b를 구하자.

$z=a+bi$ (a, b는 실수)로 놓으면 $\overline{z}=a-bi$이므로
$2z+\overline{z}=2(a+bi)+(a-bi)$
$=3a+bi=30-6i$
$\therefore a=10$, $b=-6$
$\therefore z=10-6i$, $\overline{z}=10+6i$
$\therefore z\overline{z}=(10-6i)(10+6i)=10^2+6^2=136$ 답 ③

0650

등식 $(1+i)z+2i\overline{z}=-1+3i$를 만족시키는 복소수 z를 구하시오. (단, $\overline{z}$는 z의 켤레복소수이다.)
• $z=a+bi$, $\overline{z}=a-bi$를 식에 대입하여 간단히 하자.

$z=a+bi$ (a, b는 실수)로 놓으면 $\overline{z}=a-bi$이므로
$(1+i)z+2i\overline{z}=(1+i)(a+bi)+2i(a-bi)$
$=a+bi+ai-b+2ai+2b$
$=(a+b)+(3a+b)i$
$=-1+3i$
복소수가 서로 같을 조건에 의하여
$a+b=-1$, $3a+b=3$
두 식을 연립하여 풀면 $a=2$, $b=-3$
$\therefore z=2-3i$ 답 $2-3i$

0651

복소수 z의 켤레복소수를 $\overline{z}$라 할 때,
$2(z-\overline{z})+3z\overline{z}=75+16i$를 만족하는 $z+\overline{z}$의 값을 구하시오.
• $z=a+bi$, $\overline{z}=a-bi$를 식에 대입하여 간단히 하자.

$z=a+bi$ (a, b는 실수)라 하면 $\overline{z}=a-bi$이므로
$2(z-\overline{z})+3z\overline{z}=75+16i$에서
$2\{a+bi-(a-bi)\}+3(a+bi)(a-bi)=75+16i$
$3(a^2+b^2)+4bi=75+16i$
복소수가 서로 같을 조건에 의하여
$3a^2+3b^2=75$, $4b=16$
$a^2+b^2=25$, $b=4$
$\therefore a=-3$, $b=4$ 또는 $a=3$, $b=4$
$\therefore z+\overline{z}=a+bi+(a-bi)=2a=\pm6$ 답 -6 또는 6

0652

복소수 z의 켤레복소수를 $\overline{z}$라 할 때, 등식 $\overline{z+zi}=4+2i$를 만족시키는 복소수 z에 대하여 $z\overline{z}$의 값은?
$z=a+bi$를 식에 대입하여 간단히 하자. •

$z=a+bi$ (a, b는 실수)로 놓으면
$z+zi=a+bi+(a+bi)i$
$=a+bi+ai-b$
$=(a-b)+(a+b)i$
$\therefore \overline{z+zi}=(a-b)-(a+b)i$
$\overline{z+zi}=4+2i$에서
$(a-b)-(a+b)i=4+2i$
복소수가 서로 같을 조건에 의하여
$a-b=4$, $a+b=-2$
두 식을 연립하여 풀면 $a=1$, $b=-3$
$\therefore z=1-3i$
따라서 $\overline{z}=1+3i$이므로
$z\overline{z}=(1-3i)(1+3i)=1^2+3^2=10$ 답 ⑤

0653

실수가 아닌 복소수 z에 대하여 $z^2+\bar{z}=0$일 때, $z\bar{z}$의 값은?

$z=a+bi$, $\bar{z}=a-bi$를 식에 대입하여 간단히 하자.

z는 실수가 아닌 복소수 $z=a+bi$ (a, b는 실수, $b\neq0$)라 하면
$\bar{z}=a-bi$이므로
$z^2=(a+bi)^2=(a^2-b^2)+2abi$
$z^2+\bar{z}=(a^2-b^2)+2abi+(a-bi)$
$\quad=(a^2+a-b^2)+(2ab-b)i=0$
복소수가 서로 같을 조건에 의하여
$a^2+a-b^2=0$, $b(2a-1)=0$
$\therefore a=\frac{1}{2}$, $b^2=\frac{3}{4}$ ($\because b\neq0$)
$\therefore z\bar{z}=(a+bi)(a-bi)$
$\quad=a^2+b^2=\frac{1}{4}+\frac{3}{4}=1$

답 ①

0654

$x=\frac{1-2i}{3}$일 때, $3x^2-2x+1$의 값은?

양변에 3을 곱하면 $3x-1=-2i$이다.

$x=\frac{1-2i}{3}$에서 $3x-1=-2i$
양변을 제곱하면 $9x^2-6x+1=-4$
$9x^2-6x=-5 \quad \therefore 3x^2-2x=-\frac{5}{3}$
$\therefore 3x^2-2x+1=-\frac{5}{3}+1=-\frac{2}{3}$

답 ②

0655

$z=\frac{1}{1+i}$일 때, $2z^2-4z+3$의 값은?

먼저 분모의 켤레복소수를 분모와 분자에 곱하여 분모를 실수화하자.

$z=\frac{1}{1+i}=\frac{1-i}{(1+i)(1-i)}=\frac{1-i}{2}$에서
$2z=1-i$, $2z-1=-i$
양변을 제곱하면
$4z^2-4z+1=-1$, $2z^2-2z+1=0$
$\therefore 2z^2=2z-1$
$\therefore 2z^2-4z+3=(2z-1)-4z+3=-2z+2$
$\quad=(-2)\times\frac{1-i}{2}+2=-(1-i)+2$
$\quad=1+i$

답 ④

0656

$z=\frac{3-i}{1-i}$일 때, z^3-4z^2+5z+3의 값을 구하시오.

먼저 분모의 켤레복소수를 분모와 분자에 곱하여 분모를 실수화하자.

$z=\frac{3-i}{1-i}=\frac{(3-i)(1+i)}{(1-i)(1+i)}=\frac{4+2i}{2}=2+i$에서
$z-2=i$
양변을 제곱하면 $z^2-4z+4=-1$
$\therefore z^2-4z+5=0$
$\therefore z^3-4z^2+5z+3=z(z^2-4z+5)+3=3$

답 3

0657

복소수 $z=(1+i)x-2x+3-4i$가 실수가 되도록 하는 실수 x의 값은?

정리한 후 허수부분이 0이 되게 하자.

$z=(1+i)x-2x+3-4i=x+xi-2x+3-4i$
$\quad=(-x+3)+(x-4)i$
복소수 $z=(-x+3)+(x-4)i$가 실수가 되려면
$x-4=0$
$\therefore x=4$

답 ④

0658

$(1+i)x^2-6(2+i)x+4(5+2i)$가 순허수가 되도록 하는 실수 x의 값은?

정리한 후 실수부분이 0이 되고, 허수부분이 0이 안되게 하자.

$(1+i)x^2-6(2+i)x+4(5+2i)$
$=(x^2-12x+20)+(x^2-6x+8)i$
$=(x-2)(x-10)+(x-2)(x-4)i$
주어진 복소수가 순허수가 되려면
$(x-2)(x-10)=0$, $(x-2)(x-4)\neq0$
$\therefore x=10$

답 ⑤

0659

정리한 후 허수부분이 0이 되게 하자.

복소수 $z=x^2-(7-i)x+6-6i$에 대하여 z가 실수일 때 x의 값을 a, z가 순허수일 때 x의 값을 b라 하자. 이때, $a+b$의 값을 구하시오. (단, x는 실수이다.)

실수부분이 0이 되고, 허수부분이 0이 안되게 하자.

$z=x^2-(7-i)x+6-6i$
$\quad=(x^2-7x+6)+(x-6)i$
복소수 z가 실수가 되려면
$x-6=0 \quad \therefore x=6$
$\therefore a=6$
복소수 z가 순허수가 되려면
$x^2-7x+6=0$, $x-6\neq0$
$(x-1)(x-6)=0$, $x\neq6$
$\therefore x=1 \quad \therefore b=1$
$\therefore a+b=6+1=7$

답 7

0660

> 실수가 아닌 복소수 z에 대하여 z^2-10z가 실수일 때, $z+\bar{z}$의 값을 구하시오. (단, $\bar{z}$는 z의 켤레복소수이다.)
> $z=a+bi$를 식에 대입하여 간단히 하자.

두 실수 a, b에 대하여 $z=a+bi$ $(b\neq0)$로 놓으면

$z^2-10z=(a+bi)^2-10(a+bi)$

$=(a^2-b^2-10a)+(2ab-10b)i$

이때, z^2-10z가 실수이므로

$2ab-10b=0$, $2b(a-5)=0$

$\therefore a=5$ $(\because b\neq0)$

$\therefore z+\bar{z}=(a+bi)+(a-bi)=2a=10$

답 10

0661

> 실수가 아닌 복소수 z에 대하여 $z-\dfrac{3}{\bar{z}}$이 실수일 때, $z\bar{z}$의 값을 구하시오. (단, $\bar{z}$는 z의 켤레복소수이다.)
> $z=a+bi$, $\bar{z}=a-bi$를 식에 대입하여 간단히 하자.

실수가 아닌 복소수 $z=a+bi$ $(b\neq0)$라 하면 $\bar{z}=a-bi$

$z-\dfrac{3}{\bar{z}}=a+bi-\dfrac{3}{a-bi}=a+bi-\dfrac{3(a+bi)}{a^2+b^2}$

$=a-\dfrac{3a}{a^2+b^2}+\left(b-\dfrac{3b}{a^2+b^2}\right)i$

$z-\dfrac{3}{\bar{z}}$이 실수가 되려면 $b-\dfrac{3b}{a^2+b^2}=0$이어야 하므로

$b(a^2+b^2-3)=0$

$b\neq0$이므로 $a^2+b^2=3$이다.

$z\bar{z}=(a+bi)(a-bi)=a^2+b^2=3$

답 3

0662

> 두 복소수 $\dfrac{1+\bar{z}}{z}$와 $\dfrac{z}{1+z^2}$가 모두 실수가 되도록 하는 복소수 $z=a+bi$ $(a<0,\ b>0)$에 대하여 ab의 값을 구하시오.
> 복소수 z가 실수이면 $\bar{z}$도 실수가 된다.
> (단, $i=\sqrt{-1}$이다.)

$\dfrac{1+\bar{z}}{z}$, $\dfrac{z}{1+z^2}$가 실수이므로 켤레복소수도 실수가 된다.

$\dfrac{1+\bar{z}}{z}=\dfrac{1+z}{\bar{z}}$ ……㉠

$\dfrac{z}{1+z^2}=\dfrac{\bar{z}}{1+\bar{z}^2}$ ……㉡

㉠을 정리해 보면

$\bar{z}+(\bar{z})^2=z+z^2$

$z-\bar{z}+(z-\bar{z})(z+\bar{z})=0$

$(z-\bar{z})(z+\bar{z}+1)=0$

$\therefore z=\bar{z}$ 또는 $z+\bar{z}+1=0$

주어진 조건에서 $z=a+bi$, $a<0$, $b>0$이므로 $z\neq\bar{z}$

$a+bi+(a-bi)+1=0$

$\therefore a=-\dfrac{1}{2}$

㉡을 정리해 보면

$(z-\bar{z})(z\bar{z}-1)=0$

$\therefore z=\bar{z}$ 또는 $z\bar{z}=1$

$z\neq\bar{z}$이므로

$\left(-\dfrac{1}{2}+bi\right)\left(-\dfrac{1}{2}-bi\right)=1$

$b^2=\dfrac{3}{4}$

$\therefore b=\dfrac{\sqrt{3}}{2}$ $(\because b>0)$

따라서 $z=-\dfrac{1}{2}+\dfrac{\sqrt{3}}{2}i$이므로

$ab=-\dfrac{1}{2}\times\dfrac{\sqrt{3}}{2}=-\dfrac{\sqrt{3}}{4}$

답 $-\dfrac{\sqrt{3}}{4}$

0663

> 0이 아닌 복소수 z와 켤레복소수 $\bar{z}$에 대하여 〈보기〉에서 그 값이 항상 실수인 것만을 있는 대로 고른 것은?
> $z=a+bi$를 식에 대입하여 간단히 하자.
>
> **보기**
> ㄱ. $z+\bar{z}$　ㄴ. $\dfrac{z}{\bar{z}}$　ㄷ. $z\bar{z}$　ㄹ. $\dfrac{1}{z}+\dfrac{1}{\bar{z}}$

$z=a+bi$ ($a\neq0$ 또는 $b\neq0$인 실수)라 하면

ㄱ. $z+\bar{z}=(a+bi)+(a-bi)=2a$

따라서 $z+\bar{z}$는 항상 실수이다.

ㄴ. $\dfrac{z}{\bar{z}}=\dfrac{a+bi}{a-bi}=\dfrac{(a+bi)^2}{a^2+b^2}=\dfrac{a^2-b^2+2abi}{a^2+b^2}$

그런데 $a\neq0$ 또는 $b\neq0$이므로 $\dfrac{z}{\bar{z}}$는 항상 실수는 아니다.

ㄷ. $z\bar{z}=(a+bi)(a-bi)=a^2+b^2$

따라서 $z\bar{z}$는 항상 실수이다.

ㄹ. $\dfrac{1}{z}+\dfrac{1}{\bar{z}}=\dfrac{1}{a+bi}+\dfrac{1}{a-bi}=\dfrac{a-bi}{a^2+b^2}+\dfrac{a+bi}{a^2+b^2}$

$=\dfrac{2a}{a^2+b^2}$

따라서 $\dfrac{1}{z}+\dfrac{1}{\bar{z}}$은 항상 실수이다.

따라서 그 값이 항상 실수인 것은 ㄱ, ㄷ, ㄹ이다.

답 ⑤

0664

> 실수가 아닌 두 복소수 z, w가 $z+\bar{w}=0$을 만족시킬 때, 〈보기〉에서 항상 실수인 것만을 있는 대로 고른 것은? (단, $\bar{z}$, $\bar{w}$는 각각 z, w의 켤레복소수이다.)
> $z=a+bi$ (a, b는 실수)라 두면, $\bar{w}=-a-bi$, $w=-a+bi$가 된다.
>
> **보기**
> ㄱ. $w+\bar{z}$　ㄴ. $i(z+w)$　ㄷ. $\bar{z}w$　ㄹ. $\dfrac{z}{w}$

$z=a+bi$로 두면

$z+\bar{w}=0$이므로 $w=-a+bi$이다.

ㄱ. $w+\bar{z}=-a+bi+a-bi=0$

ㄴ. $i(z+w)=i(a+bi-a+bi)=-2b$

ㄷ. $\bar{z}w=(a-bi)(-a+bi)=-a^2+2abi+b^2$

ㄹ. $\dfrac{\bar{z}}{w}=\dfrac{a-bi}{-a+bi}=-1$

따라서 항상 실수인 것은 ㄱ, ㄴ, ㄹ이다. 답 ④

0665

> 실수 x에 대하여 $x(1-i)+3(-2+i)$를 제곱하면 음의 실수가 된다고 할 때, x의 값은? 주어진 복소수를 제곱하여 음의 실수가 되려면 복소수는 순허수이다.

$x(1-i)+3(-2+i)=(x-6)+(-x+3)i$

주어진 복소수를 제곱하여 음의 실수가 되려면

복소수는 순허수이어야 하므로

$x-6=0,\ -x+3\neq0$

$\therefore x=6$ 답 ③

0666

> 복소수 $z=(2+i)a^2-(1-2i)a-1-3i$에 대하여 z^2이 양의 실수일 때, 실수 a의 값은?
> 주어진 복소수를 제곱하여 양의 실수가 되려면 복소수는 실수이다.

$z=(2+i)a^2-(1-2i)a-1-3i$

$=(2a^2-a-1)+(a^2+2a-3)i$

복소수 z가 실수이어야 하므로

$a^2+2a-3=0,\ (a+3)(a-1)=0$

$\therefore a=-3$ 또는 $a=1$

(i) $a=-3$일 때, $z=20$이므로 z^2은 양의 실수이다.

(ii) $a=1$일 때, $z=0$이므로 z^2은 양의 실수가 아니다.

(i), (ii)에 의하여 $a=-3$ 답 ②

0667

> 복소수 $(5+xi)(1-3i)$를 제곱하면 음의 실수가 된다고 할 때, 실수 x의 값은? 주어진 복소수를 제곱하여 음의 실수가 되려면 복소수는 순허수이다.

$(5+xi)(1-3i)=(5+3x)+(x-15)i$

주어진 복소수를 제곱하여 음의 실수가 되려면

복소수는 순허수이어야 하므로

$5+3x=0,\ x-15\neq0$

$\therefore x=-\dfrac{5}{3}$ 답 ①

0668

> 복소수 $z=(1+i)x^2-(6-4i)x-3(9-i)$에 대하여 z^2이 음의 실수가 되도록 하는 실수 x의 값은?
> 주어진 복소수를 제곱하여 음의 실수가 되려면 복소수는 순허수이다.

$z=(1+i)x^2-(6-4i)x-3(9-i)$

$=(x^2-6x-27)+(x^2+4x+3)i$

이때, 복소수 z에 대하여 z^2이 음의 실수가 되려면

z는 순허수이어야 하므로 $x^2-6x-27=0,\ x^2+4x+3\neq0$

$(x+3)(x-9)=0,\ (x+1)(x+3)\neq0$

$\therefore x=9$ 답 ②

0669

> 복소수 $z=a+bi$ (a, b는 실수)가 다음 두 조건을 만족시킨다.
>
> (가) $\bar{z}$의 실수부분과 허수부분이 같다. $\bar{z}=a-bi$에서 $b=-a$이다.
> (나) $(z+5)^2$이 음의 실수이다. $z+5$의 실수부분은 0이다.
>
> 이때, a^2+b^2의 값을 구하시오.

$z=a+bi$ (a, b는 실수)에서 $\bar{z}=a-bi$

(가)에서 $a=-b$ ……㉠

$\therefore z=-b+bi$

(나)에서 $(z+5)^2$이 음의 실수이므로 $z+5$의 실수부분은 0이다.

$z+5=(-b+5)+bi$에서 $-b+5=0$ $\therefore b=5$

$\therefore a=-5$ ($\because$ ㉠)

$\therefore a^2+b^2=50$ 답 50

0670

> 다음 문장이나 진술 중에서 항상 옳은 것의 개수는?
>
> ㄱ. 실수 x, y에 대하여 $x+yi=0$이면 $xy=0$이다.
> ㄴ. 복소수 α에 대하여 $\bar{\alpha}=-\alpha$이면 α는 순허수이다.
> 실수가 아닌 복소수임에 유의하자. (단, $\bar{\alpha}$는 α의 켤레복소수이다.)
> ㄷ. 복소수 α에 대하여 α^2이 실수이면 α는 실수이다.
> ㄹ. 복소수 α, β에 대하여 $\alpha^2+\beta^2=0$이면 $\alpha=0$ 또는 $\beta=0$이다.
> ㅁ. 복소수 α, β에 대하여 $\alpha\beta=0$이면 $\alpha=0$ 또는 $\beta=0$이다.
> ㅂ. 복소수 α, β에 대하여 $\alpha+\beta i=0$이면 $\alpha=0$이고 $\beta=0$이다.
> 실수가 아닌 복소수임에 유의하자.

ㄴ. 복소수 α에 대하여 $\bar{\alpha}=-\alpha$이면 α는 0 또는 순허수이다.

ㄷ. 복소수 α에 대하여 α^2이 실수이면 α는 실수 또는 순허수이다.

ㄹ. [반례] $\alpha=1$, $\beta=i$이면 $\alpha^2+\beta^2=0$이지만 $\alpha\neq0$, $\beta\neq0$이다.

ㅂ. [반례] $\alpha=1$, $\beta=i$이면 $\alpha+\beta i=0$이지만 $\alpha\neq0$이고 $\beta\neq0$이다.

따라서 항상 옳은 것은 ㄱ, ㅁ으로 개수는 2이다. 답 ②

0671

> 두 복소수 α, β에 대하여 〈보기〉에서 옳은 것만을 있는 대로 고른 것은? $\alpha=a+bi$, $\beta=c+di$ (a, b, c, d는 실수)라 놓고 주어진 식에 대입하자.
>
> **보기**
>
> ㄱ. α가 실수이면 $\bar{\alpha}=-\alpha$이다.
> ㄴ. $\overline{\alpha+\beta}=\bar{\alpha}+\bar{\beta}$
> ㄷ. $\overline{\alpha\beta}=-\bar{\alpha}\bar{\beta}$

ㄱ. α가 실수이면 $\overline{\alpha}=\alpha$이다. (거짓)
ㄴ. $\alpha=a+bi$, $\beta=c+di$ (a, b, c, d는 실수)라 하면
$\alpha+\beta=(a+c)+(b+d)i$이므로
$\overline{\alpha+\beta}=(a+c)-(b+d)i$
$=(a-bi)+(c-di)$
$=\overline{\alpha}+\overline{\beta}$
$\therefore \overline{\alpha+\beta}=\overline{\alpha}+\overline{\beta}$ (참)
ㄷ. $\alpha\beta=(a+bi)(c+di)=(ac-bd)+(ad+bc)i$이므로
$\overline{\alpha\beta}=(ac-bd)-(ad+bc)i$
$-\overline{\alpha}\,\overline{\beta}=-(a-bi)(c-di)$
$=-(ac-bd)+(ad+bc)i$
$\therefore \overline{\alpha\beta}\neq-\overline{\alpha}\,\overline{\beta}$ (거짓)
따라서 옳은 것은 ㄴ뿐이다. 답 ②

0672

복소수 α, β의 켤레복소수를 각각 $\overline{\alpha}$, $\overline{\beta}$라고 할 때, 다음 〈보기〉 중 옳은 것을 모두 고른 것은?
└ $\alpha=a+bi$, $\beta=c+di$, $\overline{\alpha}=a-bi$, $\overline{\beta}=c-di$ (a, b, c, d는 실수)라 놓고 식에 대입하자.

보기
ㄱ. $\overline{\alpha-\beta-1}=\overline{\alpha}-\overline{\beta}+1$
ㄴ. $\overline{2\alpha\beta}=2\overline{\alpha}\,\overline{\beta}$
ㄷ. $\overline{\left(\frac{\beta}{\alpha}\right)}=\frac{\overline{\beta}}{\overline{\alpha}}$
ㄹ. $(\overline{\alpha})^2=\overline{\alpha^2}$

$\alpha=a+bi$, $\beta=c+di$ (a, b, c, d는 실수)라 하면
$\overline{\alpha}=a-bi$, $\overline{\beta}=c-di$
ㄱ. $\alpha-\beta-1=(a-c-1)+(b-d)i$
$\therefore \overline{\alpha-\beta-1}=(a-c-1)-(b-d)i$
$\overline{\alpha}-\overline{\beta}+1=a-bi-(c-di)+1$
$=(a-c+1)-(b-d)i$
$\therefore \overline{\alpha-\beta-1}\neq\overline{\alpha}-\overline{\beta}+1$ (거짓)
ㄴ. $2\alpha\beta=2(a+bi)(c+di)$
$=2\{(ac-bd)+(ad+bc)i\}$
$\therefore \overline{2\alpha\beta}=2\{(ac-bd)-(ad+bc)i\}$
$2\overline{\alpha}\,\overline{\beta}=2(a-bi)(c-di)$
$=2\{(ac-bd)-(ad+bc)i\}$
$\therefore \overline{2\alpha\beta}=2\overline{\alpha}\,\overline{\beta}$ (참)
ㄷ. $\frac{\beta}{\alpha}=\frac{c+di}{a+bi}=\frac{(c+di)(a-bi)}{(a+bi)(a-bi)}$
$=\frac{(ac+bd)+(ad-bc)i}{a^2+b^2}$
$\therefore \overline{\left(\frac{\beta}{\alpha}\right)}=\frac{(ac+bd)-(ad-bc)i}{a^2+b^2}$
$\frac{\overline{\beta}}{\overline{\alpha}}=\frac{c-di}{a-bi}=\frac{(c-di)(a+bi)}{(a-bi)(a+bi)}$
$=\frac{(ac+bd)-(ad-bc)i}{a^2+b^2}$
$\therefore \overline{\left(\frac{\beta}{\alpha}\right)}=\frac{\overline{\beta}}{\overline{\alpha}}$ (참)
ㄹ. $(\overline{\alpha})^2=(a-bi)^2=a^2-b^2-2abi$
$\alpha^2=(a+bi)^2=a^2-b^2+2abi$
$\therefore \overline{\alpha^2}=a^2-b^2-2abi$
$\therefore (\overline{\alpha})^2=\overline{\alpha^2}$ (참)
따라서 옳은 것은 ㄴ, ㄷ, ㄹ이다. 답 ④

0673

두 복소수 α, β의 켤레복소수를 $\overline{\alpha}$, $\overline{\beta}$라 할 때, 〈보기〉에서 옳은 것만을 있는 대로 고른 것은?
└ $\alpha=a+bi$, $\beta=c+di$, $\overline{\alpha}=a-bi$, $\overline{\beta}=c-di$ (a, b, c, d는 실수)라 놓고 식에 대입하자.

보기
ㄱ. $\alpha\overline{\alpha}$는 실수이다.
ㄴ. $\alpha=\overline{\beta}$이면 $\beta=\overline{\alpha}$이다.
ㄷ. $\alpha=\overline{\beta}$이면 $\alpha+\beta$, $\alpha\beta$는 모두 실수이다.

$\alpha=a+bi$, $\beta=c+di$ (a, b, c, d는 실수)로 놓으면
$\overline{\alpha}=a-bi$, $\overline{\beta}=c-di$
ㄱ. $\alpha\overline{\alpha}=(a+bi)(a-bi)=a^2+b^2$
a^2+b^2은 실수이므로 $\alpha\overline{\alpha}$는 실수이다. (참)
ㄴ. $\alpha=\overline{\beta}$이므로 $a+bi=c-di$
$\therefore a=c$, $b=-d$ …… ㉠
$\beta=c+di$에 ㉠을 대입하면
$\beta=a-bi=\overline{\alpha}$ (참)
ㄷ. $\alpha=\overline{\beta}$이므로
$\alpha+\beta=(a+bi)+(c+di)$
$=(a+bi)+(a-bi)$ ($\because$ ㉠)
$=2a$
$\alpha\beta=(a+bi)(c+di)$
$=(a+bi)(a-bi)$ ($\because$ ㉠)
$=a^2+b^2$
$2a$, a^2+b^2은 모두 실수이므로 $\alpha+\beta$, $\alpha\beta$도 모두 실수이다. (참)
따라서 ㄱ, ㄴ, ㄷ 모두 옳다. 답 ⑤

0674

z가 복소수일 때, 〈보기〉에서 옳은 것만을 있는 대로 고른 것은?
└ $z=a+bi$, $\overline{z}=a-bi$를 식에 대입하여 간단히 하자.

보기
ㄱ. $z\overline{z}=0$이면 $z=0$이다.
ㄴ. $z^2+\overline{z}^2=0$이면 $z=0$이다.
ㄷ. $z=-\overline{z}$이면 z는 실수이다.

$z=a+bi$ (a, b는 실수)로 놓으면 $\overline{z}=a-bi$이므로
ㄱ. $z\overline{z}=(a+bi)(a-bi)=a^2+b^2=0$
$\therefore z=0$ ($\because a=b=0$)
따라서 $z\overline{z}=0$이면 $z=0$이다. (참)
ㄴ. $z^2+\overline{z}^2=(a+bi)^2+(a-bi)^2$
$=2(a^2-b^2)=0$
따라서 $b=\pm a$이므로 $z=a\pm ai$이다. (거짓)
ㄷ. $z=-\overline{z}$이므로 $a+bi=-(a-bi)$
$\therefore a=0$
따라서 $z=bi$이므로 z는 실수가 아니다. (거짓)
따라서 옳은 것은 ㄱ뿐이다. 답 ①

0675

두 복소수 $\alpha=a+bi$, $\beta=b+ai$ (a, b는 $ab\neq0$인 실수)에 대하여 〈보기〉에서 옳은 것만을 있는 대로 고른 것은?

└ 두 복소수 α와 β는 실수 또는 순허수가 될 수 없다.

보기

ㄱ. $i\overline{\alpha}=\beta$

ㄴ. $i(\alpha+\beta)=\overline{\alpha+\beta}$

ㄷ. $\dfrac{\beta}{\overline{\alpha}}=\dfrac{\alpha}{\overline{\beta}}$

ㄱ. $i\overline{\alpha}=i(\overline{a+bi})=i(a-bi)=b+ai=\beta$ (참)

ㄴ. $i(\alpha+\beta)=i\{(a+b)+(a+b)i\}$

$=-(a+b)+(a+b)i$

$\overline{\alpha+\beta}=\overline{(a+bi)+(b+ai)}=(a+b)-(a+b)i$

$\therefore i(\alpha+\beta)\neq\overline{\alpha+\beta}$ (거짓)

ㄷ. $\dfrac{\beta}{\overline{\alpha}}=\dfrac{b+ai}{a-bi}=\dfrac{(b+ai)(a+bi)}{(a-bi)(a+bi)}=\dfrac{(a^2+b^2)i}{a^2+b^2}=i$

$\dfrac{\alpha}{\overline{\beta}}=\dfrac{a+bi}{b-ai}=\dfrac{(a+bi)(b+ai)}{(b-ai)(b+ai)}=\dfrac{(b^2+a^2)i}{b^2+a^2}=i$

$\therefore \dfrac{\beta}{\overline{\alpha}}=\dfrac{\alpha}{\overline{\beta}}$ (참)

따라서 옳은 것만을 있는 대로 고른 것은 ㄱ, ㄷ이다.

답 ④

0676

α, β가 복소수일 때, 〈보기〉에서 옳은 것만을 있는 대로 고른 것은?

보기

ㄱ. $\alpha=\overline{\beta}$일 때, $\alpha\beta=0$이면 $\alpha=0$이다.

ㄴ. $\alpha^2+\beta^2=0$이면 $\alpha=0$, $\beta=0$이다. └ 실수가 아닌 복소수임에 유의하자.

ㄷ. $\alpha+\beta i=0$이면 $\alpha=0$, $\beta=0$이다.

└ 실수가 아닌 복소수임에 유의하자.

ㄱ. $\beta=c+di$ (c, d는 실수)로 놓으면 $\alpha=\overline{\beta}=c-di$

$\alpha\beta=c^2+d^2=0$

$\therefore c=0,\ d=0$

$\therefore \alpha=0$ (참)

ㄴ. [반례] $\alpha=1$, $\beta=i$이면

$\alpha^2+\beta^2=1^2+i^2=0$이지만 $\alpha\neq0$, $\beta\neq0$이다. (거짓)

ㄷ. [반례] $\alpha=1$, $\beta=i$이면

$\alpha+\beta i=1+i^2=0$이지만 $\alpha\neq0$, $\beta\neq0$이다. (거짓)

따라서 옳은 것은 ㄱ뿐이다.

답 ①

0677

두 복소수 z_1, z_2에 대하여 〈보기〉에서 옳은 것만을 있는 대로 고른 것은? (단, $\overline{z_2}$는 z_2의 켤레복소수이다.)

보기

ㄱ. $z_1=\overline{z_2}$이면 z_1+z_2는 실수이다.

ㄴ. $z_1=\overline{z_2}$일 때, $z_1z_2=0$이면 $z_1=0$이다.

ㄷ. $z_1^{\ 2}+z_2^{\ 2}=0$이면 $z_1=0$이고 $z_2=0$이다.

└ 실수가 아닌 복소수임에 유의하자.

$z_1=a+bi$, $z_2=c+di$ (a, b, c, d는 실수)로 놓으면

$\overline{z_2}=c-di$

ㄱ. $z_1=\overline{z_2}$에서 $a+bi=c-di$이므로

$a=c$, $b=-d$

$\therefore z_1+z_2=(a+c)+(b+d)i=2a$ (참)

ㄴ. $z_1z_2=(a+bi)(c+di)=(a+bi)(a-bi)=a^2+b^2=0$

이면 $a=b=0$이므로 $z_1=0$ (참)

ㄷ. [반례] $z_1=1+i$, $z_2=1-i$일 때, $z_1^{\ 2}+z_2^{\ 2}=0$이지만

$z_1\neq0$이고 $z_2\neq0$이다. (거짓)

따라서 옳은 것만을 있는 대로 고른 것은 ㄱ, ㄴ이다.

답 ④

0678

복소수 $z=a+bi$ (a, b는 실수)에 대하여 $\hat{z}=b+ai$라 할 때, 옳은 것만을 〈보기〉에서 있는 대로 고른 것은? └ $\hat{z}=\overline{z}i$이기도 하다.

보기

ㄱ. $\hat{z}$가 순허수이면 z는 실수이다.

ㄴ. $\hat{(\overline{z})}=\overline{(\hat{z})}$

ㄷ. $z\hat{z}+1=z+\hat{z}$이면 $z\overline{z}=1$이다.

ㄱ. $\hat{z}=b+ai$가 순허수이면 $b=0$, $a\neq0$이므로 $z=a$

따라서 z는 실수이다. (참)

ㄴ. [반례] $z=i$이면

$\overline{z}=-i$이므로 $\hat{(\overline{z})}=-1$

$\hat{z}=1$이므로 $\overline{(\hat{z})}=1$

$\therefore \hat{(\overline{z})}\neq\overline{(\hat{z})}$ (거짓)

ㄷ. $z\hat{z}+1=(a+bi)(b+ai)+1$

$=ab+(a^2+b^2)i+abi^2+1$

$=1+(a^2+b^2)i$

$z+\hat{z}=(a+bi)+(b+ai)$

$=(a+b)+(a+b)i$

$z\hat{z}+1=z+\hat{z}$에서 복소수가 서로 같을 조건에 의하여

$a+b=1$, $a^2+b^2=a+b$

$\therefore a^2+b^2=1$

$\therefore z\overline{z}=(a+bi)(a-bi)=a^2+b^2=1$ (참)

따라서 옳은 것은 ㄱ, ㄷ이다.

답 ③

다른풀이 ㄴ. $z=a+bi$에서 $\overline{z}=a-bi$이므로

$\hat{(\overline{z})}=-b+ai$

또 $\hat{z}=b+ai$이므로 $\overline{(\hat{z})}=b-ai$

그런데 $\hat{(\overline{z})}=\overline{(\hat{z})}$이려면 $-b+ai=b-ai$이어야 하므로

$a=0$, $b=0$일 때만 성립한다.
따라서 항상 옳다고 할 수 없다. (거짓)

ㄷ. $z\hat{z}+1=z+\hat{z}$에서 $z\hat{z}+1-z-\hat{z}=0$
$z(\hat{z}-1)-(\hat{z}-1)=0$, $(z-1)(\hat{z}-1)=0$
$\therefore z=1$ 또는 $\hat{z}=1$
(i) $z=1$일 때, $\bar{z}=1$이므로 $z\bar{z}=1$
(ii) $\hat{z}=1$일 때, $z=i$이므로 $\bar{z}=-i$
$\therefore z\bar{z}=i\times(-i)=-i^2=1$
(i), (ii)에서 $z\bar{z}=1$ (참)

0679

> $i+i^2+i^3+i^4+\cdots+i^{200}$의 값은?
> └ $i^{4k}=1$, $i^{4k+1}=i$, $i^{4k+2}=-1$, $i^{4k+3}=-i$임을 이용하자.

$i^2=-1$, $i^3=-i$, $i^4=1$이므로
$i+i^2+i^3+i^4=i-1-i+1=0$
$\therefore i+i^2+i^3+\cdots+i^{200}$
$=(i+i^2+i^3+i^4)+i^4(i+i^2+i^3+i^4)+\cdots+i^{196}(i+i^2+i^3+i^4)$
$=0$

답 ③

0680

> 두 실수 x, y에 대하여
> $1+2i+3i^2+4i^3+\cdots+100i^{99}+101i^{100}=x+yi$
> 일 때, $x-y$의 값은?
> └ $i^{4k}=1$, $i^{4k+1}=i$, $i^{4k+2}=-1$, $i^{4k+3}=-i$임을 이용하자.

$1+2i+3i^2+4i^3+\cdots+100i^{99}+101i^{100}$
$=1+(2i+3i^2+4i^3+5i^4)+i^4(6i+7i^2+8i^3+9i^4)+\cdots$
$+i^{96}(98i+99i^2+100i^3+101i^4)$
$=1+(2i-3-4i+5)+(6i-7-8i+9)+\cdots$
$+(98i-99-100i+101)$
$=1+(2-2i)+(2-2i)+\cdots+(2-2i)$
$=1+25(2-2i)$
$=51-50i=x+yi$
$\therefore x=51$, $y=-50$
$\therefore x-y=101$

답 ⑤

0681

> $i^{22}+i^{23}+\dfrac{1}{i^{24}}+\dfrac{1}{i^{25}}$을 간단히 하면?
> └ i^{4k+n}의 꼴로 변형하고, 복소수의 거듭제곱의 성질을 이용하자.

$i^2=-1$, $i^3=-i$, $i^4=1$이므로
$i^{22}+i^{23}+\dfrac{1}{i^{24}}+\dfrac{1}{i^{25}}$
$=(i^4)^5\cdot i^2+(i^4)^5\cdot i^3+\dfrac{1}{(i^4)^6}+\dfrac{1}{(i^4)^6\cdot i}$
$=i^2+i^3+1+\dfrac{1}{i}$
$=-1-i+1-i=-2i$

답 ①

0682

> 두 실수 a, b에 대하여
> $\dfrac{1}{i}+\dfrac{2}{i^2}+\dfrac{3}{i^3}+\dfrac{4}{i^4}=a+bi$
> 일 때, a^2+b^2의 값은?
> └ 복소수의 거듭제곱의 성질을 이용하자.

$\dfrac{1}{i}+\dfrac{2}{i^2}+\dfrac{3}{i^3}+\dfrac{4}{i^4}=\dfrac{1}{i}+\dfrac{2}{-1}+\dfrac{3}{-i}+\dfrac{4}{1}$
$=\dfrac{i}{-1}-2+\dfrac{3i}{1}+4$
$=2+2i=a+bi$
$\therefore a=2$, $b=2$
$\therefore a^2+b^2=4+4=8$

답 ②

0683

> $1+\dfrac{1}{i}+\dfrac{1}{i^2}+\cdots+\dfrac{1}{i^{49}}+\dfrac{1}{i^{50}}$의 값을 구하시오.
> └ $i^{4k}=1$, $i^{4k+1}=i$, $i^{4k+2}=-1$, $i^{4k+3}=-i$임을 이용하자.

$\dfrac{1}{i}+\dfrac{1}{i^2}+\dfrac{1}{i^3}+\dfrac{1}{i^4}=-i-1+i+1=0$이므로
$1+\dfrac{1}{i}+\dfrac{1}{i^2}+\dfrac{1}{i^3}+\cdots+\dfrac{1}{i^{49}}+\dfrac{1}{i^{50}}$
$=1+\left(\dfrac{1}{i}+\dfrac{1}{i^2}+\dfrac{1}{i^3}+\dfrac{1}{i^4}\right)+\dfrac{1}{i^4}\left(\dfrac{1}{i}+\dfrac{1}{i^2}+\dfrac{1}{i^3}+\dfrac{1}{i^4}\right)+\cdots$
$+\dfrac{1}{i^{44}}\left(\dfrac{1}{i}+\dfrac{1}{i^2}+\dfrac{1}{i^3}+\dfrac{1}{i^4}\right)+\dfrac{1}{i^{49}}+\dfrac{1}{i^{50}}$
$=1+0+\cdots+0+\dfrac{1}{i^{49}}+\dfrac{1}{i^{50}}$
$=1+\dfrac{1}{i}+\dfrac{1}{i^2}=1-i-1=-i$

답 $-i$

0684

> $\dfrac{i^{2014}}{i}+\dfrac{i^{2013}}{i^2}+\dfrac{i^{2012}}{i^3}+\cdots+\dfrac{i}{i^{2014}}$를 간단히 하시오.
> └ $i^{4k}=1$, $i^{4k+1}=i$, $i^{4k+2}=-1$, $i^{4k+3}=-i$임을 이용하자.

$i^{2014}=(i^4)^{503}\cdot i^2=-1$
$i^{2013}=(i^4)^{503}\cdot i=i$
$i^{2012}=(i^4)^{503}=1$
$i^{2011}=(i^4)^{502}\cdot i^3=-i$
이므로
$\dfrac{i^{2014}}{i}+\dfrac{i^{2013}}{i^2}+\dfrac{i^{2012}}{i^3}+\dfrac{i^{2011}}{i^4}+\cdots+\dfrac{i}{i^{2014}}$
$=\dfrac{-1}{i}+\dfrac{i}{-1}+\dfrac{1}{-i}+\dfrac{-i}{1}+\cdots+\dfrac{-1}{i}+\dfrac{i}{-1}$
$=(i-i)+(i-i)+\cdots+(i-i)$
$=0$

답 0

0685

$\frac{1-i}{1+i}=\frac{(1-i)^2}{(1+i)(1-i)}=\frac{-2i}{2}=-i$

$\left(\frac{1+i}{1-i}\right)^{1004}+\left(\frac{1-i}{1+i}\right)^{1005}$을 간단히 하면?

$\frac{1+i}{1-i}=\frac{(1+i)^2}{(1-i)(1+i)}=\frac{2i}{2}=i$

$$\frac{1+i}{1-i}=\frac{(1+i)^2}{(1-i)(1+i)}=\frac{2i}{2}=i$$

$$\frac{1-i}{1+i}=\frac{(1-i)^2}{(1+i)(1-i)}=\frac{-2i}{2}=-i$$

$$\therefore \left(\frac{1+i}{1-i}\right)^{1004}+\left(\frac{1-i}{1+i}\right)^{1005}=i^{1004}+(-i)^{1005}$$
$$=(i^4)^{251}+\{(-i)^4\}^{251}\times(-i)$$
$$=1-i$$

답 ⑤

0686

$z=\frac{1+i}{1-i}$일 때, $1+z+z^2+z^3+z^4+z^5+\cdots+z^{500}$의 값은?

$\frac{1+i}{1-i}=\frac{(1+i)^2}{(1-i)(1+i)}=\frac{2i}{2}=i$임을 이용하자.

$$z=\frac{1+i}{1-i}=\frac{(1+i)^2}{(1-i)(1+i)}=\frac{2i}{2}=i$$

$$\therefore z+z^2+z^3+z^4=i+i^2+i^3+i^4=i-1-i+1=0$$

$$\therefore 1+z+z^2+z^3+z^4+z^5+\cdots+z^{500}$$
$$=1+(z+z^2+z^3+z^4)+\cdots+z^{496}(z+z^2+z^3+z^4)$$
$$=1$$

답 ③

0687

$\frac{1+i}{1-i}=\frac{(1+i)^2}{(1-i)(1+i)}=\frac{2i}{2}=i$

자연수 n에 대하여 $\left(\frac{1-i}{1+i}\right)^{4n+1}-\left(\frac{1+i}{1-i}\right)^{4n+3}$의 값은?

$\frac{1-i}{1+i}=\frac{(1-i)^2}{(1+i)(1-i)}=\frac{-2i}{2}=-i$

$$\frac{1-i}{1+i}=\frac{(1-i)^2}{(1+i)(1-i)}=\frac{-2i}{2}=-i$$

$$\frac{1+i}{1-i}=\frac{(1+i)^2}{(1-i)(1+i)}=\frac{2i}{2}=i$$

$$\therefore \left(\frac{1-i}{1+i}\right)^{4n+1}-\left(\frac{1+i}{1-i}\right)^{4n+3}$$
$$=(-i)^{4n+1}-i^{4n+3}$$
$$=(-i)^{4n}\cdot(-i)-i^{4n}\cdot i^3$$
$$=-i-i^3\ (\because (-i)^4=1,\ i^4=1)$$
$$=-i+i=0$$

답 ③

0688

$(1-i)^2=-2i$임을 이용하자.

$(1+i)^{2020}-(1-i)^{2020}$의 값은?

$(1+i)^2=2i$임을 이용하자.

$(1+i)^2=2i$, $(1-i)^2=-2i$이므로

$$(1+i)^{2020}-(1-i)^{2020}=\{(1+i)^2\}^{1010}-\{(1-i)^2\}^{1010}$$
$$=(2i)^{1010}-(-2i)^{1010}$$
$$=(2i)^{1010}-(2i)^{1010}$$
$$=0$$

답 ③

0689

$z=\frac{1-i}{\sqrt{2}}$일 때, $z^2-z^3+z^4-\cdots+z^{10}$의 값은?

$z^2=\frac{(1-i)^2}{2}=\frac{-2i}{2}=-i$임을 이용하자.

$z=\frac{1-i}{\sqrt{2}}$에서 $z^2=\frac{(1-i)^2}{2}=\frac{-2i}{2}=-i$

$$\therefore z^2-z^3+z^4-\cdots+z^{10}$$
$$=z^2+z^4+z^6+z^8+z^{10}-(z^3+z^5+z^7+z^9)$$
$$=-i-1+i+1-i-(-iz-z+iz+z)$$
$$=-i$$

답 ④

0690

$\left(\frac{1-i}{\sqrt{2}}\right)^n=1$을 만족시키는 자연수 n의 최솟값은?

$z^2=\frac{(1-i)^2}{2}=\frac{-2i}{2}=-i$, $z^4=-1$, $z^8=1$임을 이용하자.

$z=\frac{1-i}{\sqrt{2}}$로 놓으면

$$z^2=\left(\frac{1-i}{\sqrt{2}}\right)^2=\frac{-2i}{2}=-i$$
$$z^4=(z^2)^2=(-i)^2=-1$$
$$z^8=(z^4)^2=(-1)^2=1$$

따라서 $\left(\frac{1-i}{\sqrt{2}}\right)^n=1$을 만족시키는 자연수 n의 최솟값은 8이다.

답 ④

0691

$\left(\frac{1-i}{\sqrt{2}}\right)^2=\frac{(1-i)^2}{2}=\frac{-2i}{2}=-i$

n이 짝수일 때, $\left(\frac{1+i}{\sqrt{2}}\right)^{4n}+\left(\frac{1-i}{\sqrt{2}}\right)^{4n+2}$의 값은?

$\left(\frac{1+i}{\sqrt{2}}\right)^2=\frac{(1+i)^2}{2}=\frac{2i}{2}=i$

$$\left(\frac{1+i}{\sqrt{2}}\right)^2=\frac{2i}{2}=i,\ \left(\frac{1-i}{\sqrt{2}}\right)^2=\frac{-2i}{2}=-i$$

$$\therefore \left(\frac{1+i}{\sqrt{2}}\right)^{4n}+\left(\frac{1-i}{\sqrt{2}}\right)^{4n+2}$$
$$=\left\{\left(\frac{1+i}{\sqrt{2}}\right)^2\right\}^{2n}+\left\{\left(\frac{1-i}{\sqrt{2}}\right)^2\right\}^{2n}\times\left(\frac{1-i}{\sqrt{2}}\right)^2$$
$$=i^{2n}+(-i)^{2n}\times(-i)$$
$$=(-1)^n+(-1)^n\times(-i)$$
$$=1+1\times(-i)\ (\because n\text{은 짝수})$$
$$=1-i$$

답 ③

0692

두 복소수 $\alpha=a-2i$, $\beta=3+bi$ (a, b는 실수)에 대하여 $\alpha+\overline{\beta}=5-6i$가 성립할 때, $\left(\dfrac{a}{2}+\dfrac{b}{4}i\right)^{10}$의 값을 구하시오.

→ 먼저 조건을 만족하는 실수 a, b를 각각 구하자.

$\alpha=a-2i$, $\beta=3+bi$에서 $\alpha+\overline{\beta}=5-6i$가 성립하므로
$(a-2i)+(3-bi)=(a+3)-(b+2)i=5-6i$
복소수가 서로 같을 조건에 의하여
$a+3=5$, $b+2=6$ $\therefore a=2, b=4$
$\therefore \left(\dfrac{a}{2}+\dfrac{b}{4}i\right)^{10}=(1+i)^{10}=\{(1+i)^2\}^5=(2i)^5=32i$

답 $32i$

0693

$z=n(1+i)^n$을 양의 실수가 되도록 하는 최소의 자연수 n의 값과 그때의 z의 값을 구하시오.

→ 먼저 $(1+i)^n$이 실수가 되는 최소의 n을 찾자.

$(1+i)^n$에서
$n=1$일 때, $1+i$
$n=2$일 때, $(1+i)^2=2i$
$n=3$일 때, $(1+i)^3=(1+i)(1+i)^2=(1+i)\times 2i$
$=-2+2i$
$n=4$일 때, $(1+i)^4=\{(1+i)^2\}^2=(2i)^2=-4$
따라서 $n=8$일 때, $(1+i)^n$은 처음으로 양의 실수 16이 된다.
$n=8$일 때의 z의 값은
$8(1+i)^8=8\times 16=128$

답 $n=8$, $z=128$

0694

$z=\dfrac{-1+\sqrt{3}i}{2}$일 때, z^3의 값은?

→ 양변에 2를 곱하여 $2z+1=\sqrt{3}i$로 만든 후, 다시 양변을 제곱하자.

$z=\dfrac{-1+\sqrt{3}i}{2}$에서 $2z+1=\sqrt{3}i$
양변을 제곱하면 $4z^2+4z+1=-3$
$\therefore z^2+z+1=0$
양변에 $z-1$을 곱하면
$(z-1)(z^2+z+1)=z^3-1=0$
$\therefore z^3=1$

답 ②

0695

$x=\dfrac{1}{2}(-1+\sqrt{3}i)$일 때, $x^{20}+x^{19}+1$의 값은?

→ 양변에 2를 곱하여 $2x+1=\sqrt{3}i$로 만든 후, 다시 양변을 제곱하자.

$x=\dfrac{1}{2}(-1+\sqrt{3}i)$에서 $2x+1=\sqrt{3}i$
양변을 제곱하면 $4x^2+4x+1=-3$
$4x^2+4x+4=0$, $x^2+x+1=0$
양변에 $x-1$을 곱하면 $(x-1)(x^2+x+1)=x^3-1=0$
$\therefore x^3=1$
$\therefore x^{20}+x^{19}+1=(x^3)^6\cdot x^2+(x^3)^6\cdot x+1$
$=x^2+x+1=0$

답 ③

0696

$z=\dfrac{1+\sqrt{3}i}{2}$일 때, $z^3+z^5+z^7+\cdots+z^{19}$의 값은?

→ 양변에 2를 곱하여 $2z-1=\sqrt{3}i$로 만든 후, 다시 양변을 제곱하자.

$z=\dfrac{1+\sqrt{3}i}{2}$에서 $2z-1=\sqrt{3}i$
양변을 제곱하면 $4z^2-4z+1=-3$
$4z^2-4z+4=0$, $z^2-z+1=0$
양변에 $z+1$을 곱하면 $(z+1)(z^2-z+1)=z^3+1=0$
$\therefore z^3=-1$
$z^5=z^3\cdot z^2=-z^2$, $z^7=(z^3)^2\cdot z=z$
$\therefore z^3+z^5+z^7=-1-z^2+z=-(z^2-z+1)=0$
$\therefore z^3+z^5+z^7+\cdots+z^{19}$
$=(z^3+z^5+z^7)+z^6(z^3+z^5+z^7)+z^{12}(z^3+z^5+z^7)$
$=0$

답 ③

0697

$x=\dfrac{-1+\sqrt{3}i}{2}$일 때, $x+x^2+x^3+x^4+\cdots+x^{100}$의 값을 구하시오.

→ 양변에 2를 곱하여 $2x+1=\sqrt{3}i$로 만든 후, 다시 양변을 제곱하자.

$x=\dfrac{-1+\sqrt{3}i}{2}$에서 $2x+1=\sqrt{3}i$
양변을 제곱하면
$4x^2+4x+1=-3$, $4x^2+4x+4=0$
$x^2+x+1=0$
$\therefore x^3=1$
$\therefore x+x^2+x^3+x^4+\cdots+x^{100}$
$=x+x^2+x^3(1+x+x^2)+(x^3)^2(1+x+x^2)+\cdots$
$+(x^3)^{32}(1+x+x^2)+x^{99}+x^{100}$
$=x+x^2+(x^3)^{33}+(x^3)^{33}\times x$
$=(x^2+x+1)+x$
$=x=\dfrac{-1+\sqrt{3}i}{2}$

답 $\dfrac{-1+\sqrt{3}i}{2}$

0698

$a=\dfrac{1-\sqrt{3}i}{2}$일 때, $1-a+a^2-a^3+a^4-a^5+\cdots+a^{14}-a^{15}$의 값은?

→ 양변에 2를 곱하여 $2a-1=-\sqrt{3}i$로 만든 후, 다시 양변을 제곱하자.

$a=\dfrac{1-\sqrt{3}i}{2}$에서 $2a-1=-\sqrt{3}i$
양변을 제곱하여 정리하면
$4a^2-4a+4=0$, $a^2-a+1=0$
$\therefore a^3=-1$

$\therefore 1-a+a^2-a^3+a^4-a^5+\cdots+a^{14}-a^{15}$

$=(1-a+a^2)-a^3(1-a+a^2)+\cdots+a^{12}(1-a+a^2)-a^{15}$

$=0-(a^3)^5=-(-1)^5$

$=1$

답 ③

0699

$\omega^2+\omega+1=0$에서 $\omega^2+\omega=-1$, $\omega^2+1=-\omega$, $\omega+1=-\omega^2$임을 이용하자.

x에 대한 이차방정식 $x^2+x+1=0$의 한 허근을 w라고 할 때, $(1+w)^2+(w^2+w^3)^2+(w^4+w^5)^2+\cdots+(w^{48}+w^{49})^2$의 값은?

$x^2+x+1=0$의 한 허근이 w이므로

$w^2+w+1=0$

양변에 $w-1$을 곱하면 $(w-1)(w^2+w+1)=0$

$\therefore w^3-1=0$

$(1+w)^2+(w^2+w^3)^2+(w^4+w^5)^2+\cdots+(w^{48}+w^{49})^2$

$=(1+w)^2+(w^2+1)^2+(w+w^2)^2+(1+w)^2+\cdots+(1+w)^2$

$=\{(1+w)^2+(w^2+1)^2+(w+w^2)^2\}\times 8+(1+w)^2$

$=\{(-w^2)^2+(-w)^2+(-1)^2\}\times 8+(-w^2)^2$

$=\{w+w^2+1\}\times 8+w$

$=w$

답 ⑤

0700

$a>0$일 때, $\sqrt{-a}=\sqrt{a}i$임을 이용하여 근호 안에 '$-$' 부호가 없게 만들자.

다음 중 옳지 않은 것은?

① $\sqrt{-3}\sqrt{5}=\sqrt{-15}$ ② $\sqrt{-5}\sqrt{-2}=-\sqrt{10}$

③ $\dfrac{\sqrt{-3}}{\sqrt{2}}=-\sqrt{-\dfrac{3}{2}}$ ④ $\dfrac{\sqrt{-5}}{\sqrt{-3}}=\sqrt{\dfrac{5}{3}}$

⑤ $\dfrac{\sqrt{5}}{\sqrt{-2}}=-\sqrt{-\dfrac{5}{2}}$

① $\sqrt{-3}\sqrt{5}=\sqrt{3}i\times\sqrt{5}=\sqrt{15}i=\sqrt{-15}$

② $\sqrt{-5}\sqrt{-2}=\sqrt{5}i\times\sqrt{2}i=\sqrt{10}i^2=-\sqrt{10}$

③ $\dfrac{\sqrt{-3}}{\sqrt{2}}=\dfrac{\sqrt{3}i}{\sqrt{2}}=\sqrt{\dfrac{3}{2}}i=\sqrt{-\dfrac{3}{2}}$

④ $\dfrac{\sqrt{-5}}{\sqrt{-3}}=\dfrac{\sqrt{5}i}{\sqrt{3}i}=\sqrt{\dfrac{5}{3}}$

⑤ $\dfrac{\sqrt{5}}{\sqrt{-2}}=\dfrac{\sqrt{5}}{\sqrt{2}i}=\dfrac{\sqrt{5}i}{\sqrt{2}i^2}=-\sqrt{\dfrac{5}{2}}i=-\sqrt{-\dfrac{5}{2}}$

답 ③

0701

$-\sqrt{-8}-\sqrt{-72}+\sqrt{-50}$을 간단히 하면?

$a>0$일 때, $\sqrt{-a}=\sqrt{a}i$임을 이용하여 근호 안에 '$-$' 부호가 없게 만들자.

$-\sqrt{-8}-\sqrt{-72}+\sqrt{-50}=-\sqrt{8}i-\sqrt{72}i+\sqrt{50}i$

$=-2\sqrt{2}i-6\sqrt{2}i+5\sqrt{2}i$

$=-3\sqrt{2}i$

답 ①

0702

$\sqrt{-8}\sqrt{-2}+\dfrac{\sqrt{8}}{\sqrt{-2}}$을 간단히 하시오.

$a>0$일 때, $\sqrt{-a}=\sqrt{a}i$임을 이용하여 근호 안에 '$-$' 부호가 없게 만들자.

$\sqrt{-8}\sqrt{-2}+\dfrac{\sqrt{8}}{\sqrt{-2}}=\sqrt{8}i\cdot\sqrt{2}i+\dfrac{\sqrt{8}}{\sqrt{2}i}$

$=\sqrt{16}i^2+\dfrac{\sqrt{4}}{i}$

$=-4-2i$

답 $-4-2i$

0703

다음 계산 과정에서 등호가 잘못 사용된 부분은?

$4=\sqrt{16}=\sqrt{(-4)(-4)}=\sqrt{-4}\sqrt{-4}=(\sqrt{-4})^2=-4$

① ② ③ ④ ⑤

$a\geq 0$ 또는 $b\geq 0$일 때, $\sqrt{ab}=\sqrt{a}\sqrt{b}$가 성립한다.

$\sqrt{(-4)(-4)}=\sqrt{16}=4$

$\sqrt{-4}\sqrt{-4}=\sqrt{4}i\sqrt{4}i=\sqrt{16}i^2=-4$

$\therefore \sqrt{(-4)(-4)}\neq\sqrt{-4}\sqrt{-4}$

답 ③

0704

$\sqrt{-5}(\sqrt{5}-\sqrt{-2})=a+bi$일 때, 실수 a, b의 값을 각각 구하시오.

$a>0$일 때, $\sqrt{-a}=\sqrt{a}i$임을 이용한 뒤 분배법칙을 적용하자.

$\sqrt{-5}(\sqrt{5}-\sqrt{-2})$

$=\sqrt{5}i(\sqrt{5}-\sqrt{2}i)$

$=5i+\sqrt{10}$

$\therefore a=\sqrt{10}$, $b=5$

답 $a=\sqrt{10}$, $b=5$

0705

$\sqrt{-3}\sqrt{-27}+\dfrac{\sqrt{28}}{\sqrt{-7}}+\sqrt{-6}\sqrt{24}+\dfrac{\sqrt{-32}}{\sqrt{2}}=a+bi$일 때, 실수 a, b에 대하여 $a+b$의 값은?

$a>0$일 때, $\sqrt{-a}=\sqrt{a}i$임을 이용하자.

$\sqrt{-3}\sqrt{-27}+\dfrac{\sqrt{28}}{\sqrt{-7}}+\sqrt{-6}\sqrt{24}+\dfrac{\sqrt{-32}}{\sqrt{2}}$

$=\sqrt{3}i\sqrt{27}i+\dfrac{\sqrt{28}}{\sqrt{7}i}+\sqrt{6}i\sqrt{24}+\dfrac{\sqrt{32}i}{\sqrt{2}}$

$=\sqrt{81}i^2-\sqrt{4}i+12i+\sqrt{16}i$

$=-9-2i+12i+4i$

$=-9+14i$

따라서 $a=-9$, $b=14$이므로

$a+b=5$

답 ③

0706

$a<0$, $b>0$일 때, 다음 중 옳은 것은?

$a<0$, $b>0$이므로 $\frac{\sqrt{b}}{\sqrt{a}}=-\sqrt{\frac{b}{a}}$임에 유의하자.

① $\sqrt{a}\sqrt{b}=-\sqrt{ab}$
② $\frac{\sqrt{b}}{\sqrt{a}}=\sqrt{\frac{b}{a}}$
③ $\sqrt{-a}\sqrt{b}=\sqrt{-ab}$
④ $\sqrt{a^2b}=a\sqrt{b}$
⑤ $\sqrt{ab^2}=-b\sqrt{a}$

① $a<0$, $b<0$일 때만 $\sqrt{a}\sqrt{b}=-\sqrt{ab}$이다.
$a>0$, $b>0$ 또는 $a>0$, $b<0$ 또는 $a<0$, $b>0$일 때는 $\sqrt{a}\sqrt{b}=\sqrt{ab}$이다.
② $a<0$, $b>0$일 때, $\frac{\sqrt{b}}{\sqrt{a}}=-\sqrt{\frac{b}{a}}$이다.
③ $-a>0$, $b>0$이므로 $\sqrt{-a}\sqrt{b}=\sqrt{-ab}$
④ $a<0$일 때, $\sqrt{a^2}=|a|=-a$이므로
$\sqrt{a^2b}=\sqrt{a^2}\sqrt{b}=-a\sqrt{b}$
⑤ $b>0$일 때, $\sqrt{b^2}=|b|=b$이므로
$\sqrt{ab^2}=\sqrt{a}\sqrt{b^2}=b\sqrt{a}$

답 ③

0707

a, b가 0이 아닌 실수이고, $\sqrt{a}\sqrt{b}=-\sqrt{ab}$일 때, $\sqrt{(a+b)^2}-|a|$를 간단히 하면?

A가 실수일 때, $\sqrt{A^2}=|A|$이다.

a, b가 0이 아닌 실수이고, $\sqrt{a}\sqrt{b}=-\sqrt{ab}$이므로 $a<0$, $b<0$
이때, $a+b<0$, $a<0$이므로

$$\sqrt{(a+b)^2}-|a|=|a+b|-|a| =-(a+b)-(-a) =-a-b+a=-b$$

답 ②

0708

등식 $\sqrt{2-x}\sqrt{x-5}=-\sqrt{-x^2+7x-10}$을 만족시키는 정수 x의 개수는?

실수 a, b에 대하여 $\sqrt{a}\sqrt{b}=-\sqrt{ab}$이면 $a<0$, $b<0$ 또는 $a=0$ 또는 $b=0$이다.

$\sqrt{2-x}\sqrt{x-5}=-\sqrt{-x^2+7x-10}$에서
$\sqrt{2-x}\sqrt{x-5}=-\sqrt{(2-x)(x-5)}$
이므로 $2-x<0$, $x-5<0$ 또는 $2-x=0$ 또는 $x-5=0$
$\therefore 2\le x\le 5$
따라서 등식을 만족시키는 정수 x는 2, 3, 4, 5의 4개이다.

답 ④

0709

실수 a, b $(b\neq 0)$에 대하여 $\frac{\sqrt{a}}{\sqrt{b}}=-\sqrt{\frac{a}{b}}$이면 $a>0$, $b<0$ 또는 $a=0$이다.

실수 a, b에 대하여 $\frac{\sqrt{a}}{\sqrt{b}}=-\sqrt{\frac{a}{b}}$일 때, $\sqrt{(a-b)^2}-3|a|+\sqrt{b^2}$을 간단히 하면?

$\frac{\sqrt{a}}{\sqrt{b}}=-\sqrt{\frac{a}{b}}$이므로
$a>0$, $b<0$ $\quad \therefore a-b>0$

$$\therefore \sqrt{(a-b)^2}-3|a|+\sqrt{b^2}=|a-b|-3|a|+|b| =a-b-3a-b =-2a-2b$$

답 ⑤

0710

$\sqrt{a}\sqrt{b}=-\sqrt{ab}$, $\frac{\sqrt{c}}{\sqrt{d}}=-\sqrt{\frac{c}{d}}$를 만족시키는 0이 아닌 네 실수 a, b, c, d에 대하여 $|a+b|-|a-c|+|a+d|$를 간단히 하시오.

절댓값 안의 문자들의 부호를 조사하자.

a, b는 0이 아닌 실수이므로 $\sqrt{a}\sqrt{b}=-\sqrt{ab}$에서 $a<0$, $b<0$
c, d는 0이 아닌 실수이므로 $\frac{\sqrt{c}}{\sqrt{d}}=-\sqrt{\frac{c}{d}}$에서 $c>0$, $d<0$
$\therefore a+b<0$, $a-c<0$, $a+d<0$

$$\therefore |a+b|-|a-c|+|a+d| =-(a+b)+(a-c)-(a+d) =-a-b+a-c-a-d =-a-b-c-d$$

답 $-a-b-c-d$

0711

$\frac{\sqrt{3-a}}{\sqrt{1-a}}=-\sqrt{\frac{3-a}{1-a}}$일 때, $|a-1|+|a-3|$을 간단히 하면? (단, a는 실수이다.)

절댓값 안의 문자들의 부호를 조사하자.

$\frac{\sqrt{3-a}}{\sqrt{1-a}}=-\sqrt{\frac{3-a}{1-a}}$가 성립하려면
$3-a>0$, $1-a<0$ 또는 $3-a=0$, $1-a\neq 0$
$\therefore 1<a\le 3$
따라서 $a-1>0$, $a-3\le 0$이므로

$$|a-1|+|a-3|=(a-1)-(a-3) =a-1-a+3=2$$

답 ③

0712

다음 중 복소수에 대한 설명으로 옳은 것은?

① $i+1$의 켤레복소수는 $i-1$이다.
② $4-3i$의 실수부분은 4이고 허수부분은 $-3i$이다.
③ $1+i$는 순허수이다.
④ $\sqrt{3}i\times 2i$는 실수이다.
⑤ $2+i>2-i$이다.

부등식은 실수에서만 정의된다.

① $i+1$의 켤레복소수는 $-i+1$이다.
② $4-3i$의 실수부분은 4이고 허수부분은 -3이다.
③ $1+i$는 순허수가 아니다.
④ $\sqrt{3}i\times 2i=-2\sqrt{3}$이므로 실수이다.
⑤ 부등식은 실수에서만 정의된다.

답 ④

0713

> 복소수 $(2+5i)-(3-i)(1+2i)$를 계산하여 $a+bi$ 꼴로 나타냈을 때, 두 실수 a, b의 합 $a+b$의 값은? (단, $i=\sqrt{-1}$이다.)
>
> i를 문자로 취급하여 실수처럼 계산한 뒤 i^2에 -1을 대입하자.

$(2+5i)-(3-i)(1+2i)=2+5i-(5+5i)=-3$

$a=-3$, $b=0$이므로

$a+b=-3$

답 ①

0714

> $(2x-i)(1+2yi)=2\sqrt{6}+3i$일 때, x^2+y^2의 값은? (단, x, y는 실수이다.)
>
> i를 문자로 취급하여 실수처럼 계산한 뒤 i^2에 -1을 대입하자.

$(2x-i)(1+2yi)=2\sqrt{6}+3i$에서

$2(x+y)+(4xy-1)i=2\sqrt{6}+3i$

복소수가 서로 같을 조건에 의하여

$2(x+y)=2\sqrt{6}$, $4xy-1=3$

$x+y=\sqrt{6}$, $4xy=4$

$\therefore x+y=\sqrt{6}$, $xy=1$

$\therefore x^2+y^2=(x+y)^2-2xy=(\sqrt{6})^2-2\cdot1=4$

답 ④

0715

> 두 복소수 $x=1+i$, $y=1-i$에 대하여 $\frac{y}{x}+\frac{x}{y}$의 값은?
>
> 합과 곱을 구한 뒤 $\frac{y}{x}+\frac{x}{y}=\frac{x^2+y^2}{xy}$을 이용하자.

$x+y=(1+i)+(1-i)=2$, $xy=(1+i)(1-i)=2$

$\therefore \frac{y}{x}+\frac{x}{y}=\frac{x^2+y^2}{xy}=\frac{(x+y)^2-2xy}{xy}$

$=\frac{4-4}{2}=0$

답 ④

0716

> 복소수 $z=1+2i$일 때, $z^3+\bar{z}^3$의 값은? (단, $i=-1$이고, $\bar{z}$는 z의 켤레복소수이다.)
>
> 합과 곱을 구한 뒤 공식 $z^3+\bar{z}^3=(z+\bar{z})^3-3z\bar{z}(z+\bar{z})$를 이용하자.

$\bar{z}=1-2i$이므로

$z+\bar{z}=2$, $z\bar{z}=5$

$z^3+\bar{z}^3=(z+\bar{z})^3-3z\bar{z}(z+\bar{z})$

$=8-3\times5\times2$

$=-22$

답 ②

0717 서술형

> $(1+i)z+3i\bar{z}=6+3i$를 만족시키는 복소수 z를 구하시오.
>
> $z=a+bi$ (a, b는 실수)라 놓고 $z=a+bi$, $\bar{z}=a-bi$를 준식에 대입하여 간단히 하자.

$z=a+bi$ (a, b는 실수)로 놓으면

$\bar{z}=a-bi$이므로 이를 주어진 식에 대입하면 …… 50%

$(1+i)(a+bi)+3i(a-bi)=(a+2b)+(4a+b)i$

$=6+3i$

복소수가 서로 같을 조건에 의하여

$a+2b=6$, $4a+b=3$ …… 30%

두 식을 연립하여 풀면 $a=0$, $b=3$

$\therefore z=3i$ …… 20%

답 $3i$

0718

> 복소수 $z=(1+i)x^2-(1+2i)x-2-3i$를 제곱하면 음의 실수가 된다. 이때, 실수 x의 값은?
>
> 먼저 간단히 정리한 후 실수부분이 0이 되고, 허수부분이 0이 안되게 하자.

$z=(1+i)x^2-(1+2i)x-2-3i$

$=(x^2-x-2)+(x^2-2x-3)i$

복소수 z를 제곱하여 음의 실수가 되려면 z는 순허수이어야 하므로

(실수부분)$=0$, (허수부분)$\neq0$

(i) $x^2-x-2=(x+1)(x-2)=0$

$\therefore x=-1$ 또는 $x=2$

(ii) $x^2-2x-3=(x+1)(x-3)\neq0$

$\therefore x\neq-1$이고 $x\neq3$

(i), (ii)에서 $x=2$

답 ③

0719

> 복소수 α, β의 켤레복소수를 각각 $\bar{\alpha}$, $\bar{\beta}$라고 할 때, 다음 <보기> 중 옳은 것을 모두 고른 것은?
>
> $\alpha=a+bi$, $\beta=c+di$, $\bar{\alpha}=a-bi$, $\bar{\beta}=c-di$ (a, b, c, d는 실수)라 놓고 식에 대입하자.
>
> **보기**
>
> ㄱ. $\alpha=\bar{\alpha}$이면 α는 실수이다.
>
> ㄴ. $\alpha\bar{\alpha}=0$이면 α는 실수이다.
>
> ㄷ. $\overline{(\alpha-i)(\beta+i)}=\bar{\alpha}\bar{\beta}-(\bar{\alpha}-\bar{\beta})i-1$

$\alpha=a+bi$ (a, b는 실수)라 하면 $\bar{\alpha}=a-bi$

ㄱ. $\alpha=\bar{\alpha}$이면 $b=-b$ $\quad\therefore b=0$

따라서 $\alpha=a$이므로 실수이다. (참)

ㄴ. $\alpha\bar{\alpha}=0$이면 $(a+bi)(a-bi)=0$

$a^2+b^2=0$ $\quad\therefore a=b=0$ $\quad\therefore \alpha=0$

따라서 α는 실수이다. (참)

ㄷ. $\overline{(\alpha-i)(\beta+i)}=\overline{\alpha-i}\times\overline{\beta+i}$

$=(\bar{\alpha}+i)(\bar{\beta}-i)$

$=\bar{\alpha}\bar{\beta}-\bar{\alpha}i+\bar{\beta}i+1$

$=\bar{\alpha}\bar{\beta}-(\bar{\alpha}-\bar{\beta})i+1$ (거짓)

따라서 옳은 것은 ㄱ, ㄴ이다.

답 ③

0720 서술형

> $i+2i^2+3i^3+4i^4+\cdots+100i^{100}=x+yi$를 만족시키는 두 실수 x, y에 대하여 $x-y$의 값을 구하시오.
>
> i^{4k+n}의 꼴로 변형하고, 복소수의 거듭제곱의 성질을 이용하자.

$n\ge 0$인 정수에 대하여

$i^{4n}=1$, $i^{4n+1}=i$, $i^{4n+2}=-1$, $i^{4n+3}=-i$이므로

$i+2i^2+3i^3+4i^4+5i^5+6i^6+7i^7+8i^8+\cdots+100i^{100}$

$=(i-2-3i+4)+(5i-6-7i+8)+\cdots+(97i-98-99i+100)$

$=\underbrace{(2-2i)+(2-2i)+\cdots+(2-2i)}_{25개}$ …… 50%

$=25(2-2i)$

$=50-50i=x+yi$ …… 30%

$x=50$, $y=-50$이므로 $x-y=100$ …… 20%

답 100

0721 $\frac{1-i}{1+i}=\frac{(1-i)^2}{(1+i)(1-i)}=\frac{-2i}{2}=-i$

> n이 자연수일 때, $\left(\frac{1+i}{1-i}\right)^{4n+1}+\left(\frac{1-i}{1+i}\right)^{4n+2}$의 값은?
>
> $\frac{1+i}{1-i}=\frac{(1+i)^2}{(1-i)(1+i)}=\frac{2i}{2}=i$

$\frac{1+i}{1-i}=\frac{(1+i)^2}{(1-i)(1+i)}=\frac{2i}{2}=i$

$\frac{1-i}{1+i}=\frac{(1-i)^2}{(1+i)(1-i)}=\frac{-2i}{2}=-i$

$\therefore \left(\frac{1+i}{1-i}\right)^{4n+1}+\left(\frac{1-i}{1+i}\right)^{4n+2}=i^{4n+1}+(-i)^{4n+2}$

$=(i^4)^n\cdot i+\{(-i)^4\}^n\cdot(-i)^2$

$=-1+i$

답 ②

0722 $a>0$일 때, $\sqrt{-a}=\sqrt{a}i$임을 이용하여 근호 안에 '$-$' 부호가 없게 만들자.

> 복소수 z에 대하여 $z=\sqrt{-1}\sqrt{-4}+\frac{\sqrt{18}}{\sqrt{-2}}$일 때, $z\bar{z}$의 값은?
>
> (단, $\bar{z}$는 z의 켤레복소수이다.)

$z=\sqrt{-1}\sqrt{-4}+\frac{\sqrt{18}}{\sqrt{-2}}=-2-3i$이므로

$\bar{z}=-2+3i$

$\therefore z\bar{z}=(-2-3i)(-2+3i)=13$

답 ④

0723

> 실수 x가
>
> $\sqrt{x-2}\sqrt{x-5}=-\sqrt{(x-2)(x-5)}$,
>
> $\frac{\sqrt{x}}{\sqrt{x-3}}=-\sqrt{\frac{x}{x-3}}$
>
> 를 동시에 만족할 때, $|x|+|x-2|$를 간단히 하시오.
>
> 실수 a, b에 대하여 $\sqrt{a}\sqrt{b}=-\sqrt{ab}$이면 $a<0$, $b<0$ 또는 $a=0$ 또는 $b=0$이다.
>
> 실수 a, b $(b\ne 0)$에 대하여 $\frac{\sqrt{a}}{\sqrt{b}}=-\sqrt{\frac{a}{b}}$이면 $a>0$, $b<0$ 또는 $a=0$이다.

$\sqrt{x-2}\sqrt{x-5}=-\sqrt{(x-2)(x-5)}$에서

$x-2<0$, $x-5<0$ 또는 $x-2=0$ 또는 $x-5=0$

$\therefore x\le 2$ 또는 $x=5$ …… ㉠

$\frac{\sqrt{x}}{\sqrt{x-3}}=-\sqrt{\frac{x}{x-3}}$에서

$x>0$, $x-3<0$ 또는 $x=0$, $x-3\ne 0$

$\therefore 0\le x<3$ …… ㉡

㉠, ㉡에서 $0\le x\le 2$

$\therefore |x|+|x-2|=x-(x-2)=2$

답 2

0724 분모, 분자에 $a+bi$를 곱하여 분모의 실수화를 하자.

> 0이 아닌 실수 a, b에 대하여 $f(a, b)=\frac{a+bi}{a-bi}$로 정의할 때, $f(2, 1)+f(4, 2)+f(6, 3)+\cdots+f(200, 100)$의 값은?
>
> 규칙적으로 $a=2b$인 것을 이용하자.

$f(a, b)=\frac{a+bi}{a-bi}=\frac{a^2-b^2}{a^2+b^2}+\frac{2ab}{a^2+b^2}i$

$a=2b$일 때,

$f(2b, b)=\frac{(2b)^2-b^2}{(2b)^2+b^2}+\frac{4b^2}{(2b)^2+b^2}i$

$=\frac{3}{5}+\frac{4}{5}i$ $(\because b\ne 0)$

이므로 $f(2, 1)=f(4, 2)=\cdots=f(200, 100)=\frac{3}{5}+\frac{4}{5}i$

$\therefore f(2, 1)+f(4, 2)+\cdots+f(200, 100)$

$=\left(\frac{3}{5}+\frac{4}{5}i\right)\times 100=60+80i$

답 ④

0725

> 0이 아닌 복소수 z에 대하여 $\frac{2z+\bar{z}}{z\bar{z}}=1+i$가 성립할 때, $z+\bar{z}$의 값을 구하시오.
>
> $z=a+bi$ (a, b는 실수)라 놓으면 $2z+\bar{z}=3a+bi$, $z\bar{z}=a^2+b^2$이다.

$z=a+bi$ (a, b는 실수)로 놓으면 $\bar{z}=a-bi$이므로

$2z+\bar{z}=2(a+bi)+(a-bi)=3a+bi$

$z\bar{z}=(a+bi)(a-bi)=a^2+b^2$

$\frac{2z+\bar{z}}{z\bar{z}}=1+i$에서 $\frac{3a+bi}{a^2+b^2}=1+i$

$(a^2+b^2)(1+i)=3a+bi$

$\therefore (a^2+b^2)+(a^2+b^2)i=3a+bi$

복소수가 서로 같을 조건에 의하여

$a^2+b^2=3a$ …… ㉠

$a^2+b^2=b$ …… ㉡

㉠, ㉡에서 $3a=b$ …… ㉢

㉢을 ㉠에 대입하면 $a^2+(3a)^2=3a$

$10a^2=3a$, $a(10a-3)=0$

$\therefore a=0$ 또는 $a=\frac{3}{10}$

그런데 $a=0$이면 $b=0$이 되어 $z=0$이므로

$a=\frac{3}{10}$

$\therefore z+\bar{z}=(a+bi)+(a-bi)=2a=2\cdot\frac{3}{10}=\frac{3}{5}$ 답 $\frac{3}{5}$

0726

> $1+\frac{2}{i}+\frac{3}{i^2}+\cdots+\frac{n}{i^{n-1}}=25+24i$일 때, 자연수 n의 값은?
>
> └ $i^{4k}=1,\ i^{4k+1}=i,\ i^{4k+2}=-1,\ i^{4k+3}=-i$임을 이용하자.

$1+\frac{2}{i}+\frac{3}{i^2}+\frac{4}{i^3}+\frac{5}{i^4}+\frac{6}{i^5}+\frac{7}{i^6}+\frac{8}{i^7}+\cdots$

$=(1-2i-3+4i)+(5-6i-7+8i)+\cdots$

$=(-2+2i)+(-2+2i)+(-2+2i)+\cdots$

이때, 주어진 식의 값이 $25+24i$이므로 허수부분이 24가 되도록 하는 자연수 n의 값은

$n=48$ 또는 $n=49$

(i) $n=48$일 때, 주어진 식의 값은

$\underbrace{(-2+2i)+(-2+2i)+\cdots+(-2+2i)}_{12개}$

$=-24+24i$

(ii) $n=49$일 때, 주어진 식의 값은

$\underbrace{(-2+2i)+(-2+2i)+\cdots+(-2+2i)}_{12개}+49$

$=-24+24i+49$

$=25+24i$

(i), (ii)에서 구하는 자연수 n의 값은 49이다. 답 ③

0727

> 두 복소수 $\alpha=\frac{1+i}{1-i},\ \beta=\frac{1-i}{1+i}$에 대하여
>
> $\alpha+\beta^2+\alpha^3+\beta^4+\alpha^5+\beta^6+\cdots+\alpha^{99}+\beta^{100}$의 값을 구하시오.
>
> └ $\frac{1-i}{1+i}=\frac{(1-i)^2}{(1+i)(1-i)}=\frac{-2i}{2}=-i$
>
> └ $\frac{1+i}{1-i}=\frac{(1+i)^2}{(1-i)(1+i)}=\frac{2i}{2}=i$

$\alpha=\frac{1+i}{1-i}=\frac{(1+i)^2}{(1-i)(1+i)}=\frac{2i}{2}=i$

$\beta=\frac{1-i}{1+i}=\frac{(1-i)^2}{(1+i)(1-i)}=\frac{-2i}{2}=-i$

$\therefore \alpha+\beta^2+\alpha^3+\beta^4+\alpha^5+\beta^6+\cdots+\alpha^{99}+\beta^{100}$

$=i+(-i)^2+i^3+(-i)^4+i^5+(-i)^6+\cdots+i^{99}+(-i)^{100}$

$=i+i^2+i^3+i^4+i^5+i^6+\cdots+i^{99}+i^{100}$

$=(i-1-i+1)+(i-1-i+1)+\cdots+(i-1-i+1)$

$=0$ 답 0

0728

> 복소수 $z=\frac{1-\sqrt{-3}}{1+\sqrt{-3}}$에 대하여
>
> $(1+z)(1+z^2)(1+z^3)$의 값은?
>
> └ $\sqrt{-3}=\sqrt{3}i$로 바꾼 후, 분모를 실수화하자.

$z=\frac{1-\sqrt{-3}}{1+\sqrt{-3}}=\frac{1-\sqrt{3}i}{1+\sqrt{3}i}$

$=\frac{(1-\sqrt{3}i)^2}{(1+\sqrt{3}i)(1-\sqrt{3}i)}=\frac{1-3-2\sqrt{3}i}{4}$

$=\frac{-1-\sqrt{3}i}{2}$

에서 $2z+1=-\sqrt{3}i$

양변을 제곱하여 정리하면 $4z^2+4z+4=0$

$z^2+z+1=0 \quad \therefore z^3=1$

$\therefore (1+z)(1+z^2)(1+z^3)=(-z^2)(-z)(1+1)$

$=2$ 답 ⑤

0729

> 200 이하의 자연수 n에 대하여 $\left(\frac{\sqrt{3}+i}{2}\right)^n=-1$을 만족시키는 n의 개수를 구하시오. (단, $i=\sqrt{-1}$)
>
> └ 복소수를 계속 곱하여 -1이 나올 때까지 곱해진 개수를 구하자.

$\left(\frac{\sqrt{3}+i}{2}\right)^2=\frac{1+\sqrt{3}i}{2},\ \left(\frac{\sqrt{3}+i}{2}\right)^3=i,\ \left(\frac{\sqrt{3}+i}{2}\right)^6=-1$

따라서 $n=12k+6(k=0,\ 1,\ 2,\ \cdots)$일 때,

$\left(\frac{\sqrt{3}+i}{2}\right)^n=-1$

$1\le 12k+6\le 200$을 만족하는 k는 $0,\ 1,\ \cdots,\ 16$

따라서 n의 개수는 17이다. 답 17

0730

> 서로 다른 두 복소수 $x,\ y$가
>
> $x^2-y=i,\ y^2-x=i$
>
> 를 만족할 때, x^4+y^4의 값을 구하시오.
>
> └ 두 식의 합과 차를 구해 보자.
>
> └ $(x^2+y^2)^2$의 전개식을 이용하자.

$x^2-y=i \quad \cdots\cdots ㉠$

$y^2-x=i \quad \cdots\cdots ㉡$

㉠−㉡을 하면 $(x-y)(x+y+1)=0$

$x\ne y$이므로 $x+y+1=0$

$\therefore x+y=-1$

㉠+㉡을 하면 $x^2+y^2-(x+y)=2i$

$\therefore x^2+y^2=-1+2i$

$x^2+y^2=(x+y)^2-2xy$이므로

$-1+2i=(-1)^2-2xy$

$\therefore xy=1-i$

$\therefore x^4+y^4=(x^2+y^2)^2-2x^2y^2$

$=(-1+2i)^2-2(1-i)^2$

$=-3-4i+4i=-3$ 답 -3

0731

> 복소수 $z=a+bi$가 다음 두 조건을 만족시킨다.
>
> (가) $(1+i+z)^2<0$ (나) $z^2=c+6i$
>
> └ 허수는 대소 비교가 불가능하다.
>
> 이때, $a^2+b^2+c^2$의 값을 구하시오. (단, $a,\ b,\ c$는 실수이다.)

$(1+i+z)^2=(1+i+a+bi)^2$
$=\{(a+1)+(b+1)i\}^2$
$=(a+1)^2-(b+1)^2+2(a+1)(b+1)i$

조건 ㈎에서 $(1+i+z)^2<0$은 대소 비교가 가능하다는 것을 뜻하므로 $(1+i+z)^2$은 실수이다. 즉, 허수부분이 0이므로 $2(a+1)(b+1)=0$

$\therefore a=-1$ 또는 $b=-1$

그런데 $(a+1)^2-(b+1)^2<0$이므로 $a=-1$

$z^2=(a+bi)^2=a^2-b^2+2abi$
$=1-b^2-2bi=c+6i$

$1-b^2=c,\ -2b=6 \quad \therefore b=-3,\ c=-8$

$\therefore a^2+b^2+c^2=1+9+64=74$

답 74

0732

복소수 z에 대하여 다음 〈보기〉 중 옳은 것을 모두 고른 것은?

$z=a+bi$, $\overline{z}=a-bi$를 식에 대입해 보자.

보기
ㄱ. $z\overline{z}$는 실수이다.
ㄴ. z^2이 실수이면 $(z-1)^2$도 실수이다.
ㄷ. 자연수 n에 대하여 $(z-\overline{z})^{2n}$은 실수이다.

$z=a+bi$ (a, b는 실수)라 하면 $\overline{z}=a-bi$

ㄱ. $z\overline{z}=(a+bi)(a-bi)=a^2+b^2$이므로 실수이다. (참)

ㄴ. [반례] $z=i$라 하면 $i^2=-1$은 실수이지만
$(i-1)^2=-2i$는 실수가 아니다. (거짓)

ㄷ. $(z-\overline{z})^{2n}=(a+bi-a+bi)^{2n}=(2bi)^{2n}$
$=(4b^2i^2)^n=(-4b^2)^n$
이므로 실수이다. (참)

따라서 옳은 것은 ㄱ, ㄷ이다.

답 ③

0733

복소수 $z=a+bi$ ($a>0$, $b>0$)에 대하여 $z^2+\overline{z}=0$일 때, $(z^2+1)^n$이 정수가 되는 100 이하의 자연수 n의 개수는?

$z=a+bi$ (a, b는 실수)라 놓고 조건을 만족하는 a, b를 구하자.

$z^2+\overline{z}=(a+bi)^2+(a-bi)$
$=(a^2-b^2+a)+(2ab-b)i=0$

에서

$a^2-b^2+a=0 \quad \cdots\cdots ㉠$

$2ab-b=0,\ b(2a-1)=0$

이때, $b>0$이므로 $a=\frac{1}{2}$

㉠에서 $b^2=\frac{3}{4} \quad \therefore b=\frac{\sqrt{3}}{2}\ (\because b>0)$

$\therefore z=\frac{1+\sqrt{3}i}{2}$

$2z-1=\sqrt{3}i$의 양변을 제곱하여 정리하면

$z^2-z+1=0$

양변에 $z+1$을 곱하면 $z^3+1=0$

$\therefore z^3=-1,\ z^6=1$

$z^2+1=z$이므로 z^n이 정수이려면 n은 3의 배수이어야 한다.

따라서 100 이하의 자연수 중 3의 배수의 개수는 33이다.

답 ③

0734

자연수 n에 대하여 $f(n)=\left(\frac{1+i}{\sqrt{2}}\right)^n$, $g(n)=\left(\frac{1-i}{\sqrt{2}}\right)^n$으로 정의될 때, $f(1)g(2)f(3)g(4)f(5)g(6)\cdots f(99)g(100)$의 값은?

$\left(\frac{1+i}{\sqrt{2}}\right)^2=i$임을 이용하자.

$\left(\frac{1-i}{\sqrt{2}}\right)^2=-i$임을 이용하자.

$f(2)=\left(\frac{1+i}{\sqrt{2}}\right)^2=\frac{2i}{2}=i$

$f(8)=\left(\frac{1+i}{\sqrt{2}}\right)^8=\left\{\left(\frac{1+i}{\sqrt{2}}\right)^2\right\}^4=i^4=1$

$\therefore f(n+8)=\left(\frac{1+i}{\sqrt{2}}\right)^{n+8}=\left(\frac{1+i}{\sqrt{2}}\right)^n=f(n)$

$g(2)=\left(\frac{1-i}{\sqrt{2}}\right)^2=\frac{-2i}{2}=-i$

$g(8)=\left(\frac{1-i}{\sqrt{2}}\right)^8=\left\{\left(\frac{1-i}{\sqrt{2}}\right)^2\right\}^4=(-i)^4=1$

$\therefore g(n+8)=\left(\frac{1-i}{\sqrt{2}}\right)^{n+8}=\left(\frac{1-i}{\sqrt{2}}\right)^n=g(n)$

$f(1)f(3)f(5)f(7)$
$=\frac{1+i}{\sqrt{2}}\times\left(\frac{1+i}{\sqrt{2}}\times i\right)\times\left(\frac{1+i}{\sqrt{2}}\times i^2\right)\times\left(\frac{1+i}{\sqrt{2}}\times i^3\right)$
$=\frac{(1+i)^4}{4}\times i^6=\frac{(2i)^2}{4}\times(-1)=1$

$g(2)g(4)g(6)g(8)$
$=(-i)\times(-i)^2\times(-i)^3\times(-i)^4$
$=(-i)^{10}=-1$

$\therefore f(1)g(2)f(3)g(4)f(5)g(6)\cdots f(99)g(100)$
$=\{f(1)g(2)f(3)g(4)f(5)g(6)f(7)g(8)\}^{12}$
$\times f(97)g(98)f(99)g(100)$
$=\{1\times(-1)\}^{12}\times f(1)\times g(2)\times f(3)\times g(4)$
$=1\times\frac{1+i}{\sqrt{2}}\times(-i)\times\left(\frac{1+i}{\sqrt{2}}\times i\right)\times(-i)^2$
$=-i$

답 ②

0735

자연수 n에 대하여 복소수 $z_n=\left(\frac{\sqrt{2}i}{1+i}\right)^n$이라 할 때, 옳은 것만을 〈보기〉에서 있는 대로 고른 것은? (단, $i=\sqrt{-1}$)

$\left(\frac{\sqrt{2}i}{1+i}\right)^2=i$임을 이용하자.

보기
ㄱ. $z_2=i$
ㄴ. $z_6=-z_2$
ㄷ. $z_{n+8}=z_n$

ㄱ. $z_2=\left(\frac{\sqrt{2}i}{1+i}\right)^2=\frac{-2}{2i}=i$ (참)

ㄴ. $z_2=i$이므로 $z_6={z_2}^3=i^3=-i=-z_2$ (참)

ㄷ. $z_8=z_2z_6=1$이므로 $z_{n+8}=z_n$ (참)

따라서 옳은 것은 ㄱ, ㄴ, ㄷ이다.

답 ⑤

0736

> 두 복소수 α, β를 — α 또는 β를 1이 나올 때까지 계속 곱해 보자.
>
> $\alpha=\frac{\sqrt{3}+i}{2}$, $\beta=\frac{1+\sqrt{3}i}{2}$
>
> 라 할 때, $\alpha^m\beta^n=i$를 만족시키는 10 이하의 자연수 m, n에 대하여 $m+2n$의 최댓값을 구하시오.

$\alpha=\frac{\sqrt{3}+i}{2}$에서

$\alpha^2=\left(\frac{\sqrt{3}+i}{2}\right)^2=\frac{1+\sqrt{3}i}{2}=\beta$ ……㉠

$\alpha^3=\left(\frac{\sqrt{3}+i}{2}\right)^3=\frac{\sqrt{3}+i}{2}\times\frac{1+\sqrt{3}i}{2}=i$ ……㉡

$\alpha^{12}=(\alpha^3)^4=i^4=1$ ……㉢

㉠에서 $\alpha^m\beta^n=\alpha^m(\alpha^2)^n=\alpha^{m+2n}$

㉡에서 $\alpha^m\beta^n=\alpha^{m+2n}=i$를 만족하는 $m+2n$의 값 중 최소인 자연수는 3이고 ㉢에 의하여 $m+2n$이 가질 수 있는 값은 3, 15, 27, 39, …이다.

그런데 m, n은 각각 10 이하의 자연수이므로

$m+2n\leq 30$

$\therefore m+2n=3, 15, 27$

따라서 구하는 최댓값은 27이다. 답 27

0737

> 두 실수 x, y에 대하여 복소수 $x+yi$를 좌표평면 위의 점 (x, y)에 대응시킨다. 예를 들면 $3+2i$를 점 $(3, 2)$에 대응시키고 $-3i$를 점 $(0, -3)$에 대응시킨다.
>
> 자연수 n에 대하여 복소수 $(3+4i)i^n$을 대응시킨 점을 P_n이라 할 때, 네 점 P_1, P_2, P_3, P_4를 꼭짓점으로 하는 사각형의 넓이를 구하시오. — $n=1, 2, 3, 4$를 차례로 대입하여 보자.

(i) $n=1$일 때, $(3+4i)i=-4+3i$이므로
$P_1(-4, 3)$

(ii) $n=2$일 때, $(3+4i)i^2=-3-4i$이므로
$P_2(-3, -4)$

(iii) $n=3$일 때, $(3+4i)i^3=4-3i$이므로
$P_3(4, -3)$

(iv) $n=4$일 때, $(3+4i)i^4=3+4i$이므로 $P_4(3, 4)$

$\square P_1P_2P_3P_4$는 정사각형이고 피타고라스 정리에 의하여

$\overline{P_1P_4}=\sqrt{7^2+1^2}=\sqrt{50}$

따라서 구하는 사각형의 넓이는 $(\sqrt{50})^2=50$ 답 50

0738

> 0이 아닌 세 복소수 α, β, γ가 다음 조건을 만족시킨다.
>
> (가) $\alpha^2+\beta^2+\gamma^2=0$ — 공식 $(\alpha+\beta+\gamma)^2=\alpha^2+\beta^2+\gamma^2+2(\alpha\beta+\beta\gamma+\gamma\alpha)$를 이용하자.
>
> (나) $\frac{1}{\alpha}+\frac{1}{\beta}+\frac{1}{\gamma}=0$ — 통분하여 $\frac{1}{\alpha}+\frac{1}{\beta}+\frac{1}{\gamma}=\frac{\alpha\beta+\beta\gamma+\gamma\alpha}{\alpha\beta\gamma}=0$임을 이용하자.
>
> 이때, $\frac{\beta}{\alpha}+\overline{\left(\frac{\alpha}{\gamma}\right)}$의 값은? $\left(\text{단, }\overline{\left(\frac{\alpha}{\gamma}\right)}\text{는 }\frac{\alpha}{\gamma}\text{의 켤레복소수이다.}\right)$

조건 (나)에서 $\frac{1}{\alpha}+\frac{1}{\beta}+\frac{1}{\gamma}=\frac{\alpha\beta+\beta\gamma+\gamma\alpha}{\alpha\beta\gamma}=0$이고, 세 복소수 α, β, γ는 0이 아니므로

$\alpha\beta+\beta\gamma+\gamma\alpha=0$

$(\alpha+\beta+\gamma)^2=\alpha^2+\beta^2+\gamma^2+2(\alpha\beta+\beta\gamma+\gamma\alpha)=0$

$\therefore \alpha+\beta+\gamma=0$ ……㉠

㉠에서 $\alpha+\beta=-\gamma$이므로

조건 (나)에서 $\frac{1}{\alpha}+\frac{1}{\beta}=-\frac{1}{\gamma}$

$\frac{\alpha+\beta}{\alpha\beta}=-\frac{1}{\gamma}$, $\frac{-\gamma}{\alpha\beta}=-\frac{1}{\gamma}$

$\therefore \alpha\beta=\gamma^2$

같은 방법으로

$\beta\gamma=\alpha^2$ ……㉡

$\gamma\alpha=\beta^2$ ……㉢

조건 (가)에 ㉢을 대입하면 $\alpha^2+\alpha\gamma+\gamma^2=0$ ……㉣

㉣에서 양변을 γ^2으로 나누면

$\left(\frac{\alpha}{\gamma}\right)^2+\frac{\alpha}{\gamma}+1=0$

$\therefore \frac{\alpha}{\gamma}=\frac{-1+\sqrt{3}i}{2}$ 또는 $\frac{\alpha}{\gamma}=\frac{-1-\sqrt{3}i}{2}$

㉡에서 $\frac{\beta}{\alpha}=\frac{\alpha}{\gamma}$이므로

$\frac{\beta}{\alpha}+\overline{\left(\frac{\alpha}{\gamma}\right)}=\frac{\alpha}{\gamma}+\overline{\left(\frac{\alpha}{\gamma}\right)}$

$\therefore \frac{\beta}{\alpha}+\overline{\left(\frac{\alpha}{\gamma}\right)}=-1$ 답 ②

0739

> 50 이하의 두 자연수 m, n에 대하여
>
> $\left\{i^n+\left(\frac{1}{i}\right)^{2n}\right\}^m$의 값이 음의 실수가 되도록 하는 순서쌍 (m, n)의 개수를 구하시오. (단, $i=\sqrt{-1}$이다.)
>
> — $\left(\frac{1}{i}\right)^2=-1$임을 이용하여 복소수의 규칙성을 찾아보자.

$\left\{i^n+\left(\frac{1}{i}\right)^{2n}\right\}^m=\{i^n+(-i)^{2n}\}^m=\{i^n+(-1)^n\}^m$

$f(n)=i^n+(-1)^n$이라 하자.

(i) $n=4k-3$ (k는 자연수)일 때

$f(n)=i-1$이고

$\{f(n)\}^4=-2^2$, $\{f(n)\}^{12}=-2^6$, $\{f(n)\}^{20}=-2^{10}$, …

이므로 순서쌍 (m, n)은

$(4, n)$, $(12, n)$, $(20, n)$, $(28, n)$, $(36, n)$, $(44, n)$

의 6개이다.

이때 50 이하의 자연수 $n=1, 5, 9, \cdots, 45, 49$는 13개이므로 만족하는 순서쌍 (m, n)의 개수는 78이다.

(ii) $n=4k-1$ (k는 자연수)일 때

$f(n)=-i-1$이고

$\{f(n)\}^4=-2^2, \{f(n)\}^{12}=-2^6, \{f(n)\}^{20}=-2^{10}, \cdots$

이므로 순서쌍 (m, n)은

$(4, n), (12, n), (20, n), (28, n), (36, n), (44, n)$

의 6개이다.

이때 50 이하의 자연수 $n=3, 7, 11, \cdots, 47$은 12개이므로 만족하는 순서쌍 (m, n)의 개수는 72이다.

(iii) $n=4k-2, n=4k$ (k는 자연수)일 때

$f(n)$은 0 또는 2이므로 $\{f(n)\}^m \geq 0$이다.

따라서 주어진 조건을 만족하는 순서쌍 (m, n)은 존재하지 않는다.

따라서 50 이하의 자연수 m, n에 대하여

$\left\{i^n+\left(\frac{1}{i}\right)^{2n}\right\}^m$이 음의 실수인 순서쌍 (m, n)의 개수는

150이다. 답 150

05 이차방정식

본책 126~149쪽

0740

$x^2-2x-3=0$에서 $(x+1)(x-3)=0$

$\therefore x=-1$ 또는 $x=3$ 답 $x=-1$ 또는 $x=3$

0741

$x^2-x-20=0$에서 $(x+4)(x-5)=0$

$\therefore x=-4$ 또는 $x=5$ 답 $x=-4$ 또는 $x=5$

0742

$2x^2-7x+3=0$에서 $(2x-1)(x-3)=0$

$\therefore x=\frac{1}{2}$ 또는 $x=3$ 답 $x=\frac{1}{2}$ 또는 $x=3$

0743

$x^2-\frac{1}{2}x-\frac{1}{2}=0$의 양변에 2를 곱하면

$2x^2-x-1=0, (2x+1)(x-1)=0$

$\therefore x=-\frac{1}{2}$ 또는 $x=1$ 답 $x=-\frac{1}{2}$ 또는 $x=1$

0744

$x^2-12x+36=0$에서 $(x-6)^2=0$

$\therefore x=6$ 답 $x=6$

0745

$x^2-2=0$에서 $x^2-(\sqrt{2})^2=0$

$(x+\sqrt{2})(x-\sqrt{2})=0$

$\therefore x=-\sqrt{2}$ 또는 $x=\sqrt{2}$ 답 $x=-\sqrt{2}$ 또는 $x=\sqrt{2}$

0746

$x=\frac{-3\pm\sqrt{3^2-4\cdot5\cdot(-2)}}{2\cdot5}=\frac{-3\pm7}{10}$

$\therefore x=\frac{2}{5}$ 또는 $x=-1$ 답 $x=\frac{2}{5}$ 또는 $x=-1$

0747

$x=\frac{-(-3)\pm\sqrt{(-3)^2-4\cdot1\cdot(-1)}}{2\cdot1}$

$=\frac{3\pm\sqrt{13}}{2}$ 답 $x=\frac{3\pm\sqrt{13}}{2}$

0748

$x=\frac{-5\pm\sqrt{5^2-4\cdot2\cdot4}}{2\cdot2}=\frac{-5\pm\sqrt{-7}}{4}$

$=\frac{-5\pm\sqrt{7}i}{4}$ 답 $x=\frac{-5\pm\sqrt{7}i}{4}$

0749

$x=\frac{-(-3)\pm\sqrt{(-3)^2-4\cdot2\cdot2}}{2\cdot2}=\frac{3\pm\sqrt{-7}}{4}$

$=\frac{3\pm\sqrt{7}i}{4}$ 답 $x=\frac{3\pm\sqrt{7}i}{4}$

0750

$x=\frac{-4\pm\sqrt{4^2-3\cdot(-3)}}{3}=\frac{-4\pm5}{3}$

$\therefore x=\frac{1}{3}$ 또는 $x=-3$ 　　답 $x=\frac{1}{3}$ 또는 $x=-3$

0751

$x=\frac{-(-3)\pm\sqrt{(-3)^2-1\cdot1}}{1}$

$=3\pm\sqrt{8}=3\pm2\sqrt{2}$ 　　답 $x=3\pm2\sqrt{2}$

0752

$x=\frac{-2\pm\sqrt{2^2-3\cdot2}}{3}=\frac{-2\pm\sqrt{-2}}{3}$

$=\frac{-2\pm\sqrt{2}i}{3}$ 　　답 $x=\frac{-2\pm\sqrt{2}i}{3}$

0753

방정식 $x^2+x+a=0$에 $x=2$를 대입하면

$2^2+2+a=0$ 　　$\therefore a=-6$ 　　답 -6

0754

방정식 $2x^2+ax-5=0$에 $x=-1$을 대입하면

$2\cdot(-1)^2+a\cdot(-1)-5=0$

$2-a-5=0$ 　　$\therefore a=-3$ 　　답 -3

0755

방정식 $x^2-2x+a=0$에 $x=1+2i$를 대입하면

$(1+2i)^2-2(1+2i)+a=0$

$1+4i+4i^2-2-4i+a=0$

$-5+a=0$ 　　$\therefore a=5$ 　　답 5

0756

$x^2-5x-1=0$에서

$D=(-5)^2-4\cdot1\cdot(-1)=29>0$

$\therefore$ 서로 다른 두 실근 　　답 서로 다른 두 실근

0757

$x^2+4x+6=0$에서

$\frac{D}{4}=2^2-1\cdot6=-2<0$

$\therefore$ 서로 다른 두 허근 　　답 서로 다른 두 허근

0758

$4x^2-4x+1=0$에서

$\frac{D}{4}=(-2)^2-4\cdot1=0$

$\therefore$ 중근 　　답 중근

0759

$2x^2+5x+2=0$에서

$D=5^2-4\cdot2\cdot2=9>0$

$\therefore$ 서로 다른 두 실근 　　답 서로 다른 두 실근

0760

$x^2+3x+7=0$에서

$D=3^2-4\cdot1\cdot7=-19<0$

$\therefore$ 서로 다른 두 허근 　　답 서로 다른 두 허근

0761

$x^2-2x+1=0$에서

$\frac{D}{4}=(-1)^2-1\cdot1=0$

$\therefore$ 중근 　　답 중근

0762

이차식이 완전제곱식이 되려면 $D=0$이어야 하므로

$\frac{D}{4}=3^2-3\cdot k=0$

$9-3k=0$ 　　$\therefore k=3$ 　　답 3

0763

이차식이 완전제곱식이 되려면 판별식 $D=0$이어야 하므로

$D=k^2-4\cdot4\cdot25=0$, $k^2-400=0$

$k^2=400$ 　　$\therefore k=-20$ 또는 $k=20$

답 -20 또는 20

0764

서로 다른 두 실근을 가지려면 $D>0$이어야 하므로

$\frac{D}{4}=(-2)^2-1\cdot k=4-k>0$

$\therefore k<4$ 　　답 $k<4$

0765

서로 다른 두 허근을 가지려면 $D<0$이어야 하므로

$\frac{D}{4}=4-k<0$ 　　$\therefore k>4$ 　　답 $k>4$

0766

중근을 가지려면 $D=0$이어야 하므로

$\frac{D}{4}=4-k=0$ 　　$\therefore k=4$ 　　답 $k=4$

0767

$\alpha+\beta=-\frac{-2}{1}=2$ 　　답 2

0768

$\alpha\beta=\frac{-3}{1}=-3$ 　　답 -3

0769

$\alpha^2+\beta^2=(\alpha+\beta)^2-2\alpha\beta$

$=2^2-2\cdot(-3)=10$ 　　답 10

0770

$\alpha^2\beta+\alpha\beta^2=\alpha\beta(\alpha+\beta)$

$=(-3)\cdot2=-6$ 　　답 -6

0771

$\frac{1}{\alpha}+\frac{1}{\beta}=\frac{\beta+\alpha}{\alpha\beta}=\frac{2}{-3}=-\frac{2}{3}$ 답 $-\frac{2}{3}$

0772

$(\alpha-\beta)^2=(\alpha+\beta)^2-4\alpha\beta$

$=2^2-4\cdot(-3)=16$

$\therefore |\alpha-\beta|=4$ 답 4

[0773-0777] 이차방정식 $x^2-4x+1=0$에서 근과 계수의 관계에 의하여 $\alpha+\beta=-\frac{-4}{1}=4$, $\alpha\beta=\frac{1}{1}=1$

0773

$\alpha+\beta+\alpha\beta=4+1=5$ 답 5

0774

$(\alpha-1)(\beta-1)=\alpha\beta-\alpha-\beta+1$

$=\alpha\beta-(\alpha+\beta)+1$

$=1-4+1=-2$ 답 -2

0775

$\alpha^3+\beta^3=(\alpha+\beta)^3-3\alpha\beta(\alpha+\beta)$

$=4^3-3\cdot1\cdot4=52$ 답 52

0776

$\left(\alpha+\frac{1}{\beta}\right)\left(\beta+\frac{1}{\alpha}\right)=\alpha\beta+2+\frac{1}{\alpha\beta}$

$=1+2+\frac{1}{1}=4$ 답 4

0777

$\frac{\beta^2}{\alpha}+\frac{\alpha^2}{\beta}=\frac{\beta^3+\alpha^3}{\alpha\beta}$

$=\frac{(\alpha+\beta)^3-3\alpha\beta(\alpha+\beta)}{\alpha\beta}$

$=\frac{4^3-3\cdot1\cdot4}{1}=52$ 답 52

0778

이차방정식 $x^2+ax+b=0$에서

$\alpha+\beta=-\frac{a}{1}=6 \quad \therefore a=-6$

$\alpha\beta=\frac{b}{1}=1 \quad \therefore b=1$ 답 $a=-6$, $b=1$

0779

이차방정식 $ax^2-8x+b=0$에서

$\alpha+\beta=-\frac{-8}{a}=2 \quad \therefore a=4$

$\alpha\beta=\frac{b}{a}=\frac{b}{4}=\frac{1}{4} \quad \therefore b=1$ 답 $a=4$, $b=1$

0780

이차방정식 $ax^2+bx+13=0$에서

$\alpha\beta=\frac{13}{a}=13 \quad \therefore a=1$

$\alpha+\beta=-\frac{b}{a}=-\frac{b}{1}=4 \quad \therefore b=-4$ 답 $a=1$, $b=-4$

0781

$x^2-2x-1=0$에서 근의 공식에 의하여

$x=1\pm\sqrt{(-1)^2-1\cdot(-1)}=1\pm\sqrt{2}$

$\therefore x^2-2x-1=\{x-(1+\sqrt{2})\}\{x-(1-\sqrt{2})\}$

$=(x-1-\sqrt{2})(x-1+\sqrt{2})$

답 $(x-1-\sqrt{2})(x-1+\sqrt{2})$

0782

$x^2+2x-4=0$에서 근의 공식에 의하여

$x=-1\pm\sqrt{1^2-1\cdot(-4)}=-1\pm\sqrt{5}$

$\therefore x^2+2x-4=\{x-(-1+\sqrt{5})\}\{x-(-1-\sqrt{5})\}$

$=(x+1-\sqrt{5})(x+1+\sqrt{5})$

답 $(x+1-\sqrt{5})(x+1+\sqrt{5})$

0783

$x^2+2=0$에서 $x=\pm\sqrt{-2}=\pm\sqrt{2}i$

$\therefore x^2+2=(x-\sqrt{2}i)(x+\sqrt{2}i)$ 답 $(x-\sqrt{2}i)(x+\sqrt{2}i)$

0784

$x^2-(2+6)x+2\cdot6=0$

$\therefore x^2-8x+12=0$ 답 $x^2-8x+12=0$

0785

$x^2-(3-4)x+3\cdot(-4)=0$

$\therefore x^2+x-12=0$ 답 $x^2+x-12=0$

0786

$x^2-\{(4+\sqrt{3})+(4-\sqrt{3})\}x+(4+\sqrt{3})(4-\sqrt{3})=0$

$\therefore x^2-8x+13=0$ 답 $x^2-8x+13=0$

0787

$x^2-\{(3+2i)+(3-2i)\}x+(3+2i)(3-2i)=0$

$\therefore x^2-6x+13=0$ 답 $x^2-6x+13=0$

0788

a가 유리수이고 주어진 방정식의 한 근이 $1-\sqrt{3}$이므로 다른 한 근은 $1+\sqrt{3}$이다.

따라서 근과 계수의 관계에 의하여

$(1-\sqrt{3})+(1+\sqrt{3})=-a$

$\therefore a=-2$ 답 -2

0789

a, b가 유리수이고 주어진 방정식의 한 근이 $2-\sqrt{3}$이므로 다른 한 근은 $2+\sqrt{3}$이다.

따라서 근과 계수의 관계에 의하여

$(2-\sqrt{3})+(2+\sqrt{3})=-a$, $(2-\sqrt{3})(2+\sqrt{3})=b$

$\therefore a=-4$, $b=1$ 답 $a=-4$, $b=1$

0790

a, b가 실수이고 주어진 방정식의 한 근이 $1+i$이므로 다른 한 근은 $1-i$이다.
따라서 근과 계수의 관계에 의하여
$(1+i)+(1-i)=a$, $(1+i)(1-i)=b$
$\therefore a=2, b=2$

답 $a=2, b=2$

0791

> x에 대한 이차방정식 $x^2-2mx+m-4=0$의 한 근이 -1이고 다른 한 근이 α일 때, $m+\alpha$의 값은? (단, m은 상수이다.)
> • $x=-1$을 식에 대입하면 성립한다.

$x^2-2mx+m-4=0$에 $x=-1$을 대입하면
$1+2m+m-4=0 \quad \therefore m=1$
주어진 방정식에 $m=1$을 대입하면
$x^2-2x-3=0$, $(x+1)(x-3)=0$
$\therefore x=-1$ 또는 $x=3$
따라서 $m=1$, $\alpha=3$이므로 $m+\alpha=4$

답 ④

0792

> 이차방정식 $\frac{1}{3}x^2-\frac{1}{2}x+\frac{1}{3}=0$의 근이 $x=\frac{a\pm\sqrt{b}}{4}$일 때, 두 실수 a, b에 대하여 $a+b$의 값을 구하시오.
> • 양변에 6을 곱하고, 근의 공식을 이용하자.

$\frac{1}{3}x^2-\frac{1}{2}x+\frac{1}{3}=0$의 양변에 6을 곱하면
$2x^2-3x+2=0$
근의 공식에 의하여
$$x=\frac{3\pm\sqrt{(-3)^2-4\cdot2\cdot2}}{4}=\frac{3\pm\sqrt{-7}}{4}$$
$\therefore a=3, b=-7$
$\therefore a+b=-4$

답 -4

0793

> 방정식 $x^2+x+a=0$의 해는 α, 1이고, 방정식 $x^2+2x+b=0$의 해는 β, 1일 때, $\alpha+\beta$의 값을 구하시오. (단, a, b는 실수이다.)
> • $x=1$을 대입하여 a의 값을 구하자.
> • $x=1$을 대입하여 b의 값을 구하자.

두 방정식 $x^2+x+a=0$, $x^2+2x+b=0$은 각각 $x=1$을 해로 가지므로 $1+1+a=0$, $1+2+b=0$
$\therefore a=-2, b=-3$
$x^2+x-2=0$에서 $(x+2)(x-1)=0$
$\therefore x=-2$ 또는 $x=1$
$\therefore \alpha=-2$
$x^2+2x-3=0$에서 $(x+3)(x-1)=0$
$\therefore x=-3$ 또는 $x=1$
$\therefore \beta=-3$
$\therefore \alpha+\beta=-5$

답 -5

0794

> 지면으로부터 25 m의 높이에서 20 m/초의 속도로 위로 던진 물체의 t초 후의 높이를 h m라 하면 $h=-5t^2+20t+25$인 관계가 성립한다. 이 물체가 지면에 떨어질 때까지 걸린 시간은?
> • 물체가 지면에 떨어질 때의 높이는 0이다.

물체가 지면에 떨어지면 높이가 0이므로
$-5t^2+20t+25=0$
$t^2-4t-5=0$, $(t+1)(t-5)=0$
$\therefore t=5 \ (\because t>0)$
따라서 이 물체가 지면에 떨어질 때까지 걸린 시간은 5초이다.

답 ③

0795

세로의 길이를 x cm라 하면, 가로의 길이는 $2x$ cm이다.

> 그림과 같이 가로의 길이가 세로의 길이의 2배인 직사각형 모양의 두꺼운 종이가 있다. 이 종이의 네 모퉁이에서 한 변의 길이가 2 cm인 정사각형을 잘라내고, 나머지로 직육면체 모양의 뚜껑이 없는 상자를 만들었더니 부피가 192 cm³이 되었다. 처음 종이의 가로의 길이를 구하시오.
> (단, 종이의 두께는 생각하지 않는다.)

세로의 길이를 x cm라 하면 가로의 길이는 $2x$ cm이므로 직육면체 모양의 상자의 부피는
$2(2x-4)(x-4)\text{cm}^3$

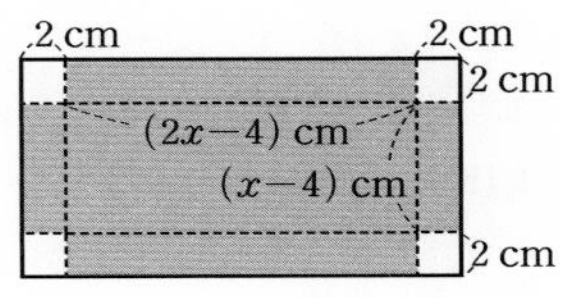

이 상자의 부피가 192 cm³이므로
$2(2x-4)(x-4)=192$
$x^2-6x-40=0$, $(x-10)(x+4)=0$
$\therefore x=10 \ (\because x>4)$
따라서 처음 종이의 가로의 길이는
$2x=20$(cm)이다.

답 20 cm

0796

> x에 대한 이차방정식 $x^2+(m+1)x+2m-1=0$의 근이 정수가 되도록 하는 모든 정수 m의 값의 합은?
> • 두 근이 정수가 되기 위해서는 판별식 D가 완전제곱수이거나 0이어야 한다.

주어진 이차방정식에서 $x=\frac{-(m+1)\pm\sqrt{D}}{2}$
$D=(m+1)^2-4(2m-1)=m^2-6m+5$
이차방정식의 근이 정수가 되기 위해서는 D가 제곱수이거나 0이어야 한다.
D가 제곱수가 아니므로 $D=0$
$m^2-6m+5=(m-1)(m-5)=0$이므로
$m=1$ 또는 $m=5$
$m=1$일 때, 이차방정식의 근은 $x=-1$(중근)이고
$m=5$일 때, 이차방정식의 근은 $x=-3$(중근)이다.
따라서 모든 정수 m의 값의 합은 6이다.

답 ①

0797

> 방정식 $3x^2+|x|-14=0$을 푸시오.
> → x가 양수일 때와 음수일 때로 나누어 푼다.

(i) $x\geq0$일 때, $3x^2+x-14=0$

$(x-2)(3x+7)=0$ $\quad\therefore x=2\ (\because x\geq0)$

(ii) $x<0$일 때, $3x^2-x-14=0$

$(x+2)(3x-7)=0$ $\quad\therefore x=-2\ (\because x<0)$

(i), (ii)에 의하여 $x=-2$ 또는 $x=2$ 답 $x=-2$ 또는 $x=2$

다른풀이 $x^2=|x|^2$이므로 $3|x|^2+|x|-14=0$에서

$(3|x|+7)(|x|-2)=0$

$\therefore |x|=2\ (\because |x|\geq0)$

0798

> 이차방정식 $x^2-|x-2|-4=0$의 해는?
> → $x-2$가 양수일 때와 음수일 때로 나누어 푼다.

(i) $x\geq2$일 때,

$x^2-(x-2)-4=0$

$x^2-x-2=0$, $(x-2)(x+1)=0$

$\therefore x=2\ (\because x\geq2)$

(ii) $x<2$일 때,

$x^2-\{-(x-2)\}-4=0$

$x^2+x-6=0$, $(x+3)(x-2)=0$

$\therefore x=-3\ (\because x<2)$

(i), (ii)에 의하여 $x=-3$ 또는 $x=2$ 답 ①

0799

> 방정식 $2[x]^2+[x]-3=0$의 해는?
> (단, $[x]$는 x보다 크지 않은 최대의 정수이다.)
> → $[x]=k$ (k는 정수)일 때, $k\leq x<k+1$이다.

$2[x]^2+[x]-3=0$에서 $(2[x]+3)([x]-1)=0$

$\therefore [x]=-\frac{3}{2}$ 또는 $[x]=1$

그런데 $[x]$는 정수이므로 $[x]=1$

$\therefore 1\leq x<2$ 답 ⑤

0800

이차방정식의 판별식은 계수가 실수인 경우 적용이 가능하다.
단, 중근인 경우는 계수가 복소수일 때도 가능하다.

> 이차방정식 $ax^2+bx+c=0$의 두 근을 α, β라 할 때, <보기>에서 옳은 것만을 있는 대로 고른 것은?
>
> **보기**
> ㄱ. $b^2-4ac=0$이면 $\alpha=\beta$이다.
> ㄴ. $b^2-4ac>0$이면 α, β는 서로 다른 두 실수이다.
> ㄷ. $b^2-4ac<0$이면 α, β는 서로 다른 두 허수이다.

판별식 b^2-4ac로 근을 판별하는 것은 a, b, c가 실수일 때만 가능하다. 하지만 $b^2-4ac=0$이면 이차방정식은 서로 같은 두 근을 가지므로 중근을 갖는다.

따라서 옳은 것은 ㄱ이다. 답 ①

0801

> x에 대한 이차방정식
> $x^2+2(k-1)x+k^2-20=0$
> 이 서로 다른 두 실근을 가질 때, 자연수 k의 최댓값을 구하시오.
> → 판별식 $\frac{D}{4}=b'^2-ac$를 이용하자.

이차방정식 $x^2+2(k-1)x+k^2-20=0$의 판별식을 D라 하면 이 방정식이 서로 다른 두 실근을 가지므로

$\frac{D}{4}=(k-1)^2-(k^2-20)>0$

$k^2-2k+1-k^2+20>0$, $2k<21$ $\quad\therefore k<\frac{21}{2}$

따라서 자연수 k의 최댓값은 10이다. 답 10

0802

> x에 대한 이차방정식 $(k+2)x^2+2kx+k+1=0$이 서로 다른 두 실근을 가질 때, 실수 k의 값의 범위를 구하시오.
> → 판별식 $\frac{D}{4}=b'^2-ac$를 이용하자.

$(k+2)x^2+2kx+k+1=0$이 이차방정식이므로

$k+2\neq0$ $\quad\therefore k\neq-2$ ……㉠

서로 다른 두 실근을 가지므로

$\frac{D}{4}=k^2-(k+2)(k+1)>0$

$3k+2<0$ $\quad\therefore k<-\frac{2}{3}$ ……㉡

㉠, ㉡에 의하여 실수 k의 값의 범위는

$k<-2$ 또는 $-2<k<-\frac{2}{3}$

답 $k<-2$ 또는 $-2<k<-\frac{2}{3}$

0803

이차방정식이 실근을 가지려면 판별식 $D\geq0$이다.

> 이차방정식 $ax^2+2(a+2)x+a=0$이 실근을 갖도록 하는 10 이하의 정수 a의 개수는?

$ax^2+2(a+2)x+a=0$이 이차방정식이므로

$a\neq0$ ……㉠

실근을 가지려면

$\frac{D}{4}=(a+2)^2-a\times a=4a+4\geq0$

$\therefore a\geq-1$ ……㉡

㉠, ㉡에서 $-1\leq a<0$ 또는 $a>0$

따라서 10 이하의 정수 a는 $-1, 1, 2, \cdots, 10$의 11개이다.

답 ③

0804

x에 대한 이차방정식

$$x^2+(5-2k)x+k^2=0$$

이 허근을 갖도록 하는 실수 k의 값의 범위를 $k>a$라 할 때, 실수 a의 값을 구하시오.

→ 이차방정식이 허근을 가지려면 판별식 $D<0$이다.

이차방정식 $x^2+(5-2k)x+k^2=0$의 판별식을 D라 할 때,
이 방정식이 허근을 가지려면

$D=(5-2k)^2-4k^2<0$

$25-20k<0 \quad \therefore k>\frac{5}{4}$

$\therefore a=\frac{5}{4}$ 답 $\frac{5}{4}$

0805

x에 대한 이차방정식 $x^2+2(k-m)x+(k^2-n+4)=0$이 실수 k의 값에 관계없이 중근을 가질 때, 실수 m, n의 합 $m+n$의 값을 구하시오.

→ 판별식을 k에 관한 항등식으로 정리하자.

$x^2+2(k-m)x+(k^2-n+4)=0$이 중근을 가지므로

$\frac{D}{4}=(k-m)^2-(k^2-n+4)=0$

$\therefore -2mk+m^2+n-4=0$

이 식이 실수 k의 값에 관계없이 성립하므로

$-2m=0,\ m^2+n-4=0$

$\therefore m=0,\ n=4$

$\therefore m+n=4$ 답 4

0806

두 이차방정식

$$x^2-(a-1)x+a-1=0,$$
$$2x^2-(a-1)x+2=0$$

이 모두 중근을 가질 때, 실수 a의 값을 구하시오.

→ 각 방정식의 판별식이 모두 0이다.

이차방정식 $x^2-(a-1)x+a-1=0$의 판별식을 D_1이라 하면 이 방정식이 중근을 가지므로

$D_1=(a-1)^2-4(a-1)=0$

$a^2-6a+5=0,\ (a-5)(a-1)=0$

$\therefore a=5$ 또는 $a=1$ ······㉠

이차방정식 $2x^2-(a-1)x+2=0$의 판별식을 D_2라 하면 이 방정식이 중근을 가지므로

$D_2=(a-1)^2-4\cdot2\cdot2=0$

$a^2-2a-15=0,\ (a-5)(a+3)=0$

$\therefore a=5$ 또는 $a=-3$ ······㉡

㉠, ㉡에 의하여 두 이차방정식이 모두 중근을 갖는 a의 값은 5이다. 답 5

0807

두 이차방정식 $2x^2-6x-k=0$, $x^2+x-4k=0$이 모두 실근을 갖도록 하는 정수 k의 최솟값은?

→ 각 방정식의 판별식이 모두 0보다 크거나 같다.

$2x^2-6x-k=0$의 판별식을 D_1이라 할 때, 실근을 가지려면

$\frac{D_1}{4}=9+2k\geq0 \quad \therefore k\geq-\frac{9}{2}$ ······㉠

$x^2+x-4k=0$의 판별식을 D_2라 할 때, 실근을 가지려면

$D_2=1+16k\geq0 \quad \therefore k\geq-\frac{1}{16}$ ······㉡

㉠, ㉡에서 정수 k의 값의 범위는 $k\geq-\frac{1}{16}$

따라서 이 조건을 만족하는 정수 k의 최솟값은 0이다. 답 ⑤

0808

x에 대한 이차방정식 $x^2+2kx+k^2-k+1=0$은 허근을 가지고, 이차방정식 $x^2-2x-2k-3=0$은 실근을 가진다고 할 때, 실수 k의 값의 범위를 구하시오.

→ 허근을 가지려면 판별식 $D<0$이다.
→ 실근을 가지려면 판별식 $D\geq0$이다.

이차방정식 $x^2+2kx+k^2-k+1=0$의 판별식을 D_1이라 하면 이 방정식이 허근을 가지므로

$\frac{D_1}{4}=k^2-(k^2-k+1)<0$

$k-1<0 \quad \therefore k<1$ ······㉠

이차방정식 $x^2-2x-2k-3=0$의 판별식을 D_2라 하면 이 방정식이 실근을 가지므로

$\frac{D_2}{4}=1-(-2k-3)\geq0$

$2k+4\geq0 \quad \therefore k\geq-2$ ······㉡

㉠, ㉡에 의하여 구하는 k의 값의 범위는

$-2\leq k<1$ 답 $-2\leq k<1$

0809

두 이차방정식

$$x^2-4x+a-1=0,\ 4x^2-(4a-1)x+a^2=0$$

에서 하나의 방정식만 실근을 가지게 되는 모든 정수 a의 값의 합을 구하시오.

→ 각각의 판별식의 범위를 구한 후 하나의 영역만을 만족하는 a값의 범위를 구하자.

이차방정식 $x^2-4x+a-1=0$의 판별식을 D_1이라 할 때, 이 방정식이 실근을 가지려면

$\frac{D_1}{4}=(-2)^2-(a-1)\geq0 \quad \therefore a\leq5$ ······㉠

이차방정식 $4x^2-(4a-1)x+a^2=0$의 판별식을 D_2라 할 때, 이 방정식이 실근을 가지려면

$D_2=(4a-1)^2-4\cdot4\cdot a^2\geq0 \quad \therefore a\leq\frac{1}{8}$ ······㉡

㉠, ㉡을 수직선 위에 나타내면 그림과 같다.

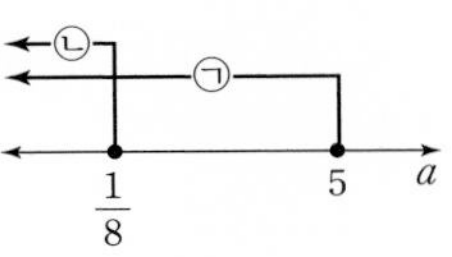

따라서 하나의 방정식만 실근을 가지게 되는 a의 값의 범위는

$\frac{1}{8}<a\le 5$이고, 정수 a의 값은

1, 2, 3, 4, 5이므로 그 합은 15이다. 답 15

0810

> x에 대한 두 이차방정식
> $x^2+x+m=0$, $x^2+2mx+m^2+m-3=0$
> 중 적어도 하나의 방정식이 허근을 가질 때, 실수 m의 값의 범위는?
> → 각각의 판별식의 범위를 구한 후 두 영역을 합한 영역이 m의 값의 범위이다.

$x^2+x+m=0$의 판별식을 D_1이라 하면 이 방정식이 허근을 가질 때,

$D_1=1-4m<0$ $\quad\therefore m>\frac{1}{4}$ ······ ㉠

$x^2+2mx+m^2+m-3=0$의 판별식을 D_2라 하면 이 방정식이 허근을 가질 때,

$\frac{D_2}{4}=m^2-(m^2+m-3)<0$

$-m+3<0$ $\quad\therefore m>3$ ······ ㉡

㉠, ㉡에서 두 방정식 중 적어도 하나의 방정식이 허근을 가질 때, 실수 m의 값의 범위는 $m>\frac{1}{4}$ 답 ①

0811

> x에 대한 이차방정식 $x^2-2ax+b^2+1=0$이 중근을 가질 때, 이차방정식 $x^2+ax+b-1=0$의 근을 판별하시오. (단, a, b는 실수이다.)
> → $a^2=b^2+1$이다.
> → 이 식의 판별식은 a^2-4b+4이고 여기에 $a^2=b^2+1$을 대입하여 a를 소거하자.

이차방정식 $x^2-2ax+b^2+1=0$의 판별식을 D_1이라 하면

$\frac{D_1}{4}=(-a)^2-(b^2+1)=0$

$\therefore a^2=b^2+1$ ······ ㉠

이차방정식 $x^2+ax+b-1=0$의 판별식을 D_2라 하면

$D_2=a^2-4b+4$

$=(b^2+1)-4b+4$ ($\because$ ㉠)

$=(b-2)^2+1>0$

따라서 이차방정식 $x^2+ax+b-1=0$은 서로 다른 두 실근을 갖는다.

답 서로 다른 두 실근

0812

> x에 대한 이차식
> $x^2-2(k-1)x+2k^2-2k-3$
> 이 완전제곱식이 되도록 하는 모든 실수 k의 값의 합은?
> → 판별식 $D=0$이어야 한다.

주어진 이차식이 완전제곱식이 되려면 x에 대한 이차방정식 $x^2-2(k-1)x+2k^2-2k-3=0$이 중근을 가져야 하므로 판별식을 D라 하면

$\frac{D}{4}=(k-1)^2-(2k^2-2k-3)=0$

$-k^2+4=0$, $(k-2)(k+2)=0$

$\therefore k=-2$ 또는 $k=2$

따라서 모든 실수 k의 값의 합은

$2+(-2)=0$ 답 ③

0813

> x에 대한 이차식 $mx^2+2(2-3m)x+8m-7$이 완전제곱식이 되도록 하는 실수 m의 값의 합은?
> → 판별식 $D=0$이어야 한다.

주어진 이차식이 완전제곱식이 되려면 이차방정식 $mx^2+2(2-3m)x+8m-7=0$이 중근을 가져야 하므로

$\frac{D}{4}=(2-3m)^2-m(8m-7)=0$

$m^2-5m+4=0$, $(m-1)(m-4)=0$

$\therefore m=1$ 또는 $m=4$

따라서 실수 m의 값의 합은 5이다. 답 ⑤

0814

> x에 대한 이차식
> $x^2+4ax+ka-2k+2b$
> 가 k의 값에 관계없이 완전제곱식이 될 때, 두 상수 a, b의 합 $a+b$의 값을 구하시오.
> → k에 관계없이 판별식 $D=0$이어야 한다.

주어진 이차식이 완전제곱식이 되려면 x에 대한 이차방정식 $x^2+4ax+ka-2k+2b=0$이 중근을 가져야 하므로 판별식을 D라 하면

$\frac{D}{4}=(2a)^2-(ka-2k+2b)=0$

$(2-a)k+4a^2-2b=0$

이 식이 k의 값에 관계없이 성립해야 하므로

$2-a=0$, $4a^2-2b=0$

$\therefore a=2$, $b=8$

$\therefore a+b=10$ 답 10

0815

> x, y에 대한 이차식
> $x^2+xy-6y^2-x+7y-k$
> 가 두 일차식의 곱으로 인수분해될 때, 실수 k의 값을 구하시오.
> → 판별식 D의 판별식의 값이 0이어야 한다.

주어진 식을 x에 대한 내림차순으로 정리하면

$x^2+(y-1)x-(6y^2-7y+k)$

$x^2+(y-1)x-(6y^2-7y+k)=0$을 x에 대한 이차방정식으로 보면 근의 공식에 의하여 $x=\frac{-(y-1)\pm\sqrt{D}}{2}$

$D=(y-1)^2-4(-6y^2+7y-k)$

$=25y^2-30y+4k+1$

이므로 주어진 식이 두 일차식의 곱으로 인수분해되려면 D가 y에 대한 완전제곱식일 때이다. 즉, y에 대한 이차방정식 $25y^2-30y+4k+1=0$의 판별식을 D'이라 하면

$\frac{D'}{4}=15^2-25(4k+1)=0$

$225-100k-25=0$

$\therefore k=2$ 답 2

0816

> x, y에 대한 이차식
> $2x^2-3xy+my^2-3x+y+1$
> 이 두 일차식의 곱으로 인수분해될 때, 실수 m의 값은?
> → 판별식 D의 판별식의 값이 0이어야 한다.

주어진 식을 x에 대한 내림차순으로 정리하면

$2x^2-(3y+3)x+(my^2+y+1)$

$2x^2-(3y+3)x+(my^2+y+1)=0$을 x에 대한 이차방정식으로 보면 근의 공식에 의하여 $x=\frac{3y+3\pm\sqrt{D}}{4}$

$D=(3y+3)^2-8(my^2+y+1)$

$=(9-8m)y^2+10y+1$

이므로 주어진 식이 두 일차식의 곱으로 인수분해되려면 D가 y에 대한 완전제곱식일 때이다. 즉, y에 대한 이차방정식 $(9-8m)y^2+10y+1=0$의 판별식을 D'이라 하면

$\frac{D'}{4}=5^2-(9-8m)=0$, $16+8m=0$

$\therefore m=-2$ 답 ④

0817

> x, y에 대한 이차식 $x^2-2xy-3y^2-4x+2ky$가 두 일차식의 곱으로 인수분해되도록 하는 상수 k의 값을 구하시오.
> → 판별식 D의 판별식의 값이 0이어야 한다.

$x^2-2xy-3y^2-4x+2ky=0$이라 하고 x에 대한 내림차순으로 정리하면

$x^2-2(y+2)x-3y^2+2ky=0$

근의 공식에 의하여

$x=(y+2)\pm\sqrt{\frac{D}{4}}$

$\frac{D}{4}=(y+2)^2-(-3y^2+2ky)$

$=4y^2+2(2-k)y+4$

이므로 주어진 식이 두 일차식의 곱으로 인수분해되려면 $\frac{D}{4}$가 y에 대한 완전제곱식이어야 한다.

즉, y에 대한 이차방정식 $4y^2+2(2-k)y+4=0$의 판별식을 D'이라 하면

$\frac{D'}{4}=(2-k)^2-4\cdot4=0$

$k^2-4k-12=0$, $(k+2)(k-6)=0$

$\therefore k=-2$ 또는 $k=6$ 답 -2 또는 6

0818

> a, b, c는 어떤 삼각형의 세 변의 길이이다. 이차식 $(a-c)x^2+2bx+a+c$가 완전제곱식일 때, 이 삼각형은 어떤 삼각형인가?
> → 판별식 $D=0$이어야 한다.

주어진 이차식이 완전제곱식이 되려면 x에 대한 이차방정식 $(a-c)x^2+2bx+a+c=0$이 중근을 가져야 하므로 판별식을 D라 하면

$\frac{D}{4}=b^2-(a-c)(a+c)=0$

$b^2-a^2+c^2=0$

$\therefore a^2=b^2+c^2$

따라서 a가 빗변인 직각삼각형이다. 답 ④

0819

> x에 대한 이차식
> $(x-a)(x-b)+(x-b)(x-c)+(x-c)(x-a)$ → 식을 전개하여 내림차순으로 정리하자.
> 가 완전제곱식일 때, a, b, c를 세 변의 길이로 하는 삼각형은 어떤 삼각형인가?
> → 판별식 $D=0$이어야 한다.

주어진 식을 x에 대한 내림차순으로 정리하면

$x^2-(a+b)x+ab+x^2-(b+c)x+bc+x^2-(c+a)x+ca$

$=3x^2-2(a+b+c)x+(ab+bc+ca)$

이 이차식이 완전제곱식이 되려면

$\frac{D}{4}=(a+b+c)^2-3(ab+bc+ca)=0$

$a^2+b^2+c^2-ab-bc-ca=0$

$\frac{1}{2}\{(a-b)^2+(b-c)^2+(c-a)^2\}=0$

이때, a, b, c가 실수이므로 $a-b=0$, $b-c=0$, $c-a=0$

$\therefore a=b=c$

따라서 a, b, c를 세 변의 길이로 하는 삼각형은 정삼각형이다.

답 ③

0820

> 세 실수 a, b, c에 대하여 이차방정식 $3x^2+2(a+b+c)x+ab+bc+ca=0$이 중근을 가질 때, a, b, c를 세 변으로 하는 삼각형은 어떤 삼각형인지 구하시오.
> → 이차방정식이 중근을 가지려면 판별식 $D=0$이다.

이차방정식 $3x^2+2(a+b+c)x+ab+bc+ca=0$이 중근을 가지므로 판별식을 D라 하면

$\frac{D}{4}=(a+b+c)^2-3(ab+bc+ca)=0$

$a^2+b^2+c^2-ab-bc-ca=0$

$\frac{1}{2}\{(a^2-2ab+b^2)+(b^2-2bc+c^2)+(c^2-2ca+a^2)\}=0$

$\therefore \frac{1}{2}\{(a-b)^2+(b-c)^2+(c-a)^2\}=0$

이때, a, b, c가 실수이므로 $a=b=c$

따라서 이 삼각형은 정삼각형이다. 답 정삼각형

0821

> 이차방정식 $x^2+3x-7=0$의 두 근을 α, β라 할 때, $\alpha^2\beta+\alpha\beta^2$의 값은?
> $\alpha+\beta=-3$, $\alpha\beta=-7$이다.

근과 계수의 관계에 의하여

$\alpha+\beta=-3$, $\alpha\beta=-7$

$\therefore \alpha^2\beta+\alpha\beta^2=\alpha\beta(\alpha+\beta)=(-7)\cdot(-3)=21$ 답 ②

0822

> 이차방정식 $x^2-10x-6=0$의 두 근을 α, β라 할 때, $\alpha^2+\beta^2$의 값을 구하시오.
> $\alpha+\beta=10$, $\alpha\beta=-6$이다.

근과 계수의 관계에 의하여

$\alpha+\beta=10$, $\alpha\beta=-6$

$\therefore \alpha^2+\beta^2=(\alpha+\beta)^2-2\alpha\beta$

$=10^2-2\cdot(-6)=112$ 답 112

0823

> 이차방정식 $x^2-4x-3=0$의 두 근을 α, β라 할 때, $(\alpha^2-3\alpha)(\beta^2-3\beta)$의 값을 구하시오.
> $\alpha+\beta=4$, $\alpha\beta=-3$이다.

근과 계수의 관계에 의하여

$\alpha+\beta=4$, $\alpha\beta=-3$

한편, α, β가 이차방정식 $x^2-4x-3=0$의 근이므로

$\alpha^2-4\alpha-3=0$에서 $\alpha^2-3\alpha=\alpha+3$

$\beta^2-4\beta-3=0$에서 $\beta^2-3\beta=\beta+3$

$\therefore (\alpha^2-3\alpha)(\beta^2-3\beta)=(\alpha+3)(\beta+3)$

$=\alpha\beta+3(\alpha+\beta)+9$

$=-3+3\cdot4+9=18$ 답 18

0824

> 이차방정식 $2x^2+3x+4=0$의 두 근을 α, β라 할 때, $\frac{\alpha}{\beta}+\frac{\beta}{\alpha}$의 값을 구하시오.
> 통분하여 $\alpha+\beta$, $\alpha\beta$가 나타나는 식으로 변형한다.

근과 계수의 관계에 의하여

$\alpha+\beta=-\frac{3}{2}$, $\alpha\beta=\frac{4}{2}=2$

$\therefore \alpha^2+\beta^2=(\alpha+\beta)^2-2\alpha\beta=\left(-\frac{3}{2}\right)^2-2\times2=-\frac{7}{4}$

$\therefore \frac{\alpha}{\beta}+\frac{\beta}{\alpha}=\frac{\alpha^2+\beta^2}{\alpha\beta}=-\frac{7}{8}$ 답 $-\frac{7}{8}$

0825

> 이차방정식 $x^2+5x-1=0$의 두 근을 α, β라 할 때, $\frac{\beta-1}{\alpha}+\frac{\alpha-1}{\beta}$의 값은?
> 통분하여 $\alpha+\beta$, $\alpha\beta$가 나타나는 식으로 변형한다.

근과 계수의 관계에 의하여

$\alpha+\beta=-5$, $\alpha\beta=-1$

$\therefore \frac{\beta-1}{\alpha}+\frac{\alpha-1}{\beta}=\frac{\beta^2-\beta+\alpha^2-\alpha}{\alpha\beta}$

$=\frac{\alpha^2+\beta^2-(\alpha+\beta)}{\alpha\beta}$

$=\frac{(\alpha+\beta)^2-2\alpha\beta-(\alpha+\beta)}{\alpha\beta}$

$=\frac{(-5)^2-2\cdot(-1)-(-5)}{-1}=-32$

답 ②

0826

> 이차방정식 $x^2-4x+1=0$의 두 근을 α, β라 할 때, $\sqrt{\alpha}+\sqrt{\beta}$의 값은?
> 제곱하여 $\alpha+\beta$, $\alpha\beta$가 나타나는 식으로 변형한다.

근과 계수의 관계에 의하여

$\alpha+\beta=4$, $\alpha\beta=1$ ……㉠

$(\sqrt{\alpha}+\sqrt{\beta})^2=\alpha+2\sqrt{\alpha}\sqrt{\beta}+\beta$

$=\alpha+\beta+2\sqrt{\alpha\beta}$ ($\because$ ㉠에서 $\alpha>0$, $\beta>0$)

$=4+2=6$

$\therefore \sqrt{\alpha}+\sqrt{\beta}=\sqrt{6}$ 답 ④

0827

> 이차방정식 $2x^2-4x-1=0$의 두 근을 α, β라 할 때, $\alpha^3+\beta^3$의 값은?
> 공식 $a^3+b^3=(a+b)^3-3ab(a+b)$를 이용하자.

근과 계수의 관계에 의하여

$\alpha+\beta=2$, $\alpha\beta=-\frac{1}{2}$

$\therefore \alpha^3+\beta^3=(\alpha+\beta)^3-3\alpha\beta(\alpha+\beta)$

$=2^3-3\times\left(-\frac{1}{2}\right)\times2$

$=11$ 답 ⑤

0828

> 이차방정식 $x^2-2x-1=0$의 두 근을 α, β라 할 때, $\frac{\beta^2}{\alpha}+\frac{\alpha^2}{\beta}$의 값은?
> 통분하여 $\alpha+\beta$, $\alpha\beta$가 나타나는 식으로 변형한다.

근과 계수의 관계에 의하여

$\alpha+\beta=2$, $\alpha\beta=-1$

$\therefore \dfrac{\beta^2}{\alpha}+\dfrac{\alpha^2}{\beta}=\dfrac{\alpha^3+\beta^3}{\alpha\beta}$

$=\dfrac{(\alpha+\beta)^3-3\alpha\beta(\alpha+\beta)}{\alpha\beta}$

$=\dfrac{2^3-3\cdot(-1)\cdot 2}{-1}=-14$ 답 ①

0829

> 이차방정식 $x^2-3x-2=0$의 두 근을 α, β라 할 때, $\alpha^4+\beta^4$의 값을 구하시오.
> ($(\alpha^2+\beta^2)^2$의 전개식을 이용하자.)

근과 계수의 관계에 의하여
$\alpha+\beta=3$, $\alpha\beta=-2$
$\therefore \alpha^2+\beta^2=(\alpha+\beta)^2-2\alpha\beta=3^2-2\times(-2)=13$
$\therefore \alpha^4+\beta^4=(\alpha^2)^2+(\beta^2)^2=(\alpha^2+\beta^2)^2-2\alpha^2\beta^2$
$=13^2-2\times(-2)^2=161$ 답 161

0830

> x에 대한 이차방정식 $x^2+ax+b=0$의 두 근이 3, 4일 때, 두 상수 a, b에 대하여 $a+b$의 값을 구하시오.
> (근과 계수의 관계를 이용하자.)

이차방정식의 근과 계수의 관계에 의하여
$3+4=-a$, $3\times4=b$
이므로 $a+b=-7+12=5$이다. 답 5

다른풀이 이차방정식 $x^2+ax+b=0$의 두 근이 3, 4이므로
$3^2+3a+b=0$, $4^2+4a+b=0$
이다. 연립방정식
$\begin{cases} 3a+b=-9 \\ 4a+b=-16 \end{cases}$
에서 $a=-7$, $b=12$이다.
따라서 $a+b=-7+12=5$이다.

0831

> x에 대한 이차방정식 $x^2-kx+4=0$의 두 근을 α, β라 할 때, $\dfrac{1}{\alpha}+\dfrac{1}{\beta}=5$이다. 상수 k의 값을 구하시오.
> ($\alpha+\beta=k$, $\alpha\beta=4$이다.)
> ($\dfrac{\alpha+\beta}{\alpha\beta}=5$를 이용해서 $\alpha+\beta$를 구하자.)

근과 계수의 관계에 의해 $\alpha+\beta=k$, $\alpha\beta=4$이다.
따라서 $\dfrac{1}{\alpha}+\dfrac{1}{\beta}=\dfrac{\alpha+\beta}{\alpha\beta}=\dfrac{k}{4}=5$이므로 $k=20$이다. 답 20

0832

> 이차방정식 $2x^2-4x+k=0$의 서로 다른 두 실근 α, β가 $\alpha^3+\beta^3=7$을 만족시킬 때, 상수 k에 대하여 $30k$의 값을 구하시오.
> ($\alpha+\beta=2$, $\alpha\beta=\dfrac{k}{2}$이다.)
> ($(\alpha+\beta)^3-3\alpha\beta(\alpha+\beta)=7$을 이용해서 $\alpha\beta$를 구하자.)

$2x^2-4x+k=0$에서
$\alpha+\beta=-\dfrac{-4}{2}=2$, $\alpha\beta=\dfrac{k}{2}$
$\alpha^3+\beta^3=(\alpha+\beta)^3-3\alpha\beta(\alpha+\beta)$
$=2^3-3\times\dfrac{k}{2}\times2$
$=8-3k=7$
$\therefore k=\dfrac{1}{3}$
따라서 $30k=10$ 답 10

0833

> 이차방정식 $x^2-(k+1)x+2=0$의 한 근이 다른 근의 2배일 때, 양수 k의 값을 구하시오.
> (한 근을 α라 하면 다른 근은 2α라 할 수 있다.)

이차방정식 $x^2-(k+1)x+2=0$의 한 근이 다른 근의 2배이므로 두 근을 α, 2α라 하면 근과 계수의 관계에 의하여
$\alpha+2\alpha=k+1$
$\therefore k=3\alpha-1$ ……㉠
$\alpha\cdot2\alpha=2$
$\therefore \alpha^2=1$ ……㉡
㉡에서 $\alpha=-1$ 또는 $\alpha=1$이므로 이것을 ㉠에 대입하면
$k=-4$ 또는 $k=2$
따라서 양수 k의 값은 2이다. 답 2

0834

> x에 대한 이차방정식 $x^2-2kx+k^2+2k+3=0$의 두 근의 차가 2일 때, 실수 k의 값은?
> (한 근을 α라 하면 다른 근은 $\alpha+2$라 할 수 있다.)

두 근의 차가 2이므로 두 근을 α, $\alpha+2$라 하면 근과 계수의 관계에 의하여
$\alpha+(\alpha+2)=2k$ ……㉠
$\alpha(\alpha+2)=k^2+2k+3$ ……㉡
㉠에서 $\alpha=k-1$이므로 ㉡에 대입하면
$(k-1)(k+1)=k^2+2k+3$
$k^2-1=k^2+2k+3$, $2k=-4$
$\therefore k=-2$ 답 ①

0835

> 이차방정식 $x^2+2(m+1)x-27=0$의 두 근의 절댓값의 비가 $1:3$이 되게 하는 모든 상수 m의 값의 곱은?
> (두 근의 곱이 음수이므로 두 근은 서로 다른 부호이다.)
> (한 근을 $-\alpha$라 하면 다른 근은 3α라 할 수 있다.)

근과 계수의 관계에 의하여 두 근의 곱이 -27이므로 두 근은 서로 다른 부호이다.
즉, 이차방정식 $x^2+2(m+1)x-27=0$의 두 근을 $-\alpha$, 3α라 하면 근과 계수의 관계에 의하여
$-\alpha+3\alpha=-2(m+1)$ ……㉠
$(-\alpha)\cdot3\alpha=-27$ ……㉡

㉡에서 $\alpha^2=9$

$\therefore \alpha=-3$ 또는 $\alpha=3$ ……㉢

㉢을 ㉠에 대입하면

$m=2$ 또는 $m=-4$

따라서 모든 상수 m의 값의 곱은 -8이다. 답 ③

0836

> 이차방정식 $x^2-(k+1)x+k=0$의 두 근의 비가 $2:3$일 때, 상수 k의 값을 구하시오.
> 두 근을 각각 2α와 3α로 하자.

두 근의 비가 $2:3$이므로 두 근을 2α, 3α라 하면 근과 계수의 관계에 의하여

$2\alpha+3\alpha=k+1$ ……㉠

$2\alpha\times3\alpha=k$ ……㉡

㉠에서 $k=5\alpha-1$이므로 ㉡에 대입하면

$6\alpha^2=5\alpha-1$, $6\alpha^2-5\alpha+1=0$, $(2\alpha-1)(3\alpha-1)=0$

$\therefore \alpha=\frac{1}{2}$ 또는 $\alpha=\frac{1}{3}$ ……㉢

㉢을 ㉡에 대입하면 $k=\frac{3}{2}$ 또는 $k=\frac{2}{3}$

답 $k=\frac{3}{2}$ 또는 $k=\frac{2}{3}$

0837

> 이차방정식 $x^2-2ax+a+1=0$의 두 근이 연속인 홀수일 때, 상수 a의 값을 구하시오.
> 두 근을 각각 $2n-1$과 $2n+1$로 하자.

이차방정식 $x^2-2ax+a+1=0$의 두 근이 연속인 홀수이므로 두 근을 $2n-1$, $2n+1$ (n은 자연수)이라 하면 근과 계수의 관계에 의하여

$(2n-1)+(2n+1)=2a$

$\therefore a=2n$ ……㉠

$(2n-1)(2n+1)=a+1$

$\therefore 4n^2-1=a+1$ ……㉡

㉠을 ㉡에 대입하면

$4n^2-1=2n+1$, $2n^2-n-1=0$

$(2n+1)(n-1)=0$

$\therefore n=1$ ($\because$ n은 자연수)

$n=1$을 ㉠에 대입하면 $a=2$ 답 2

0838

> x에 대한 이차방정식 $x^2-(k^2-3k-4)x+3-k=0$의 두 실근의 절댓값이 같고 서로 부호가 다를 때, 실수 k의 값은?
> 두 근의 합은 0이고 두 근의 곱은 음수이다.

$x^2-(k^2-3k-4)x+3-k=0$의 두 실근의 절댓값이 같고 서로 부호가 다르므로

(두 근의 합)$=k^2-3k-4=0$ ……㉠

(두 근의 곱)$=3-k<0$ ……㉡

㉠에서 $k^2-3k-4=0$, $(k+1)(k-4)=0$

$\therefore k=-1$ 또는 $k=4$ ……㉢

㉡에서 $3-k<0$

$\therefore k>3$ ……㉣

㉢, ㉣에 의하여 $k=4$ 답 ④

0839

> 이차방정식 $x^2+4x+6=0$의 두 근을 α, β라 할 때, 이차방정식 $x^2+ax+b=0$의 두 근은 α^2, β^2이다. 이때, 두 실수 a, b에 대하여 $b-a$의 값은?
> $\alpha+\beta=-4$, $\alpha\beta=6$이다.
> $\alpha^2+\beta^2=-a$, $\alpha^2\beta^2=b$이다.

이차방정식 $x^2+4x+6=0$의 두 근이 α, β이므로 근과 계수의 관계에 의하여

$\alpha+\beta=-4$, $\alpha\beta=6$ ……㉠

이차방정식 $x^2+ax+b=0$의 두 근이 α^2, β^2이므로 근과 계수의 관계에 의하여

$\alpha^2+\beta^2=-a$ ……㉡

$\alpha^2\beta^2=b$ ……㉢

㉡에서

$-a=\alpha^2+\beta^2=(\alpha+\beta)^2-2\alpha\beta=(-4)^2-2\cdot6=4$ ($\because$ ㉠)

$\therefore a=-4$

㉢에서

$b=\alpha^2\beta^2=(\alpha\beta)^2=6^2=36$ ($\because$ ㉠)

$\therefore b=36$

$\therefore b-a=36-(-4)=40$ 답 ②

0840

> 이차방정식 $x^2-mx+n=0$의 두 근이 α, β이고 이차방정식 $x^2-6x-3=0$의 두 근은 $\alpha+1$, $\beta+1$이다. 이때, 두 실수 m, n에 대하여 $m-n$의 값을 구하시오.
> $\alpha+\beta=m$, $\alpha\beta=n$이다.
> $(\alpha+1)+(\beta+1)=6$, $(\alpha+1)(\beta+1)=-3$이다.

이차방정식 $x^2-mx+n=0$의 두 근이 α, β이므로 근과 계수의 관계에 의하여

$\alpha+\beta=m$, $\alpha\beta=n$ ……㉠

이차방정식 $x^2-6x-3=0$의 두 근이 $\alpha+1$, $\beta+1$이므로 근과 계수의 관계에 의하여

$(\alpha+1)+(\beta+1)=\alpha+\beta+2=m+2=6$ ($\because$ ㉠)

$\therefore m=4$ ……㉡

$(\alpha+1)(\beta+1)=\alpha\beta+\alpha+\beta+1=n+m+1=-3$ ($\because$ ㉠)

$\therefore n+m=-4$ ……㉢

㉡을 ㉢에 대입하면 $n=-8$

$\therefore m-n=12$ 답 12

0841

> 이차방정식 $x^2+ax+b=0$의 두 근을 α, β라 할 때, 이차방정식 $x^2-5x-3=0$의 두 근은 $\alpha+\beta$, $\alpha\beta$이다. 이때, a^2+b^2의 값은?
> $\alpha+\beta=-a$, $\alpha\beta=b$이다.
> $(\alpha+\beta)+\alpha\beta=5$, $(\alpha+\beta)\alpha\beta=-3$이다.

$x^2+ax+b=0$의 두 근이 α, β이므로 근과 계수의 관계에 의하여

$\alpha+\beta=-a$, $\alpha\beta=b$ ……㉠

$x^2-5x-3=0$의 두 근이 $\alpha+\beta$, $\alpha\beta$이므로 근과 계수의 관계에 의하여

$(\alpha+\beta)+\alpha\beta=5$, $(\alpha+\beta)\alpha\beta=-3$ ……㉡

㉠을 ㉡에 대입하면

$a-b=-5$, $ab=3$

$\therefore a^2+b^2=(a-b)^2+2ab$

$=(-5)^2+2\times3=31$

답 ①

0842

> 이차방정식 $x^2+ax-3=0$의 두 근이 α, β이고, 이차방정식 $x^2+bx+9=0$의 두 근이 $\alpha+\beta$, $\alpha\beta$일 때, $a+b$의 값을 구하시오. (단, a, b는 실수이다.)
>
> → $\alpha+\beta=-a$, $\alpha\beta=-3$이다.
>
> → $(\alpha+\beta)+\alpha\beta=-b$, $(\alpha+\beta)\alpha\beta=9$이다.

$x^2+ax-3=0$의 두 근이 α, β이므로

근과 계수의 관계에 의하여

$\alpha+\beta=-a$, $\alpha\beta=-3$

$x^2+bx+9=0$의 두 근이 $\alpha+\beta$, $\alpha\beta$이므로

두 근은 $-a$, -3이라 할 수 있다.

근과 계수의 관계에 의하여

$-a-3=-b$, $3a=9$

따라서 $a=3$, $b=6$이 되어 $a+b=9$이다.

답 9

0843

> 이차방정식 $x^2-ax+b=0$의 두 근이 α, β이고 이차방정식 $x^2-bx+a=0$의 두 근이 $\alpha-3$, $\beta-3$일 때, 실수 a, b에 대하여 a^2b^2의 값은?
>
> → $\alpha+\beta=a$, $\alpha\beta=b$이다.
>
> → $(\alpha-3)+(\beta-3)=b$, $(\alpha-3)(\beta-3)=a$이다.

$x^2-ax+b=0$의 두 근이 α, β이므로 근과 계수의 관계에 의하여

$\alpha+\beta=a$, $\alpha\beta=b$ ……㉠

$x^2-bx+a=0$의 두 근이 $\alpha-3$, $\beta-3$이므로 근과 계수의 관계에 의하여

$(\alpha-3)+(\beta-3)=b$, $(\alpha-3)(\beta-3)=a$

$\therefore \alpha+\beta-6=b$, $\alpha\beta-3(\alpha+\beta)+9=a$ ……㉡

㉠을 ㉡에 대입하면

$a-6=b$ ……㉢

$b-3a+9=a$

$\therefore b=4a-9$ ……㉣

㉢, ㉣을 연립하여 풀면 $a=1$, $b=-5$

$\therefore a^2b^2=1\times(-5)^2=25$

답 ③

0844

> 이차방정식 $x^2-x+a=0$의 두 근을 α, β라 할 때, 이차방정식 $x^2+x+b=0$의 두 근이 $\dfrac{\beta^2}{\alpha}$, $\dfrac{\alpha^2}{\beta}$이다. 두 실수 a, b에 대하여 $a+b$의 값을 구하시오.
>
> → $\alpha+\beta=1$, $\alpha\beta=a$이다.
>
> → $\dfrac{\alpha^3+\beta^3}{\alpha\beta}=-1$, $\alpha\beta=b$이다.

$x^2-x+a=0$의 두 근이 α, β이므로 $\alpha+\beta=1$, $\alpha\beta=a$

$x^2+x+b=0$의 두 근이 $\dfrac{\beta^2}{\alpha}$, $\dfrac{\alpha^2}{\beta}$이므로

$\dfrac{\beta^2}{\alpha}+\dfrac{\alpha^2}{\beta}=\dfrac{\alpha^3+\beta^3}{\alpha\beta}=-1$

$\dfrac{\beta^2}{\alpha}\times\dfrac{\alpha^2}{\beta}=\alpha\beta=b$

$\therefore b=a$

$\dfrac{\beta^2}{\alpha}+\dfrac{\alpha^2}{\beta}=\dfrac{\alpha^3+\beta^3}{\alpha\beta}=\dfrac{(\alpha+\beta)^3-3\alpha\beta(\alpha+\beta)}{a}=\dfrac{1-3a}{a}$

$=-1$

따라서 $a=\dfrac{1}{2}$, $b=\dfrac{1}{2}$이므로

$a+b=1$

답 1

0845

> $1+i$, $1-i$를 두 근으로 하고, x^2의 계수가 1인 이차방정식이 $x^2+ax+b=0$일 때, 두 상수 a, b에 대하여 $2a+b$의 값은? (단, $i=\sqrt{-1}$)
>
> → 두 근의 합은 $-a$이고, 두 근의 곱은 b이다.

(두 근의 합)$=(1+i)+(1-i)=2$

(두 근의 곱)$=(1+i)(1-i)=1-i^2=2$

즉, 구하는 이차방정식은 $x^2-2x+2=0$

$\therefore a=-2$, $b=2$

$\therefore 2a+b=2\cdot(-2)+2=-2$

답 ①

0846

> x에 대한 이차방정식 $2x^2-x+5=0$의 두 근을 α, β라 할 때, $\alpha+\beta$, $\alpha\beta$를 두 근으로 하고, 이차항의 계수가 4인 이차방정식을 구하시오.
>
> → (두 근의 합)$=(\alpha+\beta)+\alpha\beta=-\dfrac{a}{4}$, (두 근의 곱)$=(\alpha+\beta)\alpha\beta=\dfrac{b}{4}$

근과 계수의 관계에 의하여

$\alpha+\beta=\dfrac{1}{2}$, $\alpha\beta=\dfrac{5}{2}$

$\therefore (\alpha+\beta)+\alpha\beta=\dfrac{1}{2}+\dfrac{5}{2}=3$, $(\alpha+\beta)\cdot\alpha\beta=\dfrac{1}{2}\cdot\dfrac{5}{2}=\dfrac{5}{4}$

$\alpha+\beta$, $\alpha\beta$를 두 근으로 하고, 이차항의 계수가 1인 이차방정식은 $x^2-3x+\dfrac{5}{4}=0$

따라서 구하는 이차방정식은

$4x^2-12x+5=0$

답 $4x^2-12x+5=0$

0847

> x에 대한 이차방정식 $x^2-4x+3=0$의 두 근을 α, β라 할 때, $\alpha+1$, $\beta+1$의 합과 곱을 두 근으로 하고, x^2의 계수가 1인 이차방정식은?
>
> → (두 근의 합)$=(\alpha+1)+(\beta+1)$, (두 근의 곱)$=(\alpha+1)(\beta+1)$

근과 계수의 관계에 의하여

$\alpha+\beta=4$, $\alpha\beta=3$이므로

$\alpha+1+\beta+1=(\alpha+\beta)+2=4+2=6$

$(\alpha+1)(\beta+1)=\alpha\beta+(\alpha+\beta)+1=3+4+1=8$

즉, 6, 8을 두 근으로 하고, x^2의 계수가 1인 이차방정식은

$x^2-(6+8)x+6\cdot8=0$

$\therefore x^2-14x+48=0$

답 ②

0848

이차방정식 $x^2+x-3=0$의 두 근을 α, β라 할 때, α^2, β^2을 두 근으로 하는 이차방정식은?
└ $\alpha+\beta=-1$, $\alpha\beta=-3$이다.

근과 계수의 관계에 의하여

$\alpha+\beta=-1$, $\alpha\beta=-3$

$\therefore \alpha^2+\beta^2=(\alpha+\beta)^2-2\alpha\beta=7$

$\alpha^2\beta^2=9$

따라서 구하는 이차방정식은

$x^2-7x+9=0$

답 ①

0849

x에 대한 이차방정식 $2x^2+3x+1=0$의 두 근 α, β에 대하여 $\alpha+\frac{1}{\beta}$, $\beta+\frac{1}{\alpha}$을 두 근으로 하는 이차방정식이 $2x^2+ax+b=0$일 때, 두 상수 a, b의 합 $a+b$의 값은?
└ $\left(\alpha+\frac{1}{\beta}\right)+\left(\beta+\frac{1}{\alpha}\right)=-\frac{a}{2}$, $\left(\alpha+\frac{1}{\beta}\right)\left(\beta+\frac{1}{\alpha}\right)=\frac{b}{2}$이다.

근과 계수의 관계에 의하여

$\alpha+\beta=-\frac{3}{2}$, $\alpha\beta=\frac{1}{2}$이므로

$$\left(\alpha+\frac{1}{\beta}\right)+\left(\beta+\frac{1}{\alpha}\right)=(\alpha+\beta)+\left(\frac{1}{\alpha}+\frac{1}{\beta}\right)$$
$$=(\alpha+\beta)+\frac{\alpha+\beta}{\alpha\beta}$$
$$=-\frac{3}{2}+\frac{-\frac{3}{2}}{\frac{1}{2}}=-\frac{9}{2}$$

$$\left(\alpha+\frac{1}{\beta}\right)\left(\beta+\frac{1}{\alpha}\right)=\alpha\beta+\frac{1}{\alpha\beta}+2$$
$$=\frac{1}{2}+2+2=\frac{9}{2}$$

이때, $\alpha+\frac{1}{\beta}$, $\beta+\frac{1}{\alpha}$을 두 근으로 하고, x^2의 계수가 1인 이차방정식은 $x^2+\frac{9}{2}x+\frac{9}{2}=0$, 즉 $2x^2+9x+9=0$이므로

$a=9$, $b=9$

$\therefore a+b=18$

답 ④

0850

이차방정식 $x^2+px+q=0$의 두 근을 α, β라 할 때, $\alpha+1$, $\beta+1$을 두 근으로 하는 이차방정식은 $x^2-4x+6=0$이다. 이때, 두 실수 p, q의 합 $p+q$의 값을 구하시오.
└ $(\alpha+1)+(\beta+1)=4$, $(\alpha+1)(\beta+1)=6$이다.

근과 계수의 관계에 의하여

$\alpha+\beta=-p$, $\alpha\beta=q$이므로

$(\alpha+1)+(\beta+1)=-p+2$

$(\alpha+1)(\beta+1)=\alpha\beta+\alpha+\beta+1=-p+q+1$

즉, $\alpha+1$, $\beta+1$을 두 근으로 하고, x^2의 계수가 1인 이차방정식은

$x^2-(-p+2)x-p+q+1=0$이므로

$-p+2=4$, $-p+q+1=6$

$\therefore p=-2$, $q=3$

$\therefore p+q=1$

답 1

0851

x에 대한 이차방정식 $x^2+ax+b=0$의 한 근이 $3-\sqrt{5}$일 때, 두 유리수 a, b의 합 $a+b$의 값은?
└ 다른 한 근은 $3+\sqrt{5}$이다.

a, b가 유리수이고 이차방정식 $x^2+ax+b=0$의 한 근이 $3-\sqrt{5}$이므로 다른 한 근은 $3+\sqrt{5}$이다.

근과 계수의 관계에 의하여

$(3+\sqrt{5})+(3-\sqrt{5})=-a \qquad \therefore a=-6$

$(3+\sqrt{5})(3-\sqrt{5})=b \qquad \therefore b=4$

$\therefore a+b=-2$

답 ④

다른풀이 $x=3-\sqrt{5}$에서 $x-3=-\sqrt{5}$의 양변을 제곱하면

$(x-3)^2=5$, $x^2-6x+4=0$

$\therefore a=-6$, $b=4$

$\therefore a+b=-2$

0852

이차방정식 $x^2-ax+b=0$의 한 근이 $3-i$일 때, 실수 a, b에 대하여 $a+b$의 값을 구하시오.
└ 다른 한 근은 $3+i$이다.

한 근이 $3-i$이면 다른 한 근은 켤레복소수인 $3+i$이다.

근과 계수의 관계에 의하여

$(3-i)+(3+i)=a \qquad \therefore a=6$

$(3-i)(3+i)=b \qquad \therefore b=10$

$\therefore a+b=16$

답 16

0853

계수가 실수인 이차방정식 $x^2+px+q=0$의 두 근 α, β에 대하여 $\alpha=2+i$일 때, $\alpha^2+\beta^2$의 값을 구하시오. (단, $i=\sqrt{-1}$)
└ 다른 한 근은 $2-i$이다.

계수가 실수인 이차방정식 $x^2+px+q=0$의 한 근이 $2+i$이므로 다른 한 근은 $2-i$이다.
즉, $\alpha=2+i$, $\beta=2-i$이므로
$\alpha+\beta=4$, $\alpha\beta=5$
$\therefore \alpha^2+\beta^2=(\alpha+\beta)^2-2\alpha\beta$
$=4^2-2\cdot5=6$

답 6

0854

분모, 분자에 i를 곱하여 분모를 실수로 만들자.

이차방정식 $x^2+ax+b=0$의 한 근이 $\frac{-1+i}{i}$일 때, 실수 a, b에 대하여 a^3-b^3의 값을 구하시오. (단, $i=\sqrt{-1}$)

$\frac{-1+i}{i}=\frac{(-1+i)i}{i^2}=\frac{-i-1}{-1}=1+i$
$x^2+ax+b=0$의 계수가 모두 실수이고 한 근이 $1+i$이므로 다른 한 근은 $1-i$이다.
따라서 근과 계수의 관계에 의하여
$(1+i)+(1-i)=-a \quad \therefore a=-2$
$(1+i)(1-i)=b \quad \therefore b=2$
$\therefore a^3-b^3=-8-8=-16$

답 -16

0855

분모, 분자에 $1+i$를 곱하여 분모를 실수로 만들자.

두 실수 a, b에 대하여 이차방정식 $x^2+ax+b=0$의 한 근이 $\frac{1}{1-i}$일 때, 다항식 $f(x)=x^2+ax+b$를 $x-1$로 나눈 나머지를 구하시오. (단, $i=\sqrt{-1}$)

$f(1)$을 구하자.

a, b가 실수이고 이차방정식 $x^2+ax+b=0$의 한 근이
$\frac{1}{1-i}=\frac{1+i}{(1-i)(1+i)}$
$=\frac{1+i}{2}=\frac{1}{2}+\frac{1}{2}i$
이므로 다른 한 근은 $\frac{1}{2}-\frac{1}{2}i$이다.
즉, 근과 계수의 관계에 의하여
$\left(\frac{1}{2}+\frac{1}{2}i\right)+\left(\frac{1}{2}-\frac{1}{2}i\right)=-a \quad \therefore a=-1$
$\left(\frac{1}{2}+\frac{1}{2}i\right)\left(\frac{1}{2}-\frac{1}{2}i\right)=b \quad \therefore b=\frac{1}{2}$
$\therefore f(x)=x^2-x+\frac{1}{2}$
따라서 $f(x)$를 $x-1$로 나눈 나머지는
$f(1)=1^2-1+\frac{1}{2}=\frac{1}{2}$

답 $\frac{1}{2}$

0856

다항식 $f(x)=x^2+px+q$ (p, q는 실수)가 다음 두 조건을 만족시킨다.

$f(1)=1$이다.

(가) 다항식 $f(x)$를 $x-1$로 나눈 나머지는 1이다.
(나) 실수 a에 대하여 이차방정식 $f(x)=0$의 한 근은 $a+i$이다.

다른 한 근은 $a-i$이다.

$p+2q$의 값은? (단, $i=\sqrt{-1}$)

(가)에서 $f(1)=1+p+q=1$
$p+q=0 \quad \cdots\cdots$ ㉠
(나)에서 $a-i$도 이차방정식의 근이므로
근과 계수의 관계에 의해
$p=-2a$, $q=a^2+1 \quad \cdots\cdots$ ㉡
㉠, ㉡에서 $p+q=-2a+a^2+1=0$
$\therefore a=1$, $p=-2$, $q=2$
따라서 $p+2q=2$

답 ①

0857

두 근의 곱은 바르게 보았다.

갑과 을이 이차방정식 $x^2+ax+b=0$을 푸는데, 갑은 a를 잘못 보고 풀어 두 근 $\sqrt{2}-i$, $\sqrt{2}+i$를 얻었고, 을은 b를 잘못 보고 풀어 두 근 -1, 5를 얻었다. 이 이차방정식의 올바른 두 근을 구하시오. (단, a, b는 상수이다.)

두 근의 합은 바르게 보았다.

갑이 얻은 두 근의 곱은
$(\sqrt{2}-i)\times(\sqrt{2}+i)=2+1=3 \quad \therefore b=3$
을이 얻은 두 근의 합은
$(-1)+5=4$, $4=-a \quad \therefore a=-4$
따라서 이차방정식은
$x^2-4x+3=0$
$(x-1)(x-3)=0$
$\therefore x=1$ 또는 $x=3$

답 $x=1$ 또는 $x=3$

0858

두 근의 곱은 바르게 보았다.

갑, 을 두 학생이 이차방정식 $ax^2+bx+c=0$을 푸는데, 갑은 b를 잘못 보고 풀어 두 근 -3, 4를 얻었고, 을은 c를 잘못 보고 풀어 두 근 $-2+\sqrt{5}$, $-2-\sqrt{5}$를 얻었다. 이 이차방정식의 올바른 두 근 중 양수인 근을 구하시오.

두 근의 합은 바르게 보았다.

갑은 a, c를 바르게 보고 풀었으므로 두 근의 곱은
$\frac{c}{a}=(-3)\cdot4=-12$
$\therefore c=-12a \quad \cdots\cdots$ ㉠
을은 a, b를 바르게 보고 풀었으므로 두 근의 합은
$-\frac{b}{a}=(-2+\sqrt{5})+(-2-\sqrt{5})=-4$
$\therefore b=4a \quad \cdots\cdots$ ㉡
㉠, ㉡을 $ax^2+bx+c=0$에 대입하면
$ax^2+4ax-12a=0$
이때, $a\neq0$이므로 위의 식의 양변을 a로 나누면

$x^2+4x-12=0$, $(x+6)(x-2)=0$

$\therefore x=-6$ 또는 $x=2$

따라서 양수인 근은 2이다. 답 2

0859

준수와 하현이는 이차방정식 $ax^2-bx-c=0$을 푸는데 다음과 같은 실수로 엉뚱한 해를 구하였다.

준수 : 일차항의 계수 $-b$를 잘못 보고 풀었더니 $x=\frac{1}{2}$ 또는 $x=-4$이다. (두 근의 곱은 바르게 보았다.)

하현 : 상수항 $-c$를 잘못 보고 풀었더니 $x=-1$ 또는 $x=3$이다. (두 근의 합은 바르게 보았다.)

준수는 a, $-c$를 바르게 보고 풀었으므로 두 근의 곱은 근과 계수의 관계에 의하여

$\frac{-c}{a}=\frac{1}{2}\times(-4)$ $\quad\therefore c=2a$ ······㉠

하현이는 a, $-b$를 바르게 보고 풀었으므로 두 근의 합은 근과 계수의 관계에 의하여

$\frac{b}{a}=-1+3$ $\quad\therefore b=2a$ ······㉡

㉠, ㉡을 $ax^2-bx-c=0$에 대입하면

$ax^2-2ax-2a=0$

$\therefore x^2-2x-2=0$ $(\because a\neq0)$

따라서 바르게 구한 근은 $x=1\pm\sqrt{3}$ 답 $1\pm\sqrt{3}$

0860

이차방정식 $x^2-x-1=0$의 두 근이 α, β일 때, $\frac{\alpha^2-1}{\beta}+\frac{\beta^2-1}{\alpha}$의 값은? ($\alpha^2-\alpha-1=0$, $\beta^2-\beta-1=0$이다.)

α, β는 이차방정식 $x^2-x-1=0$의 근이므로

$\alpha^2-\alpha-1=0$, $\beta^2-\beta-1=0$

$\therefore \alpha^2-1=\alpha$, $\beta^2-1=\beta$

근과 계수의 관계에 의하여

$\alpha+\beta=1$, $\alpha\beta=-1$

$$\therefore \frac{\alpha^2-1}{\beta}+\frac{\beta^2-1}{\alpha}=\frac{\alpha}{\beta}+\frac{\beta}{\alpha}=\frac{\alpha^2+\beta^2}{\alpha\beta}=\frac{(\alpha+1)+(\beta+1)}{\alpha\beta}$$

$$=\frac{3}{-1}=-3$$

답 ①

0861

이차방정식 $x^2-5x+2=0$의 두 근을 α, β라 할 때, $\frac{\beta}{\alpha^2-4\alpha+2}+\frac{\alpha}{\beta^2-4\beta+2}$의 값을 구하시오. ($\alpha^2-5\alpha+2=0$, $\beta^2-5\beta+2=0$이다.)

$x^2-5x+2=0$의 두 근이 α, β이므로

$\alpha^2-5\alpha+2=0$, $\beta^2-5\beta+2=0$

$\therefore \alpha^2-4\alpha+2=\alpha$, $\beta^2-4\beta+2=\beta$

근과 계수의 관계에 의하여

$\alpha+\beta=5$, $\alpha\beta=2$

$$\therefore \frac{\beta}{\alpha^2-4\alpha+2}+\frac{\alpha}{\beta^2-4\beta+2}=\frac{\beta}{\alpha}+\frac{\alpha}{\beta}=\frac{\alpha^2+\beta^2}{\alpha\beta}$$

$$=\frac{(\alpha+\beta)^2-2\alpha\beta}{\alpha\beta}$$

$$=\frac{5^2-2\times2}{2}=\frac{21}{2}$$

답 $\frac{21}{2}$

0862

이차방정식 $x^2-3x+5=0$의 두 근을 α, β라 할 때, $\alpha^2+3\beta$의 값을 구하시오. ($\alpha^2-3\alpha+5=0$, $\beta^2-3\beta+5=0$이다.)

α는 주어진 이차방정식의 근이므로

$\alpha^2-3\alpha+5=0$ $\quad\therefore \alpha^2=3\alpha-5$

근과 계수의 관계에 의하여 $\alpha+\beta=3$이므로

$\alpha^2+3\beta=3\alpha-5+3\beta$

$=3(\alpha+\beta)-5$

$=3\times3-5=4$

답 4

0863

(근의 공식을 이용하여 근을 먼저 구하자.)

이차식 x^2+2x+2를 복소수 범위에서 인수분해할 때, 다음 중 인수인 것은? (단, $i=\sqrt{-1}$)

이차방정식 $x^2+2x+2=0$에서

$x=-1\pm\sqrt{1^2-1\cdot2}=-1\pm i$

$\therefore x^2+2x+2=\{x-(-1+i)\}\{x-(-1-i)\}$

$=(x+1-i)(x+1+i)$

답 ④

0864

x에 대한 이차식 $x^2+6x+11$을 복소수 범위에서 인수분해하면? (단, $i=\sqrt{-1}$) (근의 공식을 이용하여 근을 먼저 구하자.)

이차방정식 $x^2+6x+11=0$에서

$x=-3\pm\sqrt{3^2-1\cdot11}=-3\pm\sqrt{2}i$

$\therefore x^2+6x+11=\{x-(-3+\sqrt{2}i)\}\{x-(-3-\sqrt{2}i)\}$

$=(x+3-\sqrt{2}i)(x+3+\sqrt{2}i)$

답 ⑤

0865

(근의 공식을 이용하여 근을 먼저 구하자.)

이차식 $2x^2-2x+1$을 복소수 범위에서 인수분해하면 $a(2x-b)(2x-c)$이다. 이때, 세 복소수 a, b, c의 합 $a+b+c$의 값은?

$2x^2-2x+1=0$에서

$$x=\frac{1\pm\sqrt{1^2-2\cdot1}}{2}=\frac{1\pm i}{2}$$

$\therefore 2x^2-2x+1=2\left(x-\frac{1+i}{2}\right)\left(x-\frac{1-i}{2}\right)$

$=2\cdot\frac{2x-1-i}{2}\cdot\frac{2x-1+i}{2}$

$=\frac{1}{2}(2x-1-i)(2x-1+i)$

$\therefore a+b+c=\frac{1}{2}+(1+i)+(1-i)=\frac{5}{2}$ 답 ④

0866

이차방정식 $f(x)=0$의 두 근을 α, β라 할 때, 이차방정식 $f(2x+1)=0$의 두 근은?

• $f(2x+1)=0$의 두 근은 $2x+1=\alpha$, $2x+1=\beta$를 만족시키는 x의 값이다.

이차방정식 $f(x)=0$의 두 근이 α, β이므로

$f(x)=a(x-\alpha)(x-\beta)\ (a\neq0)$이고

$f(2x+1)=a(2x+1-\alpha)(2x+1-\beta)$

따라서 이차방정식 $f(2x+1)=0$의 두 근은 $2x+1=\alpha$, $2x+1=\beta$를 만족시키는 x의 값이므로

$x=\frac{\alpha-1}{2}$ 또는 $x=\frac{\beta-1}{2}$ 답 ⑤

0867

이차방정식 $f(x)=0$의 두 근의 합이 10일 때, 이차방정식 $f(5x)=0$의 두 근의 합을 구하시오.

• $f(5x)=0$의 두 근은 $5x=\alpha$, $5x=\beta$를 만족시키는 x의 값이다.

이차방정식 $f(x)=0$의 두 근을 α, β라 하면

$f(\alpha)=0$, $f(\beta)=0$, $\alpha+\beta=10$

이때, 이차방정식 $f(5x)=0$의 두 근은 $5x=\alpha$, $5x=\beta$를 만족시키는 x의 값이므로 $x=\frac{\alpha}{5}$ 또는 $x=\frac{\beta}{5}$

따라서 이차방정식 $f(5x)=0$의 두 근의 합은

$\frac{\alpha}{5}+\frac{\beta}{5}=\frac{1}{5}(\alpha+\beta)=\frac{1}{5}\cdot10=2$ 답 2

0868

이차방정식 $f(x)=0$의 두 근을 α, β라 할 때, $\alpha+\beta=6$이 성립한다. 이때, 방정식 $f(4x-1)=0$의 두 근의 합은?

• $f(4x-1)=0$의 두 근은 $4x-1=\alpha$, $4x-1=\beta$를 만족시키는 x의 값이다.

이차방정식 $f(x)=0$의 두 근이 α, β이므로

$f(\alpha)=0$, $f(\beta)=0$

이때, 방정식 $f(4x-1)=0$이려면

$4x-1=\alpha$ 또는 $4x-1=\beta$

$\therefore x=\frac{\alpha+1}{4}$ 또는 $x=\frac{\beta+1}{4}$

한편, $\alpha+\beta=6$이므로 방정식 $f(4x-1)=0$의 두 근의 합은

$\frac{\alpha+1}{4}+\frac{\beta+1}{4}=\frac{\alpha+\beta+2}{4}=\frac{8}{4}=2$ 답 ②

0869

$f(x)=x^2-3x+6$에 대하여 이차방정식 $f(2x-3)=0$의 두 근의 곱은?

• $f(2x-3)=0$의 두 근은 $2x-3=\alpha$, $2x-3=\beta$를 만족시키는 x의 값이다.

$f(x)=x^2-3x+6$에 대하여 이차방정식 $f(x)=0$의 두 근을 α, β라 하면 근과 계수의 관계에 의하여

$\alpha+\beta=3$, $\alpha\beta=6$

이때, $f(\alpha)=0$, $f(\beta)=0$이므로 $f(2x-3)=0$이려면

$2x-3=\alpha$ 또는 $2x-3=\beta$

$\therefore x=\frac{\alpha+3}{2}$ 또는 $x=\frac{\beta+3}{2}$

따라서 $f(2x-3)=0$의 두 근의 곱은

$\frac{\alpha+3}{2}\times\frac{\beta+3}{2}=\frac{\alpha\beta+3(\alpha+\beta)+9}{4}$

$=\frac{6+3\times3+9}{4}=6$ 답 ⑤

다른풀이 $f(x)=x^2-3x+6$이므로

$f(2x-3)=0$에서 $(2x-3)^2-3(2x-3)+6=0$

$\therefore 4x^2-18x+24=0$

따라서 근과 계수의 관계에 의하여 방정식 $f(2x-3)=0$의 두 근의 곱은 $\frac{24}{4}=6$

0870

방정식 $f(x)=0$의 한 근이 1일 때, 다음 중 2를 반드시 근으로 갖는 x에 대한 방정식은?

• 보기의 x에 2를 대입하여 보자.

① $f(-x-1)=0$ ② $f(-x+1)=0$ ③ $f(x^2-3)=0$

④ $f(3x-4)=0$ ⑤ $f(x^2-1)=0$

방정식 $f(x)=0$이 1을 근으로 가지므로 $f(1)=0$

보기의 각 식의 좌변에 $x=2$를 대입하면

① $f(-x-1)=f(-3)$ ② $f(-x+1)=f(-1)$

③ $f(x^2-3)=f(1)=0$ ④ $f(3x-4)=f(2)$

⑤ $f(x^2-1)=f(3)$

따라서 2를 반드시 근으로 갖는 방정식은 ③이다. 답 ③

0871

이차방정식 $x^2+4x-1=0$의 두 근을 α, β라 할 때, $f(\alpha)=2$, $f(\beta)=2$를 만족시키는 이차식 $f(x)$는? (단, $f(x)$의 이차항의 계수는 1이다.)

• $f(\alpha)-2=0$, $f(\beta)-2=0$이므로 $f(x)-2=0$의 두 근이 α와 β이다.

이차방정식 $x^2+4x-1=0$에서 근과 계수의 관계에 의하여

$\alpha+\beta=-4$, $\alpha\beta=-1$

이때, $f(\alpha)=2$, $f(\beta)=2$에서

$f(\alpha)-2=0$, $f(\beta)-2=0$

이므로 이차방정식 $f(x)-2=0$의 두 근은 α, β이다. 즉,

$f(x)-2=(x-\alpha)(x-\beta)=x^2+4x-1$

$\therefore f(x)=x^2+4x+1$ 답 ⑤

0872

> x에 대한 이차방정식 $x^2+(a^2+2a-3)x+2a-1=0$의 두 실근의 절댓값이 같고, 부호가 서로 다를 때, 실수 a의 값을 구하시오.
> → 두 근을 α, β라 하면 $\alpha+\beta=0$, $\alpha\beta<0$임을 이용하자.

주어진 이차방정식의 두 실근을 α, β라 하면
두 근의 절댓값이 같고 부호가 서로 다르므로
$\alpha+\beta=-(a^2+2a-3)=0$
$a^2+2a-3=0$, $(a+3)(a-1)=0$
$\therefore a=-3$ 또는 $a=1$ ⋯⋯ ㉠
$\alpha\beta=2a-1<0$
$\therefore a<\frac{1}{2}$ ⋯⋯ ㉡
㉠, ㉡에서 $a=-3$ 답 -3

0873

> x에 대한 이차방정식 $x^2+2(k-1)x+3-k=0$이 한 개의 양수인 근과 한 개의 음수인 근을 갖도록 하는 실수 k의 값의 범위는?
> → 두 근을 α, β라 하면 두 근이 서로 다른 부호이므로 $\alpha\beta<0$이다.

주어진 이차방정식이 한 개의 양수인 근과 한 개의 음수인 근을 가지므로 두 근은 서로 다른 부호이다. 즉, 두 근을 α, β라 하면
$\alpha\beta=3-k<0$
$\therefore k>3$ 답 ③

0874

> x에 대한 이차방정식 $x^2-2kx+k^2-2k+4=0$이 서로 다른 두 양의 실근을 가질 때, 실수 k의 값의 범위는?
> → 두 근을 α, β라 하면 판별식 $D>0$, $\alpha+\beta>0$, $\alpha\beta>0$이다.

두 근이 서로 다른 두 양의 실근일 조건은
$D>0$, (두 근의 합)>0, (두 근의 곱)>0
이므로 이차방정식 $x^2-2kx+k^2-2k+4=0$에서
(i) $\frac{D}{4}=k^2-k^2+2k-4>0$ $\therefore k>2$
(ii) (두 근의 합)$=2k>0$ $\therefore k>0$
(iii) (두 근의 곱)$=k^2-2k+4>0$
$(k-1)^2+3>0$ $\therefore$ 모든 실수
(i), (ii), (iii)에 의하여 실수 k의 값의 범위는 $k>2$ 답 ④

0875

> 다음 〈보기〉에서 실근을 갖는 것의 개수는?
> → 보기에 있는 이차방정식들의 판별식을 조사해 보자.
>
> **보기**
> ㄱ. $7x^2+3x-1=0$ ㄴ. $9x^2-6x+1=0$
> ㄷ. $7x^2+4x+3=0$ ㄹ. $4x^2-2x+1=0$
> ㅁ. $2x^2-5x+2=0$

이차방정식이 실근을 가지려면 (판별식)≥0을 만족해야 한다.
ㄱ. $7x^2+3x-1=0$의 판별식은 $9+4\times7>0$
ㄴ. $9x^2-6x+1=0$의 판별식은 $9-9=0$
ㄷ. $7x^2+4x+3=0$의 판별식은 $4-21<0$
ㄹ. $4x^2-2x+1=0$의 판별식은 $1-4<0$
ㅁ. $2x^2-5x+2=0$의 판별식은 $25-16>0$
따라서 실근을 갖는 이차방정식은 ㄱ, ㄴ, ㅁ 3개이다. 답 ③

0876

> x에 대한 이차방정식
> $$ax^2+(2a-1)x+(a-2)=0$$
> 이 서로 다른 두 실근을 가질 때, 다음 중 실수 a의 값이 될 수 없는 것은?
> → 서로 다른 두 실근을 가지려면 판별식 $D>0$이다.

이차방정식 $ax^2+(2a-1)x+(a-2)=0$의 판별식을 D라 하면 이 방정식이 서로 다른 두 실근을 가지므로
$D=(2a-1)^2-4a(a-2)>0$
$4a+1>0$ $\therefore a>-\frac{1}{4}$
그런데 $a=0$이면 주어진 방정식이 이차방정식이라는 것에 모순이므로 $a\neq0$이다.
$\therefore -\frac{1}{4}<a<0$ 또는 $a>0$
따라서 ① $-\frac{1}{2}$은 a의 값이 될 수 없다. 답 ①

0877

> x에 대한 이차방정식
> $$x^2-2(k-a)x+(k^2-6k+b)=0$$
> 이 k의 값에 관계없이 중근을 가질 때, 두 실수 a, b에 대하여 $a-b$의 값은?
> → 중근을 가지려면 판별식 $D=0$이다. 이 식을 k에 관하여 정리하자.

이차방정식 $x^2-2(k-a)x+(k^2-6k+b)=0$의 판별식을 D라 하면 이 방정식이 중근을 가지므로
$\frac{D}{4}=(k-a)^2-(k^2-6k+b)=0$
$k^2-2ak+a^2-k^2+6k-b=0$
$(6-2a)k+a^2-b=0$
이 식이 k의 값에 관계없이 성립해야 하므로
$6-2a=0$, $a^2-b=0$
$\therefore a=3$, $b=9$
$\therefore a-b=-6$ 답 ①

0878 서술형

> → 실근을 가지려면 판별식 $D\geq0$이다.
>
> x에 대한 이차방정식 $x^2+2(5-k)x+k^2=0$은 실근을 갖고 이차방정식 $x^2+x+k=0$은 허근을 갖게 하는 모든 정수 k의 값의 합을 구하시오.
> → 허근을 가지려면 판별식 $D<0$이다.

$x^2+2(5-k)x+k^2=0$의 판별식을 D_1이라 하면 실근을 가지므로

$\frac{D_1}{4}=(5-k)^2-k^2\geq 0$

$-10k+25\geq 0 \quad \therefore k\leq\frac{5}{2}$ ······㉠ ······ 30%

$x^2+x+k=0$의 판별식을 D_2라 하면 허근을 가지므로

$D_2=1^2-4\times1\times k<0 \quad \therefore k>\frac{1}{4}$ ······㉡ ······ 30%

㉠, ㉡에서 실수 k의 값의 범위는 $\frac{1}{4}<k\leq\frac{5}{2}$

따라서 이 조건을 만족하는 정수 k는 1, 2이므로

$1+2=3$ ······ 40%

답 3

0879

이차방정식 $x^2+5x-4=0$의 두 근을 α, β라 할 때, $\alpha^2+\alpha\beta+\beta^2$의 값은? → $\alpha+\beta=-5$, $\alpha\beta=-4$이다.

근과 계수의 관계에 의하여

$\alpha+\beta=-5$, $\alpha\beta=-4$

$\therefore \alpha^2+\alpha\beta+\beta^2=(\alpha+\beta)^2-\alpha\beta$

$=25+4=29$

답 ②

0880

이차방정식 $x^2+3x+10=0$의 두 근을 α, β라 할 때, $\alpha^3+\beta^3$의 값을 구하시오. → $\alpha+\beta=-3$, $\alpha\beta=10$이다.

근과 계수의 관계에 의하여

$\alpha+\beta=-3$, $\alpha\beta=10$

$\therefore \alpha^3+\beta^3=(\alpha+\beta)^3-3\alpha\beta(\alpha+\beta)$

$=(-3)^3-3\cdot10\cdot(-3)=63$

답 63

0881

x에 대한 이차방정식

$x^2-(k^2-4k-5)x+(2k-4)=0$

이 절댓값이 같고, 부호가 서로 다른 두 실근을 갖도록 하는 실수 k의 값을 구하시오. → 이차방정식의 두 근을 α, β라 할 때, $\alpha+\beta=0$, $\alpha\beta<0$이다.

x에 대한 이차방정식 $x^2-(k^2-4k-5)x+(2k-4)=0$의 서로 다른 두 실근을 α, β라 할 때,

$|\alpha|=|\beta|$, $\alpha+\beta=0$, $\alpha\beta<0$

두 근의 합 $\alpha+\beta=k^2-4k-5=0$

$(k-5)(k+1)=0$

$\therefore k=5$ 또는 $k=-1$ ······ ㉠

두 근의 곱 $\alpha\beta=2k-4<0$

$\therefore k<2$ ······ ㉡

㉠, ㉡에서 $k=-1$

답 -1

0882

이차방정식 $x^2-mx+n=0$의 두 근을 α, β라 할 때, 이차방정식 $x^2+nx+m=0$의 두 근은 $\alpha-1$, $\beta-1$이다. 이때, 두 상수 m, n에 대하여 m^2+n^2의 값을 구하시오.

→ $\alpha+\beta=m$, $\alpha\beta=n$이다.

→ $(\alpha-1)+(\beta-1)=-n$, $(\alpha-1)(\beta-1)=m$이다.

이차방정식 $x^2-mx+n=0$의 두 근이 α, β이므로 근과 계수의 관계에 의하여

$\alpha+\beta=m$, $\alpha\beta=n$ ······㉠

이차방정식 $x^2+nx+m=0$의 두 근이 $\alpha-1$, $\beta-1$이므로 근과 계수의 관계에 의하여

$(\alpha-1)+(\beta-1)=\alpha+\beta-2=m-2=-n$ ($\because$ ㉠)

$\therefore m+n=2$ ······㉡

$(\alpha-1)(\beta-1)=\alpha\beta-(\alpha+\beta)+1=n-m+1=m$ ($\because$ ㉠)

$\therefore 2m-n=1$ ······㉢

㉡, ㉢을 연립하여 풀면 $m=1$, $n=1$

$\therefore m^2+n^2=2$

답 2

0883

이차방정식 $x^2+5x+7=0$의 두 근을 α, β라 하자. 두 근이 α^2, β^2인 이차방정식을 $x^2+ax+b=0$으로 나타낼 때, 두 실수 a, b에 대하여 $a-b$의 값을 구하시오.

→ $\alpha+\beta=-5$, $\alpha\beta=7$이다.

→ $\alpha^2+\beta^2=-a$, $\alpha^2\beta^2=b$이다.

근과 계수의 관계에 의하여

$\alpha+\beta=-5$, $\alpha\beta=7$이므로

$\alpha^2+\beta^2=(\alpha+\beta)^2-2\alpha\beta=(-5)^2-2\cdot7=11$

$\alpha^2\beta^2=(\alpha\beta)^2=7^2=49$

즉, α^2, β^2을 두 근으로 하고, x^2의 계수가 1인 이차방정식은

$x^2-11x+49=0$이므로

$a=-11$, $b=49$

$\therefore a-b=-60$

답 -60

0884

분모, 분자에 $1-i$를 곱하여 분모를 실수화하자.

이차방정식 $x^2+ax+b=0$의 한 근이 $\frac{2i}{1+i}$일 때, 두 실수 a, b에 대하여 a^2+b^2의 값은? (단, $i=\sqrt{-1}$)

$\frac{2i}{1+i}=\frac{2i(1-i)}{(1+i)(1-i)}=\frac{2(1+i)}{2}=1+i$

$x^2+ax+b=0$의 계수가 모두 실수이고 한 근이 $1+i$이므로 다른 한 근은 $1-i$이다.

따라서 근과 계수의 관계에 의하여

$(1+i)+(1-i)=-a \quad \therefore a=-2$

$(1+i)(1-i)=b \quad \therefore b=2$

$\therefore a^2+b^2=4+4=8$

답 ④

0885 서술형

> 이차방정식 $x^2-3x+1=0$의 두 근을 α, β라 할 때,
> ($\alpha^2-3\alpha+1=0$, $\beta^2-3\beta+1=0$이다.)
> $\dfrac{\beta}{\alpha^2-2\alpha+1}+\dfrac{\alpha}{\beta^2-2\beta+1}$의 값을 구하시오.

근과 계수의 관계에 의하여

$\alpha+\beta=3$, $\alpha\beta=1$ …… 20%

한편, α, β가 이차방정식 $x^2-3x+1=0$의 근이므로

$\alpha^2-3\alpha+1=0$에서 $\alpha^2-2\alpha+1=\alpha$

$\beta^2-3\beta+1=0$에서 $\beta^2-2\beta+1=\beta$ …… 40%

$$\therefore \frac{\beta}{\alpha^2-2\alpha+1}+\frac{\alpha}{\beta^2-2\beta+1}=\frac{\beta}{\alpha}+\frac{\alpha}{\beta}=\frac{\alpha^2+\beta^2}{\alpha\beta}$$
$$=\frac{(\alpha+\beta)^2-2\alpha\beta}{\alpha\beta}$$
$$=\frac{3^2-2}{1}=7$$ …… 40%

답 7

0886

> 이차방정식 $f(x)=0$의 두 근 α, β에 대하여 $\alpha+\beta=1$, $\alpha\beta=6$일 때, 이차방정식 $f(2x-3)=0$의 두 근의 곱은?
> ($f(2x-3)=0$의 두 근은 $2x-3=\alpha$, $2x-3=\beta$를 만족시키는 x의 값이다.)

이차방정식 $f(x)=0$의 두 근이 α, β이므로

$f(\alpha)=0, f(\beta)=0$

이때, 이차방정식 $f(2x-3)=0$의 두 근은

$2x-3=\alpha$ 또는 $2x-3=\beta$

$\therefore x=\dfrac{\alpha+3}{2}$ 또는 $x=\dfrac{\beta+3}{2}$

따라서 이차방정식 $f(2x-3)=0$의 두 근의 곱은

$$\frac{\alpha+3}{2}\cdot\frac{\beta+3}{2}=\frac{\alpha\beta+3(\alpha+\beta)+9}{4}$$
$$=\frac{6+3\cdot1+9}{4}=\frac{9}{2}$$

답 ②

0887

> 이차방정식 $x^2+ax+b=0$의 근이 모두 유리수가 되도록 하는 5 이하의 자연수 a, b에 대하여 순서쌍 (a, b)의 개수는?
> (근의 공식으로 근을 구해 보자.)

$x^2+ax+b=0$의 근은 $x=\dfrac{-a\pm\sqrt{a^2-4b}}{2}$이고

근이 모두 유리수가 되려면

$a^2-4b=k^2$ (k는 정수) 꼴이어야 한다.

$a=2$일 때 $b=1$

$a=3$일 때 $b=2$

$a=4$일 때 $b=3, 4$

$a=5$일 때 $b=4$

따라서 순서쌍 (a, b)의 개수는 5이다.

답 ②

0888

> x에 대한 이차방정식
> $ax^2+(2a-4)x-12a=0$
> 의 두 근의 절댓값의 비가 $3:1$이 되도록 하는 실수 a의 값의 합을 구하시오.
> ((두 근의 곱)<0이므로 이차방정식의 두 근은 부호가 다르다.)

주어진 이차방정식의 두 근을 α, β라 하면

$\alpha\beta=\dfrac{-12a}{a}=-12<0$

이므로 두 근의 부호가 서로 다름을 알 수 있다.

두 근의 절댓값의 비가 $3:1$이므로 $\alpha=-3\beta$로 놓으면

$\alpha\beta=-3\beta^2=-12$, $\beta^2=4$ $\quad\therefore \beta=-2$ 또는 $\beta=2$

(i) $\beta=-2$일 때, $\alpha=6$이므로 근과 계수의 관계에 의하여

$\alpha+\beta=4=-\dfrac{2a-4}{a}$, $4a=-2a+4$ $\quad\therefore a=\dfrac{2}{3}$

(ii) $\beta=2$일 때, $\alpha=-6$이므로 근과 계수의 관계에 의하여

$\alpha+\beta=-4=-\dfrac{2a-4}{a}$, $-4a=-2a+4$ $\quad\therefore a=-2$

(i), (ii)에서 실수 a의 값의 합은 $-\dfrac{4}{3}$이다.

답 $-\dfrac{4}{3}$

0889

> x에 대한 이차방정식 $x^2+(a-4)x-1=0$의 두 근을 α와 β, $x^2+ax+b=0$의 두 근을 α와 γ라 하자. 상수 a, b에 대하여 $2\alpha=\beta-\gamma$가 성립할 때, $2a-b$의 값을 구하시오.
> ($\alpha+\beta=-a+4$, $\alpha\beta=-1$이다.)
> ($\alpha+\gamma=-a$, $\alpha\gamma=b$이다.)

$x^2+(a-4)x-1=0$의 두 근이 α, β이므로

이차방정식의 근과 계수의 관계에 의하여

$\alpha+\beta=-a+4$ …… ㉠

$\alpha\beta=-1$ …… ㉡

$x^2+ax+b=0$의 두 근이 α, γ이므로

이차방정식의 근과 계수의 관계에 의하여

$\alpha+\gamma=-a$ …… ㉢

$\alpha\gamma=b$ …… ㉣

㉠, ㉢에서 $\beta-\gamma=4$이므로 $2\alpha=\beta-\gamma$에서 $2\alpha=4$, 즉 $\alpha=2$이다.

$\alpha=2$를 ㉠, ㉡, ㉢, ㉣에 대입하여 풀면

$\beta=-\dfrac{1}{2}$, $\gamma=-\dfrac{9}{2}$, $a=\dfrac{5}{2}$, $b=-9$

따라서 $2a-b=5-(-9)=14$

답 14

0890

> 그림과 같이 $\overline{AC}=1$, $\overline{BC}=\sqrt{3}$, $\angle C=90°$인 직각삼각형의 꼭짓점 C에서 변 AB에 내린 수선의 발을 D라 하자. $\overline{AD}=\alpha$, $\overline{BD}=\beta$라 할 때, α, β를 두 근으로 하고 x^2의 계수가 4인 이차방정식을 구하시오.
> (△ABC와 △ACD가 닮음임을 이용하자.)

$\triangle$ABC는 직각삼각형이므로

$\overline{AB}=\sqrt{1^2+(\sqrt{3})^2}=2$

$\therefore \alpha+\beta=2$ ······㉠

또 $\triangle ABC \backsim \triangle ACD$이므로

$1:(\alpha+\beta)=\alpha:1$, $\alpha(\alpha+\beta)=1$

$\therefore \alpha=\frac{1}{\alpha+\beta}$ ······㉡

㉠을 ㉡에 대입하여 정리하면

$\alpha=\frac{1}{2}$, $\beta=2-\frac{1}{2}=\frac{3}{2}$

$\therefore \alpha\beta=\frac{3}{4}$ ······㉢

㉠, ㉢에서 α, β를 두 근으로 하고 x^2의 계수가 4인 이차방정식은

$4\left(x^2-2x+\frac{3}{4}\right)=0$

$\therefore 4x^2-8x+3=0$

답 $4x^2-8x+3=0$

0891

x에 대한 이차방정식 $x^2+ax+|a-2|-4=0$의 두 근 중 한 근만 양수가 되도록 하는 정수 a의 개수를 구하시오.

→ 두 근을 α, $\beta(\alpha>\beta)$라 하면 $\alpha>0$, $\beta<0$인 경우와 $\alpha>0$, $\beta=0$인 경우가 있다.

이차방정식 $x^2+ax+|a-2|-4=0$의 두 실근을 α, β $(\alpha>\beta)$라 하면

(i) $\alpha>0$, $\beta<0$일 때, $\alpha\beta=|a-2|-4<0$

$|a-2|<4$, $-4<a-2<4$

$\therefore -2<a<6$

(ii) $\alpha>0$, $\beta=0$일 때, $\alpha\beta=|a-2|-4=0$

$|a-2|=4$, $a-2=\pm4$

$\therefore a=-2$ 또는 $a=6$

이때, $a=-2$이면 $x^2-2x=0$에서 $x=0$ 또는 $x=2$

$a=6$이면 $x^2+6x=0$에서 $x=0$ 또는 $x=-6$

$\therefore a=-2$

(i), (ii)에서 $-2\le a<6$

따라서 정수 a의 개수는 $-2, -1, 0, 1, 2, 3, 4, 5$의 8이다.

답 8

0892

→ $[x]=k$ (k는 정수)라 하면 $k\le x<k+1$이다.

실수 t에 대하여 t보다 크지 않은 최대의 정수를 $[t]$로 나타낼 때, $[x]^2-9[x]+20=0$, $[y]^2-3[y]+2=0$을 만족하는 실수 x, y에 대하여 점 (x, y)가 존재하는 영역의 넓이는?

$[x]^2-9[x]+20=0$에서

$([x]-4)([x]-5)=0$

$\therefore [x]=4$ 또는 $[x]=5$

$\therefore 4\le x<6$

$[y]^2-3[y]+2=0$에서

$([y]-1)([y]-2)=0$

$\therefore [y]=1$ 또는 $[y]=2$

$\therefore 1\le y<3$

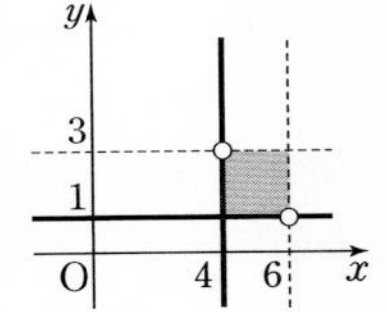

따라서 구하는 영역의 넓이는 색칠한 부분이므로 4이다.

답 ③

0893

a, b, c가 삼각형의 세 변의 길이일 때, x에 대한 이차방정식 $b^2x^2+(b^2+c^2-a^2)x+c^2=0$의 근에 대한 설명으로 다음 중 옳은 것은?

→ 이차방정식의 판별식을 인수분해해 보자.

① 서로 다른 두 실근을 갖는다.
② 서로 같은 두 실근(중근)을 갖는다.
③ 서로 다른 두 허근을 갖는다.
④ 서로 다른 부호의 두 실근을 갖는다.
⑤ 서로 같은 부호의 두 실근을 갖는다.

$b^2x^2+(b^2+c^2-a^2)x+c^2=0$에서

$D=(b^2+c^2-a^2)^2-4b^2c^2$

$=(b^2+c^2-a^2-2bc)(b^2+c^2-a^2+2bc)$

$=\{(b^2+c^2-2bc)-a^2\}\{(b^2+c^2+2bc)-a^2\}$

$=\{(b-c)^2-a^2\}\{(b+c)^2-a^2\}$

$=(b-c-a)(b-c+a)(b+c-a)(b+c+a)$

이때, a, b, c는 삼각형의 세 변의 길이이므로 모두 양수이고 두 변의 길이의 합은 나머지 한 변의 길이보다 크다. 즉,

$b-c-a<0$, $b-c+a>0$, $b+c-a>0$, $b+c+a>0$

이므로 $D<0$

따라서 주어진 이차방정식은 서로 다른 두 허근을 갖는다.

답 ③

0894

→ $\alpha+\beta=a$, $\alpha\beta=b$이다.

이차방정식 $x^2-ax+b=0$의 두 근을 α, β라 하고 이차방정식 $x^2+bx+a=0$의 두 근이 $\alpha-1$, $\beta-1$이라 할 때, $\alpha^{102}-\beta^{102}$의 값과 같은 것은? (단, a, b는 상수)

→ $(\alpha-1)+(\beta-1)=-b$, $(\alpha-1)(\beta-1)=a$이다.

$x^2-ax+b=0$의 두 근이 α, β이므로 근과 계수의 관계에 의하여

$\alpha+\beta=a$, $\alpha\beta=b$ ······㉠

$x^2+bx+a=0$의 두 근이 $\alpha-1$, $\beta-1$이므로 근과 계수의 관계에 의하여

$(\alpha-1)+(\beta-1)=-b$, $(\alpha-1)(\beta-1)=a$

$\alpha+\beta-2=-b$, $\alpha\beta-(\alpha+\beta)+1=a$ ······㉡

㉠을 ㉡에 대입하면

$a-2=-b$, $b-a+1=a$

$a+b=2$, $-2a+b=-1$

위의 두 식을 연립하여 풀면

$a=1$, $b=1$

따라서 α, β는 방정식 $x^2-x+1=0$의 근이므로

$\alpha^2-\alpha+1=0$, $\beta^2-\beta+1=0$

$(\alpha+1)(\alpha^2-\alpha+1)=0$ $\therefore \alpha^3=-1$

$(\beta+1)(\beta^2-\beta+1)=0$ $\therefore \beta^3=-1$

$\therefore \alpha^{102}-\beta^{102}=(\alpha^3)^{34}-(\beta^3)^{34}$

$=(-1)^{34}-(-1)^{34}$

$=1-1$

$=0$

답 ①

0895 $\alpha=a+bi$ (a, b는 실수)라 하면 $\overline{\alpha}=a-bi$도 근이다.

> x에 대한 이차방정식 $x^2-px+p+3=0$이 허근 α를 가질 때, α^3이 실수가 되도록 하는 모든 실수 p의 값의 곱은?

허근 α가 이차방정식 $x^2-px+p+3=0$의 한 근이면 $\overline{\alpha}$도 근이므로
$\alpha=a+bi$라 하면 $\overline{\alpha}=a-bi$ (a, b는 실수, $b\neq0$)이고,
근과 계수의 관계에 의해
$\alpha+\overline{\alpha}=2a=p$, $\alpha\overline{\alpha}=a^2+b^2=p+3$이므로
$a=\frac{p}{2}$, $b^2=-a^2+p+3=-\frac{p^2}{4}+p+3$ …… ㉠
$\alpha^3=(a+bi)^3$
$=a^3+3a^2bi-3ab^2-b^3i$
$=(a^3-3ab^2)+(3a^2b-b^3)i$
α^3이 실수이므로 허수부분인 $3a^2b-b^3=0$이다.
$b\neq0$이므로 $b^2=3a^2$ …… ㉡
㉠을 ㉡에 대입하면
$-\frac{p^2}{4}+p+3=3\left(\frac{p}{2}\right)^2$을 정리하면 $p^2-p-3=0$이다.
따라서 근과 계수의 관계에 의해 모든 실수 p의 곱은 -3이다.

답 ②

0896 $\alpha^2+\alpha-1=0$, $\beta^2+\beta-1=0$임을 이용하자.

> 이차방정식 $x^2+x-1=0$의 두 근을 α, β라 할 때, $(1+\alpha+\alpha^2+\alpha^3)(1+\beta+\beta^2+\beta^3)$의 값은?

근과 계수의 관계에 의하여
$\alpha+\beta=-1$, $\alpha\beta=-1$
또 α, β는 주어진 이차방정식의 근이므로
$\alpha^2+\alpha-1=0$, $\beta^2+\beta-1=0$
$\therefore \alpha^2+\alpha=1$, $\beta^2+\beta=1$
$\therefore (1+\alpha+\alpha^2+\alpha^3)(1+\beta+\beta^2+\beta^3)$
$=(1+1+\alpha^3)(1+1+\beta^3)$
$=(\alpha^3+2)(\beta^3+2)$
$=\alpha^3\beta^3+2\alpha^3+2\beta^3+4$
$=(\alpha\beta)^3+2(\alpha^3+\beta^3)+4$
$=(\alpha\beta)^3+2\{(\alpha+\beta)^3-3\alpha\beta(\alpha+\beta)\}+4$
$=-1+2(-1-3)+4$
$=-5$

답 ①

0897

> 이차방정식 $x^2+x-3=0$의 두 근을 α, β라 할 때, $f(\alpha)=f(\beta)=1$이고 이차항의 계수가 1인 이차식 $f(x)$는?
>
> $f(x)=x^2+ax+b$라 하면, $\alpha^2+a\alpha+b=\beta^2+a\beta+b=1$이다.

$x^2+x-3=0$의 두 근이 α, β이므로
$\alpha+\beta=-1$, $\alpha\beta=-3$, $\alpha^2+\alpha=3$
$f(x)=x^2+ax+b$라 하면
$f(\alpha)=\alpha^2+a\alpha+b=1$ …… ㉠
$f(\beta)=\beta^2+a\beta+b=1$ …… ㉡
㉠$-$㉡에서 $\alpha^2-\beta^2+a\alpha-a\beta=0$
$(\alpha+\beta)(\alpha-\beta)+a(\alpha-\beta)=0$
$(\alpha-\beta)(\alpha+\beta+a)=0$
$\alpha\neq\beta$이므로 $\alpha+\beta+a=0$
$\therefore a=-(\alpha+\beta)=-(-1)=1$
$a=1$을 ㉠에 대입하면 $\alpha^2+\alpha+b=1$
$b=1-(\alpha^2+\alpha)=1-3=-2$
$\therefore f(x)=x^2+x-2$

답 ①

다른풀이 $f(\alpha)-1=f(\beta)-1=0$이므로
이차방정식 $f(x)-1=0$의 두 근은 α, β이다.
$f(x)$의 이차항의 계수는 1이므로
$f(x)-1=(x-\alpha)(x-\beta)=x^2+x-3$
$\therefore f(x)=x^2+x-2$

0898

> 이차방정식 $f(x+1)=0$의 두 근을 α, β라 하면 $\alpha+\beta=2$, $\alpha\beta=4$이다. 이때, 이차방정식 $f(x-2)=0$의 두 근의 곱을 구하시오.
>
> $f(\alpha+1)=0$, $f(\beta+1)=0$이다.

이차방정식 $f(x+1)=0$의 두 근이 α, β이므로
$f(\alpha+1)=0$, $f(\beta+1)=0$
즉, 이차방정식 $f(x-2)=0$의 두 근은
$x-2=\alpha+1$ 또는 $x-2=\beta+1$
$\therefore x=\alpha+3$ 또는 $x=\beta+3$
따라서 $f(x-2)=0$의 두 근의 곱은
$(\alpha+3)(\beta+3)=\alpha\beta+3(\alpha+\beta)+9$
$=4+3\times2+9=19$

답 19

0899 $\alpha^2+\alpha+1=0$, $\beta^2+\beta+1=0$이면 $\alpha^3=1$, $\beta^3=1$임을 이용하자.

> α, β가 이차방정식 $x^2+x+1=0$의 두 근이고, n은 3의 배수가 아닌 자연수일 때, $\frac{1+\alpha^n}{1+\beta^n}$, $\frac{1+\beta^n}{1+\alpha^n}$을 두 근으로 하는 이차방정식은?
>
> 합과 곱을 구하자.

$x^2+x+1=0$의 양변에 $x-1$을 곱하면
$(x-1)(x^2+x+1)=0$
$\therefore x^3=1$ …… ㉠
또 $x^2+x+1=0$에서 근과 계수의 관계에 의하여
$\alpha+\beta=-1$, $\alpha\beta=1$
$\therefore \alpha^2+\beta^2=(\alpha+\beta)^2-2\alpha\beta=-1$
α, β가 $x^2+x+1=0$의 두 근이므로
$\alpha^2+\alpha+1=0$, $\beta^2+\beta+1=0$
㉠에 의하여 α, β는 $x^3=1$의 두 근이므로
$\alpha^3=1$, $\beta^3=1$
주어진 조건에서 n이 3의 배수가 아닌 자연수이므로
$\alpha^n=\alpha^{3k+1}=\alpha$ 또는 $\alpha^n=\alpha^{3k+2}=\alpha^2$
$\beta^n=\beta^{3k+1}=\beta$ 또는 $\beta^n=\beta^{3k+2}=\beta^2$
$\therefore \alpha^n+\beta^n=\alpha+\beta=-1$ 또는 $\alpha^n+\beta^n=\alpha^2+\beta^2=-1$
$\therefore \alpha^n+\beta^n=-1$

$$\frac{1+\alpha^n}{1+\beta^n}+\frac{1+\beta^n}{1+\alpha^n}=\frac{(1+\alpha^n)^2+(1+\beta^n)^2}{(1+\alpha^n)(1+\beta^n)}$$
$$=\frac{2+2(\alpha^n+\beta^n)+\alpha^{2n}+\beta^{2n}}{1+\alpha^n+\beta^n+\alpha^n\beta^n}$$
$$=\frac{2+2(\alpha^n+\beta^n)+(\alpha^n+\beta^n)^2-2\alpha^n\beta^n}{1+\alpha^n+\beta^n+\alpha^n\beta^n}$$
$$=\frac{2+2\times(-1)+(-1)^2-2\times1}{1+(-1)+1}$$
$$=-1$$
$$\frac{1+\alpha^n}{1+\beta^n}\times\frac{1+\beta^n}{1+\alpha^n}=1$$
따라서 두 근의 합이 -1, 곱이 1이고, 이차항의 계수가 1인 x에 대한 이차방정식은
$x^2+x+1=0$

답 ①

0900

이차방정식 $x^2+x+1=0$의 두 근 α, β에 대하여 이차함수 $f(x)=x^2+px+q$가 $f(\alpha^2)=-4\alpha$와 $f(\beta^2)=-4\beta$를 만족시킬 때, 두 상수 p, q에 대하여 $p+q$의 값을 구하시오.

→ $\alpha^2+\alpha+1=0$, $\alpha+\beta=-1$이므로 $\alpha^2=\beta$가 된다.

α, β가 이차방정식 $x^2+x+1=0$의 두 근이므로 $\alpha^2+\alpha+1=0$이고
$\alpha+\beta=-1$이다.
$\alpha+1=-\beta$이므로 $\alpha^2=\beta$, $\beta^2=\alpha$
$f(\alpha^2)=f(\beta)=4\beta+4$, $f(\beta^2)=f(\alpha)=4\alpha+4$이므로
$f(\beta)-4\beta-4=0$, $f(\alpha)-4\alpha-4=0$
이때, 이차방정식 $f(x)-4x-4=0$의 두 근이 α, β이고 $f(x)$의 최고차항의 계수가 1이므로
$f(x)-4x-4=(x-\alpha)(x-\beta)=x^2+x+1$,
$f(x)=x^2+5x+5$
따라서 $p+q=10$

답 10

0901

계수가 실수인 x에 대한 이차방정식 $ax^2+bx+c=0$의 두 근을 α, β라 할 때, $\alpha^2+\beta^2=1$, $\frac{1}{\alpha^2}+\frac{1}{\beta^2}=1$이 성립한다고 한다. 이때, $\frac{b^2}{a^2}+\frac{c^2}{b^2}+\frac{a^2}{c^2}$의 값을 구하시오.

→ $\alpha+\beta=-\frac{b}{a}$, $\alpha\beta=\frac{c}{a}$이다.

근과 계수의 관계에 의하여
$\alpha+\beta=-\frac{b}{a}$, $\alpha\beta=\frac{c}{a}$ ······ ㉠
$\alpha^2+\beta^2=1$, $\frac{1}{\alpha^2}+\frac{1}{\beta^2}=1$을 각각 변형하여 ㉠을 대입하면
$\alpha^2+\beta^2=(\alpha+\beta)^2-2\alpha\beta$
$=\frac{b^2}{a^2}-\frac{2c}{a}=1$
$\therefore \frac{b^2}{a^2}-\frac{2c}{a}=1$ ······ ㉡
$\frac{1}{\alpha^2}+\frac{1}{\beta^2}=\frac{\alpha^2+\beta^2}{\alpha^2\beta^2}=\frac{1}{\alpha^2\beta^2}=\frac{a^2}{c^2}=1$
$a^2=c^2$, $(a+c)(a-c)=0$
$\therefore a=c$ 또는 $a=-c$

$a=c$ 또는 $a=-c$를 각각 ㉡에 대입하면
(i) $a=c$일 때, $\frac{b^2}{a^2}-\frac{2c}{a}=\frac{b^2}{a^2}-\frac{2a}{a}=1$
$\therefore \frac{b^2}{a^2}=3$
(ii) $a=-c$일 때, $\frac{b^2}{a^2}-\frac{2c}{a}=\frac{b^2}{a^2}+\frac{2a}{a}=1$
$\therefore \frac{b^2}{a^2}=-1$
그런데 a, b가 실수이므로
$\frac{b^2}{a^2}\geq0$
따라서 $\frac{b^2}{a^2}=-1$은 계수가 실수인 조건에 모순이다.
(i), (ii)에서 $a=c$, $\frac{b^2}{a^2}=3$
$$\therefore \frac{b^2}{a^2}+\frac{c^2}{b^2}+\frac{a^2}{c^2}=\frac{b^2}{a^2}+\frac{a^2}{b^2}+\frac{a^2}{a^2}$$
$$=3+\frac{1}{3}+1$$
$$=\frac{13}{3}$$

답 $\frac{13}{3}$

0902

x에 대한 이차방정식 $x^2-2(m-2)x+m^2-3m+2=0$의 두 근이 모두 음수이고 한 근이 다른 근의 3배일 때, 실수 m의 값을 구하시오.

→ 판별식 $D>0$, (두 근의 합)<0, (두 근의 곱)>0임을 이용하자.

이차방정식 $x^2-2(m-2)x+m^2-3m+2=0$에서
(i) 한 근이 다른 근의 3배이므로 두 근을 α, 3α라 하면 근과 계수의 관계에 의하여
(두 근의 합)$=\alpha+3\alpha=2(m-2)$
$4\alpha=2m-4$ $\therefore \alpha=\frac{m-2}{2}$ ······ ㉠
(두 근의 곱)$=3\alpha^2=m^2-3m+2$ ······ ㉡
㉠을 ㉡에 대입하면
$3\left(\frac{m-2}{2}\right)^2=m^2-3m+2$
$m^2=4$ $\therefore m=-2$ 또는 $m=2$
(ii) 두 근이 서로 다른 음수이므로
$\frac{D}{4}=(m-2)^2-m^2+3m-2>0$
$\therefore m<2$ ······ ㉢
(두 근의 합)$=2(m-2)<0$
$\therefore m<2$ ······ ㉣
(두 근의 곱)$=m^2-3m+2>0$
$(m-1)(m-2)>0$
$\therefore m<1$ 또는 $m>2$ ······ ㉤
㉢, ㉣, ㉤에서 $m<1$
(i), (ii)에서 실수 m의 값은 $m=-2$

답 -2

06 이차함수의 활용

본책 154~181쪽

0903

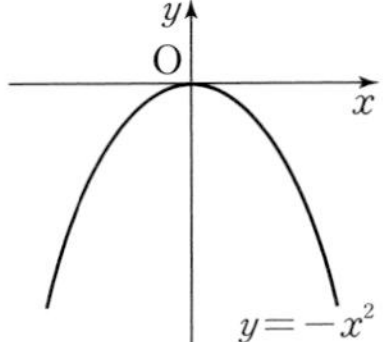

$\therefore$ 교점 1개 답 1

0904

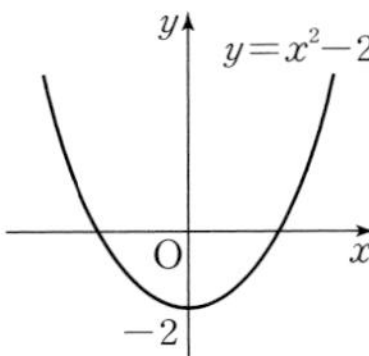

$\therefore$ 교점 2개 답 2

0905

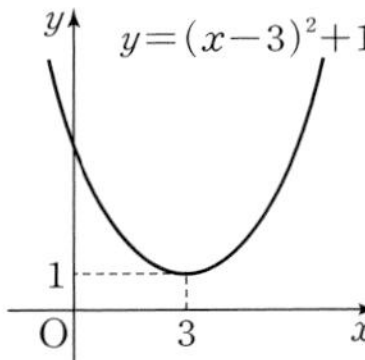

$\therefore$ 교점은 없다. 답 0

0906

이차방정식 $x^2+4x+8=0$의 판별식을 D라 하면

$\frac{D}{4}=2^2-1\cdot8=-4<0$

따라서 주어진 이차함수의 그래프와 x축은 만나지 않으므로 교점의 개수는 0이다. 답 0

0907

이차방정식 $-x^2+2x+3=0$의 판별식을 D라 하면

$\frac{D}{4}=1^2-(-1)\cdot3=4>0$

따라서 주어진 이차함수의 그래프와 x축은 서로 다른 두 점에서 만나므로 교점의 개수는 2이다. 답 2

0908

이차방정식 $-x^2+4x-4=0$의 판별식을 D라 하면

$\frac{D}{4}=2^2-(-1)\cdot(-4)=0$

따라서 주어진 이차함수의 그래프와 x축은 한 점에서 만나므로 교점의 개수는 1이다. 답 1

0909

이차방정식 $x^2+2x+k=0$의 판별식을 D라 하면

$\frac{D}{4}=1^2-1\cdot k=1-k>0$

$\therefore k<1$ 답 $k<1$

0910

이차방정식 $-x^2+6x+k=0$의 판별식을 D라 하면

$\frac{D}{4}=3^2-(-1)\cdot k=9+k>0$

$\therefore k>-9$ 답 $k>-9$

0911

이차방정식 $x^2+3x+k=0$의 판별식을 D라 하면

$D=3^2-4\cdot1\cdot k=9-4k=0$

$\therefore k=\frac{9}{4}$ 답 $\frac{9}{4}$

0912

이차방정식 $-2x^2+x-k=0$의 판별식을 D라 하면

$D=1^2-4\cdot(-2)\cdot(-k)=1-8k=0$

$\therefore k=\frac{1}{8}$ 답 $\frac{1}{8}$

0913

이차방정식 $x^2-4x+k=0$의 판별식을 D라 하면

$\frac{D}{4}=(-2)^2-1\cdot k=4-k<0$

$\therefore k>4$ 답 $k>4$

0914

이차방정식 $-2x^2+4x+3k=0$의 판별식을 D라 하면

$\frac{D}{4}=2^2-(-2)\cdot3k=4+6k<0$

$\therefore k<-\frac{2}{3}$ 답 $k<-\frac{2}{3}$

0915

이차방정식 $x^2-4kx+4k^2-3k+9=0$의 판별식을 D라 하면

$\frac{D}{4}=(-2k)^2-1\cdot(4k^2-3k+9)=3k-9<0$

$\therefore k<3$ 답 $k<3$

0916

x축과의 교점의 y좌표가 0이므로

$3x^2+6x=0$, $3x(x+2)=0$

$\therefore x=-2$ 또는 $x=0$

따라서 이차함수 $y=3x^2+6x$의 그래프와 x축의 교점의 좌표는 $(-2, 0)$, $(0, 0)$이다. 답 $(-2, 0)$, $(0, 0)$

0917

x축과의 교점의 y좌표가 0이므로

$x^2+x-2=0$, $(x+2)(x-1)=0$

$\therefore x=-2$ 또는 $x=1$

따라서 이차함수 $y=x^2+x-2$의 그래프와 x축의 교점의 좌표는 $(-2, 0)$, $(1, 0)$이다. 답 $(-2, 0)$, $(1, 0)$

0918

x축과의 교점의 y좌표가 0이므로

$x^2-6x+9=0$, $(x-3)^2=0$ $\therefore x=3$ (중근)

따라서 이차함수 $y=x^2-6x+9$의 그래프와 x축의 교점의 좌표는 $(3, 0)$이다. 답 $(3, 0)$

0919

이차함수 $y=x^2+3x+a$의 그래프가 x축과 만나는 한 교점의 좌표는 $(3, 0)$이므로 $x=3$, $y=0$을 대입하면

$0=3^2+3\cdot3+a$

$\therefore a=-18$ 답 -18

0920

이차함수 $y=x^2+ax+4$의 그래프가 x축과 한 점 $(2, 0)$에서 만나므로 $x=2$, $y=0$을 대입하면

$0=2^2+a\cdot2+4$

$\therefore a=-4$ 답 -4

0921

이차함수 $y=ax^2+bx+c$의 그래프가 x축과 두 점 $(1, 0)$, $(2, 0)$에서 만날 때, 이차방정식 $ax^2+bx+c=0$의 두 근은 $\boxed{1}$ 또는 $\boxed{2}$이다.

답 1, 2

0922

이차방정식 $x^2+ax+b=0$의 두 근이 3 또는 4일 때, 이차함수 $y=x^2+ax+b$의 그래프는 x축과 두 점 $(\boxed{3}, \boxed{0})$, $(\boxed{4}, \boxed{0})$에서 만난다. 답 3, 0, 4, 0

0923

이차함수 $y=x^2+6x+8$의 그래프가 x축과 두 점 $(\alpha, 0)$, $(\beta, 0)$에서 만날 때, $\alpha+\beta=\boxed{-6}$이고 $\alpha\beta=\boxed{8}$이다. 답 -6, 8

0924

주어진 이차함수의 그래프와 x축이 만나는 점의 x좌표 -1, 2는 이차방정식 $x^2+ax+b=0$의 두 근이다.

따라서 근과 계수의 관계에 의하여

$-1+2=-a \quad \therefore a=-1$

$(-1)\cdot2=b \quad \therefore b=-2$ 답 $a=-1$, $b=-2$

0925

주어진 이차함수의 그래프와 x축이 만나는 점의 x좌표 1, 4는 이차방정식 $x^2+ax+b=0$의 두 근이다.

따라서 근과 계수의 관계에 의하여

$1+4=-a \quad \therefore a=-5$

$1\cdot4=b \quad \therefore b=4$ 답 $a=-5$, $b=4$

0926

주어진 이차함수의 그래프와 x축이 만나는 점의 x좌표 -2, 3은 이차방정식 $-x^2+ax+b=0$의 두 근이다.

따라서 근과 계수의 관계에 의하여

$-2+3=a \quad \therefore a=1$

$(-2)\cdot3=-b \quad \therefore b=6$ 답 $a=1$, $b=6$

0927

주어진 이차함수의 그래프와 x축이 만나는 점의 x좌표 2, 5는 이차방정식 $-x^2+ax+b=0$의 두 근이다.

따라서 근과 계수의 관계에 의하여

$2+5=a \quad \therefore a=7$

$2\cdot5=-b \quad \therefore b=-10$ 답 $a=7$, $b=-10$

0928

$x^2+2x+1=-x-1$에서 $x^2+3x+2=0$

이차방정식 $x^2+3x+2=0$의 판별식을 D라 하면

$D=3^2-4\cdot1\cdot2=1>0$

따라서 주어진 이차함수의 그래프와 직선은 서로 다른 두 점에서 만나므로 교점의 개수는 2이다. 답 2

0929

$2x^2-x+3=x+2$에서 $2x^2-2x+1=0$

이차방정식 $2x^2-2x+1=0$의 판별식을 D라 하면

$\frac{D}{4}=(-1)^2-2\cdot1=-1<0$

따라서 주어진 이차함수의 그래프와 직선은 만나지 않으므로 교점의 개수는 0이다. 답 0

0930

$-x^2+4x+1=2x+2$에서 $-x^2+2x-1=0$

이차방정식 $-x^2+2x-1=0$의 판별식을 D라 하면

$\frac{D}{4}=1^2-(-1)\cdot(-1)=0$

따라서 주어진 이차함수의 그래프와 직선은 한 점에서 만나므로 교점의 개수는 1이다. 답 1

0931

$x^2+4x+2=x+k$에서 $x^2+3x+2-k=0$

이차방정식 $x^2+3x+2-k=0$의 판별식을 D라 하면

$D=3^2-4\cdot1\cdot(2-k)=1+4k>0$

$\therefore k>-\frac{1}{4}$ 답 $k>-\frac{1}{4}$

0932

$3x^2+4x-1=x-k$에서 $3x^2+3x-1+k=0$

이차방정식 $3x^2+3x-1+k=0$의 판별식을 D라 하면

$D=3^2-4\cdot3\cdot(-1+k)=21-12k>0$

$\therefore k<\frac{7}{4}$ 답 $k<\frac{7}{4}$

0933

$-x^2+x+5=-x-k$에서 $-x^2+2x+5+k=0$

이차방정식 $-x^2+2x+5+k=0$의 판별식을 D라 하면

$\frac{D}{4}=1^2-(-1)\cdot(5+k)=6+k>0$

$\therefore k>-6$ 답 $k>-6$

0934

$x^2+2x+4=x+k$에서 $x^2+x+4-k=0$

이차방정식 $x^2+x+4-k=0$의 판별식을 D라 하면

$D=1^2-4\cdot1\cdot(4-k)=-15+4k=0$

$\therefore k=\frac{15}{4}$ 답 $\frac{15}{4}$

0935

$2x^2-2x+1=x-k$에서 $2x^2-3x+1+k=0$

이차방정식 $2x^2-3x+1+k=0$의 판별식을 D라 하면

$D=(-3)^2-4\cdot2\cdot(1+k)=1-8k=0$

$\therefore k=\frac{1}{8}$ 답 $\frac{1}{8}$

0936

$-x^2+2x+5=-x-k$에서 $-x^2+3x+5+k=0$

이차방정식 $-x^2+3x+5+k=0$의 판별식을 D라 하면

$D=3^2-4\cdot(-1)\cdot(5+k)=29+4k=0$

$\therefore k=-\frac{29}{4}$ 답 $-\frac{29}{4}$

0937

$x^2-x+3=x+k$에서 $x^2-2x+3-k=0$

이차방정식 $x^2-2x+3-k=0$의 판별식을 D라 하면

$\frac{D}{4}=(-1)^2-1\cdot(3-k)=-2+k<0$

$\therefore k<2$ 답 $k<2$

0938

$3x^2+2x+1=-x-2k$에서 $3x^2+3x+1+2k=0$

이차방정식 $3x^2+3x+1+2k=0$의 판별식을 D라 하면

$D=3^2-4\cdot3\cdot(1+2k)=-3-24k<0$

$\therefore k>-\frac{1}{8}$ 답 $k>-\frac{1}{8}$

0939

$-x^2+5x+6=x-k$에서 $-x^2+4x+6+k=0$

이차방정식 $-x^2+4x+6+k=0$의 판별식을 D라 하면

$\frac{D}{4}=2^2-(-1)\cdot(6+k)=10+k<0$

$\therefore k<-10$ 답 $k<-10$

0940

$x^2-1=2x-1$에서 $x^2-2x=0$

$x(x-2)=0$ $\quad\therefore x=0$ 또는 $x=2$

교점의 x좌표를 $y=2x-1$에 대입하면

$y=-1$ 또는 $y=3$

따라서 이차함수 $y=x^2-1$의 그래프와 직선 $y=2x-1$의 교점의 좌표는 $(0, -1)$, $(2, 3)$이다. 답 $(0, -1)$, $(2, 3)$

0941

$x^2-x-4=3x+1$에서

$x^2-4x-5=0$

$(x+1)(x-5)=0$ $\quad\therefore x=-1$ 또는 $x=5$

교점의 x좌표를 $y=3x+1$에 대입하면

$y=-2$ 또는 $y=16$

따라서 이차함수 $y=x^2-x-4$의 그래프와 직선 $y=3x+1$의 교점의 좌표는 $(-1, -2)$, $(5, 16)$이다.

답 $(-1, -2)$, $(5, 16)$

0942

$x^2+2x+3=4x+2$에서

$x^2-2x+1=0$

$(x-1)^2=0$ $\quad\therefore x=1$ (중근)

교점의 x좌표를 $y=4x+2$에 대입하면

$y=6$

따라서 이차함수 $y=x^2+2x+3$의 그래프와 직선 $y=4x+2$의 교점의 좌표는 $(1, 6)$이다. 답 $(1, 6)$

0943

이차함수 $y=x^2-3$의 그래프는 그림과 같으므로 최댓값은 없고, $x=0$일 때 최솟값은 -3이다.

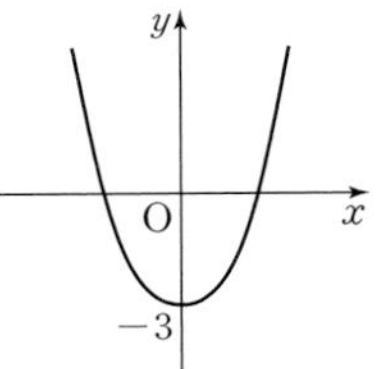

답 최댓값 : 없다, 최솟값 : -3

0944

이차함수 $y=-(x-2)^2+1$의 그래프는 그림과 같으므로 $x=2$일 때 최댓값은 1이고, 최솟값은 없다.

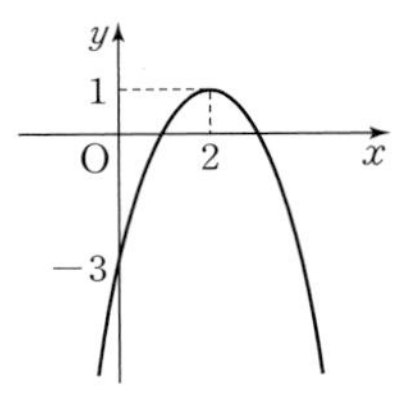

답 최댓값 : 1, 최솟값 : 없다.

0945

$y=x^2-2x+1=(x-1)^2$이므로

주어진 이차함수의 그래프는 그림과 같다.

따라서 최댓값은 없고,

$x=1$일 때, 최솟값은 0이다.

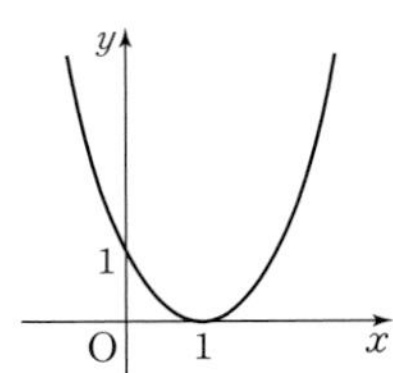

답 최댓값 : 없다, 최솟값 : 0

0946

$y=-x^2-6x-11=-(x+3)^2-2$

이므로 주어진 이차함수의 그래프는 그림과 같다.

따라서 $x=-3$일 때 최댓값은 -2이고, 최솟값은 없다.

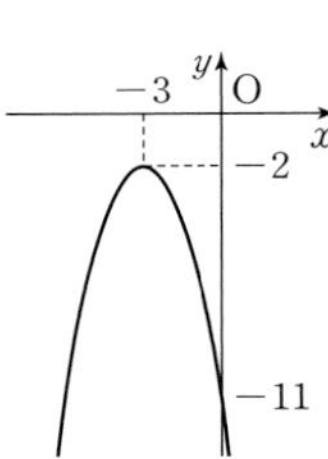

답 최댓값 : -2, 최솟값 : 없다.

[0947-0950] $y=f(x)$에서

$f(x)=x^2-4x+3=(x-2)^2-1$이므로

주어진 이차함수의 그래프는 그림과 같다.

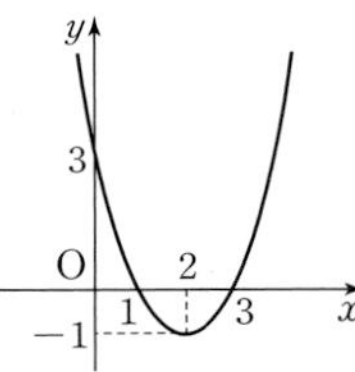

0947

꼭짓점의 x좌표 2는 $1\leq x\leq4$에 포함되므로

$f(1)=0$, $f(2)=-1$, $f(4)=3$

$\therefore$ 최댓값 : 3, 최솟값 : -1 답 최댓값 : 3, 최솟값 : -1

0948

꼭짓점의 x좌표 2는 $-1\le x\le 3$에 포함되므로

$f(-1)=8,\ f(2)=-1,\ f(3)=0$

$\therefore$ 최댓값 : 8, 최솟값 : -1 　　답 최댓값 : 8, 최솟값 : -1

0949

꼭짓점의 x좌표 2는 $5\le x\le 7$에 포함되지 않으므로

$f(5)=8,\ f(7)=24$

$\therefore$ 최댓값 : 24, 최솟값 : 8 　　답 최댓값 : 24, 최솟값 : 8

0950

꼭짓점의 x좌표 2는 $x>0$에 포함되므로

$f(2)=-1$

$\therefore$ 최댓값 : 없다, 최솟값 : -1

답 최댓값 : 없다, 최솟값 : -1

[0951-0954] $y=f(x)$에서

$f(x)=-x^2+6x-5=-(x-3)^2+4$

이므로 주어진 이차함수의 그래프는 그림과 같다.

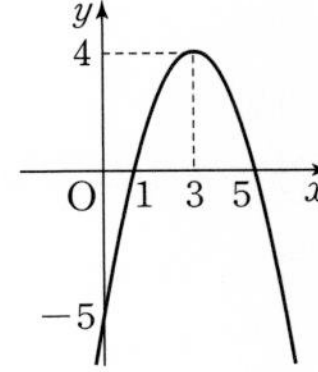

0951

꼭짓점의 x좌표 3은 $2\le x\le 6$에 포함되므로

$f(2)=3,\ f(3)=4,\ f(6)=-5$

$\therefore$ 최댓값 : 4, 최솟값 : -5 　　답 최댓값 : 4, 최솟값 : -5

0952

꼭짓점의 x좌표 3은 $0\le x\le 4$에 포함되므로

$f(0)=-5,\ f(3)=4,\ f(4)=3$

$\therefore$ 최댓값 : 4, 최솟값 : -5 　　답 최댓값 : 4, 최솟값 : -5

0953

꼭짓점의 x좌표 3은 $-3\le x\le -1$에 포함되지 않으므로

$f(-3)=-32,\ f(-1)=-12$

$\therefore$ 최댓값 : -12, 최솟값 : -32

답 최댓값 : -12, 최솟값 : -32

0954

꼭짓점의 x좌표 3은 $x>1$에 포함되므로

$f(3)=4$

$\therefore$ 최댓값 : 4, 최솟값 : 없다. 　　답 최댓값 : 4, 최솟값 : 없다.

0955

> 이차함수 $y=-x^2+3x-k$의 그래프가 x축과 만나지 않도록 하는 실수 k의 값의 범위는?
> (판별식 $D<0$이다.)

이차방정식 $-x^2+3x-k=0$의 판별식을 D라 하면

$D=9-4k<0$ 　　$\therefore k>\dfrac{9}{4}$ 　　답 ④

0956

> 이차함수 $y=2x^2-6x+1-k$의 그래프가 x축과 서로 다른 두 점에서 만나도록 하는 실수 k의 값의 범위가 $k>a$일 때, 상수 a의 값은?
> (판별식 $D>0$이다.)

이차함수 $y=2x^2-6x+1-k$의 그래프가 x축과 서로 다른 두 점에서 만나므로 이차방정식 $2x^2-6x+1-k=0$의 판별식을 D라 하면

$\dfrac{D}{4}=9-2(1-k)>0$

$2k+7>0$ 　　$\therefore k>-\dfrac{7}{2}$

$\therefore a=-\dfrac{7}{2}$ 　　답 ③

0957

> 이차함수 $y=x^2+2(1-m)x+m^2+7$의 그래프가 x축과 만나지 않도록 하는 실수 m의 값의 범위는?
> (판별식 $D<0$이다.)

이차함수 $y=x^2+2(1-m)x+m^2+7$의 그래프가 x축과 만나지 않으므로 이차방정식 $x^2+2(1-m)x+m^2+7=0$의 판별식을 D라 하면

$\dfrac{D}{4}=(1-m)^2-(m^2+7)<0$

$-2m-6<0$ 　　$\therefore m>-3$ 　　답 ②

0958

> 이차함수 $y=x^2+2ax+am+m+b$의 그래프가 실수 m의 값에 관계없이 항상 x축에 접할 때, 두 상수 $a,\ b$에 대하여 $a+b$의 값은?
> (판별식 $D=0$이 m에 관한 항등식이다.)

이차함수 $y=x^2+2ax+am+m+b$의 그래프가 x축에 접하므로 이차방정식 $x^2+2ax+am+m+b=0$의 판별식을 D라 하면

$\dfrac{D}{4}=a^2-(am+m+b)=0$

$a^2-b-m(a+1)=0$

이 식이 실수 m의 값에 관계없이 항상 성립하므로

$a+1=0,\ a^2-b=0$

$\therefore a=-1,\ b=1$

$\therefore a+b=0$ 　　답 ③

0959

> 이차함수 $y=x^2+ax+b$의 그래프가 점 $(1,\ 1)$을 지나고 x축에 접할 때, 상수 $a,\ b$의 곱 ab의 값을 구하시오. (단, $a\neq 0$)
> ($x=1,\ y=1$을 대입하면 등식이 성립한다.)
> (판별식 $D=0$이다.)

이차함수 $y=x^2+ax+b$의 그래프가 점 $(1,\ 1)$을 지나므로

$1=1+a+b$ 　　$\therefore b=-a$ 　　$\cdots\cdots$ ㉠

또 $y=x^2+ax+b$의 그래프가 x축에 접하므로 이차방정식 $x^2+ax+b=0$의 판별식을 D라 하면

$D=a^2-4b=0$ ……㉡

㉠을 ㉡에 대입하면

$a^2+4a=0$, $a(a+4)=0$

$\therefore a=-4$ ($\because a\neq 0$)

$a=-4$를 ㉠에 대입하면 $b=4$

$\therefore ab=-16$

답 -16

0960

> 이차함수 $y=(k-1)x^2-2(k+1)x+(k+2)$의 그래프가 x축과 서로 다른 두 점에서 만나게 되는 5 이하의 정수 k의 개수는?
>
> • 판별식 $D>0$이다.

이차방정식 $(k-1)x^2-2(k+1)x+(k+2)=0$의 판별식을 D라 하면

$\frac{D}{4}=(k+1)^2-(k-1)(k+2)>0$

$k+3>0$ $\therefore k>-3$ ……㉠

그런데 $y=(k-1)x^2-2(k+1)x+(k+2)$는 이차함수이므로

$k-1\neq 0$ $\therefore k\neq 1$ ……㉡

㉠, ㉡에서 $-3<k<1$, $k>1$

따라서 5 이하의 정수 k는 -2, -1, 0, 2, 3, 4, 5의 7개이다.

답 ③

0961

> 이차함수 $y=x^2-ax+b$의 그래프와 x축의 교점의 x좌표가 -2, 1일 때, 두 상수 a, b의 합 $a+b$의 값을 구하시오.
>
> • 이차방정식 $x^2-ax+b=0$의 두 근이 -2, 1이다.

이차함수 $y=x^2-ax+b$의 그래프와 x축의 교점의 x좌표 -2, 1은 이차방정식 $x^2-ax+b=0$의 두 근이므로 근과 계수의 관계에 의하여

$-2+1=a$, $(-2)\cdot 1=b$

$\therefore a=-1$, $b=-2$

$\therefore a+b=-3$

답 -3

0962

> 이차함수 $y=x^2+ax+a+b$의 그래프가 그림과 같을 때, 두 상수 a, b의 곱 ab의 값은?
>
> • 이차방정식 $x^2+ax+a+b=0$의 두 근이 -2, 6이다.

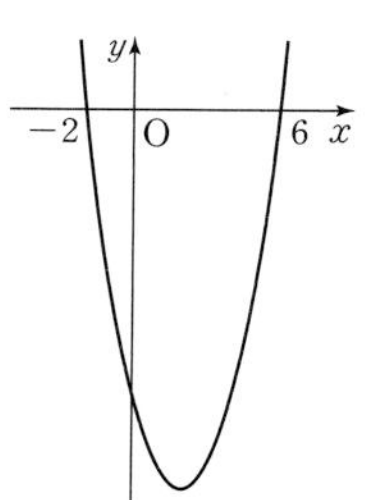

이차함수 $y=x^2+ax+a+b$의 그래프와 x축의 교점의 x좌표 -2, 6은 이차방정식 $x^2+ax+a+b=0$의 두 근이므로 근과 계수의 관계에 의하여

$-2+6=-a$, $(-2)\cdot 6=a+b$

$\therefore a=-4$, $b=-8$

$\therefore ab=32$

답 ②

0963

> 이차함수 $y=x^2+2x+k$의 그래프가 x축과 두 점 $(a, 0)$, $(3, 0)$에서 만날 때, $k+a$의 값을 구하시오. (단, k는 상수이다.)
>
> • 이차방정식 $x^2+2x+k=0$의 두 근이 a, 3이다.

$x^2+2x+k=0$의 두 근이 $x=a$ 또는 $x=3$이므로

근과 계수의 관계에 의하여 $a+3=-2$, $3a=k$

$\therefore a=-5$, $k=-15$

$\therefore k+a=-20$

답 -20

0964

> 이차함수 $y=2x^2+ax-3$의 그래프가 x축과 만나는 두 점의 x좌표의 합이 -1일 때, 상수 a의 값은?
>
> • 이차방정식 $2x^2+ax-3=0$의 두 근의 합이 $-\frac{a}{2}$이다.

이차함수 $y=2x^2+ax-3$의 그래프가 x축과 만나는 두 점의 x좌표는 이차방정식 $2x^2+ax-3=0$의 두 실근과 같다.

근과 계수의 관계에 의하여 두 근의 합은 $-\frac{a}{2}$이므로

$-\frac{a}{2}=-1$에서 $a=2$

답 ⑤

0965

> 이차함수 $y=-3x^2+6x-2$의 그래프와 x축의 교점의 x좌표가 α, β일 때, $|\alpha-\beta|$의 값을 구하시오.
>
> • 이차방정식 $-3x^2+6x-2=0$의 두 근이 α, β이다.

이차방정식 $-3x^2+6x-2=0$의 두 근이 α, β이므로 근과 계수의 관계에 의하여

$\alpha+\beta=2$, $\alpha\beta=\frac{2}{3}$

$\therefore (\alpha-\beta)^2=(\alpha+\beta)^2-4\alpha\beta=4-\frac{8}{3}=\frac{4}{3}$

$\therefore |\alpha-\beta|=\frac{2\sqrt{3}}{3}$

답 $\frac{2\sqrt{3}}{3}$

0966

> • $f(x)$와 $g(x)$를 각각 구해 보자.
>
> 두 이차함수 $f(x)=x^2+ax+b$, $g(x)=-x^2+cx+d$의 그래프가 그림과 같을 때, 방정식 $2f(x)+g(x)=0$의 해는?
>
> (단, a, b, c, d는 실수)

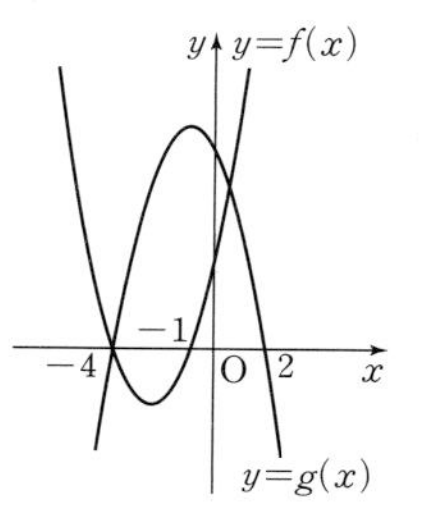

$y=f(x)$의 그래프와 x축의 교점의 x좌표가 -4, -1이므로

$f(x)=x^2+ax+b=(x+4)(x+1)$

$y=g(x)$의 그래프와 x축의 교점의 x좌표가 -4, 2이므로

$g(x)=-x^2+cx+d=-(x+4)(x-2)$

따라서 방정식 $2f(x)+g(x)=0$은

$2(x+4)(x+1)-(x+4)(x-2)=0$

$x^2+8x+16=0$

$(x+4)^2=0$

$\therefore x=-4$ 답 ①

0967

> 곡선 $y=x^2+1$과 직선 $y=2ax-3$이 한 점에서만 만나도록 하는 모든 상수 a의 값의 합은?
> → 두 식을 연립한 이차방정식의 판별식 $D=0$이다.

이차함수 $y=x^2+1$의 그래프와 직선 $y=2ax-3$의 교점이 하나이므로 이차방정식 $x^2+1=2ax-3$, 즉 $x^2-2ax+4=0$의 판별식을 D라 하면

$\frac{D}{4}=(-a)^2-4=0$, $a^2-4=0$

$(a+2)(a-2)=0$ $\therefore a=-2$ 또는 $a=2$

따라서 모든 a의 값의 합은 0이다. 답 ①

0968

> 이차함수 $y=x^2+k$의 그래프가 직선 $x+y=1$과 서로 다른 두 점에서 만나도록 하는 정수 k의 최댓값을 구하시오.
> → 두 식을 연립한 이차방정식의 판별식 $D>0$이다.

이차함수 $y=x^2+k$의 그래프가 직선 $y=1-x$와 서로 다른 두 점에서 만나므로 이차방정식 $x^2+k=1-x$, 즉

$x^2+x+k-1=0$의 판별식을 D라 하면

$D=1-4(k-1)=-4k+5>0$

$\therefore k<\frac{5}{4}$

따라서 정수 k의 최댓값은 1이다. 답 1

0969

> 곡선 $y=x^2+2ax+a$와 직선 $y=2x-a^2$의 교점이 존재하지 않도록 하는 자연수 a의 최솟값은?
> → 두 식을 연립한 이차방정식의 판별식 $D<0$이다.

곡선 $y=x^2+2ax+a$와 직선 $y=2x-a^2$의 교점이 존재하지 않으므로 이차방정식 $x^2+2ax+a=2x-a^2$, 즉

$x^2+2(a-1)x+a^2+a=0$의 판별식을 D라 하면

$\frac{D}{4}=(a-1)^2-(a^2+a)=-3a+1<0$

$\therefore a>\frac{1}{3}$

따라서 자연수 a의 최솟값은 1이다. 답 ①

0970

> 이차함수 $y=x^2-2x+k$의 그래프와 직선 $y=2x-1$이 만나도록 하는 자연수 k의 개수는?
> → 두 식을 연립한 이차방정식의 판별식 $D\geq0$이다.

이차함수 $y=x^2-2x+k$의 그래프와 직선 $y=2x-1$이 서로 다른 두 점 또는 한 점에서 만나므로 이차방정식

$x^2-2x+k=2x-1$, 즉 $x^2-4x+k+1=0$의 판별식을 D라 하면

$\frac{D}{4}=4-(k+1)\geq0$ $\therefore k\leq3$

따라서 자연수 k는 1, 2, 3의 3개이다. 답 ③

0971

> 직선 $y=2mx$가 이차함수 $y=x^2+x+m^2$의 그래프와 서로 다른 두 점에서 만나고, 이차함수 $y=x^2-x+m^2$의 그래프와는 만나지 않는다고 할 때, 실수 m의 값의 범위를 구하시오.
> → 두 식을 연립한 이차방정식의 판별식 $D>0$이다.

직선 $y=2mx$가 이차함수 $y=x^2+x+m^2$의 그래프와 서로 다른 두 점에서 만나므로 이차방정식 $x^2+x+m^2=2mx$, 즉

$x^2+(1-2m)x+m^2=0$의 판별식을 D_1이라 하면

$D_1=(1-2m)^2-4m^2>0$, $-4m+1>0$

$\therefore m<\frac{1}{4}$ ······㉠

또 직선 $y=2mx$가 이차함수 $y=x^2-x+m^2$의 그래프와 만나지 않으므로 이차방정식 $x^2-x+m^2=2mx$, 즉

$x^2-(2m+1)x+m^2=0$의 판별식을 D_2라 하면

$D_2=\{-(2m+1)\}^2-4m^2<0$, $4m+1<0$

$\therefore m<-\frac{1}{4}$ ······㉡

㉠, ㉡의 공통범위는 $m<-\frac{1}{4}$ 답 $m<-\frac{1}{4}$

0972

> 이차함수 $y=x^2+ax+b$의 그래프는 x축에 접하고 직선 $y=2x$와 서로 다른 두 점에서 만난다. 이때, 정수 a의 최댓값을 구하시오. (단, b는 상수이다.)
> → 이차방정식 $x^2+ax+b=0$의 판별식 $D=0$이다.
> → 이차방정식 $x^2+ax+b=2x$의 판별식 $D>0$이다.

이차함수 $y=x^2+ax+b$의 그래프가 x축에 접하므로 이차방정식 $x^2+ax+b=0$의 판별식을 D_1이라 하면

$D_1=a^2-4b=0$ $\therefore a^2=4b$ ······㉠

또 이차함수 $y=x^2+ax+b$의 그래프가 직선 $y=2x$와 서로 다른 두 점에서 만나므로 이차방정식 $x^2+ax+b=2x$, 즉

$x^2+(a-2)x+b=0$의 판별식을 D_2라 하면

$D_2=(a-2)^2-4b>0$ $\therefore a^2-4a+4-4b>0$ ······㉡

㉠을 ㉡에 대입하면

$-4a+4>0$ $\therefore a<1$

따라서 정수 a의 최댓값은 0이다. 답 0

0973

기울기가 -2이다.

> 포물선 $y=-x^2+2x-3$에 접하고, 직선 $y=-2x+5$와 평행한 직선의 방정식을 $y=ax+b$라 할 때, 상수 a, b의 합 $a+b$의 값을 구하시오.

직선 $y=-2x+5$와 평행하므로 구하는 직선의 방정식은
$y=-2x+k$ (k는 상수)
이 직선이 $y=-x^2+2x-3$에 접하므로 이차방정식
$-x^2+2x-3=-2x+k$, 즉 $x^2-4x+3+k=0$의 판별식을 D라 하면
$\frac{D}{4}=(-2)^2-(3+k)=0 \quad \therefore k=1$
$\therefore y=-2x+1$
따라서 $a=-2$, $b=1$이므로
$a+b=-1$

답 -1

0974

$y-k=-2x+1$

> 직선 $y=-2x+1$을 y축의 방향으로 k만큼 평행이동하였더니 이차함수 $y=x^2-4x$의 그래프와 접하였다. 이때, 상수 k의 값을 구하시오.

직선 $y=-2x+1$을 y축의 방향으로 k만큼 평행이동하면
$y=-2x+1+k$
이 직선이 $y=x^2-4x$의 그래프와 접하므로 이차방정식
$x^2-4x=-2x+1+k$, 즉 $x^2-2x-k-1=0$의 판별식을 D라 하면
$\frac{D}{4}=(-1)^2-(-k-1)=0$
$1+k+1=0 \quad \therefore k=-2$

답 -2

0975

> 기울기가 5인 직선이 이차함수 $f(x)=x^2-3x+17$의 그래프에 접할 때, 이 직선의 y절편은?
>
> 직선 $y=5x+k$와 연립한 이차방정식의 판별식 $D=0$이다.

기울기가 5인 직선의 y절편을 k라 하면
이차함수 $f(x)=x^2-3x+17$의 그래프와 직선 $y=5x+k$가 한 점에서 만난다.
이차방정식 $x^2-8x+17-k=0$의 판별식을 D라 하면
$D=64-4(17-k)=0$
$4k-4=0$이므로 $k=1$
따라서 직선의 y절편은 1이다.

답 ①

0976

> 이차함수 $y=x^2+ax+b$의 그래프가 두 직선 $y=\frac{1}{2}x$와 $y=-2x$에 동시에 접할 때, a의 값은? (단, a, b는 상수이다.)
>
> 각각의 식을 연립한 이차방정식의 판별식이 각각 $D=0$이다.

이차함수 $y=x^2+ax+b$의 그래프가 두 직선 $y=\frac{1}{2}x$와 $y=-2x$에 동시에 접하므로

(i) 이차방정식 $x^2+ax+b=\frac{1}{2}x$, 즉 $x^2+\left(a-\frac{1}{2}\right)x+b=0$의 판별식을 D_1이라 하면
$D_1=\left(a-\frac{1}{2}\right)^2-4b=0$
$\therefore 4b=\left(a-\frac{1}{2}\right)^2 \quad \cdots\cdots$ ㉠

(ii) 이차방정식 $x^2+ax+b=-2x$, 즉 $x^2+(a+2)x+b=0$의 판별식을 D_2라 하면
$D_2=(a+2)^2-4b=0$
$\therefore 4b=(a+2)^2 \quad \cdots\cdots$ ㉡

㉠, ㉡을 연립하여 풀면
$\left(a-\frac{1}{2}\right)^2=(a+2)^2$, $5a=-\frac{15}{4}$
$\therefore a=-\frac{3}{4}$

답 ②

0977

$y-2=m(x-1)$

> 점 $(1, 2)$를 지나고 이차함수 $y=-x^2+9x-14$의 그래프와 접하는 두 직선의 기울기의 곱을 구하시오.

점 $(1, 2)$를 지나고 기울기가 m인 직선의 방정식은
$y=m(x-1)+2=mx-m+2$
이 직선이 이차함수 $y=-x^2+9x-14$의 그래프와 접하므로 이차방정식 $mx-m+2=-x^2+9x-14$
즉, $x^2+(m-9)x-m+16=0$에서
$D=(m-9)^2-4(-m+16)=0$
$m^2-14m+17=0$
이 이차방정식을 만족하는 두 실근을 α, β라고 하면 α, β는 구하는 두 직선의 기울기이므로 두 직선의 기울기의 곱은 근과 계수의 관계에 의하여
$\alpha\beta=17$

답 17

0978

> x에 대한 이차함수 $y=x^2-4kx+4k^2+k$의 그래프와 직선 $y=2ax+b$가 실수 k의 값에 관계없이 항상 접할 때, $a+b$의 값은? (단, a, b는 상수이다.)
>
> 두 식을 연립한 이차방정식의 판별식 $D=0$이 k에 관한 항등식이다.

x에 대한 이차함수 $y=x^2-4kx+4k^2+k$의 그래프와 직선 $y=2ax+b$가 접하려면
이차방정식 $x^2-2(2k+a)x+4k^2+k-b=0$의 판별식을 D라 할 때,
$\frac{D}{4}=(2k+a)^2-4k^2-k+b$
$=(4a-1)k+a^2+b=0 \quad \cdots\cdots$ ㉠
㉠이 k의 값에 관계없이 성립하므로
$a=\frac{1}{4}$, $b=-\frac{1}{16}$
$\therefore a+b=\frac{3}{16}$

답 ②

0979

이차함수 $y=2x^2-ax+1$의 그래프와 직선 $y=3x+b$의 두 교점의 x좌표가 -2, 3일 때, 두 상수 a, b의 합 $a+b$의 값은?
→ 두 식을 연립한 이차방정식의 근이 -2, 3이다.

이차함수 $y=2x^2-ax+1$의 그래프와 직선 $y=3x+b$의 두 교점의 x좌표가 -2, 3이므로 이차방정식
$2x^2-ax+1=3x+b$, 즉 $2x^2-(a+3)x+1-b=0$의 두 근은 -2, 3이다.
따라서 근과 계수의 관계에 의하여
$-2+3=\frac{a+3}{2}$, $(-2)\cdot 3=\frac{1-b}{2}$
이므로 $a+3=2$, $1-b=-12$
$\therefore a=-1,\ b=13$
$\therefore a+b=12$

답 ③

0980

이차함수 $y=-x^2+ax$의 그래프와 직선 $y=x-b$가 그림과 같을 때, 두 상수 a, b에 대하여 ab의 값을 구하시오.
→ 두 식을 연립한 이차방정식의 근이 -1, 5이다.

($y=-x^2+ax$, $y=x-b$, -1, O, 5, x, y)

이차함수 $y=-x^2+ax$의 그래프와 직선 $y=x-b$의 교점의 x좌표가 -1, 5이므로 이차방정식 $-x^2+ax=x-b$, 즉 $x^2+(1-a)x-b=0$의 두 근은 -1, 5이다.
따라서 근과 계수의 관계에 의하여
$-1+5=-1+a$, $(-1)\cdot 5=-b$
$\therefore a=5,\ b=5$
$\therefore ab=25$

답 25

0981

그림과 같이 곡선 $y=x^2+ax+b$와 직선 $y=x+1$이 두 점 A, B에서 만나고, 점 B의 x좌표가 $4+\sqrt{3}$일 때, 두 유리수 a, b의 합 $a+b$의 값을 구하시오.
→ 두 식을 연립한 이차방정식의 한 근이 $4+\sqrt{3}$이므로 다른 근은 $4-\sqrt{3}$이다.

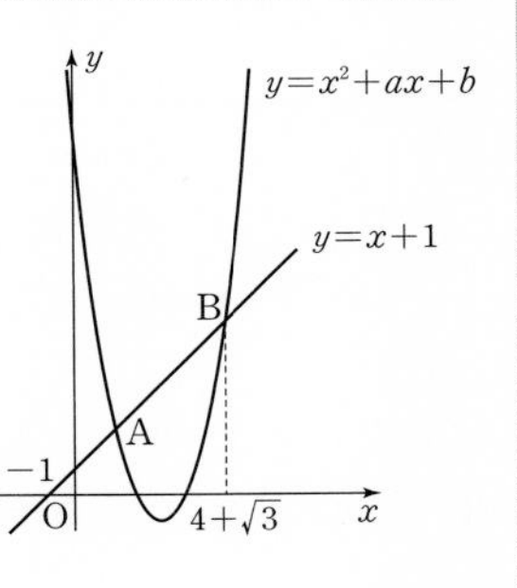

곡선 $y=x^2+ax+b$와 직선 $y=x+1$이 두 점 A, B에서 만나고, 점 B의 x좌표가 $4+\sqrt{3}$이므로 방정식
$x^2+ax+b=x+1$, 즉 $x^2+(a-1)x+b-1=0$의 한 근은 $4+\sqrt{3}$이고 a, b가 유리수이므로 다른 한 근은 $4-\sqrt{3}$이다.
이때, 근과 계수의 관계에 의하여
$(4+\sqrt{3})+(4-\sqrt{3})=-(a-1)$, $(4+\sqrt{3})(4-\sqrt{3})=b-1$
$\therefore a=-7,\ b=14$
$\therefore a+b=7$

답 7

0982

이차함수 $y=x^2-ax+b$의 그래프와 직선 $y=2x-3$의 두 교점의 x좌표를 α, β라 하자. $\alpha+\beta=4$, $\alpha\beta=2$일 때, 두 상수 a, b에 대하여 ab의 값은?
→ 두 식을 연립한 이차방정식에서 근과 계수의 관계를 이용하자.

이차함수 $y=x^2-ax+b$의 그래프와 직선 $y=2x-3$의 교점의 x좌표가 α, β이므로 이차방정식 $x^2-ax+b=2x-3$, 즉
$x^2-(a+2)x+b+3=0$의 두 근은 α, β이다.
따라서 근과 계수의 관계에 의하여
$\alpha+\beta=a+2=4$, $\alpha\beta=b+3=2$
$\therefore a=2,\ b=-1$
$\therefore ab=-2$

답 ①

0983

그림과 같이 유리수 a, b에 대하여 두 이차함수 $y=x^2-3x+1$과 $y=-x^2+ax+b$의 그래프가 만나는 두 점을 각각 P, Q라 하자. 점 P의 x좌표가 $1-\sqrt{2}$일 때, $a+3b$의 값을 구하시오.
→ 한 근이 $1-\sqrt{2}$이므로 다른 근은 $1+\sqrt{2}$이다.

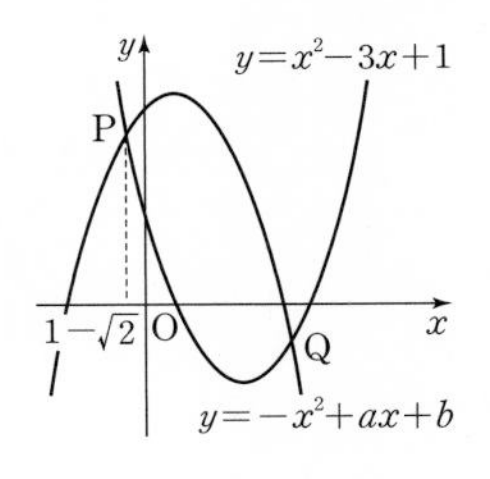

이차함수 $y=-x^2+ax+b$의 그래프와 이차함수 $y=x^2-3x+1$의 그래프의 교점의 x좌표는 이차방정식
$-x^2+ax+b=x^2-3x+1$
$2x^2-(3+a)x+1-b=0$
의 두 실근이다. a, b는 유리수이므로 한 근이 $1-\sqrt{2}$이면 나머지 한 근은 $1+\sqrt{2}$이다.

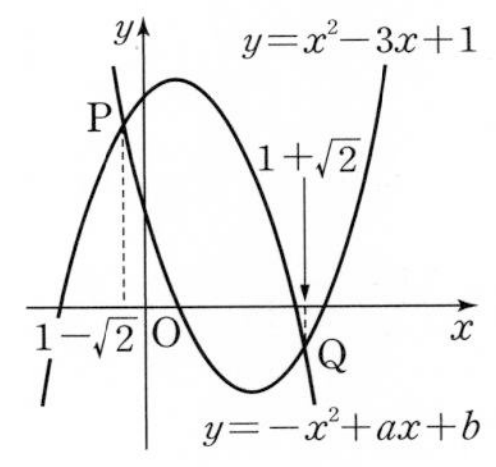

따라서 $2x^2-(3+a)x+1-b=0$의 두 근이 $1-\sqrt{2}$, $1+\sqrt{2}$이므로 근과 계수의 관계에 의해
$\frac{3+a}{2}=2$, $\frac{1-b}{2}=-1$
$a=1$, $b=3$이므로 $a+3b=10$

답 10

0984

이차함수 $f(x)=ax^2+bx+c$와 일차함수 $g(x)=mx+n$의 그래프가 그림과 같을 때, 〈보기〉에서 옳은 것만을 있는 대로 고른 것은?
→ $f(x)=a(x-\beta)(x-\gamma)$이다.

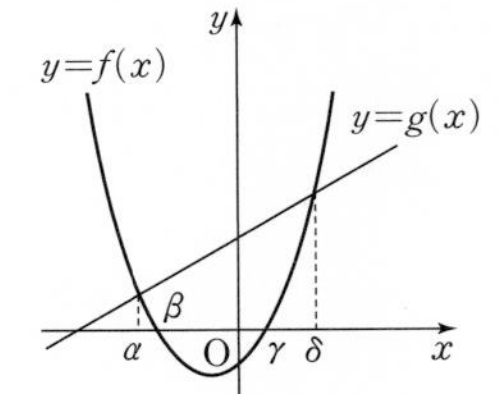

보기

ㄱ. $\beta+\gamma=-\frac{b}{a}$

ㄴ. 방정식 $f(-x)=0$의 두 근은 $-\beta$, $-\gamma$이다.

ㄷ. 방정식 $f(-x)=g(x)$의 두 근의 곱은 $\alpha\delta$이다.

ㄱ. $ax^2+bx+c=0$의 두 근은 β와 γ이다.

근과 계수의 관계에 의해 $\beta+\gamma=-\frac{b}{a}$ (참)

ㄴ. $f(x)=a(x-\beta)(x-\gamma)$에서

$f(-x)=a(-x-\beta)(-x-\gamma)$
$=a(x+\beta)(x+\gamma)$

따라서 방정식 $f(-x)=0$의 두 근은 $-\beta$, $-\gamma$이다. (참)

ㄷ. $ax^2+bx+c=mx+n$의 두 근 α, δ의 곱은 근과 계수의 관계에 의해 $\alpha\delta=\frac{c-n}{a}$이고 방정식 $f(-x)=g(x)$에서

$ax^2-bx+c=mx+n$의 두 근의 곱은 $\frac{c-n}{a}$이므로 $\alpha\delta$이다. (참)

따라서 옳은 것은 ㄱ, ㄴ, ㄷ이다.

답 ⑤

0985

이차함수 $y=x^2-2x-3$의 그래프가 x축과 만나는 두 점을 각각 A, B라 하고, 꼭짓점을 C라 할 때, 삼각형 ABC의 넓이는?

• A, B의 좌표를 구해 보자.

$x^2-2x-3=0$에서 $(x+1)(x-3)=0$

$\therefore x=-1$ 또는 $x=3$

즉, 주어진 이차함수의 그래프와 x축의 교점의 좌표는 $(-1, 0)$, $(3, 0)$이므로

$\overline{AB}=4$

$y=x^2-2x-3=(x-1)^2-4$이므로 꼭짓점의 좌표는 $C(1, -4)$

따라서 삼각형 ABC의 넓이는

$\triangle ABC=\frac{1}{2}\cdot4\cdot4=8$

답 ⑤

0986

이차함수 $y=x^2-4x+a$의 그래프와 x축의 두 교점 사이의 거리가 10일 때, 실수 a의 값을 구하시오.

• 좌표평면에서 이차함수의 그래프의 대칭축을 생각해 보자.

$y=x^2-4x+a=(x-2)^2+a-4$에서 축의 방정식은 $x=2$이고, x축과의 두 교점 사이의 거리가 10이므로 이 두 점의 좌표는 각각 $(-3, 0)$, $(7, 0)$이다.

따라서 이차방정식 $x^2-4x+a=0$의 두 근은 -3, 7이므로 근과 계수의 관계에 의하여

$a=(-3)\cdot7=-21$

답 -21

0987

• 이차함수를 $y=a(x+2)^2-1$이라 하자.

이차함수 $y=ax^2+bx+c$의 그래프는 꼭짓점의 좌표가 $(-2, -1)$이고, x축과 두 점 P, Q에서 만난다. $\overline{PQ}=4$일 때, 상수 a, b, c의 합 $a+b+c$의 값은?

꼭짓점의 좌표가 $(-2, -1)$이므로 구하는 이차함수를 $y=a(x+2)^2-1$로 놓으면 축의 방정식이 $x=-2$이고 $\overline{PQ}=4$이므로 $P(-4, 0)$, $Q(0, 0)$이다.

$x=0$, $y=0$을 $y=a(x+2)^2-1$에 대입하면

$4a-1=0 \qquad \therefore a=\frac{1}{4}$

즉, $y=\frac{1}{4}(x+2)^2-1=\frac{1}{4}x^2+x$이므로

$b=1$, $c=0$

$\therefore a+b+c=\frac{5}{4}$

답 ⑤

0988

이차함수 $y=-x^2+4x+2$의 그래프와 직선 $y=-x+1$의 두 교점 사이의 거리를 구하시오.

• 두 그래프의 교점의 x좌표는 연립한 이차방정식의 두 근이다.

이차함수 $y=-x^2+4x+2$의 그래프와 직선 $y=-x+1$의 두 교점의 좌표를 $(\alpha, -\alpha+1)$, $(\beta, -\beta+1)$이라 하면 이차방정식 $-x^2+4x+2=-x+1$, 즉 $x^2-5x-1=0$의 두 근이 α, β이므로 근과 계수의 관계에 의하여

$\alpha+\beta=5$, $\alpha\beta=-1$

따라서 주어진 직선과 이차함수의 그래프의 두 교점 사이의 거리는

$$\sqrt{(\beta-\alpha)^2+\{-\beta+1-(-\alpha+1)\}^2}=\sqrt{2(\alpha-\beta)^2}$$
$$=\sqrt{2\{(\alpha+\beta)^2-4\alpha\beta\}}$$
$$=\sqrt{2(25+4)}$$
$$=\sqrt{58}$$

답 $\sqrt{58}$

0989

직선 $y=x-k$가 이차함수 $y=x^2-6x+1$의 그래프와 서로 다른 두 점에서 만나고 그 두 점 사이의 거리가 $5\sqrt{2}$일 때, 실수 k의 값을 구하시오.

• 두 그래프의 교점의 x좌표는 연립한 이차방정식의 두 근이다.

직선 $y=x-k$와 이차함수 $y=x^2-6x+1$의 그래프의 교점의 좌표를 $(\alpha, \alpha-k)$, $(\beta, \beta-k)$라 하면 방정식 $x^2-6x+1=x-k$, 즉 $x^2-7x+1+k=0$의 두 근이 α, β이므로 근과 계수의 관계에 의하여

$\alpha+\beta=7$, $\alpha\beta=1+k$ ······㉠

이때, 주어진 직선과 이차함수의 그래프가 만나는 두 점 사이의 거리가 $5\sqrt{2}$이므로

$\sqrt{(\beta-\alpha)^2+(\beta-k-\alpha+k)^2}=\sqrt{2(\alpha-\beta)^2}=5\sqrt{2}$

양변을 제곱하여 정리하면

$(\alpha-\beta)^2=25$

$\therefore (\alpha+\beta)^2-4\alpha\beta=25$ ······㉡

㉠을 ㉡에 대입하면

$49-4(1+k)=25$, $-4k=-20$

$\therefore k=5$

답 5

0990

> 직선 $y=2x-2$와 접하는 포물선 $y=x^2+ax+b$가 x축과 만나는 두 점을 각각 P, Q라 하자. 선분 PQ의 길이가 2일 때, 상수 a, b의 합 $a+b$의 값을 구하시오.
>
> → 판별식 $D=0$이다.
> → 방정식 $x^2+ax+b=0$의 두 근의 차가 2이다.

직선 $y=2x-2$와 포물선 $y=x^2+ax+b$가 접하므로
이차방정식 $x^2+ax+b=2x-2$, 즉
$x^2+(a-2)x+b+2=0$의 판별식을 D라 하면
$D=(a-2)^2-4(b+2)=0$
$\therefore a^2-4a-4b-4=0$ ······㉠
$y=x^2+ax+b$의 그래프가 x축과 만나는 두 점 P, Q의 x좌표를 α, β라 할 때, α, β는 이차방정식 $x^2+ax+b=0$의 두 근이므로 근과 계수의 관계에 의하여
$\alpha+\beta=-a$, $\alpha\beta=b$
이때, $\overline{PQ}=|\alpha-\beta|=2$이므로
$|\alpha-\beta|=\sqrt{(\alpha+\beta)^2-4\alpha\beta}$
$=\sqrt{a^2-4b}=2$
$\therefore a^2-4b=4$ ······㉡
㉠, ㉡을 연립하여 풀면
$a=0$, $b=-1$
$\therefore a+b=-1$

답 -1

0991

> 이차함수 $y=f(x)$의 그래프가 그림과 같을 때, 이차방정식 $f(x+2)=0$의 두 실근의 합을 구하시오.
>
> → $f(x)$를 구하고, x대신 $x+2$를 대입하자.

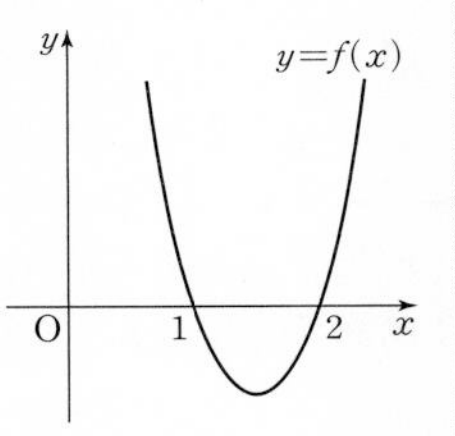

이차함수 $y=f(x)$의 그래프와 x축의 교점의 x좌표가 1, 2이므로
$f(x)=a(x-1)(x-2)$ $(a>0)$로 놓으면
$f(x+2)=a(x+2-1)(x+2-2)=ax(x+1)$
따라서 이차방정식 $f(x+2)=0$, 즉 $ax(x+1)=0$의
두 실근은 $x=-1$ 또는 $x=0$이므로 두 실근의 합은
$-1+0=-1$

답 -1

0992

> 이차함수 $y=f(x)$의 그래프가 그림과 같을 때, 이차방정식 $f(10x+10)=0$의 두 근을 구하시오.
>
> → $f(x)$를 구하고, x대신 $10x+10$을 대입하자.

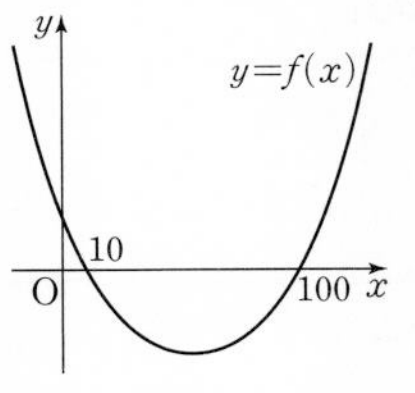

이차함수 $y=f(x)$의 그래프의 x절편이 10, 100이므로
$f(x)=a(x-10)(x-100)$ $(a>0)$
$\therefore f(10x+10)=a\{(10x+10)-10\}\{(10x+10)-100\}$
$=100ax(x-9)$
$f(10x+10)=0$에서 $100ax(x-9)=0$
$\therefore x=0$ 또는 $x=9$

답 $x=0$ 또는 $x=9$

0993

> 이차함수 $y=f(x)$의 그래프는 그림과 같이 직선 $x=3$에 대하여 대칭이고, x축과 서로 다른 두 점에서 만난다. 이때, 이차방정식 $f(2x-5)=0$의 두 근의 합은?
>
> → $f(x)=0$의 근을 α, β라 하면, $f(2x-5)=0$의 근은 $\frac{\alpha+5}{2}$, $\frac{\beta+5}{2}$이다.

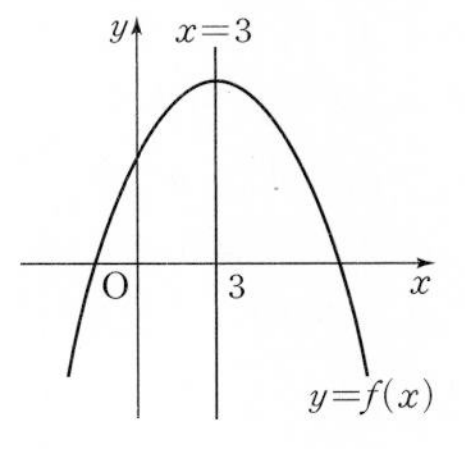

곡선 $y=f(x)$가 직선 $x=3$에 대하여 대칭이므로 x축과 만나는 점의 x좌표는 각각 $3+t$, $3-t$로 놓을 수 있다.
이차방정식 $f(x)=0$의 두 근을 α, β $(\alpha<\beta)$라 하면
$\alpha+\beta=(3-t)+(3+t)=6$
이때, 이차방정식 $f(2x-5)=0$의 두 근을 각각 p, q $(p<q)$라 하면
$2p-5=\alpha$, $2q-5=\beta$
$\therefore p=\frac{\alpha+5}{2}$, $q=\frac{\beta+5}{2}$
따라서 구하는 방정식 $f(2x-5)=0$의 두 근의 합은
$p+q=\frac{\alpha+5}{2}+\frac{\beta+5}{2}$
$=\frac{\alpha+\beta+10}{2}=\frac{6+10}{2}=8$

답 ①

0994

> 이차함수 $y=2x^2+4x+5$는 $x=a$일 때, 최솟값 b를 갖는다. 이때, $a+b$의 값은?
>
> → 완전제곱식으로 변형하자.

$y=2x^2+4x+5=2(x+1)^2+3$
이므로 $x=-1$일 때, 최솟값 3을 갖는다.
$\therefore a+b=-1+3=2$

답 ②

0995

> 이차함수 $y=-2x^2+px+q$가 $x=-1$에서 최댓값 5를 가질 때, 상수 p, q의 합 $p+q$의 값은?
>
> → $y=-2(x+1)^2+5$

이차함수 $y=-2x^2+px+q$는 x^2의 계수가 음수이고 $x=-1$일 때, 최댓값 5를 가지므로 꼭짓점의 좌표는 $(-1, 5)$이다.
$\therefore y=-2x^2+px+q=-2(x+1)^2+5$
$=-2x^2-4x+3$
따라서 $p=-4$, $q=3$이므로
$p+q=-1$

답 ②

0996

$y=-(x-2)^2+b$

이차함수 $y=-x^2-2ax+5$가 $x=2$에서 최댓값 b를 가질 때, 두 상수 a, b의 곱 ab의 값을 구하시오.

이차함수 $y=-x^2-2ax+5$가 $x=2$에서 최댓값 b를 가지므로

$y=-x^2-2ax+5$
$=-(x-2)^2+b$
$=-x^2+4x-4+b$

$\therefore a=-2, b=9$

$\therefore ab=-18$

답 -18

0997

이차함수 $y=ax^2+bx+c$의 그래프는 점 $(1, 2)$를 지나고, $x=3$일 때 최솟값 -4를 갖는다. 이때, c의 값을 구하시오. (단, a, b, c는 상수)

$y=a(x-3)^2-4$

주어진 이차함수가 $x=3$일 때 최솟값 -4를 가지므로

$y=ax^2+bx+c=a(x-3)^2-4$ $(a>0)$

이 이차함수의 그래프가 점 $(1, 2)$를 지나므로

$2=a(1-3)^2-4$

$6=4a$ $\quad\therefore a=\frac{3}{2}$

$\therefore y=\frac{3}{2}(x-3)^2-4=\frac{3}{2}x^2-9x+\frac{19}{2}$

$\therefore c=\frac{19}{2}$

답 $\frac{19}{2}$

0998

$y=a(x-1)(x-3)$

이차함수 $f(x)=ax^2+bx+c$의 그래프가 세 점 $(1, 0)$, $(3, 0)$, $(0, 3)$을 지날 때, 이차함수 $f(x)$의 최솟값을 구하시오. (단, a, b, c는 상수이다.)

이차함수 $f(x)=ax^2+bx+c$의 그래프가 두 점 $(1, 0)$, $(3, 0)$을 지나므로 x축과의 교점의 x좌표 1, 3은 이차방정식 $ax^2+bx+c=0$의 두 근과 같다.

$f(x)=ax^2+bx+c=a(x-1)(x-3)$으로 놓으면 점 $(0, 3)$을 지나므로

$3=a\cdot(-1)\cdot(-3)$ $\quad\therefore a=1$

$\therefore f(x)=x^2-4x+3=(x-2)^2-1$

따라서 이차함수 $f(x)$는 $x=2$일 때, 최솟값 -1을 갖는다.

답 -1

0999

대칭축의 방정식은 $x=2$이다.

이차함수 $f(x)=2x^2+4ax+b$에 대하여 $f(-2)=f(6)$이고 $f(x)$의 최솟값이 -9일 때, $f(1)$의 값은?

$f(x)=2x^2+4ax+b$에서

$f(-2)=8-8a+b$

$f(6)=72+24a+b$

이때, $f(-2)=f(6)$이므로

$8-8a+b=72+24a+b$

$32a=-64$ $\quad\therefore a=-2$

$\therefore f(x)=2x^2-8x+b=2(x-2)^2+b-8$

즉, 주어진 이차함수는 $x=2$일 때, 최솟값 $b-8$을 가지므로

$b-8=-9$ $\quad\therefore b=-1$

$\therefore f(x)=2x^2-8x-1$

$\therefore f(1)=2-8-1=-7$

답 ③

1000

이차함수 $f(x)=-x^2+2kx-2k$의 최댓값이 8이 되도록 하는 모든 실수 k의 값의 곱은?

완전제곱식으로 변형하자.

$f(x)=-x^2+2kx-2k$
$=-(x-k)^2+k^2-2k$

$x=k$일 때, 최댓값 k^2-2k를 가지므로

$k^2-2k=8$

$\therefore k^2-2k-8=0$

따라서 이차방정식의 근과 계수의 관계에 의하여 모든 실수 k의 값의 곱은 -8이다.

답 ①

1001

완전제곱식으로 변형하자.

이차함수 $f(x)=x^2-2ax+b$의 최솟값이 -1이고, $g(x)=-x^2+4x+a+b$의 최댓값이 9일 때, 실수 a, b의 곱 ab의 값은? (단, $a<0$)

완전제곱식으로 변형하자.

$f(x)=x^2-2ax+b=(x-a)^2+b-a^2$

$f(x)$의 최솟값은 $b-a^2$이므로

$b-a^2=-1$ $\quad\therefore b=a^2-1$ ……㉠

$g(x)=-x^2+4x+a+b=-(x-2)^2+a+b+4$

$g(x)$의 최댓값은 $a+b+4$이므로

$a+b+4=9$ $\quad\therefore a+b=5$ ……㉡

㉠을 ㉡에 대입하여 정리하면

$a^2+a-6=0$, $(a+3)(a-2)=0$

$\therefore a=-3$ ($\because a<0$)

$a=-3$을 ㉠에 대입하면 $b=8$

$\therefore ab=-24$

답 ①

1002

완전제곱식으로 변형하자.

함수 $f(x)=-x^2+2ax+4a+3$의 최댓값을 $g(a)$라 할 때, $g(a)$의 최솟값을 구하시오. (단, a는 상수)

$f(x)=-x^2+2ax+4a+3$
$=-(x-a)^2+a^2+4a+3$

이므로 $x=a$일 때, 최댓값 a^2+4a+3을 갖는다.

$\therefore g(a)=a^2+4a+3=(a+2)^2-1$

따라서 $g(a)$는 $a=-2$일 때, 최솟값 -1을 갖는다.

답 -1

1003

꼭짓점의 x좌표가 주어진 범위에 포함되는지 살펴보자.

> $2 \le x \le 4$에서 이차함수 $y=x^2-2x+3$의 최댓값은 M, 최솟값은 m이다. 이때, $M+m$의 값은?

$y=x^2-2x+3$
$=(x-1)^2+2$
의 그래프는 $2 \le x \le 4$에서 그림과 같으므로
$x=4$일 때 최댓값 $M=11$,
$x=2$일 때 최솟값 $m=3$
$\therefore M+m=14$

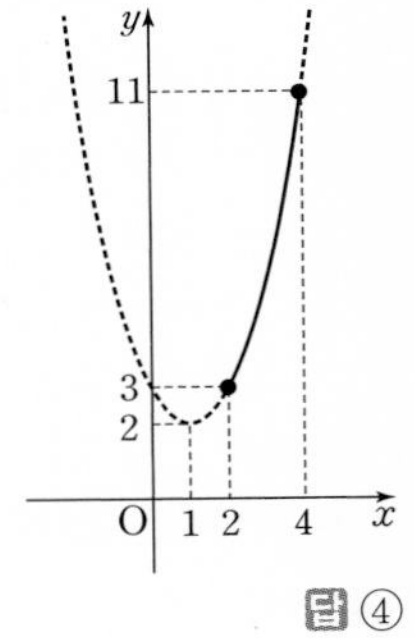

답 ④

1004

꼭짓점의 x좌표가 주어진 범위에 포함되는지 살펴보자.

> $3 \le x \le 4$일 때, 이차함수 $f(x)=-x^2+5x$의 최댓값과 최솟값의 합을 구하시오.

$f(x)=-x^2+5x$
$=-\left(x-\frac{5}{2}\right)^2+\frac{25}{4}$

꼭짓점의 x좌표 $\frac{5}{2}$는 $3 \le x \le 4$에 포함되지 않으므로
$f(3)=6$, $f(4)=4$
따라서 최댓값은 6, 최솟값은 4이므로 그 합은 10이다.

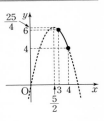

답 10

1005

꼭짓점의 x좌표가 주어진 범위에 포함되는지 살펴보자.

> $0 \le x \le 3$에서 이차함수 $y=3x^2+6x-1$이 $x=a$일 때, 최솟값 M을 갖는다. 이때, $a+M$의 값은?

$y=3x^2+6x-1$
$=3(x+1)^2-4$
이므로 $0 \le x \le 3$에서 이 함수의 그래프는 그림과 같다.
$x=0$일 때, 최솟값 -1을 가지므로
$a=0$, $M=-1$
$\therefore a+M=-1$

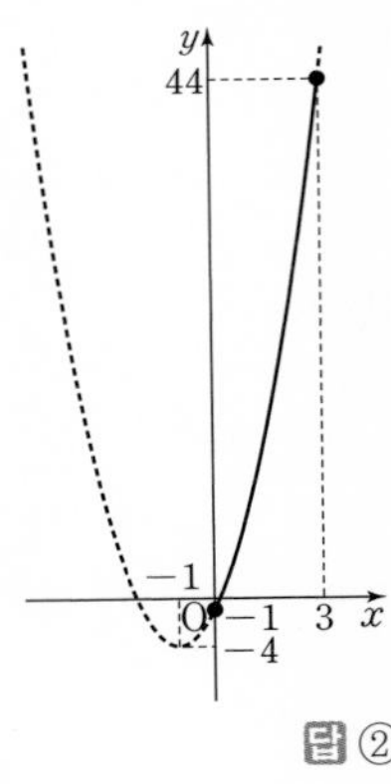

답 ②

1006

$y=a(x-2)^2-3$

> 이차함수 $y=f(x)$의 그래프의 꼭짓점의 좌표가 $(2, -3)$이고, 점 $(0, 0)$을 지난다. $2 \le x \le 4$일 때, 이 함수의 최댓값과 최솟값의 합은?

꼭짓점의 좌표가 $(2, -3)$이므로 구하는 이차함수의 식을 $f(x)=a(x-2)^2-3$으로 놓을 수 있다.
이 함수의 그래프가 점 $(0, 0)$을 지나므로
$0=4a-3 \qquad \therefore a=\frac{3}{4}$
$\therefore f(x)=\frac{3}{4}(x-2)^2-3$
꼭짓점의 x좌표 2가 $2 \le x \le 4$에 포함되므로
$f(2)=-3$, $f(4)=0$
따라서 최댓값은 0이고, 최솟값은 -3이므로 그 합은 -3이다.

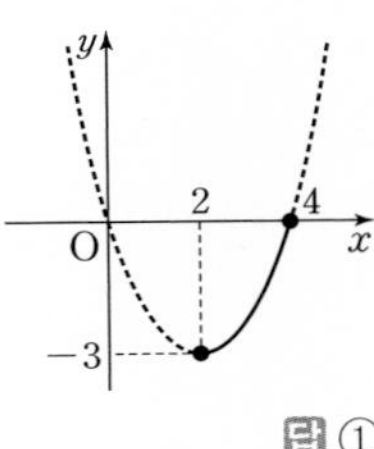

답 ①

1007

> $0 \le x \le a$에서 이차함수 $y=x^2-4x+5$의 최댓값이 5, 최솟값이 2일 때, 실수 a의 값을 구하시오.

a의 값에 따라 최댓값, 최솟값이 변하므로 그래프를 직접 그려 보자.

이차함수 $y=x^2-4x+5=(x-2)^2+1$의 그래프는 $0 \le x \le a$에서 $a \ge 2$이면 $x=2$일 때, 최솟값이 1이 되므로 주어진 조건을 만족시키지 않는다.
따라서 그림과 같이 $0<a<2$일 때,
$x=0$에서 최댓값이 5, $x=a$에서 최솟값이 a^2-4a+5이다.
$a^2-4a+5=2$, $a^2-4a+3=0$
$(a-1)(a-3)=0$
$\therefore a=1 \ (\because 0<a<2)$

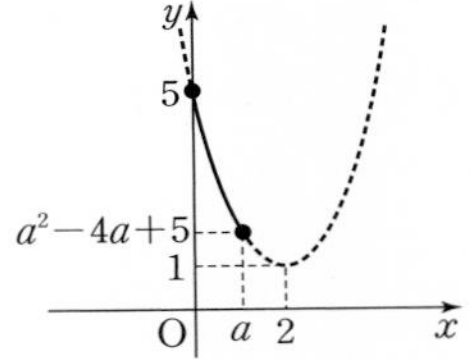

답 1

1008

$-2 \le x < 0$일 때와 $0 \le x \le 3$일 때로 나누어 생각하자.

> $-2 \le x \le 3$에서 이차함수 $y=x^2+4|x|-1$의 최댓값을 M, 최솟값을 m이라 할 때, Mm의 값은?

$y=x^2+4|x|-1$에서
(i) $-2 \le x < 0$일 때,
$y=x^2-4x-1=(x-2)^2-5$
(ii) $0 \le x \le 3$일 때,
$y=x^2+4x-1=(x+2)^2-5$
따라서 $-2 \le x \le 3$에서 $y=x^2+4|x|-1$의 그래프는 그림과 같으므로
$M=20$, $m=-1$
$\therefore Mm=-20$

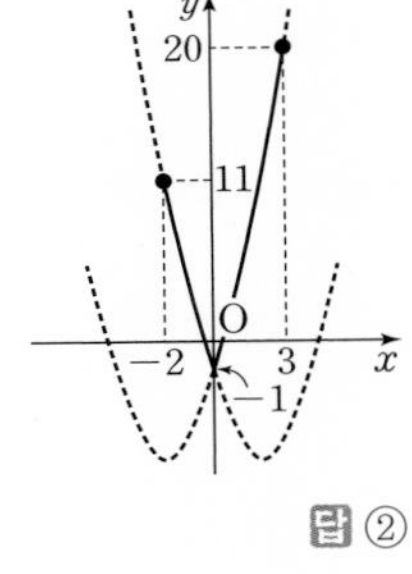

답 ②

1009

꼭짓점의 x좌표가 주어진 범위에 포함되는지 살펴보자.

> $0 \le x \le 3$에서 이차함수 $f(x)=3x^2-6x+k$의 최댓값이 4일 때, 함수 $f(x)$의 최솟값은?

$f(x)=3x^2-6x+k$

$\quad=3(x-1)^2-3+k$

이므로 $0\le x\le 3$에서 함수 $y=f(x)$의 그래프는 그림과 같다.

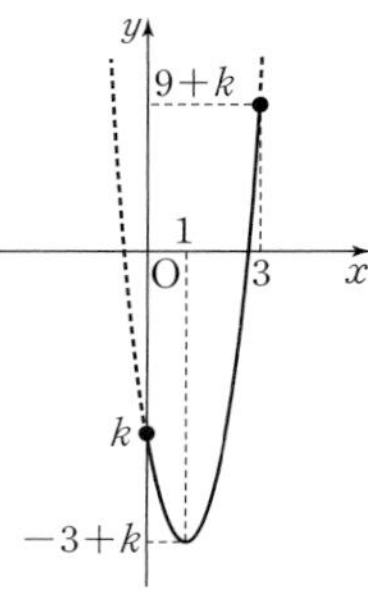

$x=3$일 때, 최댓값 $9+k$를 가지므로

$9+k=4$

$\therefore k=-5$

따라서 함수 $f(x)$의 최솟값은 $x=1$일 때, $-3+k$이므로

$-3+k=-3+(-5)=-8$

답 ①

1010

꼭짓점의 x좌표를 먼저 구하자.

> $0\le x\le 3$에서 이차함수 $y=ax^2-2ax+b$의 최댓값이 6, 최솟값이 2일 때, 두 양수 a, b의 합 $a+b$의 값은?

$y=ax^2-2ax+b$

$\quad=a(x-1)^2-a+b$

a는 양수이므로 그림과 같이 아래로 볼록한 그래프이다.

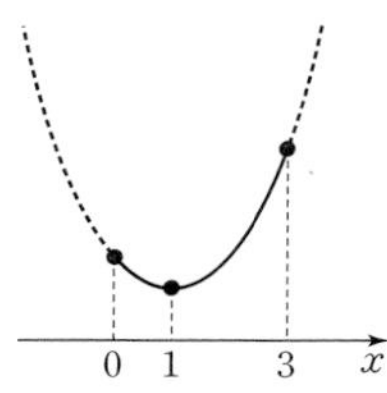

이때, $x=3$일 때 최댓값 $3a+b$,

$x=1$일 때 최솟값 $-a+b$이므로

$3a+b=6$, $-a+b=2$

두 식을 연립하여 풀면

$a=1$, $b=3$

$\therefore a+b=4$

답 ②

1011

> 함수 $y=x^2-2|x|+a\ (-2\le x\le 3)$의 최댓값이 2일 때, 최솟값은?

$-2\le x<0$일 때와 $0\le x\le 3$일 때로 나누어 생각하자.

함수 $y=x^2-2|x|+a\ (-2\le x\le 3)$에서

$$y=\begin{cases} x^2+2x+a=(x+1)^2+a-1 & (-2\le x<0) \\ x^2-2x+a=(x-1)^2+a-1 & (0\le x\le 3)\end{cases}$$

이때, 최댓값은 $a+3$,

최솟값은 $a-1$이다.

$a+3=2$

$\therefore a=-1$

따라서 최솟값은 -2이다.

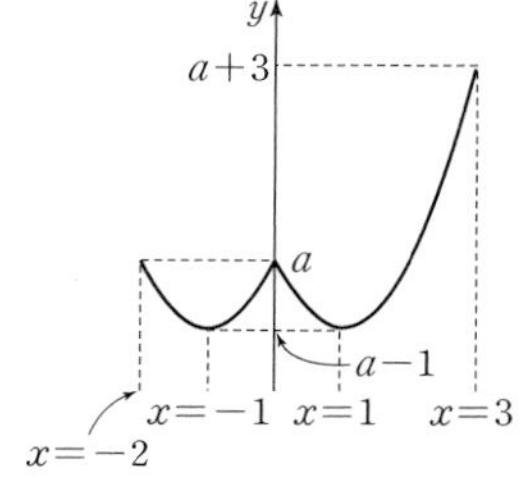

답 ①

1012

> $x\ge 2$에서 이차함수 $y=-x^2+2kx$의 최댓값이 16일 때, 실수 k의 값을 구하시오.

꼭짓점의 x좌표가 주어진 범위에 포함될 때와 포함되지 않을 때로 나누어 생각하자.

$y=-x^2+2kx=-(x-k)^2+k^2$

(i) $k\ge 2$일 때, 꼭짓점의 x좌표 k가 $x\ge 2$에 속한다. 즉, $x=k$일 때, 최댓값을 가지므로

$k^2=16$

$\therefore k=4\ (\because k\ge 2)$

(ii) $k<2$일 때, 꼭짓점의 x좌표 k가 $x\ge 2$에 속하지 않는다. 즉, $x=k$일 때, 최댓값을 가지므로

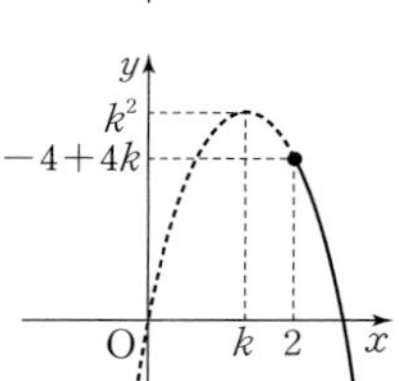

$-4+4k=16$

$\therefore k=5$

이것은 $k<2$라는 조건을 만족하지 않으므로 k의 값은 없다.

(i), (ii)에서 $k=4$

답 4

1013

꼭짓점의 x좌표가 주어진 범위에 포함되는지 살펴보자.

> 양수 a에 대하여 $0\le x\le a$에서 이차함수 $f(x)=x^2-8x+a+6$의 최솟값이 0이 되도록 하는 모든 a의 값의 합은?

$f(x)=x^2-8x+a+6=(x-4)^2+a-10$

a의 값에 따른 $y=f(x)$의 그래프의 개형과 최솟값은 다음과 같다.

(i) $0<a<4$일 때,

최솟값은

$f(a)=a^2-7a+6$

$\quad=(a-1)(a-6)=0$

$\therefore a=1$ 또는 $a=6$

$0<a<4$이므로 $a=1$

(ii) $a\ge 4$일 때,

최솟값은 $f(4)=a-10=0$

$a=10$

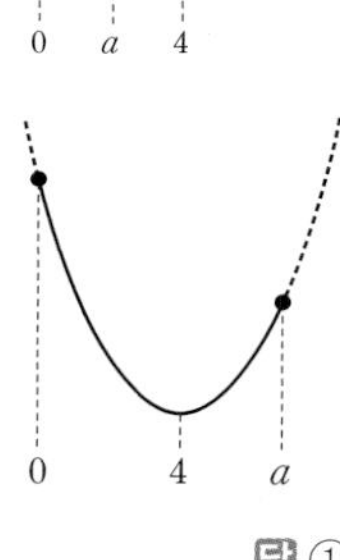

(i), (ii)에서 $f(x)$의 최솟값이 0이 되도록 하는 모든 a의 값의 합은

$1+10=11$

답 ①

1014

꼭짓점의 x좌표가 주어진 범위에 포함되는지 살펴보자.

> 함수 $y=x^2-kx-3\ (-2\le x\le 3)$의 최솟값이 -4, 최댓값이 M일 때, $k+M$의 최댓값을 구하시오. (단, k는 상수이다.)

$y=x^2-kx-3$

$\quad=x^2-kx+\dfrac{k^2}{4}-\dfrac{k^2}{4}-3$

$\quad=\left(x-\dfrac{k}{2}\right)^2-\dfrac{k^2}{4}-3$

(i) $\dfrac{k}{2}<-2$일 때,

$x=-2$에서 최솟값을 가지므로

$4+2k-3=-4$

$\therefore k=-\dfrac{5}{2}$

조건에서 $k<-4$이어야 하므로 모순이다.

(ii) $-2\le\frac{k}{2}\le3$일 때,

$x=\frac{k}{2}$에서 최솟값을 가지므로

$-\frac{k^2}{4}-3=-4$, $k^2=4$

$\therefore k=-2$ 또는 $k=2$

㉠ $k=-2$일 때,

$y=(x+1)^2-4$이므로 $x=3$에서 최댓값 12를 갖는다.

㉡ $k=2$일 때,

$y=(x-1)^2-4$이므로 $x=-2$에서 최댓값 5를 갖는다.

(iii) $3<\frac{k}{2}$일 때,

$x=3$에서 최솟값을 가지므로

$9-3k-3=-4$

$\therefore k=\frac{10}{3}$

조건에서 $k>6$이어야 하므로 모순이다.

따라서 $k+M$의 최댓값은

$(-2)+12=10$

답 10

1015

함수 $y=(x^2+4x)^2-2(x^2+4x)-5$의 최솟값을 구하시오.

• x^2+4x를 t로 치환하고 t의 범위를 구하자.

$x^2+4x=t$로 치환하면

$t=(x+2)^2-4$이므로 $t\ge-4$

이때, 주어진 함수는

$y=t^2-2t-5=(t-1)^2-6$이므로

$t\ge-4$에서 그래프는 그림과 같다.

따라서 $t=1$일 때, 최솟값은 -6이다.

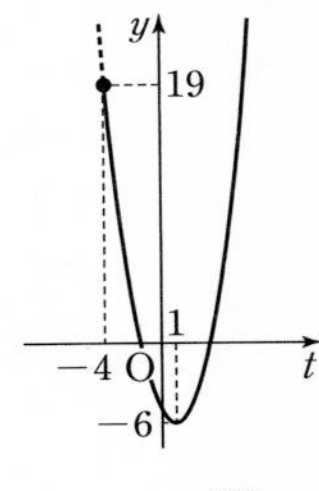

답 -6

1016

다음 함수의 최솟값을 구하시오.

$$y=(x^2+2x+2)(x^2+2x+3)+3x^2+6x+8$$

• x^2+2x+2를 t로 치환하고 t의 범위를 구하자.

$x^2+2x+2=t$로 치환하면 $t=(x+1)^2+1$이므로 $t\ge1$

이때, 주어진 함수는

$y=(x^2+2x+2)(x^2+2x+3)+3x^2+6x+8$

$=t(t+1)+3t+2$

$=t^2+4t+2$

$=(t+2)^2-2$

이므로 $t\ge1$에서 그래프는 그림과 같다.

따라서 $t=1$일 때, 최솟값은 7이다.

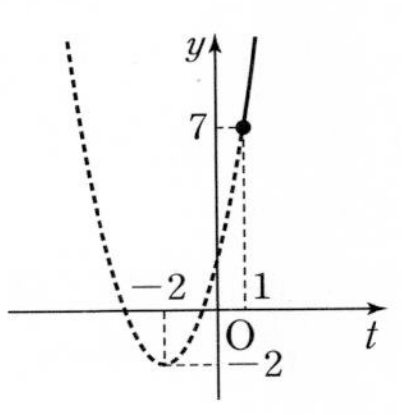

답 7

1017

• x^2-2x+4를 t로 치환하고 t의 범위를 구하자.

함수 $y=-(x^2-2x+4)^2+2(x^2-2x)+1$은 $x=a$에서 최댓값 b를 가진다. 이때, $a+b$의 값은?

$x^2-2x+4=t$로 치환하면

$t=x^2-2x+4=(x-1)^2+3$이므로 $t\ge3$

이때, 주어진 함수는

$y=-(x^2-2x+4)^2+2(x^2-2x)+1$

$=-t^2+2(t-4)+1$

$=-t^2+2t-7$

$=-(t-1)^2-6$

이므로 $t\ge3$에서 이 함수는 $t=3$일 때, 최댓값 -10을 갖는다.

$x^2-2x+4=3$에서

$x^2-2x+1=0$

$(x-1)^2=0 \quad \therefore x=1$

따라서 $a=1$, $b=-10$이므로

$a+b=-9$

답 ①

1018

• x^2-2x+4를 t로 치환하고 t의 범위를 구하자.

함수 $f(x)=a(x^2-2x+4)^2-4a(x^2-2x+3)+b$는 최댓값이 7이고, $f(2)=4$일 때, ab의 값을 구하시오.

$f(2)=4a+b=4 \quad \cdots\cdots㉠$

$x^2-2x+4=t$로 놓으면

$t=(x-1)^2+3\ge3$

이때,

$f(x)=g(t)=at^2-4a(t-1)+b$

$=a(t-2)^2+b\ (t\ge3)$

$g(t)$가 최댓값을 가지므로 $a<0$이고 $t=3$일 때 최대가 된다.

$g(3)=a+b=7 \quad \cdots\cdots㉡$

㉠, ㉡을 연립하여 풀면 $a=-1$, $b=8$

$\therefore ab=-8$

답 -8

1019

• $2x-1$을 t로 치환하고 t의 범위를 구하자.

$1\le x\le4$에서 이차함수 $y=(2x-1)^2-4(2x-1)+3$의 최댓값을 M, 최솟값을 m이라 할 때, $M-m$의 값을 구하시오.

$2x-1=t$라 하면

$1\le x\le4$이므로 $1\le t\le7$

$y=(2x-1)^2-4(2x-1)+3$

$=t^2-4t+3$

$=(t-2)^2-1$

$t=2$일 때, 최솟값 $m=-1$

$t=7$일 때, 최댓값 $M=24$

따라서 $M-m=24-(-1)=25$

답 25

1020

x^2+2x-1을 t로 치환하고 t의 범위를 구하자.

> $-2\le x\le 1$일 때, 함수 $y=(x^2+2x-1)^2+4(x^2+2x)-3$의 최댓값을 M, 최솟값을 m이라고 하자. 이때, $M+m$의 값을 구하시오.

$x^2+2x-1=t$로 놓으면

$t=x^2+2x-1=(x+1)^2-2$

$-2\le x\le 1$이므로 그림에서 t의 값의 범위는

$-2\le t\le 2$

이때, 주어진 함수는

$y=t^2+4(t+1)-3$

$=(t+2)^2-3$

따라서 $t=-2$일 때 최솟값 $m=-3$,

$t=2$일 때 최댓값 $M=13$

$\therefore M+m=10$

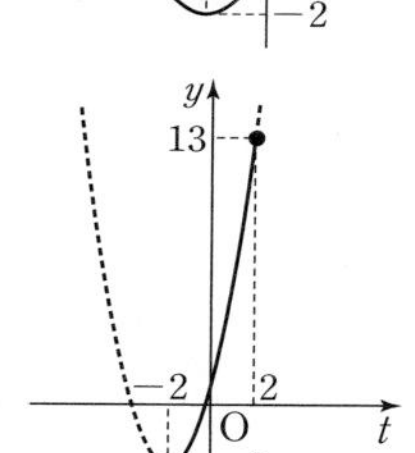

답 10

1021

> 이차함수 $f(x)=x^2+ax+b$가 다음 조건을 모두 만족시킬 때, $-3\le x\le 3$에서 함수 $f(x)$의 최댓값을 구하시오. (단, a, b는 상수이다.)
>
> 대칭축이 $x=1$이다.
>
> (가) $f(-2)=f(4)$
>
> (나) 함수 $f(x)$의 최솟값은 -2이다.
>
> 꼭짓점의 y좌표가 -2이다.

이차함수 $f(x)=x^2+ax+b$에 대하여

(가)에서 $f(-2)=f(4)$이므로 $y=f(x)$의 대칭축이 $x=1$이고, (나)에서 함수 $y=f(x)$의 최솟값이 -2이므로

$f(x)=x^2+ax+b=(x-1)^2-2$

따라서 $-3\le x\le 3$에서 함수 $y=f(x)$의 최댓값은

$f(-3)=14$

답 14

1022

> 이차함수 $f(x)=x^2+ax-(b-7)^2$이 다음 조건을 만족시킨다.
>
> 꼭짓점의 x좌표가 -1이다.
>
> (가) $x=-1$에서 최솟값을 가진다.
>
> (나) 이차함수 $y=f(x)$의 그래프와 직선 $y=cx$가 한 점에서만 만난다.
>
> $f(x)-cx=0$의 판별식 $D=0$이다.
>
> 세 상수 a, b, c에 대하여 $a+b+c$의 값을 구하시오.

$f(x)=x^2+ax-(b-7)^2$

$=\left(x+\dfrac{a}{2}\right)^2-\dfrac{a^2}{4}-(b-7)^2$

이고 $f(x)$는 $x=-1$에서 최솟값을 가지므로

$-\dfrac{a}{2}=-1$에서 $a=2$이다.

이차함수 $y=f(x)$의 그래프와 직선 $y=cx$가 한 점에서 만나므로 x에 대한 방정식 $f(x)-cx=0$에서

$x^2+ax-(b-7)^2-cx=0$

$x^2+(a-c)x-(b-7)^2=0$이 중근을 가지고 판별식

$D=(a-c)^2+4(b-7)^2=0$

이다. $(a-c)^2\ge 0$, $4(b-7)^2\ge 0$이므로

$(a-c)^2=0$, $4(b-7)^2=0$

따라서 $a=c=2$, $b=7$이므로 $a+b+c=11$이다.

답 11

1023

> 이차함수 $f(x)=ax^2+bx+c$가 다음 세 조건을 만족시킬 때, $f(2)$의 값을 구하시오. (단, a, b, c는 상수이다.)
>
> (가) 곡선 $y=f(x)$가 점 $(1, 0)$을 지난다.
>
> (나) 대칭축의 방정식은 $x=-1$이다.
>
> (다) $f(x)$의 최댓값은 4이다.
>
> $f(x)$를 $f(x)=a(x+1)^2+4(a<0)$로 표현하자.

조건 (나), (다)에서 이차함수 $f(x)=ax^2+bx+c$는 $x=-1$일 때, 최댓값 4를 가지므로

$f(x)=a(x+1)^2+4$ ……㉠

또 조건 (가)에서 점 $(1, 0)$을 지나므로

$0=4a+4$ $\quad\therefore a=-1$

$a=-1$을 ㉠에 대입하면

$f(x)=-(x+1)^2+4$

$=-x^2-2x+3$

$\therefore f(2)=-4-4+3=-5$

답 -5

1024

> 최고차항의 계수가 $a(a>0)$인 이차함수 $f(x)$가 다음 조건을 만족시킨다.
>
> $f(x)=4ax-10$의 두 근은 1과 5이다.
>
> (가) 직선 $y=4ax-10$과 함수 $y=f(x)$의 그래프가 만나는 두 점의 x좌표는 1과 5이다.
>
> (나) $1\le x\le 5$에서 $f(x)$의 최솟값은 -8이다.
>
> 꼭짓점의 x좌표가 주어진 범위에 포함되는지 살펴보자.
>
> $100a$의 값을 구하시오.

이차함수 $y=f(x)$의 그래프와 직선 $y=4ax-10$의 교점의 x좌표가 1, 5이므로 조건 (가)에서 이차방정식 $f(x)=4ax-10$의 두 실근은 1, 5이다.

$y=f(x)$의 이차항의 계수가 a이므로 이차방정식의 근과 계수의 관계에 의하여

$f(x)-4ax+10=a(x^2-6x+5)$

$\therefore f(x)=ax^2-6ax+5a+4ax-10$

$=ax^2-2ax+5a-10$

$=a(x-1)^2+4a-10$

한편, $a>0$이고 $1\le x\le 5$에서 $f(x)$의 최솟값이 -8이므로

$f(1)=4a-10=-8$에서 $a=\frac{1}{2}$이다.

따라서 $100a=50$이다. 답 50

1025

> 이차함수 $f(x)$가 다음 조건을 만족시킨다.
>
> $f(x)=a(x+2)(x-4)$라 하자.
>
> (가) x에 대한 방정식 $f(x)=0$의 두 근은 -2와 4이다.
>
> (나) $5\le x\le 8$에서 이차함수 $f(x)$의 최댓값은 80이다.
>
> $a>0$일 때와 $a<0$일 때로 나누어 생각하자.
>
> $f(-5)$의 값을 구하시오.

조건 (가)에서 $f(x)=a(x+2)(x-4)$라 하면

$f(x)=a(x-1)^2-9a$ (단, a는 상수)

조건 (나)에서

(i) $a>0$이면

$x=8$에서 최댓값 80을 가지므로

$40a=80$, 즉 $a=2$이다.

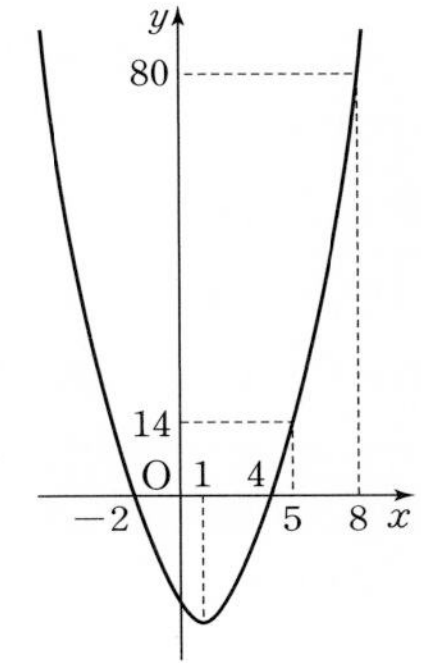

(ii) $a<0$이면

$x=5$에서 최댓값 80을 가지므로

$7a=80$, 즉 $a=\frac{80}{7}$이지만 조건에 모순이다.

(i), (ii)에 의해 $a=2$이다.

따라서 $f(x)=2(x+2)(x-4)$이므로

$f(-5)=54$ 답 54

1026

> 정의역이 실수 전체의 집합이고 이차항의 계수가 1인 이차함수 $y=f(x)$가 다음 조건을 만족시킨다.
>
> 대칭축이 $x=2$이다.
>
> (가) $f(-2)=f(6)$
>
> (나) 함수 $f(x)$의 최솟값은 -9이다.
>
> 꼭짓점의 y좌표가 -9이다.
>
> 방정식 $f(|f(x)|)=0$의 서로 다른 실근의 개수를 구하시오.

$f(-2)=f(6)$에서 이차함수 $y=f(x)$의 그래프의 대칭축은 $x=2$이고, 함수 $f(x)$의 최솟값이 -9이므로

$f(x)=(x-2)^2-9$

$=x^2-4x-5$

$=(x+1)(x-5)$

$f(|f(x)|)=0$에서

$|f(x)|=t\ (t\ge 0)$라 하면 $f(t)=0$이고 $t=5$

$\therefore f(x)=5$ 또는 $f(x)=-5$

$y=f(x)$의 그래프와 두 직선 $y=5$, $y=-5$는 각각 서로 다른 두 점에서 만난다.

따라서 서로 다른 실근의 개수는 4이다. 답 4

1027

> $y=2-x$를 $2x+y^2$에 대입하자.
>
> $x+y=2$를 만족시키는 두 실수 x, y에 대하여 $2x+y^2$의 최솟값을 구하시오.

$x+y=2$에서 $y=2-x$를 $2x+y^2$에 대입하면

$2x+y^2=2x+(2-x)^2=x^2-2x+4$

$=(x-1)^2+3$

따라서 $x=1$일 때, 최솟값은 3이다. 답 3

1028

> $y=1-x$를 식에 대입하자. 이때, x, y의 범위에 주의하자.
>
> $x\ge 0,\ y\ge 0$이고 $x+y=1$일 때, $2x^2+y^2$의 최댓값과 최솟값의 차를 구하여라.

$x+y=1$에서 $y=1-x$이고, $x\ge 0,\ y\ge 0$이므로

$y=1-x\ge 0 \quad \therefore 0\le x\le 1$

이때, $y=1-x$를 $2x^2+y^2$에 대입하면

$2x^2+y^2=2x^2+(1-x)^2$

$=3x^2-2x+1$

$=3\left(x-\frac{1}{3}\right)^2+\frac{2}{3}$

이므로 $0\le x\le 1$에서 $x=\frac{1}{3}$일 때 최솟값 $\frac{2}{3}$, $x=1$일 때 최댓값 2를 갖는다.

따라서 최댓값과 최솟값의 차는

$2-\frac{2}{3}=\frac{4}{3}$ 답 $\frac{4}{3}$

1029

> $y=3-x$를 식에 대입하자. 이때, x, y의 범위에 주의하자.
>
> $x+y-3=0$을 만족시키는 음이 아닌 두 실수 x, y에 대하여 x^2-2y^2의 최댓값을 M, 최솟값을 m이라 할 때, $M+m$의 값을 구하시오.

$x+y-3=0$에서 $y=3-x$이고, $x\ge 0$, $y\ge 0$이므로

$y=3-x\ge 0 \quad \therefore 0\le x\le 3$

따라서 $y=3-x$를 x^2-2y^2에 대입하면

$x^2-2y^2=x^2-2(3-x)^2=-x^2+12x-18$

$=-(x-6)^2+18$

이므로 $0\le x\le 3$에서 $x=0$일 때 최솟값은 -18, $x=3$일 때 최댓값은 9를 갖는다.

$\therefore M+m=9+(-18)=-9$ 답 -9

1030

점 B의 좌표를 $(a, 0)$이라 하자.

> 그림의 직사각형 ABCD에서 두 점 A, B는 x축 위에 있고, 두 점 C, D는 이차함수 $y=-x^2+3$의 그래프 위에 있다. 이때, □ABCD의 둘레의 길이의 최댓값을 구하시오.

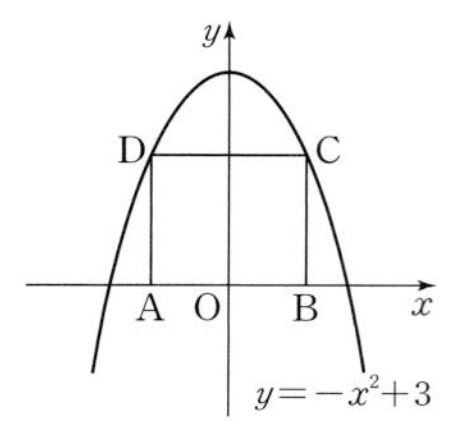

점 B의 좌표를 $(a, 0)$ $(0<a<\sqrt{3})$이라 하면

$C(a, -a^2+3)$

$\therefore \overline{AB}=2a, \overline{BC}=-a^2+3$

□ABCD의 둘레의 길이를 l이라 하면

$l=2\times 2a+2(-a^2+3)$

$=-2a^2+4a+6$

$=-2(a-1)^2+8$ ……㉠

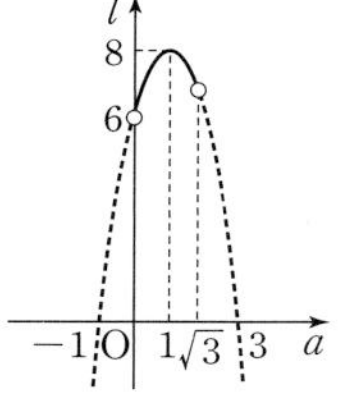

이때, $0<a<\sqrt{3}$이므로 ㉠의 그래프는 그림과 같다.

따라서 $a=1$일 때, □ABCD의 둘레의 길이의 최댓값은 8이다.

답 8

1031

> 그림과 같이 이차함수 $y=x^2-16$의 그래프와 x축으로 둘러싸인 부분에 직사각형을 내접시킬 때, 이 직사각형의 둘레의 길이가 최대일 때, 넓이를 구하시오.

직사각형의 꼭짓점 중에서 제4사분면의 점을 $P(a, a^2-16)$이라 하자.

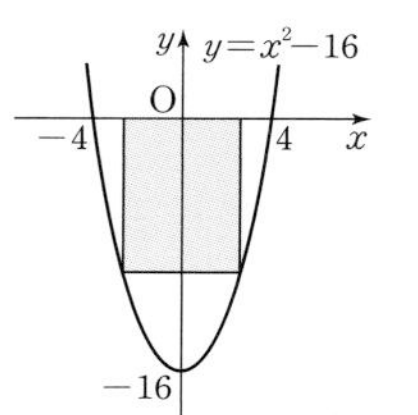

직사각형의 꼭짓점 중 제4사분면에 있는 꼭짓점을 P라 할 때, 점 P의 x좌표를 a $(0<a<4)$라 하면 점 P의 좌표는 (a, a^2-16)이다.

직사각형의 가로의 길이는 $2a$, 세로의 길이는 $-a^2+16$이므로 둘레의 길이를 l이라 하면

$l=2(2a-a^2+16)$

$=-2a^2+4a+32$

$=-2(a-1)^2+34$

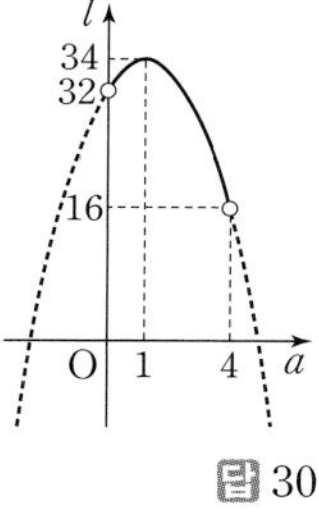

이때, $0<a<4$이므로 $a=1$일 때, 최댓값 34를 갖고 이때의 직사각형의 넓이는

$2a(-a^2+16)=2\times 15=30$

답 30

1032

> 그림과 같이 포물선 $y=-x^2+4x$와 x축에 내접하는 직사각형 PQRS가 있다. 이 직사각형 PQRS의 둘레의 길이의 최댓값은?
>
> 점 P의 좌표를 $(a, 0)$이라 하자.
>
> ① 8 ② 9
> ③ 10 ④ 11
> ⑤ 12

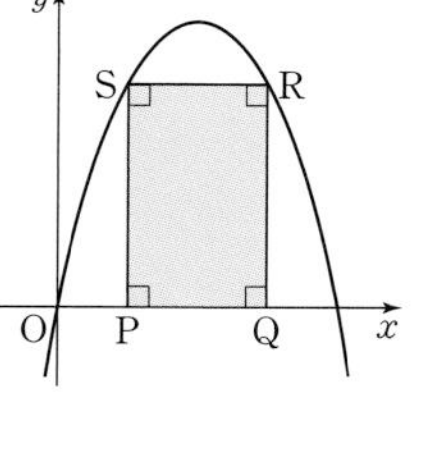

포물선 $y=-x^2+4x$와 x축의 교점의 x좌표는

$-x^2+4x=0$, $x(x-4)=0$

$\therefore x=0$ 또는 $x=4$

점 P의 x좌표를 a $(a>0)$라 하면

$\overline{PQ}=4-2a, \overline{PS}=-a^2+4a$

직사각형 PQRS의 둘레의 길이를 l이라 하면

$l=2(\overline{PQ}+\overline{PS})$

$=2(4-2a-a^2+4a)$

$=-2a^2+4a+8$

$=-2(a-1)^2+10$

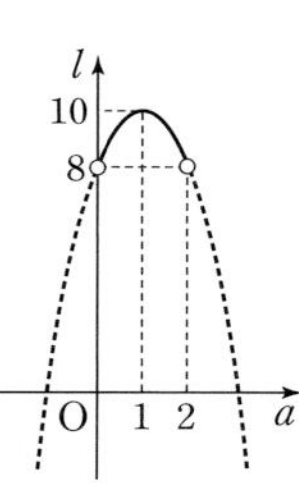

이때, $0<a<2$이므로 $a=1$일 때, 최댓값 10을 갖는다.

따라서 직사각형 PQRS의 둘레의 길이의 최댓값은 10이다.

답 ③

1033

> 두 이차함수 $f(x)=x^2-7$과 $g(x)=-2x^2+5$가 있다. 그림과 같이 네 점 $A(a, f(a))$, $B(a, g(a))$, $C(-a, g(-a))$, $D(-a, f(-a))$를 꼭짓점으로 하는 직사각형 ABCD의 둘레의 길이가 최대가 되도록 하는 a의 값은? (단, $0<a<2$이다.)

$\overline{AD}$와 $\overline{BA}$의 길이를 a에 관한 식으로 정리하자.

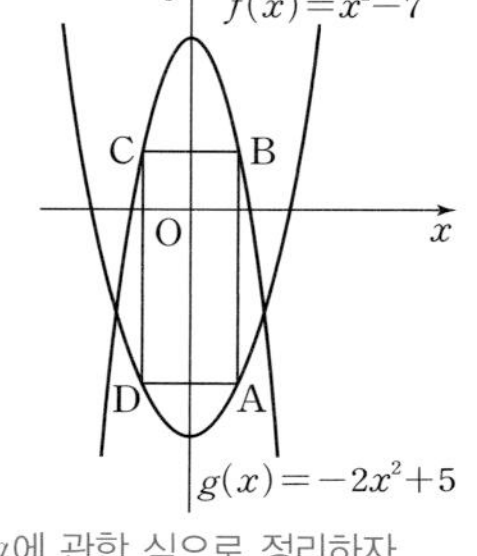

$f(x)=x^2-7$, $g(x)=-2x^2+5$이므로

$\overline{AD}=\overline{BC}=\{a-(-a)\}=2a$

$\overline{BA}=\overline{CD}=g(a)-f(a)$

$=(-2a^2+5)-(a^2-7)$

$=-3a^2+12$

이다. 따라서 직사각형 ABCD의 둘레의 길이를 $h(a)$라 하면

$h(a)=\overline{AD}+\overline{BC}+\overline{BA}+\overline{CD}$

$=2(\overline{AD}+\overline{BA})$

$=2(2a-3a^2+12)$

$=-6a^2+4a+24$

$=-6\left(a-\frac{1}{3}\right)^2+\frac{74}{3}$

따라서 $a=\frac{1}{3}$일 때, 직사각형 ABCD의 둘레의 길이가 최대가 된다.

답 ①

1034

가로의 길이를 xm, 세로의 길이를 ym라 하면 $x+2y=12$이다.

> 그림과 같이 길이가 12 m인 철망으로 벽을 한 변으로 하는 직사각형 모양의 울타리를 만들려고 한다. 이때, 울타리 안의 넓이의 최댓값은? (단, 철망의 두께는 무시한다.)

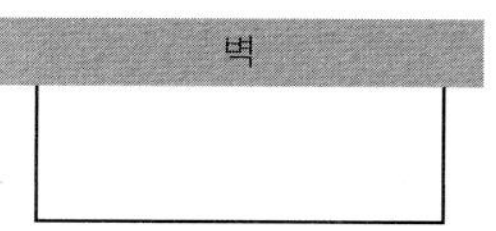

직사각형 모양의 울타리의 가로의 길이를 xm, 세로의 길이를 ym라

하면

$x+2y=12$

$\therefore x=12-2y$

그런데 $x>0$, $y>0$이므로

$12-2y>0 \quad \therefore 0<y<6$

울타리 안의 넓이를 $S\,\mathrm{m}^2$라 하면

$S=xy=(12-2y)y$

$=-2y^2+12y$

$=-2(y-3)^2+18$

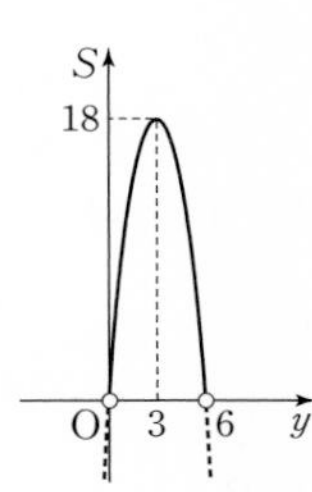

이때, $0<y<6$이므로 $y=3$일 때, 최댓값 18을 갖는다.

따라서 울타리 안의 넓이의 최댓값은 $18\,\mathrm{m}^2$이다.

답 ④

1035 가로의 길이를 x m, 세로의 길이를 y m라 하면 $x+y+(y-6)=30$이다.

길이가 30 m인 그물망을 가지고 그림과 같이 담에 붙은 직사각형 모양의 테니스장을 만들려고 한다. 이때, 만들어진 테니스장의 넓이의 최댓값을 구하시오.

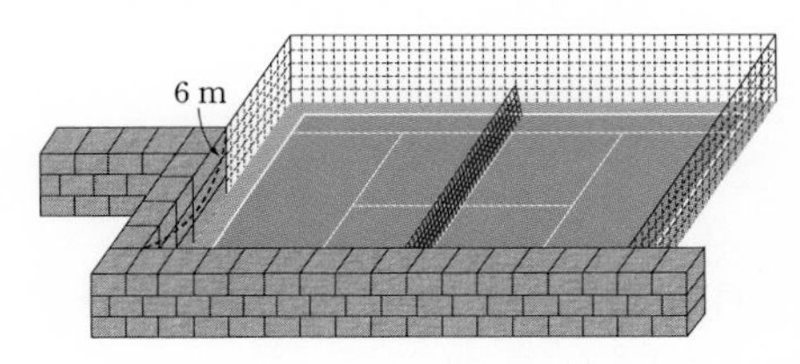

그림과 같이 테니스장의 가로의 길이를 x m, 세로의 길이를 y m라 하자.

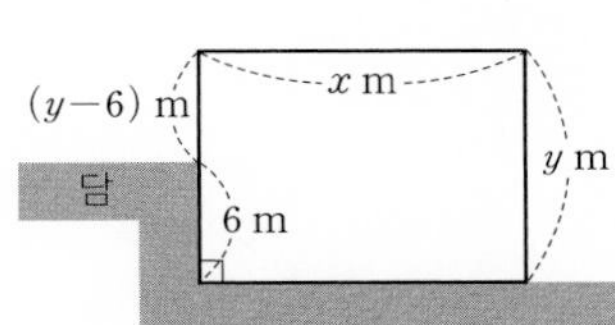

그물망의 길이가 30 m이므로

$x+y+(y-6)=30$, $x+2y=36$

$\therefore x=36-2y$

이때, $x>0$, $y>0$이므로

$36-2y>0$

$\therefore 0<y<18$

테니스장의 넓이를 $S\,\mathrm{m}^2$라 하면

$S=xy=(36-2y)y$

$=-2y^2+36y$

$=-2(y-9)^2+162$

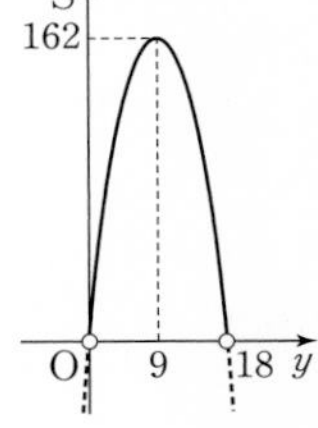

이때, $0<y<18$이므로

$y=9$, $x=18$일 때 최댓값 162를 갖는다.

따라서 테니스장의 넓이의 최댓값은 $162\,\mathrm{m}^2$이다.

답 $162\,\mathrm{m}^2$

1036

그림과 같이 밑변의 길이가 8 cm이고 높이가 6 cm인 삼각형 ABC에 내접하고, 한 변이 밑변 BC 위에 있는 직사각형 PQRS의 넓이의 최댓값은?

△APS와 △ABC가 닮음임을 이용하자.

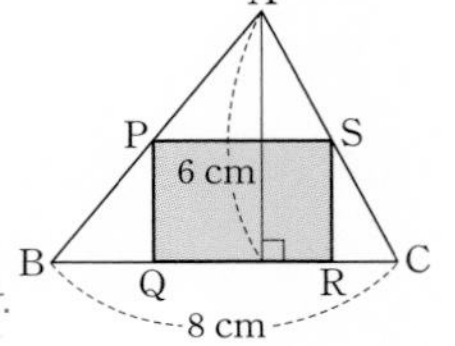

① $8\,\mathrm{cm}^2$ ② $10\,\mathrm{cm}^2$ ③ $12\,\mathrm{cm}^2$ ④ $14\,\mathrm{cm}^2$ ⑤ $16\,\mathrm{cm}^2$

그림과 같이 직사각형 PQRS의 가로의 길이를 x cm, 세로의 길이를 y cm라 하면

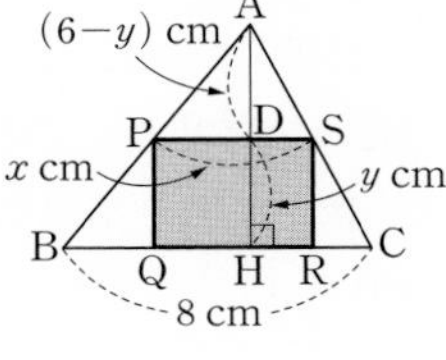

$\overline{QR}=\overline{PS}=x$ cm

또 $\overline{PQ}=\overline{DH}=y$ cm이므로

$\overline{AD}=(6-y)$ cm

이때, △APS ∽ △ABC이므로

$\overline{BC}:\overline{PS}=\overline{AH}:\overline{AD}$

즉, $8:x=6:(6-y)$

$6x=8(6-y)$

$\therefore x=8-\frac{4}{3}y$

그런데 x와 y는 직사각형의 가로와 세로의 길이이므로

$x=8-\frac{4}{3}y>0$, $y>0$

$\therefore 0<y<6 \quad \cdots\cdots ㉠$

직사각형 PQRS의 넓이를 $S\,\mathrm{cm}^2$라 하면

$S=xy=\left(8-\frac{4}{3}y\right)y$

$=-\frac{4}{3}(y-3)^2+12 \quad \cdots\cdots ㉡$

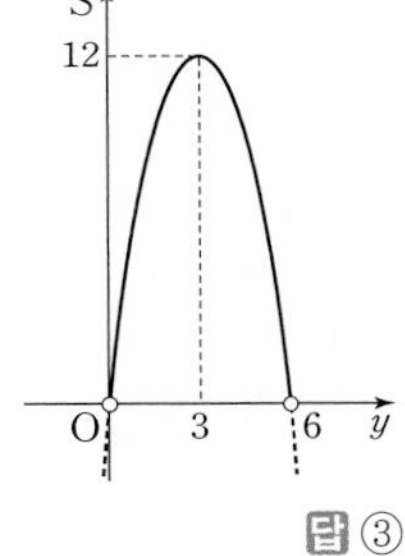

$0<y<6$에서 ㉡의 그래프는 그림과 같으므로 $y=3$일 때, 최댓값은 12이다.

따라서 직사각형 PQRS의 넓이의 최댓값은 $12\,\mathrm{cm}^2$이다.

답 ③

1037

그림에서 색칠한 직사각형의 넓이의 최댓값은?

삼각형의 닮음을 이용하자.

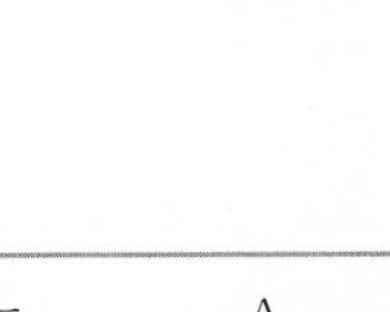

① $\frac{1}{2}\,\mathrm{cm}^2$ ② $2\,\mathrm{cm}^2$ ③ $3\,\mathrm{cm}^2$ ④ $\frac{7}{2}\,\mathrm{cm}^2$ ⑤ $4\,\mathrm{cm}^2$

그림과 같이 세 변 AB, BC, CA 위에 있는 직사각형의 꼭짓점을 각각 D, E, F라 하면

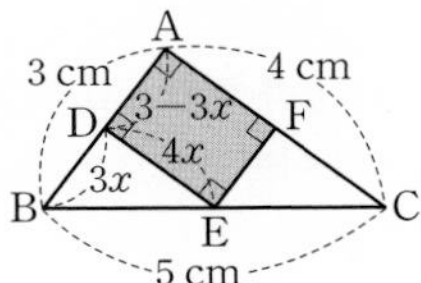

△BED ∽ △BCA이므로

$\overline{BD}:\overline{DE}=\overline{BA}:\overline{AC}=3:4$

$\overline{BD}=3x$, $\overline{DE}=4x$ $(x>0)$라 하면

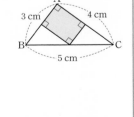

$0<3x<3$, $0<4x<4 \quad \therefore 0<x<1$

직사각형의 넓이를 S라 하면

$S=4x(3-3x)$

$=-12\left(x-\frac{1}{2}\right)^2+3$

이때, $0<x<1$이므로 $x=\frac{1}{2}$일 때, 최댓값 3을 갖는다.

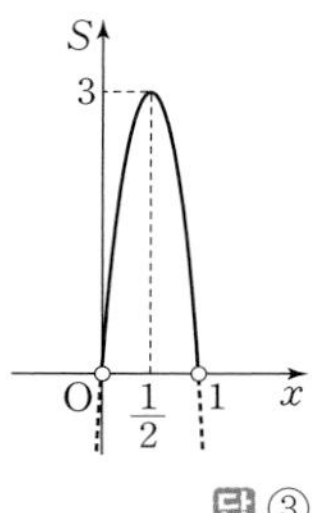

따라서 직사각형의 넓이의 최댓값은 $3\,\text{cm}^2$이다.

답 ③

1038

그림과 같이 $\angle B=90°$, $\overline{AB}=2$, $\overline{BC}=2\sqrt{3}$인 직각삼각형 ABC에서 점 P가 변 AC 위를 움직일 때, $\overline{PB}^2+\overline{PC}^2$의 최솟값은? └• 점 P에서 각 변에 수선을 그은 후 삼각형의 닮음을 이용하자.

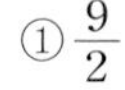

① $\frac{9}{2}$ ② $\frac{11}{2}$

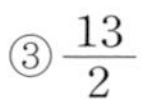

③ $\frac{13}{2}$ ④ $\frac{15}{2}$

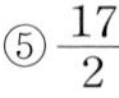

⑤ $\frac{17}{2}$

점 P에서 변 BC에 내린 수선의 발을 D, 변 AB에 내린 수선의 발을 E라 하고 닮음을 이용하면

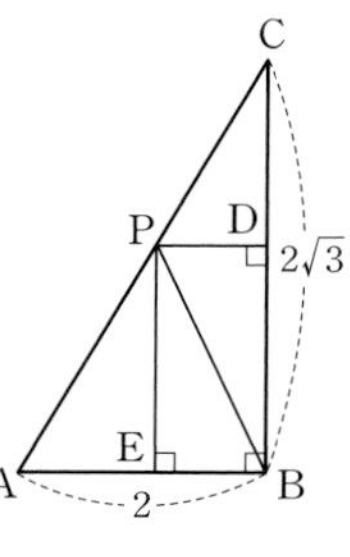

$\overline{PD}=a$이면

$\overline{CD}=\sqrt{3}a$,

$\overline{BD}=(2-a)\sqrt{3}$이므로

$\overline{PB}^2=a^2+3(2-a)^2=4a^2-12a+12$이고,

$\overline{PC}^2=a^2+3a^2=4a^2$이다.

$\overline{PB}^2+\overline{PC}^2=8a^2-12a+12=8\left(a-\frac{3}{4}\right)^2+\frac{15}{2}$

이므로 최솟값은 $\frac{15}{2}$이다.

답 ④

1039

그림과 같이 $\angle A=90°$이고 $\overline{AB}=6$인 직각이등변삼각형 ABC가 있다. 변 AB 위의 한 점 P에서 변 BC에 내린 수선의 발을 Q라 하고, 점 P를 지나고 변 BC와 평행한 직선이 변 AC와 만나는 점을 R라 하자. 사각형 PQCR의 넓이의 최댓값을 구하시오. (단, 점 P는 꼭짓점 A와 꼭짓점 B가 아니다.) └• $\overline{BQ}=a$라 두고 사각형 PQCR의 넓이를 a로 표현해 보자.

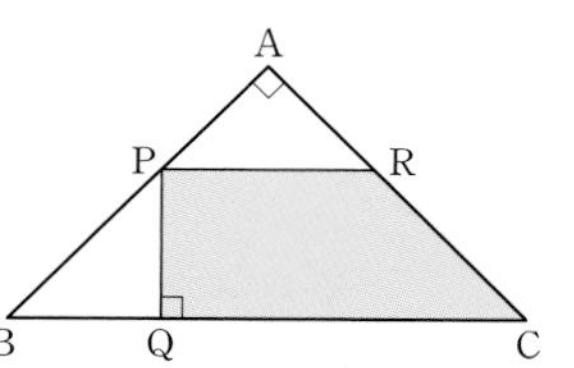

$\overline{BQ}=a$라 하면 $\triangle PBQ$는 직각이등변삼각형이므로 $\overline{BP}=\sqrt{2}a$이다.

$\triangle APR$는 $\overline{PA}=6-\sqrt{2}a$인 직각이등변삼각형이므로

$\overline{PR}=\sqrt{2}(6-\sqrt{2}a)$이고

$\overline{CQ}=\overline{BC}-\overline{BQ}=6\sqrt{2}-a$

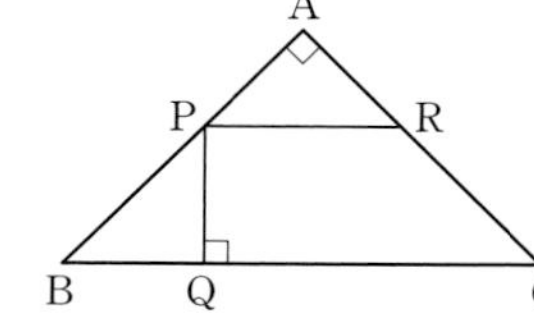

$\square PQCR=\frac{1}{2}\times(6\sqrt{2}-2a+6\sqrt{2}-a)\times a$

$=6\sqrt{2}a-\frac{3}{2}a^2$

$=-\frac{3}{2}(a^2-4\sqrt{2}a+8-8)$

$=-\frac{3}{2}(a-2\sqrt{2})^2+12$

따라서 $\overline{BQ}=2\sqrt{2}$일 때, $\square PQCR$의 넓이의 최댓값은 12이다.

답 12

1040

지면에서 수직으로 던진 공의 t초 후의 높이를 $h(t)$m라 할 때, 관계식 $h(t)=-5t^2+30t$가 성립한다고 한다. 이 물체의 최고 높이는 몇 m인가? └• $h(t)$의 최댓값을 구하자.

$h(t)=-5t^2+30t$

$=-5(t^2-6t)$

$=-5(t-3)^2+45$

따라서 최고 높이는 $t=3$일 때, 45 m이다.

답 ①

1041

지면으로부터 18 m의 높이에서 비스듬히 위쪽으로 공을 던질 때, t초 후의 공의 높이 y는 지면으로부터 $y=-2t^2+16t+18$(m)이라고 한다. 이 공은 $t=a$일 때 최고 높이에 도달하고, $t=b$일 때 지면에 도착한다. 이때, $a+b$의 값은? └• 공이 지면에 도착하는 경우는 높이가 0일 때이다.

$y=-2t^2+16t+18=-2(t-4)^2+50$이므로

$t=4$일 때 y는 최대이고 이때의 높이는 50 m이다.

따라서 공이 최고 높이에 도달하는 데 걸리는 시간은 4초이므로

$a=4$

공이 지면에 도착하는 경우는 높이가 0일 때이므로

$-2t^2+16t+18=0$

$-2(t-9)(t+1)=0$

$\therefore t=9$ 또는 $t=-1$

$t>0$이므로 공은 9초 후에 지면에 도착한다.

$\therefore b=9$

$\therefore a+b=13$

답 ⑤

1042

지면에서 초속 60 m로 수직으로 쏘아 올린 물체의 x초 후의 높이를 ym라 할 때, 물체가 공중에 떠 있는 동안에는 $y=60x-2x^2$인 관계가 있다고 한다. 이 물체가 최고 높이에 도달하는 것은 몇 초 후인가? 주어진 이차함수의 식을 완전제곱식으로 변형해 보자.

$y=60x-2x^2$

$=-2(x^2-30x+225)+450$

$=-2(x-15)^2+450$

따라서 최고 높이에 도달하는 것은 15초 후이다. 답 ②

1043

다음은 어느 회사에서 신제품 A의 가격을 정하기 위하여 시장조사를 한 결과이다.

> (가) A의 가격을 100만 원으로 정하면 판매량은 2400대이다.
> (나) A의 가격을 만 원 인상할 때마다 판매량은 20대씩 줄어든다.

신제품 A를 판매하여 얻은 전체 판매 금액이 최대가 되도록 하는 A의 가격은 a만 원이다. a의 값을 구하시오. (단, A의 가격은 100만 원 이상이다.)

• 인상되는 가격을 x(만 원), 전체 판매금액을 y(만 원)이라 놓고 관계식을 세우자.

A의 가격이 100만 원에서 만 원 인상될 때마다 판매량이 20대씩 줄어든다. 인상되는 가격을 x (만 원), 전체 판매 금액을 y (만 원)이라 하면

$y=(100+x)(2400-20x)$

$=-20(x-10)^2+242000$

따라서 가격을 10만 원 올렸을 때 전체 판매 금액이 최대이므로 그때의 A의 가격은 110만 원이다.

$\therefore a=110$ 답 110

1044

물받이의 높이를 x cm라 하면, 가로의 길이는 $(10-2x)$ cm이다.

폭이 10 cm인 철판의 양쪽을 구부려서 그림과 같이 단면의 모양이 직사각형인 물받이를 만들려고 한다. 색칠한 단면의 넓이가 최대가 되도록 하려면 물받이의 높이를 몇 cm로 해야 하는지 구하시오.

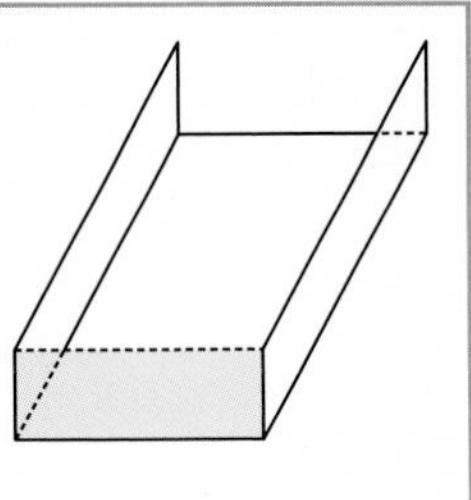

직사각형 모양인 단면의 세로의 길이는 물받이의 높이와 같고, 물받이의 높이를 x cm라 하면 가로의 길이는 $(10-2x)$cm이다.

이때, $x>0$, $10-2x>0$이므로 $0<x<5$

색칠한 단면의 넓이를 $S\text{cm}^2$라 하면

$S=x(10-2x)$

$=-2x^2+10x$

$=-2\left(x-\frac{5}{2}\right)^2+\frac{25}{2}$ ……㉠

$0<x<5$에서 ㉠의 그래프는 그림과 같으므로

$x=\frac{5}{2}$일 때, 최댓값은 $\frac{25}{2}$이다.

따라서 단면의 높이를 $\frac{5}{2}$ cm로 해야 한다.

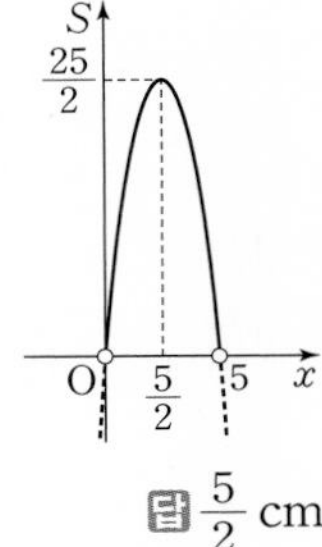

답 $\frac{5}{2}$ cm

1045

t초 후 점 A의 좌표는 $(2t, 0)$이다.

그림과 같이 좌표평면 위에 두 점 A, B가 있다. 점 A는 x축의 양의 방향으로 원점에서 매초 2의 속도로 x축 위를, 점 B는 y축의 음의 방향으로 점 $(0, 6)$에서 매초 2의 속도로 y축 위를 움직인다.

• t초 후 점 B의 좌표는 $(0, 6-2t)$이다.

t초 후의 점 A, B에 대하여 $\overline{OA}$, $\overline{OB}$를 이웃하는 두 변으로 하는 직사각형 OACB의 넓이의 최댓값을 구하시오. (단, $0<t<3$)

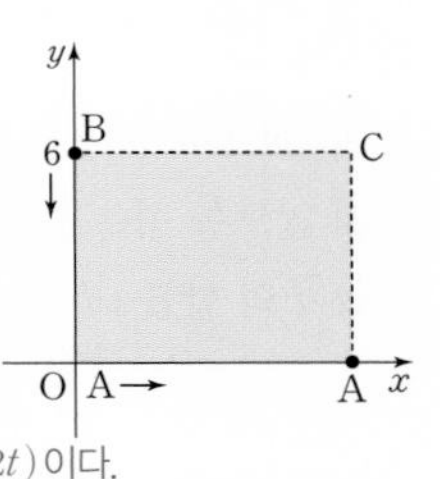

(속도)$=\frac{(\text{거리})}{(\text{시간})}$이므로 (거리)=(속도)×(시간)

매초 2의 속도로 움직이는 점 A와 점 B의 t초 후의 좌표는 $A(2t, 0)$, $B(0, 6-2t)$이므로 □OACB의 넓이를 S라 하면

$S=2t(6-2t)$

$=-4t^2+12t$

$=-4\left(t^2-3t+\frac{9}{4}\right)+9$

$=-4\left(t-\frac{3}{2}\right)^2+9$ ……㉠

$0<t<3$에서 ㉠의 그래프는 그림과 같으므로

$t=\frac{3}{2}$일 때, 최댓값은 9이다.

따라서 □OACB의 넓이의 최댓값은 9이다.

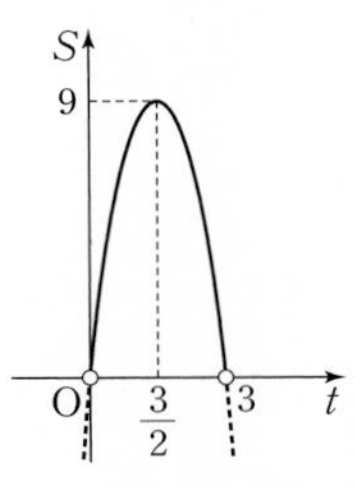

답 9

1046

이차함수 $y=x^2+2(k-3)x+k^2-9$의 그래프가 x축과 서로 다른 두 점에서 만날 때, 실수 k의 값의 범위는?

• 이차방정식의 판별식 $D>0$이다.

이차함수 $y=x^2+2(k-3)x+k^2-9$의 그래프가 x축과 서로 다른 두 점에서 만나므로 이차방정식

$x^2+2(k-3)x+k^2-9=0$의 판별식을 D라 하면

$\frac{D}{4}=(k-3)^2-(k^2-9)>0$

$-6k+18>0$ $\therefore k<3$ 답 ③

1047

• 이차방정식의 두 근이 -3, 2이다.

이차함수 $y=2x^2+ax+b$의 그래프가 두 점 $(-3, 0)$, $(2, 0)$에서 만날 때, 상수 a, b의 합 $a+b$의 값은?

이차함수 $y=2x^2+ax+b$의 그래프와 x축의 교점의 x좌표가 -3, 2이므로 -3, 2는 이차방정식 $2x^2+ax+b=0$의 두 근이다.

따라서 근과 계수의 관계에 의하여

$-\frac{a}{2}=-3+2$, $\frac{b}{2}=(-3)\times 2$

$\therefore a=2$, $b=-12$

$\therefore a+b=-10$ 답 ①

1048

이차방정식의 판별식 $D>0$이다.

> 직선 $y=x+m$이 이차함수 $y=x^2-x-2$의 그래프와 서로 다른 두 점에서 만나고, 이차함수 $y=x^2+3x+1$의 그래프와는 만나지 않도록 하는 실수 m의 값의 범위가 $a<m<b$일 때, 두 상수 a, b의 합 $a+b$의 값은?
>
> 이차방정식의 판별식이 $D<0$이다.

직선 $y=x+m$이 이차함수 $y=x^2-x-2$의 그래프와 서로 다른 두 점에서 만나므로 이차방정식 $x+m=x^2-x-2$, 즉 $x^2-2x-2-m=0$의 판별식을 D_1이라 하면

$\frac{D_1}{4}=1-(-2-m)>0 \quad \therefore m>-3 \quad \cdots\cdots$ ㉠

또 직선 $y=x+m$이 이차함수 $y=x^2+3x+1$의 그래프와 만나지 않으므로 이차방정식 $x+m=x^2+3x+1$, 즉 $x^2+2x+1-m=0$의 판별식을 D_2라 하면

$\frac{D_2}{4}=1-(1-m)<0 \quad \therefore m<0 \quad \cdots\cdots$ ㉡

㉠, ㉡에서 $-3<m<0$

$\therefore a+b=-3+0=-3$

답 ③

1049

> 이차함수 $y=x^2-2kx+k^2-4k$의 그래프가 실수 k의 값에 관계없이 항상 직선 $y=2ax-a^2$에 접할 때, 상수 a의 값을 구하시오.
>
> 두 식을 연립한 이차방정식의 판별식이 $D=0$이다. 이 식을 k에 관하여 정리하자.

이차함수 $y=x^2-2kx+k^2-4k$의 그래프와 직선 $y=2ax-a^2$이 접하므로 이차방정식 $x^2-2kx+k^2-4k=2ax-a^2$, 즉

$x^2-2(k+a)x+k^2+a^2-4k=0$의 판별식을 D라 하면

$\frac{D}{4}=(k+a)^2-(k^2+a^2-4k)=0$

$2ak+4k=0$, $(2a+4)k=0$

이 식이 실수 k의 값에 관계없이 항상 성립하므로

$2a+4=0$

$\therefore a=-2$

답 -2

1050

> 이차함수 $y=x^2+mx+1$의 그래프와 직선 $y=-x+n$이 그림과 같을 때, 상수 m, n의 합 $m+n$의 값을 구하시오.
>
> 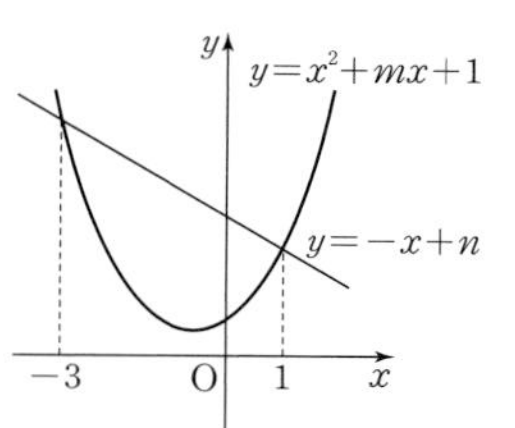
>
>
> 두 식을 연립한 이차방정식의 근이 -3, 1이다.

이차함수 $y=x^2+mx+1$의 그래프와 직선 $y=-x+n$의 교점의 x좌표가 -3, 1이므로 이차방정식 $x^2+mx+1=-x+n$, 즉 $x^2+(m+1)x+1-n=0$의 두 근은 -3, 1이다.

따라서 근과 계수의 관계에 의하여

$-m-1=-2$, $1-n=-3$

$\therefore m=1$, $n=4$

$\therefore m+n=5$

답 5

1051 서술형

> 이차함수 $y=x^2-5x+5$의 그래프와 직선 $y=x+k$가 두 점 P, Q에서 만난다. 점 P의 x좌표가 2일 때, 선분 PQ의 길이를 구하시오. (단, k는 상수이다.)
>
> 두 식을 연립한 이차방정식에 $x=2$를 대입하자.

이차함수 $y=x^2-5x+5$의 그래프와 직선 $y=x+k$의 교점이 P, Q이므로 두 점 P, Q의 x좌표는 이차방정식

$x^2-5x+5=x+k$, 즉 $x^2-6x+5-k=0 \quad \cdots\cdots$ ㉠

의 두 근과 같고, 점 P의 x좌표가 2이므로 $x=2$를 ㉠에 대입하면

$2^2-6\cdot2+5-k=0 \quad \therefore k=-3$ ······ 50%

$k=-3$을 ㉠에 대입하면

$x^2-6x+8=0$, $(x-2)(x-4)=0$

$\therefore x=2$ 또는 $x=4$ ······ 30%

따라서 점 Q의 x좌표는 4이고, 두 점 P, Q가 직선 $y=x-3$ 위의 점이므로 $\mathrm{P}(2, -1)$, $\mathrm{Q}(4, 1)$

$\therefore \overline{\mathrm{PQ}}=\sqrt{(4-2)^2+(1+1)^2}=2\sqrt{2}$ ······ 20%

답 $2\sqrt{2}$

1052

> 이차함수 $y=-x^2+2ax+b$의 축의 방정식이 $x=-1$이고 최댓값이 2일 때, 두 상수 a, b의 합 $a+b$의 값은?
>
> 이차함수의 꼭짓점의 좌표가 $(-1, 2)$이다.

이차함수 $y=-x^2+2ax+b$의 축의 방정식이 $x=-1$이고, 최댓값이 2이므로

$y=-x^2+2ax+b$

$=-(x+1)^2+2$

$=-x^2-2x+1$

$\therefore a=-1$, $b=1$

$\therefore a+b=0$

답 ③

1053

꼭짓점의 x좌표가 주어진 범위에 포함되는지 살펴보자.

> $-2\le x\le2$에서 이차함수 $f(x)=x^2-2x-2$의 최댓값을 M, 최솟값을 m이라 할 때, $M-m$의 값은?

$f(x)=x^2-2x-2$

$=(x-1)^2-3$

꼭짓점의 x좌표 1은 $-2\le x\le2$에 포함되므로

$f(-2)=6$, $f(1)=-3$, $f(2)=-2$

$\therefore M=6$, $m=-3$

$\therefore M-m=9$

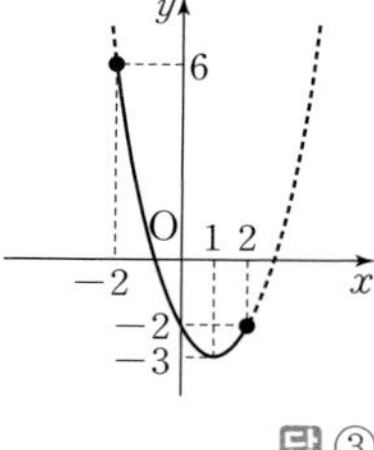

답 ③

1054 서술형

꼭짓점의 x좌표가 주어진 범위에 포함되는지 살펴보자.

> $0\le x\le4$에서 이차함수 $y=-2x^2+4x+a$의 최솟값은 -10이고, 최댓값은 b이다. 이때, 상수 a, b에 대하여 ab의 값을 구하시오.

$y=-2x^2+4x+a$

$=-2(x-1)^2+a+2$ …… 30%

이므로 $0\le x\le4$에서 그래프는 그림과 같다.

이때, $x=4$일 때 최솟값을 가지므로

$-16+a=-10$

$\therefore a=6$ …… 50%

또 $x=1$일 때, 최댓값을 가지므로

$a+2=b$ $\quad\therefore b=8$

$\therefore ab=48$ …… 20%

답 48

1055

> 두 이차함수 $f(x)$, $g(x)$가 다음 세 조건을 모두 만족시킨다.
>
> 이차함수의 꼭짓점의 좌표가 $(1, 4)$이다.
>
> (가) $f(x)$는 $x=1$에서 최솟값 4를 갖는다.
>
> (나) $g(x)$는 $x=-1$에서 최댓값 2를 갖는다. 이차함수의 꼭짓점의 좌표가 $(-1, 2)$이다.
>
> (다) $f(x)+g(x)$는 $x=3$에서 최솟값 -2를 갖는다.
>
> $f(x)$와 $g(x)$를 직접 더해 보자.
>
> 이때, $f(1)+g(1)$의 값을 구하시오.

조건 (가)에서 $f(x)=a(x-1)^2+4$ ……㉠

조건 (나)에서 $g(x)=b(x+1)^2+2$ ……㉡

조건 (다)에서

$f(x)+g(x)=c(x-3)^2-2$

$=cx^2-6cx+9c-2$ ……㉢

이때, ㉠+㉡을 하면

$f(x)+g(x)=(a+b)x^2-2(a-b)x+a+b+6$ ……㉣

㉢, ㉣에 의하여

$a+b=c$, $a-b=3c$, $a+b+6=9c-2$

위의 식을 연립하여 풀면

$a=2$, $b=-1$, $c=1$

$\therefore f(x)+g(x)=x^2-6x+7$

$\therefore f(1)+g(1)=1-6+7=2$

답 2

1056

처음 종이의 가로, 세로의 길이를 각각 x, y라 하면, 넓이는 $(x-6)(y-2)$이다.

> 둘레의 길이가 112인 직사각형 모양의 종이를 그림과 같이 가장자리에 위아래로 1, 양옆으로 3의 여백을 두고 오려냈다. 오려낸 안쪽의 종이의 넓이를 S라 할 때, S가 최대가 되도록 하는 처음 종이의 세로의 길이를 구하시오.

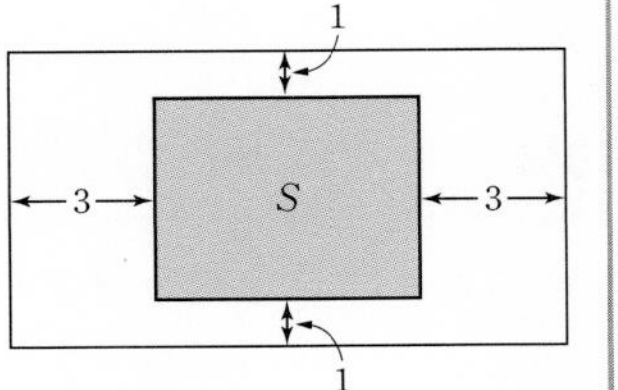

처음 종이의 가로, 세로의 길이를 각각 x, y라 하면

$2(x+y)=112$, $x+y=56$

$\therefore y=56-x$

이때, $x>6$, $y>2$이므로

$56-x>2$ $\quad\therefore 6<x<54$

오려낸 안쪽의 종이의 넓이 S는

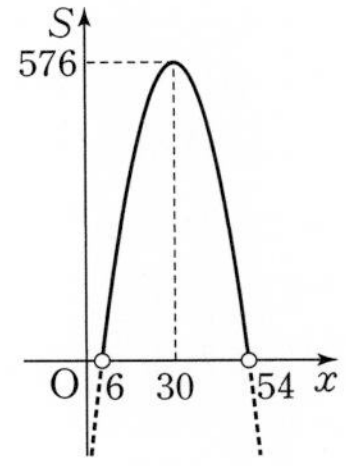

$S=(x-6)(y-2)$

$=(x-6)(56-x-2)$

$=(x-6)(54-x)$

$=-x^2+60x-324$

$=-(x-30)^2+576$

이때, $6<x<54$이므로 $x=30$, $y=26$일 때, 최댓값 576을 갖는다.

따라서 S가 최대가 되는 처음 종이의 세로의 길이는 26이다.

답 26

1057

> 어떤 건물 옥상에서 초속 20 m로 똑바로 위로 쏘아 올린 폭죽의 t초 후의 지면으로부터의 높이를 $h(t)$m라 하면 $h(t)=-5t^2+20t+15$라 한다. 가장 높이 올라갔을 때, 폭죽이 터진다면 폭죽이 터지는 높이는 몇 m인지 구하시오.
>
> 완전제곱식으로 변형하자.

$h(t)=-5t^2+20t+15$

$=-5(t-2)^2+35$

따라서 $t=2$일 때, 높이가 최대이므로 폭죽이 터지는 높이는 35 m이다.

답 35 m

1058

> x에 대한 두 이차함수 $y=x^2-3x+k$, $y=x^2-2kx+k^2+2k$의 그래프 중 하나만 x축과 만나도록 하는 실수 k의 값의 범위는?
>
> 두 이차방정식의 판별식 중 하나는 0보다 크거나 같고, 하나는 0보다 작음을 이용하자.

두 이차함수의 그래프 중 하나만 x축과 만나려면

이차방정식 $x^2-3x+k=0$의 판별식을 D_1,

이차방정식 $x^2-2kx+k^2+2k=0$의 판별식을 D_2라 할 때

$\begin{cases} D_1\ge0 \\ D_2<0 \end{cases}$ 또는 $\begin{cases} D_1<0 \\ D_2\ge0 \end{cases}$

$D_1=9-4k$, $D_2=k^2-(k^2+2k)=-2k$이므로

(i) $D_1\ge0$, $D_2<0$일 때

$k\le\frac{9}{4}$, $k>0$

$\therefore 0<k\le\frac{9}{4}$

(ii) $D_1<0$, $D_2\ge0$일 때

$k>\frac{9}{4}$, $k\le0$

$\therefore$ 해가 없다.

(i), (ii)에서 $0<k\le\frac{9}{4}$

답 ③

1059

$y=|x^2-3|$과 $y=4-k$의 두 함수로 나누어 생각하자.

방정식 $|x^2-3|+k-4=0$이 서로 다른 네 실근을 갖도록 하는 실수 k의 값의 범위는 $\alpha<k<\beta$이다. 이때, $\alpha+\beta$의 값을 구하시오.

$|x^2-3|+k-4=0$, 즉 $|x^2-3|=4-k$

이므로 주어진 방정식의 실근의 개수는 $y=|x^2-3|$의 그래프와 직선 $y=4-k$의 교점의 개수와 같다.

이때, $y=|x^2-3|$의 그래프는 그림과 같으므로 서로 다른 네 실근을 가지려면

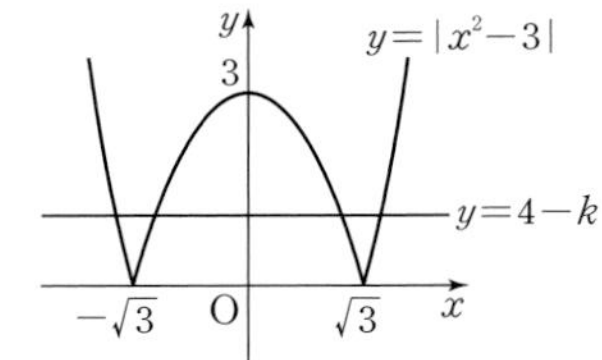

$0<4-k<3 \quad \therefore 1<k<4$

따라서 $\alpha=1$, $\beta=4$이므로

$\alpha+\beta=5$

답 5

1060

이차함수 $y=x^2-ax+c$의 그래프와 직선 $y=ax+b$가 두 점 A, B에서 만나고, 점 A의 x좌표가 $-3+2\sqrt{2}$일 때, 선분 AB의 길이는? (단, a, b, c는 유리수)

두 함수를 연립한 방정식의 근은 $-3+2\sqrt{2}$와 $-3-2\sqrt{2}$이다.

이차함수 $y=x^2-ax+c$의 그래프와 직선 $y=ax+b$의 두 교점의 x좌표는 이차방정식 $x^2-ax+c=ax+b$ 즉, $x^2-2ax+c-b=0$의 두 근과 같다. 이때, 이 방정식의 계수가 모두 유리수이고 한 근이 $-3+2\sqrt{2}$이므로 다른 한 근은 $-3-2\sqrt{2}$이다.

근과 계수의 관계에 의하여

$2a=(-3+2\sqrt{2})+(-3-2\sqrt{2})=-6$

$\therefore a=-3$

따라서 두 교점의 x좌표의 차가 $4\sqrt{2}$이고 직선 $y=ax+b$의 기울기가 -3이므로

$\overline{AB}=\sqrt{(4\sqrt{2})^2+(-3\times4\sqrt{2})^2}$

$=8\sqrt{5}$

답 ③

1061

이차함수 $y=f(x)$의 그래프는 그림과 같이 직선 $x=-3$에 대하여 대칭이고, x축과 서로 다른 두 점에서 만난다. 이때, 이차방정식 $f(2x+5)=0$의 두 근의 합은?

$f(x)=0$의 근을 α, β라 하면 $f(2x+5)=0$의 근은 $\frac{\alpha-5}{2}$, $\frac{\beta-5}{2}$이다.

이차함수 $y=f(x)$의 그래프가 직선 $x=-3$에 대하여 대칭이므로 x축과의 교점의 x좌표는 각각 $-3-t$, $-3+t$로 놓을 수 있다.

이차방정식 $f(x)=0$의 두 근을 α, β $(\alpha<\beta)$라 하면

$\alpha+\beta=(-3-t)+(-3+t)=-6$

또 이차방정식 $f(2x+5)=0$의 두 근을 각각 p, q $(p<q)$라 하면

$2p+5=\alpha$, $2q+5=\beta$

$\therefore p=\frac{\alpha-5}{2}$, $q=\frac{\beta-5}{2}$

따라서 이차방정식 $f(2x+5)=0$의 두 근의 합은

$p+q=\frac{\alpha-5}{2}+\frac{\beta-5}{2}$

$=\frac{\alpha+\beta-10}{2}=\frac{-6-10}{2}=-8$

답 ①

1062

두 실수 x, y에 대하여 $x^2+2y^2+2x-8y+17$의 최솟값을 구하시오.

완전제곱식으로 변형한 뒤, 임의의 실수 A에 대하여 $A^2\geq0$임을 이용하자.

$x^2+2y^2+2x-8y+17$

$=(x^2+2x+1)+2(y^2-4y+4)+8$

$=(x+1)^2+2(y-2)^2+8$

이때, x, y가 실수이므로 $(x+1)^2\geq0$, $(y-2)^2\geq0$이다.

따라서 $x^2+2y^2+2x-8y+17$은 $x=-1$, $y=2$일 때 최솟값 8을 갖는다.

답 8

1063

이차함수 $y=f(x)$의 그래프가 x축과 만나고, 모든 실수 x에 대하여 $f(2-x)=f(2+x)$를 만족할 때, 〈보기〉 중 옳은 것을 모두 고른 것은?

$y=f(x)$는 $x=2$에 대하여 대칭이다.

보기

ㄱ. $y=f(x)$의 그래프는 직선 $x=2$에 대하여 대칭이다.

ㄴ. $f(x)=0$의 두 실근의 합은 4이다.

ㄷ. $f(x)=0$의 두 실근의 곱의 최댓값은 9이다.

ㄱ. 모든 실수 x에 대하여 $f(2-x)=f(2+x)$이므로 이차함수 $y=f(x)$의 그래프는 직선 $x=2$에 대하여 대칭이다. (참)

ㄴ. $y=f(x)$의 그래프가 직선 $x=2$에 대하여 대칭이므로 한 실근이 $2-\alpha$이면 다른 한 실근은 $2+\alpha$이다. 따라서 $f(x)=0$의 두 실근의 합은 4이다. (참)

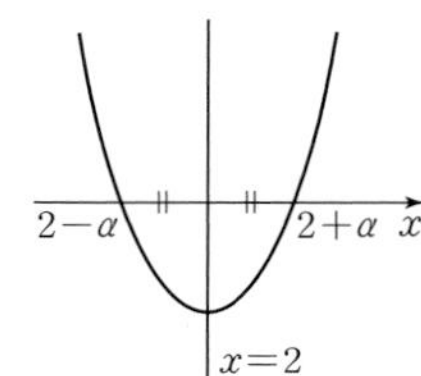

ㄷ. 두 근의 합이 4이므로 한 실근이 α이면 다른 한 실근은 $4-\alpha$이다. 이때, 두 근의 곱은

$\alpha(4-\alpha)=-\alpha^2+4\alpha=-(\alpha-2)^2+4$

따라서 두 실근의 곱의 최댓값은 4이다. (거짓)

따라서 옳은 것은 ㄱ, ㄴ이다.

답 ②

1064

$f(x)=ax^2+bx+c(a\neq0)$라 하고, 조건을 만족하는 미정계수를 찾자.

이차함수 $f(x)$가 모든 실수 x에 대하여 $f(x+1)-f(x)=4x-1$, $f(0)=3$을 만족한다. $-3\leq x\leq2$에서 이차함수 $y=f(x)$의 최댓값을 M, 최솟값을 m이라 할 때, $M+8m$의 값을 구하시오.

$f(x)=ax^2+bx+c\ (a\neq0)$라 하면
$f(x+1)-f(x)$
$=a(x+1)^2+b(x+1)+c-(ax^2+bx+c)$
$=2ax+a+b$
즉, $2ax+a+b=4x-1$이므로
$2a=4,\ a+b=-1$
$\therefore a=2,\ b=-3$
또 $f(0)=c=3$이므로
$f(x)=2x^2-3x+3=2\left(x-\frac{3}{4}\right)^2+\frac{15}{8}$
$-3\le x\le 2$에서 $f(-3)=30,\ f(2)=5$이므로
$x=-3$일 때, 최댓값은 30
$x=\frac{3}{4}$일 때, 최솟값은 $\frac{15}{8}$
$\therefore M=30,\ m=\frac{15}{8}$
$\therefore M+8m=30+15=45$

답 45

1065

꼭짓점의 x좌표가 속하는 각 경우를 모두 생각하자.

> $a\le x\le a+2$에서 이차함수 $y=x^2-4x+a+4$의 최솟값이 2일 때, 모든 상수 a의 값의 곱은?

이차함수 $y=x^2-4x+a+4=(x-2)^2+a$의 그래프의 대칭축 $x=2$의 위치가 $a\le x\le a+2$의 오른쪽, 왼쪽일 때로 각각 나누어 생각하면

(i) $a+2\le 2$, 즉 $a\le 0$일 때,
$x=a+2$에서 최솟값 a^2+a를 가지므로
$a^2+a=2,\ (a+2)(a-1)=0$
$\therefore a=-2\ (\because a\le 0)$

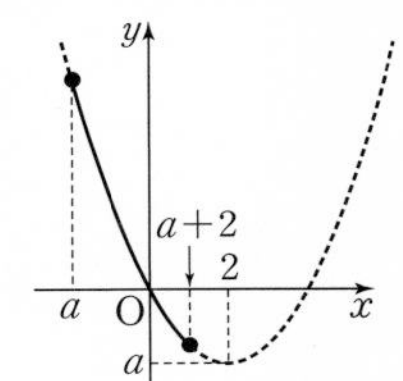

(ii) $a<2<a+2$, 즉 $0<a<2$일 때,
$x=2$에서 최솟값 a를 가지므로
$a=2$
그런데 이 값은 $0<a<2$를 만족하지 않으므로 부적합하다.

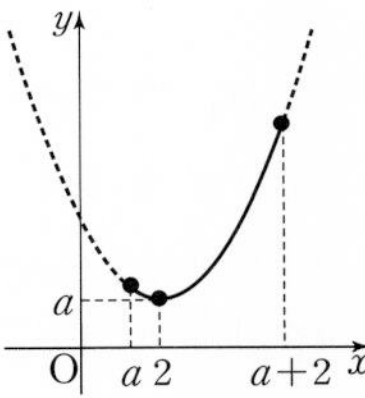

(iii) $a\ge 2$일 때,
$x=a$에서 최솟값 a^2-3a+4를 가지므로
$a^2-3a+4=2,\ a^2-3a+2=0$
$(a-1)(a-2)=0$
$\therefore a=2\ (\because a\ge 2)$

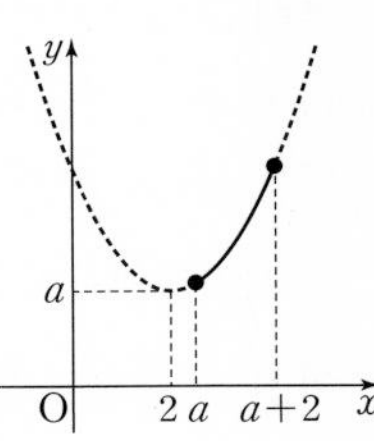

(i), (ii), (iii)에 의하여 주어진 조건을 만족하는 상수 a의 값은 $-2,\ 2$이므로 그 곱은
$(-2)\times 2=-4$

답 ①

1066

우변의 분모를 좌변에 곱하여 만든 이차식을 x에 대한 내림차순으로 정리하자.

> 실수 전체의 범위에서 함수 $y=\frac{x^2-2x+1}{x^2+2x+1}$의 최솟값은?
>
> $x,\ y$는 실수이다.

주어진 식을 x에 대한 이차식으로 변형하면
$y=\frac{x^2-2x+1}{x^2+2x+1},\ y(x^2+2x+1)=x^2-2x+1$
$\therefore (y-1)x^2+2(y+1)x+(y-1)=0$ ······㉠
이차방정식 ㉠의 이차항의 계수 $y-1$이 0인 경우와 아닌 경우로 나누면
(i) $y-1=0$, 즉 $y=1$일 때
$4x=0 \quad \therefore x=0$
(ii) $y-1\neq0$, 즉 $y\neq1$일 때
이차방정식 ㉠의 해 x는 실수이므로 이차방정식 ㉠은 실근을 갖는다.
따라서 이차방정식 ㉠의 판별식을 D라 하면
$\frac{D}{4}=(y+1)^2-(y-1)^2\ge0,\ 4y\ge0$
$\therefore y\ge 0$
$y\neq1$이므로 $0\le y<1,\ y>1$
(i), (ii)에서 y의 값의 범위는 $y\ge0$
따라서 y의 최솟값은 0이다.

답 ①

1067

> 그림과 같이 135°로 꺾인 벽면이 있는 땅에 길이가 150 m인 철망으로 울타리를 설치하여 직사각형 모양의 농장 X와 사다리꼴 모양의 농장 Y를 만들려고 한다. 농장 X의 넓이가 농장 Y의 넓이의 2배일 때, 농장 Y의 넓이의 최댓값을 S (m^2)라 하자. S의 값을 구하시오. (단, 벽면에는 울타리를 설치하지 않고, 철망의 폭은 무시한다.)
>
> 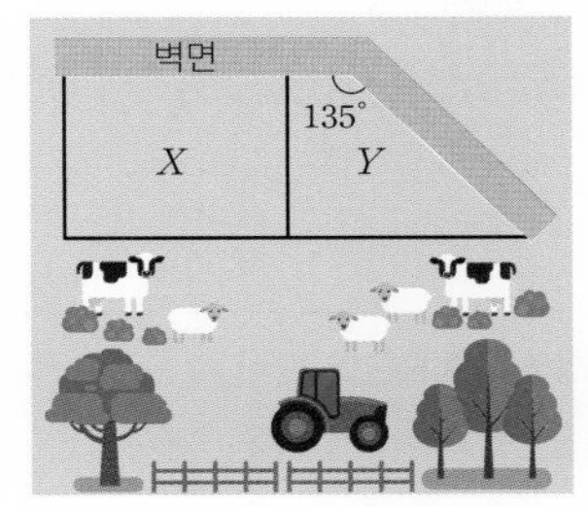
>

직사각형 X의 세로의 길이를 x, 가로의 길이를 y라 하자.

그림과 같이 직사각형의 세로와 가로의 길이를 각각 $x,\ y$라 하자. X의 넓이는 xy이고, 철망의 길이가 150이므로 사다리꼴의 아랫변의 길이는 $150-2x-y$이다.

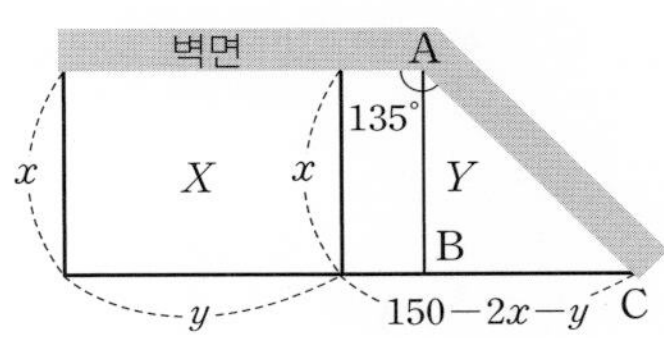

점 A에서 사다리꼴의 아랫변에 내린 수선의 발을 B라 할 때, 선분 AB의 길이는 x이고 $\angle CAB=45°$이므로 선분 BC의 길이는 x이다.
사다리꼴의 윗변의 길이는
$(150-2x-y)-x=150-3x-y$
Y의 넓이는
$\frac{1}{2}x\{(150-3x-y)+(150-2x-y)\}$
$=\frac{1}{2}x(300-5x-2y)$ ······㉠
X의 넓이는 Y의 넓이의 2배이므로
$xy=x(300-5x-2y)$
$\therefore y=100-\frac{5}{3}x$ ······㉡
㉠과 ㉡에 의하여
(Y의 넓이)$=\frac{1}{2}xy$

$=\frac{1}{2}x\left(100-\frac{5}{3}x\right)$
$=-\frac{5}{6}x^2+50x$
$=-\frac{5}{6}(x-30)^2+750$

따라서 $x=30$일 때, Y의 넓이의 최댓값 S는 750 답 750

1068

그림과 같이 좌표평면 위의 네 점 $O(0, 0)$, $A(1, 0)$, $B(1, 2)$, $C(0, 1)$을 꼭짓점으로 하는 사각형 OABC가 있다. 실수 k $(0<k<1)$에 대하여 직선 $y=k$가 세 선분 OC, OB, AB와 만나는 점을 각각 D, E, F라 하자. 삼각형 OED의 넓이를 S_1, 사각형 OAFE의 넓이를 S_2, 삼각형 EFB의 넓이를 S_3, 사각형 DEBC의 넓이를 S_4라 할 때, $(S_1-S_3)^2+(S_2-S_4)^2$의 최솟값은?

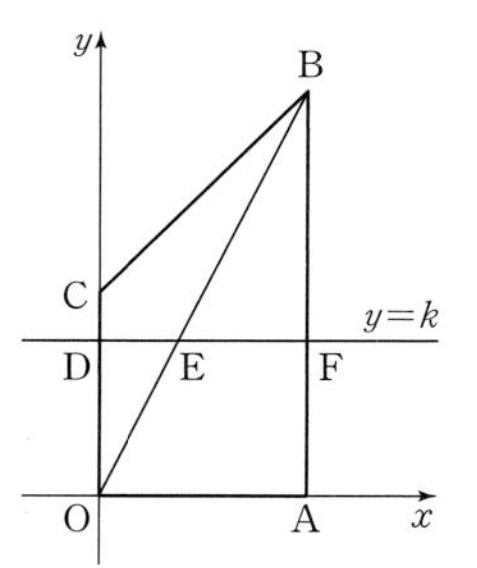

• 두 점 O, B를 지나는 직선의 방정식은 $y=2x$이고, 점 E의 좌표는 $\left(\frac{k}{2}, k\right)$이다.

사각형 OABC의 넓이는

$\frac{1}{2}\times(1+2)\times1=\frac{3}{2}$

두 점 O, B를 지나는 직선의 방정식은 $y=2x$이다.
직선 $y=k$와 선분 OB의 교점 E는 두 직선 $y=k$, $y=2x$의 교점이다.
그러므로 점 E의 좌표는 $\left(\frac{k}{2}, k\right)$이다.

$S_1=\frac{1}{2}\times\frac{k}{2}\times k=\frac{k^2}{4}$,

$S_3=\frac{1}{2}\times\left(1-\frac{k}{2}\right)\times(2-k)=\frac{(2-k)^2}{4}$ 이므로

$S_1-S_3=\frac{k^2}{4}-\frac{(2-k)^2}{4}=k-1$

$S_1+S_2=k$이므로 $S_2=k-\frac{k^2}{4}$

$S_3+S_4=\square OABC-(S_1+S_2)=\frac{3}{2}-k$이므로

$S_4=\left(\frac{3}{2}-k\right)-\frac{(2-k)^2}{4}=\frac{2-k^2}{4}$

그러므로 $S_2-S_4=\left(k-\frac{k^2}{4}\right)-\frac{2-k^2}{4}=k-\frac{1}{2}$

$(S_1-S_3)^2+(S_2-S_4)^2=(k-1)^2+\left(k-\frac{1}{2}\right)^2$
$=2k^2-3k+\frac{5}{4}$
$=2\left(k-\frac{3}{4}\right)^2+\frac{1}{8}$

따라서 구하는 최솟값은 $k=\frac{3}{4}$일 때, $\frac{1}{8}$이다. 답 ①

1069

• 이차함수 $y=f(x)$의 그래프의 꼭짓점은 (a, ka)이다.

이차항의 계수가 1인 이차함수 $y=f(x)$의 그래프의 꼭짓점이 직선 $y=kx$ 위에 있다. 이차함수 $y=f(x)$의 그래프가 직선 $y=kx+5$와 만나는 서로 다른 두 점의 x좌표를 α, β라 하자. 이차함수 $y=f(x)$의 그래프의 축의 방정식이 직선 $x=\frac{\alpha+\beta}{2}-\frac{1}{4}$일 때, $|\alpha-\beta|$의 값은? (단, k는 상수)

• 두 함수를 연립하여 근과 계수의 관계를 이용하자.

이차함수 $y=f(x)$의 그래프의 꼭짓점의 좌표를 (a, ka)라 하면 $f(x)=(x-a)^2+ka$로 놓을 수 있다.
한편, 이차함수 $y=f(x)$의 그래프와 직선 $y=kx+5$가 만나는 두 점의 x좌표 α, β는 방정식 $(x-a)^2+ka=kx+5$의 두 근이므로
$x^2-(2a+k)x+a^2+ka-5=0$에서 근과 계수의 관계에 의하여
$\alpha+\beta=2a+k$ …… ㉠
$\alpha\beta=a^2+ka-5$ …… ㉡
또한, 이차함수 $y=f(x)$의 그래프의 축의 방정식이
직선 $x=\frac{\alpha+\beta}{2}-\frac{1}{4}$이므로 $\frac{\alpha+\beta}{2}-\frac{1}{4}=a$

$\therefore \alpha+\beta=2a+\frac{1}{2}$

㉠에서 $2a+\frac{1}{2}=2a+k$이므로 $k=\frac{1}{2}$

$k=\frac{1}{2}$을 ㉡에 대입하면 $\alpha\beta=a^2+\frac{1}{2}a-5$

$\therefore |\alpha-\beta|=\sqrt{(\alpha-\beta)^2}=\sqrt{(\alpha+\beta)^2-4\alpha\beta}$
$=\sqrt{\left(2a+\frac{1}{2}\right)^2-4\left(a^2+\frac{1}{2}a-5\right)}$
$=\sqrt{\frac{81}{4}}=\frac{9}{2}$ 답 ④

1070

A와 B의 x좌표는 두 함수를 연립한 방정식의 두 근이다.

그림과 같이 $-2<k<2$인 실수 k에 대하여 이차함수 $y=-x^2+1$의 그래프와 직선 $y=2x+k$가 만나는 두 점을 각각 A, B라 할 때, A, B에서 x축에 내린 수선의 발을 각각 A_1, B_1이라 하고, 직선 $y=2x+k$와 x축이 만나는 점을 C라 하자.

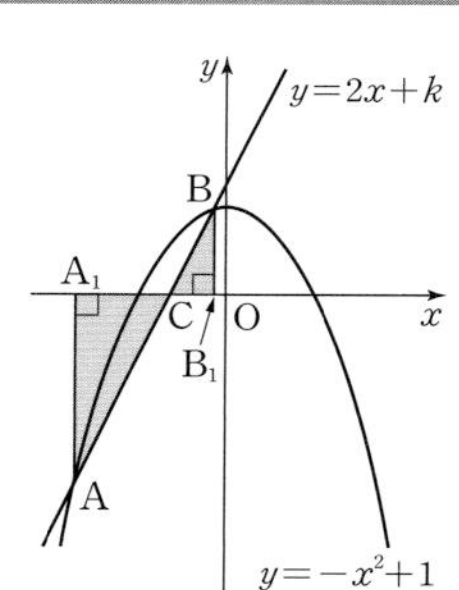

두 삼각형 ACA_1과 BCB_1의 넓이의 합이 $\frac{3}{2}$일 때, 상수 k의 값이 $p+q\sqrt{7}$이다. $10p+q$의 값을 구하시오. (단, p, q는 유리수이다.)

점 A, B의 x좌표를 각각 α, β라 하면
$A(\alpha, 2\alpha+k)$, $B(\beta, 2\beta+k)$,
$A_1(\alpha, 0)$, $B_1(\beta, 0)$, $C\left(-\frac{k}{2}, 0\right)$이고,
α, β는 이차방정식 $-x^2+1=2x+k$
즉, $x^2+2x+k-1=0$의 근이므로
근과 계수의 관계에 의하여
$\alpha+\beta=-2$, $\alpha\beta=k-1$ …… ㉠

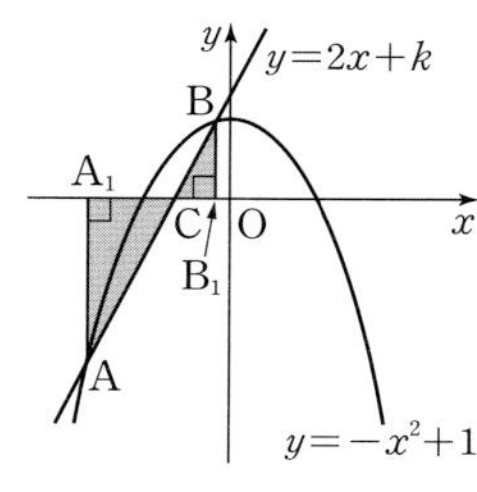

삼각형 ACA_1의 넓이를 S_1이라 하면

$S_1=\frac{1}{2}(-2\alpha-k)\left(-\frac{k}{2}-\alpha\right)=\left(\frac{k}{2}+\alpha\right)^2$이고,

삼각형 BCB_1의 넓이를 S_2라 하면

$S_2=\frac{1}{2}(2\beta+k)\left(\beta+\frac{k}{2}\right)=\left(\frac{k}{2}+\beta\right)^2$이다.

두 삼각형 ACA_1과 BCB_1의 넓이의 합이 $\frac{3}{2}$이므로

$\left(\alpha+\frac{k}{2}\right)^2+\left(\beta+\frac{k}{2}\right)^2=\frac{3}{2}$

$(\alpha^2+\beta^2)+k(\alpha+\beta)+\frac{k^2}{2}=\frac{3}{2}$

즉, $2(\alpha^2+\beta^2)+2k(\alpha+\beta)+k^2-3=0$이고,

㉠에 의해 $k^2-8k+9=0$이다.

그러므로 $k=4\pm\sqrt{7}$이고 $-2<k<2$이므로 $k=4-\sqrt{7}$이다.

따라서 $p=4$, $q=-1$이므로 $10p+q=39$이다. 답 39

1071

이차함수 $f(x)$가 다음 조건을 만족시킨다.

> (가) $f(1)=0$
> (나) 모든 실수 x에 대하여 $f(x)\ge f(3)$이다.
>
> • $f(x)$의 그래프는 $x=3$에서 최솟값을 가지며, 아래로 볼록하다.

〈보기〉에서 옳은 것만을 있는 대로 고른 것은?

> **보기**
> ㄱ. $f(5)=0$
> ㄴ. $f(2)<f\left(\frac{1}{2}\right)<f(6)$
> ㄷ. $f(0)=k$라 할 때, x에 대한 방정식 $f(x)=kx$의 두 실근의 합은 11이다.

조건 (나)에서 이차함수 $f(x)$는 '모든 실수 x에 대하여 $f(x)\ge f(3)$' 이므로 $x=3$에서 최솟값을 가지고, $x=3$이 대칭축이며 아래로 볼록이다.

ㄱ. $x=3$이 대칭축이고 $f(1)=0$이므로 $f(5)=0$이다. (참)

ㄴ. 그림과 같이 이차함수 $f(x)$가 $x=3$에 대칭이고 아래로 볼록이므로

$f(2)<f\left(\frac{1}{2}\right)<f(6)$이다. (참)

ㄷ. $f(x)=0$의 두 근이 1, 5이므로

$f(x)=a(x-1)(x-5)$

$=a(x^2-6x+5)$

$=ax^2-6ax+5a$

이고, $f(0)=k$이므로

$k=5a$

$f(x)=kx$에서

$ax^2-6ax+5a=5ax$

$a>0$이므로 $x^2-11x+5=0$

근과 계수의 관계에 의해 두 실근의 합은 11이다. (참)

따라서 옳은 것은 ㄱ, ㄴ, ㄷ이다. 답 ⑤

1072

• 꼭짓점의 x좌표가 속하는 각 경우를 모두 생각하자.

> $2\le x\le 4$에서 이차함수 $y=x^2-4ax+4a^2+b$의 최솟값이 4가 되도록 하는 두 실수 a, b에 대하여 $2a+b$의 최댓값을 M이라 하자. $4M$의 값을 구하시오.

$2\le x\le 4$에서 이차함수 $y=(x-2a)^2+b$는 그래프의 축 $x=2a$의 위치에 따라 최솟값을 갖는 x의 값이 달라진다.

(i) $a<1$인 경우,

함수의 최솟값은 $x=2$일 때 $(2-2a)^2+b=4$이므로

$b=-4(a-1)^2+4$

(ii) $1\le a<2$인 경우,

함수의 최솟값은 꼭짓점의 y좌표이므로 $b=4$

(iii) $a\ge 2$인 경우,

함수의 최솟값은 $x=4$일 때 $(4-2a)^2+b=4$이므로

$b=-4(a-2)^2+4$

(i), (ii), (iii)에서

$$b=\begin{cases}-4(a-1)^2+4 & (a<1)\\ 4 & (1\le a<2)\\ -4(a-2)^2+4 & (a\ge 2)\end{cases}$$

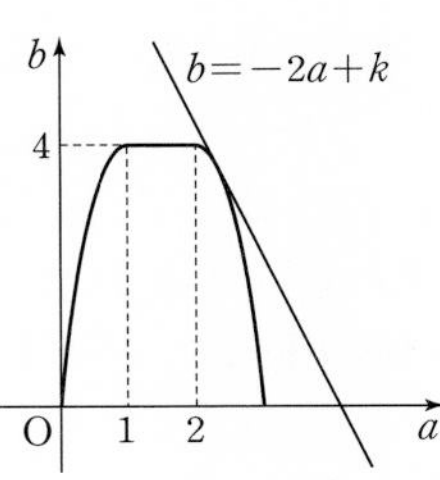

$2a+b=k$라 하면

$b=-4(a-2)^2+4$와

$b=-2a+k$가 접할 때 k는 최댓값을 갖는다.

$-4(a-2)^2+4=-2a+k$

$4a^2-18a+(k+12)=0$에서

$\frac{D}{4}=81-4(k+12)=0$

따라서 $M=\frac{33}{4}$이므로 $4M=33$이다. 답 33

1073

> $-2\le x\le 5$에서 정의된 이차함수 $f(x)$가
> $f(0)=f(4)$, $f(-1)+|f(4)|=0$
> 을 만족시킨다. 함수 $f(x)$의 최솟값이 -19일 때, $f(3)$의 값을 구하시오.
>
> •대칭축의 방정식이 $x=2$이고, $f(-1)\ne f(4)$이다.

$f(0)=f(4)$이므로 이차함수 $f(x)$의 대칭축은 $x=2$이다.

$f(x)=a(x-2)^2+b$ (a, b는 상수, $a\ne 0$)이라 하자.

이차함수 $f(x)$의 대칭축이 $x=2$이므로

$f(-1)\ne f(4)$ …… ㉠

$f(-1)+|f(4)|=0$에서 $f(-1)=f(4)=0$은 성립하지 않는다.($\because$ ㉠)

$f(-1)=-|f(4)|$이므로

$f(-1)<0$, $|f(-1)|=|f(4)|$ …… ㉡

㉠, ㉡에서 $f(4)=-f(-1)>0$

따라서 $f(-1)<0<f(4)$이고, $f(4)=-f(-1)$이려면 $y=f(x)$의 그래프가 오른쪽 그림과 같아야 한다.

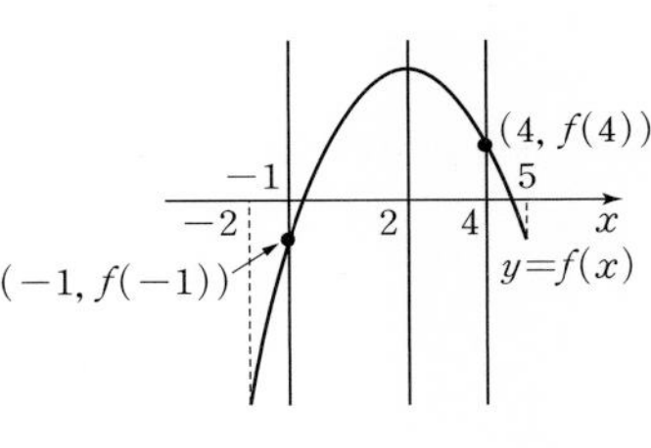

$f(-1)+|f(4)|$

$=f(-1)+f(4)$

$=9a+b+4a+b=13a+2b=0$ …… ㉢

$a<0$이므로 $-2\le x\le 5$에서 함수 $f(x)$의 최솟값은
$f(-2)=16a+b=-19$ ······ ㉣
㉢과 ㉣을 연립하여 풀면
$a=-2$, $b=13$
따라서 $f(x)=-2(x-2)^2+13$이므로
$f(3)=11$ 답 11

1074

$\overline{AB}=5$이고 $\overline{PQ}=a$라 놓고 사다리꼴 PRSQ의 넓이를 a로 표현해 보자.

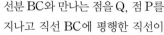

그림과 같이 세 점 A(0, 4), B(−3, 0), C(4, −3)을 꼭짓점으로 하는 삼각형 ABC가 있다. 선분 AC 위를 움직이는 점 P를 지나고 직선 AB에 평행한 직선이 선분 BC와 만나는 점을 Q, 점 P를 지나고 직선 BC에 평행한 직선이 선분 AB와 만나는 점을 R, 점 Q를 지나고 직선 AC에 평행한 직선이 선분 AB와 만나는 점을 S라 하자. 사다리꼴 PRSQ의 넓이의 최댓값이 $\frac{q}{p}$일 때, $p+q$의 값을 구하시오.

(단, $\overline{AP}<\overline{PC}$이고, p와 q는 서로소인 자연수이다.)

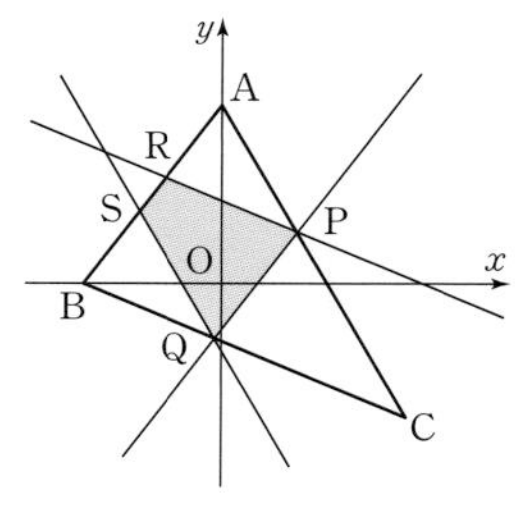

$\overline{AB}=5$이고 선분 PQ의 길이를 a라 하면,
사각형 PRSQ는 사다리꼴이므로
$\frac{5}{2}<a<5$
두 점 A(0, 4), B(−3, 0)을 지나는 직선의 방정식은 $4x-3y+12=0$이므로
점 C(4, −3)과 직선 AB 사이의 거리는

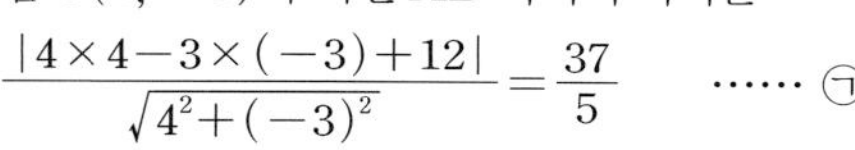

$\frac{|4\times4-3\times(-3)+12|}{\sqrt{4^2+(-3)^2}}=\frac{37}{5}$ ······ ㉠
삼각형 ABC와 삼각형 PQC는 닮음비가 $5:a$인 닮은 도형이므로
점 C와 직선 PQ사이의 거리는 $\frac{37}{25}a$ ······ ㉡
㉠, ㉡에 의해 사다리꼴 PRSQ의 높이는
$\frac{37}{5}-\frac{37}{25}a$
두 사각형 BQPR와 SQPA는 각각 평행사변형이므로
$\overline{BS}+\overline{SR}=a=\overline{AR}+\overline{SR}$, 즉 $\overline{BS}=\overline{AR}$
$\overline{BS}+\overline{SR}+\overline{AR}=\overline{BS}+a=5$, 즉 $\overline{BS}=5-a$
$\overline{SR}=5-2\overline{BS}=5-2(5-a)=2a-5$
사다리꼴 PRSQ의 넓이를 $S(a)$라 하면

$$S(a)=\frac{1}{2}\{(2a-5)+a\}\left(\frac{37}{5}-\frac{37}{25}a\right)$$
$$=-\frac{111}{50}\left(a-\frac{10}{3}\right)^2+\frac{37}{6}$$

$a=\frac{10}{3}$일 때, $S(a)$의 최댓값은 $\frac{37}{6}$이다.
따라서 $p+q=6+37=43$이다. 답 43

1075

이차함수 $f(x)$가 다음 조건을 만족시킨다.

(가) $f(-4)=0$
(나) 모든 실수 x에 대하여 $f(x)\le f(-2)$이다.

$f(x)$의 그래프는 $x=-2$에서 최댓값을 가지며, 위로 볼록하다.

〈보기〉에서 옳은 것만을 있는 대로 고른 것은?

보기
ㄱ. $f(0)=0$
ㄴ. $-1\le x\le 1$에서 함수 $f(x)$의 최솟값은 $f(1)$이다.
ㄷ. 실수 p에 대하여 $p\le x\le p+2$에서 함수 $f(x)$의 최솟값을 $g(p)$라 할 때, 함수 $g(p)$의 최댓값이 1이면 $f(-2)=\frac{4}{3}$이다.

조건 (가), (나)에 의하여
함수 $f(x)=ax(x+4)$ $(a<0)$이고
함수 $f(x)$의 그래프는 그림과 같다.

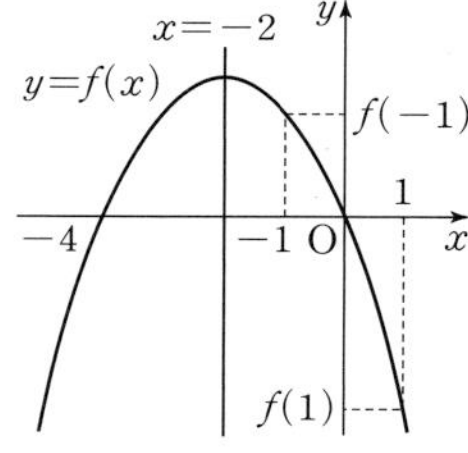

ㄱ. 함수 $f(x)$의 대칭축이 $x=-2$이므로 $f(0)=0$ (참)
ㄴ. $-1\le x\le 1$에서 함수 $f(x)$의 최솟값은 $f(1)$이다. (참)
ㄷ. 함수 $f(x)$에서
(i) $p=-3$일 때
$f(p)=f(p+2)$이므로
$g(p)=f(p)$

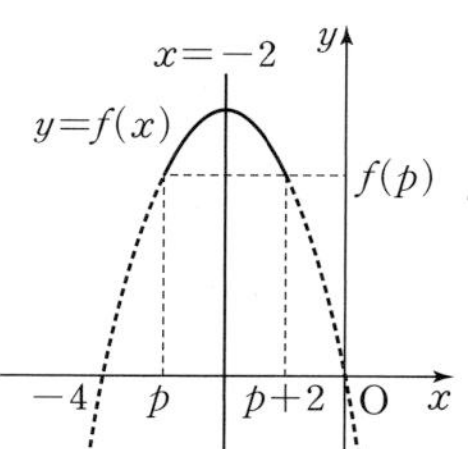

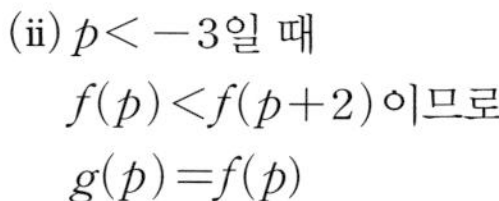

(ii) $p<-3$일 때
$f(p)<f(p+2)$이므로
$g(p)=f(p)$

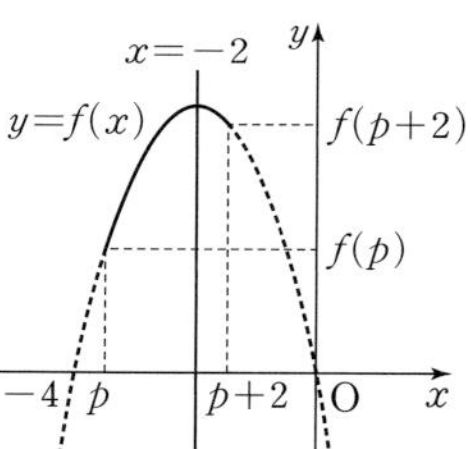

(iii) $p>-3$일 때
$f(p)>f(p+2)$이므로
$g(p)=f(p+2)$
(i), (ii), (iii)에 의하여
함수 $g(p)$는 다음과 같다.

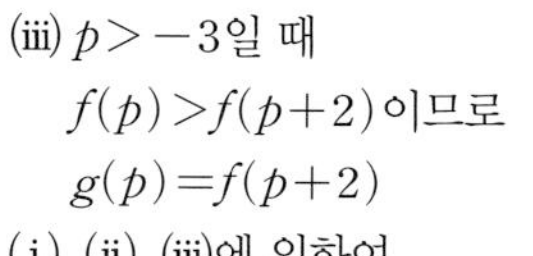

$$g(p)=\begin{cases} f(p) & (p\le -3) \\ f(p+2) & (p>-3) \end{cases}$$

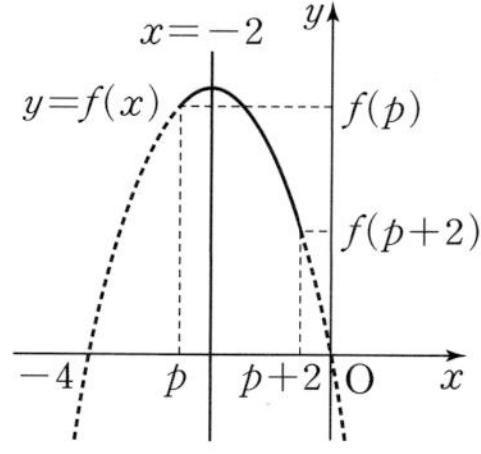

$p\le -3$인 모든 p에 대하여 $g(p)\le f(-3)$이고
$p>-3$인 모든 p에 대하여 $g(p)<f(-3)$이므로
$g(p)$의 최댓값은 $f(-3)$이다.
$f(-3)=1$에서 $a=-\frac{1}{3}$이므로
$f(-2)=-\frac{1}{3}\times(-2)\times(-2+4)=\frac{4}{3}$ (참)
따라서 옳은 것은 ㄱ, ㄴ, ㄷ이다. 답 ⑤

1076

꼭짓점의 좌표는 $(1, 1)$이다.

좌표평면에 꼭짓점이 점 A로 일치하는 두 이차함수

$y=-x^2+2x$, $y=ax^2+bx+c$ $(a>0)$

의 그래프가 있다. 함수 $y=ax^2+bx+c$의 그래프가 y축과 만나는 점을 B라 하고, 점 B를 지나고 x축에 평행한 직선이 함수 $y=ax^2+bx+c$의 그래프와 만나는 점 중 B가 아닌 점을 C라 하자. 두 점 A, C를 지나는 직선이 y축과 만나는 점을 D라 할 때, 삼각형 BDC의 넓이가 12이다. $2a-b+c$의 값을 구하시오. (단, a, b, c는 상수이다.)

점 B의 좌표는 $(0, c)$이다.

삼각형 BDC의 넓이를 c에 관한 식으로 표현해 보자.

이차함수 $y=-x^2+2x$에서

$y=-x^2+2x=-(x-1)^2+1$

이므로 꼭짓점 A의 좌표는 A$(1, 1)$이다.

이차함수 $y=ax^2+bx+c$ $(a>0)$의

꼭짓점의 좌표가 $(1, 1)$이므로

$y=ax^2+bx+c$

$=a(x-1)^2+1$

$=ax^2-2ax+a+1$

따라서 $b=-2a$, $c=a+1$ ...... ㉠

이차함수 $y=ax^2+bx+c$의 그래프가 y축과 만나는 점이 $(0, c)$이므로 점 B의 좌표는 B$(0, c)$ $(c>1)$이다.

두 점 B와 C는 y좌표가 같고, 이차함수 $y=ax^2+bx+c$의 그래프의 축인 직선 $x=1$에 대하여 대칭이므로 점 C의 좌표는 C$(2, c)$이다.

두 점 A와 C를 지나는 직선은 기울기가

$\frac{c-1}{2-1}=c-1$이고 점 $(1, 1)$을 지나므로

직선의 방정식은 $y=(c-1)x+2-c$이다.

직선의 y절편이 $2-c$이므로 점 D의 좌표는 D$(0, 2-c)$이다.

$\overline{BC}=2$, $\overline{BD}=2c-2$이므로

삼각형 BDC의 넓이는

$\frac{1}{2}\times2\times(2c-2)=12$

$2c-2=12$

$2c=14$

$c=7$

㉠에서 $a=6$, $b=-12$

따라서 $2a-b+c=12+12+7=31$

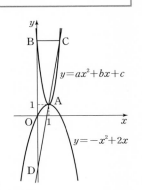

답 31

1077

점 B의 좌표는 $(t, -t^2+11t-10)$이다.

그림은 이차함수 $f(x)=-x^2+11x-10$의 그래프와 직선 $y=-x+10$을 나타낸 것이다. 직선 $y=-x+10$ 위의 한 점 A$(t, -t+10)$에 대하여 점 A를 지나고 y축에 평행한 직선이 이차함수 $y=f(x)$의 그래프와 만나는 점을 B, 점 B를 지나고 x축과 평행한 직선이 이차함수 $y=f(x)$의 그래프와 만나는 점 중 B가 아닌 점을 C, 점 A를 지나고 x축에 평행한 직선과 점 C를 지나고 y축에 평행한 직선이 만나는 점을 D라 하자. 네 점 A, B, C, D를 꼭짓점으로 하는 직사각형의 둘레의 길이의 최댓값은?

t가 꼭짓점의 x좌표보다 왼쪽일 때와 오른쪽일 때로 나누어 생각하자.

$\left(\text{단, } 2<t<10,\ t\neq\frac{11}{2}\text{이다.}\right)$

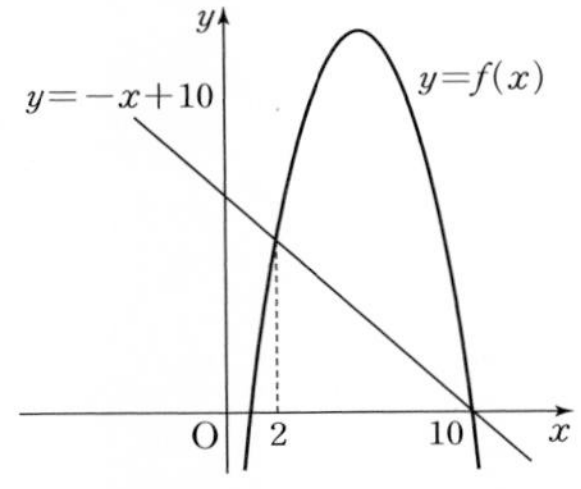

이차방정식 $-x^2+11x-10=-x+10$의 근은 2, 10이므로 두 점 $(2, 8)$과 $(10, 0)$에서 두 그래프가 만난다.

A$(t, -t+10)$, B$(t, -t^2+11t-10)$이라 하면 선분 AB의 길이는

$-t^2+11t-10-(-t+10)=-t^2+12t-20$이다.

(i) $2<t<\frac{11}{2}$인 경우

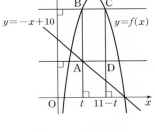

선분 BC의 길이는

$2\times\left(\frac{11}{2}-t\right)=11-2t$이다.

직사각형 BADC의 둘레의 길이는

$2(-t^2+10t-9)$

$=-2(t-5)^2+32$이다.

$2<t<\frac{11}{2}$에서 직사각형 BADC의 둘레의 길이의 최댓값은 32이다.

(ii) $\frac{11}{2}<t<10$인 경우

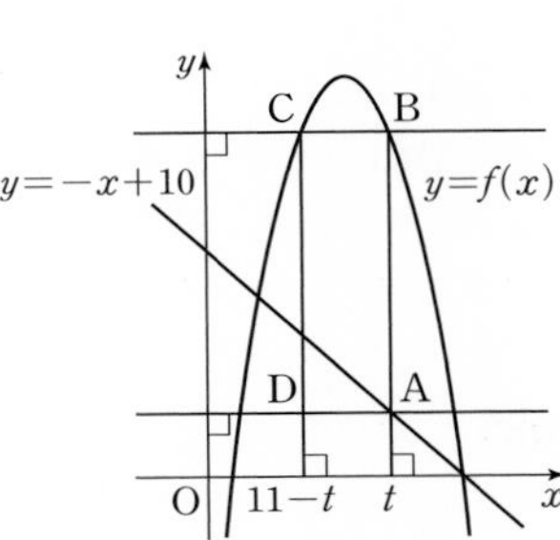

선분 BC의 길이는

$2\times\left(t-\frac{11}{2}\right)=2t-11$이다.

직사각형 ABCD의 둘레의 길이는

$2(-t^2+14t-31)$

$=-2(t-7)^2+36$이다.

$\frac{11}{2}<t<10$에서 직사각형 ABCD의 둘레의 길이의 최댓값은 36이다.

따라서 직사각형 ABCD의 둘레의 길이의 최댓값은 36이다.

답 ③

07 여러 가지 방정식

본책 186~214쪽

1078

$(x-1)(x-2)(x-3)=0$

$\therefore x=1$ 또는 $x=2$ 또는 $x=3$

답 $x=1$ 또는 $x=2$ 또는 $x=3$

1079

$(x+1)^2(x-4)=0$

$\therefore x=-1$ (중근) 또는 $x=4$

답 $x=-1$ (중근) 또는 $x=4$

1080

$(x+3)^3=0$

$\therefore x=-3$ (삼중근)

답 $x=-3$ (삼중근)

1081

$(x-1)(x^2-3x-4)=0$에서

$(x-1)(x+1)(x-4)=0$

$\therefore x=-1$ 또는 $x=1$ 또는 $x=4$

답 $x=-1$ 또는 $x=1$ 또는 $x=4$

1082

$x^2-4x+6=0$에서

$x=2\pm\sqrt{(-2)^2-1\cdot6}=2\pm\sqrt{2}i$

이므로 주어진 삼차방정식의 해는

$x=2$ 또는 $x=2\pm\sqrt{2}i$

답 $x=2$ 또는 $x=2\pm\sqrt{2}i$

1083

$x^3-8=0$의 좌변을 인수분해하면

$x^3-2^3=(x-2)(x^2+2x+4)=0$

$x-2=0$ 또는 $x^2+2x+4=0$

$\therefore x=2$ 또는 $x=-1\pm\sqrt{3}i$

답 $x=2$ 또는 $x=-1\pm\sqrt{3}i$

1084

$x^3-x^2-12x=0$의 좌변을 인수분해하면

$x(x^2-x-12)=0$

$x(x+3)(x-4)=0$

$\therefore x=-3$ 또는 $x=0$ 또는 $x=4$

답 $x=-3$ 또는 $x=0$ 또는 $x=4$

1085

$x^3+9x^2-x-9=0$의 좌변을 인수분해하면

$x^2(x+9)-(x+9)=0$

$(x+9)(x^2-1)=0$

$(x+9)(x+1)(x-1)=0$

$\therefore x=-9$ 또는 $x=-1$ 또는 $x=1$

답 $x=-9$ 또는 $x=-1$ 또는 $x=1$

1086

$f(x)=x^3-2x^2-x+2$로 놓으면 $f(1)=0$이므로

$x-1$은 $f(x)$의 인수이다.

조립제법을 이용하여 $f(x)$를

인수분해하면

$$\begin{array}{r|rrrr} 1 & 1 & -2 & -1 & 2 \\ & & 1 & -1 & -2 \\ \hline & 1 & -1 & -2 & 0 \end{array}$$

$f(x)=(x-1)(x^2-x-2)$

$=(x-1)(x+1)(x-2)$

따라서 주어진 방정식은

$(x+1)(x-1)(x-2)=0$

$\therefore x=-1$ 또는 $x=1$ 또는 $x=2$

답 $x=-1$ 또는 $x=1$ 또는 $x=2$

1087

$f(x)=x^3-2x^2-5x+6$으로 놓으면 $f(1)=0$이므로

$x-1$은 $f(x)$의 인수이다.

조립제법을 이용하여 $f(x)$를

인수분해하면

$$\begin{array}{r|rrrr} 1 & 1 & -2 & -5 & 6 \\ & & 1 & -1 & -6 \\ \hline & 1 & -1 & -6 & 0 \end{array}$$

$f(x)=(x-1)(x^2-x-6)$

$=(x-1)(x+2)(x-3)$

따라서 주어진 방정식은

$(x+2)(x-1)(x-3)=0$

$\therefore x=-2$ 또는 $x=1$ 또는 $x=3$

답 $x=-2$ 또는 $x=1$ 또는 $x=3$

1088

$f(x)=x^3-4x^2+6x-4$로 놓으면 $f(2)=0$이므로

$x-2$는 $f(x)$의 인수이다.

조립제법을 이용하여 $f(x)$를

인수분해하면

$$\begin{array}{r|rrrr} 2 & 1 & -4 & 6 & -4 \\ & & 2 & -4 & 4 \\ \hline & 1 & -2 & 2 & 0 \end{array}$$

$f(x)=(x-2)(x^2-2x+2)$

따라서 주어진 방정식은

$(x-2)(x^2-2x+2)=0$

$\therefore x=2$ 또는 $x=1\pm i$

답 $x=2$ 또는 $x=1\pm i$

1089

$f(x)=x^3-5x-2$로 놓으면 $f(-2)=0$이므로

$x+2$는 $f(x)$의 인수이다.

조립제법을 이용하여 $f(x)$를

인수분해하면

$$\begin{array}{r|rrrr} -2 & 1 & 0 & -5 & -2 \\ & & -2 & 4 & 2 \\ \hline & 1 & -2 & -1 & 0 \end{array}$$

$f(x)=(x+2)(x^2-2x-1)$

따라서 주어진 방정식은

$(x+2)(x^2-2x-1)=0$

$\therefore x=-2$ 또는 $x=1\pm\sqrt{2}$

답 $x=-2$ 또는 $x=1\pm\sqrt{2}$

1090

$f(x)=x^3+x-2$로 놓으면 $f(1)=0$이므로

$x-1$은 $f(x)$의 인수이다.

조립제법을 이용하여 $f(x)$를 인수분해하면

$$\begin{array}{r|rrrr} 1 & 1 & 0 & 1 & -2 \\ & & 1 & 1 & 2 \\ \hline & 1 & 1 & 2 & 0 \end{array}$$

$f(x)=(x-1)(x^2+x+2)$

따라서 주어진 방정식은

$(x-1)(x^2+x+2)=0$

$\therefore x=1$ 또는 $x=\dfrac{-1\pm\sqrt{7}i}{2}$

답 $x=1$ 또는 $x=\dfrac{-1\pm\sqrt{7}i}{2}$

1091

$x^3-x^2+ax-1=0$에 $x=-1$을 대입하면

$(-1)^3-(-1)^2+a\cdot(-1)-1=0$

$-3-a=0$

$\therefore a=-3$

$f(x)=x^3-x^2-3x-1$로 놓으면 $f(-1)=0$이므로

$x+1$은 $f(x)$의 인수이다.

조립제법을 이용하여 $f(x)$를 인수분해하면

-1	1	-1	-3	-1
		-1	2	1
	1	-2	-1	0

$f(x)=(x+1)(x^2-2x-1)$

따라서 주어진 방정식은

$(x+1)(x^2-2x-1)=0$

$\therefore x=-1$ 또는 $x=1\pm\sqrt{2}$ 　답 $a=-3$, $x=1\pm\sqrt{2}$

1092

$x^3-ax^2+1=0$에 $x=1$을 대입하면

$1^3-a\cdot1^2+1=0$, $2-a=0$

$\therefore a=2$

$f(x)=x^3-2x^2+1$로 놓으면 $f(1)=0$이므로

$x-1$은 $f(x)$의 인수이다.

조립제법을 이용하여 $f(x)$를 인수분해하면

1	1	-2	0	1
		1	-1	-1
	1	-1	-1	0

$f(x)=(x-1)(x^2-x-1)$

따라서 주어진 방정식은

$(x-1)(x^2-x-1)=0$

$\therefore x=1$ 또는 $x=\frac{1\pm\sqrt{5}}{2}$ 　답 $a=2$, $x=\frac{1\pm\sqrt{5}}{2}$

1093

$x^3+ax^2+2=0$에 $x=1$을 대입하면

$1^3+a\cdot1^2+2=0$, $a+3=0$

$\therefore a=-3$

$f(x)=x^3-3x^2+2$로 놓으면 $f(1)=0$이므로

$x-1$은 $f(x)$의 인수이다.

조립제법을 이용하여 $f(x)$를 인수분해하면

1	1	-3	0	2
		1	-2	-2
	1	-2	-2	0

$f(x)=(x-1)(x^2-2x-2)$

따라서 주어진 방정식은

$(x-1)(x^2-2x-2)=0$

$\therefore x=1$ 또는 $x=1\pm\sqrt{3}$ 　답 $a=-3$, $x=1\pm\sqrt{3}$

1094

삼차방정식 $x^3-3x^2+4x+2=0$에서 근과 계수의 관계에 의하여

$\alpha+\beta+\gamma=-\frac{-3}{1}=3$ 　답 3

1095

$\alpha\beta+\beta\gamma+\gamma\alpha=\frac{4}{1}=4$ 　답 4

1096

$\alpha\beta\gamma=-\frac{2}{1}=-2$ 　답 -2

1097

$\alpha^2+\beta^2+\gamma^2=(\alpha+\beta+\gamma)^2-2(\alpha\beta+\beta\gamma+\gamma\alpha)$

$=3^2-2\cdot4=1$ 　답 1

1098

$\frac{1}{\alpha}+\frac{1}{\beta}+\frac{1}{\gamma}=\frac{\alpha\beta+\beta\gamma+\gamma\alpha}{\alpha\beta\gamma}$

$=\frac{4}{-2}=-2$ 　답 -2

1099

주어진 삼차방정식의 계수가 유리수이므로 한 근이 $1+\sqrt{2}$이면 $1-\sqrt{2}$도 근이므로 나머지 한 근은 $1-\sqrt{2}$이다. 　답 $1-\sqrt{2}$

1100

주어진 삼차방정식의 계수가 실수이므로 한 근이 $1+i$이면 켤레복소수 $1-i$도 근이므로 나머지 한 근은 $1-i$이다. 　답 $1-i$

1101

주어진 삼차방정식의 계수가 유리수이므로 한 근이 $2+\sqrt{3}$이면 $2-\sqrt{3}$도 근이다. 나머지 한 근을 α라 하면 삼차방정식의 근과 계수의 관계에 의하여

$\alpha\cdot(2+\sqrt{3})\cdot(2-\sqrt{3})=1$

$\therefore \alpha=1$

따라서 나머지 두 근은 $2-\sqrt{3}$, 1이다. 　답 $2-\sqrt{3}$, 1

1102

주어진 삼차방정식의 계수가 실수이므로 한 근이 $2-i$이면 $2+i$도 근이다. 나머지 한 근을 α라 하면 삼차방정식의 근과 계수의 관계에 의하여

$\alpha\cdot(2+i)\cdot(2-i)=2$

$5\alpha=2$ 　$\therefore \alpha=\frac{2}{5}$

따라서 나머지 두 근은 $2+i$, $\frac{2}{5}$이다. 　답 $2+i$, $\frac{2}{5}$

1103

세 수 -1, 2, 3을 근으로 하고 x^3의 계수가 1인 삼차방정식은

$x^3-(-1+2+3)x^2+\{(-1)\cdot2+2\cdot3+3\cdot(-1)\}x$

$-(-1)\cdot2\cdot3=0$

$\therefore x^3-4x^2+x+6=0$ 　답 $x^3-4x^2+x+6=0$

1104

세 수 -3, -2, 4를 근으로 하고 x^3의 계수가 1인 삼차방정식은

$x^3-(-3-2+4)x^2+\{(-3)\cdot(-2)+(-2)\cdot4$

$+4\cdot(-3)\}x-(-3)\cdot(-2)\cdot4=0$

$\therefore x^3+x^2-14x-24=0$ 　답 $x^3+x^2-14x-24=0$

1105

세 수 3, $1+i$, $1-i$를 근으로 하고 x^3의 계수가 1인 삼차방정식은

$x^3-(3+1+i+1-i)x^2+\{3\cdot(1+i)+(1+i)\cdot(1-i)$

$+(1-i)\cdot3\}x-3\cdot(1+i)\cdot(1-i)=0$

$\therefore x^3-5x^2+8x-6=0$ 　답 $x^3-5x^2+8x-6=0$

1106

$\omega^3=1$ 답 1

1107

$x^3-1=0$에서

$(x-1)(x^2+x+1)=0$

ω는 $x^2+x+1=0$의 근이므로 $\omega^2+\omega+1=0$ 답 0

1108

$\omega^3=1$, $\omega^2+\omega+1=0$이므로

$\omega^4+\omega^5=\omega^3\cdot\omega+\omega^3\cdot\omega^2=\omega+\omega^2=-1$ 답 -1

1109

$\omega^{20}+\omega^{19}=(\omega^3)^6\cdot\omega^2+(\omega^3)^6\cdot\omega$

$=\omega^2+\omega=-1$ 답 -1

1110

$\omega^2+\omega+1=0$이므로

$\omega+\frac{1}{\omega}=\frac{\omega^2+1}{\omega}=\frac{-\omega}{\omega}=-1$ 답 -1

1111

$\alpha=\frac{-1+\sqrt{3}i}{2}$에서 $2\alpha+1=\sqrt{3}i$

$(2\alpha+1)^2=(\sqrt{3}i)^2$, $4\alpha^2+4\alpha+4=0$

$\therefore \alpha^2+\alpha+1=0$ 답 0

1112

$\alpha^2+\alpha+1=0$의 양변에 $\alpha-1$을 곱하면

$(\alpha-1)(\alpha^2+\alpha+1)=0$, $\alpha^3-1=0$

$\therefore \alpha^3=1$ 답 1

1113

$\alpha^3=1$, $\alpha^2+\alpha+1=0$이므로

$\alpha^{15}+\alpha^{10}+\alpha^5=(\alpha^3)^5+(\alpha^3)^3\cdot\alpha+\alpha^3\cdot\alpha^2$

$=1+\alpha+\alpha^2=0$ 답 0

1114

$x^3+1=0$에서

$(x+1)(x^2-x+1)=0$

ω는 $x^2-x+1=0$의 근이므로 $\omega^2-\omega+1=0$ 답 0

1115

$\omega^3=-1$, $\omega^2-\omega+1=0$이므로

$\omega^{17}-\omega^{16}=(\omega^3)^5\cdot\omega^2-(\omega^3)^5\cdot\omega$

$=-\omega^2+\omega=1$ 답 1

1116

ω, $\overline{\omega}$는 이차방정식 $x^2-x+1=0$의 근이므로 근과 계수의 관계에 의하여 $\overline{\omega}+\omega=1$ 답 1

1117

$\alpha=\frac{1-\sqrt{3}i}{2}$에서 $2\alpha-1=-\sqrt{3}i$

$(2\alpha-1)^2=(-\sqrt{3}i)^2$, $4\alpha^2-4\alpha+4=0$

$\therefore \alpha^2-\alpha+1=0$ 답 0

1118

$\alpha^2-\alpha+1=0$의 양변에 $\alpha+1$을 곱하면

$(\alpha+1)(\alpha^2-\alpha+1)=0$, $\alpha^3+1=0$

$\therefore \alpha^3=-1$ 답 -1

1119

$\alpha^3=-1$, $\alpha^2-\alpha+1=0$이므로

$\alpha^{32}-\alpha^{31}+\alpha^{30}=(\alpha^3)^{10}\cdot\alpha^2-(\alpha^3)^{10}\cdot\alpha+(\alpha^3)^{10}$

$=\alpha^2-\alpha+1=0$ 답 0

1120

$(x-3)^2(x+2)(x-5)=0$

$\therefore x=-2$ 또는 $x=3$ (중근) 또는 $x=5$

답 $x=-2$ 또는 $x=3$ (중근) 또는 $x=5$

1121

$(x+2)^3(x-5)=0$

$\therefore x=-2$ (삼중근) 또는 $x=5$

답 $x=-2$ (삼중근) 또는 $x=5$

1122

$(x^2-4)(x^2-9)=0$에서

$(x+2)(x-2)(x+3)(x-3)=0$

$\therefore x=-3$ 또는 $x=-2$ 또는 $x=2$ 또는 $x=3$

답 $x=-3$ 또는 $x=-2$ 또는 $x=2$ 또는 $x=3$

1123

$(x+4)(x^3+1)=0$에서

$(x+4)(x+1)(x^2-x+1)=0$

$\therefore x=-4$ 또는 $x=-1$ 또는 $x=\frac{1\pm\sqrt{3}i}{2}$

답 $x=-4$ 또는 $x=-1$ 또는 $x=\frac{1\pm\sqrt{3}i}{2}$

1124

$(x+3)(x^3-7x^2+6x)=0$에서

$(x+3)x(x^2-7x+6)=0$

$x(x+3)(x-1)(x-6)=0$

$\therefore x=-3$ 또는 $x=0$ 또는 $x=1$ 또는 $x=6$

답 $x=-3$ 또는 $x=0$ 또는 $x=1$ 또는 $x=6$

1125

$x^4-1=0$에서

$(x^2+1)(x^2-1)=0$

$(x^2+1)(x+1)(x-1)=0$

$\therefore x=-i$ 또는 $x=i$ 또는 $x=-1$ 또는 $x=1$

답 $x=-i$ 또는 $x=i$ 또는 $x=-1$ 또는 $x=1$

1126
$x^4=16$에서 $x^4-16=0$
$(x^2+4)(x^2-4)=0$
$(x^2+4)(x+2)(x-2)=0$
$\therefore x=-2i$ 또는 $x=2i$ 또는 $x=-2$ 또는 $x=2$

답 $x=-2i$ 또는 $x=2i$ 또는 $x=-2$ 또는 $x=2$

1127
$x^4-8x=0$에서 $x(x^3-8)=0$
$x(x-2)(x^2+2x+4)=0$
$\therefore x=0$ 또는 $x=2$ 또는 $x=-1\pm\sqrt{3}i$

답 $x=0$ 또는 $x=2$ 또는 $x=-1\pm\sqrt{3}i$

1128
$f(x)=x^4-x^3-3x^2+5x-2$로 놓으면 $f(1)=0$이므로
$x-1$은 $f(x)$의 인수이다.
조립제법을 이용하여 $f(x)$를 인수분해하면

1	1	−1	−3	5	−2
		1	0	−3	2
1	1	0	−3	2	0
		1	1	−2	
	1	1	−2	0	

$\therefore f(x)=(x-1)^2(x^2+x-2)$
$=(x-1)^2(x+2)(x-1)$
$=(x+2)(x-1)^3$
따라서 주어진 방정식은 $(x+2)(x-1)^3=0$
$\therefore x=-2$ 또는 $x=1$ (삼중근)

답 $x=-2$ 또는 $x=1$ (삼중근)

1129
$f(x)=x^4-9x^2+4x+12$로 놓으면 $f(-1)=0$, $f(2)=0$이므로
$x+1$, $x-2$는 $f(x)$의 인수이다.
조립제법을 이용하여 $f(x)$를 인수분해하면

−1	1	0	−9	4	12
		−1	1	8	−12
2	1	−1	−8	12	0
		2	2	−12	
	1	1	−6	0	

$\therefore f(x)=(x+1)(x-2)(x^2+x-6)$
$=(x+1)(x-2)(x+3)(x-2)$
$=(x+3)(x+1)(x-2)^2$
따라서 주어진 방정식은
$(x+3)(x+1)(x-2)^2=0$
$\therefore x=-3$ 또는 $x=-1$ 또는 $x=2$ (중근)

답 $x=-3$ 또는 $x=-1$ 또는 $x=2$ (중근)

1130
$f(x)=x^4-3x^3+x^2+4$로 놓으면 $f(2)=0$이므로 $x-2$는 $f(x)$의 인수이다.
조립제법을 이용하여 $f(x)$를 인수분해하면

2	1	−3	1	0	4
		2	−2	−2	−4
2	1	−1	−1	−2	0
		2	2	2	
	1	1	1	0	

$\therefore f(x)=(x-2)^2(x^2+x+1)$
따라서 주어진 방정식은
$(x-2)^2(x^2+x+1)=0$
$\therefore x=2$ (중근) 또는 $x=\dfrac{-1\pm\sqrt{3}i}{2}$

답 $x=2$ (중근) 또는 $x=\dfrac{-1\pm\sqrt{3}i}{2}$

1131
$f(x)=x^4-3x^3+3x^2-3x+2$로 놓으면 $f(1)=0$, $f(2)=0$이므로
$x-1$, $x-2$는 $f(x)$의 인수이다.
조립제법을 이용하여 $f(x)$를 인수분해하면

1	1	−3	3	−3	2
		1	−2	1	−2
2	1	−2	1	−2	0
		2	0	2	
	1	0	1	0	

$\therefore f(x)=(x-1)(x-2)(x^2+1)$
따라서 주어진 방정식은
$(x-1)(x-2)(x^2+1)=0$
$\therefore x=1$ 또는 $x=2$ 또는 $x=-i$ 또는 $x=i$

답 $x=1$ 또는 $x=2$ 또는 $x=-i$ 또는 $x=i$

1132
$f(x)=x^4-3x^3+3x^2+x-6$으로 놓으면 $f(-1)=0$, $f(2)=0$이므로 $x+1$, $x-2$는 $f(x)$의 인수이다.
조립제법을 이용하여 $f(x)$를 인수분해하면

−1	1	−3	3	1	−6
		−1	4	−7	6
2	1	−4	7	−6	0
		2	−4	6	
	1	−2	3	0	

$\therefore f(x)=(x+1)(x-2)(x^2-2x+3)$
따라서 주어진 방정식은
$(x+1)(x-2)(x^2-2x+3)=0$
$\therefore x=-1$ 또는 $x=2$ 또는 $x=1\pm\sqrt{2}i$

답 $x=-1$ 또는 $x=2$ 또는 $x=1\pm\sqrt{2}i$

1133
$\begin{cases} x-3=y & \cdots\cdots ㉠ \\ x-2y=5 & \cdots\cdots ㉡ \end{cases}$
㉠에서 $y=x-3$이므로 ㉡에 대입하면
$x-2(x-3)=5 \quad \therefore x=1$
$x=1$을 ㉠에 대입하면
$1-3=y \quad \therefore y=-2$
$\therefore x=1,\ y=-2$

답 $x=1,\ y=-2$

1134

$\begin{cases} x-y=5 & \cdots\cdots ㉠ \\ x+y=7 & \cdots\cdots ㉡ \end{cases}$

㉠+㉡을 하면

$2x=12 \quad \therefore x=6$

$x=6$을 ㉡에 대입하면

$6+y=7 \quad \therefore y=1$

$\therefore x=6,\ y=1$ 　답 $x=6,\ y=1$

1135

$\begin{cases} 2x+y=0 & \cdots\cdots ㉠ \\ x-y=6 & \cdots\cdots ㉡ \end{cases}$

㉠+㉡을 하면

$3x=6 \quad \therefore x=2$

$x=2$를 ㉡에 대입하면

$2-y=6 \quad \therefore y=-4$

$\therefore x=2,\ y=-4$ 　답 $x=2,\ y=-4$

1136

$\begin{cases} -x+2y=7 & \cdots\cdots ㉠ \\ x+y=5 & \cdots\cdots ㉡ \end{cases}$

㉠+㉡을 하면

$3y=12 \quad \therefore y=4$

$y=4$를 ㉡에 대입하면

$x+4=5 \quad \therefore x=1$

$\therefore x=1,\ y=4$ 　답 $x=1,\ y=4$

1137

$\begin{cases} 2x-y=5 & \cdots\cdots ㉠ \\ x+3y=6 & \cdots\cdots ㉡ \end{cases}$

㉠−㉡×2를 하면

$-7y=-7 \quad \therefore y=1$

$y=1$을 ㉠에 대입하면

$2x-1=5 \quad \therefore x=3$

$\therefore x=3,\ y=1$ 　답 $x=3,\ y=1$

1138

$\begin{cases} 2x-3y=0 & \cdots\cdots ㉠ \\ 4x-11y=20 & \cdots\cdots ㉡ \end{cases}$

㉠×2−㉡을 하면

$5y=-20 \quad \therefore y=-4$

$y=-4$를 ㉠에 대입하면

$2x+12=0 \quad \therefore x=-6$

$\therefore x=-6,\ y=-4$ 　답 $x=-6,\ y=-4$

1139

$2x+y=3x-y=5$에서

$\begin{cases} 2x+y=5 & \cdots\cdots ㉠ \\ 3x-y=5 & \cdots\cdots ㉡ \end{cases}$

이므로 ㉠+㉡을 하면

$5x=10 \quad \therefore x=2$

$x=2$를 ㉠에 대입하면

$4+y=5 \quad \therefore y=1$

$\therefore x=2,\ y=1$ 　답 $x=2,\ y=1$

1140

$\begin{cases} y=x+1 & \cdots\cdots ㉠ \\ x^2+y^2=5 & \cdots\cdots ㉡ \end{cases}$

㉠을 ㉡에 대입하면

$x^2+(x+1)^2=5,\ 2x^2+2x-4=0$

$x^2+x-2=0,\ (x+2)(x-1)=0$

$\therefore x=-2$ 또는 $x=1$

$x=-2$를 ㉠에 대입하면 $y=-1$

$x=1$을 ㉠에 대입하면 $y=2$

$\therefore \begin{cases} x=-2 \\ y=-1 \end{cases}$ 또는 $\begin{cases} x=1 \\ y=2 \end{cases}$ 　답 $\begin{cases} x=-2 \\ y=-1 \end{cases}$ 또는 $\begin{cases} x=1 \\ y=2 \end{cases}$

1141

$\begin{cases} y=x+2 & \cdots\cdots ㉠ \\ xy=3 & \cdots\cdots ㉡ \end{cases}$

㉠을 ㉡에 대입하면

$x(x+2)=3,\ x^2+2x-3=0$

$(x+3)(x-1)=0$

$\therefore x=-3$ 또는 $x=1$

$x=-3$을 ㉠에 대입하면 $y=-1$

$x=1$을 ㉠에 대입하면 $y=3$

$\therefore \begin{cases} x=-3 \\ y=-1 \end{cases}$ 또는 $\begin{cases} x=1 \\ y=3 \end{cases}$ 　답 $\begin{cases} x=-3 \\ y=-1 \end{cases}$ 또는 $\begin{cases} x=1 \\ y=3 \end{cases}$

1142

$\begin{cases} 2x+y=5 & \cdots\cdots ㉠ \\ x^2+y^2=5 & \cdots\cdots ㉡ \end{cases}$

㉠에서 $y=5-2x$ $\cdots\cdots$ ㉢

㉢을 ㉡에 대입하면

$x^2+(5-2x)^2=5,\ 5x^2-20x+20=0$

$x^2-4x+4=0,\ (x-2)^2=0$

$\therefore x=2$

$x=2$를 ㉢에 대입하면 $y=1$

$\therefore x=2,\ y=1$ 　답 $x=2,\ y=1$

1143

$\begin{cases} x-y=2 & \cdots\cdots ㉠ \\ x^2+y^2=2 & \cdots\cdots ㉡ \end{cases}$

㉠에서 $y=x-2$ $\cdots\cdots$ ㉢

㉢을 ㉡에 대입하면

$x^2+(x-2)^2=2,\ 2x^2-4x+2=0$

$x^2-2x+1=0,\ (x-1)^2=0$

$\therefore x=1$

$x=1$을 ㉢에 대입하면 $y=-1$

$\therefore x=1,\ y=-1$ 　답 $x=1,\ y=-1$

1144

$\begin{cases} x-2y=1 & \cdots\cdots ㉠ \\ x^2-xy-y^2=11 & \cdots\cdots ㉡ \end{cases}$

㉠에서 $x=2y+1$ ⋯⋯㉢

㉢을 ㉡에 대입하면

$(2y+1)^2-(2y+1)y-y^2=11$

$y^2+3y-10=0$

$(y+5)(y-2)=0$

$\therefore y=-5$ 또는 $y=2$

$y=-5$를 ㉢에 대입하면 $x=-9$

$y=2$를 ㉢에 대입하면 $x=5$

$\therefore \begin{cases} x=-9 \\ y=-5 \end{cases}$ 또는 $\begin{cases} x=5 \\ y=2 \end{cases}$

답 $\begin{cases} x=-9 \\ y=-5 \end{cases}$ 또는 $\begin{cases} x=5 \\ y=2 \end{cases}$

1145

$\begin{cases} (x-y)(x+y)=0 & \cdots\cdots ㉠ \\ x^2+xy+y^2=3 & \cdots\cdots ㉡ \end{cases}$

㉠에서 $y=x$ 또는 $y=-x$

(i) $y=x$를 ㉡에 대입하면

$x^2+x^2+x^2=3$, $3x^2=3$, $x^2=1$

$\therefore x=-1$ 또는 $x=1$

$x=-1$일 때, $y=-1$

$x=1$일 때, $y=1$

$\therefore \begin{cases} x=-1 \\ y=-1 \end{cases}$ 또는 $\begin{cases} x=1 \\ y=1 \end{cases}$

(ii) $y=-x$를 ㉡에 대입하면

$x^2-x^2+x^2=3$, $x^2=3$

$\therefore x=-\sqrt{3}$ 또는 $x=\sqrt{3}$

$x=-\sqrt{3}$일 때, $y=\sqrt{3}$

$x=\sqrt{3}$일 때, $y=-\sqrt{3}$

$\therefore \begin{cases} x=-\sqrt{3} \\ y=\sqrt{3} \end{cases}$ 또는 $\begin{cases} x=\sqrt{3} \\ y=-\sqrt{3} \end{cases}$

(i), (ii)에 의하여

$\begin{cases} x=-1 \\ y=-1 \end{cases}$ 또는 $\begin{cases} x=1 \\ y=1 \end{cases}$ 또는 $\begin{cases} x=-\sqrt{3} \\ y=\sqrt{3} \end{cases}$ 또는 $\begin{cases} x=\sqrt{3} \\ y=-\sqrt{3} \end{cases}$

답 $\begin{cases} x=-1 \\ y=-1 \end{cases}$ 또는 $\begin{cases} x=1 \\ y=1 \end{cases}$

또는 $\begin{cases} x=-\sqrt{3} \\ y=\sqrt{3} \end{cases}$ 또는 $\begin{cases} x=\sqrt{3} \\ y=-\sqrt{3} \end{cases}$

1146

$\begin{cases} (2x-y)(x-y)=0 & \cdots\cdots ㉠ \\ 5x^2-y^2=1 & \cdots\cdots ㉡ \end{cases}$

㉠에서 $y=2x$ 또는 $y=x$

(i) $y=2x$를 ㉡에 대입하면

$5x^2-4x^2=1$, $x^2=1$

$\therefore x=-1$ 또는 $x=1$

$x=-1$일 때, $y=-2$

$x=1$일 때, $y=2$

$\therefore \begin{cases} x=-1 \\ y=-2 \end{cases}$ 또는 $\begin{cases} x=1 \\ y=2 \end{cases}$

(ii) $y=x$를 ㉡에 대입하면

$5x^2-x^2=1$, $x^2=\frac{1}{4}$

$\therefore x=-\frac{1}{2}$ 또는 $x=\frac{1}{2}$

$x=-\frac{1}{2}$일 때, $y=-\frac{1}{2}$

$x=\frac{1}{2}$일 때, $y=\frac{1}{2}$

$\therefore \begin{cases} x=-\frac{1}{2} \\ y=-\frac{1}{2} \end{cases}$ 또는 $\begin{cases} x=\frac{1}{2} \\ y=\frac{1}{2} \end{cases}$

(i), (ii)에 의하여

$\begin{cases} x=-1 \\ y=-2 \end{cases}$ 또는 $\begin{cases} x=1 \\ y=2 \end{cases}$ 또는 $\begin{cases} x=-\frac{1}{2} \\ y=-\frac{1}{2} \end{cases}$ 또는 $\begin{cases} x=\frac{1}{2} \\ y=\frac{1}{2} \end{cases}$

답 $\begin{cases} x=-1 \\ y=-2 \end{cases}$ 또는 $\begin{cases} x=1 \\ y=2 \end{cases}$

또는 $\begin{cases} x=-\frac{1}{2} \\ y=-\frac{1}{2} \end{cases}$ 또는 $\begin{cases} x=\frac{1}{2} \\ y=\frac{1}{2} \end{cases}$

1147

$\begin{cases} (x+2y)(x-y)=0 & \cdots\cdots ㉠ \\ x^2+y^2=20 & \cdots\cdots ㉡ \end{cases}$

㉠에서 $x=-2y$ 또는 $x=y$

(i) $x=-2y$를 ㉡에 대입하면

$4y^2+y^2=20$, $y^2=4$

$\therefore y=-2$ 또는 $y=2$

$y=-2$일 때, $x=4$

$y=2$일 때, $x=-4$

$\therefore \begin{cases} x=-4 \\ y=2 \end{cases}$ 또는 $\begin{cases} x=4 \\ y=-2 \end{cases}$

(ii) $x=y$를 ㉡에 대입하면

$y^2+y^2=20$, $y^2=10$

$\therefore y=-\sqrt{10}$ 또는 $y=\sqrt{10}$

$y=-\sqrt{10}$일 때, $x=-\sqrt{10}$

$y=\sqrt{10}$일 때, $x=\sqrt{10}$

$\therefore \begin{cases} x=-\sqrt{10} \\ y=-\sqrt{10} \end{cases}$ 또는 $\begin{cases} x=\sqrt{10} \\ y=\sqrt{10} \end{cases}$

(i), (ii)에 의하여

$\begin{cases} x=-4 \\ y=2 \end{cases}$ 또는 $\begin{cases} x=4 \\ y=-2 \end{cases}$ 또는 $\begin{cases} x=-\sqrt{10} \\ y=-\sqrt{10} \end{cases}$ 또는 $\begin{cases} x=\sqrt{10} \\ y=\sqrt{10} \end{cases}$

답 $\begin{cases} x=-4 \\ y=2 \end{cases}$ 또는 $\begin{cases} x=4 \\ y=-2 \end{cases}$

또는 $\begin{cases} x=-\sqrt{10} \\ y=-\sqrt{10} \end{cases}$ 또는 $\begin{cases} x=\sqrt{10} \\ y=\sqrt{10} \end{cases}$

1148

$\begin{cases} (x+2y)(x-3y)=0 & \cdots\cdots ㉠ \\ x^2+y^2=10 & \cdots\cdots ㉡ \end{cases}$

㉠에서 $x=-2y$ 또는 $x=3y$

(i) $x=-2y$를 ㉡에 대입하면

$4y^2+y^2=10$, $y^2=2$

$\therefore y=-\sqrt{2}$ 또는 $y=\sqrt{2}$

$y=-\sqrt{2}$일 때, $x=2\sqrt{2}$

$y=\sqrt{2}$일 때, $x=-2\sqrt{2}$

$\therefore \begin{cases} x=-2\sqrt{2} \\ y=\sqrt{2} \end{cases}$ 또는 $\begin{cases} x=2\sqrt{2} \\ y=-\sqrt{2} \end{cases}$

(ii) $x=3y$를 ㉡에 대입하면

$9y^2+y^2=10$, $y^2=1$

$\therefore y=-1$ 또는 $y=1$

$y=-1$일 때, $x=-3$

$y=1$일 때, $x=3$

$\therefore \begin{cases} x=-3 \\ y=-1 \end{cases}$ 또는 $\begin{cases} x=3 \\ y=1 \end{cases}$

(i), (ii)에 의하여

$\begin{cases} x=-2\sqrt{2} \\ y=\sqrt{2} \end{cases}$ 또는 $\begin{cases} x=2\sqrt{2} \\ y=-\sqrt{2} \end{cases}$ 또는 $\begin{cases} x=-3 \\ y=-1 \end{cases}$ 또는 $\begin{cases} x=3 \\ y=1 \end{cases}$

답 $\begin{cases} x=-2\sqrt{2} \\ y=\sqrt{2} \end{cases}$ 또는 $\begin{cases} x=2\sqrt{2} \\ y=-\sqrt{2} \end{cases}$ 또는 $\begin{cases} x=-3 \\ y=-1 \end{cases}$ 또는 $\begin{cases} x=3 \\ y=1 \end{cases}$

1149

$\begin{cases} (x-2y)(x-3y)=0 & \cdots\cdots ㉠ \\ x^2+xy-3y^2=9 & \cdots\cdots ㉡ \end{cases}$

㉠에서 $x=2y$ 또는 $x=3y$

(i) $x=2y$를 ㉡에 대입하면

$4y^2+2y^2-3y^2=9$, $y^2=3$

$\therefore y=-\sqrt{3}$ 또는 $y=\sqrt{3}$

$y=-\sqrt{3}$일 때, $x=-2\sqrt{3}$

$y=\sqrt{3}$일 때, $x=2\sqrt{3}$

$\therefore \begin{cases} x=-2\sqrt{3} \\ y=-\sqrt{3} \end{cases}$ 또는 $\begin{cases} x=2\sqrt{3} \\ y=\sqrt{3} \end{cases}$

(ii) $x=3y$를 ㉡에 대입하면

$9y^2+3y^2-3y^2=9$, $y^2=1$

$\therefore y=-1$ 또는 $y=1$

$y=-1$일 때, $x=-3$

$y=1$일 때, $x=3$

$\therefore \begin{cases} x=-3 \\ y=-1 \end{cases}$ 또는 $\begin{cases} x=3 \\ y=1 \end{cases}$

(i), (ii)에 의하여

$\begin{cases} x=-2\sqrt{3} \\ y=-\sqrt{3} \end{cases}$ 또는 $\begin{cases} x=2\sqrt{3} \\ y=\sqrt{3} \end{cases}$ 또는 $\begin{cases} x=-3 \\ y=-1 \end{cases}$ 또는 $\begin{cases} x=3 \\ y=1 \end{cases}$

답 $\begin{cases} x=-2\sqrt{3} \\ y=-\sqrt{3} \end{cases}$ 또는 $\begin{cases} x=2\sqrt{3} \\ y=\sqrt{3} \end{cases}$ 또는 $\begin{cases} x=-3 \\ y=-1 \end{cases}$ 또는 $\begin{cases} x=3 \\ y=1 \end{cases}$

1150

$\begin{cases} 2x^2-3xy+y^2=0 & \cdots\cdots ㉠ \\ 5x^2-y^2=4 & \cdots\cdots ㉡ \end{cases}$

㉠에서 $(2x-y)(x-y)=0$

$\therefore y=2x$ 또는 $y=x$

(i) $y=2x$를 ㉡에 대입하면

$5x^2-4x^2=4$, $x^2=4$

$\therefore x=-2$ 또는 $x=2$

$x=-2$일 때, $y=-4$

$x=2$일 때, $y=4$

$\therefore \begin{cases} x=-2 \\ y=-4 \end{cases}$ 또는 $\begin{cases} x=2 \\ y=4 \end{cases}$

(ii) $y=x$를 ㉡에 대입하면

$5x^2-x^2=4$, $x^2=1$

$\therefore x=-1$ 또는 $x=1$

$x=-1$일 때, $y=-1$

$x=1$일 때, $y=1$

$\therefore \begin{cases} x=-1 \\ y=-1 \end{cases}$ 또는 $\begin{cases} x=1 \\ y=1 \end{cases}$

(i), (ii)에 의하여

$\begin{cases} x=-2 \\ y=-4 \end{cases}$ 또는 $\begin{cases} x=2 \\ y=4 \end{cases}$ 또는 $\begin{cases} x=-1 \\ y=-1 \end{cases}$ 또는 $\begin{cases} x=1 \\ y=1 \end{cases}$

답 $\begin{cases} x=-2 \\ y=-4 \end{cases}$ 또는 $\begin{cases} x=2 \\ y=4 \end{cases}$ 또는 $\begin{cases} x=-1 \\ y=-1 \end{cases}$ 또는 $\begin{cases} x=1 \\ y=1 \end{cases}$

1151

$\begin{cases} x^2-y^2=0 & \cdots\cdots ㉠ \\ x^2-xy+2y^2=8 & \cdots\cdots ㉡ \end{cases}$

㉠에서 $(x-y)(x+y)=0$

$\therefore y=x$ 또는 $y=-x$

(i) $y=x$를 ㉡에 대입하면

$x^2-x^2+2x^2=8$, $x^2=4$

$\therefore x=-2$ 또는 $x=2$

$x=-2$일 때, $y=-2$

$x=2$일 때, $y=2$

$\therefore \begin{cases} x=-2 \\ y=-2 \end{cases}$ 또는 $\begin{cases} x=2 \\ y=2 \end{cases}$

(ii) $y=-x$를 ㉡에 대입하면

$x^2+x^2+2x^2=8$, $x^2=2$

$\therefore x=-\sqrt{2}$ 또는 $x=\sqrt{2}$

$x=-\sqrt{2}$일 때, $y=\sqrt{2}$

$x=\sqrt{2}$일 때, $y=-\sqrt{2}$

$\therefore \begin{cases} x=-\sqrt{2} \\ y=\sqrt{2} \end{cases}$ 또는 $\begin{cases} x=\sqrt{2} \\ y=-\sqrt{2} \end{cases}$

(i), (ii)에 의하여

$\begin{cases} x=-2 \\ y=-2 \end{cases}$ 또는 $\begin{cases} x=2 \\ y=2 \end{cases}$ 또는 $\begin{cases} x=-\sqrt{2} \\ y=\sqrt{2} \end{cases}$ 또는 $\begin{cases} x=\sqrt{2} \\ y=-\sqrt{2} \end{cases}$

답 $\begin{cases} x=-2 \\ y=-2 \end{cases}$ 또는 $\begin{cases} x=2 \\ y=2 \end{cases}$ 또는 $\begin{cases} x=-\sqrt{2} \\ y=\sqrt{2} \end{cases}$ 또는 $\begin{cases} x=\sqrt{2} \\ y=-\sqrt{2} \end{cases}$

1152

$\begin{cases} x^2-xy+2y^2=16 & \cdots\cdots ㉠ \\ x^2-3xy+2y^2=0 & \cdots\cdots ㉡ \end{cases}$

㉡에서 $(x-y)(x-2y)=0$

$\therefore x=y$ 또는 $x=2y$

(i) $x=y$를 ㉠에 대입하면

$y^2-y^2+2y^2=16,\ y^2=8$

$\therefore y=-2\sqrt{2}$ 또는 $y=2\sqrt{2}$

$y=-2\sqrt{2}$일 때, $x=-2\sqrt{2}$

$y=2\sqrt{2}$일 때, $x=2\sqrt{2}$

$\therefore \begin{cases} x=-2\sqrt{2} \\ y=-2\sqrt{2} \end{cases}$ 또는 $\begin{cases} x=2\sqrt{2} \\ y=2\sqrt{2} \end{cases}$

(ii) $x=2y$를 ㉠에 대입하면

$4y^2-2y^2+2y^2=16,\ y^2=4$

$\therefore y=-2$ 또는 $y=2$

$y=-2$일 때, $x=-4$

$y=2$일 때, $x=4$

$\therefore \begin{cases} x=-4 \\ y=-2 \end{cases}$ 또는 $\begin{cases} x=4 \\ y=2 \end{cases}$

(i), (ii)에 의하여

$\begin{cases} x=-2\sqrt{2} \\ y=-2\sqrt{2} \end{cases}$ 또는 $\begin{cases} x=2\sqrt{2} \\ y=2\sqrt{2} \end{cases}$ 또는 $\begin{cases} x=-4 \\ y=-2 \end{cases}$ 또는 $\begin{cases} x=4 \\ y=2 \end{cases}$

답 $\begin{cases} x=-2\sqrt{2} \\ y=-2\sqrt{2} \end{cases}$ 또는 $\begin{cases} x=2\sqrt{2} \\ y=2\sqrt{2} \end{cases}$ 또는 $\begin{cases} x=-4 \\ y=-2 \end{cases}$ 또는 $\begin{cases} x=4 \\ y=2 \end{cases}$

1153

$\begin{cases} x^2-xy-2y^2=0 & \cdots\cdots ㉠ \\ x^2-xy+2y^2=4 & \cdots\cdots ㉡ \end{cases}$

㉠에서 $(x+y)(x-2y)=0$

$\therefore x=-y$ 또는 $x=2y$

(i) $x=-y$를 ㉡에 대입하면

$y^2+y^2+2y^2=4,\ y^2=1$

$\therefore y=-1$ 또는 $y=1$

$y=-1$일 때, $x=1$

$y=1$일 때, $x=-1$

$\therefore \begin{cases} x=-1 \\ y=1 \end{cases}$ 또는 $\begin{cases} x=1 \\ y=-1 \end{cases}$

(ii) $x=2y$를 ㉡에 대입하면

$4y^2-2y^2+2y^2=4,\ y^2=1$

$\therefore y=-1$ 또는 $y=1$

$y=-1$일 때, $x=-2$

$y=1$일 때, $x=2$

$\therefore \begin{cases} x=-2 \\ y=-1 \end{cases}$ 또는 $\begin{cases} x=2 \\ y=1 \end{cases}$

(i), (ii)에 의하여

$\begin{cases} x=-1 \\ y=1 \end{cases}$ 또는 $\begin{cases} x=1 \\ y=-1 \end{cases}$ 또는 $\begin{cases} x=-2 \\ y=-1 \end{cases}$ 또는 $\begin{cases} x=2 \\ y=1 \end{cases}$

답 $\begin{cases} x=-1 \\ y=1 \end{cases}$ 또는 $\begin{cases} x=1 \\ y=-1 \end{cases}$ 또는 $\begin{cases} x=-2 \\ y=-1 \end{cases}$ 또는 $\begin{cases} x=2 \\ y=1 \end{cases}$

1154

$\begin{cases} 3x^2+2xy-y^2=0 & \cdots\cdots ㉠ \\ x^2+2x+y^2=12 & \cdots\cdots ㉡ \end{cases}$

㉠에서 $(x+y)(3x-y)=0$

$\therefore y=-x$ 또는 $y=3x$

(i) $y=-x$를 ㉡에 대입하면

$x^2+2x+x^2=12,\ x^2+x-6=0$

$(x+3)(x-2)=0$

$\therefore x=-3$ 또는 $x=2$

$x=-3$일 때, $y=3$

$x=2$일 때, $y=-2$

$\therefore \begin{cases} x=-3 \\ y=3 \end{cases}$ 또는 $\begin{cases} x=2 \\ y=-2 \end{cases}$

(ii) $y=3x$를 ㉡에 대입하면

$x^2+2x+9x^2=12,\ 5x^2+x-6=0$

$(5x+6)(x-1)=0$

$\therefore x=-\frac{6}{5}$ 또는 $x=1$

$x=-\frac{6}{5}$일 때, $y=-\frac{18}{5}$

$x=1$일 때, $y=3$

$\therefore \begin{cases} x=-\frac{6}{5} \\ y=-\frac{18}{5} \end{cases}$ 또는 $\begin{cases} x=1 \\ y=3 \end{cases}$

(i), (ii)에 의하여

$\begin{cases} x=-3 \\ y=3 \end{cases}$ 또는 $\begin{cases} x=2 \\ y=-2 \end{cases}$ 또는 $\begin{cases} x=-\frac{6}{5} \\ y=-\frac{18}{5} \end{cases}$ 또는 $\begin{cases} x=1 \\ y=3 \end{cases}$

답 $\begin{cases} x=-3 \\ y=3 \end{cases}$ 또는 $\begin{cases} x=2 \\ y=-2 \end{cases}$ 또는 $\begin{cases} x=-\frac{6}{5} \\ y=-\frac{18}{5} \end{cases}$ 또는 $\begin{cases} x=1 \\ y=3 \end{cases}$

1155

> 삼차방정식 $x^3-3x^2-x+3=0$의 가장 큰 근을 α, 가장 작은 근을 β라 할 때, $\alpha-\beta$의 값은?
>
> → 조립제법을 이용하여 좌변을 인수분해하자.

$x^3-3x^2-x+3=0$에서 $x^2(x-3)-(x-3)=0$

$(x-3)(x^2-1)=0,\ (x+1)(x-1)(x-3)=0$

$\therefore x=-1$ 또는 $x=1$ 또는 $x=3$

따라서 가장 큰 근은 3, 가장 작은 근은 -1이므로

$\alpha-\beta=3-(-1)=4$

답 ④

1156

> 삼차방정식 $x^3-6x^2+11x-6=0$의 세 실근을 α, β, γ라 할 때, $\alpha+2\beta+3\gamma$의 값을 구하시오. (단, $\alpha<\beta<\gamma$)
>
> → 조립제법을 이용하여 좌변을 인수분해하자.

$f(x)=x^3-6x^2+11x-6$으로 놓으면 $f(1)=0$이므로

조립제법을 이용하여 $f(x)$를 인수분해하면

1	1	−6	11	−6
		1	−5	6
	1	−5	6	0

$f(x)=(x-1)(x^2-5x+6)$

$=(x-1)(x-2)(x-3)$

즉, 주어진 방정식은

$(x-1)(x-2)(x-3)=0$

$\therefore x=1$ 또는 $x=2$ 또는 $x=3$

따라서 $\alpha<\beta<\gamma$이므로 $\alpha=1$, $\beta=2$, $\gamma=3$

$\therefore \alpha+2\beta+3\gamma=1+4+9=14$

답 14

1157

> 삼차방정식 $x^3-x^2+2=0$의 두 허근을 α, β라 할 때, $\frac{1}{\alpha^2}+\frac{1}{\beta^2}$의 값은?
>
> → 조립제법을 이용하여 좌변을 인수분해하자.

$f(x)=x^3-x^2+2$로 놓으면 $f(-1)=-1-1+2=0$이므로

조립제법을 이용하여 $f(x)$를 인수분해하면

−1	1	−1	0	2
		−1	2	−2
	1	−2	2	0

$f(x)=(x+1)(x^2-2x+2)$

즉, 주어진 방정식은

$(x+1)(x^2-2x+2)=0$

$\therefore x=-1$ 또는 $x^2-2x+2=0$

두 허근 α, β는 방정식 $x^2-2x+2=0$의 근이므로 근과 계수의 관계에 의하여

$\alpha+\beta=2$, $\alpha\beta=2$

$$\therefore \frac{1}{\alpha^2}+\frac{1}{\beta^2}=\frac{\alpha^2+\beta^2}{(\alpha\beta)^2}=\frac{(\alpha+\beta)^2-2\alpha\beta}{(\alpha\beta)^2}$$

$$=\frac{2^2-2\cdot2}{2^2}=0$$

답 ①

1158

> 삼차방정식 $x^3+ax+6=0$의 한 근이 1이다. 이 방정식의 다른 두 근을 α, β라 할 때, $a+\alpha+\beta$의 값을 구하시오. (단, a는 실수이다.)
>
> $x=1$을 대입하여 먼저 a를 구하자. ←

$f(x)=x^3+ax+6$으로 놓으면 삼차방정식 $f(x)=0$의 한 근이 1이므로

$f(1)=1^3+a\cdot1+6=0$

$\therefore a=-7$

$\therefore f(x)=x^3-7x+6$

조립제법을 이용하여 $f(x)$를 인수분해하면

1	1	0	−7	6
		1	1	−6
	1	1	−6	0

$f(x)=(x-1)(x^2+x-6)$

$=(x-1)(x+3)(x-2)$

즉, 주어진 방정식은

$(x+3)(x-1)(x-2)=0$

$\therefore x=-3$ 또는 $x=1$ 또는 $x=2$

따라서 1 이외의 다른 두 근은 -3, 2이므로

$a+\alpha+\beta=-7+(-3)+2=-8$

답 −8

1159

> 삼차방정식 $x^3+ax+b=0$의 중근이 1일 때, ab의 값을 구하시오. (단, a, b는 상수이다.)
>
> → $(x-1)^2$이 $f(x)$의 인수임을 이용하자.

$f(x)=x^3+ax+b$로 놓으면 삼차방정식 $f(x)=0$의 중근이 1이므로 $(x-1)^2$은 $f(x)$의 인수이다.

조립제법을 이용하여 $f(x)$를 인수분해하면

1	1	0	a	b
		1	1	$a+1$
1	1	1	$a+1$	$a+b+1$
		1	2	
	1	2	$a+3$	

이때, $a+3=0$, $a+b+1=0$이어야 하므로

두 식을 연립하여 풀면 $a=-3$, $b=2$

$\therefore ab=-6$

답 −6

1160

> 삼차방정식 $2x^3+x^2+2x+3=0$의 한 허근을 α라 할 때, $4\alpha^2-2\alpha+7$의 값은?
>
> → 조립제법을 이용하여 좌변을 인수분해하자.

$f(x)=2x^3+x^2+2x+3$으로 놓으면 $f(-1)=0$이므로 조립제법을 이용하여 $f(x)$를 인수분해하면

−1	2	1	2	3
		−2	1	−3
	2	−1	3	0

$f(x)=(x+1)(2x^2-x+3)$

즉, 주어진 방정식은 $(x+1)(2x^2-x+3)=0$

$\therefore x=-1$ 또는 $2x^2-x+3=0$

따라서 α는 이차방정식 $2x^2-x+3=0$의 허근이다.

$2\alpha^2-\alpha+3=0$이므로

$4\alpha^2-2\alpha+7=2(2\alpha^2-\alpha+3)+1$

$=1$

답 ①

1161

> 삼차방정식 $3x^3-3x^2-kx+k=0$이 한 개의 실근과 두 개의 허근을 가질 때, 실수 k의 값의 범위를 구하시오.
>
> → (좌변)$=0$인 x의 값을 찾아 좌변을 인수분해하자.

$f(x)=3x^3-3x^2-kx+k$로 놓으면

$f(1)=0$이므로 조립제법을 이용하여 $f(x)$를 인수분해하면

1	3	−3	$-k$	k
		3	0	$-k$
	3	0	$-k$	0

$f(x)=(x-1)(3x^2-k)$

이때, 방정식 $f(x)=0$이 한 개의 실근과 두 개의 허근을 가지려면 방정식 $3x^2-k=0$이 허근을 가져야 한다.

따라서 이차방정식 $3x^2-k=0$의 판별식을 D라 하면

$D=4\cdot 3k<0 \quad \therefore k<0$ 답 $k<0$

1162

> 삼차방정식 $x^3+2kx^2+(k^2-1)x+k^2-2k=0$의 근이 모두 실수가 되도록 하는 실수 k의 값의 범위를 구하시오.
> → $f(-1)=0$임을 이용하여 주어진 식을 인수분해하자.

$f(x)=x^3+2kx^2+(k^2-1)x+k^2-2k$로 놓으면

$f(-1)=0$이므로 조립제법을 이용하여 $f(x)$를 인수분해하면

$$\begin{array}{r|rrrr} -1 & 1 & 2k & k^2-1 & k^2-2k \\ & & -1 & -2k+1 & -k^2+2k \\ \hline & 1 & 2k-1 & k^2-2k & 0 \end{array}$$

$\therefore f(x)=(x+1)\{x^2+(2k-1)x+k^2-2k\}$

이때, 방정식 $f(x)=0$의 근이 모두 실수가 되려면 방정식 $x^2+(2k-1)x+k^2-2k=0$이 실근을 가져야 하므로 이 이차방정식의 판별식을 D라 하면

$D=(2k-1)^2-4(k^2-2k)\ge 0,\ 4k+1\ge 0$

$\therefore k\ge -\frac{1}{4}$ 답 $k\ge -\frac{1}{4}$

1163

> 삼차방정식 $2x^3+4x^2-3(k+2)x+3k=0$이 오직 한 개의 실근을 갖도록 하는 실수 k의 값의 범위를 구하시오.
> → (좌변)$=0$인 x의 값을 찾아 좌변을 인수분해하자.

$f(x)=2x^3+4x^2-3(k+2)x+3k$로 놓으면

$f(1)=2+4-3k-6+3k=0$이므로 조립제법을 이용하여 $f(x)$를 인수분해하면

$$\begin{array}{r|rrrr} 1 & 2 & 4 & -3k-6 & 3k \\ & & 2 & 6 & -3k \\ \hline & 2 & 6 & -3k & 0 \end{array}$$

$f(x)=(x-1)(2x^2+6x-3k)$

이때, 방정식 $f(x)=0$이 오직 한 개의 실근을 가지려면

(i) $2x^2+6x-3k=0$이 실근을 갖지 않는 경우

이 이차방정식의 판별식을 D라 하면

$\frac{D}{4}=9+6k<0 \quad \therefore k<-\frac{3}{2}$

(ii) $2x^2+6x-3k=0$이 $x=1$을 중근으로 갖는 경우

$x=1$을 대입하면 $2+6-3k=0 \quad \therefore k=\frac{8}{3}$

$2x^2+6x-8=0$에서 $x^2+3x-4=0$

$(x+4)(x-1)=0$

$\therefore x=-4$ 또는 $x=1$

즉, $k=\frac{8}{3}$일 때, 중근을 갖지 않는다.

(i), (ii)에 의하여 방정식 $f(x)=0$이 오직 한 개의 실근을 갖도록 하는 실수 k의 값의 범위는

$k<-\frac{3}{2}$ 답 $k<-\frac{3}{2}$

1164

> 삼차방정식 $(x-1)(x^2+ax+16)=0$이 중근을 가질 때, 모든 실수 a의 값의 합을 구하시오.
> → $x^2+ax+16=0$이 중근을 가질 때와 $x=1$을 근으로 가질 때로 나누어 생각하자.

주어진 삼차방정식이 중근을 가지므로

(i) $x=1$이 중근인 경우

$x^2+ax+16=0$의 한 근이 1이므로

$1+a+16=0$에서 $a=-17$

(ii) $x^2+ax+16=0$이 중근을 갖는 경우

이차방정식 $x^2+ax+16=0$의 판별식을 D라 하면

$D=a^2-64=0$에서 $a=-8$ 또는 $a=8$

(i), (ii)에서 모든 실수 a의 값의 합은

$-17+(-8)+8=-17$ 답 -17

1165

> 삼차방정식 $x^3+(k+1)x^2-k=0$이 중근을 갖도록 하는 모든 실수 k의 값의 합은?
> → $f(-1)=0$임을 이용하여 주어진 식을 인수분해하자.

$f(x)=x^3+(k+1)x^2-k$로 놓으면

$f(-1)=0$이므로 조립제법을 이용하여 $f(x)$를 인수분해하면

$$\begin{array}{r|rrrr} -1 & 1 & k+1 & 0 & -k \\ & & -1 & -k & k \\ \hline & 1 & k & -k & 0 \end{array}$$

$\therefore f(x)=(x+1)(x^2+kx-k)$

이때, 방정식 $f(x)=0$이 중근을 가지려면

(i) $x^2+kx-k=0$이 $x\ne -1$인 중근을 갖는 경우

이차방정식 $x^2+kx-k=0$의 판별식을 D라 하면

$D=k^2+4k=0$

$k(k+4)=0 \quad \therefore k=0$ 또는 $k=-4$

(ii) $x=-1$이 중근인 경우

$x^2+kx-k=0$의 한 근이 -1이므로

$1-k-k=0 \quad \therefore k=\frac{1}{2}$

(i), (ii)에서 모든 실수 k의 값의 합은

$-4+0+\frac{1}{2}=-\frac{7}{2}$ 답 ②

1166

> 삼차방정식 $x^3-(a-3)x^2+ax-4=0$이 2개의 실근을 가질 때, 실수 a의 모든 값의 합을 구하시오.
> → (좌변)$=0$인 x의 값을 찾아 좌변을 인수분해하자.

$f(x)=x^3-(a-3)x^2+ax-4$로 놓으면

$f(1)=0$이므로 조립제법을 이용하여 $f(x)$를 인수분해하면

$$\begin{array}{r|rrrr} 1 & 1 & -(a-3) & a & -4 \\ & & 1 & -a+4 & 4 \\ \hline & 1 & -a+4 & 4 & 0 \end{array}$$

$\therefore f(x)=(x-1)\{x^2-(a-4)x+4\}$
이때, 방정식 $f(x)=0$의 한 근이 1이므로 $f(x)=0$이 2개의 실근, 즉 한 근과 중근을 가지려면
(i) $x^2-(a-4)x+4=0$이 $x=1$을 근으로 갖는 경우
$1-a+4+4=0 \quad \therefore a=9$
(ii) $x^2-(a-4)x+4=0$이 $x\neq1$인 중근을 갖는 경우
이차방정식 $x^2-(a-4)x+4=0$의 판별식을 D라 하면
$D=(a-4)^2-16=0$
$a^2-8a=0,\ a(a-8)=0$
$\therefore a=0$ 또는 $a=8$
(i), (ii)에 의하여 주어진 방정식이 중근을 갖도록 하는 모든 실수 a의 값의 합은 $9+0+8=17$ 답 17

1167

> 삼차방정식 $x^3-2x^2+4x-2=0$의 세 근을 $\alpha,\ \beta,\ \gamma$라 할 때, $\frac{1}{\alpha}+\frac{1}{\beta}+\frac{1}{\gamma}$의 값은?
> └ 삼차방정식의 근과 계수의 관계를 이용하자.

삼차방정식 $x^3-2x^2+4x-2=0$의 세 근이 $\alpha,\ \beta,\ \gamma$이므로 근과 계수의 관계에 의하여
$\alpha+\beta+\gamma=2,\ \alpha\beta+\beta\gamma+\gamma\alpha=4,\ \alpha\beta\gamma=2$
$\therefore \frac{1}{\alpha}+\frac{1}{\beta}+\frac{1}{\gamma}=\frac{\alpha\beta+\beta\gamma+\gamma\alpha}{\alpha\beta\gamma}=\frac{4}{2}=2$ 답 ④

1168

> 삼차방정식 $x^3+x^2-3x-1=0$의 세 근을 $\alpha,\ \beta,\ \gamma$라 할 때, $\alpha^2+\beta^2+\gamma^2$의 값은?
> └ 공식 $(a+b+c)^2=a^2+b^2+c^2+2ab+2bc+2ca$를 이용하자.

삼차방정식 $x^3+x^2-3x-1=0$의 세 근이 $\alpha,\ \beta,\ \gamma$이므로
근과 계수의 관계에 의하여
$\alpha+\beta+\gamma=-1,\ \alpha\beta+\beta\gamma+\gamma\alpha=-3,\ \alpha\beta\gamma=1$
$\therefore \alpha^2+\beta^2+\gamma^2=(\alpha+\beta+\gamma)^2-2(\alpha\beta+\beta\gamma+\gamma\alpha)$
$=(-1)^2-2\cdot(-3)=7$ 답 ②

1169

> 삼차방정식 $x^3-4x^2-5x+2=0$의 세 근을 $\alpha,\ \beta,\ \gamma$라 할 때, $(1-\alpha)(1-\beta)(1-\gamma)$의 값은?
> └ 식을 전개한 뒤 삼차방정식의 근과 계수의 관계를 이용하자.

삼차방정식 $x^3-4x^2-5x+2=0$의 세 근이 $\alpha,\ \beta,\ \gamma$이므로
근과 계수의 관계에 의하여
$\alpha+\beta+\gamma=4,\ \alpha\beta+\beta\gamma+\gamma\alpha=-5,\ \alpha\beta\gamma=-2$
$\therefore (1-\alpha)(1-\beta)(1-\gamma)$
$=1-(\alpha+\beta+\gamma)+(\alpha\beta+\beta\gamma+\gamma\alpha)-\alpha\beta\gamma$
$=1-4+(-5)-(-2)=-6$ 답 ⑤

다른풀이 $f(x)=x^3-4x^2-5x+2$로 놓으면 삼차방정식 $f(x)=0$의 세 근이 $\alpha,\ \beta,\ \gamma$이므로
$f(\alpha)=0,\ f(\beta)=0,\ f(\gamma)=0$
인수정리에 의하여
$f(x)=(x-\alpha)(x-\beta)(x-\gamma)$
따라서 $x=1$을 대입하면
$f(1)=(1-\alpha)(1-\beta)(1-\gamma)=-6$

1170

> 삼차방정식 $x^3+6x+1=0$의 세 근을 $\alpha,\ \beta,\ \gamma$라 할 때, $(\alpha+\beta)(\beta+\gamma)(\gamma+\alpha)$의 값을 구하시오.
> └ $\alpha+\beta+\gamma=0$이므로 $\alpha+\beta=-\gamma,\ \beta+\gamma=-\alpha,\ \gamma+\alpha=-\beta$이다.

삼차방정식 $x^3+6x+1=0$의 세 근이 $\alpha,\ \beta,\ \gamma$이므로 근과 계수의 관계에 의하여
$\alpha+\beta+\gamma=0,\ \alpha\beta+\beta\gamma+\gamma\alpha=6,\ \alpha\beta\gamma=-1$
이때, $\alpha+\beta+\gamma=0$에서
$\alpha+\beta=-\gamma,\ \beta+\gamma=-\alpha,\ \gamma+\alpha=-\beta$ 이므로
$(\alpha+\beta)(\beta+\gamma)(\gamma+\alpha)=(-\gamma)\cdot(-\alpha)\cdot(-\beta)$
$=-\alpha\beta\gamma=1$ 답 1

1171

> 삼차방정식 $x^3+ax^2+bx-12=0$의 세 근 중 두 근 $\alpha,\ \beta$에 대하여 $\alpha+\beta=-1,\ \alpha\beta=3$을 만족할 때, ab의 값을 구하시오. (단, $a,\ b$는 상수이다.)
> └ 삼차방정식의 근과 계수의 관계를 이용하여 나머지 한 근을 구하자.

삼차방정식 $x^3+ax^2+bx-12=0$의 두 근이 $\alpha,\ \beta$이고, 나머지 한 근을 γ라 하면 근과 계수의 관계에 의하여
$\alpha+\beta+\gamma=-a$ ……㉠
$\alpha\beta+\beta\gamma+\gamma\alpha=b$ ……㉡
$\alpha\beta\gamma=12$ ……㉢
$\alpha\beta=3$을 ㉢에 대입하면 $\gamma=4$
㉠에서 $\alpha+\beta+4=-a$ ……㉣
$\alpha+\beta=-1$을 ㉣에 대입하면
$-1+4=-a \quad \therefore a=-3$
㉡에서 $3+4\beta+4\alpha=b$이므로
$3+4(\alpha+\beta)=b$ ……㉤
$\alpha+\beta=-1$을 ㉤에 대입하면 $b=-1$
$\therefore ab=3$ 답 3

1172

> 삼차방정식 $x^3+6x^2+ax+b=0$의 세 근의 비가 $1:2:3$일 때, 두 상수 $a,\ b$의 합 $a+b$의 값을 구하시오.
> 세 근을 $\alpha,\ 2\alpha,\ 3\alpha$로 하고, 삼차방정식의 근과 계수의 관계를 이용하자.

삼차방정식 $x^3+6x^2+ax+b=0$의 세 근의 비가 $1:2:3$이므로 세 근을 $\alpha,\ 2\alpha,\ 3\alpha\ (\alpha\neq0)$라 하면 근과 계수의 관계에 의하여
$\alpha+2\alpha+3\alpha=-6 \quad \therefore \alpha=-1$
$\alpha\cdot2\alpha+2\alpha\cdot3\alpha+3\alpha\cdot\alpha=a$
$\therefore a=11\alpha^2=11$

$\alpha\cdot 2\alpha\cdot 3\alpha=-b$ $\quad\therefore b=-6\alpha^3=6$

$\therefore a+b=11+6=17$ 답 17

1173

> 삼차방정식 $x^3+2x^2+ax-8=0$의 세 근 중 두 근은 절댓값이 같고, 서로 다른 부호이다. 이때, 상수 a의 값은?
>
> └• 세 근을 $-\alpha$, α, β로 하고, 삼차방정식의 근과 계수의 관계를 이용하자.

삼차방정식 $x^3+2x^2+ax-8=0$의 세 근 중 두 근은 절댓값이 같고, 서로 다른 부호이므로 세 근을 $-\alpha$, α, β라 하면 근과 계수의 관계에 의하여

$(-\alpha)+\alpha+\beta=-2$ $\quad\therefore \beta=-2$

$x^3+2x^2+ax-8=0$의 한 근이 -2이므로

$-8+8-2a-8=0$ $\quad\therefore a=-4$ 답 ③

1174

> 삼차방정식 $f(x)=0$의 세 근을 α, β, γ라 할 때, $\alpha+\beta+\gamma=12$가 성립한다. 이때, $f(3x-2)=0$의 세 근의 합은?
>
> └• $f(3x-2)=0$의 세 근을 α, β, γ로 표현해 보자.

$f(x)=0$의 세 근이 α, β, γ이므로

$f(x)=a(x-\alpha)(x-\beta)(x-\gamma)$라 하면

$f(3x-2)=a(3x-2-\alpha)(3x-2-\beta)(3x-2-\gamma)$

$f(3x-2)=0$에서

$3x-2-\alpha=0$, $3x-2-\beta=0$, $3x-2-\gamma=0$

$\therefore x=\dfrac{\alpha+2}{3}$, $x=\dfrac{\beta+2}{3}$, $x=\dfrac{\gamma+2}{3}$

따라서 $f(3x-2)=0$의 세 근의 합은

$$\frac{\alpha+2}{3}+\frac{\beta+2}{3}+\frac{\gamma+2}{3}=\frac{\alpha+\beta+\gamma+6}{3}$$
$$=\frac{12+6}{3}=6$$
답 ③

다른풀이 α, β, γ는 $f(x)=0$의 세 근이므로

$f(\alpha)=0$, $f(\beta)=0$, $f(\gamma)=0$

이때, $f(3x-2)=0$의 근은

$3x-2=\alpha$, $3x-2=\beta$, $3x-2=\gamma$

$\therefore x=\dfrac{\alpha+2}{3}$, $x=\dfrac{\beta+2}{3}$, $x=\dfrac{\gamma+2}{3}$

따라서 세 근의 합은

$$\frac{\alpha+2}{3}+\frac{\beta+2}{3}+\frac{\gamma+2}{3}=\frac{\alpha+\beta+\gamma+6}{3}=6$$

1175

> x에 대한 삼차방정식
>
> $2x^3-5x^2+(k+3)x-k=0$
>
> 의 서로 다른 세 실근이 직각삼각형의 세 변의 길이일 때, 상수 k의 값을 구하시오.
>
> └• (좌변)$=0$인 x의 값을 찾아 좌변을 인수분해하자.

삼차방정식 $2x^3-5x^2+(k+3)x-k=0$에서

$(x-1)(2x^2-3x+k)=0$

이므로 삼차방정식 $2x^3-5x^2+(k+3)x-k=0$의 서로 다른 세 실근은 1과 이차방정식 $2x^2-3x+k=0$의 두 근이다.

이차방정식 $2x^2-3x+k=0$의 두 근을 α, $\beta(\alpha>\beta)$라 하자.

1, α, β가 직각삼각형의 세 변의 길이가 되는 경우는 다음과 같이 2가지로 나눌 수 있다.

(i) 빗변의 길이가 1인 경우

$\alpha^2+\beta^2=1$이므로 $(\alpha+\beta)^2-2\alpha\beta=1$이다.

이차방정식 $2x^2-3x+k=0$의 두 근이 α, β이므로 근과 계수의 관계에서 $\alpha+\beta=\dfrac{3}{2}$, $\alpha\beta=\dfrac{k}{2}$이다.

$\left(\dfrac{3}{2}\right)^2-2\times\dfrac{k}{2}=1$

이므로 $k=\dfrac{5}{4}$이다.

그런데 $2x^2-3x+\dfrac{5}{4}=0$에서 판별식 $D<0$이므로 α, β는 실수가 아니다. 따라서 1, α, β가 직각삼각형의 세 변의 길이가 될 수 없다.

(ii) 빗변의 길이가 α인 경우

$1+\beta^2=\alpha^2$이므로 $(\alpha+\beta)(\alpha-\beta)=1$이다.

$\alpha+\beta=\dfrac{3}{2}$, $\alpha\beta=\dfrac{k}{2}$에서 $\alpha-\beta=\dfrac{2}{3}$이고,

$(\alpha-\beta)^2=(\alpha+\beta)^2-4\alpha\beta$

$\left(\dfrac{2}{3}\right)^2=\left(\dfrac{3}{2}\right)^2-4\times\dfrac{k}{2}$

이므로 $k=\dfrac{65}{72}$이다. 이때 $\alpha=\dfrac{13}{12}$, $\beta=\dfrac{5}{12}$이므로 1, α, β는 직각삼각형의 세 변의 길이가 될 수 있다.

따라서 (i)과 (ii)에 의하여 $k=\dfrac{65}{72}$이다. 답 $\dfrac{65}{72}$

1176

> 삼차방정식 $x^3-2x^2+px+q=0$의 한 근이 $2+\sqrt{3}$일 때, $p+q$의 값은? (단, p, q는 유리수이다.)
>
> 계수가 유리수이므로 $2-\sqrt{3}$도 근이다. •

삼차방정식 $x^3-2x^2+px+q=0$의 계수가 유리수이므로

한 근이 $2+\sqrt{3}$이면 $2-\sqrt{3}$도 근이다.

나머지 한 근을 α라 하면 삼차방정식의 근과 계수의 관계에 의하여

$(2+\sqrt{3})+(2-\sqrt{3})+\alpha=2$ $\quad\therefore \alpha=-2$

$(2+\sqrt{3})\cdot(2-\sqrt{3})+(2-\sqrt{3})\cdot(-2)+(-2)\cdot(2+\sqrt{3})=p$

$4-3-4+2\sqrt{3}-4-2\sqrt{3}=p$

$\therefore p=-7$

$(2+\sqrt{3})\cdot(2-\sqrt{3})\cdot(-2)=-q$

$\therefore q=2$

$\therefore p+q=-5$ 답 ②

1177

> 계수가 실수인 삼차방정식 $x^3+ax^2+bx-4=0$의 한 근이 $\dfrac{2}{1+i}$일 때, ab의 값은?
>
> └• 계수가 실수이므로 켤레복소수도 근이다.

삼차방정식 $x^3+ax^2+bx-4=0$의 계수가 실수이므로 한 근이 $\frac{2}{1+i}=1-i$이면 $1+i$도 근이다.
나머지 한 근을 α라 하면 삼차방정식의 근과 계수의 관계에 의하여
$(1+i)\cdot(1-i)\cdot\alpha=4$
$2\alpha=4$ $\quad\therefore \alpha=2$
$(1+i)+(1-i)+2=-a$ $\quad\therefore a=-4$
$(1+i)\cdot(1-i)+(1-i)\cdot2+2\cdot(1+i)=b$
$\therefore b=6$
$\therefore ab=-24$

답 ①

1178

> 삼차방정식 $x^3-(a+1)x^2+bx-a=0$의 한 근이 $1+i$일 때, 나머지 두 근의 곱은? (단, a, b는 실수이다.)
> 계수가 실수이므로 $1-i$도 근이다.

주어진 삼차방정식의 계수가 실수이므로 한 근이 $1+i$이면 $1-i$도 근이다. 나머지 한 근을 α라 하면 근과 계수의 관계에 의하여
$(1+i)+(1-i)+\alpha=a+1$, $(1+i)(1-i)\alpha=a$
위의 두 식을 연립하여 풀면
$\alpha=1$
따라서 나머지 두 근의 곱은 $(1-i)\cdot1=1-i$

답 ③

1179

> 삼차방정식 $x^3-ax^2+4x+b=0$의 한 근이 $1-i$일 때, 두 실수 a, b의 합 $a+b$의 값은?
> 계수가 실수이므로 $1+i$도 근이다.

주어진 삼차방정식의 계수가 실수이므로 한 근이 $1-i$이면 $1+i$도 근이다. 나머지 한 근을 α라 하면 근과 계수의 관계에 의하여
$(1-i)+(1+i)+\alpha=a$ ⋯⋯ ㉠
$(1-i)\cdot(1+i)+(1-i)\cdot\alpha+(1+i)\cdot\alpha=4$ ⋯⋯ ㉡
$(1-i)\cdot(1+i)\cdot\alpha=-b$ ⋯⋯ ㉢
㉡에서 $\alpha=1$이므로 ㉠, ㉢에 대입하면
$a=3$, $b=-2$
$\therefore a+b=1$

답 ①

1180

> $f(x)=x^3+ax^2+bx-3$에 대하여 $f(1+\sqrt{2}i)=0$이고, a, b가 실수일 때, $f(1)+f(-1)$의 값은?
> 계수가 실수이므로 $1-\sqrt{2}i$도 근이다.

$f(1+\sqrt{2}i)=0$이므로 $1+\sqrt{2}i$는 방정식 $f(x)=0$의 한 근이다.
즉, 계수가 실수인 삼차방정식의 한 근이 $1+\sqrt{2}i$이므로 $1-\sqrt{2}i$도 근이다.
삼차방정식 $x^3+ax^2+bx-3=0$의 나머지 한 근을 α라 하면 근과 계수의 관계에 의하여
$(1+\sqrt{2}i)\cdot(1-\sqrt{2}i)\cdot\alpha=3$
$3\alpha=3$ $\quad\therefore \alpha=1$
$(1+\sqrt{2}i)+(1-\sqrt{2}i)+1=-a$
$\therefore a=-3$
$(1+\sqrt{2}i)(1-\sqrt{2}i)+(1+\sqrt{2}i)+(1-\sqrt{2}i)=b$
$\therefore b=5$
따라서 $f(x)=x^3-3x^2+5x-3$이므로
$f(1)=1-3+5-3=0$,
$f(-1)=-1-3-5-3=-12$이다.
$\therefore f(1)+f(-1)=-12$

답 ④

1181

> 세 실수 a, b, c에 대하여 다항식 $f(x)=x^3+ax^2+bx+c$가 다음 조건을 만족시킬 때 $f(1)$의 값을 구하시오. (단, $i=\sqrt{-1}$이다.)
> 계수가 실수이므로 $1-2i$도 근이다.
>
> (가) 삼차방정식 $f(x)=0$의 한 근이 $1+2i$이다.
> (나) $f(x)$는 $x+3$으로 나누어 떨어진다.
>
> -3도 근임을 이용하자.

$f(x)=x^3+ax^2+bx+c=0$의 근이 $1+2i$이므로 $1-2i$도 근이다.
(나)에서 $x=-3$도 근이므로 $f(x)$를 구하면 아래와 같다.
$f(x)=(x+3)(x-1-2i)(x-1+2i)$
$=(x+3)(x^2-2x+5)$
$=x^3+x^2-x+15$
따라서 $f(1)=1+1-1+15=16$

답 16

1182

> 세 수 1, $2+i$, α를 근으로 하는 삼차방정식이 $x^3+ax^2+bx-c=0$일 때, $a+b+c$의 값은?
> 계수가 실수이므로 $2-i$도 근이다.
> (단, a, b, c는 실수이다.)

삼차방정식 $x^3+ax^2+bx-c=0$의 계수가 실수이므로 $2+i$가 근이면 $2-i$도 근이다.
따라서 삼차방정식 $x^3+ax^2+bx-c=0$의 세 근이 1, $2+i$, $2-i$이므로 근과 계수의 관계에 의하여
$1+(2+i)+(2-i)=-a$ $\quad\therefore a=-5$
$1\cdot(2+i)+1\cdot(2-i)+(2+i)\cdot(2-i)=b$
$\therefore b=9$
$1\cdot(2+i)\cdot(2-i)=c$ $\quad\therefore c=5$
$\therefore a+b+c=-5+9+5=9$

답 ②

1183

> 삼차방정식 $x^3+x-2=0$의 세 근을 α, β, γ라 할 때, $\alpha+\beta$, $\beta+\gamma$, $\gamma+\alpha$를 세 근으로 하고 최고차항의 계수가 1인 x에 대한 삼차방정식을 구하시오.
> 삼차방정식의 근과 계수의 관계를 이용하자.

삼차방정식 $x^3+x-2=0$의 세 근이 α, β, γ이므로 근과 계수의 관계에 의하여

$\alpha+\beta+\gamma=0$, $\alpha\beta+\beta\gamma+\gamma\alpha=1$, $\alpha\beta\gamma=2$
이때, $\alpha+\beta+\gamma=0$에서
$\alpha+\beta=-\gamma$, $\beta+\gamma=-\alpha$, $\gamma+\alpha=-\beta$
이므로 $\alpha+\beta$, $\beta+\gamma$, $\gamma+\alpha$, 즉 $-\gamma$, $-\alpha$, $-\beta$를 세 근으로 하는 삼차항의 계수가 1인 x에 대한 삼차방정식은
$x^3-(-\alpha-\beta-\gamma)x^2+(\alpha\beta+\beta\gamma+\gamma\alpha)x-(-\alpha\beta\gamma)=0$
따라서 구하는 삼차방정식은
$x^3+x+2=0$ 답 $x^3+x+2=0$

1184

삼차방정식 $x^3+4x^2+2x+3=0$의 세 근을 α, β, γ라 할 때, $\alpha+1$, $\beta+1$, $\gamma+1$을 세 근으로 하고, x^3의 계수가 1인 삼차방정식을 구하시오. └ 삼차방정식의 근과 계수의 관계를 이용하자.

삼차방정식 $x^3+4x^2+2x+3=0$의 세 근이 α, β, γ이므로 삼차방정식의 근과 계수의 관계에 의하여
$\alpha+\beta+\gamma=-4$, $\alpha\beta+\beta\gamma+\gamma\alpha=2$, $\alpha\beta\gamma=-3$
$\therefore (\alpha+1)+(\beta+1)+(\gamma+1)=\alpha+\beta+\gamma+3=-1$,
$(\alpha+1)(\beta+1)+(\beta+1)(\gamma+1)+(\gamma+1)(\alpha+1)$
$=(\alpha\beta+\beta\gamma+\gamma\alpha)+2(\alpha+\beta+\gamma)+3$
$=2+2\times(-4)+3=-3$
$(\alpha+1)(\beta+1)(\gamma+1)$
$=\alpha\beta\gamma+(\alpha\beta+\beta\gamma+\gamma\alpha)+(\alpha+\beta+\gamma)+1$
$=-3+2-4+1=-4$
따라서 $\alpha+1$, $\beta+1$, $\gamma+1$을 세 근으로 하고 x^3의 계수가 1인 삼차방정식은 $x^3+x^2-3x+4=0$ 답 $x^3+x^2-3x+4=0$

1185

방정식 $x^3=1$의 한 허근을 ω라 할 때, 〈보기〉에서 옳은 것만을 있는 대로 고른 것은? (단, $\overline{\omega}$는 ω의 켤레복소수이다.) └ ω는 $x^2+x+1=0$의 한 허근이다.

보기
ㄱ. $\omega+\overline{\omega}=1$ ㄴ. $\omega\overline{\omega}=1$
ㄷ. $\omega^2=\overline{\omega}$

$x^3=1$에서 $x^3-1=0$이므로
$(x-1)(x^2+x+1)=0$
ω는 허근이므로 이차방정식 $x^2+x+1=0$의 근이다.
이때, $\overline{\omega}$도 이차방정식 $x^2+x+1=0$의 근이므로 근과 계수의 관계에 의하여
ㄱ. $\omega+\overline{\omega}=-1$ (거짓)
ㄴ. $\omega\overline{\omega}=1$ (참)
ㄷ. ω가 $x^3=1$의 근이므로 $\omega^3=1$
이때, $\omega\overline{\omega}=1$이므로 $\omega^3=\omega\overline{\omega}$
$\therefore \omega^2=\overline{\omega}$ (참)
따라서 옳은 것만을 있는 대로 고른 것은 ㄴ, ㄷ이다. 답 ④

1186

방정식 $x^3=1$의 한 허근을 ω라 할 때, $\omega^{10}+\omega^5+1$의 값은?
└ $\omega^3=1$, $\omega^2+\omega+1=0$이다. └ $\omega^{10}=(\omega^3)^3\omega$, $\omega^5=\omega^3\times\omega^2$

$x^3=1$에서 $x^3-1=0$이므로
$(x-1)(x^2+x+1)=0$
이 방정식의 한 허근이 ω이므로
$\omega^3=1$, $\omega^2+\omega+1=0$
$\therefore \omega^{10}+\omega^5+1=(\omega^3)^3\cdot\omega+\omega^3\cdot\omega^2+1$
$=\omega+\omega^2+1=0$ 답 ⑤

1187

방정식 $x^3=1$의 한 허근을 ω라 할 때,
$\omega+\omega^3+\omega^5+\omega^7+\omega^9+\omega^{11}+\omega^{13}+\omega^{15}$
의 값은? └ $\omega^3=1$, $\omega^2+\omega+1=0$이다.

$x^3=1$에서 $x^3-1=0$이므로
$(x-1)(x^2+x+1)=0$
$\therefore \omega^3=1$, $\omega^2+\omega+1=0$
$\therefore \omega+\omega^3+\omega^5+\omega^7+\omega^9+\omega^{11}+\omega^{13}+\omega^{15}$
$=(\omega+1+\omega^2)+(\omega+1+\omega^2)+\omega+1$
$=\omega+1$ 답 ②

1188

방정식 $x^3+1=0$의 한 허근을 ω라 할 때,
$\omega-\omega^2+\omega^3-\omega^4+\omega^5$의 값은? └ $\omega^3=-1$, $\omega^2-\omega+1=0$이다.

$x^3+1=0$에서 $(x+1)(x^2-x+1)=0$이므로
$\omega^3=-1$, $\omega^2-\omega+1=0$
$\therefore \omega-\omega^2+\omega^3-\omega^4+\omega^5=\omega-\omega^2+\omega^3(1-\omega+\omega^2)$
$=1+0=1$ 답 ④

1189

방정식 $x^3-1=0$의 한 허근을 ω라 할 때,
$1+\frac{1}{\omega}+\frac{1}{\omega^2}+\frac{1}{\omega^3}+\cdots+\frac{1}{\omega^8}$
의 값을 구하시오. └ $\omega^3=1$, $\omega^2+\omega+1=0$이다.

$x^3-1=0$에서 $(x-1)(x^2+x+1)=0$이므로
$\omega^3=1$, $\omega^2+\omega+1=0$
$\therefore 1+\frac{1}{\omega}+\frac{1}{\omega^2}+\frac{1}{\omega^3}+\cdots+\frac{1}{\omega^8}$
$=\frac{1}{\omega^8}(\omega^8+\omega^7+\omega^6+\cdots+\omega^2+\omega+1)$
$=\frac{1}{\omega^8}\{\omega^6(\omega^2+\omega+1)+\omega^3(\omega^2+\omega+1)+\omega^2+\omega+1\}$
$=\frac{1}{\omega^8}\cdot 0=0$ 답 0

다른풀이 $\omega^2+\omega+1=0$에서 양변을 ω^2으로 나누면

$1+\frac{1}{\omega}+\frac{1}{\omega^2}=0$

$\therefore 1+\frac{1}{\omega}+\frac{1}{\omega^2}+\frac{1}{\omega^3}+\cdots+\frac{1}{\omega^8}$

$=\left(1+\frac{1}{\omega}+\frac{1}{\omega^2}\right)+\frac{1}{\omega^3}\left(1+\frac{1}{\omega}+\frac{1}{\omega^2}\right)+\frac{1}{\omega^6}\left(1+\frac{1}{\omega}+\frac{1}{\omega^2}\right)$

$=0$

1190

방정식 $x^3=-1$의 한 허근 ω에 대하여 $\frac{\omega}{1+\omega}-\frac{\omega^2}{1-\omega^2}$의 값은?

→ $\omega^3=-1$, $\omega^2-\omega+1=0$이다.

ω가 $x^3=-1$의 한 허근이므로 $\omega^3=-1$, $\omega^2-\omega+1=0$

$\therefore \frac{\omega}{1+\omega}-\frac{\omega^2}{1-\omega^2}=\frac{\omega(1-\omega^2)-\omega^2(1+\omega)}{(1+\omega)(1-\omega^2)}$

$=\frac{\omega-\omega^3-\omega^2-\omega^3}{1+\omega-\omega^2-\omega^3}$

$=\frac{2+\omega-\omega^2}{2+\omega-\omega^2}=1$

답 ④

1191

$x=\frac{1+\sqrt{3}i}{2}$일 때, $x^{10}-x^5+3$의 값은?

→ 양변에 2를 곱한 뒤 제곱을 하자.

$x=\frac{1+\sqrt{3}i}{2}$에서 $2x-1=\sqrt{3}i$

$(2x-1)^2=(\sqrt{3}i)^2$

$\therefore x^2-x+1=0$

이 식의 양변에 $x+1$을 곱하면

$(x+1)(x^2-x+1)=0$

$x^3+1=0 \quad \therefore x^3=-1$

$\therefore x^{10}-x^5+3=(x^3)^3\cdot x-x^3\cdot x^2+3$

$=-x+x^2+3$

$=x^2-x+3=-1+3=2$

답 ③

1192

→ $\omega+\frac{1}{\omega}=-1$의 양변에 ω를 곱하자.

방정식 $x+\frac{1}{x}=-1$의 한 허근을 ω라 할 때, $\frac{\overline{\omega}}{1+\omega}+\frac{\omega}{1+\overline{\omega}}$의 값은? (단, $\overline{\omega}$는 ω의 켤레복소수이다.)

방정식 $x+\frac{1}{x}=-1$의 한 허근이 ω이므로

$\omega+\frac{1}{\omega}=-1$

양변에 ω를 곱하면

$\omega^2+1=-\omega$

$\therefore \omega^2+\omega+1=0$

즉, 이차방정식 $x^2+x+1=0$의 한 허근이 ω이므로 $\overline{\omega}$도 근이다.

따라서 근과 계수의 관계에 의하여

$\omega+\overline{\omega}=-1$이므로

$1+\omega=-\overline{\omega}$, $1+\overline{\omega}=-\omega$

$\therefore \frac{\overline{\omega}}{1+\omega}+\frac{\omega}{1+\overline{\omega}}=\frac{\overline{\omega}}{-\overline{\omega}}+\frac{\omega}{-\omega}$

$=-1-1=-2$

답 ①

1193

삼차방정식 $x^3=1$의 한 허근을 ω라 할 때, 〈보기〉에서 옳은 것만을 있는 대로 고른 것은? (단, $\overline{\omega}$는 ω의 켤레복소수이다.)

→ $\omega^3=1$, $\omega^2+\omega+1=0$이다.

보기

ㄱ. $\overline{\omega}^3=1$

ㄴ. $\frac{1}{\omega}+\left(\frac{1}{\omega}\right)^2=\frac{1}{\overline{\omega}}+\left(\frac{1}{\overline{\omega}}\right)^2$

ㄷ. $(-\omega-1)^n=\left(\frac{\overline{\omega}}{\omega+\overline{\omega}}\right)^n$을 만족시키는 100 이하의 자연수 n의 개수는 50이다.

삼차방정식 $x^3=1$의 한 허근이 ω이므로

$x^3-1=(x-1)(x^2+x+1)=0$에서

$\omega^3=1$, $\omega^2+\omega+1=0$

ω의 켤레복소수 $\overline{\omega}$는 $x^3=1$의 다른 한 허근이므로

$\overline{\omega}^3=1$, $\overline{\omega}^2+\overline{\omega}+1=0$, $\omega+\overline{\omega}=-1$, $\omega\times\overline{\omega}=1$

ㄱ. $\overline{\omega}^3=1$ (참)

ㄴ. $\frac{1}{\omega}+\left(\frac{1}{\omega}\right)^2=\frac{\omega+1}{\omega^2}=\frac{-\omega^2}{\omega^2}=-1$

$\frac{1}{\overline{\omega}}+\left(\frac{1}{\overline{\omega}}\right)^2=\frac{\overline{\omega}+1}{\overline{\omega}^2}=\frac{-\overline{\omega}^2}{\overline{\omega}^2}=-1$

$\therefore \frac{1}{\omega}+\left(\frac{1}{\omega}\right)^2=\frac{1}{\overline{\omega}}+\left(\frac{1}{\overline{\omega}}\right)^2$ (참)

ㄷ. $(-\omega-1)^n=(\omega^2)^n$

$\left(\frac{\overline{\omega}}{\omega+\overline{\omega}}\right)^n=(-\overline{\omega})^n=\left(-\frac{1}{\omega}\right)^n$

$=(-1)^n\times\left(\frac{1}{\omega}\right)^n$

$=(-1)^n\times(\omega^2)^n$

$(-\omega-1)^n=\left(\frac{\overline{\omega}}{\omega+\overline{\omega}}\right)^n$을 만족시키는 n은

$(\omega^2)^n=(-1)^n\times(\omega^2)^n$에서 $1=(-1)^n$을

만족시켜야 하므로 n은 짝수이다.

그러므로 100 이하의 짝수 n의 개수는 50 (참)

따라서 옳은 것은 ㄱ, ㄴ, ㄷ이다.

답 ⑤

1194

사차방정식 $x^4-x=0$의 두 허근을 α, β라 할 때, $\alpha+\beta$의 값을 구하시오.

→ 먼저 공통인수로 묶어 인수분해하자.

$x^4-x=0$에서 $x(x^3-1)=0$

$\therefore x(x-1)(x^2+x+1)=0$

이때, 이차방정식 $x^2+x+1=0$의 두 허근이 α, β이므로 근과 계수의 관계에 의하여

$\alpha+\beta=-1$ 답 -1

1195

> 사차방정식 $x^4+3x^3+3x^2-x-6=0$의 두 허근을 α, β라 할 때, $\alpha^2+\beta^2$의 값은?
> └→ 조립제법을 이용하여 좌변을 인수분해하자.

$f(x)=x^4+3x^3+3x^2-x-6$으로 놓으면 $f(1)=0$, $f(-2)=0$이므로 조립제법을 이용하여 $f(x)$를 인수분해하면

1	1	3	3	-1	-6
		1	4	7	6
-2	1	4	7	6	0
		-2	-4	-6	
	1	2	3	0	

$\therefore f(x)=(x-1)(x+2)(x^2+2x+3)$
즉, 주어진 방정식은 $(x+2)(x-1)(x^2+2x+3)=0$
이때, 이차방정식 $x^2+2x+3=0$의 두 허근이 α, β이므로
근과 계수의 관계에 의하여
$\alpha+\beta=-2$, $\alpha\beta=3$
$\therefore \alpha^2+\beta^2=(\alpha+\beta)^2-2\alpha\beta=-2$ 답 ④

1196

> 사차방정식 $2x^4-x^3-6x^2-x+2=0$의 모든 양의 실근의 합을 구하시오.
> └→ 조립제법을 이용하여 좌변을 인수분해하자.

$f(x)=2x^4-x^3-6x^2-x+2$로 놓으면 $f(-1)=0$, $f(2)=0$이므로 조립제법을 이용하여 $f(x)$를 인수분해하면

-1	2	-1	-6	-1	2
		-2	3	3	-2
2	2	-3	-3	2	0
		4	2	-2	
	2	1	-1	0	

$\therefore f(x)=(x+1)(x-2)(2x^2+x-1)$
$=(x+1)(x-2)(x+1)(2x-1)$
$=(x+1)^2(2x-1)(x-2)$
즉, 주어진 방정식은
$(x+1)^2(2x-1)(x-2)=0$
$\therefore x=-1$ (중근) 또는 $x=\frac{1}{2}$ 또는 $x=2$
따라서 모든 양의 실근의 합은
$\frac{1}{2}+2=\frac{5}{2}$ 답 $\frac{5}{2}$

1197

> 사차방정식 $x^4+ax^2+b=0$의 한 근이 $1-i$일 때, $a+b$의 값은? (단, a, b는 실수이다.)
> x에 $1-i$를 대입한 뒤 복소수가 서로 같을 조건을 이용하자.

방정식 $x^4+ax^2+b=0$의 한 근이 $1-i$이므로
$(1-i)^4+a(1-i)^2+b=0$
이때, $(1-i)^2=1-2i-1=-2i$이므로
$(-2i)^2+a\cdot(-2i)+b=0$
$\therefore (b-4)-2ai=0$
따라서 a, b가 실수이므로
$b-4=0$, $2a=0$
$\therefore a=0$, $b=4$
$\therefore a+b=4$ 답 ④

1198

> 사차방정식 $x^4+4x^3-2kx^2-(2k+1)x-10=0$의 한 근이 2일 때, 두 허근의 합을 구하시오. (단, k는 실수이다.)
> └→ x에 2를 대입하여 k를 구하자.

$f(x)=x^4+4x^3-2kx^2-(2k+1)x-10$으로 놓으면 사차방정식 $f(x)=0$의 한 근이 2이므로
$f(2)=16+32-8k-4k-2-10=0$
$36-12k=0$ $\therefore k=3$
$\therefore f(x)=x^4+4x^3-6x^2-7x-10$
조립제법을 이용하여 $f(x)$를 인수분해하면

2	1	4	-6	-7	-10
		2	12	12	10
-5	1	6	6	5	0
		-5	-5	-5	
	1	1	1	0	

$\therefore f(x)=(x-2)(x+5)(x^2+x+1)$
즉, 주어진 방정식은 $(x+5)(x-2)(x^2+x+1)=0$이므로
이 방정식의 허근은 이차방정식 $x^2+x+1=0$의 두 근이다.
따라서 근과 계수의 관계에 의하여 두 허근의 합은 -1이다.
답 -1

1199

> 사차방정식 $x^4+ax^3+3x^2+3x+b=0$의 한 근이 i일 때, 나머지 세 근의 합을 구하시오. (단, a, b는 실수이다.)
> └→ x에 i를 대입한 뒤 복소수가 서로 같을 조건을 이용하자.

한 근이 i이므로 $x=i$를 대입하면
$i^4+ai^3+3i^2+3i+b=0$
$1-ai-3+3i+b=0$
$(-a+3)i-2+b=0$
a, b가 실수이므로 $a=3$, $b=2$
$f(x)=x^4+3x^3+3x^2+3x+2$로 놓으면 $f(-1)=0$, $f(-2)=0$이므로 조립제법을 이용하여 $f(x)$를 인수분해하면

-1	1	3	3	3	2
		-1	-2	-1	-2
-2	1	2	1	2	0
		-2	0	-2	
	1	0	1	0	

$\therefore f(x)=(x+1)(x+2)(x^2+1)$

$=(x+1)(x+2)(x+i)(x-i)$

따라서 나머지 세 근의 합은 $-3-i$이다. 답 $-3-i$

다른풀이 계수가 모두 실수인 사차방정식 $x^4+3x^3+3x^2+3x+2=0$의 한 근이 i이므로 $-i$도 근이다.

사차방정식의 근과 계수의 관계에 의하여 네 근의 합이 -3이므로 i를 제외한 나머지 세 근의 합은 $-3-i$이다.

참고 고차방정식의 근과 계수의 관계

n차방정식 $ax^n+bx^{n-1}+\cdots+cx+d=0$에서

(모든 근의 합)$=-\frac{b}{a}$, (모든 근의 곱)$=(-1)^n\times\frac{d}{a}$

1200

사차방정식 $x^4-5x^2+4=0$의 네 근 중에서 양수인 모든 근의 합은?
→ $x^2=t$로 치환하여 인수분해하자.

$x^4-5x^2+4=0$에서 $x^2=t$로 치환하면

$t^2-5t+4=0$

$(t-1)(t-4)=0$

$\therefore t=1$ 또는 $t=4$

$x^2=1$에서 $x=-1$ 또는 $x=1$

$x^2=4$에서 $x=-2$ 또는 $x=2$

$\therefore x=-2$ 또는 $x=-1$ 또는 $x=1$ 또는 $x=2$

따라서 주어진 방정식의 양수인 모든 근의 합은

$1+2=3$ 답 ②

1201

사차방정식 $x^4-3x^2-10=0$의 두 실근을 α, β라 하고, 두 허근을 γ, δ라 할 때, $\alpha\beta+\gamma\delta$의 값을 구하시오.
→ $x^2=t$로 치환하여 인수분해하자.

$x^4-3x^2-10=0$에서 $x^2=t$로 치환하면

$t^2-3t-10=0$

$(t+2)(t-5)=0$

$\therefore t=-2$ 또는 $t=5$

$x^2=-2$에서 $x=-\sqrt{2}i$ 또는 $x=\sqrt{2}i$

$x^2=5$에서 $x=-\sqrt{5}$ 또는 $x=\sqrt{5}$

$\therefore x=-\sqrt{2}i$ 또는 $x=\sqrt{2}i$ 또는 $x=-\sqrt{5}$ 또는 $x=\sqrt{5}$

$\therefore \alpha\beta+\gamma\delta=-5+2=-3$ 답 -3

1202

사차방정식 $x^2(x-1)(x+1)=6$의 네 근 중 두 실근의 곱을 a, 두 허근의 합을 b라 할 때, $a+b$의 값은?
→ $x^2=t$로 치환하여 인수분해하자.

$x^2(x-1)(x+1)=6$에서

$x^2(x^2-1)-6=0$

$x^4-x^2-6=0$

이때, $x^2=t$로 치환하면

$t^2-t-6=0$

$(t+2)(t-3)=0$

$\therefore t=-2$ 또는 $t=3$

$x^2=-2$에서 $x=-\sqrt{2}i$ 또는 $x=\sqrt{2}i$

$x^2=3$에서 $x=-\sqrt{3}$ 또는 $x=\sqrt{3}$

$\therefore x=-\sqrt{2}i$ 또는 $x=\sqrt{2}i$ 또는 $x=-\sqrt{3}$ 또는 $x=\sqrt{3}$

따라서 두 실근의 곱 a와 두 허근의 합 b의 값은

$a=\sqrt{3}\cdot(-\sqrt{3})=-3$

$b=\sqrt{2}i+(-\sqrt{2}i)=0$

$\therefore a+b=-3$ 답 ②

1203

사차방정식 $x^4+3x^2+4=0$의 네 근을 α, β, γ, δ라 할 때, $\alpha^2+\beta^2+\gamma^2+\delta^2$의 값을 구하시오.
→ A^2-B^2 꼴로 변형해 보자.

$x^4+3x^2+4=0$에서

$(x^4+4x^2+4)-x^2=0$

$(x^2+2)^2-x^2=0$

$\therefore (x^2+x+2)(x^2-x+2)=0$

$x^2+x+2=0$의 두 근을 α, β라 하면 근과 계수의 관계에 의하여

$\alpha+\beta=-1$, $\alpha\beta=2$

$\therefore \alpha^2+\beta^2=(\alpha+\beta)^2-2\alpha\beta=(-1)^2-2\cdot2=-3$

$x^2-x+2=0$의 두 근을 γ, δ라 하면 근과 계수의 관계에 의하여

$\gamma+\delta=1$, $\gamma\delta=2$

$\therefore \gamma^2+\delta^2=(\gamma+\delta)^2-2\gamma\delta=1^2-2\cdot2=-3$

$\therefore \alpha^2+\beta^2+\gamma^2+\delta^2=-3-3=-6$ 답 -6

1204

사차방정식 $x^4+5x^2+9=0$의 네 근을 α, $\overline{\alpha}$, β, $\overline{\beta}$라 할 때, $\alpha\overline{\alpha}+\beta\overline{\beta}$의 값은? (단, $\overline{\alpha}$, $\overline{\beta}$는 각각 α, β의 켤레복소수이다.)
→ A^2-B^2 꼴로 변형해 보자.

$x^4+5x^2+9=0$에서

$(x^4+6x^2+9)-x^2=0$

$(x^2+3)^2-x^2=0$

$(x^2+x+3)(x^2-x+3)=0$

근과 계수의 관계에 의하여 $\alpha\overline{\alpha}=\beta\overline{\beta}=3$

$\therefore \alpha\overline{\alpha}+\beta\overline{\beta}=6$ 답 ④

1205

사차방정식 $x^4+2x^2+4a-5=0$이 실근을 갖기 위한 자연수 a의 개수를 구하시오.
→ $x^2=t$로 치환하여 인수분해하자.

$x^2=t$로 치환하면

$t^2+2t+4a-5=0$ ……㉠

x가 실근이기 위해서는 $x^2\geq0$, 즉 $t\geq0$인 근이 적어도 하나 존재해야 한다.

방정식 ㉠을 만족하는 근을 α, β라 하면
근과 계수의 관계에 의하여 $\alpha+\beta=-2<0$이므로
$\alpha\ge0$, $\beta\ge0$인 경우는 존재하지 않는다.
$t\ge0$인 근이 적어도 하나 존재하기 위해서 $\alpha\beta\le0$이어야 한다.
$\alpha\beta=4a-5$이므로 $4a-5\le0$ $\quad\therefore a\le\frac{5}{4}$
따라서 자연수 a는 1로 1개이다. 답 1

1206

> 사차방정식 $(x^2+4x+5)^2-12(x^2+4x)-40=0$의 네 근을 $\alpha, \beta, \gamma, \delta$라 할 때, $\alpha\delta+\beta\gamma$의 값은? (단, $\alpha<\beta<\gamma<\delta$)
> → $x^2+4x=t$로 치환하여 인수분해하자.

주어진 방정식에서 $x^2+4x=t$로 치환하면
$(t+5)^2-12t-40=0$
$t^2-2t-15=0$, $(t-5)(t+3)=0$
$\therefore t=5$ 또는 $t=-3$
(i) $t=5$일 때,
$x^2+4x=5$에서 $(x-1)(x+5)=0$
$\therefore x=1$ 또는 $x=-5$
(ii) $t=-3$일 때,
$x^2+4x=-3$에서 $(x+1)(x+3)=0$
$\therefore x=-1$ 또는 $x=-3$
$\therefore \alpha=-5, \beta=-3, \gamma=-1, \delta=1$
$\therefore \alpha\delta+\beta\gamma=-5+3=-2$ 답 ①

1207

> 사차방정식 $(x^2-4x)(x^2-4x+2)-8=0$의 서로 다른 근의 합을 구하시오.
> → $x^2-4x=t$로 치환하여 인수분해하자.

주어진 방정식에서 $x^2-4x=t$로 치환하면
$t(t+2)-8=0$
$t^2+2t-8=0$, $(t+4)(t-2)=0$
$\therefore t=-4$ 또는 $t=2$
(i) $t=-4$일 때, $x^2-4x=-4$
$x^2-4x+4=0$, $(x-2)^2=0$
$\therefore x=2$ (중근)
(ii) $t=2$일 때, $x^2-4x=2$
$x^2-4x-2=0$ $\quad\therefore x=2\pm\sqrt{6}$
(i), (ii)에 의하여 주어진 방정식의 해는
$x=2$ (중근) 또는 $x=2\pm\sqrt{6}$
따라서 서로 다른 근의 합은
$2+(2-\sqrt{6})+(2+\sqrt{6})=6$ 답 6

1208

> 사차방정식 $(x^2+x-1)(x^2+x+3)-5=0$의 서로 다른 두 허근을 α, β라 할 때, $\alpha\overline{\alpha}+\beta\overline{\beta}$의 값을 구하시오. (단, $\overline{z}$는 z의 켤레복소수이다.)
> → $x^2+x=t$로 치환하여 인수분해하자.

$(x^2+x-1)(x^2+x+3)-5=0$
$x^2+x=t$로 치환하면
$(t-1)(t+3)-5=0$
$t^2+2t-8=0$
$(t+4)(t-2)=0$
$(x^2+x+4)(x^2+x-2)=0$
α, β는 $x^2+x+4=0$의 서로 다른 두 허근이므로
$\alpha\beta=4$
$\overline{\alpha}=\beta$, $\overline{\beta}=\alpha$이므로 $\alpha\overline{\alpha}+\beta\overline{\beta}=2\alpha\beta=2\times4=8$ 답 8

1209

> 사차방정식 $x(x-1)(x+1)(x+2)=3$의 두 실근의 합을 a, 두 허근의 곱을 b라 할 때, $a-b$의 값은?
> → 공통부분이 나오도록 두 식씩 묶어서 전개하자.

$x(x-1)(x+1)(x+2)=3$에서
$\{(x-1)(x+2)\}\{x(x+1)\}=3$
$(x^2+x-2)(x^2+x)=3$
이때, $x^2+x=t$로 치환하면
$(t-2)t=3$, $t^2-2t-3=0$
$(t-3)(t+1)=0$
$\therefore t=3$ 또는 $t=-1$
(i) $t=3$일 때, $x^2+x-3=0$
이때, 이차방정식 $x^2+x-3=0$의 판별식을 D_1이라 하면
$D_1=1+12=13>0$이므로 두 실근을 갖고 근과 계수의 관계에 의하여 두 실근의 합은 -1이다.
$\therefore a=-1$
(ii) $t=-1$일 때, $x^2+x+1=0$
이때, 이차방정식 $x^2+x+1=0$의 판별식을 D_2라 하면
$D_2=1-4=-3<0$이므로 두 허근을 갖고 근과 계수의 관계에 의하여 두 허근의 곱은 1이다.
$\therefore b=1$
(i), (ii)에 의하여 $a-b=-2$ 답 ①

1210

> 사차방정식 $x^4-4x^3+5x^2-4x+1=0$의 한 허근을 α라 할 때, $\alpha+\frac{1}{\alpha}$의 값은?
> → 방정식의 양변을 x^2으로 나누자.

$x\ne0$이므로 주어진 방정식의 양변을 x^2으로 나누면
$x^2-4x+5-\frac{4}{x}+\frac{1}{x^2}=0$
$\left(x^2+\frac{1}{x^2}\right)-4\left(x+\frac{1}{x}\right)+5=0$
$\left\{\left(x+\frac{1}{x}\right)^2-2\right\}-4\left(x+\frac{1}{x}\right)+5=0$
$\therefore \left(x+\frac{1}{x}\right)^2-4\left(x+\frac{1}{x}\right)+3=0$
이때, $x+\frac{1}{x}=t$로 치환하면
$t^2-4t+3=0$
$(t-1)(t-3)=0$

$\therefore t=1$ 또는 $t=3$

(i) $t=1$일 때, $x+\frac{1}{x}=1$에서 $x^2-x+1=0$

즉, 이 이차방정식의 판별식을 D_1이라 하면

$D_1=1-4=-3<0$이므로 허근을 갖는다.

(ii) $t=3$일 때, $x+\frac{1}{x}=3$에서 $x^2-3x+1=0$

즉, 이 이차방정식의 판별식을 D_2라 하면

$D_2=9-4=5>0$이므로 실근을 갖는다.

따라서 주어진 방정식의 한 허근이 α이므로 (i)에 의하여

$\alpha+\frac{1}{\alpha}=1$

답 ②

1211

사차방정식 $x^4+x^3+2x^2+x+1=0$의 한 허근을 α라 할 때, α^{24}의 값을 구하시오.

→ 방정식의 양변을 x^2으로 나누자.

주어진 방정식의 양변을 x^2으로 나누면

$x^2+x+2+\frac{1}{x}+\frac{1}{x^2}=0$

$x^2+\frac{1}{x^2}+\left(x+\frac{1}{x}\right)+2=0$

$\left(x+\frac{1}{x}\right)^2-2+\left(x+\frac{1}{x}\right)+2=0$

$\therefore \left(x+\frac{1}{x}\right)^2+\left(x+\frac{1}{x}\right)=0$

$x+\frac{1}{x}=t$로 치환하면

$t^2+t=0,\ t(t+1)=0 \qquad \therefore t=0$ 또는 $t=-1$

$\therefore x+\frac{1}{x}=0$ 또는 $x+\frac{1}{x}+1=0$

이때, $x=0$은 주어진 방정식의 해가 아니므로 양변에 x를 곱하면

$x^2+1=0$ 또는 $x^2+x+1=0$

두 이차방정식이 모두 허근을 가지므로

(i) $x^2+1=0$의 한 허근을 α라 하면

$\alpha^2+1=0,\ \alpha^2=-1 \qquad \therefore \alpha^{24}=(\alpha^2)^{12}=1$

(ii) $x^2+x+1=0$의 한 허근을 α라 하면

$\alpha^2+\alpha+1=0$

$\alpha^2+\alpha+1=0$의 양변에 $\alpha-1$을 곱하면

$(\alpha-1)(\alpha^2+\alpha+1)=0 \qquad \therefore \alpha^3=1$

$\therefore \alpha^{24}=(\alpha^3)^8=1$

(i), (ii)에서 $\alpha^{24}=1$

답 1

1212

그림과 같이 직육면체의 가로, 세로의 길이와 높이가 각각 $2x$, x, $x+1$이고 부피가 160일 때, 이 직육면체의 모든 모서리의 길이의 합을 구하시오.

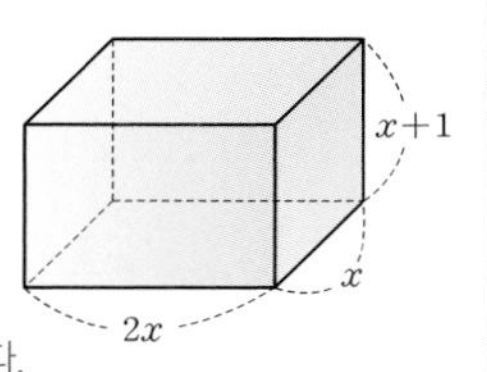

→ 직육면체의 부피는 $2x^3+2x^2=160$이다.

주어진 직육면체의 부피는 $2x\cdot x\cdot(x+1)=160$

$2x^3+2x^2-160=0,\ x^3+x^2-80=0$

조립제법을 이용하여 인수분해하면

4	1	1	0	−80
		4	20	80
	1	5	20	0

$(x-4)(x^2+5x+20)=0$

$\therefore x=4\ (\because x>0$인 실수$)$

따라서 가로, 세로의 길이와 높이는

각각 8, 4, 5이므로 모든 모서리의 길이의 합은

$4(8+4+5)=68$

답 68

1213

그림과 같이 밑면은 한 변의 길이가 4 cm인 정사각형이고 높이는 10 cm인 직육면체가 있다. 이 직육면체의 밑면의 각 변의 길이를 일정하게 늘이고, 높이를 같은 길이만큼 줄여 새로운 직육면체를 만들었더니 처음 직육면체의 부피와 같았다. 이때, 밑면의 각 변이 늘어난 길이를 구하시오.

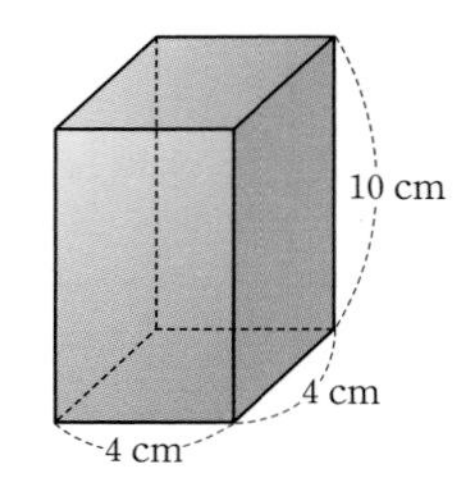

→ 밑면이 늘어난 길이를 $x$cm라 하면, 각 변의 길이는 $4+x$, $4+x$, $10-x$이다.

밑면의 각 변이 늘어난 길이를 $x$cm $(0<x<10)$라 하면 새로운 직육면체의 가로, 세로의 길이와 높이는 각각

$(4+x)$cm, $(4+x)$cm, $(10-x)$cm이다.

이때, 처음 직육면체의 부피와 나중 직육면체의 부피가 같으므로

$4\cdot4\cdot10=(4+x)^2(10-x)$

$x^3-2x^2-64x=0,\ x(x^2-2x-64)=0$

$\therefore x=0$ 또는 $x=1\pm\sqrt{65}$

그런데 $0<x<10$이므로 $x=1+\sqrt{65}$이다.

따라서 밑면의 각 변이 늘어난 길이는 $(1+\sqrt{65})$cm이다.

답 $(1+\sqrt{65})$cm

1214

그림과 같이 가로의 길이가 30 cm, 세로의 길이가 20 cm인 직사각형 모양의 종이의 네 귀퉁이에서 한 변의 길이가 $a$cm인 정사각형을 오려내어 높이가 $a$cm인 뚜껑이 없는 직육면체 모양의 상자를 만들려고 한다. 이 상자의 부피를 1000 cm³가 되도록 하되 높이가 최대가 되게 만들려고 한다. 이때, 이 상자의 밑넓이를 구하시오.

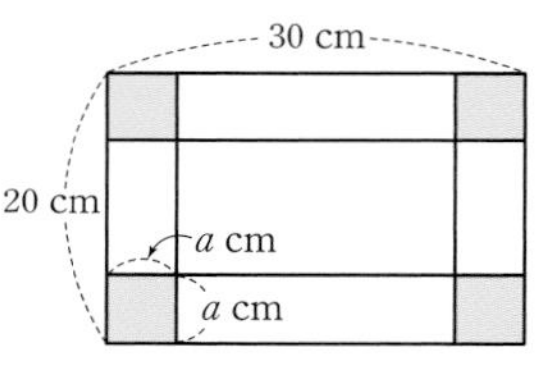

→ 상자의 부피는 $a(30-2a)(20-2a)=1000$이다.

만들어진 직육면체의 가로의 길이는 $30-2a$, 세로의 길이는 $20-2a$, 높이는 a이므로 부피는

$a(30-2a)(20-2a)=1000$

$a^3-25a^2+150a-250=0$

$f(a)=a^3-25a^2+150a-250$으로 놓으면

$f(5)=0$이므로 조립제법을 이용하여 $f(a)$를 인수분해하면

5	1	−25	150	−250
		5	−100	250
	1	−20	50	0

$f(a)=(a-5)(a^2-20a+50)$
$\therefore (a-5)(a^2-20a+50)=0$
$\therefore a=5$ 또는 $a^2-20a+50=0\,(0<a<10)$
즉, 높이 a가 최대이어야 하므로 $a=5$
따라서 구하는 밑넓이는 $\frac{1000}{5}=200(\text{cm}^2)$ 답 $200\,\text{cm}^2$

1215

→ 원기둥의 부피는 $2x^3\pi$

밑면의 반지름의 길이가 x cm이고 높이가 $2x$ cm인 원기둥 모양의 용기에 물이 가득 담겨 있다. 이 물을 사용하여 밑면의 반지름의 길이가 10 cm이고 높이가 14 cm인 원기둥 모양의 용기를 가득 채우고 남은 물의 양을 측정하였더니 수면의 높이가 밑면으로부터 6 cm가 되었다. 이때, x의 값을 구하시오.

→ 원기둥의 부피는 1400π

밑면의 반지름의 길이가 10 cm이고 높이가 14 cm인 원기둥 모양의 용기를 가득 채운 물의 양은
$10^2\pi\cdot 14=1400\pi$
또 밑면의 반지름의 길이가 x cm이고 높이가 $2x$ cm인 원기둥 모양의 용기에 가득 담긴 물의 양은
$x^2\pi\cdot 2x=2x^3\pi$
남은 물의 양은 수면의 높이가 밑면으로부터 6 cm이므로
$6x^2\pi$
즉, $2x^3\pi-6x^2\pi=1400\pi$이므로
$2x^3-6x^2-1400=0$
$x^3-3x^2-700=0$
조립제법을 이용하여 인수분해하면
$(x-10)(x^2+7x+70)=0$

10	1	−3	0	−700
		10	70	700
	1	7	70	0

$\therefore x=10$ 또는 $x=\frac{-7\pm\sqrt{231}i}{2}$
그런데 $x>0$이므로 $x=10$ 답 10

1216

→ 각 구의 반지름을 $x-1$, x, $x+1$로 놓자.

반지름의 길이가 각각 1 cm씩 차이가 나는 3개의 구가 있다. 이 세 구의 부피의 합과 같은 부피를 갖는 하나의 구를 만들었을 때, 새로 만들어진 구의 반지름의 길이는 3개의 구 중 가장 큰 구의 반지름의 길이보다 1 cm만큼 길다고 한다. 새로 만들어진 구의 반지름의 길이를 구하시오.

처음 3개의 구의 반지름의 길이를 각각 $(x-1)$ cm, x cm, $(x+1)$ cm $(x>1)$라 하면 새로 만들어진 구의 반지름의 길이는 $(x+2)$ cm이다.
처음 세 구의 부피의 합이 새로 만들어진 구의 부피와 같으므로
$\frac{4\pi}{3}(x-1)^3+\frac{4\pi}{3}x^3+\frac{4\pi}{3}(x+1)^3=\frac{4\pi}{3}(x+2)^3$
이 식을 정리하면 $x^3-3x^2-3x-4=0$이므로
조립제법을 이용하여 인수분해하면
$(x-4)(x^2+x+1)=0$

4	1	−3	−3	−4
		4	4	4
	1	1	1	0

$\therefore x=4$ 또는 $x=\frac{-1\pm\sqrt{3}i}{2}$
그런데 $x>1$이므로 $x=4$
따라서 새로 만들어진 구의 반지름의 길이는 $(x+2)$cm이므로 6 cm이다. 답 6 cm

참고 반지름의 길이가 r인 구의 부피는 $\frac{4}{3}\pi r^3$이다.

1217

그림은 한 모서리의 길이가 x cm인 정육면체 5개를 쌓아 만든 입체도형이다. 이 입체도형의 부피를 $a\,\text{cm}^3$, 겉넓이를 $b\,\text{cm}^2$라 할 때, $a=2b-320$인 관계가 성립한다고 한다. 이때, x의 값을 구하시오.

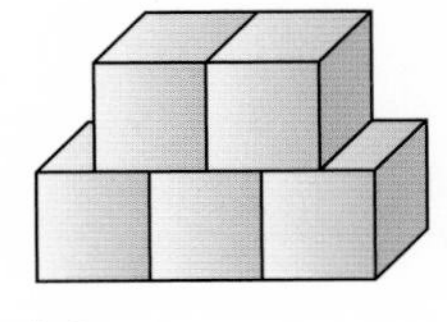

→ 앞, 뒤, 좌, 우, 위, 아래에서 보이는 넓이를 각각 구하자.

정육면체 5개를 쌓은 입체도형이므로 부피는
$a=5x^3$ ······ ㉠
앞면과 뒷면에 보이는 도형의 겉넓이는
$5x^2+5x^2=10x^2$
왼쪽과 오른쪽에 보이는 도형의 겉넓이는
$2x^2+2x^2=4x^2$
위쪽과 아래쪽에 보이는 도형의 겉넓이는
$3x^2+3x^2=6x^2$
$\therefore b=10x^2+4x^2+6x^2=20x^2$ ······ ㉡
㉠, ㉡을 $a=2b-320$에 대입하면
$5x^3=2\cdot 20x^2-320$
$x^3-8x^2+64=0$
조립제법을 이용하여 인수분해하면
$(x-4)(x^2-4x-16)=0$

4	1	−8	0	64
		4	−16	−64
	1	−4	−16	0

$\therefore x=4$ 또는 $x=2\pm 2\sqrt{5}$
그런데 $x>0$이므로
$x=4$ 또는 $x=2+2\sqrt{5}$ 답 4 또는 $2+2\sqrt{5}$

1218

그림은 오각기둥의 전개도이다. 이 전개도의 점선을 따라 접어서 만든 오각기둥의 부피가 108일 때, 전개도에서 x의 값은?

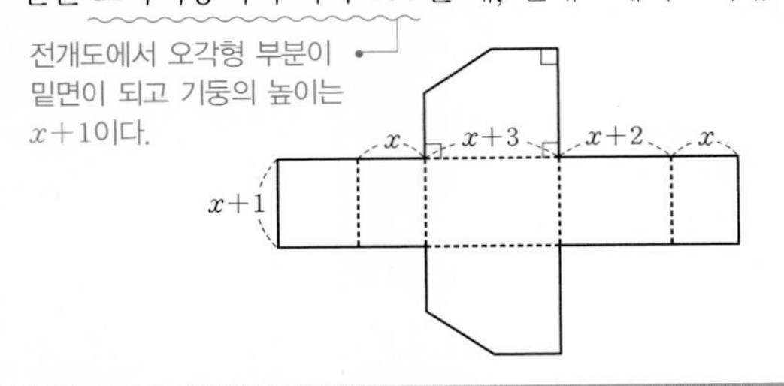

주어진 전개도에서 오각기둥의 밑면을 그림과 같이 나누어서 넓이를 구하면

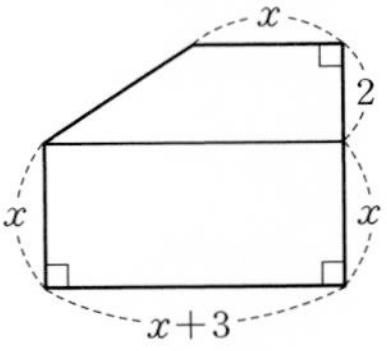

$(x+x+3)\cdot 2\cdot\frac{1}{2}+x(x+3)=x^2+5x+3$
오각기둥의 높이가 $x+1$, 부피가 108이므로
$(x^2+5x+3)(x+1)=108$
$x^3+6x^2+8x-105=0$
이때, $f(x)=x^3+6x^2+8x-105$로 놓으면

$f(3)=0$이므로 조립제법을 이용하여 $f(x)$를 인수분해하면

3	1	6	8	−105
		3	27	105
	1	9	35	0

$\therefore f(x)=(x-3)(x^2+9x+35)$
따라서 주어진 방정식은 $(x-3)(x^2+9x+35)=0$
$\therefore x=3$ ($\because x>0$인 실수)

답 ③

1219

일차식을 정리하여 이차식에 대입하자.

> 연립방정식 $\begin{cases} x+y=3 \\ x^2+2xy+2y^2=10 \end{cases}$의 해가
> $\begin{cases} x=a \\ y=b \end{cases}$ 또는 $\begin{cases} x=c \\ y=d \end{cases}$일 때, $abcd$의 값은?

$\begin{cases} x+y=3 & \cdots\cdots ㉠ \\ x^2+2xy+2y^2=10 & \cdots\cdots ㉡ \end{cases}$
㉠에서 $y=-x+3$을 ㉡에 대입하면
$x^2+2x(-x+3)+2(-x+3)^2=10$
$x^2-6x+8=0$, $(x-2)(x-4)=0$
$\therefore x=2$ 또는 $x=4$
이것을 ㉠에 대입하면
$\begin{cases} x=2 \\ y=1 \end{cases}$ 또는 $\begin{cases} x=4 \\ y=-1 \end{cases}$
$\therefore abcd=-8$

답 ①

1220

일차식을 정리하여 이차식에 대입하자.

> 연립방정식 $\begin{cases} x-2y=0 \\ x^2+2y^2=54 \end{cases}$의 해 중에서 자연수인 것을
> $x=a$, $y=b$라 할 때, $a+b$의 값은?

$\begin{cases} x-2y=0 & \cdots\cdots ㉠ \\ x^2+2y^2=54 & \cdots\cdots ㉡ \end{cases}$
㉠에서 $x=2y$이므로 ㉡에 대입하면
$(2y)^2+2y^2=54$, $y^2=9$
$\therefore y=-3$ 또는 $y=3$
이것을 ㉠에 대입하면
$\begin{cases} x=-6 \\ y=-3 \end{cases}$ 또는 $\begin{cases} x=6 \\ y=3 \end{cases}$
a, b는 자연수이므로 $a=6$, $b=3$
$\therefore a+b=9$

답 ⑤

1221

일차식을 정리하여 이차식에 대입하자.

> 연립방정식 $\begin{cases} x-y=4 \\ x^2+2xy+y^2=4 \end{cases}$를 만족시키는 두 실수 x, y에
> 대하여 xy의 값을 구하시오.

$\begin{cases} x-y=4 & \cdots\cdots ㉠ \\ x^2+2xy+y^2=4 & \cdots\cdots ㉡ \end{cases}$
㉠에서 $y=x-4$ $\cdots\cdots$ ㉢
㉢을 ㉡에 대입하면
$x^2+2x(x-4)+(x-4)^2=4$
$x^2-4x+3=0$
$(x-1)(x-3)=0$
$\therefore x=1$ 또는 $x=3$
$x=1$을 ㉢에 대입하면 $y=-3$
$x=3$을 ㉢에 대입하면 $y=-1$
따라서 연립방정식의 해는
$\begin{cases} x=1 \\ y=-3 \end{cases}$ 또는 $\begin{cases} x=3 \\ y=-1 \end{cases}$
$\therefore xy=-3$

답 -3

1222

일차식을 정리하여 이차식에 대입하자.

> 연립방정식 $\begin{cases} x-y=1 \\ 2x^2-xy-y^2+1=0 \end{cases}$을 만족시키는 근을
> $x=\alpha$, $y=\beta$라 할 때, 다음 중 α, β를 두 근으로 하는 t에 대한 이차방정식은?
>
> ① $t^2-t-2=0$ ② $t^2-t-1=0$ ③ $t^2+t-2=0$
> ④ $t^2+t-1=0$ ⑤ $t^2+t=0$

$\begin{cases} x-y=1 & \cdots\cdots ㉠ \\ 2x^2-xy-y^2+1=0 & \cdots\cdots ㉡ \end{cases}$
㉠에서 $x=y+1$이므로 ㉡에 대입하면
$2(y+1)^2-(y+1)y-y^2+1=0$
$3y+3=0$ $\therefore y=-1$
$y=-1$을 ㉠에 대입하면 $x=0$
$\therefore \alpha=0$, $\beta=-1$
따라서 $\alpha+\beta=-1$, $\alpha\beta=0$이므로 보기 중 α, β를 두 근으로 하는 t에 대한 이차방정식은 ⑤ $t^2+t=0$이다.

답 ⑤

1223

> 연립방정식 $\begin{cases} ax-y=1 \\ x-y=2 \end{cases}$의 해가 연립방정식 $\begin{cases} x+y=b \\ x^2+y^2=10 \end{cases}$을
> 만족시킬 때, 두 상수 a, b에 대하여 $a+b$의 값을 구하시오.
> 미정계수가 없는 두 개의 식을 연립하자. (단, $a<b$)

두 연립방정식의 해가 같으므로
$\begin{cases} x-y=2 & \cdots\cdots ㉠ \\ x^2+y^2=10 & \cdots\cdots ㉡ \end{cases}$
㉠에서 $y=x-2$를 ㉡에 대입하면
$x^2+(x-2)^2=10$, $x^2-2x-3=0$
$(x+1)(x-3)=0$
$\therefore x=-1$ 또는 $x=3$
이것을 ㉠에 대입하면

$\begin{cases} x=-1 \\ y=-3 \end{cases}$ 또는 $\begin{cases} x=3 \\ y=1 \end{cases}$

(i) $x=-1$, $y=-3$을 대입하면

$-a+3=1$ $\quad\therefore a=2$

$-1-3=b$ $\quad\therefore b=-4$

(ii) $x=3$, $y=1$을 대입하면

$3a-1=1$ $\quad\therefore a=\frac{2}{3}$

$3+1=b$ $\quad\therefore b=4$

(i), (ii)에서 $a=\frac{2}{3}$, $b=4$ ($\because a<b$)

$\therefore a+b=\frac{14}{3}$ 답 $\frac{14}{3}$

1224

두 연립방정식 $\begin{cases} x+y=2 \\ x^2+y^2=a \end{cases}$, $\begin{cases} x+by=7 \\ 2x^2+xy=3 \end{cases}$ 의 해가 같을 때, 두 상수 a, b에 대하여 $a+b$의 값을 구하시오. (단, $x<y$)

미정계수가 없는 두 개의 식을 연립하자.

두 연립방정식의 해가 같으므로 주어진 연립방정식의 해는

$\begin{cases} x+y=2 & \cdots\cdots ㉠ \\ 2x^2+xy=3 & \cdots\cdots ㉡ \end{cases}$

의 해와 같다.

㉠에서 $y=2-x$ $\cdots\cdots$ ㉢

㉢을 ㉡에 대입하면

$2x^2+x(2-x)=3$, $x^2+2x-3=0$

$(x+3)(x-1)=0$

$\therefore x=-3$ 또는 $x=1$

$x=-3$을 ㉢에 대입하면 $y=5$

$x=1$을 ㉢에 대입하면 $y=1$

$\therefore \begin{cases} x=-3 \\ y=5 \end{cases}$ 또는 $\begin{cases} x=1 \\ y=1 \end{cases}$

$x<y$이므로 연립방정식의 해는 $x=-3$, $y=5$

(i) $x=-3$, $y=5$를 $x^2+y^2=a$에 대입하면

$9+25=a$ $\quad\therefore a=34$

(ii) $x=-3$, $y=5$를 $x+by=7$에 대입하면

$-3+5b=7$ $\quad\therefore b=2$

(i), (ii)에 의하여

$a+b=36$ 답 36

1225

연립방정식 $\begin{cases} (x+2y)(2x-y)=0 \\ x^2+y^2=5 \end{cases}$ 의 해를 $x=\alpha$, $y=\beta$라 할 때, $\alpha\beta$의 값을 모두 적은 것은?

$x=-2y$와 $y=2x$를 ㉡식에 대입하자.

$\begin{cases} (x+2y)(2x-y)=0 & \cdots\cdots ㉠ \\ x^2+y^2=5 & \cdots\cdots ㉡ \end{cases}$

㉠에서 $x=-2y$ 또는 $y=2x$

(i) $x=-2y$를 ㉡에 대입하면

$4y^2+y^2=5$, $y^2=1$

$\therefore y=-1$ 또는 $y=1$

$y=-1$일 때, $x=2$

$y=1$일 때, $x=-2$

$\therefore \begin{cases} x=-2 \\ y=1 \end{cases}$ 또는 $\begin{cases} x=2 \\ y=-1 \end{cases}$

(ii) $y=2x$를 ㉡에 대입하면

$x^2+4x^2=5$, $x^2=1$

$\therefore x=-1$ 또는 $x=1$

$x=-1$일 때, $y=-2$

$x=1$일 때, $y=2$

$\therefore \begin{cases} x=-1 \\ y=-2 \end{cases}$ 또는 $\begin{cases} x=1 \\ y=2 \end{cases}$

(i), (ii)에 의하여 연립방정식의 해는

$\begin{cases} x=-2 \\ y=1 \end{cases}$ 또는 $\begin{cases} x=2 \\ y=-1 \end{cases}$ 또는 $\begin{cases} x=-1 \\ y=-2 \end{cases}$ 또는 $\begin{cases} x=1 \\ y=2 \end{cases}$

따라서 $\alpha\beta=-2$ 또는 $\alpha\beta=2$이다. 답 ②

1226

㉠식을 인수분해한 두 개의 일차방정식을 ㉡식에 대입하자.

연립방정식 $\begin{cases} x^2-y^2=0 \\ x^2-xy+2y^2=4 \end{cases}$ 의 해를 $x=\alpha$, $y=\beta$라 할 때, $\alpha\beta$의 최댓값은 M, 최솟값은 m이다. 이때, $M+m$의 값을 구하시오.

$\begin{cases} x^2-y^2=0 & \cdots\cdots ㉠ \\ x^2-xy+2y^2=4 & \cdots\cdots ㉡ \end{cases}$

㉠에서 $(x-y)(x+y)=0$

$\therefore y=x$ 또는 $y=-x$

(i) $y=x$를 ㉡에 대입하면

$x^2-x^2+2x^2=4$, $x^2=2$

$\therefore x=-\sqrt{2}$ 또는 $x=\sqrt{2}$

$x=-\sqrt{2}$일 때, $y=-\sqrt{2}$

$x=\sqrt{2}$일 때, $y=\sqrt{2}$

$\therefore \begin{cases} x=-\sqrt{2} \\ y=-\sqrt{2} \end{cases}$ 또는 $\begin{cases} x=\sqrt{2} \\ y=\sqrt{2} \end{cases}$

(ii) $y=-x$를 ㉡에 대입하면

$x^2+x^2+2x^2=4$, $x^2=1$

$\therefore x=-1$ 또는 $x=1$

$x=-1$일 때, $y=1$

$x=1$일 때, $y=-1$

$\therefore \begin{cases} x=-1 \\ y=1 \end{cases}$ 또는 $\begin{cases} x=1 \\ y=-1 \end{cases}$

(i), (ii)에 의하여 연립방정식의 해는

$\begin{cases} x=-\sqrt{2} \\ y=-\sqrt{2} \end{cases}$ 또는 $\begin{cases} x=\sqrt{2} \\ y=\sqrt{2} \end{cases}$ 또는 $\begin{cases} x=-1 \\ y=1 \end{cases}$ 또는 $\begin{cases} x=1 \\ y=-1 \end{cases}$

따라서 $\alpha\beta$의 최댓값 $M=2$, 최솟값 $m=-1$이므로

$M+m=1$ 답 1

1227

> ㉠식을 인수분해한 두 개의 일차방정식을 ㉡식에 대입하자.

연립방정식 $\begin{cases} x^2-3xy+2y^2=0 \\ x^2+y^2+3x+1=0 \end{cases}$ 을 만족시키는 두 실수 x, y에 대하여 $x+y$의 최댓값을 구하시오.

$\begin{cases} x^2-3xy+2y^2=0 & \cdots\cdots ㉠ \\ x^2+y^2+3x+1=0 & \cdots\cdots ㉡ \end{cases}$

㉠에서 $(x-y)(x-2y)=0$

$\therefore x=y$ 또는 $x=2y$

(i) $x=y$를 ㉡에 대입하면

$y^2+y^2+3y+1=0$, $2y^2+3y+1=0$

$(y+1)(2y+1)=0$

$\therefore y=-1$ 또는 $y=-\frac{1}{2}$

$\therefore \begin{cases} x=-1 \\ y=-1 \end{cases}$ 또는 $\begin{cases} x=-\frac{1}{2} \\ y=-\frac{1}{2} \end{cases}$

(ii) $x=2y$를 ㉡에 대입하면

$4y^2+y^2+6y+1=0$, $5y^2+6y+1=0$

$(y+1)(5y+1)=0$

$\therefore y=-1$ 또는 $y=-\frac{1}{5}$

$\therefore \begin{cases} x=-2 \\ y=-1 \end{cases}$ 또는 $\begin{cases} x=-\frac{2}{5} \\ y=-\frac{1}{5} \end{cases}$

(i), (ii)에서 $x+y$의 최댓값은

$-\frac{2}{5}-\frac{1}{5}=-\frac{3}{5}$

답 $-\frac{3}{5}$

1228

> ㉠식을 인수분해한 두 개의 일차방정식을 ㉡식에 대입하자.

연립방정식 $\begin{cases} 2x^2+3xy-2y^2=0 \\ x^2+xy=6 \end{cases}$ 을 만족시키는 두 실수 x, y에 대하여 xy의 최댓값과 최솟값의 합을 구하시오.

$\begin{cases} 2x^2+3xy-2y^2=0 & \cdots\cdots ㉠ \\ x^2+xy=6 & \cdots\cdots ㉡ \end{cases}$

㉠에서 $(2x-y)(x+2y)=0$

$\therefore y=2x$ 또는 $x=-2y$

(i) $y=2x$를 ㉡에 대입하면

$x^2+2x^2=6$, $x^2=2$

$\therefore x=\sqrt{2}$ 또는 $x=-\sqrt{2}$

$\therefore \begin{cases} x=\sqrt{2} \\ y=2\sqrt{2} \end{cases}$ 또는 $\begin{cases} x=-\sqrt{2} \\ y=-2\sqrt{2} \end{cases}$

(ii) $x=-2y$를 ㉡에 대입하면

$4y^2-2y^2=6$, $y^2=3$

$\therefore y=\sqrt{3}$ 또는 $y=-\sqrt{3}$

$\therefore \begin{cases} x=-2\sqrt{3} \\ y=\sqrt{3} \end{cases}$ 또는 $\begin{cases} x=2\sqrt{3} \\ y=-\sqrt{3} \end{cases}$

(i), (ii)에서 xy의 최댓값은 4, 최솟값은 -6이므로 최댓값과 최솟값의 합은

$4+(-6)=-2$

답 -2

1229

연립방정식 $\begin{cases} x^2-y^2=6 \\ (x+y)^2-2(x+y)=3 \end{cases}$ 을 만족시키는 양수 x, y에 대하여 $20xy$의 값을 구하시오.

> $x+y$를 한 문자로 보고 이차방정식을 풀어 x, y의 관계식을 구하자.

$\begin{cases} x^2-y^2=6 & \cdots\cdots ㉠ \\ (x+y)^2-2(x+y)=3 & \cdots\cdots ㉡ \end{cases}$

식 ㉡에서 $x+y=t$라 하면 $t^2-2t-3=0$이므로

$(t-3)(t+1)=0$, 즉 $t=3$ 또는 $t=-1$이다.

그러므로 $x+y=3$ 또는 $x+y=-1$이다.

한편, x, y는 양수이므로

$x+y=3$ $\cdots\cdots ㉢$

식 ㉠을 인수분해하면 $(x+y)(x-y)=6$이므로

㉢에 의해 $3(x-y)=6$이다.

$x-y=2$ $\cdots\cdots ㉣$

㉢+㉣을 계산하면 $2x=5$이므로 $x=\frac{5}{2}$이다.

$x=\frac{5}{2}$를 ㉢에 대입하면 $y=\frac{1}{2}$이다.

따라서 $20xy=20\times\frac{5}{2}\times\frac{1}{2}=25$이다.

답 25

1230

x, y에 대한 연립방정식 $\begin{cases} xy+x+y=k \\ (x-2)(y-2)=k+1 \end{cases}$ 이 실근을 갖도록 하는 실수 k의 최댓값을 구하시오.

> 두 식의 뺄셈에서 xy항을 소거하자.

$xy+x+y=k$에서

$xy+x+y-k=0$ $\cdots\cdots ㉠$

$(x-2)(y-2)=k+1$에서

$xy-2(x+y)+3-k=0$ $\cdots\cdots ㉡$

㉠－㉡을 하면

$3(x+y)-3=0$ $\quad\therefore x+y=1$

$y=1-x$를 ㉠에 대입하면

$x(1-x)+1-k=0$

$\therefore x^2-x+k-1=0$

연립방정식이 실근을 가지려면 위의 이차방정식이 실근을 가져야 하므로

$D=(-1)^2-4(k-1)\geq 0$에서

$-4k\geq -5$ $\quad\therefore k\leq\frac{5}{4}$

따라서 조건을 만족하기 위한 실수 k의 최댓값은 $\frac{5}{4}$이다.

답 $\frac{5}{4}$

1231

> 연립방정식 $\begin{cases} x+y=2 \\ xy=-8 \end{cases}$ 의 해를 $x=\alpha$, $y=\beta$라 할 때, $|\alpha-\beta|$의 값은?
>
> • 일차식을 정리하여 이차식에 대입하자.

$\begin{cases} x+y=2 & \cdots\cdots ㉠ \\ xy=-8 & \cdots\cdots ㉡ \end{cases}$

㉠에서 $y=-x+2$를 ㉡에 대입하면

$x(-x+2)=-8$

$x^2-2x-8=0$

$(x+2)(x-4)=0$

$\therefore x=-2$ 또는 $x=4$

이것을 ㉠에 대입하면

$\begin{cases} x=-2 \\ y=4 \end{cases}$ 또는 $\begin{cases} x=4 \\ y=-2 \end{cases}$

$\therefore |\alpha-\beta|=6$

답 ③

1232

> 연립방정식 $\begin{cases} x+y-xy=-1 \\ 2x+2y-3xy=-8 \end{cases}$ 을 푸시오.
>
> • $x+y=u$, $xy=v$로 놓고 u, v에 대한 연립방정식으로 풀자.

$\begin{cases} x+y-xy=-1 \\ 2x+2y-3xy=-8 \end{cases}$

에서 $x+y=u$, $xy=v$라 하면 연립방정식은

$\begin{cases} u-v=-1 & \cdots\cdots ㉠ \\ 2u-3v=-8 & \cdots\cdots ㉡ \end{cases}$

$2\times$㉠$-$㉡을 하면

$v=6$

$v=6$을 ㉠에 대입하면 $u=5$

$u=5$, $v=6$, 즉 $x+y=5$, $xy=6$을 만족시키는 x, y는 이차방정식 $t^2-5t+6=0$의 두 근이므로

$(t-2)(t-3)=0$

$\therefore t=2$ 또는 $t=3$

따라서 연립방정식의 해는

$\begin{cases} x=2 \\ y=3 \end{cases}$ 또는 $\begin{cases} x=3 \\ y=2 \end{cases}$

답 $\begin{cases} x=2 \\ y=3 \end{cases}$ 또는 $\begin{cases} x=3 \\ y=2 \end{cases}$

1233

> 연립방정식 $\begin{cases} x^2+y^2=25 \\ xy=-12 \end{cases}$ 를 만족시키는 두 실수 x, y에 대하여 $x-y$의 최댓값을 구하시오.
>
> • 곱셈 공식 $a^2+b^2=(a+b)^2-2ab$를 이용하자.

$(x+y)^2=x^2+y^2+2xy$

$\quad\quad =25-24=1$

$\therefore x+y=1$ 또는 $x+y=-1$

(i) $x+y=1$, $xy=-12$일 때,

x, y는 이차방정식 $t^2-t-12=0$의 두 근이므로

$(t+3)(t-4)=0$

$\therefore t=-3$ 또는 $t=4$

(ii) $x+y=-1$, $xy=-12$일 때,

x, y는 이차방정식 $t^2+t-12=0$의 두 근이므로

$(t+4)(t-3)=0$

$\therefore t=-4$ 또는 $t=3$

(i), (ii)에서

$\begin{cases} x=-3 \\ y=4 \end{cases}$ 또는 $\begin{cases} x=4 \\ y=-3 \end{cases}$ 또는 $\begin{cases} x=-4 \\ y=3 \end{cases}$ 또는 $\begin{cases} x=3 \\ y=-4 \end{cases}$

따라서 $x-y$의 최댓값은 7이다.

답 7

1234

> 연립방정식 $\begin{cases} xy+x+y=71 \\ x^2y+xy^2=880 \end{cases}$ 을 만족시키는 두 자연수 x, y에 대하여 $x+y$의 값은?
>
> • $x+y=u$, $xy=v$로 놓고 u, v에 대한 연립방정식으로 풀자.

$x+y=u$, $xy=v$라 하면 주어진 연립방정식은

$\begin{cases} u+v=71 & \cdots\cdots ㉠ \\ uv=880 & \cdots\cdots ㉡ \end{cases}$

㉠에서 $v=71-u$를 ㉡에 대입하면

$u(71-u)=880$, $u^2-71u+880=0$

$(u-16)(u-55)=0$

$\therefore u=16$ 또는 $u=55$

$\therefore \begin{cases} u=16 \\ v=55 \end{cases}$ 또는 $\begin{cases} u=55 \\ v=16 \end{cases}$

(i) $u=16$, $v=55$, 즉 $x+y=16$, $xy=55$일 때,

x, y는 이차방정식 $t^2-16t+55=0$의 두 근이므로

$(t-11)(t-5)=0 \quad \therefore t=11$ 또는 $t=5$

$\therefore \begin{cases} x=11 \\ y=5 \end{cases}$ 또는 $\begin{cases} x=5 \\ y=11 \end{cases}$

(ii) $u=55$, $v=16$, 즉 $x+y=55$, $xy=16$일 때,

x, y는 이차방정식 $t^2-55t+16=0$의 두 근이므로

$t=\dfrac{55\pm\sqrt{55^2-4\cdot16}}{2}=\dfrac{55\pm3\sqrt{329}}{2}$

그런데 x, y는 자연수이므로 이 값은 부적합하다.

(i), (ii)에서 $x+y=16$

답 ③

1235

> 연립방정식 $\begin{cases} xy=10 \\ \dfrac{1}{x}+\dfrac{1}{y}=\dfrac{7}{10} \end{cases}$ 의 해 $x=\alpha$, $y=\beta$가 방정식 $3x+ky=16$을 만족시킬 때, 상수 k의 값을 구하시오. (단, $\alpha<\beta$)
>
> • 통분하여 $\dfrac{1}{x}+\dfrac{1}{y}=\dfrac{x+y}{xy}$임을 이용하자.

$\dfrac{1}{x}+\dfrac{1}{y}=\dfrac{x+y}{xy}=\dfrac{7}{10}$에서

$xy=10$이므로 $x+y=7$
즉, x, y가 이차방정식 $t^2-7t+10=0$의 두 근이므로
$(t-2)(t-5)=0$ $\therefore t=2$ 또는 $t=5$
이때, $\alpha<\beta$이므로 $x=2$, $y=5$ ······ ㉠
㉠이 $3x+ky=16$의 해이므로
$6+5k=16$ $\therefore k=2$ 답 2

1236

연립방정식 $\begin{cases} x^2-2x+y^2-2y-3=0 \\ x^2+xy+y^2=1 \end{cases}$을 만족시키는 실수 x, y에 대하여 $x+2y$의 최댓값을 구하시오.
• $x+y=a$, $xy=b$로 놓고 a, b에 대한 연립방정식으로 풀자.

$x+y=a$, $xy=b$라 하자.
$x^2-2x+y^2-2y-3=0$은 $a^2-2b-2a-3=0$ ······ ㉠
$x^2+xy+y^2=1$은 $a^2-b=1$, $b=a^2-1$ ······ ㉡
㉡을 ㉠에 대입하면 $a^2-2(a^2-1)-2a-3=0$
$a^2+2a+1=(a+1)^2=0$
$a=-1$, $b=0$
$\begin{cases} x=-1 \\ y=0 \end{cases}$, $\begin{cases} x=0 \\ y=-1 \end{cases}$
$x+2y$의 최댓값은 $x=-1$, $y=0$일 때, -1이다. 답 -1

1237

연립방정식 $\begin{cases} 2x-y=k \\ x^2+y^2=5 \end{cases}$가 오직 한 쌍의 해를 가질 때, 양수 k의 값을 구하시오.
• 연립한 방정식의 판별식 $D=0$이다.

$\begin{cases} 2x-y=k & \cdots\cdots ㉠ \\ x^2+y^2=5 & \cdots\cdots ㉡ \end{cases}$
㉠에서 $y=2x-k$를 ㉡에 대입하면
$x^2+(2x-k)^2=5$
$5x^2-4kx+k^2-5=0$ ······ ㉢
주어진 연립방정식이 오직 한 쌍의 해를 가지려면 ㉢이 중근을 가져야 하므로
$\frac{D}{4}=(-2k)^2-5(k^2-5)=0$
$k^2=25$
$\therefore k=5$ ($\because k>0$) 답 5

1238

x, y에 대한 연립방정식 $\begin{cases} x+y=2a \\ x^2+y^2=2(a^2+a-4) \end{cases}$가 실수인 근 x, y를 가질 때, 상수 a의 최솟값은?
곱셈 공식 $a^2+b^2=(a+b)^2-2ab$를 이용하자. •

$\begin{cases} x+y=2a & \cdots\cdots ㉠ \\ x^2+y^2=2(a^2+a-4) & \cdots\cdots ㉡ \end{cases}$
㉡에서 $(x+y)^2-2xy=2(a^2+a-4)$이므로 ㉠을 대입하면
$(2a)^2-2xy=2(a^2+a-4)$
$\therefore xy=a^2-a+4$ ······ ㉢
㉠, ㉢에서 x, y는 t에 대한 이차방정식
$t^2-2at+a^2-a+4=0$
의 두 실근이므로 판별식을 D라 하면
$\frac{D}{4}=a^2-(a^2-a+4)\geq0$, $a-4\geq0$
$\therefore a\geq4$
따라서 상수 a의 최솟값은 4이다. 답 ③

1239

x, y에 대한 연립방정식 $\begin{cases} x+y=2k+2 \\ xy=k^2+7 \end{cases}$이 허근을 갖도록 하는 모든 양의 정수 k의 값의 합은?
• $y=-x+2k+2$를 ㉡식에 대입하자.

$\begin{cases} x+y=2k+2 & \cdots\cdots ㉠ \\ xy=k^2+7 & \cdots\cdots ㉡ \end{cases}$
㉠에서 $y=-x+2k+2$를 ㉡에 대입하면
$x(-x+2k+2)=k^2+7$
$x^2-2(k+1)x+k^2+7=0$ ······ ㉢
연립방정식이 허근을 가지려면 이차방정식 ㉢이 허근을 가져야 하므로 판별식 D라 하면
$\frac{D}{4}=(k+1)^2-(k^2+7)<0$
$2k-6<0$ $\therefore k<3$
따라서 모든 양의 정수 k의 값의 합은
$1+2=3$ 답 ①

다른풀이 $x+y=2k+2$, $xy=k^2+7$을 만족시키는 x, y는 t에 대한 이차방정식
$t^2-2(k+1)t+k^2+7=0$
의 서로 다른 두 허근이므로 판별식을 D라 하면
$\frac{D}{4}=(k+1)^2-(k^2+7)<0$
$2k-6<0$ $\therefore k<3$
따라서 모든 양의 정수 k의 값의 합은
$1+2=3$

1240

• $x+2y=26$

그림과 같이 어느 건물의 한쪽 벽면을 이용하여 둘레의 길이가 26 m인 담장을 세워 직사각형 모양의 야외 수영장을 만들었다.

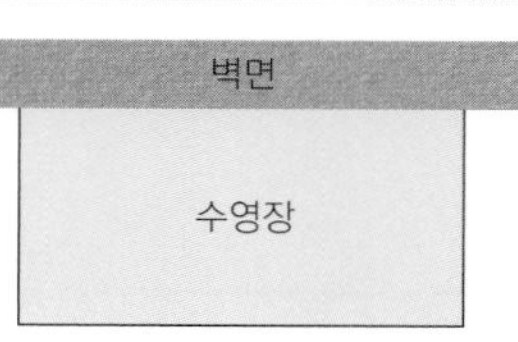

수영장의 넓이는 72 m²이고, 가로의 길이보다 세로의 길이가 더 짧다고 할 때, 수영장의 가로의 길이는?
• $xy=72$

수영장의 가로의 길이, 세로의 길이를 각각 x m, y m라 하면
$\begin{cases} x+2y=26 & \cdots\cdots ㉠ \\ xy=72 & \cdots\cdots ㉡ \end{cases}$

㉠에서 $x=26-2y$를 ㉡에 대입하면

$(26-2y)y=72$

$y^2-13y+36=0$, $(y-4)(y-9)=0$

$\therefore y=4$ 또는 $y=9$

$\therefore \begin{cases} x=8 \\ y=9 \end{cases}$ 또는 $\begin{cases} x=18 \\ y=4 \end{cases}$

가로의 길이보다 세로의 길이가 더 짧으므로 수영장의 가로의 길이는 18m이다.

답 ①

1241

$x^2+y^2=15^2$을 이용하자.

그림과 같이 빗변의 길이가 15m인 직각삼각형 모양의 꽃밭이 있다. 이 꽃밭의 직각을 낀 두 변의 길이를 각각 1m씩 줄여 직각삼각형 모양의 꽃밭을 만들면 처음 꽃밭의 넓이보다 10m^2 줄어든다. 처음 꽃밭의 직각을 낀 두 변의 길이를 구하시오.

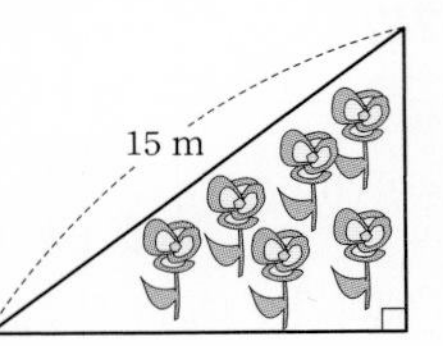

$\frac{1}{2}(x-1)(y-1)+10=\frac{1}{2}xy$

처음 직각삼각형의 빗변이 아닌 두 변의 길이를 각각 xm, ym라 하면

$x^2+y^2=15^2$ ……㉠

$\frac{1}{2}(x-1)(y-1)+10=\frac{1}{2}xy$

$\therefore x+y=21$ ……㉡

㉡에서 $y=21-x$ ……㉢

㉢을 ㉠에 대입하면

$x^2+(21-x)^2=15^2$, $x^2-21x+108=0$

$(x-9)(x-12)=0$

$\therefore x=9$ 또는 $x=12$

이것을 ㉡에 대입하면 $y=12$ 또는 $y=9$

$\therefore \begin{cases} x=9 \\ y=12 \end{cases}$ 또는 $\begin{cases} x=12 \\ y=9 \end{cases}$

따라서 처음 꽃밭의 직각을 낀 두 변의 길이는 9m, 12m이다.

답 9m, 12m

1242

$(\text{가로의 길이})^2+(\text{세로의 길이})^2=10^2$

그림과 같이 반지름의 길이가 5인 원에 직사각형이 내접하고 있다. 직사각형의 둘레의 길이가 28일 때, 이 직사각형의 긴 변의 길이를 구하시오.

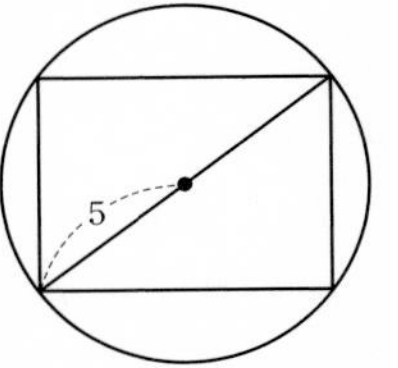

(가로의 길이)×2+(세로의 길이)×2=28

원에 내접하는 직사각형의 가로의 길이, 세로의 길이를 각각 x, y라 하면 직사각형의 둘레의 길이가 28이므로

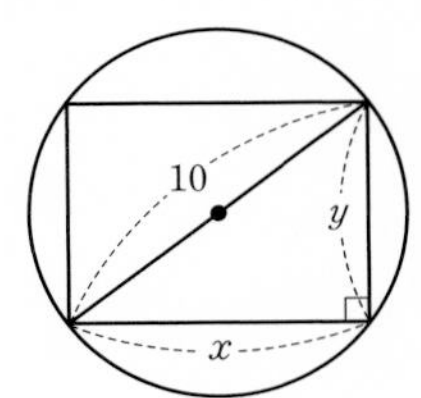

$2(x+y)=28$

$\therefore x+y=14$ ……㉠

원의 지름은 10이므로 피타고라스 정리에 의하여

$x^2+y^2=10^2$ ……㉡

㉡에서 $(x+y)^2-2xy=100$이므로 ㉠을 대입하면

$14^2-2xy=100$

$\therefore xy=48$

$x+y=14$, $xy=48$을 만족시키는 x, y는 이차방정식 $t^2-14t+48=0$의 두 근이므로

$(t-6)(t-8)=0$

$\therefore t=6$ 또는 $t=8$

$\therefore \begin{cases} x=6 \\ y=8 \end{cases}$ 또는 $\begin{cases} x=8 \\ y=6 \end{cases}$

따라서 직사각형의 긴 변의 길이는 8이다.

답 8

1243

$4(a+b)=160$

길이가 160cm인 노끈을 두 부분으로 잘라서 한 변의 길이가 각각 $a$cm, $b$cm $(a>b)$인 두 개의 정사각형을 만들었다. 이 두 정사각형의 넓이의 합이 850cm^2일 때, a의 값을 구하시오.
(단, 노끈은 모두 사용하고 굵기는 고려하지 않는다.)

$a^2+b^2=850$이다.

두 정사각형의 둘레의 길이의 합은 $4(a+b)=160$이고, 넓이의 합은 $a^2+b^2=850$이므로

$\begin{cases} a+b=40 & \cdots\cdots ㉠ \\ a^2+b^2=850 & \cdots\cdots ㉡ \end{cases}$

㉠에서 $b=40-a$이므로 ㉡에 대입하면

$a^2+(40-a)^2=850$, $a^2-40a+375=0$

$(a-15)(a-25)=0$

$\therefore a=15$ 또는 $a=25$

$a=15$를 ㉠에 대입하면 $b=25$

$a=25$를 ㉠에 대입하면 $b=15$

따라서 연립방정식의 해는

$\begin{cases} a=15 \\ b=25 \end{cases}$ 또는 $\begin{cases} a=25 \\ b=15 \end{cases}$

$a>b$이므로 $a=25$

답 25

1244

밑면의 반지름의 길이가 r, 높이가 h인 원기둥 모양의 용기에 대하여

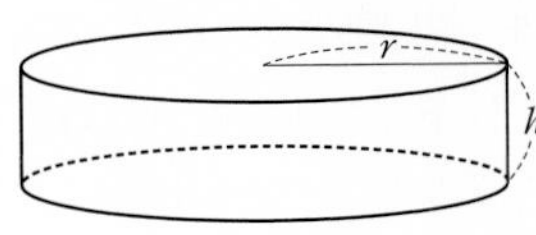

$r+2h=8$, $r^2-2h^2=8$

일 때, 이 용기의 부피는? (단, 용기의 두께는 무시한다.)

πr^2h

일차식을 정리하여 이차식에 대입하자.

연립이차방정식

$\begin{cases} r+2h=8 \\ r^2-2h^2=8 \end{cases}$

에서 $(8-2h)^2-2h^2=8$이고 $h^2-16h+28=0$이므로

$h=2$ 또는 $h=14$
$h=2$일 때, $r=4$이고 $h=14$일 때, $r=-20$이다.
그러므로 $r=4$, $h=2$이다.
따라서 이 용기의 부피는 $\pi\times4^2\times2=32\pi$이다.

답 ⑤

1245

그림과 같이 빗변의 길이가 26인 직각삼각형의 내접원의 반지름의 길이는 4이다. 이 직각삼각형에서 직각을 낀 두 변의 길이의 차를 구하시오.

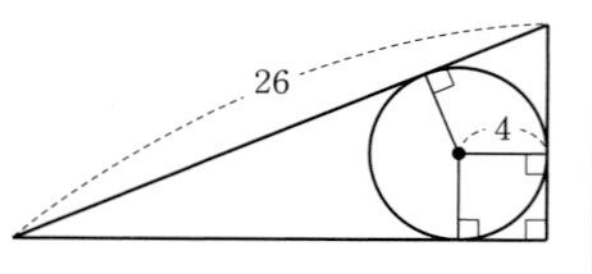

• 밑변의 길이를 x, 높이를 y라 놓고 연립방정식을 세우자.

그림에서 직각삼각형의 밑변의 길이, 높이를 각각 x, y라 하면

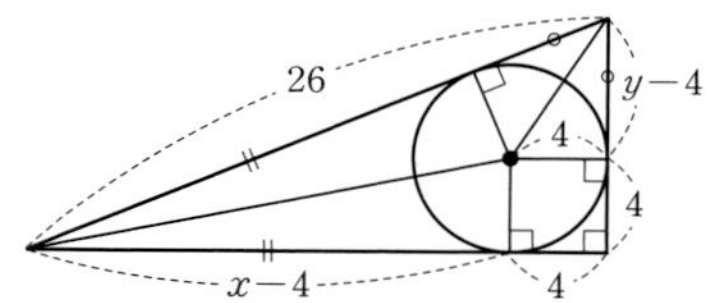

$\begin{cases} x^2+y^2=26^2 & \cdots\cdots ㉠ \\ (x-4)+(y-4)=26 & \cdots\cdots ㉡ \end{cases}$

㉡에서 $y=34-x$ ⋯⋯ ㉢
㉢을 ㉠에 대입하면
$x^2+(34-x)^2=26^2$, $x^2+1156-68x+x^2=676$
$x^2-34x+240=0$, $(x-10)(x-24)=0$
$\therefore x=10$ 또는 $x=24$
$x=10$을 ㉢에 대입하면 $y=24$
$x=24$를 ㉢에 대입하면 $y=10$
즉, 연립방정식의 해는

$\begin{cases} x=10 \\ y=24 \end{cases}$ 또는 $\begin{cases} x=24 \\ y=10 \end{cases}$

따라서 직각삼각형에서 직각을 낀 두 변의 길이의 차는 14이다.

답 14

1246

한 변의 길이가 a인 정사각형 ABCD와 한 변의 길이가 b인 정사각형 EFGH가 있다. 그림과 같이 네 점 A, E, B, F가 한 직선 위에 있고 $\overline{EB}=1$, $\overline{AF}=5$가 되도록 두 정사각형을 겹치게 놓았을 때, 선분 CD와 선분 HE의 교점을 I라 하자. 직사각형 EBCI의 넓이가 정사각형 EFGH의 넓이의 $\frac{1}{4}$일 때, b의 값은? (단, $1<a<b<5$)

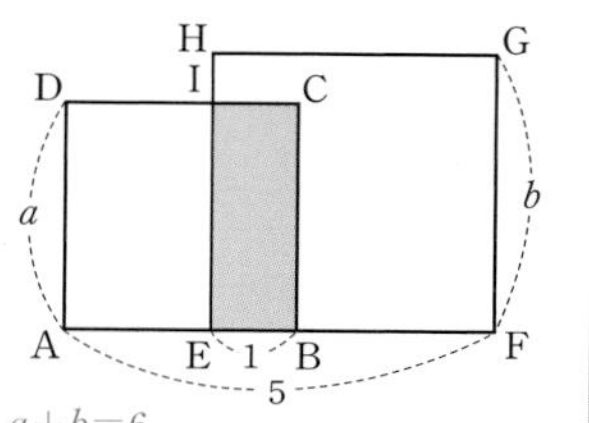

• $a+b=6$
• $a=\frac{1}{4}b^2$

$\overline{AB}=a$, $\overline{EF}=b$이고 $\overline{AF}=5$, $\overline{EB}=1$이므로
$a+b=6$, $a=6-b$ ⋯⋯ ㉠
이다.
직사각형 EBCI의 넓이는 a, 정사각형 EFGH의 넓이는 b^2이므로

$a=\frac{1}{4}b^2$ ⋯⋯ ㉡

이다.
㉠을 ㉡에 대입하면
$6-b=\frac{1}{4}b^2$이므로 $b^2+4b-24=0$이다.
그러므로 $b=-2\pm2\sqrt{7}$이다.
한편, ㉠과 $a<b$에 의해서 $6-b<b$이므로 $b>3$이다.
따라서 $b=-2+2\sqrt{7}$이다.

답 ③

1247

연립방정식 $\begin{cases} x^2+y^2+2y=1 \\ x^2+y^2+x+y=2 \end{cases}$를 만족시키는 두 실수 x, y에 대하여 $x+y$의 최댓값을 구하시오.

• 두 식의 뺄셈에서 이차항을 소거하자.

$\begin{cases} x^2+y^2+2y=1 & \cdots\cdots ㉠ \\ x^2+y^2+x+y=2 & \cdots\cdots ㉡ \end{cases}$

㉠$-$㉡을 하면
$y-x=-1$
$\therefore y=x-1$ ⋯⋯ ㉢
㉢을 ㉠에 대입하면
$x^2+(x-1)^2+2(x-1)=1$, $x^2=1$
$\therefore x=1$ 또는 $x=-1$
이것을 ㉢에 대입하면

$\begin{cases} x=1 \\ y=0 \end{cases}$ 또는 $\begin{cases} x=-1 \\ y=-2 \end{cases}$

따라서 $x+y$의 최댓값은
$1+0=1$

답 1

1248

연립방정식 $\begin{cases} x^2-xy=3 \\ y^2-xy=6 \end{cases}$의 해를 $x=a$, $y=b$라 할 때, a^2+b^2의 값을 구하시오.

• 이차항을 소거할 수 없는 경우 상수항을 소거하자.

$\begin{cases} x^2-xy=3 & \cdots\cdots ㉠ \\ y^2-xy=6 & \cdots\cdots ㉡ \end{cases}$

㉠$\times2-$㉡을 하면
$2x^2-xy-y^2=0$, $(2x+y)(x-y)=0$
$\therefore y=-2x$ 또는 $y=x$
(i) $y=-2x$를 ㉠에 대입하면
$x^2+2x^2=3$, $x^2=1$
$\therefore x=-1$ 또는 $x=1$
$x=-1$일 때, $y=2$
$x=1$일 때, $y=-2$

$\therefore \begin{cases} x=-1 \\ y=2 \end{cases}$ 또는 $\begin{cases} x=1 \\ y=-2 \end{cases}$

(ⅱ) $y=x$를 ㉠에 대입하면

$x^2-x^2=3$, $0\cdot x^2=3$이므로 해가 없다.

(ⅰ), (ⅱ)에 의하여 연립방정식의 해는

$\begin{cases} x=-1 \\ y=2 \end{cases}$ 또는 $\begin{cases} x=1 \\ y=-2 \end{cases}$

$\therefore a^2+b^2=5$ 답 5

1249

연립방정식 $\begin{cases} 2x^2+3xy+y^2=3 \\ x^2+5xy+4y^2=-2 \end{cases}$ 의 해가 $x=\alpha$, $y=\beta$일 때, $|\alpha-\beta|$의 값을 구하시오.

→ 이차항을 소거할 수 없는 경우 상수항을 소거하자.

$\begin{cases} 2x^2+3xy+y^2=3 & \cdots\cdots ㉠ \\ x^2+5xy+4y^2=-2 & \cdots\cdots ㉡ \end{cases}$

㉠$\times2+$㉡$\times3$을 하면

$7x^2+21xy+14y^2=0$, $x^2+3xy+2y^2=0$

$(x+2y)(x+y)=0$

$\therefore x=-2y$ 또는 $x=-y$

(ⅰ) $x=-2y$를 ㉠에 대입하면

$8y^2-6y^2+y^2=3$, $y^2=1$

$\therefore y=-1$ 또는 $y=1$

$y=-1$일 때, $x=2$

$y=1$일 때, $x=-2$

$\therefore \begin{cases} x=-2 \\ y=1 \end{cases}$ 또는 $\begin{cases} x=2 \\ y=-1 \end{cases}$

(ⅱ) $x=-y$를 ㉠에 대입하면

$2y^2-3y^2+y^2=3$

$0\cdot y^2=3$이므로 해가 없다.

(ⅰ), (ⅱ)에 의하여 연립방정식의 해는

$\begin{cases} x=-2 \\ y=1 \end{cases}$ 또는 $\begin{cases} x=2 \\ y=-1 \end{cases}$

$\therefore |\alpha-\beta|=3$ 답 3

1250

x에 대한 두 이차방정식

$x^2-x+a=0$, $x^2+x+2a=0$

이 양수인 공통근이 존재하도록 하는 상수 a의 값은?

→ 공통근을 α로 놓고, 두 식에 대입한 후 연립방정식을 풀자.

두 이차방정식의 공통근을 α $(\alpha>0)$라 하면

$\begin{cases} \alpha^2-\alpha+a=0 & \cdots\cdots ㉠ \\ \alpha^2+\alpha+2a=0 & \cdots\cdots ㉡ \end{cases}$

㉠$\times2-$㉡을 하면

$\alpha^2-3\alpha=0$, $\alpha(\alpha-3)=0$

$\therefore \alpha=0$ 또는 $\alpha=3$

$\alpha>0$이므로 $\alpha=3$을 ㉠에 대입하면

$a=-6$ 답 ③

1251

x에 대한 두 이차방정식

$3x^2+ax+3=0$, $3x^2+3x+a=0$

이 오직 한 개의 공통근 α를 갖는다고 할 때, $a+\alpha$의 값은? (단, a는 실수이다.)

→ 공통근 α를 두 식에 대입한 후 연립방정식을 풀자.

두 이차방정식의 공통근이 α이므로

$\begin{cases} 3\alpha^2+a\alpha+3=0 & \cdots\cdots ㉠ \\ 3\alpha^2+3\alpha+a=0 & \cdots\cdots ㉡ \end{cases}$

㉠$-$㉡을 하면

$(a-3)\alpha+3-a=0$, $(a-3)(\alpha-1)=0$

$\therefore a=3$ 또는 $\alpha=1$

$a=3$이면 주어진 두 이차방정식이 일치하고, 서로 다른 두 허근을 갖는다.

따라서 $\alpha=1$이고 이것을 ㉠에 대입하면

$3+a+3=0$ $\therefore a=-6$

$\therefore a+\alpha=-5$ 답 ①

1252

x에 대한 두 이차방정식

$3x^2-(k+1)x+4k=0$, $3x^2+(2k-1)x+k=0$

이 오직 한 개의 공통근 α를 가질 때, $3k+\alpha$의 값은? (단, k는 상수이다.)

→ 공통근 α를 두 식에 대입한 후 연립방정식을 풀자.

공통근이 α이므로 주어진 식에 대입하면

$\begin{cases} 3\alpha^2-(k+1)\alpha+4k=0 & \cdots\cdots ㉠ \\ 3\alpha^2+(2k-1)\alpha+k=0 & \cdots\cdots ㉡ \end{cases}$

㉠$-$㉡을 하면

$-3k\alpha+3k=0$, $3k(\alpha-1)=0$

$\therefore k=0$ 또는 $\alpha=1$

(ⅰ) $k=0$이면 ㉠, ㉡이 $3\alpha^2-\alpha=0$으로 일치하므로

오직 한 개의 공통근을 갖지 않는다.

$\therefore k\neq0$

(ⅱ) $\alpha=1$이면 ㉠에서

$3-k-1+4k=0$ $\therefore 3k=-2$

(ⅰ), (ⅱ)에서 $3k+\alpha=-1$ 답 ①

1253

삼차방정식 $x^3+x^2+5x-7=0$의 두 허근을 α, β라 할 때, $\alpha^2+\beta^2$의 값은?

→ 조립제법을 이용하여 좌변을 인수분해하자.

$f(x)=x^3+x^2+5x-7$로 놓으면

$f(1)=0$이므로 조립제법을 이용하여

$f(x)$를 인수분해하면

1	1	1	5	−7
		1	2	7
	1	2	7	0

$f(x)=(x-1)(x^2+2x+7)$

즉, $(x-1)(x^2+2x+7)=0$에서

이차방정식 $x^2+2x+7=0$의 두 허근이 α, β이므로 근과 계수의 관계

에 의하여

$\alpha+\beta=-2,\ \alpha\beta=7$

$\therefore \alpha^2+\beta^2=(\alpha+\beta)^2-2\alpha\beta$

$=4-14=-10$

답 ②

1254

> 삼차방정식 $(x-2)(x^2-2ax+a+2)=0$을 만족시키는 실근이 2개일 때, 상수 a의 값은?
>
> → $x^2-2ax+a+2=0$이 2를 근으로 가지거나, 2가 아닌 중근을 갖는 경우로 나누어 생각하자.

삼차방정식 $(x-2)(x^2-2ax+a+2)=0$을 만족시키는 실근이 2개이려면 중근과 다른 한 근을 가져야 한다.

(i) $x^2-2ax+a+2=0$이 $x=2$를 근으로 갖는 경우

$4-4a+a+2=0$

$-3a=-6 \qquad \therefore a=2$

이때, 주어진 삼차방정식은

$(x-2)(x^2-4x+4)=0,\ (x-2)^3=0$

$\therefore x=2$ (삼중근)

(ii) $x^2-2ax+a+2=0$이 $x\neq2$인 중근을 갖는 경우

이차방정식 $x^2-2ax+a+2=0$의 판별식을 D라 하면

$\frac{D}{4}=a^2-(a+2)=0,\ a^2-a-2=0$

$(a+1)(a-2)=0 \qquad \therefore a=-1\ (\because a\neq2)$

이때, 주어진 삼차방정식은

$(x-2)(x^2+2x+1)=0,\ (x-2)(x+1)^2=0$

$\therefore x=2$ 또는 $x=-1$ (중근)

(i), (ii)에 의하여 주어진 방정식이 두 개의 실근을 가질 때, 상수 a의 값은 -1이다.

답 ②

1255

> 삼차방정식 $x^3+3x^2+4x-8=0$의 세 근을 $\alpha,\ \beta,\ \gamma$라 할 때, $(\alpha-1)(\beta-1)(\gamma-1)$의 값은?
>
> → 식을 전개한 뒤 삼차방정식의 근과 계수의 관계를 이용하자.

삼차방정식 $x^3+3x^2+4x-8=0$의 세 근이 $\alpha,\ \beta,\ \gamma$이므로 근과 계수의 관계에 의하여

$\alpha+\beta+\gamma=-3,\ \alpha\beta+\beta\gamma+\gamma\alpha=4,\ \alpha\beta\gamma=8$

$\therefore (\alpha-1)(\beta-1)(\gamma-1)$

$=\alpha\beta\gamma-(\alpha\beta+\beta\gamma+\gamma\alpha)+(\alpha+\beta+\gamma)-1$

$=8-4+(-3)-1=0$

답 ②

1256

> 두 실수 $a,\ b$에 대하여 삼차방정식 $x^3-x^2+ax+b=0$의 한 근이 $1+i$일 때, $a+b$의 값은?
>
> → 계수가 실수이므로 $1-i$도 근이다.

삼차방정식 $x^3-x^2+ax+b=0$의 계수가 실수이므로 한 근이 $1+i$이면 $1-i$도 근이다.

나머지 한 근을 α라 하면 삼차방정식의 근과 계수의 관계에 의하여

$(1+i)+(1-i)+\alpha=1 \qquad \therefore \alpha=-1$

$(1+i)\cdot(1-i)+(1-i)\cdot(-1)+(-1)\cdot(1+i)=a$

$\therefore a=0$

$(1+i)\cdot(1-i)\cdot(-1)=-b \qquad \therefore b=2$

$\therefore a+b=2$

답 ②

다른풀이 한 근이 $1+i$이므로 주어진 방정식에 대입하면

$(1+i)^3-(1+i)^2+a(1+i)+b=0$

$(-2+2i)-2i+(a+ai)+b=0$

$(a+b-2)+ai=0$

따라서 $a,\ b$가 실수이므로

$a+b-2=0,\ a=0 \qquad \therefore a+b=2$

다른풀이 한 근이 $x=1+i$이므로 $x-1=i$

$(x-1)^2=i^2,\ x^2-2x+1=-1$

$\therefore x^2-2x+2=0$

이때, 다항식 x^2-2x+2는 x^3-x^2+ax+b의 인수이므로 직접 나누어서 구한 나머지 $ax+(b-2)$가 0이어야 한다.

따라서 $a=0,\ b=2$이므로 $a+b=2$

1257

> → $\omega^3=1,\ \omega^2+\omega+1=0$이다.
>
> 방정식 $x^3=1$을 만족하는 한 허근을 ω라 할 때,
>
> $\left(\omega+\frac{1}{\omega}\right)^2+\left(\omega^2+\frac{1}{\omega^2}\right)^2+\left(\omega^3+\frac{1}{\omega^3}\right)^2+\cdots+\left(\omega^{12}+\frac{1}{\omega^{12}}\right)^2$
>
> 의 값은?

$x^3=1$에서 $(x-1)(x^2+x+1)=0$이므로

$\omega^3=1,\ \omega^2+\omega+1=0$

$\frac{1}{\omega}=\frac{\omega^2}{\omega^3}=\omega^2,\ \frac{1}{\omega^2}=\frac{\omega}{\omega^3}=\omega$

$\therefore \omega+\frac{1}{\omega}=\omega+\omega^2=-1,\ \omega^2+\frac{1}{\omega^2}=\omega^2+\omega=-1,$

$\omega^3+\frac{1}{\omega^3}=1+1=2,\ \omega^4+\frac{1}{\omega^4}=\omega+\frac{1}{\omega}=-1,\ \cdots,$

$\omega^{12}+\frac{1}{\omega^{12}}=\omega^3+\frac{1}{\omega^3}=1+1=2$

$\therefore \left(\omega+\frac{1}{\omega}\right)^2+\left(\omega^2+\frac{1}{\omega^2}\right)^2+\left(\omega^3+\frac{1}{\omega^3}\right)^2+\cdots+\left(\omega^{12}+\frac{1}{\omega^{12}}\right)^2$

$=\{(-1)^2+(-1)^2+2^2\}\times4=24$

답 ④

1258 서술형

> 사차방정식 $x^4-2x^3+x-2=0$의 두 허근을 $\alpha,\ \beta$라 할 때, $\alpha^2+\beta^2$의 값을 구하시오.
>
> → 조립제법을 이용하여 좌변을 인수분해하자.

$f(x)=x^4-2x^3+x-2$로 놓으면 $f(-1)=0,\ f(2)=0$이므로 조립제법을 이용하여 $f(x)$를 인수분해하면

-1	1	-2	0	1	-2
		-1	3	-3	2
2	1	-3	3	-2	0
		2	-2	2	
	1	-1	1	0	

$\therefore f(x)=(x+1)(x-2)(x^2-x+1)$ 50%

즉, 주어진 방정식은

$(x+1)(x-2)(x^2-x+1)=0$

이때, 이차방정식 $x^2-x+1=0$의 두 허근이 α, β이므로 근과 계수의 관계에 의하여

$\alpha+\beta=1$, $\alpha\beta=1$ 30%

$\therefore \alpha^2+\beta^2=(\alpha+\beta)^2-2\alpha\beta$

$=1^2-2\cdot1=-1$ 20%

답 -1

다른풀이 $x^4-2x^3+x-2=0$에서

$x^3(x-2)+(x-2)=0$, $(x^3+1)(x-2)=0$

$\therefore (x+1)(x-2)(x^2-x+1)=0$

따라서 이차방정식 $x^2-x+1=0$의 두 허근이 α, β이므로

근과 계수의 관계에 의하여

$\alpha+\beta=1$, $\alpha\beta=1$

$\therefore \alpha^2+\beta^2=(\alpha+\beta)^2-2\alpha\beta=-1$

1259

사차방정식 $x^2(x^2-3)=4$의 두 허근의 합은?

$x^2=t$로 치환하여 인수분해하자.

$x^2(x^2-3)=4$에서

$x^4-3x^2-4=0$이므로 $x^2=t$로 치환하면

$t^2-3t-4=0$

$(t+1)(t-4)=0$

$\therefore t=-1$ 또는 $t=4$

$x^2=-1$에서 $x=-i$ 또는 $x=i$

$x^2=4$에서 $x=-2$ 또는 $x=2$

$\therefore x=-i$ 또는 $x=i$ 또는 $x=-2$ 또는 $x=2$

따라서 두 허근의 합은

$-i+i=0$

답 ③

1260

그림과 같이 가로의 길이가 10 cm, 세로의 길이가 14 cm인 직사각형 모양의 종이가 있다. 이 종이의 네 귀퉁이에서 한 변의 길이가 x cm인 정사각형을 잘라내어 부피가 96 cm³인 상자를 만들려고 한다. 이때, x의 값을 구하시오.

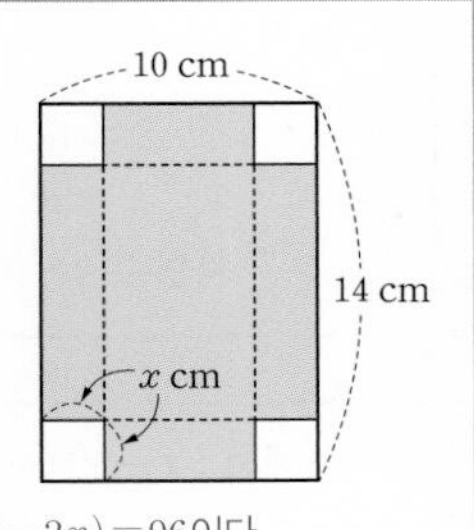

상자의 부피는 $x(10-2x)(14-2x)=96$이다.

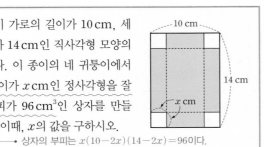

네 귀퉁이를 잘라내어 만든 상자의 부피가 96 cm³이므로

$x(10-2x)(14-2x)=96$

$x^3-12x^2+35x-24=0$

조립제법을 이용하여 인수분해하면

$(x-1)(x^2-11x+24)=0$

$(x-1)(x-3)(x-8)=0$

1	1	-12	35	-24
		1	-11	24
	1	-11	24	0

$\therefore x=1$ 또는 $x=3$ 또는 $x=8$

그런데 $0<x<5$이므로 $x=1$ 또는 $x=3$

답 1 또는 3

1261

일차식을 정리하여 이차식에 대입하자.

연립방정식 $\begin{cases} x-y=2 \\ x^2-2xy=-12 \end{cases}$의 해가

$\begin{cases} x=a \\ y=b \end{cases}$ 또는 $\begin{cases} x=c \\ y=d \end{cases}$

일 때, $a+b+c+d$의 값은?

$\begin{cases} x-y=2 & \cdots\cdots ㉠ \\ x^2-2xy=-12 & \cdots\cdots ㉡ \end{cases}$

㉠에서 $y=x-2$ ...... ㉢

㉢을 ㉡에 대입하면

$x^2-2x(x-2)=-12$, $x^2-4x-12=0$

$(x+2)(x-6)=0$

$\therefore x=-2$ 또는 $x=6$

$x=-2$를 ㉢에 대입하면 $y=-4$

$x=6$을 ㉢에 대입하면 $y=4$

따라서 연립방정식의 해는

$\begin{cases} x=-2 \\ y=-4 \end{cases}$ 또는 $\begin{cases} x=6 \\ y=4 \end{cases}$

$\therefore a+b+c+d=(-2)+(-4)+6+4=4$

답 ②

1262 서술형

연립방정식 $\begin{cases} x^2-3xy+2y^2=0 \\ x^2-6xy+9y^2=4 \end{cases}$의 해를 $\begin{cases} x=\alpha_i \\ y=\beta_i \end{cases}$라 할 때,

$\alpha_i\beta_i$의 최댓값을 구하시오. (단, $i=1, 2, 3, 4$)

㉠식을 인수분해한 두 개의 일차방정식을 ㉡식에 대입하자.

$\begin{cases} x^2-3xy+2y^2=0 & \cdots\cdots ㉠ \\ x^2-6xy+9y^2=4 & \cdots\cdots ㉡ \end{cases}$

㉠에서 $(x-y)(x-2y)=0$

$\therefore x=y$ 또는 $x=2y$ 30%

(i) $x=y$를 ㉡에 대입하면

$4y^2=4$, $y^2=1$

$\therefore y=-1$ 또는 $y=1$

$y=-1$일 때, $x=-1$, $y=1$일 때, $x=1$

$\therefore \begin{cases} x=-1 \\ y=-1 \end{cases}$ 또는 $\begin{cases} x=1 \\ y=1 \end{cases}$

(ii) $x=2y$를 ㉡에 대입하면

$y^2=4$

$\therefore y=-2$ 또는 $y=2$

$y=-2$일 때, $x=-4$, $y=2$일 때, $x=4$

$\therefore \begin{cases} x=-4 \\ y=-2 \end{cases}$ 또는 $\begin{cases} x=4 \\ y=2 \end{cases}$ 50%

(i), (ii)에 의하여 연립방정식의 해는

$\begin{cases} x=-1 \\ y=-1 \end{cases}$ 또는 $\begin{cases} x=1 \\ y=1 \end{cases}$ 또는 $\begin{cases} x=-4 \\ y=-2 \end{cases}$ 또는 $\begin{cases} x=4 \\ y=2 \end{cases}$

따라서 $\alpha_i\beta_i=1$ 또는 $\alpha_i\beta_i=8$이므로 $\alpha_i\beta_i$는 최댓값 8을 갖는다.

...... 20%

답 8

1263

> 연립방정식 $\begin{cases} xy+x+y=-5 \\ x^2+xy+y^2=7 \end{cases}$ 의 해를 $x=a$, $y=b$라 할 때, $|a-b|$의 최댓값과 최솟값의 합을 구하시오.
>
> $x+y=u$, $xy=v$로 놓고 u, v에 대한 연립방정식으로 풀자.

$\begin{cases} xy+x+y=-5 \\ x^2+xy+y^2=7 \quad \cdots\cdots ㉠ \end{cases}$

$x+y=u$, $xy=v$라 하면 ㉠에서

$x^2+xy+y^2=(x+y)^2-xy$

$=u^2-v$

이므로 연립방정식은

$\begin{cases} u+v=-5 \quad \cdots\cdots ㉡ \\ u^2-v=7 \quad \cdots\cdots ㉢ \end{cases}$

㉡+㉢을 하면

$u^2+u-2=0$

$(u+2)(u-1)=0$

$\therefore u=-2$ 또는 $u=1$

$u=-2$를 ㉡에 대입하면 $v=-3$

$u=1$을 ㉡에 대입하면 $v=-6$

$\therefore \begin{cases} u=-2 \\ v=-3 \end{cases}$ 또는 $\begin{cases} u=1 \\ v=-6 \end{cases}$

(i) $u=-2$, $v=-3$, 즉 $x+y=-2$, $xy=-3$을 만족시키는 x, y는 이차방정식 $t^2+2t-3=0$의 두 근이므로

$(t+3)(t-1)=0$

$\therefore t=-3$ 또는 $t=1$

(ii) $u=1$, $v=-6$, 즉 $x+y=1$, $xy=-6$을 만족시키는 x, y는 이차방정식 $t^2-t-6=0$의 두 근이므로

$(t+2)(t-3)=0 \quad \therefore t=-2$ 또는 $t=3$

(i), (ii)에 의하여 연립방정식의 해는

$\begin{cases} x=-3 \\ y=1 \end{cases}$ 또는 $\begin{cases} x=1 \\ y=-3 \end{cases}$ 또는 $\begin{cases} x=-2 \\ y=3 \end{cases}$ 또는 $\begin{cases} x=3 \\ y=-2 \end{cases}$

따라서 $|a-b|$의 최댓값은 5이고 최솟값은 4이므로 그 합은 9이다.

답 9

1264

> 가로의 길이와 세로의 길이를 각각 x, y로 놓으면 $x^2+y^2=13$이 성립한다.
>
> 어느 지역에 대각선의 길이가 $\sqrt{13}$ km인 직사각형 모양의 땅이 있다. 이 땅의 가로의 길이와 세로의 길이를 각각 1 km 늘였더니 넓이가 처음보다 6 km² 넓어졌다고 한다. 처음 땅의 가로의 길이와 세로의 길이의 합은 몇 km인지 구하시오.
>
> $(x+1)(y+1)=xy+6$이 성립한다.

처음 직사각형 모양의 땅의 가로의 길이를 x km, 세로의 길이를 y km라 하면 대각선의 길이가 $\sqrt{13}$ km이므로

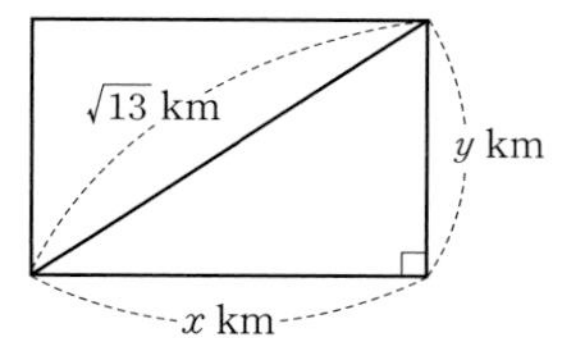

$x^2+y^2=13 \quad \cdots\cdots ㉠$

이 땅의 가로의 길이와 세로의 길이를 각각 1 km 늘였더니 넓이가 처음보다 6 km² 넓어졌으므로

$(x+1)(y+1)=xy+6$

$\therefore x+y=5 \quad \cdots\cdots ㉡$

㉡에서 $y=5-x$이므로 ㉠에 대입하면

$x^2+(5-x)^2=13$, $2x^2-10x+25=13$

$x^2-5x+6=0$, $(x-2)(x-3)=0$

$\therefore x=2$ 또는 $x=3$

$x=2$를 ㉡에 대입하면 $y=3$

$x=3$을 ㉡에 대입하면 $y=2$

$\therefore \begin{cases} x=2 \\ y=3 \end{cases}$ 또는 $\begin{cases} x=3 \\ y=2 \end{cases}$

따라서 처음 땅의 가로의 길이와 세로의 길이의 합은

$3+2=5$ (km)

답 5 km

1265

> 삼차항의 계수가 1인 삼차식 $f(x)$에 대하여 $f(\alpha)=f(\beta)=f(\gamma)=3$, $\alpha\beta\gamma=7$일 때, 방정식 $f(x)=0$의 세 근의 곱은?
>
> α, β, γ는 $f(x)-3=0$의 근임을 이용하자.

$f(\alpha)=f(\beta)=f(\gamma)=3$에서 삼차방정식 $f(x)-3=0$은 α, β, γ를 세 근으로 갖는다.

즉, $f(x)-3=(x-\alpha)(x-\beta)(x-\gamma)$

$\therefore f(x)=(x-\alpha)(x-\beta)(x-\gamma)+3$

따라서 방정식 $f(x)=0$의 세 근의 곱은 삼차방정식의 근과 계수의 관계에 의하여

$\alpha\beta\gamma-3=7-3=4$

답 ①

1266

> 방정식 $x^3=1$의 한 허근을 ω라 할 때, 〈보기〉 중 옳은 것을 모두 고른 것은?
>
> $\omega^3=1$, $\omega^2+\omega+1=0$이다.
>
> **보기**
>
> ㄱ. $(1+\omega)^2=\omega$
>
> ㄴ. $(1+\omega)^{10}=-\omega^2$
>
> ㄷ. 모든 자연수 n에 대하여 $(1+\omega)^{3n}=(-1)^n$
>
> n의 값에 1, 2, 3, …을 대입하여 보자.

$x^3-1=0$에서 $(x-1)(x^2+x+1)=0$의 한 허근이 ω이므로

$\omega^3=1$, $\omega^2+\omega+1=0$

ㄱ. $1+\omega=-\omega^2$

$\therefore (1+\omega)^2=(-\omega^2)^2=\omega^4=\omega$ (참)

ㄴ. $(1+\omega)^{10}=(-\omega^2)^{10}=\omega^{20}=\omega^{3\cdot 6}\cdot\omega^2=\omega^2$ (거짓)

ㄷ. $(1+\omega)^3=(1+\omega)^9=\cdots=-1$

$(1+\omega)^6=(1+\omega)^{12}=\cdots=1$

$\therefore (1+\omega)^{3n}=(-1)^n$ (참)

따라서 옳은 것은 ㄱ, ㄷ이다.

답 ④

1267

> 연립방정식 $\begin{cases} |x|+x+2y=10 \\ x+|y|-y=11 \end{cases}$ 을 만족시키는 두 실수 x, y에 대하여 $x+y$의 값은?
>
> x와 y의 부호에 따라 4가지 경우로 나누어 생각하자.

$\begin{cases} |x|+x+2y=10 \\ x+|y|-y=11 \end{cases}$ 에서

(i) $x\geq 0$, $y\geq 0$일 때, $\begin{cases} 2x+2y=10 \\ x=11 \end{cases}$

$\therefore x=11$, $y=-6$

이것은 조건을 만족하지 않는다.

(ii) $x\geq 0$, $y<0$일 때, $\begin{cases} 2x+2y=10 \\ x-2y=11 \end{cases}$

이 연립방정식을 풀면 $x=7$, $y=-2$

(iii) $x<0$, $y\geq 0$일 때, $\begin{cases} 2y=10 \\ x=11 \end{cases}$

$\therefore x=11$, $y=5$

이것은 조건을 만족하지 않는다.

(iv) $x<0$, $y<0$일 때, $\begin{cases} 2y=10 \\ x-2y=11 \end{cases}$

$\therefore x=21$, $y=5$

이것은 조건을 만족하지 않는다.

(i)~(iv)에서 $x=7$, $y=-2$이므로

$x+y=5$ 답 ①

1268

> 연립방정식 $\begin{cases} x+y=-1 \\ x^2+y^2=-1 \end{cases}$ 을 만족시키는 x, y에 대하여 $x^{26}+y^{23}$의 값을 구하시오.
>
> 곱셈 공식 $a^2+b^2=(a+b)^2-2ab$를 이용하자.

$\begin{cases} x+y=-1 & \cdots\cdots ㉠ \\ x^2+y^2=-1 & \cdots\cdots ㉡ \end{cases}$

$x^2+y^2=(x+y)^2-2xy$이므로

$-1=(-1)^2-2xy$ ($\because$ ㉠, ㉡)

$\therefore xy=1$

$x+y=-1$, $xy=1$이므로 x, y는 이차방정식 $t^2+t+1=0$의 두 근이다.

$\therefore x^2+x+1=0$, $y^2+y+1=0$ ……㉢

㉢의 양변에 각각 $x-1$, $y-1$을 곱하면

$(x-1)(x^2+x+1)=0$ $\quad\therefore x^3=1$

$(y-1)(y^2+y+1)=0$ $\quad\therefore y^3=1$

$\therefore x^{26}+y^{23}=(x^3)^8\cdot x^2+(y^3)^7\cdot y^2$

$=x^2+y^2=-1$ ($\because$ ㉡) 답 -1

1269

> 연립방정식 $\begin{cases} xy=2a \\ x^2-xy+y^2=24 \end{cases}$ 가 적어도 한 쌍의 실수인 해를 갖도록 하는 실수 a의 값의 범위는?
>
> 식을 변형하여 $(x+y)^2=3xy+24$임을 이용하자.

$x^2-xy+y^2=24$에서 $(x+y)^2=3xy+24$

$(x+y)^2=6a+24\geq 0$

$\therefore a\geq -4$ ……㉠

$x+y=\pm\sqrt{6a+24}$이므로 x, y는 이차방정식

$t^2\pm\sqrt{6a+24}\,t+2a=0$의 두 근이다.

t에 대한 이차방정식의 판별식을 D라 하면 실근을 갖기 위해서는

$D=6a+24-8a\geq 0$

$\therefore a\leq 12$ ……㉡

㉠, ㉡에서 $-4\leq a\leq 12$ 답 ②

1270

> 삼차방정식 $x^3+ax^2+bx+c=0$의 세 근을 α, β, γ라 할 때,
>
> $(1-\alpha)(1-\beta)(1-\gamma)=(2-\alpha)(2-\beta)(2-\gamma)$
> $=(3-\alpha)(3-\beta)(3-\gamma)$
>
> 가 성립한다. 이때, 상수 a, b의 합 $a+b$의 값은?
>
> $f(x)=(x-\alpha)(x-\beta)(x-\gamma)$로 놓으면 $x=1$, 2, 3일 때의 값이 모두 같음을 이용하자.

$f(x)=x^3+ax^2+bx+c$로 놓으면

삼차방정식 $f(x)=0$의 세 근이 α, β, γ이므로

$f(x)=x^3+ax^2+bx+c$

$=(x-\alpha)(x-\beta)(x-\gamma)$ ……㉠

주어진 식은 ㉠에 $x=1$, $x=2$, $x=3$을 대입한 식이고 그 값을 k라 하면

$f(1)=f(2)=f(3)=k$

$f(1)-k=0$, $f(2)-k=0$, $f(3)-k=0$이므로

$g(x)=f(x)-k$라 하면 1, 2, 3은 방정식 $g(x)=0$의 세 근이다.

따라서 $g(x)=x^3+ax^2+bx+(c-k)=0$에서 근과 계수의 관계에 의하여

$1+2+3=-a$ $\quad\therefore a=-6$

$1\cdot 2+2\cdot 3+3\cdot 1=b$ $\quad\therefore b=11$

$\therefore a+b=5$ 답 ③

1271

> 삼차방정식 $x^3=1$의 한 허근을 ω라 하고, 양의 정수 n에 대하여 $f(n)=\dfrac{\omega^n}{1+\omega^{2n}}$이라 정의할 때, $f(1)-f(2)+f(3)-f(4)+\cdots+f(13)$의 값은?
>
> $\omega^3=1$, $\omega^2+\omega+1=0$이다.
>
> n의 값에 1, 2, 3, …을 대입하여 보자.

$x^3=1$에서 $(x-1)(x^2+x+1)=0$이므로

$\omega^3=1$, $\omega^2+\omega+1=0$

$f(1)=\dfrac{\omega}{1+\omega^2}=\dfrac{\omega}{-\omega}=-1$

$f(2)=\dfrac{\omega^2}{1+\omega^4}=\dfrac{\omega^2}{1+\omega}=-1$

$f(3)=\dfrac{\omega^3}{1+\omega^6}=\dfrac{1}{1+1}=\dfrac{1}{2}$

$f(4)=\dfrac{\omega^4}{1+\omega^8}=\dfrac{\omega}{1+\omega^2}=\dfrac{\omega}{-\omega}=-1$

$f(5)=\dfrac{\omega^5}{1+\omega^{10}}=\dfrac{\omega^2}{1+\omega}=-1$

$f(6)=\dfrac{\omega^6}{1+\omega^{12}}=\dfrac{1}{1+1}=\dfrac{1}{2}$

⋮

$\therefore f(1)=f(4)=f(7)=f(10)=f(13)=-1,$

$f(2)=f(5)=f(8)=f(11)=-1,$

$f(3)=f(6)=f(9)=f(12)=\dfrac{1}{2}$

따라서 $f(1)-f(2)+f(3)-\cdots-f(6)=0$이므로

$f(1)-f(2)+f(3)-f(4)+\cdots+f(13)=f(13)=-1$

답 ①

1272

사차방정식

$x^4+(3-k)x^3-4(k+1)x^2+(k^2+5k)x-k^2=0$

이 서로 다른 네 개의 실근을 갖도록 하는 10 이하의 정수 k의 개수를 구하시오.

→ 식을 $f(x)$라 할 때, $f(1)=0$, $f(k)=0$임을 이용하여 주어진 식을 인수분해하자.

1	1	$3-k$	$-4k-4$	k^2+5k	$-k^2$
		1	$4-k$	$-5k$	k^2
k	1	$4-k$	$-5k$	k^2	0
		k	$4k$	$-k^2$	
	1	4	$-k$	0	

$(x-1)(x-k)(x^2+4x-k)=0$이 서로 다른 네 실근을 가져야 하므로 $k\neq1$

$f(x)=x^2+4x-k$로 두면 $f(x)=0$이 서로 다른 두 실근을 가져야 한다. 또한 $f(1)\neq0$, $f(k)\neq0$을 만족하여야 한다.

$\dfrac{D}{4}=4+k>0$이므로 $k>-4$ …… ㉠

$f(1)=1+4-k\neq0$이므로 $k\neq5$ …… ㉡

$f(k)=k^2+4k-k\neq0$이므로 $k\neq0$, $k\neq-3$ …… ㉢

㉠, ㉡, ㉢에 의하여 $k=-2, -1, 2, 3, 4, 6, 7, 8, 9, 10$

따라서 k의 개수는 10이다.

답 10

1273

→ $x^2=t$로 치환하여 인수분해하자.

x에 대한 사차방정식 $x^4-2x^2-a-12=0$이 서로 다른 4개의 실근을 갖도록 하는 정수 a의 값의 범위는?

$x^2=t$로 치환하면

$t^2-2t-a-12=0$

이때, t에 대한 이차방정식의 서로 다른 두 근이 모두 양수이면 x에 대한 사차방정식은 서로 다른 4개의 실근을 가진다.

따라서 이차방정식 $t^2-2t-a-12=0$의 두 실근을 α, β, 판별식 D라 하면 서로 다른 양의 두 실근을 가질 조건은

$D>0$, $\alpha+\beta>0$, $\alpha\beta>0$

(i) $\dfrac{D}{4}=(-1)^2-(-a-12)>0$ $\therefore a>-13$

(ii) $\alpha+\beta=2>0$

(iii) $\alpha\beta=-a-12>0$ $\therefore a<-12$

(i), (ii), (iii)에 의하여 4개의 실근을 갖도록 하는 실수 a의 값의 범위는

$-13<a<-12$

답 ①

1274

9 이하의 자연수 n에 대하여 다항식 $P(x)$가

$P(x)=x^4+x^2-n^2-n$

일 때, 〈보기〉에서 옳은 것만을 있는 대로 고른 것은?

→ 조립제법을 이용하여 우변을 인수분해하자.

보기

ㄱ. $P(\sqrt{n})=0$

ㄴ. 방정식 $P(x)=0$의 실근의 개수는 2이다.

ㄷ. 모든 정수 k에 대하여 $P(k)\neq0$이 되도록 하는 모든 n의 값의 합은 31이다.

ㄱ. $P(\sqrt{n})=(\sqrt{n})^4+(\sqrt{n})^2-n^2-n=0$ (참)

ㄴ. $P(x)=(x^2-n)(x^2+n+1)$이므로 방정식 $P(x)=0$은 $x=\sqrt{n}$, $x=-\sqrt{n}$만을 실근으로 가진다.
따라서 실근의 개수는 2이다. (참)

ㄷ. 모든 정수 k에 대하여 $P(k)=(k^2-n)(k^2+n+1)$에서 $k^2+n+1>0$이고, $P(k)\neq0$을 만족시키려면 $n\neq k^2$이어야 하므로 n은 완전제곱수가 아닌 정수이다.
그러므로 n의 값은 2, 3, 5, 6, 7, 8이므로 모든 n의 값의 합은 31이다. (참)

따라서 옳은 것은 ㄱ, ㄴ, ㄷ이다.

답 ⑤

1275

삼차방정식 $x^3-3x^2-(m-1)x+m+7=0$의 세 근이 모두 정수일 때, 상수 m의 값은?

→ 세 근을 α, β, γ로 놓고 삼차방정식의 근과 계수의 관계를 이용하자.

주어진 방정식의 세 근을 $\alpha\leq\beta\leq\gamma$ (α, β, γ는 정수)라 하면

삼차방정식의 근과 계수의 관계에 의하여

$\alpha+\beta+\gamma=3$ …… ㉠

$\alpha\beta+\beta\gamma+\gamma\alpha=-m+1$ …… ㉡

$\alpha\beta\gamma=-m-7$ …… ㉢

㉡, ㉢에서 m을 소거하면

$\alpha\beta\gamma=\alpha\beta+\beta\gamma+\gamma\alpha-8$

이 식을 변형하면

$(\alpha-1)(\beta-1)(\gamma-1)=\alpha+\beta+\gamma-9$

$\therefore (\alpha-1)(\beta-1)(\gamma-1)=-6$

$\alpha-1\leq\beta-1\leq\gamma-1$ ($\alpha-1$, $\beta-1$, $\gamma-1$은 정수)이므로

$\alpha-1$	-6	-6	-3	-3	-2	-1	-1
$\beta-1$	-1	1	-2	1	1	1	2
$\gamma-1$	-1	1	-1	2	3	6	3

㉠을 만족해야 하므로 $\alpha=-2$, $\beta=2$, $\gamma=3$

이것을 ㉢에 대입하면 $m=5$ 답 ⑤

1276

• 계수가 실수이므로 $1-\sqrt{3}i$도 근이다.

> 세 실수 a, b, c에 대하여 한 근이 $1+\sqrt{3}i$인 방정식 $x^3+ax^2+bx+c=0$과 이차방정식 $x^2+ax+2=0$이 공통인 근 m을 가질 때, m의 값은? (단, $i=\sqrt{-1}$)
>
> • a가 실수이므로 공통근은 실수이다.

방정식 $x^3+ax^2+bx+c=0$의 계수가 모두 실수이므로 $1+\sqrt{3}i$가 근이면 $1-\sqrt{3}i$도 근이다. $1+\sqrt{3}i$ 또는 $1-\sqrt{3}i$가 이차방정식 $x^2+ax+2=0$의 근이면 a가 실수인 이차방정식은 존재하지 않는다.
$1+\sqrt{3}i$, $1-\sqrt{3}i$를 두 근으로 하는 이차방정식은 $x^2-2x+4=0$이고 방정식 $x^3+ax^2+bx+c=0$은 공통인 근 m을 가지므로
$x^3+ax^2+bx+c=(x^2-2x+4)(x-m)=0$
$a=-m-2$ ...... ㉠
공통인 근이 m이므로 $m^2+am+2=0$이고 이 식에 ㉠을 대입하면
$m^2+(-m-2)m+2=0$에서 $-2m+2=0$
$\therefore m=1$ 답 ②

1277

> 그림과 같이 직사각형 ABCD의 내부에 선분 PQ가 변 AD에 평행하게 놓여 있다.
> $\overline{QC}=4$, $\overline{QD}=4\sqrt{2}$일 때, 두 선분 PA, PB의 길이를 각각 구하시오.
> (단, 두 선분 PA, PB의 길이는 자연수이다.)
>
> 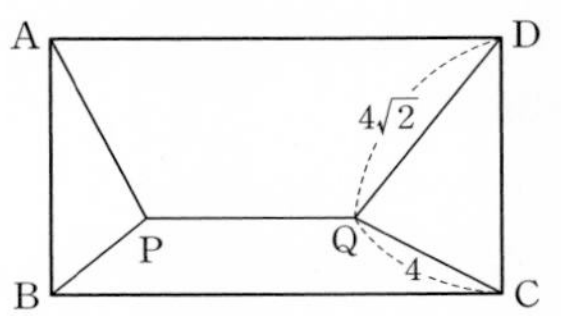
>
>
> • $\overline{PA}=x$, $\overline{PB}=y$로 놓고 피타고라스 정리를 이용하자.

그림과 같이 $\overline{PQ}$의 연장선과 $\overline{AB}$, $\overline{DC}$의 교점을 각각 R, S라 하고 $\overline{PA}=x$, $\overline{PB}=y$, $\overline{AR}=l$, $\overline{BR}=k$라 하면
$\triangle$APR에서 $\overline{PR}^2=x^2-l^2$
$\triangle$BPR에서 $\overline{PR}^2=y^2-k^2$
$\therefore x^2-l^2=y^2-k^2$ ......㉠
$\triangle$DQS에서 $\overline{QS}^2=(4\sqrt{2})^2-l^2$
$\triangle$CQS에서 $\overline{QS}^2=4^2-k^2$
$\therefore 32-l^2=16-k^2$ ......㉡
㉠$-$㉡을 하면 $x^2-32=y^2-16$
$x^2-y^2=16$
$\therefore (x+y)(x-y)=16$
x, y는 자연수이고, $x-y<x+y$이므로
$\begin{cases} x-y=1 \\ x+y=16 \end{cases}$ 또는 $\begin{cases} x-y=2 \\ x+y=8 \end{cases}$
$\therefore x=5$, $y=3$
$\therefore \overline{PA}=5$, $\overline{PB}=3$ 답 $\overline{PA}=5$, $\overline{PB}=3$

1278

> 그림과 같이 삼각형 ABC의 변 AB와 변 AC를 각각 지름으로 하는 두 원 O_1, O_2가 두 점 A, D에서 만난다. $\overline{AD}$, $\overline{AC}$, $\overline{BC}$, $\overline{AB}$가 이 순서대로 네 개의 연속된 짝수일 때, 두 원 O_1, O_2의 넓이의 합은 S이다. $\frac{S}{\pi}$의 값을 구하시오.
>
> 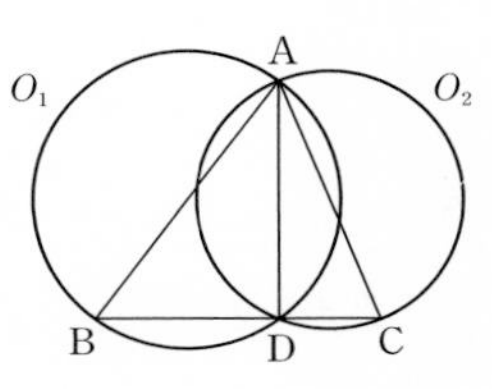
>
>
> • $\overline{AD}=2n$, $\overline{AC}=2n+2$, $\overline{BC}=2n+4$, $\overline{AB}=2n+6$ (n은 자연수)으로 놓자.

$\overline{AD}$, $\overline{AC}$, $\overline{BC}$, $\overline{AB}$는 이 순서대로 네 개의 연속된 짝수이므로
$\overline{AD}=2n$, $\overline{AC}=2n+2$,
$\overline{BC}=2n+4$, $\overline{AB}=2n+6$
(n은 자연수)이라 두자.
$\overline{BD}=x$, $\overline{CD}=y$라 두면
$x+y=2n+4$ ...... ㉠
두 삼각형 ABD와 ACD는 직각삼각형이므로
$\overline{AD}^2=\overline{AB}^2-\overline{BD}^2$, $\overline{AD}^2=\overline{AC}^2-\overline{CD}^2$이다.
$(2n+6)^2-x^2=(2n+2)^2-y^2$ ...... ㉡
$(2n+6)^2-(2n+2)^2=x^2-y^2$
$4(4n+8)=(x+y)(x-y)$
㉠을 대입하면 $8(2n+4)=(2n+4)(x-y)$이므로
$x-y=8$ ...... ㉢
㉠과 ㉢을 연립하여 풀면
$x=n+6$, $y=n-2$
이고 직각삼각형 ACD에서 $(2n+2)^2=4n^2+(n-2)^2$이다.
이 식을 정리하면 $n^2-12n=0$에서
$n=12$
따라서 $\overline{AB}=30$, $\overline{AC}=26$이므로 두 원의 넓이의 합 S는
$S=15^2\pi+13^2\pi=394\pi$
$\therefore \frac{S}{\pi}=394$ 답 394

1279

• x^2-x+1로 나누어 보자.

> 삼차방정식 $x^3-2x^2+3x-6=0$의 세 근을 α, β, γ라 할 때, $(\alpha^2-\alpha+1)(\beta^2-\beta+1)(\gamma^2-\gamma+1)$의 값을 구하시오.

x^3-2x^2+3x-6을 x^2-x+1로 나누어 정리하면
$x^3-2x^2+3x-6=(x^2-x+1)(x-1)+x-5=0$
$x^2-x+1=\frac{5-x}{x-1}=-\frac{5-x}{1-x}$이므로
$(\alpha^2-\alpha+1)(\beta^2-\beta+1)(\gamma^2-\gamma+1)$
$=-\frac{(5-\alpha)(5-\beta)(5-\gamma)}{(1-\alpha)(1-\beta)(1-\gamma)}$ ...... ㉠
$x^3-2x^2+3x-6=f(x)$라 하면
$f(x)=(x-\alpha)(x-\beta)(x-\gamma)$이므로
$f(5)=(5-\alpha)(5-\beta)(5-\gamma)=84$,
$f(1)=(1-\alpha)(1-\beta)(1-\gamma)=-4$
따라서 이 값을 ㉠에 대입하면

$(\alpha^2-\alpha+1)(\beta^2-\beta+1)(\gamma^2-\gamma+1)=\frac{84}{4}=21$ 답 21

1280

→ 조립제법을 이용하여 좌변을 인수분해하자.

> 삼차방정식 $2x^3-5x^2+(k+3)x-k=0$의 세 실근이 어떤 직각삼각형의 세 변의 길이가 된다고 할 때, 그 직각삼각형의 넓이를 $\frac{q}{p}$라 하자. 이때, $p+q$의 값은? (단, p, q는 서로소이다.)
>
> → 빗변을 정함에 있어 유의하자.

$f(x)=2x^3-5x^2+(k+3)x-k$로 놓으면

$f(1)=0$이므로 조립제법을 이용하여 $f(x)$를 인수분해하면

$$\begin{array}{c|cccc} 1 & 2 & -5 & k+3 & -k \\ & & 2 & -3 & k \\ \hline & 2 & -3 & k & 0 \end{array}$$

$\therefore f(x)=(x-1)(2x^2-3x+k)$

즉, 주어진 방정식은 $(x-1)(2x^2-3x+k)=0$

$\therefore x=1$ 또는 $2x^2-3x+k=0$

주어진 방정식의 한 근은 1이고, 나머지 두 근을 α, β $(\alpha>\beta)$라 할 때 α, β는 $2x^2-3x+k=0$의 두 근이므로 근과 계수의 관계에 의하여

$\alpha+\beta=\frac{3}{2}$, $\alpha\beta=\frac{k}{2}$

그런데 1, α, β가 직각삼각형의 세 변의 길이가 되려면

(i) 1이 빗변인 경우

$\alpha^2+\beta^2=1$, $(\alpha+\beta)^2-2\alpha\beta=1$

$\left(\frac{3}{2}\right)^2-2\cdot\frac{k}{2}=1 \quad \therefore k=\frac{5}{4}$

그런데 이차방정식 $2x^2-3x+\frac{5}{4}=0$의 판별식을 D라 하면

$D=3^2-4\cdot2\cdot\frac{5}{4}=-1<0$

따라서 α, β는 실수가 아니므로 부적합하다.

(ii) α가 빗변인 경우

$\alpha^2=\beta^2+1$, $(\alpha+\beta)(\alpha-\beta)=1$

이므로 $\alpha+\beta=\frac{3}{2}$, $\alpha-\beta=\frac{2}{3}$

두 식을 연립하여 풀면 $\alpha=\frac{13}{12}$, $\beta=\frac{5}{12}$

따라서 구하는 삼각형의 넓이는

$\frac{1}{2}\cdot1\cdot\frac{5}{12}=\frac{5}{24}$

이므로 $p=24$, $q=5$

$\therefore p+q=29$ 답 ③

08 일차부등식

본책 218~238쪽

1281

$4x-2>6$에서 $4x>6+2$

$4x>8 \quad \therefore x>2$ 답 $x>2$

1282

$2x<x+2$에서 $2x-x<2$

$\therefore x<2$ 답 $x<2$

1283

$3x-2\le x-4$에서 $3x-x\le-4+2$

$2x\le-2 \quad \therefore x\le-1$ 답 $x\le-1$

1284

$7x-3\le5x-13$에서 $7x-5x\le-13+3$

$2x\le-10 \quad \therefore x\le-5$ 답 $x\le-5$

1285

$2(x+3)>5x-9$에서 $2x+6>5x-9$

$2x-5x>-9-6$, $-3x>-15$

$\therefore x<5$ 답 $x<5$

1286

$5-(3-x)\le2x$에서 $5-3+x\le2x$

$2\le2x-x \quad \therefore x\ge2$ 답 $x\ge2$

1287

주어진 부등식의 양변에 3을 곱하면

$x+18\le6(x-2)$, $x+18\le6x-12$

$x-6x\le-12-18$, $-5x\le-30$

$\therefore x\ge6$ 답 $x\ge6$

1288

주어진 부등식의 양변에 12를 곱하면

$3(x-1)>24+8x$, $3x-3>24+8x$

$3x-8x>24+3$, $-5x>27$

$\therefore x<-\frac{27}{5}$ 답 $x<-\frac{27}{5}$

1289

주어진 부등식의 양변에 4를 곱하면

$2(x-3)\le5x-9$, $2x-6\le5x-9$

$2x-5x\le-9+6$, $-3x\le-3$

$\therefore x\ge1$ 답 $x\ge1$

1290

주어진 부등식의 양변에 10을 곱하면

$2x+18>5x$, $2x-5x>-18$

$-3x>-18 \quad \therefore x<6$ 답 $x<6$

1291

$ax>2a$에서

(i) $a>0$일 때,

양변을 a로 나누면 $x>2$

(ii) $a=0$일 때,

$0\cdot x>2\cdot 0$이므로 해가 없다.

(iii) $a<0$일 때,

양변을 a로 나누면 $x<2$

답 (i) $a>0$일 때, $x>2$

(ii) $a=0$일 때, 해가 없다.

(iii) $a<0$일 때, $x<2$

1292

$ax+3>2x$에서 $(a-2)x>-3$

(i) $a>2$일 때, $x>-\dfrac{3}{a-2}$

(ii) $a=2$일 때, $0\cdot x>-3$이므로 해는 모든 실수이다.

(iii) $a<2$일 때, $x<-\dfrac{3}{a-2}$

답 (i) $a>2$일 때, $x>-\dfrac{3}{a-2}$

(ii) $a=2$일 때, 해는 모든 실수

(iii) $a<2$일 때, $x<-\dfrac{3}{a-2}$

1293

$ax+1>x-a$에서 $(a-1)x>-a-1$

(i) $a>1$일 때, $x>\dfrac{-a-1}{a-1}$

(ii) $a=1$일 때, $0\cdot x>-2$이므로 해는 모든 실수이다.

(iii) $a<1$일 때, $x<\dfrac{-a-1}{a-1}$

답 (i) $a>1$일 때, $x>\dfrac{-a-1}{a-1}$

(ii) $a=1$일 때, 해는 모든 실수

(iii) $a<1$일 때, $x<\dfrac{-a-1}{a-1}$

1294

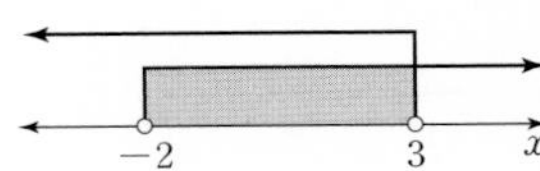

$\therefore -2<x<3$ 답 풀이 참조

1295

$x+1\geq 0$에서 $x\geq -1$ ······ ㉠

$3x<12$에서 $x<4$ ······ ㉡

㉠, ㉡을 수직선 위에 나타내면 그림과 같다.

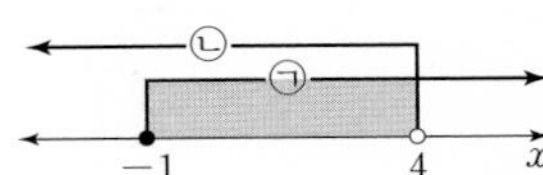

따라서 ㉠, ㉡의 공통부분은

$-1\leq x<4$ 답 풀이 참조

1296

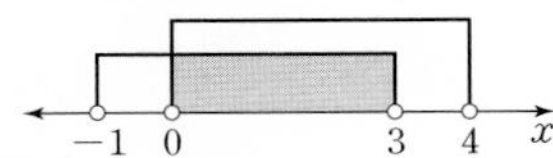

$\therefore 0<x<3$ 답 풀이 참조

1297

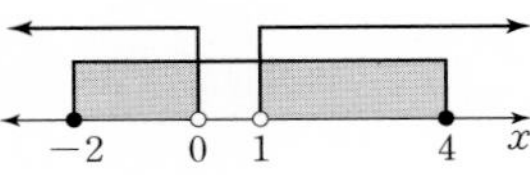

$\therefore -2\leq x<0$ 또는 $1<x\leq 4$ 답 풀이 참조

1298

$2x\geq 6$에서 $x\geq 3$ ······ ㉠

$x-1<4$에서 $x<4+1$

$\therefore x<5$ ······ ㉡

㉠, ㉡을 수직선 위에 나타내면 그림과 같다.

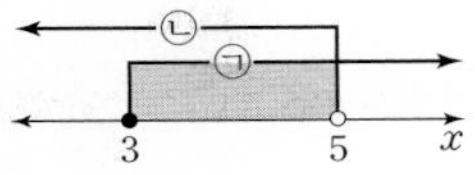

따라서 ㉠, ㉡의 공통부분은

$3\leq x<5$ 답 $3\leq x<5$

1299

$4x\leq 5x-1$에서 $4x-5x\leq -1$

$-x\leq -1$ $\therefore x\geq 1$ ······ ㉠

$2x+6>5x-9$에서 $2x-5x>-9-6$

$-3x>-15$ $\therefore x<5$ ······ ㉡

㉠, ㉡을 수직선 위에 나타내면 그림과 같다.

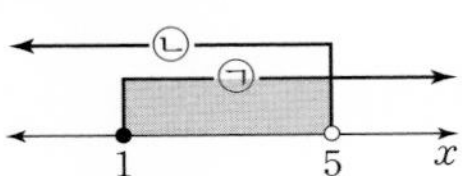

따라서 ㉠, ㉡의 공통부분은

$1\leq x<5$ 답 $1\leq x<5$

1300

$4x+5>-7$에서 $4x>-7-5$

$4x>-12$ $\therefore x>-3$ ······ ㉠

$9-x\geq 2x+15$에서 $-x-2x\geq 15-9$

$-3x\geq 6$ $\therefore x\leq -2$ ······ ㉡

㉠, ㉡을 수직선 위에 나타내면 그림과 같다.

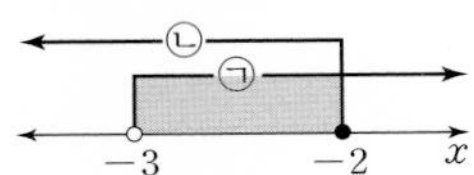

따라서 ㉠, ㉡의 공통부분은

$-3<x\leq -2$ 답 $-3<x\leq -2$

1301

$5-2x<8-x$에서 $-2x+x<8-5$

$-x<3$ $\therefore x>-3$ ······ ㉠

$2(x-3)<x-4$에서 $2x-6<x-4$

$2x-x<-4+6$ $\therefore x<2$ ······ ㉡

㉠, ㉡을 수직선 위에 나타내면 그림과 같다.

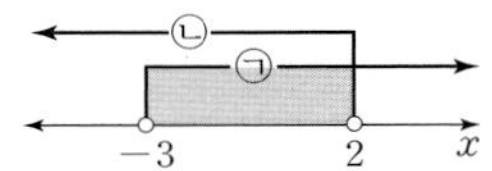

따라서 ㉠, ㉡의 공통부분은

$-3<x<2$ 　　답 $-3<x<2$

1302

$3x-1\ge 5x-7$에서 $3x-5x\ge -7+1$

$-2x\ge -6$ 　$\therefore x\le 3$ 　$\cdots\cdots$ ㉠

$\dfrac{x-2}{3}>\dfrac{x}{2}-2$의 양변에 6을 곱하면

$2(x-2)>3x-12$, $2x-4>3x-12$

$-x>-8$ 　$\therefore x<8$ 　$\cdots\cdots$ ㉡

㉠, ㉡을 수직선 위에 나타내면 그림과 같다.

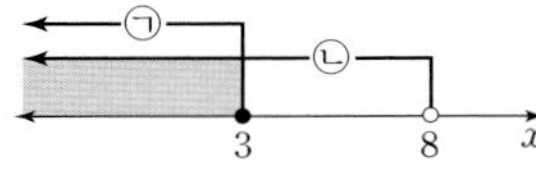

따라서 ㉠, ㉡의 공통부분은

$x\le 3$ 　　답 $x\le 3$

1303

$4\le x+3<2x$는 $4\le x+3$이고 $x+3<2x$이므로

$\begin{cases} 4\le x+3 \\ x+3<2x \end{cases}$ 　　답 $\begin{cases} 4\le x+3 \\ x+3<2x \end{cases}$

1304

$3x-4<x+1\le 4x-5$는

$3x-4<x+1$이고 $x+1\le 4x-5$이므로

$\begin{cases} 3x-4<x+1 \\ x+1\le 4x-5 \end{cases}$ 　　답 $\begin{cases} 3x-4<x+1 \\ x+1\le 4x-5 \end{cases}$

1305

$\dfrac{x-1}{2}\le 3x+1\le 5(x+1)$은

$\dfrac{x-1}{2}\le 3x+1$이고 $3x+1\le 5(x+1)$이므로

$\begin{cases} \dfrac{x-1}{2}\le 3x+1 \\ 3x+1\le 5(x+1) \end{cases}$ 　　답 $\begin{cases} \dfrac{x-1}{2}\le 3x+1 \\ 3x+1\le 5(x+1) \end{cases}$

1306

$-1<3x+2\le 5$에서

$\begin{cases} -1<3x+2 \\ 3x+2\le 5 \end{cases}$

$-1<3x+2$에서 $-3x<2+1$

$-3x<3$ 　$\therefore x>-1$ 　$\cdots\cdots$ ㉠

$3x+2\le 5$에서 $3x\le 5-2$

$3x\le 3$ 　$\therefore x\le 1$ 　$\cdots\cdots$ ㉡

㉠, ㉡을 수직선 위에 나타내면 그림과 같다.

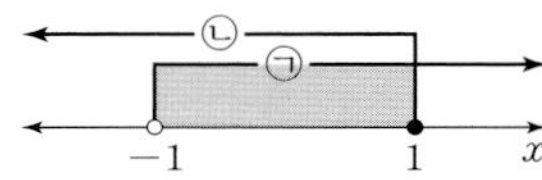

따라서 ㉠, ㉡의 공통부분은

$-1<x\le 1$ 　　답 $-1<x\le 1$

다른풀이 $-1<3x+2\le 5$에서

$-1-2<3x\le 5-2$

$-3<3x\le 3$

$\therefore -1<x\le 1$

1307

$x-3\le 5<x+3$에서

$\begin{cases} x-3\le 5 \\ 5<x+3 \end{cases}$

$x-3\le 5$에서 $x\le 5+3$

$\therefore x\le 8$ 　$\cdots\cdots$ ㉠

$5<x+3$에서 $-x<3-5$

$-x<-2$

$\therefore x>2$ 　$\cdots\cdots$ ㉡

㉠, ㉡을 수직선 위에 나타내면 그림과 같다.

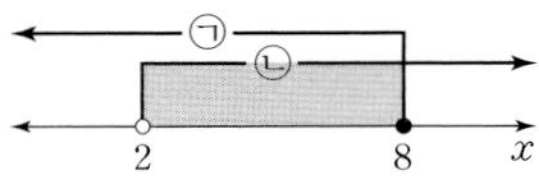

따라서 ㉠, ㉡의 공통부분은

$2<x\le 8$ 　　답 $2<x\le 8$

다른풀이 $x-3\le 5<x+3$에서

$-3\le 5-x<3$

$-3-5\le -x<3-5$

$-8\le -x<-2$

$\therefore 2<x\le 8$

1308

$3x-2\le 2x+4<4(x+3)$에서

$\begin{cases} 3x-2\le 2x+4 \\ 2x+4<4(x+3) \end{cases}$

$3x-2\le 2x+4$에서 $3x-2x\le 4+2$

$\therefore x\le 6$ 　$\cdots\cdots$ ㉠

$2x+4<4(x+3)$에서 $2x+4<4x+12$

$2x-4x<12-4$, $-2x<8$

$\therefore x>-4$ 　$\cdots\cdots$ ㉡

㉠, ㉡을 수직선 위에 나타내면 그림과 같다.

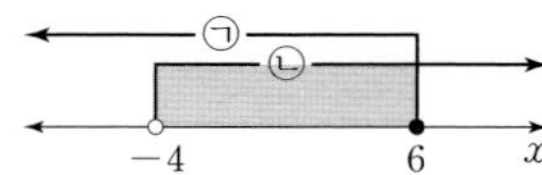

따라서 ㉠, ㉡의 공통부분은

$-4<x\le 6$ 　　답 $-4<x\le 6$

1309

$3x+5\ge x+7$에서 $2x\ge 2$

$\therefore x\ge 1$ 　$\cdots\cdots$ ㉠

$5x>7x+2$에서 $-2x>2$

$\therefore x<-1$ 　$\cdots\cdots$ ㉡

㉠, ㉡을 수직선 위에 나타내면 그림과 같다.

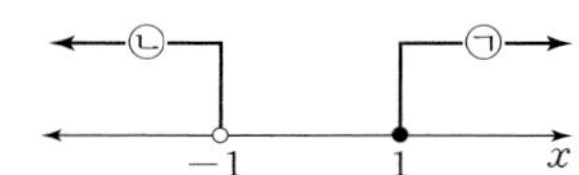

따라서 해는 없다. 답 해는 없다.

1310

$x-1<-4$에서

$x<-3$ ······ ㉠

$4x+2>-10$에서 $4x>-12$

$\therefore x>-3$ ······ ㉡

㉠, ㉡을 수직선 위에 나타내면 그림과 같다.

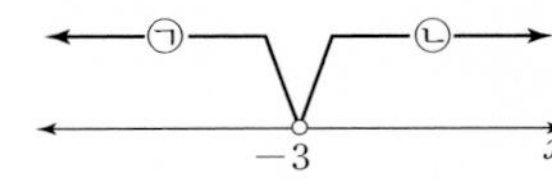

따라서 해는 없다. 답 해는 없다.

1311

$x+2\geq 2x$에서 $-x\geq -2$

$\therefore x\leq 2$ ······ ㉠

$3(5-x)\leq x+7$에서 $15-3x\leq x+7$

$-4x\leq -8$

$\therefore x\geq 2$ ······ ㉡

㉠, ㉡을 수직선 위에 나타내면 그림과 같다.

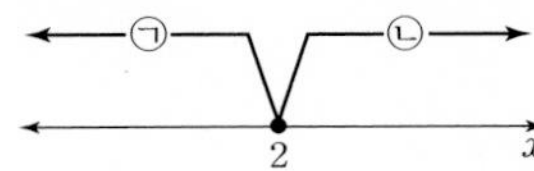

따라서 ㉠, ㉡의 공통부분은 $x=2$이다. 답 $x=2$

1312

$2(x+3)\geq 3x-2$에서 $2x+6\geq 3x-2$

$-x\geq -8$ $\therefore x\leq 8$ ······ ㉠

$\dfrac{5x+2}{2}\leq 3(x-1)$의 양변에 2를 곱하면

$5x+2\leq 6x-6$

$-x\leq -8$

$\therefore x\geq 8$ ······ ㉡

㉠, ㉡을 수직선 위에 나타내면 그림과 같다.

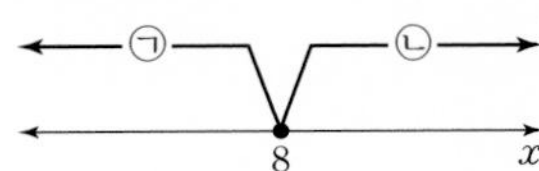

따라서 ㉠, ㉡의 공통부분은 $x=8$이다. 답 $x=8$

1313

$4x+1\leq 2x+3<5x$에서

$\begin{cases} 4x+1\leq 2x+3 \\ 2x+3<5x \end{cases}$

$4x+1\leq 2x+3$에서

$2x\leq 2$

$\therefore x\leq 1$ ······ ㉠

$2x+3<5x$에서

$-3x<-3$

$\therefore x>1$ ······ ㉡

㉠, ㉡을 수직선 위에 나타내면 그림과 같다.

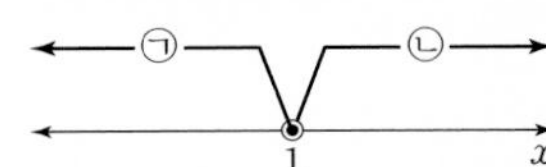

따라서 해는 없다. 답 해는 없다.

1314

답 $x+3<24$

1315

답 $x\geq 2x-5$

1316

답 $4000\leq 400x\leq 6000$

1317

어떤 자연수를 x라 하면 $\begin{cases} 3x>21 \\ x+7\leq 16 \end{cases}$이므로

$3x>21$에서 $x>7$ ······ ㉠

$x+7\leq 16$에서 $x\leq 9$ ······ ㉡

㉠, ㉡을 수직선 위에 나타내면 그림과 같다.

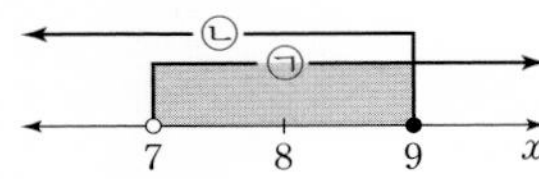

즉, ㉠, ㉡의 공통부분은

$7<x\leq 9$

따라서 자연수 x는 8 또는 9이다. 답 8 또는 9

1318

연속하는 세 자연수를 $x-1$, x, $x+1$ $(x>1)$이라 하면

$12\leq (x-1)+x+(x+1)<18$

$12\leq 3x<18$ $\therefore 4\leq x<6$

따라서 자연수 x는 4 또는 5이므로 구하는 세 자연수는

3, 4, 5 또는 4, 5, 6이다. 답 3, 4, 5 또는 4, 5, 6

1319

$|x|\leq 2$에서 $-2\leq x\leq 2$ 답 $-2\leq x\leq 2$

1320

$|x|>5$에서 $x<-5$ 또는 $x>5$ 답 $x<-5$ 또는 $x>5$

1321

(i) $x\geq 3$일 때, $x-3\geq 3$

$x\geq 6$

그런데 $x\geq 3$이므로

$x\geq 6$

(ii) $x<3$일 때, $-(x-3)\geq 3$

$-x+3\geq 3$, $x\leq 0$

그런데 $x<3$이므로

$x\leq 0$

(i), (ii)에 의하여 $x\leq 0$ 또는 $x\geq 6$ 답 $x\leq 0$ 또는 $x\geq 6$

다른풀이 $|x-3|\geq 3$에서

$x-3\leq -3$ 또는 $x-3\geq 3$

$\therefore x\leq 0$ 또는 $x\geq 6$

1322

(i) $x\geq \dfrac{1}{2}$일 때, $2x-1<7$

$2x<8$, $x<4$

그런데 $x\ge\frac{1}{2}$이므로

$\frac{1}{2}\le x<4$

(ii) $x<\frac{1}{2}$일 때, $-(2x-1)<7$

$-2x+1<7$, $-2x<6$

$x>-3$

그런데 $x<\frac{1}{2}$이므로

$-3<x<\frac{1}{2}$

(i), (ii)에 의하여 $-3<x<4$ 답 $-3<x<4$

다른풀이 $|2x-1|<7$에서
$-7<2x-1<7$
$-6<2x<8$
$\therefore -3<x<4$

1323

$1\le|x|\le4$에서 $-4\le x\le-1$ 또는 $1\le x\le4$

답 $-4\le x\le-1$ 또는 $1\le x\le4$

1324

네 실수 a, b, c, d에 대하여 〈보기〉에서 옳은 것만을 있는 대로 고른 것은?

보기
ㄱ. $a>b$이면 $a-c>b-c$
ㄴ. $a>b$, $c<0$이면 $\frac{a}{c}<\frac{b}{c}$
ㄷ. $a>b>0$, $c>d>0$이면 $\frac{a}{d}>\frac{b}{c}$

부등식에 음수를 곱하면 부등호가 반대가 된다.

ㄱ. $a>b$이면 $a-b>0$이므로
$(a-c)-(b-c)=a-b>0$
$\therefore a-c>b-c$ (참)
ㄴ. $a>b$이면 $a-b>0$이고, $c<0$이므로
$\frac{a}{c}-\frac{b}{c}=\frac{a-b}{c}<0$
$\therefore \frac{a}{c}<\frac{b}{c}$ (참)
ㄷ. $a>b>0$에서
$\frac{a}{d}>\frac{b}{d}>0$ ($\because d>0$) ……㉠
$c>d>0$에서 $\frac{1}{d}>\frac{1}{c}>0$이므로
$\frac{b}{d}>\frac{b}{c}>0$ ($\because b>0$) ……㉡
㉠, ㉡에서 $\frac{a}{d}>\frac{b}{d}>\frac{b}{c}>0$
$\therefore \frac{a}{d}>\frac{b}{c}$ (참)
따라서 옳은 것만을 있는 대로 고른 것은 ㄱ, ㄴ, ㄷ이다.

답 ⑤

1325

세 실수 a, b, c에 대하여 〈보기〉에서 옳은 것만을 있는 대로 고른 것은?

보기
ㄱ. $|a|\ge a$
ㄴ. $a<b$이면 $a^2<b^2$
ㄷ. $a>b$, $b>c$이면 $a>c$

a, b가 모두 양수인 경우를 생각하자.

ㄱ. $|a|\ge0$이므로 $|a|\ge a$가 항상 성립한다. (참)
ㄴ. $a^2-b^2=(a+b)(a-b)$이므로 $a-b<0$이어도 $a+b<0$이면 $a^2-b^2>0$, 즉 $a^2>b^2$ (거짓)
ㄷ. $a>b$이면 $a-b>0$이고 $b>c$이면 $b-c>0$이므로 변끼리 더하면 $a-c>0$, 즉 $a>c$ (참)
따라서 옳은 것만을 있는 대로 고른 것은 ㄱ, ㄷ이다. 답 ③

1326

$a>b$인 두 실수 a, b에 대하여 〈보기〉에서 옳은 것만을 있는 대로 고르시오.

a, b 또는 a, b 모두가 음수일 수도 있음에 유의하자.

보기
ㄱ. $a^2>b^2$ ㄴ. $a^3>b^3$
ㄷ. $\frac{1}{a}<\frac{1}{b}$ ㄹ. $\frac{a}{b}>1$

ㄱ. [반례] $2>-3$이지만 $2^2<(-3)^2$ (거짓)
ㄴ. $a>b$이면 $a^3-b^3>0$
$\therefore a^3>b^3$ (참)
ㄷ. [반례] $2>-3$이지만 $\frac{1}{2}>-\frac{1}{3}$ (거짓)
ㄹ. [반례] $2>-3$이지만 $\frac{2}{-3}<1$ (거짓)
따라서 옳은 것만을 있는 대로 고른 것은 ㄴ이다. 답 ㄴ

1327

$a<0<b$일 때, 다음 중 옳은 것은? (단, $c\ne0$)

a와 b의 부호가 다르다.

① $\frac{1}{a}<\frac{1}{b}$ ② $ac<bc$ ③ $\frac{a}{c}>\frac{b}{c}$
④ $\frac{1}{b}<\frac{1}{a}$ ⑤ $\frac{b}{a}<\frac{a}{b}$

①, ④ $a<0$이므로 $\frac{1}{a}<0$, $b>0$이므로 $\frac{1}{b}>0$
$\therefore \frac{1}{a}<\frac{1}{b}$
② $c<0$이면 $a<b$이므로 $ac>bc$ (거짓)
③ $c>0$이면 $a<b$이므로 $\frac{a}{c}<\frac{b}{c}$ (거짓)
⑤ [반례] $-1<0<\frac{1}{2}$이지만 $\frac{\frac{1}{2}}{-1}=-\frac{1}{2}$, $\frac{-1}{\frac{1}{2}}=-2$이므로

$-\frac{1}{2}>-2$ (거짓)

따라서 옳은 것은 ①이다. 답 ①

1328

세 수 a, b, c가 $a<0<b<c$를 만족시킬 때, 〈보기〉에서 옳은 것만을 있는 대로 고른 것은?

보기

ㄱ. $a-b<c$ ㄴ. $|a|<a$ ㄷ. $ab<ac$

$a<b$이므로 $a-b<0$임을 이용하자.

① ㄱ ② ㄴ ③ ㄱ, ㄴ ④ ㄱ, ㄷ ⑤ ㄴ, ㄷ

ㄱ. $a<b$이므로 $a-b<0$이고, $c>0$이므로 $a-b<c$ (참)
ㄴ. $a<0$이므로 $|a|=-a>0$ $\therefore |a|>a$ (거짓)
ㄷ. $a<0$이고, $b<c$이므로 $ab>ac$ (거짓)
따라서 옳은 것만을 있는 대로 고른 것은 ㄱ이다. 답 ①

1329

부등식 $ax-8<3x-4$의 해가 $x<2$일 때, 상수 a의 값은?

좌변은 일차항, 우변은 상수항만 남도록 이항하자.

$ax-8<3x-4$에서 $(a-3)x<4$

$a>3$일 때, $a-3>0$이므로 $x<\frac{4}{a-3}$

따라서 $\frac{4}{a-3}=2$이므로 $a=5$ 답 ⑤

1330

부등식 $(a+2)(a-2)x\le a-2$가 모든 실수 x에 대하여 성립하도록 하는 실수 a의 값을 구하시오.

이 부등식의 해가 모든 실수임을 이용하자.

부등식 $(a+2)(a-2)x\le a-2$가 모든 실수 x에 대하여 성립하려면 이 부등식의 해가 모든 실수이어야 하므로
$(a+2)(a-2)=0$, $a-2\ge 0$
$\therefore a=2$ 답 2

1331

부등식 $ax+3>x+b$의 해가 존재하지 않을 때, 두 실수 a, b의 조건으로 옳은 것은?

좌변은 일차항, 우변은 상수항만 남도록 이항하자.

① $a=1$, $b=-3$ ② $a=1$, $b\le -3$
③ $a=1$, $b\ge 3$ ④ $a\ne 1$, $b\le 3$
⑤ $a>1$, $b=3$

$ax+3>x+b$에서 $(a-1)x>b-3$
이 부등식의 해가 존재하지 않으려면
$a-1=0$, $b-3\ge 0$
$\therefore a=1$, $b\ge 3$ 답 ③

1332

연립부등식 $\begin{cases} 4x+5>-7 \\ 9-x\ge 2x+15 \end{cases}$ 의 해를 수직선 위에 바르게 나타낸 것은?

각 일차부등식의 해를 구하자.

$4x+5>-7$에서 $4x>-12$
$\therefore x>-3$ ······㉠
$9-x\ge 2x+15$에서 $-3x\ge 6$
$\therefore x\le -2$ ······㉡
㉠, ㉡의 공통부분을 수직선 위에 나타내면 그림과 같다.

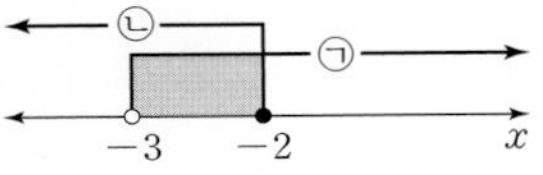

따라서 주어진 연립부등식의 해를 수직선 위에 바르게 나타낸 것은 ③이다. 답 ③

1333

연립부등식 $\begin{cases} 1-2x\le 5 \\ 4x-1\le x+2 \end{cases}$ 의 해가 $a\le x\le b$일 때, 두 상수 a, b에 대하여 $b-a$의 값은?

각 부등식의 해를 수직선 위에 나타내어 공통범위를 구하자.

$1-2x\le 5$에서 $-2x\le 4$
$\therefore x\ge -2$ ······㉠
$4x-1\le x+2$에서 $3x\le 3$
$\therefore x\le 1$ ······㉡
㉠, ㉡을 수직선 위에 나타내면 그림과 같다.

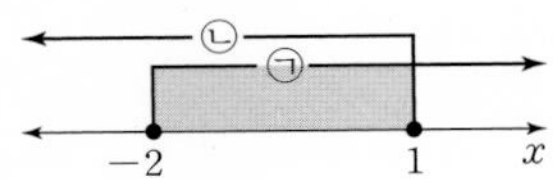

따라서 ㉠, ㉡의 공통부분은 $-2\le x\le 1$이므로
$a=-2$, $b=1$
$\therefore b-a=3$ 답 ②

1334

연립부등식 $\begin{cases} 3-2x<x+7 \\ 4x-1\le 2x+5 \end{cases}$ 를 만족시키는 모든 정수 x의 값의 합을 구하시오.

각 부등식의 해를 수직선 위에 나타내어 공통범위를 구하자.

$3-2x<x+7$에서 $-3x<4$
$\therefore x>-\frac{4}{3}$ ······㉠
$4x-1\le 2x+5$에서 $2x\le 6$
$\therefore x\le 3$ ······㉡
㉠, ㉡을 수직선 위에 나타내면 그림과 같다.

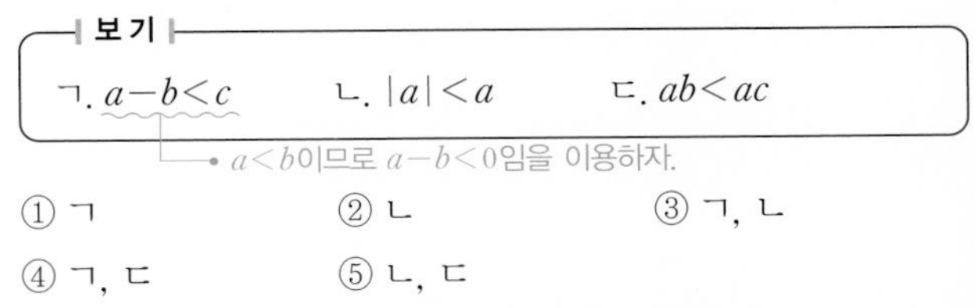

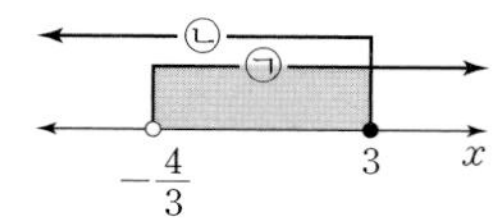

㉠, ㉡의 공통부분은 $-\frac{4}{3}<x\le 3$

따라서 정수 x는 -1, 0, 1, 2, 3이므로 구하는 합은

$-1+0+1+2+3=5$

답 5

1335

> 연립부등식 $\begin{cases} 3x+9>0 \\ 4-x<6-3x \end{cases}$ 를 만족시키는 x의 값 중에서 가장 큰 정수를 M, 가장 작은 정수를 m이라 할 때, $M-m$의 값을 구하시오.
>
> └ 각 부등식의 해를 수직선 위에 나타내어 공통범위를 구하자.

$3x+9>0$에서 $3x>-9$

$\therefore x>-3$ ……㉠

$4-x<6-3x$에서 $2x<2$

$\therefore x<1$ ……㉡

㉠, ㉡을 수직선 위에 나타내면 그림과 같다.

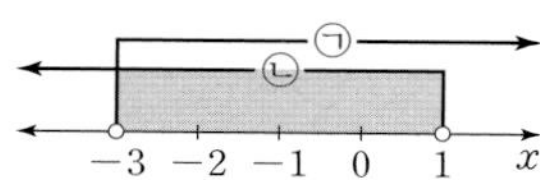

따라서 ㉠, ㉡의 공통부분은 $-3<x<1$이므로 가장 큰 정수 $M=0$이고, 가장 작은 정수 $m=-2$이다.

$\therefore M-m=2$

답 2

1336

> 연립부등식 $\begin{cases} x+2>-3 \\ 3x-1<-2x+9 \\ x+4\le 5 \end{cases}$ 의 해는?
>
> └ 각 부등식의 해를 수직선 위에 나타내어 공통범위를 구하자.

$x+2>-3$에서

$x>-5$ ……㉠

$3x-1<-2x+9$에서 $5x<10$

$\therefore x<2$ ……㉡

$4+x\le 5$에서

$x\le 1$ ……㉢

㉠, ㉡, ㉢을 수직선 위에 나타내면 그림과 같다.

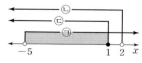

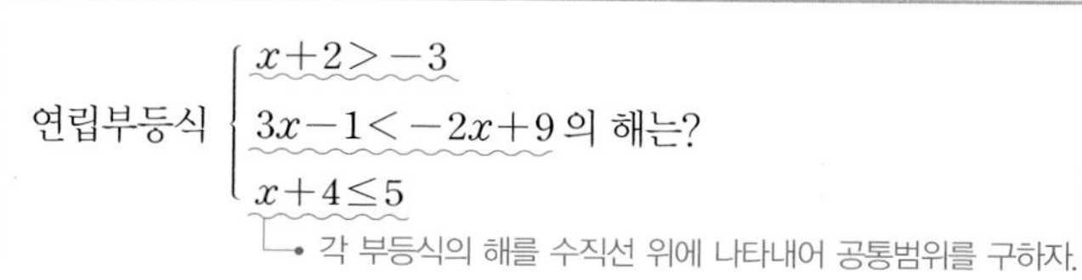

따라서 ㉠, ㉡, ㉢의 공통부분은

$-5<x\le 1$

답 ③

1337

> 연립부등식 $\begin{cases} 8x<5-(2-5x) \\ x+1\ge -(6+x) \end{cases}$ 의 해가 $a\le x<b$일 때, 두 상수 a, b에 대하여 $2a+b$의 값은?
>
> └ 괄호를 먼저 풀고, 각각의 해를 구하자.

$8x<5-(2-5x)$에서 $8x<3+5x$

$3x<3$ $\quad\therefore x<1$ ……㉠

$x+1\ge -(6+x)$에서 $x+1\ge -6-x$

$2x\ge -7$ $\quad\therefore x\ge -\frac{7}{2}$ ……㉡

㉠, ㉡을 수직선 위에 나타내면 그림과 같다.

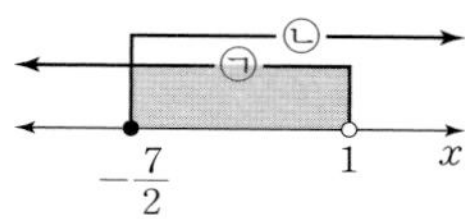

㉠, ㉡의 공통부분은 $-\frac{7}{2}\le x<1$

따라서 $a=-\frac{7}{2}$, $b=1$이므로

$2a+b=-7+1=-6$

답 ③

1338

> 연립부등식 $\begin{cases} 7x<27-2x \\ \frac{2}{3}x-\frac{3-x}{2}\ge \frac{5}{6} \end{cases}$ 를 만족시키는 정수 x의 개수를 구하시오.
>
> └ 분모를 통분한 후 정리하고, 해를 구하자.

$7x<27-2x$에서 $9x<27$

$\therefore x<3$ ……㉠

$\frac{2}{3}x-\frac{3-x}{2}\ge \frac{5}{6}$의 양변에 6을 곱하면

$4x-3(3-x)\ge 5$, $7x\ge 14$

$\therefore x\ge 2$ ……㉡

㉠, ㉡의 공통부분을 구하면 $2\le x<3$

따라서 정수 x는 2의 1개이다.

답 1

1339

> 연립부등식 $\begin{cases} \frac{x-5}{2}\ge \frac{x}{4}-3 \\ \frac{x-3}{2}+\frac{5}{3}<\frac{2x+1}{3} \end{cases}$ 을 풀면?
>
> └ 분모를 통분한 후 정리하고, 각각의 해를 구하자.

$\frac{x-5}{2}\ge \frac{x}{4}-3$의 양변에 4를 곱하면

$2(x-5)\ge x-12$, $2x-10\ge x-12$

$\therefore x\ge -2$ ……㉠

$\frac{x-3}{2}+\frac{5}{3}<\frac{2x+1}{3}$의 양변에 6을 곱하면

$3(x-3)+10<2(2x+1)$, $3x+1<4x+2$

$-x<1$ $\quad\therefore x>-1$ ……㉡

따라서 ㉠, ㉡의 공통부분을 구하면

$x>-1$ 답 ③

1340

다음 연립부등식을 푸시오.

$-3<2x+1\le5$

$A<B\le C$ 꼴은 $\begin{cases}A<B\\B\le C\end{cases}$ 꼴로 변형해서 풀자.

$-3<2x+1\le5$에서

$\begin{cases}-3<2x+1\\2x+1\le5\end{cases}$

$-3<2x+1$에서

$-2x<4$

$\therefore x>-2$ ……㉠

$2x+1\le5$에서

$2x\le4$

$\therefore x\le2$ ……㉡

따라서 ㉠, ㉡의 공통부분을 구하면

$-2<x\le2$ 답 $-2<x\le2$

다른풀이 $-3<2x+1\le5$에서

$-4<2x\le4$

$\therefore -2<x\le2$

1341

연립부등식 $x-2\le3<x+2$를 만족시키는 정수 x의 개수는?

$A\le B<C$ 꼴은 $\begin{cases}A\le B\\B<C\end{cases}$ 꼴로 변형해서 풀자.

$x-2\le3<x+2$에서

$\begin{cases}x-2\le3\\3<x+2\end{cases}$

$x-2\le3$에서

$x\le5$ ……㉠

$3<x+2$에서 $-x<-1$

$\therefore x>1$ ……㉡

㉠, ㉡의 공통부분을 구하면

$1<x\le5$

따라서 정수 x는 2, 3, 4, 5의 4개이다. 답 ②

다른풀이 $x-2\le3<x+2$에서

$-2\le3-x<2$

$-5\le-x<-1$

$\therefore 1<x\le5$

따라서 정수 x는 2, 3, 4, 5의 4개이다.

1342

연립부등식 $2x-4\le x+1<3x-5$를 만족시키는 x의 값 중에서 정수의 개수는?

$A\le B<C$ 꼴은 $\begin{cases}A\le B\\B<C\end{cases}$ 꼴로 변형해서 풀자.

$2x-4\le x+1<3x-5$에서

$\begin{cases}2x-4\le x+1\\x+1<3x-5\end{cases}$

$2x-4\le x+1$에서

$x\le5$ ……㉠

$x+1<3x-5$에서

$-2x<-6$

$\therefore x>3$ ……㉡

㉠, ㉡의 공통부분을 구하면

$3<x\le5$

따라서 정수 x는 4, 5의 2개이다. 답 ②

1343

연립부등식 $x-1\le2-\frac{1+x}{3}\le3x$의 해 중 최댓값을 M, 최솟값을 m이라 할 때, Mm의 값을 구하시오.

$A\le B\le C$ 꼴은 $\begin{cases}A\le B\\B\le C\end{cases}$ 꼴로 변형해서 풀자.

$x-1\le2-\frac{1+x}{3}\le3x$에서 $\begin{cases}x-1\le2-\frac{1+x}{3}\\2-\frac{1+x}{3}\le3x\end{cases}$

$x-1\le2-\frac{1+x}{3}$의 양변에 3을 곱하면

$3x-3\le6-(1+x)$, $4x\le8$

$\therefore x\le2$ ……㉠

$2-\frac{1+x}{3}\le3x$의 양변에 3을 곱하면

$6-(1+x)\le9x$, $-10x\le-5$

$\therefore x\ge\frac{1}{2}$ ……㉡

㉠, ㉡을 수직선 위에 나타내면 그림과 같다.

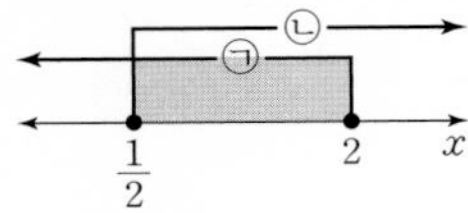

㉠, ㉡의 공통부분은 $\frac{1}{2}\le x\le2$

따라서 $M=2$, $m=\frac{1}{2}$이므로

$Mm=1$ 답 1

1344

연립부등식 $\frac{x+1}{3}\le\frac{x+4}{4}\le\frac{2x-1}{5}$의 해를 구하시오.

$A\le B\le C$ 꼴은 $\begin{cases}A\le B\\B\le C\end{cases}$ 꼴로 변형해서 풀자.

$\frac{x+1}{3} \le \frac{x+4}{4} \le \frac{2x-1}{5}$에서

$\begin{cases} \frac{x+1}{3} \le \frac{x+4}{4} \\ \frac{x+4}{4} \le \frac{2x-1}{5} \end{cases}$

$\frac{x+1}{3} \le \frac{x+4}{4}$의 양변에 12를 곱하면

$4(x+1) \le 3(x+4)$

$4x+4 \le 3x+12$

$\therefore x \le 8$ ······ ㉠

$\frac{x+4}{4} \le \frac{2x-1}{5}$의 양변에 20을 곱하면

$5(x+4) \le 4(2x-1)$, $5x+20 \le 8x-4$

$-3x \le -24$ $\therefore x \ge 8$ ······ ㉡

㉠, ㉡의 공통부분을 구하면

$x=8$

답 $x=8$

1345

> $2x+y=-2x-y+6$일 때, 연립부등식 $1<y-2x<8$을 만족시키는 두 정수 x, y의 순서쌍 (x, y)를 모두 구하시오.
>
> → 한 문자로 정리하여 연립부등식에 대입하자.

$2x+y=-2x-y+6$에서 $2y=-4x+6$

$\therefore y=-2x+3$ ······ ㉠

㉠을 연립부등식 $1<y-2x<8$에 대입하면

$1<-4x+3<8$이므로

$\begin{cases} 1<-4x+3 \\ -4x+3<8 \end{cases}$

$1<-4x+3$에서 $4x<2$

$\therefore x<\frac{1}{2}$ ······ ㉡

$-4x+3<8$에서 $-4x<5$

$\therefore x>-\frac{5}{4}$ ······ ㉢

㉡, ㉢의 공통부분을 구하면

$-\frac{5}{4}<x<\frac{1}{2}$

따라서 정수 x는 -1, 0이고 ㉠에 의하여 순서쌍 (x, y)는

$(-1, 5)$, $(0, 3)$

답 $(-1, 5)$, $(0, 3)$

1346

> → 먼저 연립부등식의 해를 a, b를 이용해서 나타내자.
>
> 그림은 연립부등식 $\begin{cases} 3x-a \le 5x \\ 4x+1<-b \end{cases}$ 의 해를 수직선 위에 나타낸 것이다. 두 상수 a, b에 대하여 $a+b$의 값은?
>
> 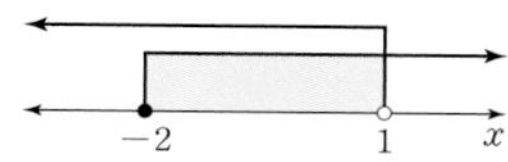
>

$3x-a \le 5x$에서 $-2x \le a$ $\therefore x \ge -\frac{a}{2}$

$4x+1<-b$에서 $4x<-b-1$ $\therefore x<\frac{-b-1}{4}$

주어진 연립부등식의 해가 $-2 \le x<1$이므로

$-\frac{a}{2}=-2$, $\frac{-b-1}{4}=1$ $\therefore a=4$, $b=-5$

$\therefore a+b=-1$

답 ②

1347

> → 먼저 연립부등식의 해를 a, b를 이용해서 나타내자.
>
> 그림은 연립부등식 $\begin{cases} 2(x-a)>-1 \\ 5x+b \ge 2x-1 \end{cases}$ 의 해를 수직선 위에 나타낸 것이다. 이때, 두 상수 a, b에 대하여 ab의 값을 구하시오.
>
> 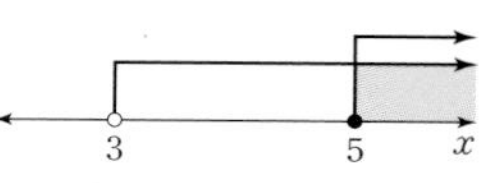
>

$2(x-a)>-1$에서 $x>a-\frac{1}{2}$

$5x+b \ge 2x-1$에서 $3x \ge -1-b$

$\therefore x \ge \frac{-1-b}{3}$

주어진 그림에서 연립부등식의 해가 $x>3$과 $x \ge 5$의 공통부분이므로

$a-\frac{1}{2}=3$, $\frac{-1-b}{3}=5$

$a=\frac{7}{2}$, $-1-b=15$

$\therefore a=\frac{7}{2}$, $b=-16$ $\therefore ab=-56$

답 -56

1348

> 연립부등식 $\begin{cases} x+5 \ge 4 \\ 3x-1<2a+3 \end{cases}$ 의 해가 $-1 \le x<4$일 때, 상수 a의 값을 구하시오.
>
> → 먼저 연립부등식의 해를 a를 이용해서 나타내자.

$x+5 \ge 4$에서

$x \ge -1$

$3x-1<2a+3$에서

$3x<2a+4$

$\therefore x<\frac{2a+4}{3}$

주어진 연립부등식의 해가 $-1 \le x<4$이므로

$\frac{2a+4}{3}=4$

$2a+4=12$

$\therefore a=4$

답 4

1349

> x에 대한 연립부등식 $\begin{cases} 2x-a>3 \\ -2x+4>b \end{cases}$ 의 해가 $2<x<3$이 되도록 두 상수 a, b의 값을 정할 때, $a+b$의 값은?
>
> → 먼저 연립부등식의 해를 a, b를 이용해서 나타내자.

$2x-a>3$에서 $2x>3+a$

$\therefore x>\frac{3+a}{2}$

$-2x+4>b$에서 $-2x>b-4$

$\therefore x<\frac{4-b}{2}$

주어진 연립부등식의 해가 $2<x<3$이므로

$\frac{3+a}{2}=2$, $\frac{4-b}{2}=3$

$3+a=4$, $4-b=6$

$\therefore a=1$, $b=-2$

$\therefore a+b=-1$

답 ②

1350

연립부등식 $\begin{cases} 3x<a+15 \\ 2(x-5)>-x+b \end{cases}$ 의 해가 $1<x<3$일 때, 다음 중 $ax+b\leq 0$의 해로 알맞은 것은? (단, a, b는 상수이다.)

→ 먼저 연립부등식의 해를 a, b를 이용해서 나타내자.

① -5 ② -4 ③ -3
④ -2 ⑤ -1

$3x<a+15$에서 $x<\frac{a+15}{3}$

$2(x-5)>-x+b$에서 $2x-10>-x+b$

$3x>b+10$ $\therefore x>\frac{b+10}{3}$

주어진 연립부등식의 해가 $1<x<3$이므로

$\frac{a+15}{3}=3$, $\frac{b+10}{3}=1$

$\therefore a=-6$, $b=-7$

즉, $-6x-7\leq 0$에서 $-6x\leq 7$

$\therefore x\geq -\frac{7}{6}$

따라서 해로 알맞은 것은 ⑤이다.

답 ⑤

1351

연립부등식 $\begin{cases} 3(x-2)\leq 2x-5 \\ \frac{1}{2}x+1>\frac{a}{3}x-1 \end{cases}$ 의 해가 $-4<x\leq b$일 때, 두 상수 a, b에 대하여 $a+b$의 값을 구하시오. $\left(\text{단, } a<\frac{3}{2}\right)$

→ 먼저 연립부등식의 해를 a를 이용해서 나타내자.

$3(x-2)\leq 2x-5$에서 $3x-6\leq 2x-5$

$\therefore x\leq 1$

$\frac{1}{2}x+1>\frac{a}{3}x-1$의 양변에 6을 곱하면

$3x+6>2ax-6$, $(3-2a)x>-12$

$\therefore x>-\frac{12}{3-2a}$ $\left(\because a<\frac{3}{2}\right)$

주어진 연립부등식의 해가 $-4<x\leq b$이므로

$-\frac{12}{3-2a}=-4$, $b=1$

$12=4(3-2a)$, $b=1$

$\therefore a=0$, $b=1$

$\therefore a+b=1$

답 1

1352

연립부등식 $x+1<2x-1<5x+a$의 해가 $x>3$일 때, 상수 a의 값을 구하시오. → 먼저 연립부등식의 해를 a를 이용해서 나타내자.

$x+1<2x-1<5x+a$에서

$\begin{cases} x+1<2x-1 \\ 2x-1<5x+a \end{cases}$

$x+1<2x-1$에서 $-x<-2$

$\therefore x>2$

$2x-1<5x+a$에서 $-3x<a+1$

$\therefore x>-\frac{a+1}{3}$

주어진 연립부등식의 해가 $x>3$이므로

$-\frac{a+1}{3}=3$, $a+1=-9$

$\therefore a=-10$

답 -10

1353

연립부등식 $-1+2x\leq\frac{a-x}{4}<1$의 해가 $b<x\leq\frac{2}{3}$일 때, 두 상수 a, b에 대하여 $a+b$의 값을 구하시오.

→ 먼저 연립부등식의 해를 a를 이용해서 나타내자.

$-1+2x\leq\frac{a-x}{4}<1$에서 $\begin{cases} -1+2x\leq\frac{a-x}{4} \\ \frac{a-x}{4}<1 \end{cases}$

$-1+2x\leq\frac{a-x}{4}$의 양변에 4를 곱하면

$-4+8x\leq a-x$, $9x\leq a+4$

$\therefore x\leq\frac{a+4}{9}$

$\frac{a-x}{4}<1$의 양변에 4를 곱하면

$a-x<4$, $-x<4-a$ $\therefore x>a-4$

주어진 연립부등식의 해가 $b<x\leq\frac{2}{3}$이므로

$a-4=b$, $\frac{a+4}{9}=\frac{2}{3}$

$\therefore a=2$, $b=-2$

$\therefore a+b=0$

답 0

1354

연립부등식 $2x+a\leq -x+4\leq 3x+b$의 해가 $-2\leq x\leq 1$일 때, 두 상수 a, b에 대하여 ab의 값을 구하시오.

→ 먼저 연립부등식의 해를 a, b를 이용해서 나타내자.

$2x+a\le-x+4\le3x+b$에서

$\begin{cases}2x+a\le-x+4\\-x+4\le3x+b\end{cases}$

$2x+a\le-x+4$에서 $3x\le4-a$

$\therefore x\le\frac{4-a}{3}$

$-x+4\le3x+b$에서 $-4x\le b-4$

$\therefore x\ge\frac{4-b}{4}$

주어진 연립부등식의 해가 $-2\le x\le1$이므로

$\frac{4-a}{3}=1,\ \frac{4-b}{4}=-2$

$4-a=3,\ 4-b=-8$

$\therefore a=1,\ b=12$

$\therefore ab=12$

답 12

1355

연립부등식 $\begin{cases}-x-a\ge-5x\\4x-19<-3\end{cases}$ 을 만족시키는 자연수 x가 한 개뿐일 때, 정수 a의 개수는?

연립부등식의 해를 수직선 위에 나타내고, 해의 조건을 생각해 보자.

$-x-a\ge-5x$에서 $4x\ge a$ $\quad\therefore x\ge\frac{a}{4}$

$4x-19<-3$에서 $4x<16$ $\quad\therefore x<4$

주어진 연립부등식을 만족시키는 자연수 x가 한 개뿐이려면 그림과 같아야 한다.

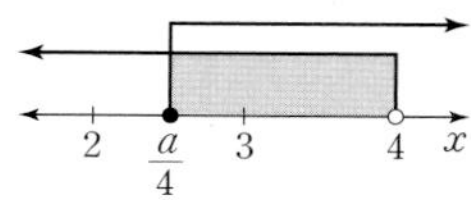

즉, $2<\frac{a}{4}\le3$이므로 $8<a\le12$

따라서 정수 a는 9, 10, 11, 12의 4개이다.

답 ④

1356

연립부등식의 해를 수직선 위에 나타내고, 해의 조건을 생각해 보자.

연립부등식 $\begin{cases}3x+4<-2x+7\\x\ge a\end{cases}$ 를 만족시키는 정수인 해의 개수가 2일 때, 상수 a의 값의 범위를 구하시오.

$3x+4<-2x+7$에서 $5x<3$

$\therefore x<\frac{3}{5}$

주어진 연립부등식을 만족시키는 정수인 해의 개수가 2이려면 그림과 같아야 한다.

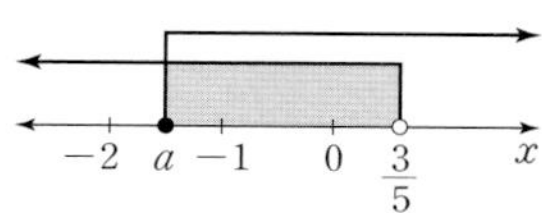

따라서 a의 값의 범위는

$-2<a\le-1$

답 $-2<a\le-1$

1357

x에 대한 연립부등식 $\begin{cases}x+2>3\\3x<a+1\end{cases}$ 을 만족시키는 모든 정수 x의 값의 합이 9가 되도록 하는 자연수 a의 최댓값을 구하시오.

연립부등식의 해를 수직선 위에 나타내고, 해의 조건을 생각해 보자.

$x+2>3$에서 $x>1$

$3x<a+1$에서 $x<\frac{a+1}{3}$

연립부등식의 해가 존재해야 하므로 연립부등식의 해는

$1<x<\frac{a+1}{3}$

한편, 연립부등식을 만족시키는 모든 정수 x의 값의 합이 9이므로 정수 x의 값은 2, 3, 4이다.

즉, $4<\frac{a+1}{3}\le5$이므로

$11<a\le14$

따라서 자연수 a의 최댓값은 14이다.

답 14

1358

연립부등식 $\begin{cases}3x+6\ge2x+3\\2x-5\ge4x+1\end{cases}$ 의 해를 구하시오.

수직선 위에서 두 일차부등식의 해의 공통부분을 살펴보자.

$3x+6\ge2x+3$에서

$x\ge-3$ ……㉠

$2x-5\ge4x+1$에서 $-2x\ge6$

$\therefore x\le-3$ ……㉡

㉠, ㉡의 공통부분을 수직선 위에 나타내면 그림과 같다.

따라서 ㉠, ㉡의 공통부분은 $x=-3$

답 $x=-3$

1359

연립부등식 $\begin{cases}x+1\ge2(x-1)+1\\2(x+3)<3x+4\end{cases}$ 를 풀면?

수직선 위에서 두 일차부등식의 해의 공통부분을 살펴보자.

$x+1\ge2(x-1)+1$에서 $x+1\ge2x-1$

$-x\ge-2$ $\quad\therefore x\le2$ ……㉠

$2(x+3)<3x+4$에서 $2x+6<3x+4$

$-x<-2$ $\quad\therefore x>2$ ……㉡

㉠, ㉡의 공통부분이 없으므로

주어진 연립부등식의 해는 없다.

답 ⑤

1360

> 연립부등식 $\begin{cases} ax-7\le x-1 \\ -2x-4\ge x+5 \end{cases}$ 의 해가 $x=-3$일 때, 상수 a의 값을 구하시오.
> 연립부등식의 해를 수직선 위에 나타내고, 해의 조건을 생각해 보자.

$ax-7\le x-1$에서 $(a-1)x\le 6$ ……㉠

$-2x-4\ge x+5$에서 $-3x\ge 9$ $\therefore x\le -3$

주어진 연립부등식의 해가 $x=-3$이므로 ㉠의 해는 $x\ge -3$이어야 한다.

이때, $a-1<0$, 즉 $a<1$이고 ㉠에서 $x\ge \dfrac{6}{a-1}$이므로

$\dfrac{6}{a-1}=-3$, $a-1=-2$

$\therefore a=-1$ 답 -1

1361

> 연립부등식 $\begin{cases} -x+7\ge 2x+a \\ 3(x-1)\le 5x+b \end{cases}$ 의 해가 $x=-1$일 때, 두 상수 a, b에 대하여 $a+b$의 값을 구하시오.
> 연립부등식의 해를 수직선 위에 나타내고, 해의 조건을 생각해 보자.

$-x+7\ge 2x+a$에서 $-3x\ge a-7$

$\therefore x\le \dfrac{7-a}{3}$

$3(x-1)\le 5x+b$에서 $3x-3\le 5x+b$

$-2x\le b+3$

$\therefore x\ge -\dfrac{b+3}{2}$

주어진 연립부등식의 해가 $x=-1$이므로

$\dfrac{7-a}{3}=-1$, $-\dfrac{b+3}{2}=-1$

$7-a=-3$, $b+3=2$

$\therefore a=10$, $b=-1$

$\therefore a+b=9$ 답 9

1362

> 연립부등식 $\begin{cases} \dfrac{2-3x}{2}\ge a \\ 2x+4<3x \end{cases}$ 의 해가 존재하기 위한 상수 a의 값의 범위를 구하시오.
> 두 일차부등식의 해의 공통부분이 존재하여야 한다.

$\dfrac{2-3x}{2}\ge a$의 양변에 2를 곱하면

$2-3x\ge 2a$, $-3x\ge 2a-2$

$\therefore x\le \dfrac{2-2a}{3}$

$2x+4<3x$에서

$-x<-4$

$\therefore x>4$

주어진 연립부등식의 해가 존재하려면 그림과 같아야 한다.

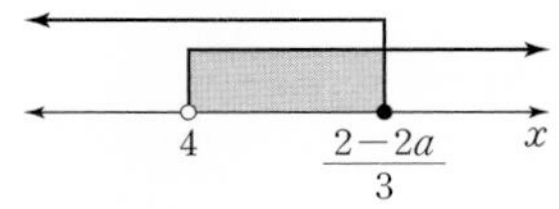

즉, $4<\dfrac{2-2a}{3}$이므로 $12<2-2a$

$\therefore a<-5$ 답 $a<-5$

1363

> 연립부등식 $\begin{cases} 3x-3\le x-a+3 \\ 5x-2>4x+8 \end{cases}$ 의 해가 존재하도록 하는 정수 a의 최댓값은?
> 두 일차부등식의 해의 공통부분이 존재하여야 한다.

$3x-3\le x-a+3$에서 $2x\le 6-a$

$\therefore x\le \dfrac{6-a}{2}$

$5x-2>4x+8$에서

$x>10$

주어진 연립부등식의 해가 존재하려면 그림과 같아야 한다.

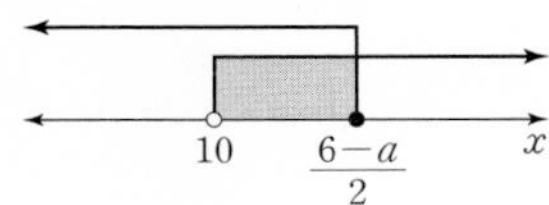

즉, $10<\dfrac{6-a}{2}$이므로 양변에 2를 곱하면

$20<6-a$ $\therefore a<-14$

따라서 정수 a의 최댓값은 -15이다. 답 ④

1364

> 연립부등식 $7x-7\le 3x+1<5(x-1)$의 해를 수직선 위에 바르게 나타낸 것은?
> $A\le B<C$ 꼴은 $\begin{cases} A\le B \\ B<C \end{cases}$ 꼴로 변형해서 풀자.

$7x-7\le 3x+1$에서

$4x\le 8$

$\therefore x\le 2$ ……㉠

$3x+1<5(x-1)$에서

$3x+1<5x-5$

$-2x<-6$

$\therefore x>3$ ……㉡

㉠, ㉡의 공통부분을 수직선 위에 나타내면 그림과 같다.

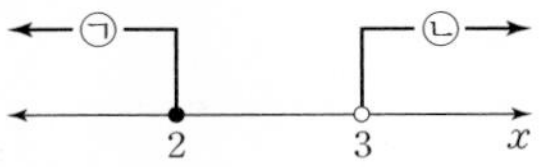

따라서 주어진 연립부등식의 해를 수직선 위에 바르게 나타낸 것은 ③이다. 답 ③

1365

〈보기〉의 연립부등식 중 해가 없는 것만을 있는 대로 고른 것은?
→ 두 일차부등식의 해의 공통부분이 존재하지 않아야 한다.

보기

ㄱ. $\begin{cases} x-3\geq0 \\ 3x-9\leq0 \end{cases}$ ㄴ. $\begin{cases} 3x+6<x \\ -x+1>-9 \end{cases}$

ㄷ. $\begin{cases} 2(x-1)\geq10x-6 \\ x-1\leq3(x+1) \end{cases}$ ㄹ. $3x\leq2x+1<4x-3$

ㄱ. $x-3\geq0$에서 $x\geq3$ ……㉠
$3x-9\leq0$에서 $3x\leq3$
$\therefore x\leq3$ ……㉡
㉠, ㉡의 공통부분을 구하면 $x=3$

ㄴ. $3x+6<x$에서 $2x<-6$
$\therefore x<-3$ ……㉠
$-x+1>-9$에서 $-x>-10$
$\therefore x<10$ ……㉡
㉠, ㉡의 공통부분을 구하면 $x<-3$

ㄷ. $2(x-1)\geq10x-6$에서 $2x-2\geq10x-6$
$-8x\geq-4$ $\therefore x\leq\frac{1}{2}$ ……㉠
$x-1\leq3(x+1)$에서 $x-1\leq3x+3$
$-2x\leq4$ $\therefore x\geq-2$ ……㉡
㉠, ㉡의 공통부분을 구하면 $-2\leq x\leq\frac{1}{2}$

ㄹ. $3x\leq2x+1$에서 $x\leq1$ ……㉠
$2x+1<4x-3$에서 $-2x<-4$
$\therefore x>2$ ……㉡
㉠, ㉡의 공통부분이 없으므로 해는 없다.

따라서 해가 없는 것은 ㄹ이다. 답 ③

1366

연립부등식 $\begin{cases} 2(x-1)\geq x \\ 5x+1<-9 \end{cases}$ 의 해는?
→ 수직선 위에서 두 일차부등식의 해의 공통부분을 살펴보자.

$2(x-1)\geq x$에서 $2x-2\geq x$
$\therefore x\geq2$ ……㉠
$5x+1<-9$에서 $5x<-10$
$\therefore x<-2$ ……㉡
㉠, ㉡을 수직선 위에 나타내면 그림과 같다.

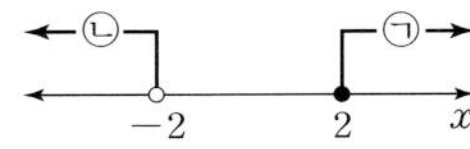

따라서 주어진 연립부등식의 해는 없다. 답 ⑤

1367

연립부등식 $\begin{cases} x+3>7 \\ x-a<3 \end{cases}$ 의 해가 존재하지 않을 때, 상수 a의 값의 범위는?
→ 두 일차부등식의 해의 공통부분이 존재하지 않아야 한다.

$x+3>7$에서
$x>4$
$x-a<3$에서
$x<3+a$
주어진 연립부등식의 해가 존재하지 않으려면 그림과 같아야 한다.

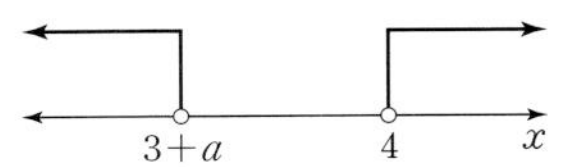

따라서 $3+a\leq4$이므로 $a\leq1$ 답 ①

1368

연립부등식 $\begin{cases} 3(x-1)\geq x+3 \\ x+3<2a \end{cases}$ 의 해가 없을 때, 상수 a의 최댓값을 구하시오.
→ 두 일차부등식의 해의 공통부분이 존재하지 않아야 한다.

$3(x-1)\geq x+3$에서 $3x-3\geq x+3$
$2x\geq6$ $\therefore x\geq3$
$x+3<2a$에서
$x<2a-3$
주어진 연립부등식의 해가 존재하지 않으려면 그림과 같아야 한다.

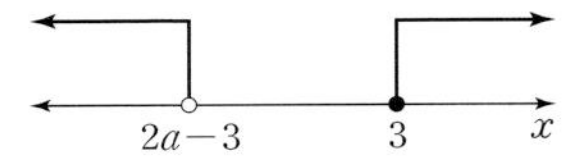

즉, $2a-3\leq3$에서 $2a\leq6$
$\therefore a\leq3$
따라서 a의 최댓값은 3이다. 답 3

1369

연속하는 세 정수의 합은 30보다 작지 않고, 작은 두 수의 합에서 가장 큰 수를 뺀 것은 10보다 작다. 이때, 세 정수를 구하시오.
→ $(x-1)$, x, $(x+1)$로 놓고 식을 세우자.

연속하는 세 정수를 $x-1$, x, $x+1$이라 하면
$\begin{cases} (x-1)+x+(x+1)\geq30 & \cdots\cdots㉠ \\ (x-1)+x-(x+1)<10 & \cdots\cdots㉡ \end{cases}$
㉠에서 $3x\geq30$
$\therefore x\geq10$ ……㉢
㉡에서 $x-2<10$
$\therefore x<12$ ……㉣
㉢, ㉣의 공통부분을 구하면
$10\leq x<12$
따라서 정수 x는 10 또는 11이므로 구하는 세 정수는 9, 10, 11 또는 10, 11, 12이다. 답 9, 10, 11 또는 10, 11, 12

1370

연속하는 세 짝수의 합이 90보다 크고 100보다 작을 때, 세 짝수 중 가장 작은 수는?
→ $(2x-2)$, $2x$, $(2x+2)$로 놓고 식을 세우자.

연속하는 세 짝수를 $2x-2$, $2x$, $2x+2$ $(x\geq 2)$라 하면

$90<(2x-2)+2x+(2x+2)<100$

$90<6x<100$

$\therefore 15<x<\frac{50}{3}$

따라서 자연수 x는 16이므로 구하는 세 짝수 중 가장 작은 수는

$2\cdot 16-2=30$

답 ④

1371

아름이는 500원짜리 공책과 300원짜리 볼펜을 합해서 15개 사려고 한다. 가지고 있는 돈 6500원 이하의 범위에서 공책을 더 많이 사려고 할 때, 공책을 몇 권 사야 하는지 구하시오.

→ 공책을 x권이라 하면, 볼펜은 $15-x$개이다.

공책의 권수를 x라 하면 볼펜의 개수는 $15-x$이므로

$\begin{cases} x>15-x & \cdots\cdots ㉠ \\ 500x+300(15-x)\leq 6500 & \cdots\cdots ㉡ \end{cases}$

㉠에서 $2x>15$

$\therefore x>\frac{15}{2}$ ……㉢

㉡에서 $200x\leq 2000$

$\therefore x\leq 10$ ……㉣

㉢, ㉣의 공통부분을 구하면

$\frac{15}{2}<x\leq 10$

따라서 사야 하는 공책은 8권 또는 9권 또는 10권이다.

답 8권 또는 9권 또는 10권

1372

학생들에게 볼펜을 나누어 주려고 하는데 한 학생에게 8개씩 나누어 주면 9개가 남는다고 한다. 볼펜의 개수가 40 이상 45 미만이라 할 때, 학생 수는?

→ 학생 수를 x라 하면, 볼펜의 개수는 $8x+9$이다.

학생 수를 x라 하면 볼펜의 개수는 $8x+9$이므로

$40\leq 8x+9<45$

$31\leq 8x<36$

$\therefore \frac{31}{8}\leq x<\frac{9}{2}$

따라서 구하는 학생 수는 4이다.

답 ①

1373

학생들에게 초콜릿 100개를 나누어 주는데 4개씩 주면 초콜릿이 남고, 5개씩 주면 초콜릿이 부족하다. 이때, 초콜릿을 나누어 줄 수 있는 최대 학생 수는?

→ 학생 수를 x라 놓고, 초콜릿의 개수를 x에 관한 식으로 정리하자.

학생 수를 x라 하면 4개씩 나누어 줄 때의 초콜릿의 개수는 $4x$, 5개씩 나누어 줄 때의 초콜릿의 개수는 $5x$이므로

$4x<100<5x$에서

$\begin{cases} 4x<100 & \cdots\cdots ㉠ \\ 100<5x & \cdots\cdots ㉡ \end{cases}$

㉠에서 $x<25$ ……㉢

㉡에서 $x>20$ ……㉣

㉢, ㉣의 공통부분을 구하면 $20<x<25$

따라서 초콜릿을 최대 24명까지 나누어 줄 수 있다.

답 ②

1374

→ 방의 개수를 x라 하면, 학생 수는 $5x+3$명

어느 청소년 수련원에서 학생들에게 숙소를 배정하려고 한다. 한 방에 5명씩 배정하면 3명의 학생이 남고, 한 방에 6명씩 배정하면 2개의 방이 남는다고 한다. 이 수련원의 방의 개수가 될 수 있는 가장 작은 수를 m, 가장 큰 수를 M이라 할 때, $m+M$의 값을 구하시오.

→ $(x-3)$개의 방에는 6명이 들어가고 다른 한 방에는 1명에서 6명까지 들어갈 수 있다.

방의 개수를 x라 하자.

한 방에 5명씩 배정하면 3명의 학생이 남기 때문에 학생 수는 $5x+3$명이다.

또 학생들을 6명씩 배정하면 2개의 방이 남고, 마지막 방엔 1명에서 6명까지 들어가므로

$6(x-3)+1\leq 5x+3\leq 6(x-3)+6$에서

$\begin{cases} 6x-17\leq 5x+3 & \cdots\cdots ㉠ \\ 5x+3\leq 6x-12 & \cdots\cdots ㉡ \end{cases}$

㉠에서 $x\leq 20$ ……㉢

㉡에서 $x\geq 15$ ……㉣

㉢, ㉣의 공통부분을 구하면

$15\leq x\leq 20$

$\therefore m=15,\ M=20$

$\therefore m+M=35$

답 35

1375

학생 수를 x라 하면, 사과의 개수는 $4x+13$ ←

학생들에게 사과를 나누어 주려고 한다. 한 학생에게 4개씩 주면 13개가 남고, 6개씩 주면 마지막으로 사과를 받는 학생은 1개 이상 6개 미만을 받는다고 한다. 학생은 몇 명인지 구하시오.

→ $(x-1)$명의 학생은 6개의 사과를 받고 나머지 한 명은 1개에서 5개까지 사과를 받을 수 있다.

학생 수를 x라 하면 사과의 개수는 $4x+13$이므로

$6(x-1)+1\leq 4x+13<6x$에서

$\begin{cases} 6(x-1)+1\leq 4x+13 & \cdots\cdots ㉠ \\ 4x+13<6x & \cdots\cdots ㉡ \end{cases}$

㉠에서 $2x\leq 18$

$\therefore x\leq 9$ ……㉢

㉡에서

$-2x<-13$

$\therefore x>\frac{13}{2}$ ……㉣

㉢, ㉣의 공통부분을 구하면

$\frac{13}{2}<x\leq 9$

따라서 구하는 학생은 7명 또는 8명 또는 9명이다.

답 7명 또는 8명 또는 9명

1376 사다리꼴의 넓이는 $\frac{1}{2}\times$(윗변의 길이+아랫변의 길이)$\times$(높이)이다.

> 그림과 같이 아랫변의 길이가 $8\,\text{cm}$, 윗변의 길이가 $4\,\text{cm}$, 높이가 $h\,\text{cm}$인 사다리꼴이 있다. 이 사다리꼴의 넓이가 $24\,\text{cm}^2$ 이상 $30\,\text{cm}^2$ 이하가 되도록 할 때, 높이 h의 값의 범위는?
>
> 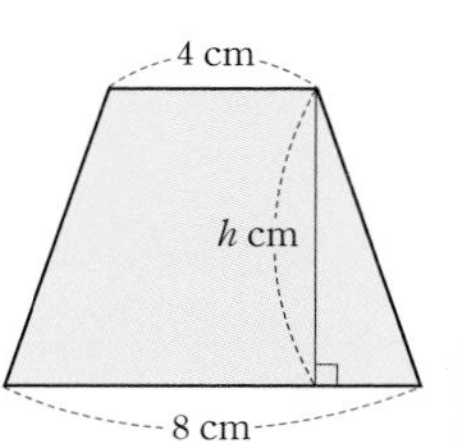
>

사다리꼴의 넓이는 $\frac{1}{2}\cdot(4+8)h$이므로

$24\le\frac{1}{2}\cdot(4+8)h\le30$

$24\le6h\le30$

$\therefore 4\le h\le5$

답 ⑤

1377

> 가로의 길이가 세로의 길이보다 $4\,\text{cm}$ 긴 직사각형의 둘레의 길이를 $60\,\text{cm}$ 이상 $72\,\text{cm}$ 미만으로 하려고 한다. 이때, 세로의 길이 x의 범위는?
> → 세로의 길이를 x, 가로의 길이를 $x+4$로 놓자.

직사각형의 세로의 길이가 x이므로 가로의 길이는 $x+4$이다.
즉, 직사각형의 둘레의 길이는 $2\{x+(x+4)\}$이므로

$60\le2\{x+(x+4)\}<72$

$30\le2x+4<36$

$26\le2x<32$

$\therefore 13\le x<16$

답 ②

1378

> 부등식 $|2x-1|>3$의 해가 '$x<\alpha$ 또는 $x>\beta$'일 때, 두 상수 α, β에 대하여 $\alpha+\beta$의 값은?
> → 양수 a에 대하여 $|x|>a$의 해는 $x<-a$ 또는 $x>a$임을 이용하자.

$|2x-1|>3$에서 $2x-1<-3$ 또는 $2x-1>3$

$2x<-2$ 또는 $2x>4$

$\therefore x<-1$ 또는 $x>2$

따라서 $\alpha=-1$, $\beta=2$이므로

$\alpha+\beta=1$

답 ①

1379

> 두 부등식 $|x-2|\le1$, $|2y+1|\le7$을 만족시키는 실수 x, y에 대하여 $x+y$의 최댓값을 M, 최솟값을 m이라 할 때, $M+m$의 값은?
> → 양수 a에 대하여 $|x|\le a$의 해는 $-a\le x\le a$임을 이용하자.

$|x-2|\le1$에서 $-1\le x-2\le1$

$\therefore 1\le x\le3$ ……㉠

$|2y+1|\le7$에서 $-7\le2y+1\le7$

$-8\le2y\le6$ $\quad\therefore -4\le y\le3$ ……㉡

㉠+㉡을 하면 $-3\le x+y\le6$이므로

$M=6$, $m=-3$

$\therefore M+m=3$

답 ③

1380

> 부등식 $|2x-a|<5$의 해가 $-3<x<b$일 때, $a+b$의 값을 구하시오. (단, a, b는 상수이다.)
> → 양수 a에 대하여 $|x|<a$의 해는 $-a<x<a$임을 이용하자.

$|2x-a|<5$에서

$-5<2x-a<5$

$a-5<2x<a+5$

$\therefore \frac{a-5}{2}<x<\frac{a+5}{2}$

이 부등식의 해가 $-3<x<b$이므로

$\frac{a-5}{2}=-3$, $\frac{a+5}{2}=b$

$a-5=-6$, $a+5=2b$

$\therefore a=-1$, $b=2$

$\therefore a+b=1$

답 1

1381

> 부등식 $|ax+1|\le b$의 해가 $-1\le x\le3$일 때, 두 상수 a, b에 대하여 $a+b$의 값은?
> → 양수 a에 대하여 $|x|\le a$의 해는 $-a\le x\le a$임을 이용하자.

$|ax+1|\le b$에서 $-b\le ax+1\le b$

$-b-1\le ax\le b-1$

$$\therefore \begin{cases} -\frac{b+1}{a}\le x\le\frac{b-1}{a} & (a>0) \\ \frac{b-1}{a}\le x\le-\frac{b+1}{a} & (a<0) \end{cases}$$

이 부등식의 해가 $-1\le x\le3$이므로

(i) $-\frac{b+1}{a}=-1$, $\frac{b-1}{a}=3$이면

$a=b+1$, $3a=b-1$ $\quad\therefore a=-1$, $b=-2$

이것은 $a>0$의 조건에 적합하지 않다.

(ii) $\frac{b-1}{a}=-1$, $-\frac{b+1}{a}=3$이면

$b-1=-a$, $3a=-b-1$ $\quad\therefore a=-1$, $b=2$

이것은 $a<0$의 조건을 만족한다.

(i), (ii)에 의하여 $a=-1$, $b=2$

$\therefore a+b=1$

답 ①

1382 양수 a에 대하여 $|x|<a$의 해는 $-a<x<a$임을 이용하자.

> x에 대한 부등식 $|x-a|<2$를 만족시키는 모든 정수 x의 값의 합이 33일 때, 자연수 a의 값을 구하시오.
> 해의 범위 내에 있는 모든 정수를 구하자.

$|x-a|<2$에서 $-2+a<x<2+a$
a가 자연수이므로 부등식을 만족하는 정수 x는
$-1+a$, a, $1+a$
따라서 모든 정수 x의 값의 합은
$(-1+a)+a+(1+a)=3a$
$3a=33$
$\therefore a=11$

답 11

1383

> x에 대한 부등식 $|x-3|\leq a$를 만족시키는 정수 x의 개수가 15가 되도록 하는 자연수 a의 값은?
> 양수 a에 대하여 $|x|\leq a$의 해는 $-a\leq x\leq a$임을 이용하자.

a는 자연수이므로 $|x-3|\leq a$에서
$-a\leq x-3\leq a$
$3-a\leq x\leq 3+a$
부등식을 만족시키는 정수 x의 개수는
$(3+a)-(3-a)+1=2a+1$
$2a+1=15$에서
$a=7$

답 ③

1384

> 부등식 $|3x-2|-6\leq x$의 해가 $a\leq x\leq b$일 때, 두 상수 a, b에 대하여 $a+b$의 값은?
> 절댓값 안의 식이 양수 또는 0일 때와 음수일 때로 나누어 생각하자.

(i) $x\geq\frac{2}{3}$일 때,
$(3x-2)-6\leq x$, $2x\leq 8$
$x\leq 4$
그런데 $x\geq\frac{2}{3}$이므로
$\frac{2}{3}\leq x\leq 4$

(ii) $x<\frac{2}{3}$일 때,
$-(3x-2)-6\leq x$, $-4x\leq 4$
$x\geq -1$
그런데 $x<\frac{2}{3}$이므로
$-1\leq x<\frac{2}{3}$

(i), (ii)에 의하여
$-1\leq x\leq 4$
따라서 $a=-1$, $b=4$이므로
$a+b=3$

답 ③

1385

> 부등식 $|3-x|\leq 5-x$를 만족시키는 자연수 x의 개수는?
> 절댓값 안의 식이 양수 또는 0일 때와 음수일 때로 나누어 생각하자.

(i) $x<3$일 때,
$3-x\leq 5-x$
$\therefore 0\cdot x\leq 2$
즉, 해는 모든 실수이다.
그런데 $x<3$이므로
$x<3$

(ii) $x\geq 3$일 때,
$-(3-x)\leq 5-x$
$\therefore x\leq 4$
그런데 $x\geq 3$이므로
$3\leq x\leq 4$

(i), (ii)에 의하여
$x\leq 4$
따라서 자연수 x는 1, 2, 3, 4의 4개이다.

답 ①

1386

> x에 대한 부등식 $|3x-1|<x+a$의 해가 $-1<x<3$일 때, 양수 a의 값을 구하시오.
> 절댓값 안의 식이 양수 또는 0일 때와 음수일 때로 나누어 생각하자.

부등식 $|3x-1|<x+a$의 해는

(i) $x\geq\frac{1}{3}$일 때
$3x-1<x+a$
$x<\frac{a+1}{2}$
a가 양수이므로 $\frac{1}{3}\leq x<\frac{a+1}{2}$

(ii) $x<\frac{1}{3}$일 때
$-3x+1<x+a$
$\frac{1-a}{4}<x$
a가 양수이므로 $\frac{1-a}{4}<x<\frac{1}{3}$

(i), (ii)에 의해 $\frac{1-a}{4}<x<\frac{a+1}{2}$
부등식 $|3x-1|<x+a$의 해가 $-1<x<3$이므로
$\frac{1-a}{4}=-1$, $\frac{a+1}{2}=3$
$\therefore a=5$

답 5

1387

> 부등식 $|3x-3|<k+2$가 성립하는 실수 x의 값이 존재하도록 하는 실수 k의 값의 범위를 구하시오.
> 해가 없는 경우의 반대 상황임을 이용하자.

$|3x-3|<k+2$에서 $|3x-3|\geq 0$이므로

$k+2>0 \quad \therefore k>-2$ 답 $k>-2$

1388

> 부등식 $|3x-2|+2>k$의 해가 모든 실수가 되도록 하는 실수 k의 값의 범위는?
> └• $|x|>k$의 해가 모든 실수이려면 $k<0$임을 이용하자.

$|3x-2|+2>k$에서

$|3x-2|>k-2$

이 부등식의 해가 모든 실수가 되려면

$k-2<0$

$\therefore k<2$ 답 ①

1389

> 부등식 $|2x+3|\le 2k+4$의 해가 존재하지 않도록 하는 정수 k의 최댓값을 구하시오.
> └• $|x|\le k$의 해가 없으려면 $k<0$임을 이용하자.

주어진 부등식의 해가 존재하지 않으려면 $2k+4<0$이면 된다.

$2k<-4$이므로

$k<-2$

따라서 정수 k의 최댓값은 -3이다. 답 -3

1390

└• 양수 a에 대하여 $|x|\ge a$의 해는 $x\le -a$ 또는 $x\ge a$임을 이용하자.

> 연립부등식 $\begin{cases} |x-2|\ge 1 \\ 3x+6\le x+16 \end{cases}$ 의 해가 $x\le a$ 또는 $b\le x\le c$일 때, 세 상수 a, b, c의 합 $a+b+c$의 값은?

$|x-2|\ge 1$에서 $x-2\le -1$ 또는 $x-2\ge 1$

$\therefore x\le 1$ 또는 $x\ge 3$ ……㉠

$3x+6\le x+16$에서 $2x\le 10$

$\therefore x\le 5$ ……㉡

㉠, ㉡의 공통부분을 구하면 $x\le 1$ 또는 $3\le x\le 5$

$\therefore a=1,\ b=3,\ c=5$

$\therefore a+b+c=9$ 답 ④

1391

> 부등식 $1<|x-2|<3$을 만족시키는 정수 x의 개수는?
> └• $A<B<C$ 꼴은 $\begin{cases} A<B \\ B<C \end{cases}$ 꼴로 변형해서 풀자.

$1<|x-2|<3$에서

$-3<x-2<-1$ 또는 $1<x-2<3$

$\therefore -1<x<1$ 또는 $3<x<5$

따라서 정수 x는 0, 4의 2개이다. 답 ②

1392

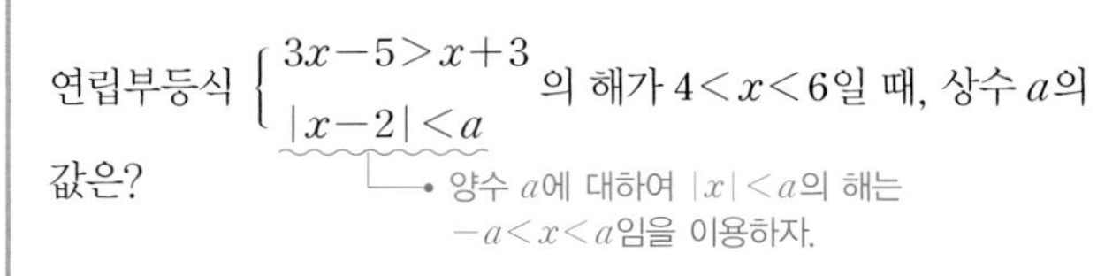
연립부등식 $\begin{cases} 3x-5>x+3 \\ |x-2|<a \end{cases}$ 의 해가 $4<x<6$일 때, 상수 a의 값은?
양수 a에 대하여 $|x|<a$의 해는 $-a<x<a$임을 이용하자.

$3x-5>x+3$에서

$2x>8$

$\therefore x>4$

$|x-2|<a$에서

$-a<x-2<a$

$\therefore -a+2<x<a+2$

주어진 연립부등식의 해가 $4<x<6$이므로

$a+2=6$

$\therefore a=4$ 답 ②

1393

> 부등식 $|x-3|+|x+1|<6$을 만족시키는 정수 x의 개수를 구하시오.
> └• $x<-1$, $-1\le x<3$, $x\ge 3$인 경우로 나누어 풀자.

$|x-3|+|x+1|<6$에서

(i) $x<-1$일 때, $x-3<0$, $x+1<0$이므로

$-(x-3)-(x+1)<6,\ -2x<4$

$\therefore x>-2$

그런데 $x<-1$이므로 $-2<x<-1$

(ii) $-1\le x<3$일 때, $x-3<0$, $x+1\ge 0$이므로

$-(x-3)+(x+1)<6 \quad \therefore 0\cdot x<2$

즉, 해는 모든 실수이다.

그런데 $-1\le x<3$이므로 $-1\le x<3$

(iii) $x\ge 3$일 때, $x-3\ge 0$, $x+1>0$이므로

$(x-3)+(x+1)<6,\ 2x<8 \quad \therefore x<4$

그런데 $x\ge 3$이므로 $3\le x<4$

(i), (ii), (iii)에 의하여 $-2<x<4$

따라서 정수 x는 -1, 0, 1, 2, 3의 5개이다. 답 5

1394

> 부등식 $|x|+|x-1|\ge 3$의 해가 '$x\le a$ 또는 $x\ge b$' 일 때, 두 상수 a, b의 합 $a+b$의 값을 구하시오.
> └• $x<0$, $0\le x<1$, $x\ge 1$인 경우로 나누어 풀자.

$|x|+|x-1|\ge 3$에서

(i) $x<0$일 때, $x-1<0$이므로

$-x-(x-1)\ge 3,\ -2x\ge 2$

$\therefore x\le -1$

그런데 $x<0$이므로 $x\le -1$

(ii) $0\le x<1$일 때, $x-1<0$이므로

$x-(x-1)\ge 3$

$\therefore 0\cdot x\ge 2$

즉, 해는 없다.

(iii) $x \geq 1$일 때, $x-1 \geq 0$이므로

$x+(x-1) \geq 3$, $2x \geq 4$

$\therefore x \geq 2$

그런데 $x \geq 1$이므로 $x \geq 2$

(i), (ii), (iii)에 의하여 $x \leq -1$ 또는 $x \geq 2$

따라서 $a=-1$, $b=2$이므로

$a+b=1$ 답 1

1395

부등식 $|3-x|+2|x+1| \leq 5$의 해를 $a \leq x \leq b$라 할 때, $a+b$의 값은? (단, a, b는 상수이다.)

• $|a-x|=|x-a|$임을 이용하자.

$|3-x|+2|x+1| \leq 5$에서

(i) $x<-1$일 때, $3-x>0$, $x+1<0$이므로

$(3-x)-2(x+1) \leq 5$, $-3x \leq 4$

$\therefore x \geq -\frac{4}{3}$

그런데 $x<-1$이므로 $-\frac{4}{3} \leq x < -1$

(ii) $-1 \leq x < 3$일 때, $3-x>0$, $x+1 \geq 0$이므로

$(3-x)+2(x+1) \leq 5$ $\quad \therefore x \leq 0$

그런데 $-1 \leq x < 3$이므로 $-1 \leq x \leq 0$

(iii) $x \geq 3$일 때, $3-x \leq 0$, $x+1>0$이므로

$-(3-x)+2(x+1) \leq 5$, $3x \leq 6$

$\therefore x \leq 2$

그런데 $x \geq 3$이므로 해는 없다.

(i), (ii), (iii)에 의하여 $-\frac{4}{3} \leq x \leq 0$

$\therefore a=-\frac{4}{3}$, $b=0$

$\therefore a+b=-\frac{4}{3}$ 답 ①

1396

부등식 $\sqrt{x^2-2x+1}+|x+2|<5$를 만족시키는 정수 x의 개수를 구하시오.

• $\sqrt{A^2}=|A|$임을 이용하자.

$\sqrt{x^2-2x+1}=\sqrt{(x-1)^2}=|x-1|$이므로 주어진 부등식은

$|x-1|+|x+2|<5$

(i) $x<-2$일 때, $x-1<0$, $x+2<0$이므로

$-(x-1)-(x+2)<5$, $-2x<6$

$\therefore x>-3$

그런데 $x<-2$이므로

$-3<x<-2$

(ii) $-2 \leq x < 1$일 때, $x-1<0$, $x+2 \geq 0$이므로

$-(x-1)+(x+2)<5$

$\therefore 0 \cdot x<2$

즉, 해는 모든 실수이다.

그런데 $-2 \leq x < 1$이므로

$-2 \leq x < 1$

(iii) $x \geq 1$일 때, $x-1 \geq 0$, $x+2>0$이므로

$(x-1)+(x+2)<5$, $2x<4$

$\therefore x<2$

그런데 $x \geq 1$이므로

$1 \leq x < 2$

(i), (ii), (iii)에 의하여

$-3<x<2$

따라서 정수 x는 -2, -1, 0, 1의 4개이다. 답 4

1397

x에 대한 부등식 $|x-4|+|x-3| \leq a$를 만족하는 실수 x가 존재할 때, 상수 a의 최솟값은?

• $x<3$, $3 \leq x < 4$, $x \geq 4$인 경우로 나누어 풀자.

$|x-4|+|x-3| \leq a$에서

(i) $x<3$일 때,

$-(x-4)-(x-3) \leq a$, $-2x \leq a-7$

$\therefore x \geq \frac{7-a}{2}$

이때, 이 부등식의 해가 존재하려면 $\frac{7-a}{2}<3$에서 $a>1$

(ii) $3 \leq x < 4$일 때,

$-(x-4)+(x-3) \leq a$ $\quad \therefore 0 \cdot x \leq a-1$

이때, 이 부등식의 해가 존재하려면 $a-1 \geq 0$에서 $a \geq 1$

(iii) $x \geq 4$일 때,

$(x-4)+(x-3) \leq a$, $2x \leq a+7$

$\therefore x \leq \frac{a+7}{2}$

이때, 이 부등식의 해가 존재하려면 $\frac{a+7}{2} \geq 4$에서 $a \geq 1$

(i), (ii), (iii)에 의하여 $a \geq 1$

따라서 a의 최솟값은 1이다. 답 ①

다른풀이 $f(x)=|x-4|+|x-3|$이라 하면 $y=f(x)$의 그래프는 그림과 같으므로

$a \geq 1$

따라서 a의 최솟값은 1이다.

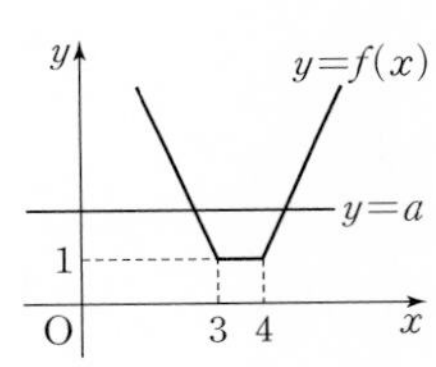

1398

부등식 $||x+1|-3|<4$를 만족시키는 정수 x의 개수는?

• 바깥쪽의 절댓값부터 정리하자.

$||x+1|-3|<4$에서

$-4<|x+1|-3<4$

$-1<|x+1|<7$

그런데 $|x+1| \geq 0$이므로

$0 \leq |x+1| < 7$

$-7<x+1<7$

$\therefore -8<x<6$

따라서 정수 x의 개수는 13이다. 답 ②

1399

> 연립부등식 $\begin{cases} 2x-2>x-1 \\ 5x\le 4x+2 \end{cases}$ 의 해 중에서 자연수인 것을 구하시오.
>
> 각 부등식의 해를 수직선 위에 나타내어 공통범위를 구하자.

$2x-2>x-1$에서

$x>1$ ⋯⋯㉠

$5x\le 4x+2$에서

$x\le 2$ ⋯⋯㉡

㉠, ㉡을 수직선 위에 나타내면 그림과 같다.

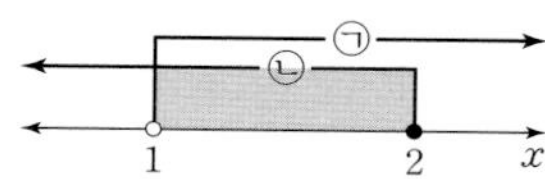

따라서 ㉠, ㉡의 공통부분은 $1<x\le 2$이므로 연립부등식의 해 중에서 자연수인 것은 2이다.

답 2

1400

> 연립부등식 $\begin{cases} 5-3(x+2)<11+x \\ 4x+6\le 2(5+x)-3 \end{cases}$ 을 풀면?
>
> 괄호를 먼저 풀고, 각각의 해를 구하자.

$5-3(x+2)<11+x$에서 $-3x-1<11+x$

$-4x<12$ $\quad\therefore x>-3$ ⋯⋯㉠

$4x+6\le 2(5+x)-3$에서 $4x+6\le 2x+7$

$2x\le 1$ $\quad\therefore x\le\frac{1}{2}$ ⋯⋯㉡

따라서 ㉠, ㉡의 공통부분을 구하면

$-3<x\le\frac{1}{2}$

답 ⑤

1401

> 연립부등식 $-5\le\frac{6-4x}{3}\le 2x$를 만족시키는 정수 x의 개수를 구하시오.
>
> $A\le B\le C$ 꼴은 $\begin{cases} A\le B \\ B\le C \end{cases}$ 꼴로 변형해서 풀자.

$-5\le\frac{6-4x}{3}\le 2x$에서 $\begin{cases} -5\le\frac{6-4x}{3} \\ \frac{6-4x}{3}\le 2x \end{cases}$

$-5\le\frac{6-4x}{3}$의 양변에 3을 곱하면

$-15\le 6-4x$, $4x\le 21$

$\therefore x\le\frac{21}{4}$ ⋯⋯㉠

$\frac{6-4x}{3}\le 2x$의 양변에 3을 곱하면

$6-4x\le 6x$, $-10x\le -6$

$\therefore x\ge\frac{3}{5}$ ⋯⋯㉡

㉠, ㉡을 수직선 위에 나타내면 그림과 같다.

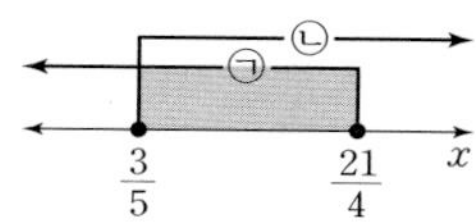

㉠, ㉡의 공통부분은 $\frac{3}{5}\le x\le\frac{21}{4}$

따라서 정수 x는 1, 2, 3, 4, 5의 5개이다.

답 5

1402 서술형

> x에 대한 연립부등식 $\begin{cases} 2x\ge 3-a \\ 5-5x>b-x \end{cases}$ 의 해가 $-3\le x<2$일 때, 두 상수 a, b에 대하여 $a-b$의 값을 구하시오.
>
> 먼저 연립부등식의 해를 a, b 이용해서 나타내자.

$2x\ge 3-a$에서

$x\ge\frac{3-a}{2}$

$5-5x>b-x$에서 $-4x>b-5$

$\therefore x<\frac{5-b}{4}$ ⋯⋯ 40%

주어진 연립부등식의 해가 $-3\le x<2$이므로

$\frac{3-a}{2}=-3$, $\frac{5-b}{4}=2$

$3-a=-6$, $5-b=8$ ⋯⋯ 40%

$\therefore a=9$, $b=-3$

$\therefore a-b=12$ ⋯⋯ 20%

답 12

1403

> 연립부등식 $\frac{1}{4}<\frac{x-a}{4}<\frac{1}{2}$의 해가 $1<x<b$일 때, 부등식 $ax+b>0$의 해는? (단, a, b는 상수이다.)
>
> 분모의 최소공배수인 4를 양변에 곱하자.

$\frac{1}{4}<\frac{x-a}{4}<\frac{1}{2}$에서 $a+1<x<a+2$

이 부등식의 해가 $1<x<b$이므로

$a+1=1$, $a+2=b$

$\therefore a=0$, $b=2$

따라서 $ax+b>0$에서 $0\cdot x>-2$이므로 해는 모든 실수이다.

답 ④

1404

> 연립부등식 $\begin{cases} 2x-5<3 \\ x>a \end{cases}$ 를 만족시키는 정수 x가 한 개뿐일 때, 상수 a의 값의 범위는?
>
> 연립부등식의 해를 수직선 위에 나타낸 뒤, 범위 안에 정수가 1개 뿐인 경우를 생각해 보자.

$2x-5<3$에서 $2x<8$

$\therefore x<4$

주어진 연립부등식을 만족시키는 정수 x가 한 개뿐이려면 그림과 같아야 한다.

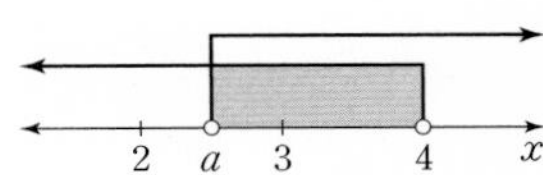

따라서 a의 값의 범위는

$2 \le a < 3$

답 ⑤

1405 서술형

연립부등식 $\begin{cases} -2x+5 \le 20+3x \\ 2x+1 < a \end{cases}$ 의 해가 존재하지 않게 되는 상수 a의 값의 범위를 구하시오.

두 일차부등식의 해의 공통 부분이 존재하지 않아야 한다.

$-2x+5 \le 20+3x$에서 $-5x \le 15$

$\therefore x \ge -3$

$2x+1 < a$에서 $2x < a-1$

$\therefore x < \frac{a-1}{2}$ …… 40%

주어진 연립부등식의 해가 존재하지 않으려면 그림과 같아야 한다.

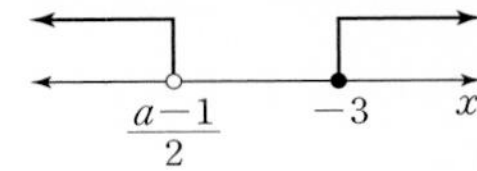

따라서 $\frac{a-1}{2} \le -3$이므로 …… 40%

$a-1 \le -6 \qquad \therefore a \le -5$ …… 20%

답 $a \le -5$

1406

새미는 친구들에게 과자를 나누어 주려고 하는데 2개씩 나누어 주면 10개가 남고, 4개씩 나누어 주면 5개 이상 7개 미만이 모자란다. 이때, 새미의 친구는 모두 몇 명인가?

친구의 수를 x라 하면, 과자의 개수는 $2x+10$임을 이용하자.

새미의 친구의 수를 x라 하면 과자의 개수는 $2x+10$이므로

$4x-7 < 2x+10 \le 4x-5$에서

$\begin{cases} 4x-7 < 2x+10 & \cdots\cdots ㉠ \\ 2x+10 \le 4x-5 & \cdots\cdots ㉡ \end{cases}$

㉠에서

$2x < 17$

$\therefore x < \frac{17}{2}$ …… ㉢

㉡에서

$2x \ge 15$

$\therefore x \ge \frac{15}{2}$ …… ㉣

㉢, ㉣의 공통부분을 구하면

$\frac{15}{2} \le x < \frac{17}{2}$

따라서 새미의 친구는 모두 8명이다.

답 ③

1407

의자의 수를 x라 하면, 학생 수는 $9x+6$

학생들을 긴 의자에 앉히는데 의자 1개에 9명씩 앉히면 6명이 남고, 12명씩 앉히면 의자가 4개 남는다. 다음 중 의자의 개수가 될 수 있는 것은?

$(x-5)$개의 의자에는 12명이 앉고 다른 한 의자에는 1명에서 12명까지 앉을 수 있다.

의자의 개수를 x라 하면 학생 수는 $9x+6$이므로

$12(x-5)+1 \le 9x+6 \le 12(x-5)+12$에서

$\begin{cases} 12(x-5)+1 \le 9x+6 & \cdots\cdots ㉠ \\ 9x+6 \le 12(x-5)+12 & \cdots\cdots ㉡ \end{cases}$

㉠에서 $3x \le 65 \qquad \therefore x \le \frac{65}{3}$ …… ㉢

㉡에서 $3x \ge 54 \qquad \therefore x \ge 18$ …… ㉣

㉢, ㉣의 공통부분을 구하면 $18 \le x \le \frac{65}{3}$

따라서 의자의 개수가 될 수 있는 것은 18, 19, 20, 21이다.

답 ③

1408

부등식 $|x-a| \le b$의 해가 $-2 \le x \le 4$일 때, 두 실수 a, b에 대하여 $2a+b$의 값은?

양수 a에 대하여 $|x| \le a$의 해는 $-a \le x \le a$임을 이용하자.

$|x-a| \le b$에서 $-b \le x-a \le b$

$\therefore a-b \le x \le a+b$

즉, $a-b=-2$, $a+b=4$이므로 $a=1$, $b=3$

$\therefore 2a+b=5$

답 ③

1409

부등식 $|x+5|+|x-1| \le 8$을 만족시키는 x의 값의 범위가 $\alpha \le x \le \beta$일 때, $\alpha+\beta$의 값을 구하시오.

$x<-5$, $-5 \le x < 1$, $x \ge 1$인 경우로 나누어 풀자.

$|x+5|+|x-1| \le 8$에서

(i) $x < -5$일 때, $x+5<0$, $x-1<0$이므로

$-(x+5)-(x-1) \le 8$, $-2x \le 12$

$\therefore x \ge -6$

그런데 $x<-5$이므로

$-6 \le x < -5$

(ii) $-5 \le x < 1$일 때, $x+5 \ge 0$, $x-1<0$이므로

$(x+5)-(x-1) \le 8$

$\therefore 0 \cdot x \le 2$

즉, 해는 모든 실수이다.

그런데 $-5 \le x < 1$이므로

$-5 \le x < 1$

(iii) $x \ge 1$일 때, $x+5>0$, $x-1 \ge 0$이므로

$(x+5)+(x-1) \le 8$, $2x \le 4$

$\therefore x \le 2$

그런데 $x \ge 1$이므로

$1 \le x \le 2$

(i), (ii), (iii)에 의하여

$-6 \le x \le 2$

$\therefore \alpha=-6, \beta=2$

$\therefore \alpha+\beta=-4$

답 -4

1410

부등식 $2|x+1|-|2x-3| \le -5$의 해가 부등식 $3x+k \le 1$의 해와 같을 때, 상수 k의 값을 구하시오.

• $x<-1$, $-1 \le x < \frac{3}{2}$, $x \ge \frac{3}{2}$인 경우로 나누어 풀자.

(i) $x<-1$일 때, $x+1<0$, $2x-3<0$이므로

$-2(x+1)+(2x-3) \le -5$

$\therefore 0 \cdot x \le 0$

즉, 해는 모든 실수이다.

그런데 $x<-1$이므로

$x<-1$

(ii) $-1 \le x < \frac{3}{2}$일 때, $x+1 \ge 0$, $2x-3<0$이므로

$2(x+1)+(2x-3) \le -5$, $4x \le -4$

$\therefore x \le -1$

그런데 $-1 \le x < \frac{3}{2}$이므로

$x=-1$

(iii) $x \ge \frac{3}{2}$일 때, $x+1>0$, $2x-3 \ge 0$이므로

$2(x+1)-(2x-3) \le -5$

$\therefore 0 \cdot x \le -10$

즉, 해는 없다.

(i), (ii), (iii)에 의하여

$x \le -1$ ······ ㉠

한편, $3x+k \le 1$에서 $3x \le 1-k$

$\therefore x \le \frac{1-k}{3}$ ······ ㉡

이때, ㉠, ㉡이 같아야 하므로

$-1=\frac{1-k}{3}$, $-3=1-k$

$\therefore k=4$

답 4

1411

모든 실수 x에 대하여 연립부등식

$x-2 \le (a-1)x+b \le cx+5$

가 성립하도록 하는 실수 b의 값의 범위는 $\alpha \le b \le \beta$이다. $\beta-\alpha$의 값은? (단, a, b, c는 상수이다.)

• 왼쪽 부등식에서 $a=2$임을 알 수 있다.

$x-2 \le (a-1)x+b \le cx+5$에서

(i) $(a-1)x+b \ge x-2$에서

$(a-2)x+b+2 \ge 0$

이 부등식이 모든 실수 x에 대하여 성립하려면

$a=2$, $b \ge -2$

(ii) $a=2$이므로 $x+b \le cx+5$에서

$(c-1)x-b+5 \ge 0$

이 부등식이 모든 실수 x에 대하여 성립하려면

$c=1$, $b \le 5$

(i), (ii)에 의하여 $-2 \le b \le 5$이므로

$\alpha=-2$, $\beta=5$ $\therefore \beta-\alpha=7$

답 ②

1412

• 두 사람이 움직인 시간을 x분이라 놓으면 두 사람이 각각 움직인 거리는 $100x$ m, $60x$ m이다.

일직선 위에 100 m 간격으로 두 지점 A, B가 있다. 원석이는 A지점에서 B지점 방향으로 분속 100 m, 수해는 B지점에서 원석이와 같은 방향으로 분속 60 m로 동시에 움직인다고 한다. 원석이와 수해 사이의 거리가 20 m 이상 40 m 이하가 되는 시간이 a분부터 b분까지라 할 때, ab의 값을 구하시오. (단, $a<b<3$)

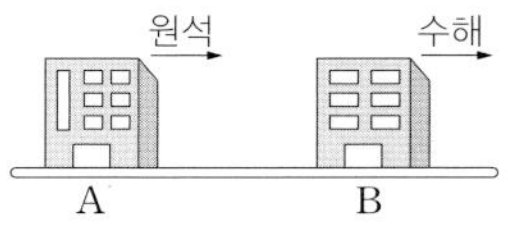

두 사람이 움직인 시간을 x분이라 하면

원석이와 수해가 움직인 거리는 각각 $100x$ m, $60x$ m이다.

그런데 수해는 원석이 보다 100 m를 앞서서 출발하기 때문에 원석이와 수해 사이의 거리는 $|(100+60x)-100x|$이다.

즉, $20 \le |(100+60x)-100x| \le 40$에서

$20 \le |100-40x| \le 40$

$20 \le 100-40x \le 40$ 또는 $-40 \le 100-40x \le -20$

$-80 \le -40x \le 60$ 또는 $-140 \le -40x \le -120$

$\therefore \frac{3}{2} \le x \le 2$ 또는 $3 \le x \le \frac{7}{2}$

그런데 $a<b<3$이므로 $a=\frac{3}{2}$, $b=2$ $\therefore ab=3$

답 3

1413

자연수 n의 약수의 개수를 $\langle n \rangle$으로 정의한다. 예를 들어 $\langle 2 \rangle=2$, $\langle 4 \rangle=3$이다. $3\langle n \rangle-6=0$을 만족하는 자연수 $n(1 \le n \le 15)$의 개수와 다음 연립부등식의 자연수인 해의 개수가 같다고 한다.

• $\langle n \rangle=2$이므로 n은 소수임을 알 수 있다.

$$\begin{cases} \frac{5-2x}{3} \le \frac{x+3}{4}-7 \\ -2(x-21) \ge \frac{a-x}{2} \end{cases}$$

다음 중 상수 a의 값이 될 수 없는 것을 모두 고르면? (정답 2개)

① 38 ② 40 ③ 41

④ 42 ⑤ 44

$3\langle n \rangle-6=0$에서 $3\langle n \rangle=6$ $\therefore \langle n \rangle=2$

즉, n은 약수가 두 개인 소수이므로

$1 \le n \le 15$에서 2, 3, 5, 7, 11, 13의 6개이다.

한편, $\frac{5-2x}{3} \le \frac{x+3}{4}-7$의 양변에 12를 곱하면

$4(5-2x) \le 3(x+3)-84$

$11x \ge 95$ $\therefore x \ge \frac{95}{11}$

$-2(x-21) \geq \frac{a-x}{2}$ 의 양변에 2를 곱하면

$-4(x-21) \geq a-x$

$-4x+84 \geq a-x$, $3x \leq 84-a$ $\quad \therefore x \leq \frac{84-a}{3}$

주어진 연립부등식을 만족시키는 정수 x가 6개이려면 그림과 같아야 한다.

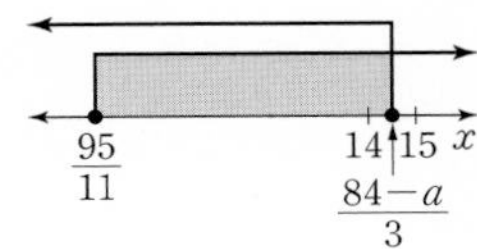

즉, $14 \leq \frac{84-a}{3} < 15$에서 $42 \leq 84-a < 45$

$-42 \leq -a < -39$ $\quad \therefore 39 < a \leq 42$

따라서 상수 a의 값이 될 수 없는 것은 ①, ⑤이다.

답 ①, ⑤

1414

올라갈 때의 코스의 길이를 $x$km로 놓고 부등식을 세우자.

> 고은이는 어느 지역의 트레킹 코스를 가려고 한다. 올라갈 때는 시속 1 km, 내려올 때는 시속 2 km로 걸었고, 올라가서 20분 쉬다가 내려왔더니 총 3시간 이상 3시간 30분 이하가 걸렸다. 올라갈 때보다 내려올 때의 코스가 2 km 짧다고 할 때, 내려올 때의 코스의 길이는 최대 몇 km인가?

올라갈 때의 코스의 길이를 x km라 하면
내려올 때의 코스의 길이는 $(x-2)$km이다.

이때, 올라갈 때와 내려올 때 걸린 시간은 각각 $\frac{x}{1}=x$시간,

$\frac{x-2}{2}$시간이고, 올라가서 20분, $\frac{20}{60}=\frac{1}{3}$시간 쉬었으므로

$3 \leq x+\frac{x-2}{2}+\frac{1}{3} \leq \frac{7}{2}$에서

$18 \leq 6x+3(x-2)+2 \leq 21$

$18 \leq 9x-4 \leq 21$ $\quad \therefore \frac{22}{9} \leq x \leq \frac{25}{9}$

즉, 내려올 때의 코스의 길이는

$\frac{22}{9}-2 \leq x-2 \leq \frac{25}{9}-2$ $\quad \therefore \frac{4}{9} \leq x-2 \leq \frac{7}{9}$

따라서 내려올 때의 코스의 길이는 최대 $\frac{7}{9}$ km이다.

답 ④

1415

> 세 실수 a, b, c가 $a<b<c$일 때, 부등식
> $|x-a|<|x-b|<|x-c|$
> 를 만족하는 x의 값의 범위는?

각각의 그래프를 그려보자.

$y_1=|x-a|$, $y_2=|x-b|$, $y_3=|x-c|$라 하고, 각각의 그래프를 그리면 그림과 같다.

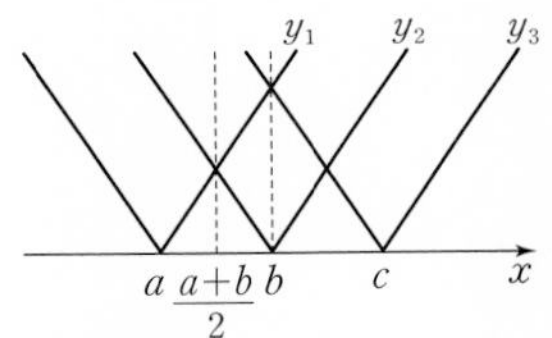

그래프에서 $y_1<y_2<y_3$을 만족하는 x의 값의 범위는 $y_1=|x-a|$와 $y_2=|x-b|$의 교점 $x=\frac{1}{2}(a+b)$보다 작을 때이다.

$\therefore x<\frac{1}{2}(a+b)$

답 ⑤

1416

$x<0$, $0 \leq x<a$, $x \geq a$인 경우로 나누어 풀자.

> 양수 a에 대하여 부등식 $|x|+|x-a|<a+2$를 만족하는 정수 x의 개수를 $N(a)$로 정의할 때,
> $N(1)+N(2)+N(3)+\cdots+N(9)$의 값을 구하시오.

$|x|+|x-a|<a+2$에서 a는 양수이므로

(i) $x<0$일 때,

$-x-(x-a)<a+2$, $-2x<2$

$\therefore x>-1$

그런데 $x<0$이므로 $-1<x<0$

(ii) $0 \leq x<a$일 때,

$x-(x-a)<a+2$ $\quad \therefore 0 \cdot x<2$

즉, 해는 모든 실수이다.

그런데 $0 \leq x<a$이므로 $0 \leq x<a$

(iii) $x \geq a$일 때,

$x+(x-a)<a+2$, $2x<2a+2$

$\therefore x<a+1$

그런데 $x \geq a$이므로 $a \leq x<a+1$

(i), (ii), (iii)에 의하여 $-1<x<a+1$

$a=1$일 때, $-1<x<2$를 만족하는 정수는 2개이므로

$N(1)=2$

$a=2$일 때, $-1<x<3$을 만족하는 정수는 3개이므로

$N(2)=3$

같은 방법으로 $N(3)=4$, $N(4)=5$, $\cdots$, $N(9)=10$

$\therefore N(1)+N(2)+N(3)+\cdots+N(9)$

$=2+3+4+\cdots+10=54$

답 54

1417

> 부등식 $||x|+|x+1|| \leq 3$을 만족하는 모든 정수 x의 값의 합을 구하시오.

바깥쪽의 절댓값부터 정리하자.

$||x|+|x+1|| \leq 3$에서 $-3 \leq |x|+|x+1| \leq 3$

(i) $x<-1$일 때,

$-3 \leq -x-(x+1) \leq 3$

$-3 \leq -2x-1 \leq 3$, $-2 \leq -2x \leq 4$

$\therefore -2 \leq x \leq 1$

그런데 $x<-1$이므로 $-2 \leq x<-1$

(ii) $-1 \leq x<0$일 때,

$-3 \leq -x+(x+1) \leq 3$, $-3 \leq 0 \cdot x+1 \leq 3$

즉, 해는 모든 실수이다.

그런데 $-1 \leq x<0$이므로 $-1 \leq x<0$

(iii) $x \geq 0$일 때,

$-3 \leq x+(x+1) \leq 3$, $-3 \leq 2x+1 \leq 3$

$-4 \leq 2x \leq 2$ $\quad \therefore -2 \leq x \leq 1$

그런데 $x \geq 0$이므로 $0 \leq x \leq 1$

(i), (ii), (iii)에 의하여 $-2 \leq x \leq 1$

따라서 이 부등식을 만족하는 모든 정수 x의 값의 합은

$-2+(-1)+0+1=-2$

답 -2

1418

바깥쪽의 절댓값부터 정리하자.

> 두 양수 a, b $(a<b)$에 대하여 $|x|+|x-a|<b$를 만족시키는 정수 x의 개수를 $f(a, b)$라 할 때, 〈보기〉에서 옳은 것만을 있는 대로 고른 것은? (단, n은 자연수이다.)
>
> **보기**
>
> ㄱ. $f(2, 3)=3$
>
> ㄴ. $f(n, n+2)=n+1$
>
> ㄷ. $f(n, n+2)=f(n+2, n+4)$

$|x|+|x-a|<b$에서 a는 양수이므로

(i) $x<0$일 때,

$-x-(x-a)<b$

$-2x<b-a$

$\therefore x>\dfrac{a-b}{2}$

그런데 $x<0$이므로

$\dfrac{a-b}{2}<x<0$

(ii) $0\le x<a$일 때,

$x-(x-a)<b$

$\therefore 0\cdot x<b-a$

$a<b$에서 $b-a>0$이므로 해는 모든 실수이다.

그런데 $0\le x<a$이므로

$0\le x<a$

(iii) $x\ge a$일 때,

$x+(x-a)<b$

$2x<a+b$

$\therefore x<\dfrac{a+b}{2}$

그런데 $x\ge a$이므로

$a\le x<\dfrac{a+b}{2}$

(i), (ii), (iii)에 의하여

$\dfrac{a-b}{2}<x<\dfrac{a+b}{2}$

ㄱ. $f(2, 3)$은 부등식 $-\dfrac{1}{2}<x<\dfrac{5}{2}$를 만족시키는 정수 x의 개수이므로

$f(2, 3)=3$ (참)

ㄴ. $f(n, n+2)$는 부등식 $\dfrac{n-(n+2)}{2}<x<\dfrac{n+(n+2)}{2}$,

즉 $-1<x<n+1$을 만족시키는 정수 x의 개수이므로

$f(n, n+2)=n+1$ (참)

ㄷ. $f(n+2, n+4)$는

부등식 $\dfrac{(n+2)-(n+4)}{2}<x<\dfrac{(n+2)+(n+4)}{2}$,

즉 $-1<x<n+3$을 만족시키는 정수 x의 개수이므로

$f(n+2, n+4)=n+3$

$\therefore f(n, n+2)\ne f(n+2, n+4)$ ($\because$ ㄴ) (거짓)

따라서 옳은 것만을 있는 대로 고른 것은 ㄱ, ㄴ이다. 답 ②

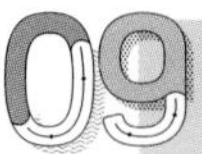

09 이차부등식

본책 242~266쪽

1419

$x<-2$ 또는 $x>4$ 답 $x<-2$ 또는 $x>4$

1420

$x\le -2$ 또는 $x\ge 4$ 답 $x\le -2$ 또는 $x\ge 4$

1421

$-2<x<4$ 답 $-2<x<4$

1422

$-2\le x\le 4$ 답 $-2\le x\le 4$

1423

$x\ne 2$인 모든 실수이다. 답 $x\ne 2$인 모든 실수

1424

해는 모든 실수이다. 답 모든 실수

1425

해가 없다. 답 해가 없다.

1426

$x=2$ 답 $x=2$

1427

해는 모든 실수이다. 답 모든 실수

1428

해는 모든 실수이다. 답 모든 실수

1429

해가 없다. 답 해가 없다.

1430

해가 없다. 답 해가 없다.

1431

$(x-2)(x-5)\le 0$에서 $2\le x\le 5$ 답 $2\le x\le 5$

1432

$(x-3)(x+1)<0$에서 $-1<x<3$ 답 $-1<x<3$

1433

$(x-1)(x-3)>0$에서 $x<1$ 또는 $x>3$

답 $x<1$ 또는 $x>3$

1434

$(x+5)(x-2)\ge 0$에서 $x\le -5$ 또는 $x\ge 2$

답 $x\le -5$ 또는 $x\ge 2$

1435
$x^2+2x-3\le 0$에서 $(x+3)(x-1)\le 0$
$\therefore -3\le x\le 1$ 　　답 $-3\le x\le 1$

1436
$-x^2+x+6<0$의 양변에 -1을 곱하면
$x^2-x-6>0$, $(x+2)(x-3)>0$
$\therefore x<-2$ 또는 $x>3$ 　　답 $x<-2$ 또는 $x>3$

1437
$6x^2-5x+1\le 0$에서 $(2x-1)(3x-1)\le 0$
$\therefore \frac{1}{3}\le x\le \frac{1}{2}$ 　　답 $\frac{1}{3}\le x\le \frac{1}{2}$

1438
$3x^2-5x+2>0$에서 $(x-1)(3x-2)>0$
$\therefore x<\frac{2}{3}$ 또는 $x>1$ 　　답 $x<\frac{2}{3}$ 또는 $x>1$

1439
$(x-5)^2\ge 0$이므로 $(x-5)^2\le 0$의 해는 $x=5$ 　　답 $x=5$

1440
$(2x+3)^2\ge 0$이므로 $(2x+3)^2>0$의 해는
$x\ne -\frac{3}{2}$인 모든 실수이다. 　　답 $x\ne -\frac{3}{2}$인 모든 실수

1441
$x^2-2x+1=(x-1)^2\ge 0$이므로
$x^2-2x+1\ge 0$의 해는 모든 실수이다. 　　답 모든 실수

1442
$3x^2+12x+12=3(x+2)^2\ge 0$이므로
$3x^2+12x+12>0$의 해는 $x\ne -2$인 모든 실수이다.
답 $x\ne -2$인 모든 실수

1443
$4x^2+4x+1=(2x+1)^2\ge 0$이므로
$4x^2+4x+1<0$의 해는 없다. 　　답 해가 없다.

1444
$(x-1)^2+6\ge 6$이므로 $(x-1)^2+6\le 0$의 해는 없다.
답 해가 없다.

1445
$x^2-6x+10=(x-3)^2+1\ge 1$이므로
$x^2-6x+10<0$의 해는 없다. 　　답 해가 없다.

1446
$x^2+x+1=\left(x+\frac{1}{2}\right)^2+\frac{3}{4}\ge \frac{3}{4}$이므로
$x^2+x+1>0$의 해는 모든 실수이다. 　　답 모든 실수

1447
$2x^2+x+2=2\left(x+\frac{1}{4}\right)^2+\frac{15}{8}\ge \frac{15}{8}$이므로
$2x^2+x+2\ge 0$의 해는 모든 실수이다. 　　답 모든 실수

1448
해가 $-2\le x\le 6$이고 이차항의 계수가 1인 이차부등식은
$(x+2)(x-6)\le 0$
$\therefore x^2-4x-12\le 0$ 　　답 $x^2-4x-12\le 0$

1449
해가 $-4<x<3$이고 이차항의 계수가 1인 이차부등식은
$(x+4)(x-3)<0$
$\therefore x^2+x-12<0$ 　　답 $x^2+x-12<0$

1450
해가 $x\le -2$ 또는 $x\ge 7$이고 이차항의 계수가 1인 이차부등식은
$(x+2)(x-7)\ge 0$
$\therefore x^2-5x-14\ge 0$ 　　답 $x^2-5x-14\ge 0$

1451
해가 $x<-5$ 또는 $x>1$이고 이차항의 계수가 1인 이차부등식은
$(x+5)(x-1)>0$
$\therefore x^2+4x-5>0$ 　　답 $x^2+4x-5>0$

1452
$4-x\le 6-3x$에서 $-x+3x\le 6-4$
$2x\le 2$ 　$\therefore x\le 1$ 　　……㉠
$x(x-4)\le 0$에서 $0\le x\le 4$ 　　……㉡
㉠, ㉡을 수직선 위에 나타내면 다음과 같다.

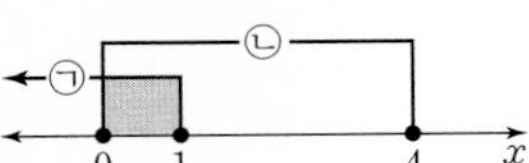

따라서 ㉠, ㉡의 공통부분은
$0\le x\le 1$ 　　답 $0\le x\le 1$

1453
$2x+3>6x-1$에서 $-4x>-4$
$\therefore x<1$ 　　……㉠
$x^2+x-6\le 0$에서 $(x+3)(x-2)\le 0$
$\therefore -3\le x\le 2$ 　　……㉡
㉠, ㉡을 수직선 위에 나타내면 다음과 같다.

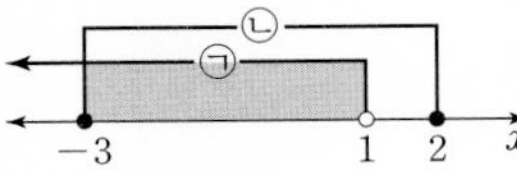

따라서 ㉠, ㉡의 공통부분은
$-3\le x<1$ 　　답 $-3\le x<1$

1454
$(x+7)(x-5)\ge 0$에서
$x\le -7$ 또는 $x\ge 5$ 　　……㉠
$(x-1)(x-7)<0$에서
$1<x<7$ 　　……㉡

㉠, ㉡을 수직선 위에 나타내면 다음과 같다.

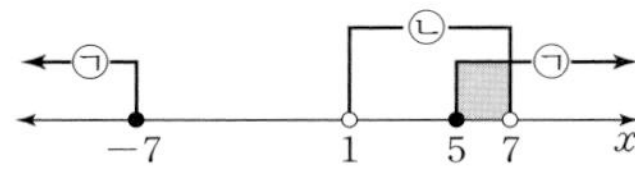

따라서 ㉠, ㉡의 공통부분은

$5\leq x<7$ 　답 $5\leq x<7$

1455

$x^2-4x+5>0$에서 $(x-2)^2+1\geq 1$이므로

해는 모든 실수이다. ……㉠

$(x+1)(x-3)\leq 0$에서

$-1\leq x\leq 3$ ……㉡

따라서 ㉠, ㉡의 공통부분은

$-1\leq x\leq 3$ 　답 $-1\leq x\leq 3$

1456

$x^2+2x-15\leq 0$에서 $(x+5)(x-3)\leq 0$

$\therefore -5\leq x\leq 3$ ……㉠

$x^2-7x+10>0$에서 $(x-2)(x-5)>0$

$\therefore x<2$ 또는 $x>5$ ……㉡

㉠, ㉡을 수직선 위에 나타내면 다음과 같다.

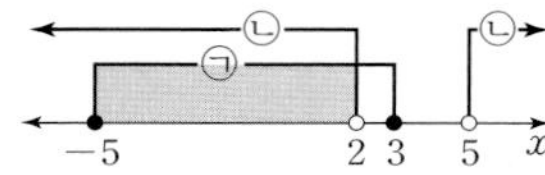

따라서 ㉠, ㉡의 공통부분은

$-5\leq x<2$ 　답 $-5\leq x<2$

1457

$2x^2-5x+2<0$에서 $(2x-1)(x-2)<0$

$\therefore \frac{1}{2}<x<2$ ……㉠

$-x^2-x+2>0$에서 $x^2+x-2<0$

$(x+2)(x-1)<0$

$\therefore -2<x<1$ ……㉡

㉠, ㉡을 수직선 위에 나타내면 다음과 같다.

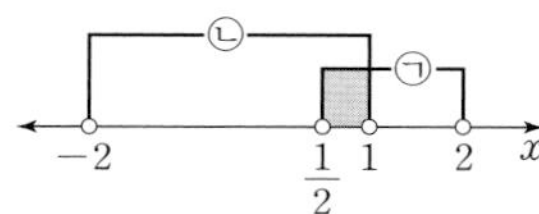

따라서 ㉠, ㉡의 공통부분은

$\frac{1}{2}<x<1$ 　답 $\frac{1}{2}<x<1$

1458

$x+1\leq 2x-3\leq x+2$에서

$\begin{cases} x+1\leq 2x-3 \\ 2x-3\leq x+2 \end{cases}$

$x+1\leq 2x-3$에서 $x-2x\leq -3-1$

$-x\leq -4$

$\therefore x\geq 4$ ……㉠

$2x-3\leq x+2$에서 $2x-x\leq 2+3$

$\therefore x\leq 5$ ……㉡

㉠, ㉡을 수직선 위에 나타내면 다음과 같다.

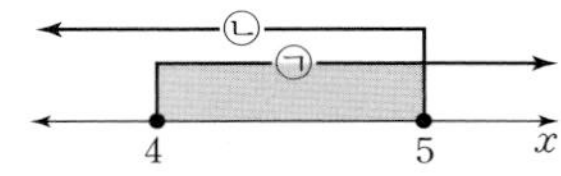

따라서 ㉠, ㉡의 공통부분은

$4\leq x\leq 5$ 　답 $4\leq x\leq 5$

1459

$5<x^2-4x<12$에서

$\begin{cases} 5<x^2-4x \\ x^2-4x<12 \end{cases}$

$5<x^2-4x$에서 $x^2-4x-5>0$

$(x+1)(x-5)>0$

$\therefore x<-1$ 또는 $x>5$ ……㉠

$x^2-4x<12$에서 $x^2-4x-12<0$

$(x+2)(x-6)<0$

$\therefore -2<x<6$ ……㉡

㉠, ㉡을 수직선 위에 나타내면 다음과 같다.

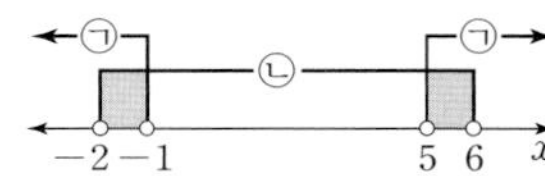

따라서 ㉠, ㉡의 공통부분은

$-2<x<-1$ 또는 $5<x<6$

답 $-2<x<-1$ 또는 $5<x<6$

1460

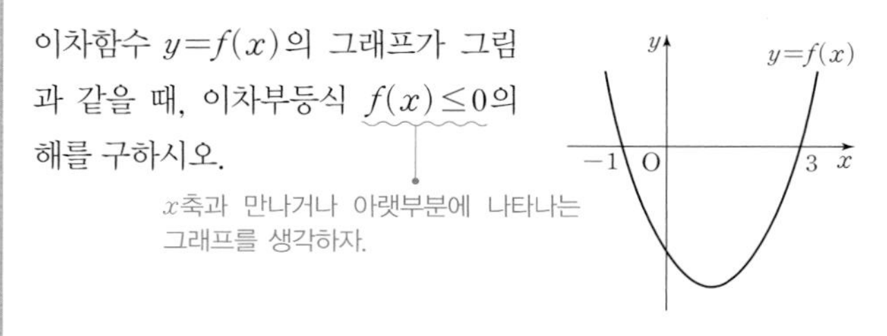

이차함수 $y=f(x)$의 그래프가 그림과 같을 때, 이차부등식 $f(x)\leq 0$의 해를 구하시오.

x축과 만나거나 아랫부분에 나타나는 그래프를 생각하자.

이차부등식 $f(x)\leq 0$의 해는 함수 $y=f(x)$의 그래프가 x축과 만나거나 x축보다 아래쪽에 있는 x의 값의 범위이므로 주어진 그림에서

$-1\leq x\leq 3$ 　답 $-1\leq x\leq 3$

1461

이차함수 $y=f(x)$의 그래프가 그림과 같을 때, 이차부등식 $f(x)\geq 0$의 해는?

x축과 만나거나 윗부분에 나타나는 그래프를 생각하자.

① $x=3$

② $0<x<3$

③ $x>3$

④ $x\neq 3$인 모든 실수

⑤ 모든 실수

이차부등식 $f(x)\geq 0$의 해는 함수 $y=f(x)$의 그래프가 x축과 만나거나 x축보다 위쪽에 있는 x의 값의 범위이므로 주어진 그림에서

$x=3$ 　답 ①

1462

이차함수 $f(x)=ax^2+bx+c$의 그래프가 그림과 같을 때, 부등식 $ax^2+bx+c\le 0$의 해를 구하시오.

→ x축과 만나거나 아랫부분에 나타나는 그래프를 생각하자.

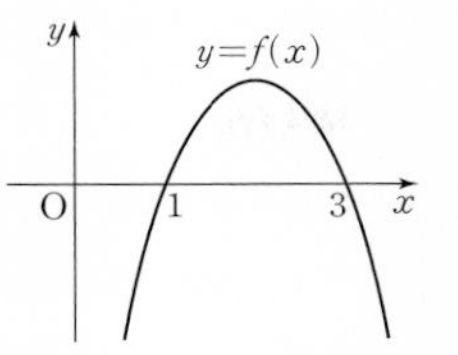

부등식 $ax^2+bx+c\le 0$, 즉 $f(x)\le 0$의 해는 함수 $y=f(x)$의 그래프가 x축과 만나거나 x축보다 아래쪽에 있는 x의 값의 범위이므로 주어진 그림에서 $x\le 1$ 또는 $x\ge 3$

답 $x\le 1$ 또는 $x\ge 3$

1463

이차함수 $y=f(x)$가 다음 조건을 만족할 때, 이차부등식 $f(x)\le 0$의 해는?

→ 그래프가 x축과 두 점 $(-2, 0)$, $(1, 0)$에서 만난다.

(가) x절편이 -2와 1이다.
(나) 그래프는 위로 볼록이다.

$f(-2)=f(1)=0$이고 위로 볼록이므로
$y=f(x)$의 그래프는 그림과 같다.
따라서 $f(x)\le 0$의 해는
$x\le -2$ 또는 $x\ge 1$

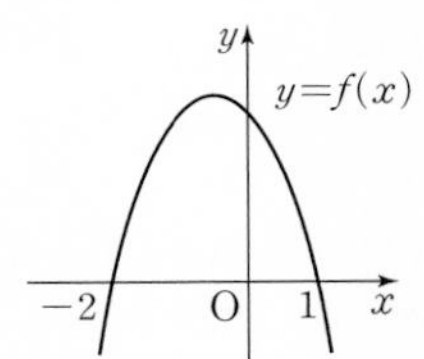

답 ④

1464

그림과 같이 이차함수 $y=f(x)$의 꼭짓점의 좌표가 $(1, -4)$이고 y절편이 -3일 때, 이차부등식 $f(x)\le 0$을 만족시키는 정수 x의 개수를 구하시오.

→ $f(x)=a(x-1)^2-4$라 하자.
→ 점 $(0, -3)$을 지난다.

이차함수 $y=f(x)$의 꼭짓점의 좌표가 $(1, -4)$이므로
$f(x)=a(x-1)^2-4$ $(a\ne 0)$로 나타낼 수 있다.
y절편이 -3이므로 $x=0$, $y=-3$을 대입하면
$a(0-1)^2-4=-3$ $\quad\therefore a=1$
$\therefore f(x)=(x-1)^2-4=x^2-2x-3$
즉, $(x+1)(x-3)\le 0$에서 $-1\le x\le 3$
따라서 이차부등식을 만족시키는 정수 x는 $-1, 0, 1, 2, 3$의 5개이다.

답 5

1465

이차함수 $y=f(x)$의 그래프가 그림과 같을 때, $f(x)-3<0$을 만족시키는 x의 값의 범위는?

→ 직선 $y=3$보다 아래에 나타나는 $y=f(x)$ 그래프를 생각하자.

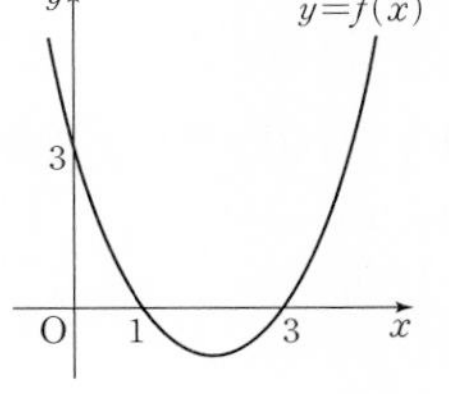

① $0<x<1$
② $1<x<3$
③ $0<x<4$
④ $x<0$ 또는 $x>4$
⑤ $x<1$ 또는 $x>3$

$f(x)=a(x-1)(x-3)$ $(a>0)$이고,
$y=f(x)$가 점 $(0, 3)$을 지나므로
$3=3a$ $\quad\therefore a=1$
즉, $f(x)=(x-1)(x-3)=x^2-4x+3$
$f(x)-3<0$에서 $x^2-4x+3-3<0$
$x(x-4)<0$
$\therefore 0<x<4$

답 ③

1466

이차부등식 $x^2+2x-15\ge 0$의 해가 $x\le\alpha$ 또는 $x\ge\beta$일 때, $\alpha\beta$의 값을 구하시오.

→ $(x-\alpha)(x-\beta)\ge 0$ $(\alpha<\beta)$의 해는 $x\le\alpha$ 또는 $x\ge\beta$이다.

$x^2+2x-15\ge 0$에서 $(x+5)(x-3)\ge 0$
$\therefore x\le -5$ 또는 $x\ge 3$
$\therefore \alpha\beta=(-5)\times 3=-15$

답 -15

1467

이차부등식 $x^2+5x+4\le 0$을 만족시키는 모든 정수 x의 값의 합은?

→ $(x-\alpha)(x-\beta)\le 0$ $(\alpha<\beta)$의 해는 $\alpha\le x\le\beta$이다.

$x^2+5x+4\le 0$에서 $(x+4)(x+1)\le 0$
$\therefore -4\le x\le -1$
따라서 이차부등식을 만족시키는 정수 x의 -4, -3, -2, -1이므로
모든 정수 x의 값의 합은
$-4+(-3)+(-2)+(-1)=-10$

답 ⑤

1468

이차부등식 $x^2-6<x$를 만족하는 정수 x의 개수를 구하시오.

→ $(x-\alpha)(x-\beta)<0$ $(\alpha<\beta)$의 해는 $\alpha<x<\beta$이다.

$x^2-6<x$에서 $x^2-x-6<0$
$(x+2)(x-3)<0$ $\quad\therefore -2<x<3$
따라서 정수 x는 4개이다.

답 4

1469

이차부등식 $-2x^2+5x+12>0$을 만족시키는 모든 정수 x의 값의 합은?

→ 이차항의 계수가 음수인 경우 양변에 -1을 곱하자.

$-2x^2+5x+12>0$에서 $2x^2-5x-12<0$
$(2x+3)(x-4)<0$
$\therefore -\frac{3}{2}<x<4$
따라서 이차부등식을 만족시키는 정수 x는 $-1, 0, 1, 2, 3$이므로 모든 정수 x의 값의 합은
$-1+0+1+2+3=5$ 답 ②

1470

• 양수 a에 대하여 $|x|\le a$의 해는 $-a\le x\le a$임을 이용하자.

> x에 대한 부등식 $|2x-k|\le 3$의 해와 이차부등식 $x^2-7x+10\le 0$의 해가 서로 같을 때, 상수 k의 값은?
> • 각각의 해를 구해서 비교하자.

$|2x-k|\le 3$에서 $-3\le 2x-k\le 3$
$k-3\le 2x\le k+3$
$\therefore \frac{k-3}{2}\le x\le \frac{k+3}{2}$ ……㉠
$x^2-7x+10\le 0$에서 $(x-2)(x-5)\le 0$
$\therefore 2\le x\le 5$ ……㉡
㉠, ㉡이 같아야 하므로
$\frac{k-3}{2}=2$, $\frac{k+3}{2}=5$
$\therefore k=7$ 답 ③

1471

• $f(x)=a(x-1)^2-16$이라 하자.

> 이차함수 $y=f(x)$의 꼭짓점의 좌표가 $(1, -16)$이고 y절편이 -15일 때, 이차부등식 $f(x)<0$을 만족하는 모든 정수 x의 값의 합은? • 점 $(0, -15)$를 지난다.

이차함수 $y=f(x)$의 꼭짓점의 좌표가 $(1, -16)$이므로
$f(x)=a(x-1)^2-16$
y절편이 -15이므로 $y=f(x)$는 점 $(0, -15)$를 지난다.
$a(0-1)^2-16=-15$ $\therefore a=1$
$\therefore f(x)=x^2-2x-15$
$x^2-2x-15<0$에서 $(x-5)(x+3)<0$
$\therefore -3<x<5$
따라서 정수 x는 $-2, -1, 0, 1, 2, 3, 4$이므로 모든 정수 x의 합은 7이다. 답 ③

1472

> 다음 중 이차부등식 $4x^2+4x+1>0$의 해가 아닌 것은?
> • 판별식 $D=0$인 경우이다.

$4x^2+4x+1=(2x+1)^2\ge 0$이므로 주어진 이차부등식의 해는
$x\ne -\frac{1}{2}$인 모든 실수이다.
따라서 주어진 이차부등식의 해가 아닌 것은 ② $-\frac{1}{2}$이다.
답 ②

1473

> 이차부등식의 해가 모든 실수인 것만을 〈보기〉에서 있는 대로 고르시오. • 각 이차부등식을 완전제곱식으로 변형해 보자.
>
> 보기
> ㄱ. $x^2-2x-3<0$ ㄴ. $x^2-x+3>0$
> ㄷ. $x^2-3x+3\ge 0$ ㄹ. $-2x^2+3x-1\le 0$

ㄱ. $x^2-2x-3<0$에서 $(x+1)(x-3)<0$
$\therefore -1<x<3$
ㄴ. $x^2-x+3=\left(x-\frac{1}{2}\right)^2+\frac{11}{4}\ge\frac{11}{4}$이므로
이차부등식 $x^2-x+3>0$의 해는 모든 실수이다.
ㄷ. $x^2-3x+3=\left(x-\frac{3}{2}\right)^2+\frac{3}{4}\ge\frac{3}{4}$이므로
이차부등식 $x^2-3x+3\ge 0$의 해는 모든 실수이다.
ㄹ. $-2x^2+3x-1\le 0$에서 $2x^2-3x+1\ge 0$
$(2x-1)(x-1)\ge 0$
$\therefore x\le\frac{1}{2}$ 또는 $x\ge 1$
따라서 이차부등식의 해가 모든 실수인 것은 ㄴ, ㄷ이다. 답 ㄴ, ㄷ

1474

• 판별식 $D=0$임을 이용하여 a를 구하자.

> 이차방정식 $x^2+ax+a+3=0$이 중근을 가질 때, 이차부등식 $x^2+ax+a+3>0$의 해는? (단, $a<0$)

$x^2+ax+a+3=0$의 판별식을 D라 하면
$D=a^2-4(a+3)=0$에서
$a^2-4a-12=0$
$(a+2)(a-6)=0$
$\therefore a=-2$ 또는 $a=6$
그런데 $a<0$이므로 $a=-2$
즉, $x^2-2x+1>0$에서 $(x-1)^2>0$
따라서 구하는 해는 $x\ne 1$인 모든 실수이다. 답 ⑤

1475

> x에 대한 이차부등식 $x^2+ax+b<0$의 해가 $-2<x<3$이 되도록 두 상수 a, b의 값을 정할 때, a^2+b^2의 값을 구하시오.
> • $(x+2)(x-3)<0$임을 이용하자.

이차항의 계수가 1이고, 해가 $-2<x<3$인
이차부등식은 $(x+2)(x-3)<0$
$\therefore x^2-x-6<0$
이 부등식이 $x^2+ax+b<0$이므로
$a=-1$, $b=-6$
$\therefore a^2+b^2=1+36=37$ 답 37

1476

> 부등식 $x^2-3x+a<0$의 해가 $-2<x<b$일 때, 두 상수 a, b의 합 $a+b$의 값은? • $(x+2)(x-b)<0$임을 이용하자.

부등식 $x^2-3x+a<0$의 해가 $-2<x<b$이므로
$(x+2)(x-b)<0$
$x^2-(b-2)x-2b<0$
$\therefore b-2=3,\ -2b=a$
따라서 $a=-10,\ b=5$이므로
$a+b=-5$

답 ①

1477

• $-3<2x-5<3$의 해와 같음을 이용하자.

두 부등식 $|2x-5|<3$과 $ax^2+5x+b>0$의 해가 일치할 때, 두 상수 $a,\ b$의 합 $a+b$의 값은?

$|2x-5|<3$에서 $-3<2x-5<3$
$2<2x<8$
$\therefore 1<x<4$
해가 $1<x<4$이고, 이차항의 계수가 1인 이차부등식은
$(x-1)(x-4)<0,\ x^2-5x+4<0$
$\therefore -x^2+5x-4>0$ ……㉠
㉠이 이차부등식 $ax^2+5x+b>0$과 일치해야 하므로
$a=-1,\ b=-4$
$\therefore a+b=-5$

답 ⑤

1478

• $a>0$이고, $a(x+1)(x-2)<0$임을 이용하자.

이차부등식 $ax^2+bx+c<0$의 해가 $-1<x<2$일 때, 이차부등식 $cx^2+bx+a<0$의 해를 구하시오.

$ax^2+bx+c<0$의 해가 $-1<x<2$이므로 $a>0$이고
$a(x+1)(x-2)<0$
$ax^2-ax-2a<0$
$\therefore b=-a,\ c=-2a$
이것을 $cx^2+bx+a<0$에 대입하면
$-2ax^2-ax+a<0$
$a>0$이므로 $2x^2+x-1>0$
$(x+1)(2x-1)>0$
$\therefore x<-1$ 또는 $x>\frac{1}{2}$

답 $x<-1$ 또는 $x>\frac{1}{2}$

1479

• $a>0$이고, 근과 계수의 관계를 이용하자.

이차부등식 $ax^2+bx+c<0$의 해가 $1<x<5$이고, 이차방정식 $ax^2-cx-b=0$의 두 근을 $\alpha,\ \beta$라 할 때, $\alpha^2+\beta^2$의 값을 구하시오.

이차부등식 $ax^2+bx+c<0$의 해가 $1<x<5$이므로
$a>0$이고, 이차방정식 $ax^2+bx+c=0$의 두 근은 1, 5이다.
근과 계수의 관계에 의하여
$-\frac{b}{a}=1+5=6,\ \frac{c}{a}=1\times5=5$
한편, 이차방정식 $ax^2-cx-b=0$의 두 근이 $\alpha,\ \beta$이므로 근과 계수의 관계에 의하여
$\alpha+\beta=\frac{c}{a},\ \alpha\beta=-\frac{b}{a}$
$\therefore \alpha+\beta=5,\ \alpha\beta=6$
$\therefore \alpha^2+\beta^2=(\alpha+\beta)^2-2\alpha\beta=5^2-2\times6=13$

답 13

1480

• 근과 계수의 관계를 이용하자.

이차부등식 $x^2-ax+12\le0$의 해가 $\alpha\le x\le\beta$이고, 이차부등식 $x^2-5x+b\ge0$의 해가 $x\le\alpha-1$ 또는 $x\ge\beta-1$일 때, 상수 $a,\ b$에 대하여 ab의 값을 구하시오.

이차부등식 $x^2-ax+12\le0$의 해가 $\alpha\le x\le\beta$이므로
$(x-\alpha)(x-\beta)\le0,\ x^2-(\alpha+\beta)x+\alpha\beta\le0$
$\therefore \alpha+\beta=a,\ \alpha\beta=12$ ……㉠
또한, 이차부등식 $x^2-5x+b\ge0$의 해가
$x\le\alpha-1$ 또는 $x\ge\beta-1$이므로
$(x-\alpha+1)(x-\beta+1)\ge0$
$x^2-(\alpha+\beta-2)x+\alpha\beta-\alpha-\beta+1\ge0$
$\therefore \alpha+\beta-2=5,\ \alpha\beta-\alpha-\beta+1=b$ ……㉡
㉠, ㉡에서 $a=7,\ b=6$
$\therefore ab=42$

답 42

1481

이차함수 $f(x)$에 대하여 $f(1)=8$이고 부등식 $f(x)\le0$의 해가 $-3\le x\le0$일 때, $f(4)$의 값을 구하시오.

• $ax(x+3)\le0$임을 이용하자.

부등식 $f(x)\le0$의 해가 $-3\le x\le0$이므로
이차함수 $f(x)$는
$f(x)=ax(x+3)\ (a>0)$이고,
$f(1)=8$이므로
$f(1)=a(1+3)=8$
$a=2$
따라서 $f(x)=2x(x+3)$이므로
$f(4)=56$

답 56

1482

• $(x-1)^2\le0$임을 이용하자.

x에 대한 이차부등식 $x^2+ax-b\le0$을 만족시키는 x의 값이 오직 $x=1$일 때, 부등식 $ax^2-bx+3>0$을 만족시키는 모든 정수 x의 값의 합은? (단, $a,\ b$는 정수이다.)

이차부등식 $x^2+ax-b\le0$을 만족시키는 x의 값이 오직 $x=1$이려면 이 이차부등식은 다음과 같아야 한다.
$(x-1)^2\le0$
$\therefore x^2-2x+1\le0$
$x^2+ax+b\le0$과 비교하면
$a=-2,\ b=-1$
부등식 $ax^2-bx+3>0$에서 $2x^2-x-3<0$
$(x+1)(2x-3)<0$
$\therefore -1<x<\frac{3}{2}$

따라서 정수 x는 0, 1이므로 모든 정수 x의 값의 합은 1이다. 답 ②

1483

a와 b는 제대로 보았다.

> 영주는 이차부등식 $ax^2+bx+c<0$에서 c를 잘못 보고 풀어서 이 부등식의 해를 $1<x<3$이라고 얻었고, 루빈이는 a를 잘못 보고 풀어서 $-2<x<4$라고 얻었다. 한편, 주영이는 이 부등식을 바르게 보고 풀어서 $\alpha<x<\beta$라는 해를 얻었다. 이때, $\beta-\alpha$의 값을 구하시오.
>
> 잘못 본 계수를 a'으로 놓고 근과 계수의 관계를 이용하자.

영주는 이차부등식 $ax^2+bx+c<0$에서 c를 잘못 보았으므로 a와 b는 제대로 본 것이다.
영주가 구한 해가 $1<x<3$이므로
$a>0$이고 근과 계수의 관계에 의하여
$-\dfrac{b}{a}=1+3=4$에서
$b=-4a$ ……㉠
또 루빈이는 a를 잘못 보고 풀어서 나온 해가 $x<-2$ 또는 $x>4$이므로 a를 a'으로 보았다면 근과 계수의 관계에 의하여
$-\dfrac{b}{a'}=4+(-2)=2$에서 $b=-2a'$ ……㉡
$\dfrac{c}{a'}=4\cdot(-2)=-8$이므로 $c=-8a'$ ……㉢
㉡에서 $a'=-\dfrac{b}{2}$이므로 이것을 ㉢에 대입하면
$c=-8\cdot\left(-\dfrac{b}{2}\right)=4b$에서
$c=-16a$ ($\because$ ㉠)
그러므로 주어진 부등식은
$ax^2-4ax-16a<0$이고 $a>0$이므로
$x^2-4x-16<0$
$x^2-4x-16=0$의 근을 구하면 $x=2\pm2\sqrt{5}$
$\therefore 2-2\sqrt{5}<x<2+2\sqrt{5}$
따라서 $\alpha=2-2\sqrt{5}$, $\beta=2+2\sqrt{5}$이므로
$\beta-\alpha=4\sqrt{5}$ 답 $4\sqrt{5}$

1484

> 이차부등식 $x^2-6x+a\le0$의 해가 오직 한 개 존재할 때, 실수 a의 값을 구하시오.
>
> $(x-\alpha)^2\le0$ 꼴임을 이용하자.

이차부등식 $x^2-6x+a\le0$의 해가 오직 한 개의 실근을 가지므로 이차방정식 $x^2-6x+a=0$의 판별식을 D라 하면
$\dfrac{D}{4}=(-3)^2-1\cdot a=0$, $9-a=0$
$\therefore a=9$ 답 9

1485

> x에 대한 이차부등식 $x^2-(n+5)x+5n\le0$을 만족시키는 정수 x의 개수가 3이 되도록 하는 모든 자연수 n의 값의 합은?
>
> $(x-n)(x-5)<0$으로 놓은 뒤, n이 5보다 작을 때, 같을 때, 클 때로 나누어 생각하자.

$x^2-(n+5)x+5n\le0$
$(x-n)(x-5)\le0$
(i) $n<5$일 때,
부등식의 해는 $n\le x\le5$
정수 x의 개수는 $6-n$이므로 $6-n=3$
$n=3$
(ii) $n=5$일 때,
$(x-5)^2\le0$의 해는 $x=5$
정수 x의 개수는 1이므로 성립하지 않는다.
(iii) $n>5$일 때,
부등식의 해는 $5\le x\le n$
정수 x의 개수는 $n-4$이므로 $n-4=3$
$n=7$
(i), (ii), (iii)에서
모든 자연수 n의 값의 합은 $3+7=10$ 답 ③

1486

$f(x)$에 x^2을 대입하여 정리하자.

> 이차함수 $f(x)=x^2$의 그래프가 그림과 같을 때, x에 대한 이차부등식 $\dfrac{1}{2}f(x)\le k$를 만족시키는 정수 x의 개수가 7이 되도록 하는 모든 자연수 k의 값의 합을 구하시오.

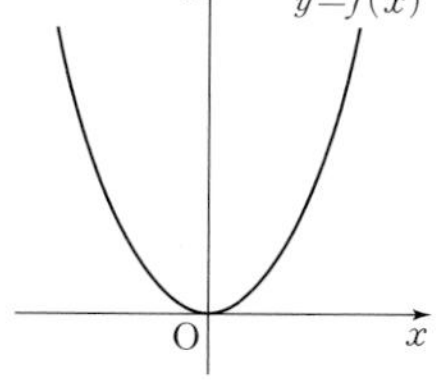

이차부등식 $\dfrac{1}{2}f(x)\le k$에 $f(x)=x^2$을 대입하면 $\dfrac{1}{2}x^2\le k$이다.
$\left(k<0\text{이면 } \dfrac{1}{2}x^2\le k\text{를 만족하는 정수 } x\text{가 없다.}\right)$
$x^2\le2k$이므로 $x^2-2k\le0$이다.
따라서 $(x-\sqrt{2k})(x+\sqrt{2k})\le0$이다.
그러므로 $-\sqrt{2k}\le x\le\sqrt{2k}$를 만족하는 정수 x의 개수가 7이므로
$3\le\sqrt{2k}<4$이다.
즉, $9\le2k<16$이다.
따라서 $\dfrac{9}{2}\le k<8$을 만족하는 자연수 $k=5, 6, 7$이므로
k의 합은 18이다. 답 18

1487

> 부등식 $x^2-6|x|+9\le0$의 해가 $x=\alpha$ 또는 $x=\beta$일 때, $\beta-\alpha$의 값은? (단, $\alpha<\beta$)
>
> $x^2=|x|^2$임을 이용하자.

$x^2-6|x|+9\le0$에서
$|x|^2-6|x|+9=(|x|-3)^2\le0$
$|x|=3$ $\quad\therefore x=-3$ 또는 $x=3$
이때, $\alpha<\beta$이므로 $\alpha=-3$, $\beta=3$
$\therefore \beta-\alpha=6$ 답 ③

1488

> 부등식 $x^2-2x-5<|x-1|$을 만족시키는 정수 x의 개수는?
>
> $x\ge1$일 때와 $x<1$일 때로 나누어 풀자.

(i) $x \geq 1$일 때

$x^2-2x-5<x-1$이므로 $x^2-3x-4<0$이고

$(x+1)(x-4)<0$이다.

즉, $-1<x<4$이고, $x \geq 1$이므로 범위는

$1 \leq x < 4$

(ii) $x<1$일 때

$x^2-2x-5<-(x-1)$이므로 $x^2-x-6<0$이고

$(x+2)(x-3)<0$이다.

즉, $-2<x<3$이고 $x<1$이므로 범위는

$-2<x<1$

(i), (ii)에 의해

$-2<x<4$이고 범위를 만족시키는 정수 x는

$-1, 0, 1, 2, 3$이므로 개수는 5이다. 답 ②

다른풀이 $x^2-2x-5=x^2-2x+1-6$

$=(x-1)^2-6$

$=|x-1|^2-6$ ($\because |x-1|^2=(x-1)^2$)

주어진 식 $x^2-2x-5<|x-1|$에 위 식을 대입하면

$|x-1|^2-6<|x-1|$이므로

$(|x-1|-3)(|x-1|+2)<0$이다.

$|x-1|+2>0$이므로 $|x-1|<3$이다.

따라서 $-2<x<4$이고 범위를 만족시키는 정수 x는 $-1, 0, 1, 2, 3$이므로 개수는 5이다.

참고 $y=x^2-2x-5$와 $y=|x-1|$의 그래프는 다음과 같다.

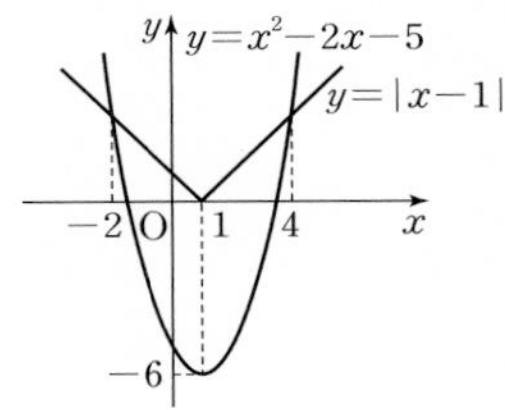

1489

> 부등식 $|x-1|+|x+1| \leq 6$과 같은 해를 가지는 이차부등식은?
> └→ $x<-1$, $-1 \leq x<1$, $x \geq 1$인 경우로 나누어 풀자.

$|x-1|+|x+1| \leq 6$

(i) $x<-1$일 때

$-x+1-x-1 \leq 6$

$-2x \leq 6$

$x \geq -3$

$\therefore -3 \leq x < -1$

(ii) $-1 \leq x < 1$일 때

$-x+1+x+1 \leq 6$

$2 \leq 6$

$\therefore -1 \leq x < 1$

(iii) $x \geq 1$일 때

$x-1+x+1 \leq 6$

$2x \leq 6$

$x \leq 3$

$\therefore 1 \leq x \leq 3$

(i)~(iii)에 의해 $-3 \leq x \leq 3$

따라서 위 부등식의 해는 ⑤ $x^2-9 \leq 0$의 해와 같다. 답 ⑤

1490

> 이차부등식 $-x^2+4ax-8>0$의 해가 존재하지 않도록 하는 정수 a의 개수를 구하시오.
> └→ $D \leq 0$임을 이용하자.

$x^2-4ax+8<0$이므로 이 부등식이 해가 존재하지 않을 조건은 $D \leq 0$이다.

$\frac{D}{4}=4a^2-8 \leq 0$

$(a+\sqrt{2})(a-\sqrt{2}) \leq 0$

$\therefore -\sqrt{2} \leq a \leq \sqrt{2}$

따라서 조건을 만족하는 정수 a의 개수는 $-1, 0, 1$의 3이다.

답 3

1491

> 이차부등식 $x^2+2kx-2k+3<0$의 해가 존재하지 않도록 하는 정수 k의 개수를 구하시오.
> └→ $D \leq 0$임을 이용하자.

$x^2+2kx-2k+3<0$의 해가 없으려면

이차방정식 $x^2+2kx-2k+3=0$의 $D \leq 0$이면 된다.

$\frac{D}{4}=k^2+2k-3 \leq 0$

$(k+3)(k-1) \leq 0$

$\therefore -3 \leq k \leq 1$

따라서 정수 k의 개수는 5이다. 답 5

1492

> 이차부등식 $ax^2-8x+6+a<0$의 해가 존재하지 않도록 하는 실수 a의 값의 범위를 구하시오.
> └→ $a>0$, $D \leq 0$임을 이용하자.

이차부등식 $ax^2-8x+6+a<0$의 해가 존재하지 않으려면 이차함수 $y=ax^2-8x+6+a$의 그래프는 그림과 같아야 한다.

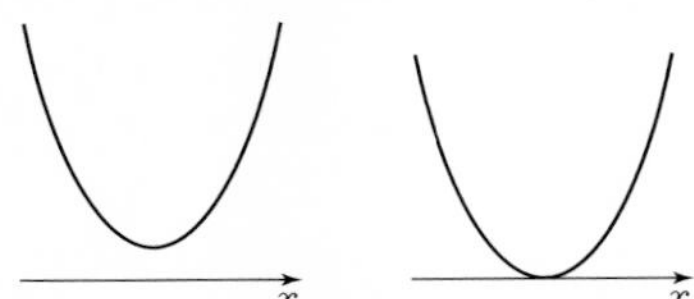

이차방정식 $ax^2-8x+6+a=0$의 판별식을 D라 할 때,

위의 그림을 만족시키기 위해서는 $a>0$, $D \leq 0$이어야 한다.

(i) $a>0$

(ii) $\frac{D}{4}=(-4)^2-a(6+a)=16-6a-a^2 \leq 0$

$a^2+6a-16 \geq 0$, $(a+8)(a-2) \geq 0$

$\therefore a \leq -8$ 또는 $a \geq 2$

(i), (ii)에 의하여 실수 a의 값의 범위는 $a \geq 2$ 답 $a \geq 2$

1493

> 이차부등식 $(k-1)x^2-2kx+8<0$의 해가 존재하지 않을 때, 실수 k의 값의 범위를 $\alpha \leq k \leq \beta$라고 하자. 이때, $\beta-\alpha$의 값은?
> └→ $k-1>0$, $D \leq 0$임을 이용하자.

이차부등식 $ax^2+bx+c<0$이 해를 갖지 않으려면 $a>0$이고
이차방정식 $ax^2+bx+c=0$의 판별식을 D라 할 때,
$D=b^2-4ac\le0$이어야 하므로
$k-1>0 \quad \therefore k>1$ ……㉠
$\frac{D}{4}=k^2-(k-1)\cdot8=k^2-8k+8\le0$
$k^2-8k+8=0$의 근을 구하면 $k=4\pm2\sqrt{2}$
$\therefore 4-2\sqrt{2}\le k\le4+2\sqrt{2}$ ……㉡
㉠, ㉡에서 $4-2\sqrt{2}\le k\le4+2\sqrt{2}$
$\therefore \beta-\alpha=4+2\sqrt{2}-(4-2\sqrt{2})=4\sqrt{2}$

답 ④

1494

• 조건을 만족하는 그래프의 개형을 찾아보자.

> 이차부등식 $(p+2)x^2-2(p+1)x+2<0$의 해가 존재하기 위한 상수 p의 값의 범위를 구하시오.

이차부등식 $(p+2)x^2-2(p+1)x+2<0$의 해가 존재하기 위한
$y=(p+2)x^2-2(p+1)x+2$의 그래프는 다음 그림과 같다.

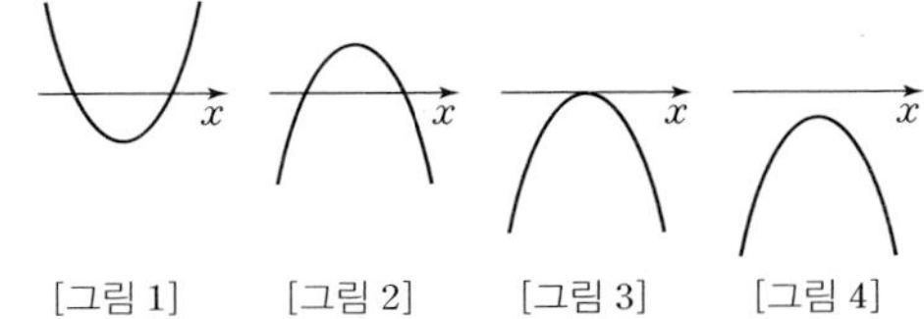

[그림 1] [그림 2] [그림 3] [그림 4]

이차방정식 $(p+2)x^2-2(p+1)x+2=0$의 판별식을 D라 하면
[그림 1]을 만족하기 위한 조건은
$p+2>0$에서 $p>-2$
$D=p^2-3>0$에서 $(p+\sqrt{3})(p-\sqrt{3})>0$
$\therefore p<-\sqrt{3}$ 또는 $p>\sqrt{3}$
$\therefore -2<p<-\sqrt{3}$ 또는 $p>\sqrt{3}$ ……㉠
[그림 2]를 만족하기 위한 조건은
$p+2<0$에서 $p<-2$
$D=p^2-3>0$에서 $(p+\sqrt{3})(p-\sqrt{3})>0$
$\therefore p<-\sqrt{3}$ 또는 $p>\sqrt{3}$
$\therefore p<-2$ ……㉡
[그림 3, 4]를 만족하기 위한 조건은
$p+2<0$에서 $p<-2$
$D=p^2-3\le0$에서 $(p+\sqrt{3})(p-\sqrt{3})\le0$
$\therefore -\sqrt{3}\le p\le\sqrt{3}$
따라서 공통된 p의 값이 없다. ……㉢
㉠, ㉡, ㉢에 의하여
$p<-2$ 또는 $-2<p<-\sqrt{3}$ 또는 $p>\sqrt{3}$

답 $p<-2$ 또는 $-2<p<-\sqrt{3}$ 또는 $p>\sqrt{3}$

1495

> 이차함수 $y=x^2-3x+2$의 그래프와 직선 $y=a(x-k)$가 실수 a의 값에 관계없이 항상 만나도록 하는 실수 k의 값의 범위를 구하시오.

• $D\ge0$임을 이용하자.

이차함수 $y=x^2-3x+2$의 그래프와 직선 $y=a(x-k)$가 만나려면
이차방정식 $x^2-3x+2=a(x-k)$, 즉
$x^2-(a+3)x+(ak+2)=0$의 판별식을 D_1이라 하면
$D_1=(a+3)^2-4(ak+2)\ge0$
$a^2+2(3-2k)a+1\ge0$
이때, 위의 부등식이 a의 값에 관계없이 항상 성립해야 하므로 이차방정식 $a^2+2(3-2k)a+1=0$의 판별식을 D_2라 하면
$\frac{D_2}{4}=(3-2k)^2-1\le0$
$4(k^2-3k+2)\le0$
$(k-1)(k-2)\le0$
$\therefore 1\le k\le2$

답 $1\le k\le2$

1496

• $D<0$임을 이용하자.

> 이차부등식 $x^2-kx+k>0$이 모든 실수 x에 대하여 항상 성립하도록 하는 정수 k의 개수를 구하시오.

모든 실수 x에 대하여 $x^2-kx+k>0$이 성립해야 하므로
이차방정식 $x^2-kx+k=0$의 판별식을 D라 하면
$D=k^2-4k<0$, $k(k-4)<0$
$\therefore 0<k<4$
따라서 정수 k는 1, 2, 3으로 3개이다.

답 3

1497

> 모든 실수 x에 대하여 $x^2-6x-a^2+12>0$이 성립하기 위한 정수 a의 개수는?

• $D<0$임을 이용하자.

이차방정식 $x^2-6x-a^2+12=0$의 판별식을 D라 하면
$\frac{D}{4}=(-3)^2-(-a^2+12)<0$
$9+a^2-12<0$, $a^2-3<0$
$(a+\sqrt{3})(a-\sqrt{3})<0$
$\therefore -\sqrt{3}<a<\sqrt{3}$
따라서 정수 a는 -1, 0, 1이므로 3개이다.

답 ③

1498

• $a=1$일 때와 $a\ne1$일 때로 나누어 풀자.

> x에 대한 부등식 $(a-1)x^2-2(a-1)x+1>0$이 항상 성립하기 위한 실수 a의 값의 범위는?

(i) $a>1$일 때, 이차방정식 $(a-1)x^2-2(a-1)x+1=0$의 판별식을 D라 하면
$\frac{D}{4}=(a-1)^2-(a-1)<0$
$a^2-3a+2<0$, $(a-1)(a-2)<0$
$\therefore 1<a<2$
(ii) $a=1$일 때,
$1>0$이므로 항상 성립한다.
(i), (ii)에 의하여 실수 a의 값의 범위는 $1\le a<2$

답 ③

1499

> x에 대한 부등식 $(a^2-4)x^2+(a+2)x-1<0$이 모든 실수 x에 대하여 항상 성립하기 위한 상수 a의 값의 범위를 구하시오.
>
> → $a=-2$일 때와 $a\neq-2$일 때로 나누어 풀자.

(i) $a=-2$일 때, $-1<0$이므로 항상 성립한다.

(ii) $a\neq-2$일 때, 주어진 부등식이 모든 실수 x에 대하여 성립하려면

$a^2-4<0$, $(a+2)(a-2)<0$

$\therefore -2<a<2$ ……㉠

$(a^2-4)x^2+(a+2)x-1=0$의 판별식을 D라 하면

$D=(a+2)^2+4(a^2-4)<0$에서

$5a^2+4a-12<0$, $(5a-6)(a+2)<0$

$\therefore -2<a<\frac{6}{5}$ ……㉡

㉠, ㉡에서 $-2<a<\frac{6}{5}$

(i), (ii)에서 $-2\le a<\frac{6}{5}$

답 $-2\le a<\frac{6}{5}$

1500

→ $\sqrt{A}$의 값이 실수이려면 $A\ge0$이어야 한다.

> 모든 실수 x에 대하여 $\sqrt{(k+1)x^2-(k+1)x+5}$의 값이 실수가 되게 하는 실수 k의 최댓값은?

모든 실수 x에 대하여 $\sqrt{(k+1)x^2-(k+1)x+5}$의 값이 실수가 되려면 모든 실수 x에 대하여

$(k+1)x^2-(k+1)x+5\ge0$

(i) $k=-1$일 때,

$5\ge0$이므로 모든 실수 x에 대하여 성립한다.

(ii) $k\neq-1$일 때,

$k+1>0$이고, 이차방정식 $(k+1)x^2-(k+1)x+5=0$의 판별식을 D라 하면 $D\le0$이어야 하므로

$D=(k+1)^2-20(k+1)$

$=k^2-18k-19$

$=(k-19)(k+1)\le0$

$\therefore -1<k\le19$

(i), (ii)에서 $-1\le k\le19$

따라서 조건을 만족하는 실수 k의 최댓값은 19이다.

답 ⑤

1501

> 두 이차함수 $f(x)=x^2+4x-2$, $g(x)=-x^2-2kx-4$가 모든 실수 x에 대하여 항상 $f(x)\ge g(x)$가 성립하도록 하는 모든 정수 k의 값의 합은?
>
> → $f(x)-g(x)$의 판별식 $D\le0$임을 이용하자.

두 이차함수 $f(x)=x^2+4x-2$, $g(x)=-x^2-2kx-4$에서

$f(x)\ge g(x)$이므로

$x^2+4x-2\ge-x^2-2kx-4$

$\therefore x^2+(2+k)x+1\ge0$

모든 실수 x에 대하여 위의 부등식이 항상 성립하려면 이차방정식 $x^2+(2+k)x+1=0$의 판별식을 D라 하면

$D=(2+k)^2-4\le0$

$k^2+4k\le0$, $k(k+4)\le0$

$\therefore -4\le k\le0$

따라서 정수 k는 -4, -3, -2, -1, 0이므로 그 합은

$-4+(-3)+(-2)+(-1)+0=-10$

답 ①

1502

> 이차함수 $y=f(x)$가 다음 조건을 만족시킬 때, 이차부등식 $f(x)\le0$의 해는?
>
> (가) $f(-1)=f(3)=0$ → x축과 두 점 $(-1, 0)$, $(3, 0)$에서 만난다.
>
> (나) $f(0)>0$ → y절편이 양수이므로 그래프가 위로 볼록이다.

$f(-1)=f(3)=0$이고 $f(0)>0$

이므로 이차함수 $y=f(x)$의 그래프는 그림과 같다.

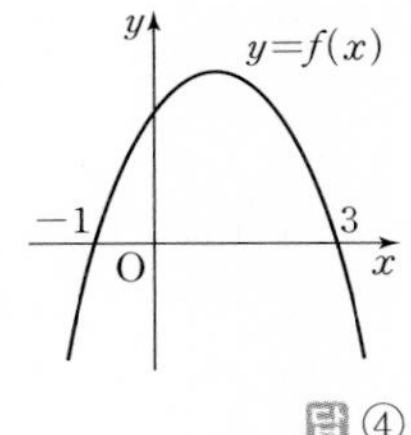

따라서 이차부등식 $f(x)\le0$의 해는

$x\le-1$ 또는 $x\ge3$

답 ④

1503

→ x절편, y절편을 이용하여 이차함수의 식을 구하자.

> 이차함수 $y=ax^2+bx+c$의 그래프가 그림과 같을 때, 이차부등식 $cx^2+bx+a<0$의 해는 $\alpha<x<\beta$이다. 이때, $\beta-\alpha$의 값을 구하시오.

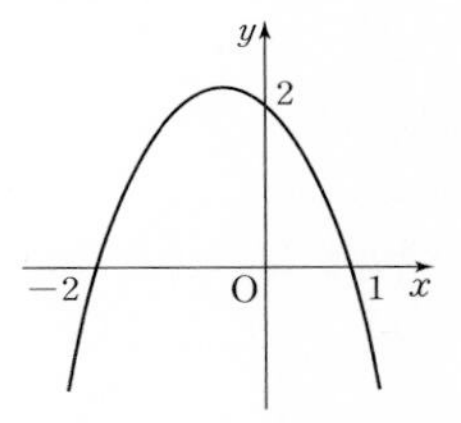

이차함수의 그래프가 두 점 $(-2, 0)$, $(1, 0)$을 지나므로

$f(x)=k(x+2)(x-1)$ (k는 상수)

y절편이 2이므로 $x=0$, $y=2$를 대입하면

$f(0)=k\cdot2\cdot(-1)=2$ $\quad\therefore k=-1$

$\therefore f(x)=-(x+2)(x-1)=-x^2-x+2$

즉, $a=-1$, $b=-1$, $c=2$이므로

$cx^2+bx+a=2x^2-x-1<0$, $(2x+1)(x-1)<0$

$\therefore -\frac{1}{2}<x<1$

따라서 $\alpha=-\frac{1}{2}$, $\beta=1$이므로

$\beta-\alpha=\frac{3}{2}$

답 $\frac{3}{2}$

1504

> 이차함수 $y=ax^2+bx+c$의 그래프와 직선 $y=mx+n$이 그림과 같을 때, 부등식 $ax^2+bx+c>mx+n$의 해를 구하시오.
>
> → 이차함수의 그래프가 일차함수의 그래프보다 위쪽에 있는 부분을 찾자.

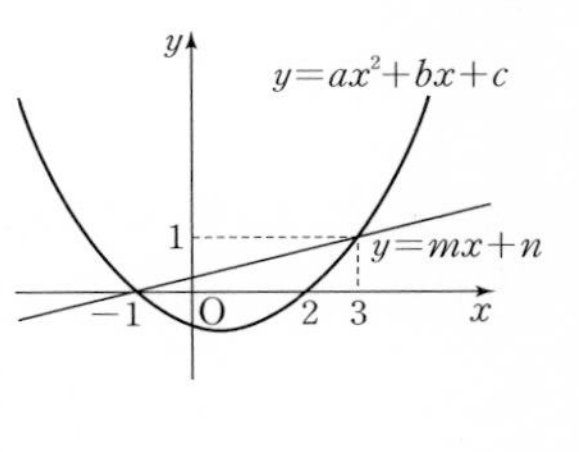

부등식 $ax^2+bx+c>mx+n$의 해는
이차함수 $y=ax^2+bx+c$의 그래프가 직선 $y=mx+n$보다 위쪽에 있는 x의 값의 범위이다.
$\therefore x<-1$ 또는 $x>3$

답 $x<-1$ 또는 $x>3$

1505

두 함수 $y=f(x)$와 $y=g(x)$의 그래프가 그림과 같을 때, 부등식 $g(x)-f(x)<0$의 해는 $a<x<b$이다. 이때, $a+b$의 값은?

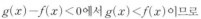

• $f(x)$의 그래프가 $g(x)$의 그래프보다 위쪽에 있는 부분을 찾자.

① 0　② 1　③ 2　④ 3　⑤ 4

$g(x)-f(x)<0$에서 $g(x)<f(x)$이므로
부등식 $g(x)-f(x)<0$의 해는 함수 $y=g(x)$의 그래프가 함수 $y=f(x)$의 그래프보다 아래쪽에 있는 x의 값의 범위이다.
$\therefore -3<x<6$
따라서 $a=-3$, $b=6$이므로
$a+b=3$

답 ④

1506

이차함수 $y=x^2-2x-8$의 그래프가 이차함수 $y=-2x^2+x-2$의 그래프보다 아래쪽에 있는 x의 값의 범위를 구하시오.

• $x^2-2x-8<-2x^2+x-2$임을 이용하자.

함수 $y=x^2-2x-8$의 그래프가 함수 $y=-2x^2+x-2$의 그래프보다 아래쪽에 있으므로
$x^2-2x-8<-2x^2+x-2$
$3x^2-3x-6<0$, $(x+1)(x-2)<0$
$\therefore -1<x<2$

답 $-1<x<2$

1507

모든 실수 x에 대하여 이차함수 $y=x^2-x+2m$의 그래프가 직선 $y=x+m-3$보다 위쪽에 있도록 하는 상수 m의 값의 범위를 구하시오.

• $x^2-x+2m>x+m-3$임을 이용하자.

이차함수 $y=x^2-x+2m$의 그래프가 직선 $y=x+m-3$보다 위쪽에 있으므로
$x^2-x+2m>x+m-3$
$x^2-2x+m+3>0$
이 부등식이 모든 실수 x에 대하여 성립해야 하므로
이차방정식 $x^2-2x+m+3=0$의 판별식을 D라 하면
$\frac{D}{4}=1-(m+3)<0$
$\therefore m>-2$

답 $m>-2$

1508

• 부등식으로 나타내고, 판별식을 이용하자.

함수 $y=kx^2-x+2$의 그래프가 함수 $y=-x^2+kx+1$의 그래프보다 항상 위쪽에 있을 때, 실수 k의 값의 범위는?

모든 x에 대하여 $kx^2-x+2>-x^2+kx+1$, 즉
$(k+1)x^2-(k+1)x+1>0$이 항상 성립해야 한다.
(i) $k=-1$일 때,
　$1>0$이므로 모든 실수 x에 대하여 부등식이 성립한다.
(ii) $k+1>0$, 즉 $k>-1$일 때,
　이차방정식 $(k+1)x^2-(k+1)x+1=0$의 판별식을 D라 하면
　$D=(k+1)^2-4(k+1)<0$
　$k^2-2k-3<0$, $(k+1)(k-3)<0$
　$\therefore -1<k<3$
(i), (ii)에 의하여 $-1\le k<3$

답 ③

1509

• $x^2-ax+5>x-3$임을 이용하자.

이차함수 $y=x^2-ax+5$의 그래프가 직선 $y=x-3$보다 위쪽에 있는 x의 값의 범위가 $x<b$ 또는 $x>4$일 때, 상수 a, b의 합 $a+b$의 값은? (단, $b<4$)

이차함수 $y=x^2-ax+5$의 그래프가 직선 $y=x-3$보다 위쪽에 있으므로
$x^2-ax+5>x-3$에서
$x^2-(a+1)x+8>0$　……㉠
해가 $x<b$ 또는 $x>4$이고, 이차항의 계수가 1인 이차부등식은
$(x-4)(x-b)>0$
$\therefore x^2-(4+b)x+4b>0$　……㉡
㉠, ㉡이 일치하므로 $a+1=4+b$, $8=4b$
$\therefore a=5$, $b=2$
$\therefore a+b=7$

답 ②

1510

이차함수 $f(x)$가 다음 조건을 만족시킨다.

(가) $f(0)=8$
(나) 이차부등식 $f(x)>0$의 해는 $x\ne2$인 모든 실수이다.

$f(5)$의 값을 구하시오.

• $f(x)=a(x-2)^2>0$ $(a>0)$임을 이용하자.

(나)에서 이차부등식 $f(x)>0$의 해가 $x\ne2$인 모든 실수이므로 그림과 같이 이차함수 $f(x)$의 이차항의 계수는 양수이고 곡선 $y=f(x)$는 x축과 점 $(2, 0)$에서 접한다.

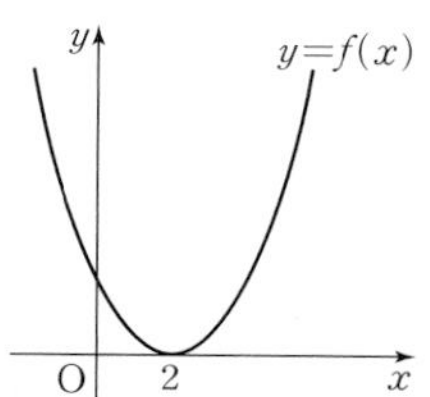

따라서 $f(x)=a(x-2)^2$ $(a>0)$으로 놓으면

(가)에서

$f(0)=a(0-2)^2=4a=8$

$\therefore a=2$

$\therefore f(x)=2(x-2)^2$

$\therefore f(5)=18$ 답 18

1511

x에 대한 이차부등식 $f(x)<0$의 해가 $1<x<5$일 때, 부등식 $f(2x-1)<0$의 해는?

$f(x)=a(x-1)(x-5)$

$f(2x-1)=a(2x-1-1)(2x-1-5)$

이차부등식 $f(x)<0$의 해가 $1<x<5$이므로

$f(x)=a(x-1)(x-5)$ $(a>0)$로 나타낼 수 있다.

부등식 $f(2x-1)<0$에서 $a(2x-1-1)(2x-1-5)<0$

$4a(x-1)(x-3)<0$

이때, $a>0$이므로 $(x-1)(x-3)<0$

$\therefore 1<x<3$ 답 ③

1512

이차함수 $f(x)=x^2-x-12$에 대하여 $f(x-1)<0$을 만족시키는 모든 정수 x의 값의 합을 구하시오.

$f(x)=(x+3)(x-4)$라 하면, $f(x-1)=(x-1+3)(x-1-4)$이다.

$f(x)=x^2-x-12$에서 $f(x)=(x+3)(x-4)$이므로

$f(x-1)=(x-1+3)(x-1-4)$

$=(x+2)(x-5)$

즉, $f(x-1)<0$에서 $(x+2)(x-5)<0$

따라서 $-2<x<5$이고 범위를 만족시키는 정수 x는 -1, 0, 1, 2, 3, 4이므로 모든 정수 x의 값의 합은 9이다. 답 9

1513

이차함수 $y=f(x)$의 그래프가 그림과 같을 때, $f(2x+1)<0$을 만족시키는 실수 x의 값의 범위는?

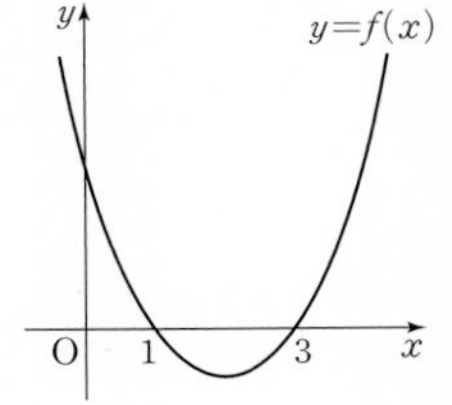

① $0<x<1$

② $1<x<2$

③ $2<x<4$

④ $x<1$ 또는 $x>4$

⑤ $x<2$ 또는 $x>4$

$f(x)=a(x-1)(x-3)$ $(a>0)$이라 하면, $f(2x+1)=a(2x+1-1)(2x+1-3)$이다.

$f(x)=a(x-1)(x-3)$ $(a>0)$이므로

$f(2x+1)=a(2x+1-1)(2x+1-3)$

$=4ax(x-1)$

즉, $f(2x+1)<0$에서 $4ax(x-1)<0$이므로

$x(x-1)<0$ ($\because a>0$)

$\therefore 0<x<1$ 답 ①

다른풀이 주어진 그래프에서 부등식 $f(x)<0$의 해는 $1<x<3$

$2x+1=t$라 하면 부등식 $f(2x+1)<0$의 해는

$f(t)<0$에서 $1<t<3$이므로

$1<2x+1<3$ $\therefore 0<x<1$

1514

지상에서 발사한 어떤 모형 비행 물체의 t초 후의 지상으로부터의 높이 $h(t)$는 $h(t)=84t-4t^2(\text{m})$로 나타낼 수 있다고 한다. 이때, 이 모형 비행 물체가 지상으로부터 432 m 이상의 높이에 있는 시간을 구하시오.

$84t-4t^2\geq 432$인 경우이다.

$84t-4t^2\geq 432$

$4t^2-84t+432\leq 0$

$t^2-21t+108\leq 0$

$(t-9)(t-12)\leq 0$

$\therefore 9\leq t\leq 12$

따라서 모형 비행 물체가 지상으로부터 432 m 이상의 높이에 있는 시간은 3초 동안이다. 답 3초

1515

지상 1.5 m 높이에서 위를 향해 던진 물체의 t초 후의 높이는

$-4.8t^2+8.2t+1.5(\text{m})$

라고 한다. 이 물체가 지상 3 m 이상의 높이에 있는 시간은?

3 m
1.5 m

$-4.8t^2+8.2t+1.5\geq 3$인 경우이다.

물체의 높이가 3 m 이상이면

$-4.8t^2+8.2t+1.5\geq 3$

$48t^2-82t+15\leq 0$, $(24t-5)(2t-3)\leq 0$

$\therefore \frac{5}{24}\leq t\leq \frac{3}{2}$

따라서 3 m 이상의 높이에 있는 시간은

$\frac{3}{2}-\frac{5}{24}=\frac{31}{24}$ (초) 답 ④

1516

핸드폰을 생산하는 어느 회사에서 A모델을 다음 달부터 할인하여 판매하려고 한다. 현재 판매가의 x %를 할인하여 판매하면 다음 달 판매량은 이번 달보다 $1.5x$ %만큼 증가할 것으로 예상된다. 다음 달 총 판매액을 이번 달보다 4 % 이상 증가하도록 하는 x의 최댓값을 구하시오.

이번 달 핸드폰 가격을 a, 판매량을 b라 놓고, 부등식을 세우자.

이번 달 핸드폰 A모델 가격을 a, 판매량을 b라 하면 총판매액은 ab이고, 다음 달 핸드폰 A모델 가격은 $a\left(1-\frac{x}{100}\right)$, 판매량은 $b\left(1+\frac{1.5x}{100}\right)$, 총 판매액은 $a\left(1-\frac{x}{100}\right)\times b\left(1+\frac{1.5x}{100}\right)$이다.

$a\left(1-\frac{x}{100}\right)\times b\left(1+\frac{1.5x}{100}\right)\geq ab\left(1+\frac{4}{100}\right)$

$\left(1-\frac{x}{100}\right)\left(1+\frac{1.5x}{100}\right)\geq 1+\frac{4}{100}$

$(100-x)(100+1.5x)\geq 10400$

$10000+50x-1.5x^2\geq 10400$

$3x^2-100x+800\leq 0$

$(3x-40)(x-20)\leq 0$

$\frac{40}{3}\leq x\leq 20$

따라서 x의 최댓값은 20이다. 답 20

1517

연립부등식 $\begin{cases} x^2-2x-3\geq 0 \\ x^2-6x+5\leq 0 \end{cases}$ 을 만족시키는 모든 정수 x의 값의 합은?

각 부등식의 해를 수직선 위에 나타내어 공통 범위를 구하자.

$x^2-2x-3\geq 0$에서 $(x+1)(x-3)\geq 0$

$\therefore x\leq -1$ 또는 $x\geq 3$ ······㉠

$x^2-6x+5\leq 0$에서 $(x-1)(x-5)\leq 0$

$\therefore 1\leq x\leq 5$ ······㉡

㉠, ㉡을 수직선 위에 나타내면 그림과 같다.

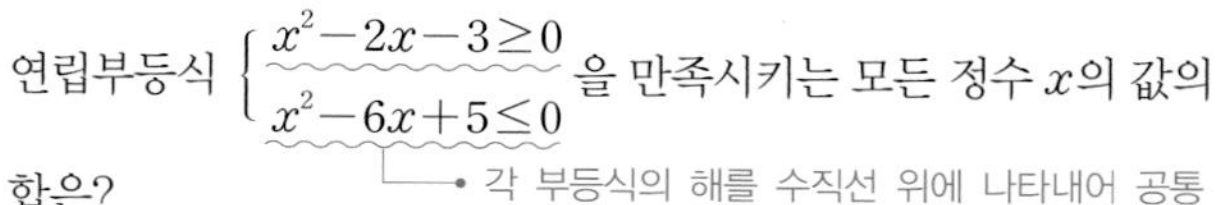

따라서 ㉠, ㉡의 공통부분은 $3\leq x\leq 5$이므로 모든 정수 x의 값의 합은 $3+4+5=12$이다. 답 ②

1518

연립부등식 $\begin{cases} x^2-5x+4\leq 0 \\ -x^2+x+2<0 \end{cases}$ 의 해가 $\alpha<x\leq\beta$일 때, $\alpha+\beta$의 값은?

각 부등식의 해를 수직선 위에 나타내어 공통 범위를 구하자.

$x^2-5x+4\leq 0$에서 $(x-1)(x-4)\leq 0$

$\therefore 1\leq x\leq 4$ ······㉠

$-x^2+x+2<0$에서 $(x+1)(x-2)>0$

$\therefore x<-1$ 또는 $x>2$ ······㉡

㉠, ㉡을 수직선 위에 나타내면 다음과 같다.

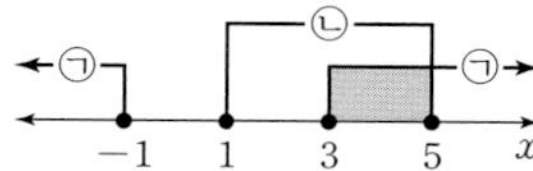

따라서 ㉠, ㉡의 공통부분은 $2<x\leq 4$이므로

$\alpha=2$, $\beta=4$

$\therefore \alpha+\beta=6$ 답 ③

1519

연립부등식 $x<x(x-5)\leq 6(x-3)$의 해가 $a<x\leq b$일 때, $a+b$의 값을 구하시오.

$A<B<C$ 꼴은 $A<B$, $B<C$ 꼴로 변형해서 풀자.

$x<x(x-5)\leq 6(x-3)$에서

$\begin{cases} x<x(x-5) \\ x(x-5)\leq 6(x-3) \end{cases}$

(i) $x<x(x-5)$에서

$x^2-6x>0$, $x(x-6)>0$

$\therefore x<0$ 또는 $x>6$ ······㉠

(ii) $x(x-5)\leq 6(x-3)$에서

$x^2-11x+18\leq 0$, $(x-2)(x-9)\leq 0$

$\therefore 2\leq x\leq 9$ ······㉡

㉠, ㉡의 공통 범위를 구하면

$6<x\leq 9$

따라서 $a=6$, $b=9$이므로

$a+b=15$ 답 15

1520

연립부등식 $\begin{cases} |x-1|\leq 3 \\ x^2-8x+15>0 \end{cases}$ 을 만족시키는 정수 x의 개수는?

각 부등식의 해를 수직선 위에 나타내어 공통 범위를 구하자.

$\begin{cases} |x-1|\leq 3 & \cdots\cdots ㉠ \\ x^2-8x+15>0 & \cdots\cdots ㉡ \end{cases}$

㉠의 해는 $-2\leq x\leq 4$

㉡의 해는 $x<3$ 또는 $x>5$

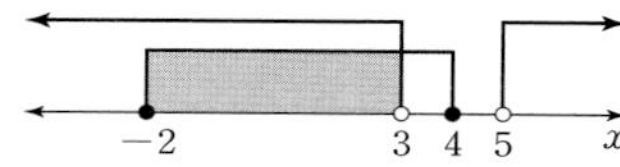

㉠과 ㉡을 동시에 만족시키는 x의 범위는

$-2\leq x<3$

따라서 정수 x의 개수는 5 답 ⑤

1521

연립부등식 $\begin{cases} |2x-1|<5 \\ x^2-5x+4\leq 0 \end{cases}$ 을 만족시키는 모든 정수 x의 개수는?

각 부등식의 해를 수직선 위에 나타내어 공통 범위를 구하자.

$|2x-1|<5$에서 $-5<2x-1<5$

$-4<2x<6$

$\therefore -2<x<3$ ······㉠

$x^2-5x+4\leq 0$에서 $(x-1)(x-4)\leq 0$

$\therefore 1\leq x\leq 4$ ······㉡

㉠, ㉡의 공통 범위를 구하면

$1\leq x<3$

따라서 정수 x는 1, 2의 2개이다. 답 ②

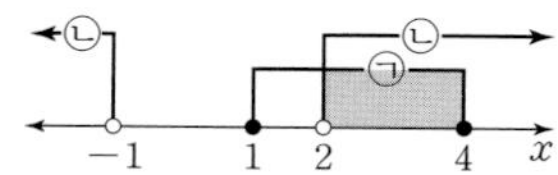

1522

> 연립부등식 $\begin{cases} x^2-4x\le0 \\ x^2+3x-1\ge2x+5 \end{cases}$ 의 해와 이차부등식
> $ax^2-6x+b\le0$의 해가 서로 같을 때, $a+b$의 값을 구하시오.
> (단, a, b는 상수)
>
> 먼저 연립부등식의 해를 구하자.

$x^2-4x\le0$에서 $x(x-4)\le0$

$0\le x\le4$ ……㉠

$x^2+3x-1\ge2x+5$에서

$x^2+x-6\ge0$, $(x+3)(x-2)\ge0$

$x\le-3$, $x\ge2$ ……㉡

㉠, ㉡에서 $2\le x\le4$

위와 같은 해를 갖는 이차부등식은

$a(x-2)(x-4)\le0$, $a>0$이므로

$a(x^2-6x+8)\le0$에서 $ax^2-6x+b\le0$과 비교하면

$a=1$, $b=8$

$\therefore a+b=9$

답 9

1523

> 연립부등식 $\begin{cases} x^2-4x+3\ge0 \\ (x+2)(x-a)<0 \end{cases}$ 의 해가 $-2<x\le1$일 때,
> 실수 a의 값의 범위를 구하시오.
>
> 두 부등식의 수직선 위의 공통범위이다.

$\begin{cases} x^2-4x+3\ge0 & \cdots\cdots ㉠ \\ (x+2)(x-a)<0 & \cdots\cdots ㉡ \end{cases}$

㉠에서 $(x-1)(x-3)\ge0$

$\therefore x\le1$ 또는 $x\ge3$ ……㉢

㉡, ㉢의 공통부분이 $-2<x\le1$이므로 ㉡의 해가 다음과 같아야 한다.

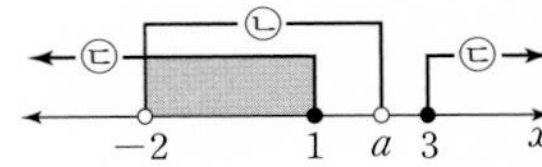

따라서 구하는 실수 a의 값의 범위는 $1<a\le3$

답 $1<a\le3$

1524

> $x=1$은 $x^2+ax+b=0$의 해이고, $x=4$는 $x^2+x+a=0$의 해이다.
>
> 연립부등식 $\begin{cases} x^2+ax+b\le0 \\ x^2+x+a<0 \end{cases}$ 의 해가 $1\le x<4$일 때, 상수
> a, b에 대하여 $a-b$의 값을 구하시오.

$\begin{cases} x^2+ax+b\le0 \\ x^2+x+a<0 \end{cases}$ 의 해가 $1\le x<4$이므로

$x=1$은 $x^2+ax+b=0$의 해 중의 하나이다.

$1+a+b=0$, $a+b=-1$ ……㉠

또 $x=4$는 $x^2+x+a=0$의 해 중의 하나이다.

$4^2+4+a=0$ $\therefore a=-20$

이것을 ㉠에 대입하면 $b=19$

$\therefore a-b=-39$

답 -39

1525

> $x=4$는 $x^2-ax+4a=3x+4$의 해이고, $x=3$은 $3x+4=x^2+2x-2$의 해이다.
>
> 연립부등식
> $x^2-ax+4a\le3x+4<x^2+2x-2$
> 의 해가 $3<x\le4$가 되도록 하는 정수 a의 개수를 구하시오.

$x^2-ax+4a\le3x+4<x^2+2x-2$는

$\begin{cases} x^2-ax+4a\le3x+4 \\ 3x+4<x^2+2x-2 \end{cases}$ 이므로

(i) $x^2-ax+4a\le3x+4$에서

$x^2-(a+3)x+4a-4\le0$

$(x-4)(x-a+1)\le0$

$a-1\le x\le4$ 또는 $4\le x\le a-1$

이때, 연립부등식의 해가 $3<x\le4$이므로

$a-1\le x\le4$ ……㉠

(ii) $3x+4<x^2+2x-2$에서

$x^2-x-6>0$

$(x+2)(x-3)>0$

$x<-2$ 또는 $x>3$ ……㉡

㉠, ㉡을 수직선에 나타내면 그림과 같으므로

$-2\le a-1\le3$

$\therefore -1\le a\le4$

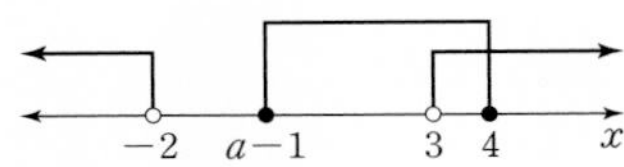

따라서 정수 a의 개수는 6이다.

답 6

1526

> $x^2-4x-5\le0$의 해가 $-1\le x\le5$이므로 $x=3$은 $x^2-ax+b=0$의 해이다.
>
> 연립부등식 $\begin{cases} x^2-4x-5\le0 \\ x^2-ax+b\le0 \end{cases}$ 의 해가 $3\le x\le5$이고,
>
> 연립부등식 $\begin{cases} x^2-ax+b\le0 \\ x^2-11x+28\le0 \end{cases}$ 의 해가 $4\le x\le6$일 때,
>
> 상수 a, b의 합 $a+b$의 값은?

(i) $x^2-4x-5\le0$에서 $(x-5)(x+1)\le0$

$\therefore -1\le x\le5$

이때, 연립부등식 $\begin{cases} x^2-4x-5\le0 \\ x^2-ax+b\le0 \end{cases}$ 의 해가

$3\le x\le5$이므로 $x=3$은 이차방정식 $x^2-ax+b=0$의 근이다.

(ii) $x^2-11x+28\le0$에서 $(x-4)(x-7)\le0$

$\therefore 4\le x\le7$

이때, 연립부등식 $\begin{cases} x^2-ax+b\le0 \\ x^2-11x+28\le0 \end{cases}$ 의 해가

$4\le x\le6$이므로 $x=6$은 이차방정식 $x^2-ax+b=0$의 근이다.

(i), (ii)에서 이차부등식 $x^2-ax+b\le0$의 해는 $3\le x\le6$

$\therefore a=3+6=9$, $b=3\cdot6=18$

$\therefore a+b=27$

답 ⑤

1527

다음 두 조건을 동시에 성립하도록 하는 k의 값이 될 수 있는 범위를 구하시오.

(가) 모든 실수 x에 대하여 이차부등식 $x^2-2kx+1>0$이다.
(나) 이차부등식 $x^2-2kx+2k<0$인 실수 x가 존재하지 않는다.

판별식 $D<0$이다. 판별식 $D\le0$이다.

(가) 모든 실수 x에 대하여 $x^2-2kx+1>0$이므로
이차방정식 $x^2-2kx+1=0$의 판별식을 D_1이라 하면
$\frac{D_1}{4}=k^2-1=(k+1)(k-1)<0$
$\therefore -1<k<1$ ……㉠
(나) $x^2-2kx+2k<0$의 해가 없으므로
이차방정식 $x^2-2kx+2k=0$의 판별식을 D_2라 하면
$\frac{D_2}{4}=k^2-2k=k(k-2)\le0$
$\therefore 0\le k\le2$ ……㉡
㉠, ㉡의 공통 범위를 구하면
$0\le k<1$ 답 $0\le k<1$

1528

두 부등식 $x^2+ax+b\ge0$, $x^2+cx+d\le0$을 동시에 만족하는 x의 값의 범위가 $-3\le x\le-1$ 또는 $x=2$로 주어졌다. 이때, 상수 a, b, c, d의 값을 구하시오.

부등식의 해를 수직선 위에 나타내어 보자.

두 부등식을 만족하는 x의 값의 범위가 $-3\le x\le-1$ 또는 $x=2$이므로 부등식의 해를 수직선 위에 나타내면 다음과 같다.

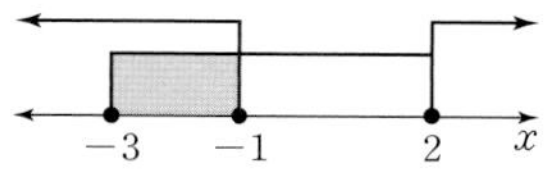

$x^2+ax+b=(x+1)(x-2)\ge0$
즉, $x^2+ax+b=x^2-x-2$에서
$a=-1$, $b=-2$
또 $x^2+cx+d=(x+3)(x-2)\le0$
즉, $x^2+cx+d=x^2+x-6$에서
$c=1$, $d=-6$ 답 $a=-1$, $b=-2$, $c=1$, $d=-6$

1529

연립부등식 $\begin{cases} x^2-2x-8>0 \\ (x-a-1)(x-a+1)<0 \end{cases}$ 의 해가 존재하도록 하는 실수 a의 값의 범위를 구하시오.

$a-1<x<a+1$임을 이용하자.

$x^2-2x-8>0$에서
$x>4$ 또는 $x<-2$이다.
$(x-a-1)(x-a+1)<0$에서
$a-1<x<a+1$이다.
이 범위를 동시에 만족시키려면 $4<a+1$이거나 $a-1<-2$이다.
따라서 $a<-1$ 또는 $a>3$이다. 답 $a<-1$ 또는 $a>3$

1530

연립이차부등식 $\begin{cases} x^2+4x-21\le0 \\ x^2-5kx-6k^2>0 \end{cases}$ 의 해가 존재하도록 하는 양의 정수 k의 개수는?

$k>0$이므로 $x<-k$ 또는 $x>6k$이다.

$x^2+4x-21\le0$
$(x+7)(x-3)\le0$
$-7\le x\le3$ ……㉠
$x^2-5kx-6k^2>0$
$(x-6k)(x+k)>0$
$k>0$이므로 $x<-k$ 또는 $x>6k$ ……㉡
㉠, ㉡에서 해가 존재하기 위한 k의 값의 범위는 $0<k<7$이다.
따라서 양의 정수 k의 개수는 6 답 ③

1531

모든 실수 x에 대하여 연립부등식 $-x^2+2\le a\le2x^2+4$가 항상 성립하도록 하는 모든 정수 a의 값의 합을 구하시오.

각각의 부등식이 모든 실수에 대하여 항상 성립함을 이용하자.

$-x^2+2\le a\le2x^2+4$에서
$\begin{cases} -x^2+2\le a \\ 2x^2+4\ge a \end{cases}$ 이고
(i) $-x^2+2\le a$에서
$x^2+a-2\ge0$이 항상 성립하려면
이차방정식 $x^2+a-2=0$의 판별식을 D_1이라 할 때,
$D_1=-4(a-2)\le0$, $a-2\ge0$
$\therefore a\ge2$
(ii) $a\le2x^2+4$에서
$2x^2-a+4\ge0$이 항상 성립하려면
이차방정식 $2x^2-a+4=0$의 판별식을 D_2이라 할 때,
$D_2=-4\times2(-a+4)\le0$, $-2a+8\ge0$
$\therefore a\le4$
(i), (ii)에 의하여 $2\le a\le4$
따라서 구하는 정수 a의 값의 합은
$2+3+4=9$ 답 9

1532

x에 대한 두 다항식
$f(x)=2x^2+5x+2$, $g(x)=(a-1)x+b$
가 있다. 모든 실수 x에 대하여 부등식 $x-2\le g(x)\le f(x)$가 성립하도록 하는 실수 b의 값의 범위는 $\alpha\le b\le\beta$이다. $\beta-\alpha$의 최댓값은? (단, a는 실수이다.)

각각의 부등식이 모든 실수에 대하여 항상 성립함을 이용하자.

부등식 $x-2\le(a-1)x+b\le2x^2+5x+2$에서
(i) 모든 실수 x에 대하여 $(a-1)x+b\ge x-2$
즉, $(a-2)x+b+2\ge0$이 성립하여야 하므로
$a=2$, $b\ge-2$
(ii) (i)에서 $a=2$이므로 모든 실수 x에 대하여

$2x^2+4x+2-b\ge0$이 성립하여야 하므로

$D=16-4\times2\times(2-b)\le0$

$\therefore b\le0$

따라서 (i), (ii)에 의하여 $-2\le b\le0$이므로 $\beta-\alpha$의 최댓값은 2이다.

답 ③

1533

연립부등식 $\begin{cases}|x-2|<k \\ x^2+x-12\le0\end{cases}$을 만족시키는 정수 x의 개수가 5일 때, 양의 정수 k의 값을 구하시오.

해를 수직선 위에 나타낸 뒤 정수의 개수를 파악하자.

(i) $|x-2|<k$에서

$-k<x-2<k$

$\therefore 2-k<x<2+k$ ······ ㉠

(ii) $x^2+x-12\le0$에서

$(x+4)(x-3)\le0$

$\therefore -4\le x\le3$ ······ ㉡

이때, ㉠, ㉡을 모두 만족시키는 정수 x의 개수가 5가 되는 양의 정수 k의 값은 4이다.

답 4

1534

연립부등식 $\begin{cases}x^2-|x|-6<0 \\ 2x+1\ge x+k\end{cases}$를 만족시키는 정수 x의 개수가 3이 되도록 하는 실수 k의 값의 범위는?

해를 수직선 위에 나타낸 뒤 정수의 개수를 파악하자.

(i) $x^2-|x|-6<0$에서

$|x|^2-|x|-6<0$

$(|x|+2)(|x|-3)<0$

$\therefore -2<|x|<3$

$\therefore -3<x<3$

(ii) $2x+1\ge x+k$에서

$x\ge k-1$

두 부등식을 동시에 만족시키는 정수 x가 3개이므로

$-1<k-1\le0$

$\therefore 0<k\le1$

답 ②

1535

두 이차함수 $y=f(x)$, $y=g(x)$의 그래프가 그림과 같을 때, 부등식 $0<g(x)<f(x)$의 해를 구하시오.

$g(x)$의 그래프가 x축 보다 위에 있고, $f(x)$의 그래프보다 아래에 있는 경우이다.

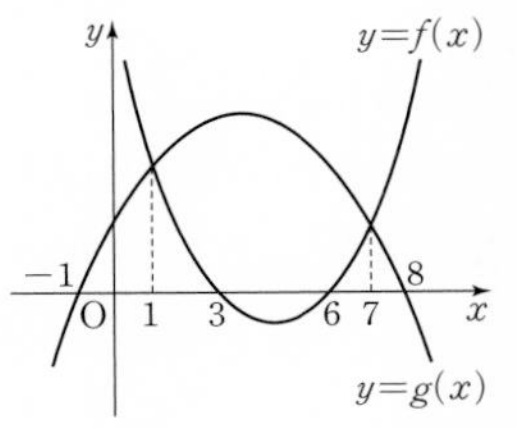

$0<g(x)<f(x)$에서 $g(x)>0$이고 $g(x)<f(x)$

(i) $g(x)>0$인 경우

$-1<x<8$

(ii) $g(x)<f(x)$인 경우

함수 $y=f(x)$의 그래프가 함수 $y=g(x)$의 그래프의 위쪽에 있는 부분이므로

$x<1$ 또는 $x>7$

(i), (ii)에 의하여 공통부분은

$-1<x<1$ 또는 $7<x<8$

답 $-1<x<1$ 또는 $7<x<8$

1536

두 이차함수 $y=f(x)$, $y=g(x)$의 그래프가 그림과 같을 때, 부등식 $f(x)g(x)>0$의 해가 $a<x<b$ 또는 $c<x<d$라 하자. 이때, $a+b+c+d$의 값은?

$f(x)>0$, $g(x)>0$ 또는 $f(x)<0$, $g(x)<0$인 경우이다.

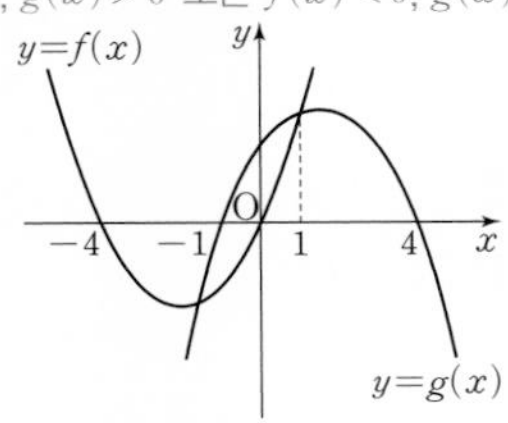

$f(x)g(x)>0$이면

$f(x)>0$, $g(x)>0$ 또는 $f(x)<0$, $g(x)<0$

(i) $f(x)>0$, $g(x)>0$인 경우

$f(x)>0$일 때, $x<-4$ 또는 $x>0$

$g(x)>0$일 때, $-1<x<4$

$\therefore 0<x<4$

(ii) $f(x)<0$, $g(x)<0$인 경우

$f(x)<0$일 때, $-4<x<0$

$g(x)<0$일 때, $x<-1$ 또는 $x>4$

$\therefore -4<x<-1$

(i), (ii)에 의하여 부등식 $f(x)g(x)>0$의 해는

$-4<x<-1$ 또는 $0<x<4$

$\therefore a+b+c+d=-1$

답 ③

1537

가로의 길이를 x m라 하면, 세로의 길이는 $(16-x)$ m이다.

어느 공장에서 둘레의 길이가 32 m인 직사각형 모양의 공동 작업대를 제작하려고 한다. 작업을 원활하게 하기 위해서 작업대의 넓이가 60 m² 이상이 되어야 한다고 한다. 이 작업대의 가로의 길이를 x m라 할 때, x의 값의 범위는?

(단, 작업대의 가로의 길이는 세로의 길이보다 길다.)

가로의 길이를 x m라 하면 세로의 길이는 $(16-x)$m

이때, 작업대의 넓이가 60 m² 이상이 되어야 하므로

$x(16-x)\ge60$, $(x-6)(x-10)\le0$

$\therefore 6\le x\le10$ ······ ㉠

또한, 가로의 길이가 세로의 길이보다 길어야 하므로

$x>16-x$ $\quad\therefore x>8$ ······ ㉡

따라서 ㉠, ㉡의 공통부분은 $8<x\le10$이므로 이 작업대의 가로의 길이의 범위는 $8<x\le10$이다.

답 ④

1538

큰 원의 반지름의 길이를 x라 하면, 작은 원의 반지름의 길이는 $6-x$이다.

그림과 같이 반지름의 길이가 6인 원 C의 내부에 내접하는 두 원 C_1, C_2가 서로 외접하고 있다. 색칠한 부분의 넓이가 원 C의 넓이의 $\frac{1}{3}$ 이상이 되도록 할 때, 내접하는 두 원 중 큰 원의 반지름의 길이의 최댓값을 구하시오.
(단, 세 원 C, C_1, C_2의 중심은 일직선 위에 있다.)

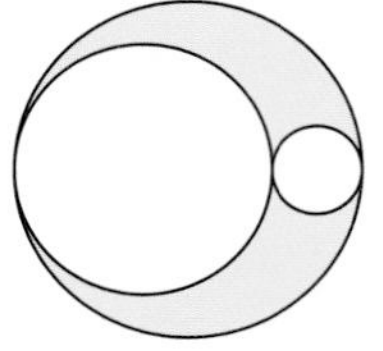

원 C의 내부의 큰 원의 반지름의 길이를 x라 하면 작은 원의 반지름의 길이는 $6-x$이므로

$x>6-x$

$\therefore x>3$ ……㉠

이때, 내접하는 두 원의 넓이의 합이 원 C의 넓이의 $\frac{2}{3}$ 이하가 되어야 하므로

$\pi\{x^2+(6-x)^2\}\le\frac{2}{3}\cdot\pi\cdot6^2$

$x^2+x^2-12x+36\le24$, $2x^2-12x+12\le0$

$x^2-6x+6\le0$

$\therefore 3-\sqrt{3}\le x\le3+\sqrt{3}$ ……㉡

㉠, ㉡에서 $3<x\le3+\sqrt{3}$

따라서 큰 원의 반지름의 길이의 최댓값은 $3+\sqrt{3}$이다.

답 $3+\sqrt{3}$

1539

세로의 길이, 가로의 길이, 높이는 각각 a, $a+4$, $a-3$이다.

한 모서리의 길이가 a인 정육면체의 밑면의 가로의 길이를 4만큼 늘이고, 높이를 3만큼 줄여서 직육면체를 만들려고 한다. 이 직육면체의 부피가 처음 정육면체의 부피보다 작아지도록 하는 자연수 a의 개수를 구하시오.

새로 만든 직육면체의 밑면의 가로와 세로의 길이, 높이는 각각 $a+4$, a, $a-3$이고, 0보다 커야 하므로

$a-3>0$ $\therefore a>3$ ……㉠

이 직육면체의 부피는 $a(a+4)(a-3)$이고 처음 정육면체의 부피는 a^3이므로

$a(a+4)(a-3)<a^3$

$a^2-12a<0$, $a(a-12)<0$

$\therefore 0<a<12$ ……㉡

따라서 ㉠, ㉡의 공통부분은 $3<a<12$이므로

자연수 a는 4, 5, 6, 7, 8, 9, 10, 11의 8개이다.

답 8

1540

그림과 같이 가로의 길이가 8 m, 세로의 길이가 5 m인 직사각형 모양의 화단의 둘레에 폭이 x m인 길을 만들려고 한다. 길의 넓이가 90 m^2 이상 140 m^2 이하가 되도록 할 때, x의 값의 범위는?

(길의 넓이)=(전체 넓이)−(화단의 넓이)

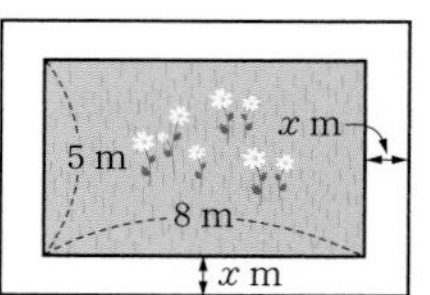

길의 넓이는 $(2x+8)(2x+5)-8\times5=4x^2+26x$이고, 길의 넓이가 90 m^2 이상 140 m^2 이하이어야 하므로

$90\le4x^2+26x\le140$

$\therefore 45\le2x^2+13x\le70$

(i) $45\le2x^2+13x$에서 $2x^2+13x-45\ge0$

$(x+9)(2x-5)\ge0$

$\therefore x\le-9$ 또는 $x\ge\frac{5}{2}$

그런데 $x>0$이므로 $x\ge\frac{5}{2}$

(ii) $2x^2+13x\le70$에서 $2x^2+13x-70\le0$

$(x+10)(2x-7)\le0$

$\therefore -10\le x\le\frac{7}{2}$

그런데 $x>0$이므로 $0<x\le\frac{7}{2}$

(i), (ii)에 의하여 공통부분은 $\frac{5}{2}\le x\le\frac{7}{2}$

답 ③

1541

$a(12-a)$이다.

그림과 같이 $\overline{AC}=\overline{BC}=12$인 직각이등변삼각형 ABC가 있다. 빗변 AB 위의 점 P에서 변 BC와 변 AC에 내린 수선의 발을 각각 Q, R라 할 때, 직사각형 PQCR의 넓이는 두 삼각형 APR와 PBQ의 각각의 넓이보다 크다. $\overline{QC}=a$일 때, 모든 자연수 a의 값의 합을 구하시오.

각각 직각이등변삼각형이다.

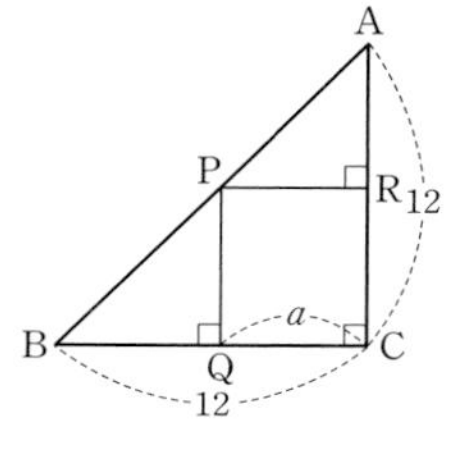

$\overline{QC}=a$이므로 $0<a<12$이고 $\overline{BQ}=12-a$

$\triangle$ABC, $\triangle$APR, $\triangle$PBQ는 각각 직각이등변삼각형이므로

$\overline{AR}=\overline{PR}=a$, $\overline{PQ}=\overline{BQ}=12-a$이다.

직사각형 PQCR의 넓이는 $a(12-a)$,

$\triangle$PBQ의 넓이는 $\frac{1}{2}(12-a)^2$,

$\triangle$APR의 넓이는 $\frac{1}{2}a^2$이므로

주어진 조건에 의하여 연립이차부등식

$$\begin{cases} a(12-a)>\frac{1}{2}(12-a)^2 \\ a(12-a)>\frac{1}{2}a^2 \end{cases}$$

의 해를 구하면 $4<a<8$

따라서 자연수 a는 5, 6, 7이므로 합은 18이다.

답 18

1542

x에 대한 이차방정식 $x^2+kx+4=0$이 서로 다른 두 실근을 갖도록 하는 실수 k의 값의 범위는?

판별식 $D>0$임을 이용하자.

이차방정식 $x^2+kx+4=0$의 판별식을 D라 하면

서로 다른 두 실근을 가지므로 $D>0$이어야 한다.

$D=k^2-16>0$에서 $(k+4)(k-4)>0$

$\therefore k<-4$ 또는 $k>4$ 답 ④

1543

> 이차방정식 $x^2+2kx+k+2=0$은 실근을 갖고, 이차방정식 $2x^2-kx+1=0$은 허근을 갖도록 하는 실수 k의 값의 범위를 구하시오.
> → 판별식 $D\ge0$ / → 판별식 $D<0$

이차방정식 $x^2+2kx+k+2=0$이 실근을 가지므로 이 이차방정식의 판별식을 D_1이라 하면

$\frac{D_1}{4}=k^2-k-2\ge0$, $(k+1)(k-2)\ge0$

$\therefore k\le-1$ 또는 $k\ge2$ ······㉠

이차방정식 $2x^2-kx+1=0$이 허근을 가지므로 이 이차방정식의 판별식을 D_2라 하면

$D_2=k^2-4\cdot2\cdot1<0$, $(k+2\sqrt{2})(k-2\sqrt{2})<0$

$\therefore -2\sqrt{2}<k<2\sqrt{2}$ ······㉡

㉠, ㉡을 수직선 위에 나타내면 다음과 같다.

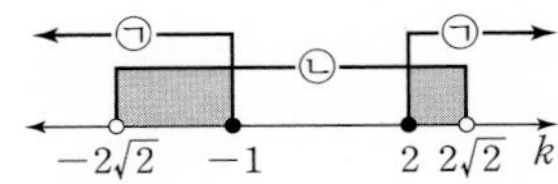

따라서 ㉠, ㉡의 공통부분은

$-2\sqrt{2}<k\le-1$ 또는 $2\le k<2\sqrt{2}$

답 $-2\sqrt{2}<k\le-1$ 또는 $2\le k<2\sqrt{2}$

1544

> 이차함수 $y=x^2-kx+k$의 그래프가 x축보다 항상 위에 있고 이차방정식 $x^2-2kx+k+2=0$이 실근을 갖도록 하는 실수 k의 값의 범위를 구하시오.
> → 판별식 $D<0$ / → 판별식 $D\ge0$

이차함수 $y=x^2-kx+k$의 그래프가 x축보다 항상 위에 있으려면 이차방정식 $x^2-kx+k=0$이 허근을 가져야 한다.

이차방정식 $x^2-kx+k=0$의 판별식을 D_1이라 하면

$D_1=k^2-4k<0$, $k(k-4)<0$

$\therefore 0<k<4$ ······㉠

이차방정식 $x^2-2kx+k+2=0$의 판별식을 D_2라 하면

$\frac{D_2}{4}=k^2-(k+2)\ge0$, $(k+1)(k-2)\ge0$

$\therefore k\le-1$ 또는 $k\ge2$ ······㉡

㉠, ㉡을 수직선 위에 나타내면 다음과 같다.

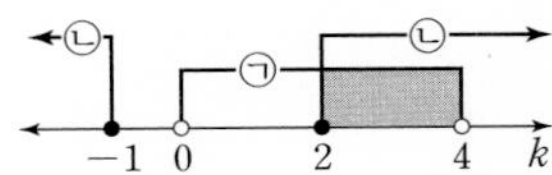

따라서 ㉠, ㉡의 공통부분은

$2\le k<4$ 답 $2\le k<4$

1545

> 이차방정식 $x^2-2(k+3)x+k^2=0$의 두 근이 모두 양수일 때, 실수 k의 값의 범위를 구하시오.
> → $D\ge0$, $\alpha+\beta>0$, $\alpha\beta>0$임을 이용하자.

이차방정식 $x^2-2(k+3)x+k^2=0$의 두 근을 α, β라 하고 판별식을 D라 하자.

이때, 두 근이 양수이면 $D\ge0$, $\alpha+\beta>0$, $\alpha\beta>0$이어야 하므로

(i) $\frac{D}{4}=(k+3)^2-k^2\ge0$, $6k+9\ge0$

$\therefore k\ge-\frac{3}{2}$

(ii) $\alpha+\beta=2(k+3)>0$

$\therefore k>-3$

(iii) $\alpha\beta=k^2>0$

$\therefore k\ne0$인 모든 실수

(i), (ii), (iii)을 동시에 만족시키는 실수 k의 값의 범위는

$-\frac{3}{2}\le k<0$ 또는 $k>0$ 답 $-\frac{3}{2}\le k<0$ 또는 $k>0$

1546

> 이차방정식 $x^2-2(a+1)x+3=0$의 두 근이 모두 1보다 크도록 하는 상수 a의 값의 범위가 $\alpha\le a<\beta$일 때, $\alpha+\beta$의 값은?
> → 판별식과 $f(1)$의 부호, 축의 방정식의 위치를 생각하자.

이차방정식 $x^2-2(a+1)x+3=0$의 두 근이 모두 1보다 커야 하므로

$f(x)=x^2-2(a+1)x+3$이라 하면 함수 $y=f(x)$의 그래프는 그림과 같다.

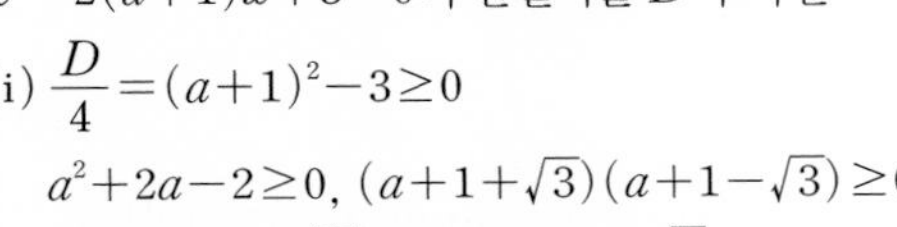

$x^2-2(a+1)x+3=0$의 판별식을 D라 하면

(i) $\frac{D}{4}=(a+1)^2-3\ge0$

$a^2+2a-2\ge0$, $(a+1+\sqrt{3})(a+1-\sqrt{3})\ge0$

$\therefore a\le-1-\sqrt{3}$ 또는 $a\ge-1+\sqrt{3}$

(ii) $f(1)=1-2(a+1)+3>0$

$2a<2$ $\therefore a<1$

(iii) 축의 방정식이 $x=a+1$이므로 $a+1>1$ $\therefore a>0$

(i), (ii), (iii)을 수직선 위에 나타내면 다음과 같다.

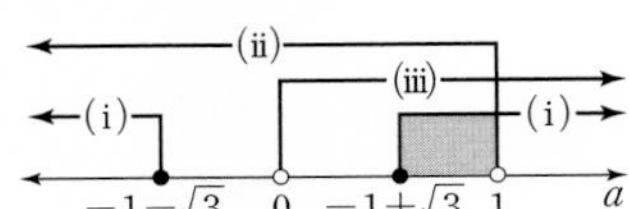

$\therefore -1+\sqrt{3}\le a<1$

따라서 $\alpha=-1+\sqrt{3}$, $\beta=1$이므로 $\alpha+\beta=\sqrt{3}$ 답 ②

1547

> 이차방정식 $x^2+(a-1)x+2a=0$의 두 근을 α, β라 할 때, $-1<\alpha<0$, $1<\beta<2$를 만족시키는 실수 a의 값의 범위는?
> → 조건을 만족하는 이차함수의 그래프를 그려보자.

$f(x)=x^2+(a-1)x+2a$로 놓으면 이차방정식 $f(x)=0$의 두 근 α, β가 $-1<\alpha<0$, $1<\beta<2$이므로 함수 $y=f(x)$의 그래프는 그림과 같다.

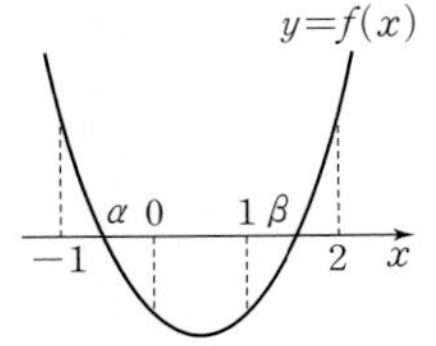

(i) $f(-1)>0$에서

$1-(a-1)+2a>0$

$\therefore a>-2$ ······ ㉠

(ii) $f(0)<0$에서

$2a<0 \quad \therefore a<0$ ······ ㉡

(iii) $f(1)<0$에서

$1+(a-1)+2a<0 \quad \therefore a<0$ ······ ㉢

(iv) $f(2)>0$에서

$4+2(a-1)+2a>0 \quad \therefore a>-\frac{1}{2}$ ······ ㉣

㉠~㉣의 공통부분은

$-\frac{1}{2}<a<0$

답 ④

1548

> 이차함수 $y=f(x)$의 그래프가 세 점 $(-2, 0)$, $(5, 0)$, $(0, -10)$을 지날 때, 이차부등식 $f(x)<0$을 만족시키는 모든 정수 x의 값의 합은? — $f(x)=a(x+2)(x-5)$ $(a\neq0)$로 놓자.

이차함수 $y=f(x)$의 그래프가 두 점 $(-2, 0)$, $(5, 0)$에서 x축과 만나므로 $f(x)=a(x+2)(x-5)$ $(a\neq0)$로 놓을 수 있다.

이때, 함수 $y=f(x)$의 그래프가 점 $(0, -10)$을 지나므로 $x=0$, $y=-10$을 대입하면

$-10=a\cdot2\cdot(-5) \quad \therefore a=1$

이차부등식 $f(x)<0$, 즉 $(x+2)(x-5)<0$에서

$-2<x<5$

따라서 이차부등식을 만족시키는 정수 x는 $-1, 0, 1, 2, 3, 4$이므로 모든 정수 x의 값의 합은

$-1+0+1+2+3+4=9$

답 ④

1549

> 이차부등식 $x^2+x<2x+12$를 만족시키는 정수 x의 개수는? — (이차식)<0 꼴로 변형하자.

$x^2+x<2x+12$에서 $x^2-x-12<0$

$(x+3)(x-4)<0$

$\therefore -3<x<4$

따라서 이차부등식을 만족시키는 정수 x는 $-2, -1, 0, 1, 2, 3$으로 6개이다.

답 ④

1550

> 다음 〈보기〉 중 이차부등식의 해가 없는 것을 있는 대로 고르시오.
>
> **보기** (완전제곱식으로 변형해 보자.)
>
> ㄱ. $-2x^2+5x+3\geq0$ ㄴ. $x^2-3x+4<0$
>
> ㄷ. $x^2+x+1>0$ ㄹ. $-x^2+10x-25>0$

ㄱ. $-2x^2+5x+3\geq0$에서 $2x^2-5x-3\leq0$

$(x-3)(2x+1)\leq0$

$\therefore -\frac{1}{2}\leq x\leq3$

ㄴ. $x^2-3x+4=\left(x-\frac{3}{2}\right)^2+\frac{7}{4}\geq\frac{7}{4}$이므로

$x^2-3x+4<0$의 해는 없다.

ㄷ. $x^2+x+1=\left(x+\frac{1}{2}\right)^2+\frac{3}{4}\geq\frac{3}{4}$이므로

$x^2+x+1>0$의 해는 모든 실수

ㄹ. $-x^2+10x-25>0$에서 $x^2-10x+25<0$

$x^2-10x+25=(x-5)^2\geq0$이므로

$-x^2+10x-25>0$의 해는 없다.

따라서 해가 없는 것은 ㄴ, ㄹ이다.

답 ㄴ, ㄹ

1551

> 부등식 $x^2-ax+b\leq0$의 해가 $-3\leq x\leq1$일 때, 부등식 $x^2+ax+b\leq0$의 해는? — $(x+3)(x-1)\leq0$임을 이용하자.

부등식 $x^2-ax+b\leq0$의 해가 $-3\leq x\leq1$이므로

$(x+3)(x-1)\leq0$, $x^2+2x-3\leq0$

$\therefore a=-2$, $b=-3$

부등식 $x^2+ax+b\leq0$에 $a=-2$, $b=-3$을 대입하면

$x^2-2x-3\leq0$, $(x+1)(x-3)\leq0$

$\therefore -1\leq x\leq3$

답 ④

1552

> 이차부등식 $x^2-4x-12<0$의 해와 부등식 $|x-a|<b$의 해가 서로 같을 때, 두 상수 a, b의 곱 ab의 값은? — $-b<x-a<b$임을 이용하자.

$x^2-4x-12<0$에서 $(x+2)(x-6)<0$

$\therefore -2<x<6$

$|x-a|<b$에서 $-b<x-a<b$

$\therefore a-b<x<a+b$

$a-b=-2$, $a+b=6$

$\therefore a=2$, $b=4$

$\therefore ab=8$

답 ④

1553

> 이차부등식 $x^2-(m+4)x+m+7<0$의 해가 존재하지 않도록 하는 실수 m의 값의 범위가 $\alpha\leq m\leq\beta$일 때, $\beta-\alpha$의 값은? — 모든 실수 x에 대하여 $x^2-(m+4)x+m+7\geq0$

주어진 부등식의 해가 존재하지 않으려면 모든 실수 x에 대하여 $x^2-(m+4)x+m+7\geq0$이 성립해야 한다.

즉, 이차방정식 $x^2-(m+4)x+m+7=0$의 판별식을 D라 하면

$D=(m+4)^2-4(m+7)\leq0$

$m^2+4m-12\leq0$, $(m+6)(m-2)\leq0$

$\therefore -6\leq m\leq2$

따라서 $\alpha=-6$, $\beta=2$이므로

$\beta-\alpha=8$

답 ⑤

1554

> 모든 실수 x에 대하여 부등식 $x^2+a\ge ax$가 성립하기 위한 정수 a의 개수는?
>
> → 판별식 $D\le 0$임을 이용하자.

$x^2-ax+a\ge 0$이 항상 성립하려면 이차방정식

$x^2-ax+a=0$의 판별식을 D라 할 때, $D\le 0$이어야 한다.

$D=a^2-4a\le 0$에서 $a(a-4)\le 0$

$\therefore 0\le a\le 4$

따라서 조건을 만족하는 정수 a는 0, 1, 2, 3, 4의 5개이다.

답 ④

1555

> → $x^2-ax+b<x+1$의 해이다.
>
> 이차함수 $y=x^2-ax+b$의 그래프가 직선 $y=x+1$보다 아래쪽에 있는 x의 값의 범위가 $-1<x<2$일 때, 두 상수 a, b의 합 $a+b$의 값은?

이차함수 $y=x^2-ax+b$의 그래프가 직선 $y=x+1$보다 아래쪽에 있는 x의 값의 범위가 $-1<x<2$이므로

$x^2-ax+b<x+1$, 즉 $x^2-(a+1)x+b-1<0$의 해가 $-1<x<2$이다.

이때, 해가 $-1<x<2$이고, 이차항의 계수가 1인 이차부등식은

$(x+1)(x-2)<0$

$\therefore x^2-x-2<0$

따라서 $a+1=1$, $b-1=-2$이므로

$a=0$, $b=-1$

$\therefore a+b=-1$

답 ②

1556

> 연립부등식 $\begin{cases} x^2+2x\ge 3 \\ |x|<2 \end{cases}$ 의 해는?
>
> → $-2<x<2$이다.

$x^2+2x\ge 3$에서

$x^2+2x-3\ge 0$, $(x+3)(x-1)\ge 0$

$\therefore x\le -3$ 또는 $x\ge 1$ ······㉠

$|x|<2$에서 $-2<x<2$ ······㉡

㉠, ㉡을 수직선 위에 나타내면 다음과 같다.

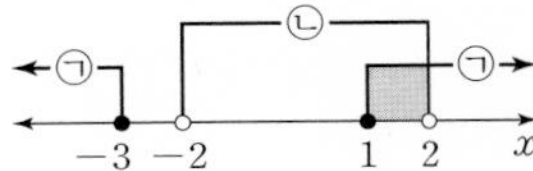

따라서 ㉠, ㉡의 공통부분은

$1\le x<2$

답 ⑤

1557

> 연립부등식 $\begin{cases} x^2+ax+b\le 0 \\ x^2-ax-8>0 \end{cases}$ 의 해가 $2<x\le 5$일 때, 두 상수 a, b의 합 $a+b$의 값을 구하시오.
>
> → $x=2$는 $x^2-ax-8=0$의 해이고, $x=5$는 $x^2+ax+b=0$의 해이다.

이차부등식 $x^2+ax+b\le 0$의 해는 $\alpha\le x\le\beta$의 꼴이므로

연립부등식의 해인 $2<x\le 5$에서 $x=5$는 이차방정식

$x^2+ax+b=0$의 해이다. 즉, $25+5a+b=0$에서

$5a+b=-25$ ······㉠ ······ 40%

또한, 이차부등식 $x^2-ax-8>0$의 해는 $x<\gamma$ 또는 $x>\delta$의

꼴이므로 연립부등식의 해인 $2<x\le 5$에서 $x=2$는 이차방정식

$x^2-ax-8=0$의 해이다.

즉, $4-2a-8=0$에서 $a=-2$ ······ 40%

$a=-2$를 ㉠에 대입하면 $b=-15$

$\therefore a+b=-17$ ······ 20%

답 -17

1558

> 연립부등식 $\begin{cases} x^2-7x+10<0 \\ x^2-(a+1)x+a\le 0 \end{cases}$ 을 만족시키는 정수해가 한 개만 존재하도록 하는 정수 a의 값을 구하시오.
>
> → 해를 수직선 위에 나타낸 뒤 정수의 개수를 파악하자.

$x^2-7x+10<0$에서 $(x-2)(x-5)<0$

$\therefore 2<x<5$

$x^2-(a+1)x+a\le 0$에서 $(x-a)(x-1)\le 0$

$\therefore \begin{cases} 1\le x\le a\ (a>1) \\ a\le x\le 1\ (a<1) \end{cases}$

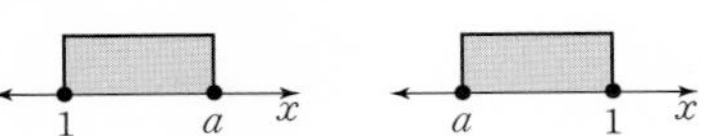

이때, 연립부등식의 해가 존재해야 하므로

$1\le x\le a$ ······ 40%

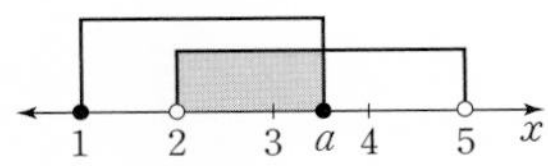

정수해가 1개, 즉 $x=3$만 해가 되도록 하는 a의 값의 범위는

$3\le a<4$ ······ 40%

따라서 구하는 정수 a의 값은 3이다. ······ 20%

답 3

1559

> → 가로의 길이를 x cm라 하고, 세로의 길이를 x로 표현해 보자.
>
> 그림과 같은 직각삼각형에 내접하는 직사각형의 가로의 길이가 5 cm 이하, 넓이가 30 cm² 이상일 때, 직사각형의 세로의 길이의 범위를 구하시오.

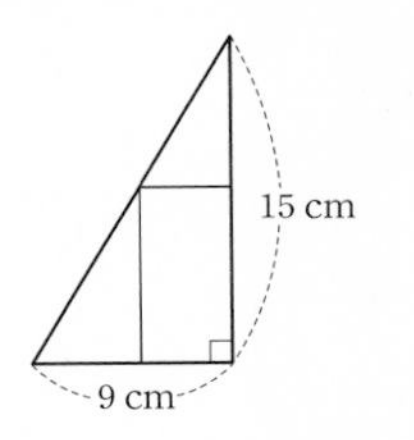

그림과 같이 직사각형의 가로, 세로의 길이를 각각 x cm, y cm라 하면

$\triangle ABC\backsim\triangle ADE$이므로

$x:(15-y)=9:15$

$y=15-\frac{5}{3}x$ ······㉠

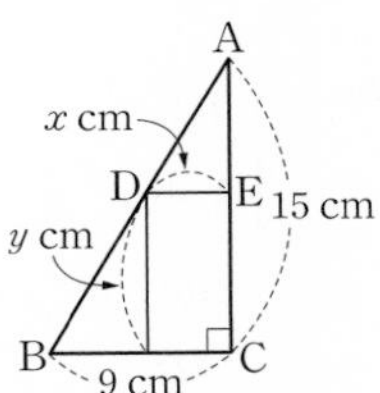

이때, 가로의 길이가 5 cm 이하이므로 $x\le 5$

$-\frac{5}{3}x \geq -\frac{25}{3}$, $15-\frac{5}{3}x \geq \frac{20}{3}$

$\therefore y \geq \frac{20}{3}$ ……㉡

또한, 직사각형의 넓이가 $30\,\text{cm}^2$ 이상이므로

$xy \geq 30$에 ㉠을 대입하면 $x\left(15-\frac{5}{3}x\right) \geq 30$

$x^2-9x+18 \leq 0$, $(x-3)(x-6) \leq 0$

$\therefore 3 \leq x \leq 6$

즉, $3 \leq x \leq 6$에서 $-10 \leq -\frac{5}{3}x \leq -5$

$5 \leq 15-\frac{5}{3}x \leq 10$

$\therefore 5 \leq y \leq 10$ ……㉢

따라서 ㉡, ㉢에서 $\frac{20}{3} \leq$(세로의 길이)≤ 10

답 $\frac{20}{3} \leq$(세로의 길이)≤ 10

1560

• 근과 계수의 관계를 이용하자.

부등식 $ax^2+bx+c>0$의 해가 $\alpha<x<\beta$일 때, 부등식 $cx^2-bx+a>0$의 해는? (단, $\alpha>0$)

$ax^2+bx+c>0$의 해가 $\alpha<x<\beta$이면 $a<0$이고

이차방정식 $ax^2+bx+c=0$의 해는 α, β이다.

근과 계수의 관계에 의하여

$\alpha+\beta=-\frac{b}{a}$, $\alpha\beta=\frac{c}{a}$

$\therefore b=-a(\alpha+\beta)$, $c=a\alpha\beta$

$cx^2-bx+a>0$에서

$a\alpha\beta x^2+a(\alpha+\beta)x+a>0$

$a\{\alpha\beta x^2+(\alpha+\beta)x+1\}>0$

$a(\alpha x+1)(\beta x+1)>0$

$a<0$이므로 양변을 a로 나누면

$(\alpha x+1)(\beta x+1)<0$

그런데 $0<\alpha<\beta$이므로 $-\frac{1}{\alpha}<-\frac{1}{\beta}$

따라서 부등식 $cx^2-bx+a>0$의 해는

$-\frac{1}{\alpha}<x<-\frac{1}{\beta}$

답 ③

1561

부등식 $2[x]^2+[x]-3 \leq 0$의 해가 $a \leq x < b$일 때, 상수 a, b에 대하여 $a+b$의 값은? • $[x]$를 하나의 문자로 보고 부등식을 풀자.

(단, $[x]$는 x보다 크지 않은 최대의 정수이다.)

$2[x]^2+[x]-3 \leq 0$에서

$(2[x]+3)([x]-1) \leq 0$

$\therefore -\frac{3}{2} \leq [x] \leq 1$

$[x]$는 정수이므로 $[x]=-1, 0, 1$

$[x]=-1$에서 $-1 \leq x < 0$

$[x]=0$에서 $0 \leq x < 1$

$[x]=1$에서 $1 \leq x < 2$

따라서 주어진 부등식의 해는 $-1 \leq x < 2$이므로

$a=-1$, $b=2$

$\therefore a+b=1$

답 ①

1562

$-2 \leq x \leq 2$일 때, x에 대한 부등식 $x^2-6x \geq a^2-6a$가 항상 성립하기 위한 상수 a의 최솟값은?

• 주어진 구간에서 x^2-6x-a^2+6a의 최솟값이 0 이상이어야 한다.

$f(x)=x^2-6x-a^2+6a$라 놓고 $-2 \leq x \leq 2$에서

$f(x) \geq 0$일 때, a의 값의 범위를 구한다.

$f(x)=(x-3)^2-a^2+6a-9$이므로

$-2 \leq x \leq 2$에서 $f(x)$의 최솟값은

$x=2$일 때, $f(2)=4-12-a^2+6a \geq 0$

$a^2-6a+8 \leq 0$, $(a-2)(a-4) \leq 0$

$\therefore 2 \leq a \leq 4$

따라서 a의 최솟값은 2이다.

답 ②

1563

모든 실수 x에 대하여 부등식

$-x^2+3x+2 \leq mx+n \leq x^2-x+4$

가 성립할 때, m^2+n^2의 값은? (단, m, n은 상수이다.)

• 각각의 부등식이 모든 실수에 대하여 항상 성립함을 이용하자.

모든 실수 x에 대하여 $-x^2+3x+2 \leq mx+n$이므로

$x^2+(m-3)x+n-2 \geq 0$이다.

$x^2+(m-3)x+n-2=0$의 판별식을 D라 하면

$D=(m-3)^2-4n+8 \leq 0$이다.

따라서

$4n \geq m^2-6m+17$ ……㉠

이다.

모든 실수 x에 대하여 $mx+n \leq x^2-x+4$이므로

$x^2-(m+1)x+4-n \geq 0$이다.

$x^2-(m+1)x+4-n=0$의 판별식을 D'라 하면

$D'=(m+1)^2-16+4n \leq 0$이다.

따라서

$4n \leq -m^2-2m+15$ ……㉡

이다.

따라서 ㉠, ㉡에 의해

$m^2-6m+17 \leq 4n \leq -m^2-2m+15$ ……㉢

$m^2-6m+17 \leq -m^2-2m+15$

$2m^2-4m+2 \leq 0$이다.

$2(m-1)^2 \leq 0$이므로 $m=1$이고

㉢에서 $12 \leq 4n \leq 12$이므로 $n=3$이다.

따라서 $m^2+n^2=10$이다.

답 ②

1564

A를 원점으로 하는 수직선 위에 놓으면 B(−10), C(20)이다.

그림과 같이 일직선 위의 세 지점 A, B, C에 같은 제품을 생산하는 공장이 있다. A와 B 사이의 거리는 10 km, B와 C 사이의 거리는 30 km, A와 C 사이의 거리는 20 km이다. 이 일직선 위의 A와 C 사이에 보관창고를 지으려고 한다. 공장과 보관창고와의 거리가 x km일 때, 제품 한 개당 운송비는 x^2원이 든다고 하자. 세 지점 A, B, C의 공장에서 하루에 생산되는 제품이 각각 100개, 200개, 300개일 때, 하루에 드는 총 운송비가 155000원 이하가 되도록 하는 보관창고는 A 지점에서 최대 몇 km 떨어진 지점까지 지을 수 있는가? (단, 공장과 보관창고의 크기는 무시한다.)

보관창고의 좌표를 t라 하면 총 운송비는 $100t^2+200(t+10)^2+300(t-20)^2$

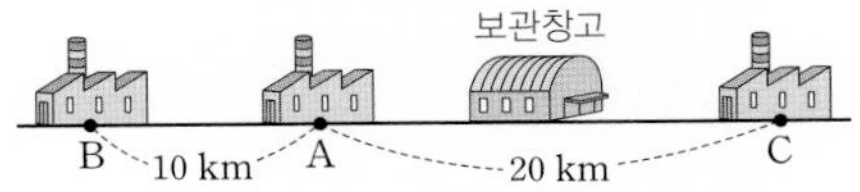

세 지점 A, B, C를 A를 원점으로 하는 수직선 위에 놓으면
A(0), B(−10), C(20)이다.
보관창고의 좌표를 t라 하면 보관창고는 A와 C 사이에 있으므로
$0<t<20$ ······㉠
총 운송비는 $100t^2+200(t+10)^2+300(t-20)^2$이고
하루에 운송비가 155000원 이하이므로
$100t^2+200(t+10)^2+300(t-20)^2\le 155000$
$t^2+2(t+10)^2+3(t-20)^2\le 1550$
$6t^2-80t-150\le 0$
$3t^2-40t-75\le 0$
$(3t+5)(t-15)\le 0$
$\therefore -\frac{5}{3}\le t\le 15$ ······㉡
㉠, ㉡에서 $0<t\le 15$
즉, 보관창고는 A지점에서 최대 15 km 떨어진 지점까지 지을 수 있다.

답 ④

1565

두 부등식 $|x-2|\le 3$, $(|x|-2)^2\le 1$을 동시에 만족시키는 정수 x의 최댓값과 최솟값의 합은?

$-1\le |x|-2\le 1$이다.

$|x-2|\le 3$에서 $-3\le x-2\le 3$
$\therefore -1\le x\le 5$ ······㉠
$(|x|-2)^2\le 1$에서 $-1\le |x|-2\le 1$
$1\le |x|\le 3$
$\therefore -3\le x\le -1$ 또는 $1\le x\le 3$ ······㉡
㉠, ㉡을 수직선 위에 나타내면 그림과 같다.

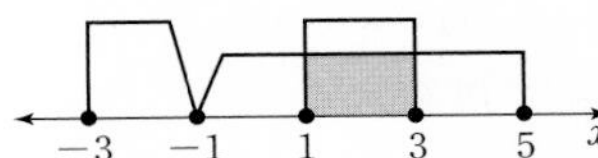

주어진 두 부등식을 동시에 만족시키는 x의 값의 범위는
$1\le x\le 3$, $x=-1$
따라서 정수 x의 최댓값은 3, 최솟값은 −1이므로 그 합은 2이다.

답 ①

1566

연립부등식 $\begin{cases} x^2+x-6>0 \\ |x-a|\le 1 \end{cases}$ 이 항상 해를 갖기 위한 실수 a의 값의 범위는?

해가 존재하는 경우를 수직선 위에 나타내자.

(i) $x^2+x-6=(x+3)(x-2)>0$
$\therefore x<-3$ 또는 $x>2$
(ii) $|x-a|\le 1$에서 $-1\le x-a\le 1$
$\therefore a-1\le x\le a+1$

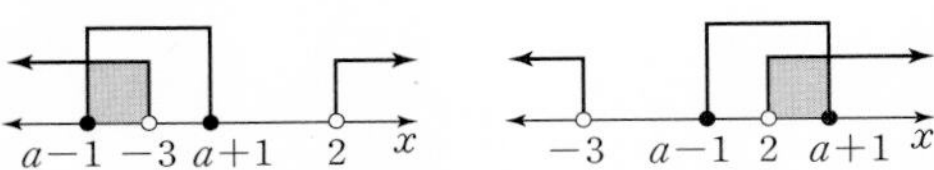

연립방정식의 해가 존재하려면 $a-1<-3$ 또는 $a+1>2$이어야 한다.
$\therefore a<-2$ 또는 $a>1$

답 ⑤

1567

연립방정식의 해가 $x=1$, $x=5$이다.

그림과 같이 두 포물선
$y=-x^2+5x+4$,
$y=x^2+ax+b$의 그래프와 직선
$y=x+c$가 한 점 P에서 만날 때, 부등식
$x^2+(a-1)x+b-c<0$의
해는?

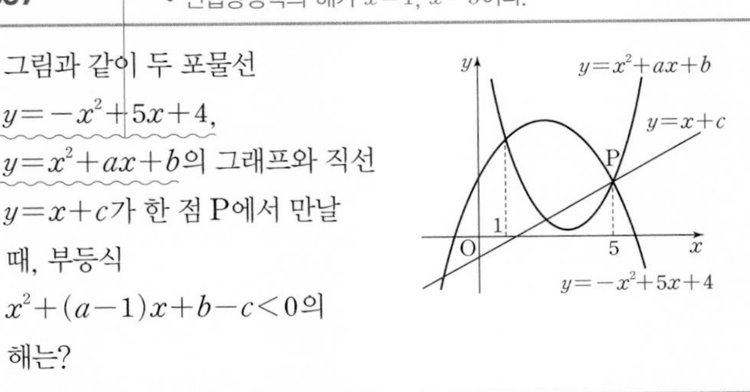

두 포물선 $y=-x^2+5x+4$와 $y=x^2+ax+b$의 그래프의 두 교점의 x좌표가 1, 5이므로 두 식을 연립한 이차방정식
$-x^2+5x+4=x^2+ax+b$에서
$2x^2+(a-5)x+b-4=0$ ······㉠
㉠의 두 근은 1, 5이므로 $x=1$, $x=5$를 ㉠에 대입하면
$a+b=7$, $5a+b=-21$
$\therefore a=-7$, $b=14$ ······㉡
한편, $y=-x^2+5x+4$에 $x=5$를 대입하면 $y=4$이므로
점 P의 좌표는 P(5, 4)
이때, 직선 $y=x+c$는 점 P(5, 4)를 지나므로
$c=-1$ ······㉢
㉡, ㉢을 $x^2+(a-1)x+b-c<0$에 대입하면
$x^2-8x+15<0$
$(x-3)(x-5)<0$
$\therefore 3<x<5$

답 ③

1568

최고차항의 계수가 각각 $\frac{1}{2}$, 2인 두 이차함수 $y=f(x)$, $y=g(x)$가 다음 조건을 만족시킨다.

> (가) 두 함수 $y=f(x)$와 $y=g(x)$의 그래프는 직선 $x=p$를 축으로 한다.
> $f(x)=\frac{1}{2}(x-p)^2+a$, $g(x)=2(x-p)^2+b$이다.
> (나) 부등식 $f(x)\ge g(x)$의 해는 $-1\le x\le 5$이다.

$p\times\{f(2)-g(2)\}$의 값을 구하시오. (단, p는 상수이다.)

최고차항의 계수가 각각 $\frac{1}{2}$, 2인 두 이차함수 $y=f(x)$, $y=g(x)$의 그래프의 축은 직선 $x=p$이므로

$f(x)=\frac{1}{2}(x-p)^2+a$, $g(x)=2(x-p)^2+b$

조건 (나)에서 $g(x)-f(x)\le 0$

$g(x)-f(x)=\frac{3}{2}x^2-3px+\frac{3}{2}p^2+b-a\le 0$

부등식 $f(x)\ge g(x)$의 해가 $-1\le x\le 5$이므로

최고차항의 계수가 $\frac{3}{2}$인 이차부등식은

$\frac{3}{2}(x+1)(x-5)\le 0$

$\frac{3}{2}x^2-6x-\frac{15}{2}\le 0$

$3p=6$　　$\therefore p=2$

$\frac{3}{2}\times 2^2+b-a=-\frac{15}{2}$

$\therefore a-b=\frac{27}{2}$

따라서

$p\times\{f(2)-g(2)\}=2\times(a-b)=2\times\frac{27}{2}=27$ 　답 27

1569 　$f\left(\frac{2x-1}{7}\right)=a\left(\frac{2x-1}{7}+1\right)\left(\frac{2x-1}{7}-2\right)$ $(a>0)$이다.

이차함수 $y=f(x)$의 그래프가 그림과 같을 때, $f\left(\frac{2x-1}{7}\right)\le 0$을 만족하는 정수 x의 개수를 구하시오.

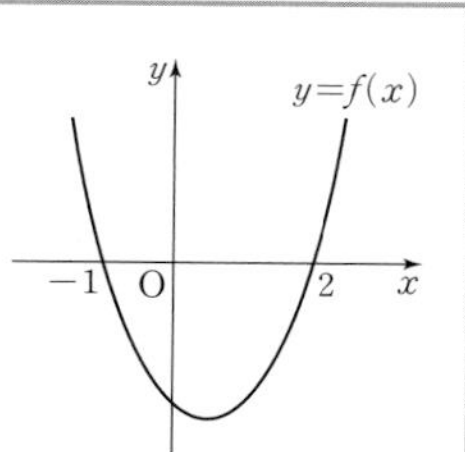

$f(x)=a(x+1)(x-2)$ $(a>0)$이므로

$f\left(\frac{2x-1}{7}\right)=a\left(\frac{2x-1}{7}+1\right)\left(\frac{2x-1}{7}-2\right)$

$=a\left(\frac{2x+6}{7}\right)\left(\frac{2x-15}{7}\right)$

$=\frac{2}{49}a(x+3)(2x-15)$

$f\left(\frac{2x-1}{7}\right)\le 0$, 즉 $\frac{2}{49}a(x+3)(2x-15)\le 0$에서

$(x+3)(2x-15)\le 0$ $(\because a>0)$

$\therefore -3\le x\le\frac{15}{2}$

따라서 정수 x의 개수는 11이다. 　답 11

1570 　3－$|x|=t$로 치환하자.

이차함수 $y=f(x)$의 그래프가 그림과 같을 때, 부등식 $f(3-|x|)\le 0$을 만족하는 정수 x의 개수는?

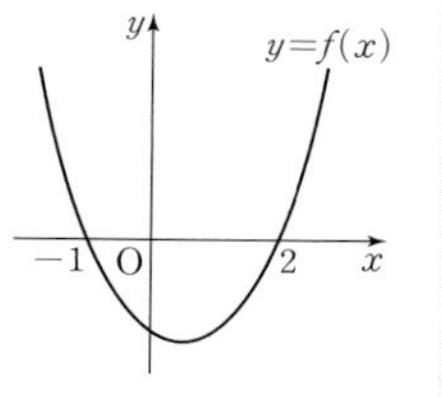

 ① 4　　② 5
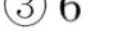 ③ 6　　④ 7
 ⑤ 8

$3-|x|=t$로 놓으면 $f(t)\le 0$

주어진 그래프에서 x를 t로 생각했을 때, $f(t)\le 0$의 해는

$-1\le t\le 2$

$t=3-|x|$이므로 $-1\le 3-|x|\le 2$

$-4\le -|x|\le -1$

$\therefore 1\le |x|\le 4$

$1\le |x|$에서 $x\le -1$ 또는 $x\ge 1$ 　······㉠

$|x|\le 4$에서 $-4\le x\le 4$ 　······㉡

㉠, ㉡을 동시에 만족하는 x의 값의 범위는

$-4\le x\le -1$ 또는 $1\le x\le 4$

따라서 구하는 정수는 -4, -3, -2, -1, 1, 2, 3, 4로 모두 8개이다. 　답 ⑤

1571

세 이차함수 $y=f(x)$, $y=g(x)$, $y=h(x)$의 그래프가 그림과 같을 때, $-3\le x\le 5$에서 부등식 $f(x)g(x)h(x)\le 0$을 만족하는 모든 정수 x의 값의 합을 구하시오.

$f(x)$, $g(x)$, $h(x)$ 각각의 부호와 부등식의 해의 부호를 살펴보자.

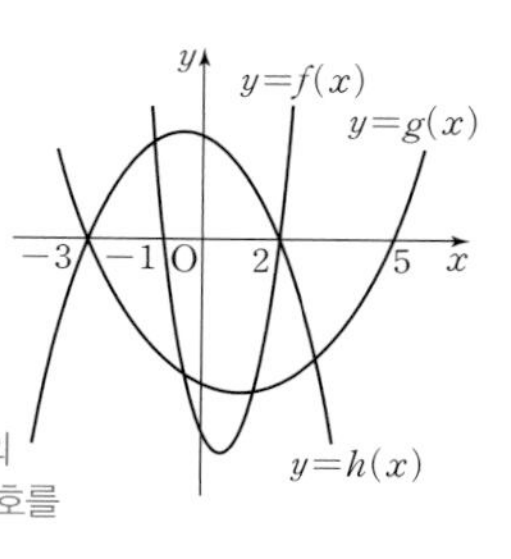

$x=-3$, -1, 2, 5를 기준으로 $-3\le x\le 5$에서 $f(x)$, $g(x)$, $h(x)$의 부호를 조사하면 다음과 같다.

x	-3	$\cdots$	-1	$\cdots$	2	$\cdots$	5
$f(x)$	+	+	0	−	0	+	+
$g(x)$	0	−	−	−	−	−	0
$h(x)$	0	+	+	+	0	−	−
$f(x)g(x)h(x)$	0	−	0	+	0	+	0

따라서 $-3\le x\le 5$에서 부등식 $f(x)g(x)h(x)\le 0$을 만족하는 x의 값의 범위는

$-3\le x\le -1$ 또는 $x=2$ 또는 $x=5$

이를 만족하는 정수는 -3, -2, -1, 2, 5이므로 그 합은

$-3+(-2)+(-1)+2+5=1$ 　답 1

1572

두 함수 $f(x)$, $g(x)$가

$f(x)=x^2-2ax+a+2$, $g(x)=-x^2+2ax-a^2$

일 때, $0\le x\le 2$인 모든 실수 x에 대하여 $f(x)>g(x)$가 성립하기 위한 실수 a의 값의 범위는?

$f(x)-g(x)$의 그래프의 축이 범위 안에 있을 때와 밖에 있을 때로 나누어 풀자.

$f(x)>g(x)$에서 $f(x)-g(x)>0$

$f(x)-g(x)=2x^2-4ax+a^2+a+2$

$=2(x-a)^2-a^2+a+2$

이므로 $y=f(x)-g(x)$의 그래프의 꼭짓점의 좌표는

$(a,\ -a^2+a+2)$이고 $0\le x\le 2$에서 $f(x)-g(x)$의 최솟값을 k라 하면

(ⅰ) $a<0$일 때,

$k=f(0)-g(0)=a^2+a+2>0$

$\left(a+\frac{1}{2}\right)^2+\frac{7}{4}>0$

∴ 해는 모든 실수

그런데 $a<0$이므로 $a<0$

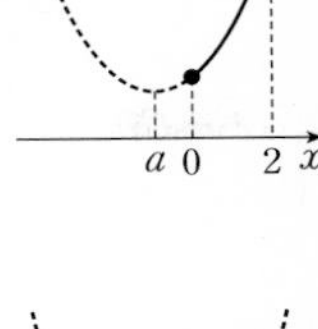

(ⅱ) $0\le a<2$일 때,

$k=f(a)-g(a)=-a^2+a+2>0$

$(a+1)(a-2)<0$

∴ $-1<a<2$

그런데 $0\le a<2$이므로 $0\le a<2$

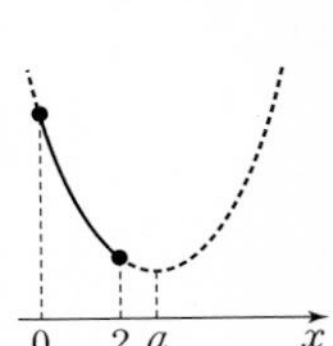

(ⅲ) $a\ge 2$일 때,

$k=f(2)-g(2)=a^2-7a+10>0$

$(a-2)(a-5)>0$

∴ $a<2$ 또는 $a>5$

그런데 $a\ge 2$이므로 $a>5$

(ⅰ), (ⅱ), (ⅲ)에서 $a<2$ 또는 $a>5$

답 ⑤

1573

> x에 대한 방정식 $(x^2+ax+a)(x^2+x+a)=0$의 근 중 서로 다른 허근의 개수가 2이기 위한 실수 a의 값의 범위를 구하시오.
>
> • $a=1$일 때와 $a\neq 1$일 때로 나누어 풀자.

(1) $a=1$인 경우

주어진 방정식은 $(x^2+x+1)^2=0$이다.

방정식 $x^2+x+1=0$의 근은 $x=\frac{-1\pm\sqrt{3}i}{2}$ $(i=\sqrt{-1})$이므로

방정식 $(x^2+x+1)^2=0$의 서로 다른 허근의 개수는 2이다.

(2) $a\neq 1$인 경우

방정식 $x^2+ax+a=0$의 근은 $x=\frac{-a\pm\sqrt{a(a-4)}}{2}$이다.

(ⅰ) $a(a-4)<0$일 때, 방정식 $x^2+x+a=0$은 실근을 가져야 하므로 실수 a의 값의 범위는 $0<a\le\frac{1}{4}$

(ⅱ) $a(a-4)\ge 0$일 때, 방정식 $x^2+x+a=0$은 허근을 가져야 하므로 실수 a의 값의 범위는 $a\ge 4$

따라서 (1)과 (2)에 의하여 방정식 $(x^2+ax+a)(x^2+x+a)=0$의 근 중 서로 다른 허근의 개수가 2이기 위한 실수 a의 값의 범위는

$0<a\le\frac{1}{4}$ 또는 $a=1$ 또는 $a\ge 4$

답 $0<a\le\frac{1}{4}$ 또는 $a=1$ 또는 $a\ge 4$

1574

> x에 대한 연립부등식 $\begin{cases} x^2-a^2x\ge 0 \\ x^2-4ax+4a^2-1<0 \end{cases}$을 만족시키는 정수 x의 개수가 1이 되기 위한 모든 실수 a의 값의 합을 구하시오. (단, $0<a<\sqrt{2}$)
>
> • 해를 수직선 위에 나타낸 뒤 정수의 개수를 파악하자.

$x^2-a^2x=x(x-a^2)\ge 0$에서 $x\le 0$ 또는 $x\ge a^2$이고

$x^2-4ax+4a^2-1=\{x-(2a-1)\}\{x-(2a+1)\}<0$

에서 $2a-1<x<2a+1$이다.

(ⅰ) $0<a<\frac{1}{2}$일 때

연립부등식의 해는 $-1<2a-1<x\le 0$ 또는 $a^2\le x<2a+1<2$

인데 $0<a^2<\frac{1}{4}$이고 $1<2a+1<2$이므로

$x=0,\ 1$의 2개 정수해가 존재한다.

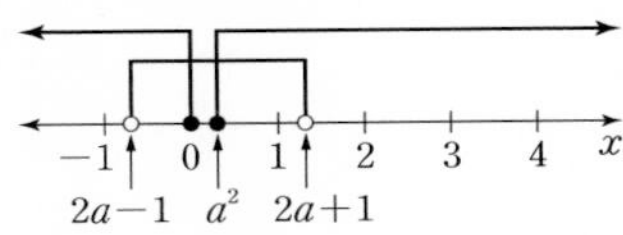

(ⅱ) $a=\frac{1}{2}$일 때

연립부등식의 해는 $\frac{1}{4}=a^2\le x<2a+1=2$

이므로 $x=1$의 1개 정수해가 존재한다.

(ⅲ) $\frac{1}{2}<a<1$일 때

연립부등식의 해는 $a^2\le x<2a+1$

인데 $\frac{1}{4}<a^2<1$이고 $2<2a+1<3$이므로

$x=1,\ 2$의 2개 정수해가 존재한다.

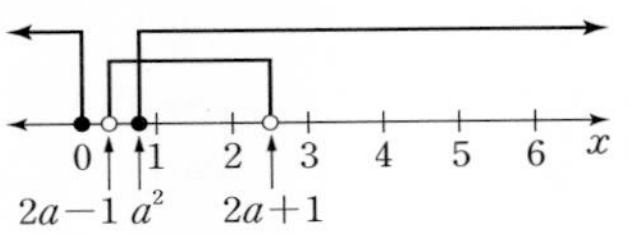

(ⅳ) $a=1$일 때

연립부등식의 해는 $1=a^2=2a-1<x<2a+1=3$

이므로 $x=2$의 1개 정수해가 존재한다.

(ⅴ) $1<a<\sqrt{2}$일 때

연립부등식의 해는 $a^2\le x<2a+1$

인데 $1<a^2<2$이고 $3<2a+1<1+2\sqrt{2}<4$이므로

$x=2,\ 3$의 2개 정수해가 존재한다.

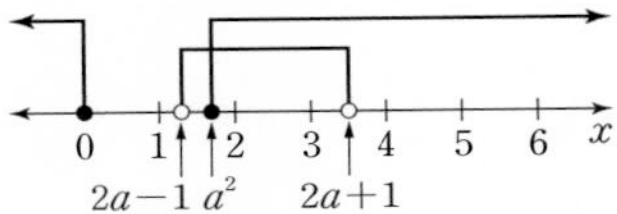

그러므로 (ⅰ)~(ⅴ)에 의해

$a=\frac{1}{2}$ 또는 $a=1$일 때, 1개 정수해가 존재한다.

따라서 모든 실수 a의 값의 합은 $\frac{3}{2}$이다.

답 $\frac{3}{2}$

1575

> x에 대한 이차부등식
>
> $(2x-a^2+2a)(2x-3a)\le 0$
>
> 의 해가 $\alpha\le x\le\beta$이다.
>
> 두 실수 $\alpha,\ \beta$가 다음 조건을 만족시킬 때, 모든 실수 a의 값의 합을 구하시오.
>
> (가) $\beta-\alpha$는 자연수이다.
>
> (나) $\alpha\le x\le\beta$를 만족하는 정수 x의 개수는 3이다.
>
> • $\alpha,\ \beta$가 모두 정수라면 $\beta-\alpha=2$, $\alpha,\ \beta$가 모두 정수가 아니라면 $\beta-\alpha=3$이다.

$\beta-\alpha$가 자연수가 되기 위해서는 α, β가 모두 정수이거나 α, β가 각각 정수가 아닌 실수이어야 한다.
$\alpha\le x\le\beta$인 정수 x의 개수가 3이 되기 위해서
α, β가 모두 정수인 경우에는 $\beta-\alpha=2$,
α, β가 각각 정수가 아닌 실수인 경우에는 $\beta-\alpha=3$이어야 한다.

(1) $\frac{1}{2}a^2-a>\frac{3}{2}a$인 경우
$a^2-5a>0$이므로 $a<0$ 또는 $a>5$이다.
이차부등식 $(2x-a^2+2a)(2x-3a)\le 0$의 해는
$\frac{3}{2}a\le x\le\frac{1}{2}a^2-a$이다.

(i) α, β가 모두 정수인 경우
$\beta-\alpha=\left(\frac{1}{2}a^2-a\right)-\frac{3}{2}a=\frac{1}{2}a^2-\frac{5}{2}a=2$이므로
$a^2-5a-4=0$에서 $a=\frac{5\pm\sqrt{41}}{2}$이다.
$a=\frac{5\pm\sqrt{41}}{2}$이면 β와 α가 각각 정수가 아니므로 구하고자 하는 a는 없다.

(ii) α, β가 각각 정수가 아닌 실수인 경우
$\beta-\alpha=\left(\frac{1}{2}a^2-a\right)-\frac{3}{2}a=\frac{1}{2}a^2-\frac{5}{2}a=3$이므로
$a^2-5a-6=0$에서 $a=-1$ 또는 $a=6$이다.
$a=-1$이면 β와 α가 각각 정수가 아닌 실수이다.
$a=6$이면 β와 α가 모두 정수이므로 조건을 만족하지 않는다.
따라서 $a=-1$이다.

(2) $\frac{1}{2}a^2-a<\frac{3}{2}a$인 경우
$a^2-5a<0$이므로 $0<a<5$이다.
이차부등식 $(2x-a^2+2a)(2x-3a)\le 0$의 해는
$\frac{1}{2}a^2-a\le x\le\frac{3}{2}a$이다.

(i) α, β가 모두 정수인 경우
$\beta-\alpha=\frac{3}{2}a-\left(\frac{1}{2}a^2-a\right)=-\frac{1}{2}a^2+\frac{5}{2}a=2$이므로
$a^2-5a+4=0$에서 $a=1$ 또는 $a=4$이다.
$a=1$이면 β와 α가 각각 정수가 아니므로 조건을 만족하지 않는다.
$a=4$이면 β와 α가 모두 정수이다.
따라서 $a=4$이다.

(ii) α, β가 각각 정수가 아닌 실수인 경우
$\beta-\alpha=\frac{3}{2}a-\left(\frac{1}{2}a^2-a\right)=-\frac{1}{2}a^2+\frac{5}{2}a=3$이므로
$a^2-5a+6=0$에서 $a=2$ 또는 $a=3$이다.
$a=2$이면 β와 α가 모두 정수이므로 조건을 만족하지 않는다.
$a=3$이면 β와 α가 각각 정수가 아닌 실수이다.
따라서 $a=3$이다.

그러므로 (1), (2)에 의해 조건을 만족시키는 모든 실수 a의 값의 합은
$-1+4+3=6$이다. 답 6

10 평면좌표

본책 270~291쪽

1576
$\overline{AB}=|3-(-1)|=4$ 답 4

1577
$\overline{AB}=|-3-(-5)|=2$ 답 2

1578
$\overline{AB}=|8-1|=7$ 답 7

1579
$\overline{AB}=|7-(-4)|=11$ 답 11

1580
$\overline{AB}^2=\overline{BC}^2+\overline{CA}^2$
$=3^2+4^2=25$
$\therefore \overline{AB}=5$ 답 5

1581
$\overline{AC}^2=\overline{AB}^2+\overline{BC}^2$
$=3^2+3^2=18$
$\therefore \overline{AC}=3\sqrt{2}$ 답 $3\sqrt{2}$

1582
A(1, 1), B(5, 4)이므로 두 점 A, B 사이의 거리는
$\overline{AB}=\sqrt{(5-1)^2+(4-1)^2}=\sqrt{25}=5$ 답 5

1583
A(1, −2), B(4, 4)이므로 두 점 A, B 사이의 거리는
$\overline{AB}=\sqrt{(4-1)^2+\{4-(-2)\}^2}=\sqrt{45}=3\sqrt{5}$ 답 $3\sqrt{5}$

1584
A(−6, −4), B(1, 1)이므로 두 점 A, B 사이의 거리는
$\overline{AB}=\sqrt{\{1-(-6)\}^2+\{1-(-4)\}^2}=\sqrt{74}$ 답 $\sqrt{74}$

1585
$\overline{AB}=\sqrt{(3-2)^2+\{2-(-1)\}^2}=\sqrt{10}$ 답 $\sqrt{10}$

1586
$\overline{AB}=\sqrt{\{2-(-3)\}^2+(2-2)^2}=\sqrt{25}=5$ 답 5

1587
$\overline{AB}=\sqrt{(3-0)^2+(-4-0)^2}=\sqrt{25}=5$ 답 5

1588
$\overline{AB}=\sqrt{(-7-5)^2+(-2-3)^2}=\sqrt{169}=13$ 답 13

1589
$\overline{AB}=\sqrt{(4-2)^2+(0-2\sqrt{3})^2}=\sqrt{16}=4$ 답 4

1590

$\overline{AB}=\sqrt{(3-a)^2+\{-1-(-3)\}^2}$
$=\sqrt{a^2-6a+13}=2$

이므로 양변을 제곱하면

$a^2-6a+13=4$

$a^2-6a+9=0$

$(a-3)^2=0$

$\therefore a=3$

답 3

1591

$\overline{AB}=\sqrt{(2-5)^2+(a-5)^2}$
$=\sqrt{a^2-10a+34}=5$

이므로 양변을 제곱하면

$a^2-10a+34=25,\ a^2-10a+9=0$

$(a-1)(a-9)=0$

$\therefore a=1$ 또는 $a=9$

답 1 또는 9

1592

중선정리에 의하여

$3^2+5^2=2(x^2+3^2)$

$34=2(x^2+9),\ x^2+9=17$

$x^2=8 \qquad \therefore x=2\sqrt{2}$

답 $2\sqrt{2}$

1593

중선정리에 의하여

$x^2+6^2=2(5^2+5^2)$

$x^2+36=100,\ x^2=64$

$\therefore x=8$

답 8

1594

내분하는 점 P의 좌표를 x라 하면

$x=\dfrac{1\cdot 9+2\cdot 3}{1+2}=\dfrac{15}{3}=5$

$\therefore$ P(5)

답 P(5)

1595

외분하는 점 Q의 좌표를 x라 하면

$x=\dfrac{3\cdot 4-2\cdot 0}{3-2}=12$

$\therefore$ Q(12)

답 Q(12)

1596

외분하는 점 Q의 좌표를 x라 하면

$x=\dfrac{1\cdot 3-3\cdot 1}{1-3}=0$

$\therefore$ Q(0)

답 Q(0)

1597

내분하는 점 P의 좌표를 x라 하면

$x=\dfrac{3\cdot 11+1\cdot 3}{3+1}=\dfrac{36}{4}=9$

$\therefore$ P(9)

답 P(9)

1598

외분하는 점 Q의 좌표를 x라 하면

$x=\dfrac{2\cdot 11-1\cdot 3}{2-1}=19$

$\therefore$ Q(19)

답 Q(19)

1599

중점 M의 좌표를 x라 하면

$x=\dfrac{3+11}{2}=7$

$\therefore$ M(7)

답 M(7)

1600

내분하는 점 P의 좌표를 (x, y)라 하면

$x=\dfrac{2\cdot 5+3\cdot 1}{2+3}=\dfrac{13}{5}$

$y=\dfrac{2\cdot(-2)+3\cdot 2}{2+3}=\dfrac{2}{5}$

$\therefore \mathrm{P}\left(\dfrac{13}{5}, \dfrac{2}{5}\right)$

답 $\mathrm{P}\left(\dfrac{13}{5}, \dfrac{2}{5}\right)$

1601

내분하는 점 P의 좌표를 (x, y)라 하면

$x=\dfrac{3\cdot 5+2\cdot 1}{3+2}=\dfrac{17}{5}$

$y=\dfrac{3\cdot(-2)+2\cdot 2}{3+2}=-\dfrac{2}{5}$

$\therefore \mathrm{P}\left(\dfrac{17}{5}, -\dfrac{2}{5}\right)$

답 $\mathrm{P}\left(\dfrac{17}{5}, -\dfrac{2}{5}\right)$

1602

외분하는 점 Q의 좌표를 (x, y)라 하면

$x=\dfrac{3\cdot 5-1\cdot 1}{3-1}=\dfrac{14}{2}=7$

$y=\dfrac{3\cdot(-2)-1\cdot 2}{3-1}=\dfrac{-8}{2}=-4$

$\therefore$ Q(7, −4)

답 Q(7, −4)

1603

중점 M의 좌표를 (x, y)라 하면

$x=\dfrac{1+5}{2}=3$

$y=\dfrac{2+(-2)}{2}=0$

$\therefore$ M(3, 0)

답 M(3, 0)

1604

내분하는 점 P의 좌표를 (x, y)라 하면

$x=\dfrac{5\cdot 3+3\cdot 5}{5+3}=\dfrac{30}{8}=\dfrac{15}{4}$

$y=\dfrac{5\cdot(-6)+3\cdot 2}{5+3}=\dfrac{-24}{8}=-3$

$\therefore \mathrm{P}\left(\dfrac{15}{4}, -3\right)$

답 $\mathrm{P}\left(\dfrac{15}{4}, -3\right)$

1605

내분하는 점 P의 좌표를 (x, y)라 하면

$x=\frac{5\cdot5+3\cdot3}{5+3}=\frac{34}{8}=\frac{17}{4}$

$y=\frac{5\cdot2+3\cdot(-6)}{5+3}=\frac{-8}{8}=-1$

$\therefore \mathrm{P}\left(\frac{17}{4}, -1\right)$ 답 $\mathrm{P}\left(\frac{17}{4}, -1\right)$

1606

외분하는 점 Q의 좌표를 (x, y)라 하면

$x=\frac{2\cdot3-1\cdot5}{2-1}=1$

$y=\frac{2\cdot(-6)-1\cdot2}{2-1}=-14$

$\therefore \mathrm{Q}(1, -14)$ 답 $\mathrm{Q}(1, -14)$

1607

중점 M의 좌표를 (x, y)라 하면

$x=\frac{5+3}{2}=4$

$y=\frac{2+(-6)}{2}=-2$

$\therefore \mathrm{M}(4, -2)$ 답 $\mathrm{M}(4, -2)$

1608

점 B의 좌표를 (x, y)라 하면 중점의 좌표가 $(1, 4)$이므로

$\frac{3+x}{2}=1$에서 $x=-1$

$\frac{2+y}{2}=4$에서 $y=6$

$\therefore \mathrm{B}(-1, 6)$ 답 $\mathrm{B}(-1, 6)$

1609

삼각형 ABC의 무게중심을 $\mathrm{G}(x, y)$라 하면

$x=\frac{-2+4+1}{3}=1$

$y=\frac{3-5+8}{3}=2$

$\therefore \mathrm{G}(1, 2)$ 답 $\mathrm{G}(1, 2)$

1610

삼각형 ABC의 무게중심을 $\mathrm{G}(x, y)$라 하면

$x=\frac{2-1+3}{3}=\frac{4}{3}$

$y=\frac{1+0-6}{3}=-\frac{5}{3}$

$\therefore \mathrm{G}\left(\frac{4}{3}, -\frac{5}{3}\right)$ 답 $\mathrm{G}\left(\frac{4}{3}, -\frac{5}{3}\right)$

1611

삼각형 ABC의 무게중심 G의 좌표가 $(3, 2)$이므로

$\frac{-1+2+a}{3}=3$

$a+1=9 \quad \therefore a=8$ 답 8

1612

두 대각선의 교점 M의 좌표는 대각선 AC의 중점의 좌표와 같으므로 점 M의 좌표를 (x, y)라 하면

$x=\frac{3+5}{2}=4$

$y=\frac{4+0}{2}=2$

$\therefore \mathrm{M}(4, 2)$ 답 $\mathrm{M}(4, 2)$

1613

꼭짓점 D의 좌표를 (a, b)라 하면

점 M은 대각선 BD의 중점이므로

$\frac{1+a}{2}=4$에서 $a=7$

$\frac{-1+b}{2}=2$에서 $b=5$

$\therefore \mathrm{D}(7, 5)$ 답 $\mathrm{D}(7, 5)$

1614

평행사변형에서 두 대각선의 중점은 같으므로

꼭짓점 C의 좌표를 (x, y)라 하면

$\frac{2+x}{2}=3$에서 $x=4$

$\frac{4+y}{2}=4$에서 $y=4$

$\therefore \mathrm{C}(4, 4)$ 답 $\mathrm{C}(4, 4)$

1615

> 수직선 위의 두 점 $\mathrm{A}(a)$, $\mathrm{B}(2)$에 대하여 $\overline{\mathrm{AB}}=7$일 때, a의 값을 구하시오.
> └ 수직선 위의 두 점 사이의 거리 공식을 이용하자.

$\overline{\mathrm{AB}}=|2-a|=7$에서

$2-a=7$ 또는 $2-a=-7$

$\therefore a=-5$ 또는 $a=9$ 답 -5 또는 9

1616

> 좌표평면 위의 두 점 $\mathrm{P}(a, 1)$, $\mathrm{Q}(3, a)$에 대하여 $\overline{\mathrm{PQ}}=\sqrt{2}$일 때, a의 값은?
> └ 공식 $\sqrt{(x_2-x_1)^2+(y_2-y_1)^2}$을 이용하자.

$\overline{\mathrm{PQ}}=\sqrt{(a-3)^2+(1-a)^2}$

$=\sqrt{2a^2-8a+10}$

$\overline{\mathrm{PQ}}=\sqrt{2}$이므로

$\sqrt{2a^2-8a+10}=\sqrt{2}$

양변을 제곱하면

$2a^2-8a+10=2$

$a^2-4a+4=0$

$(a-2)^2=0$

$\therefore a=2$ 답 ④

1617

> 좌표평면 위의 세 점 $\mathrm{A}(-2, 5)$, $\mathrm{B}(x, 4)$, $\mathrm{C}(1, 0)$에 대하여 $\overline{\mathrm{AB}}=\overline{\mathrm{BC}}$일 때, x의 값을 구하시오.
> └ 공식 $\sqrt{(x_2-x_1)^2+(y_2-y_1)^2}$을 이용하자.

$\overline{AB}=\sqrt{\{x-(-2)\}^2+(4-5)^2}=\sqrt{x^2+4x+5}$
$\overline{BC}=\sqrt{(1-x)^2+(0-4)^2}=\sqrt{x^2-2x+17}$
$\overline{AB}=\overline{BC}$에서 $\overline{AB}^2=\overline{BC}^2$이므로
$x^2+4x+5=x^2-2x+17$
$6x=12$
$\therefore x=2$

답 2

1618

원점 O에서 두 점 A(4, −3), B(a, $a+1$)에 이르는 거리가 같을 때, 양수 a의 값은?

→ $\overline{OA}=\overline{OB}$이다.

$\overline{OA}=\sqrt{4^2+(-3)^2}=\sqrt{25}=5$
$\overline{OB}=\sqrt{a^2+(a+1)^2}=\sqrt{2a^2+2a+1}$
$\overline{OA}=\overline{OB}$이므로
$5=\sqrt{2a^2+2a+1}$
양변을 제곱하면
$25=2a^2+2a+1$
$a^2+a-12=0$
$(a+4)(a-3)=0$
$\therefore a=3\ (\because a>0)$

답 ③

1619

좌표평면 위의 세 점 A(3, 0), B(2, 3), C(−1, 2)로부터 같은 거리에 있는 점 P(a, b)가 있다. 이때, $a+b$의 값은?

→ $\overline{PA}^2=\overline{PB}^2=\overline{PC}^2$임을 이용하자.

$\overline{PA}^2=(a-3)^2+b^2$
$\overline{PB}^2=(a-2)^2+(b-3)^2$
$\overline{PC}^2=(a+1)^2+(b-2)^2$
이고 $\overline{PA}=\overline{PB}=\overline{PC}$이므로
$\overline{PA}^2=\overline{PB}^2$에서
$(a-3)^2+b^2=(a-2)^2+(b-3)^2$
$a^2-6a+9+b^2=a^2-4a+b^2-6b+13$
$\therefore a-3b=-2$ ……㉠
$\overline{PA}^2=\overline{PC}^2$에서
$(a-3)^2+b^2=(a+1)^2+(b-2)^2$
$a^2-6a+9+b^2=a^2+2a+b^2-4b+5$
$\therefore 2a-b=1$ ……㉡
㉠, ㉡을 연립하여 풀면
$a=1,\ b=1$
$\therefore a+b=2$

답 ②

1620

→ 조건을 만족하는 직선은 $y=3$이다.

그림과 같이 좌표평면 위의 점 P(−6, 3)을 지나고 x축에 평행한 직선이 일차함수 $y=4x-5$의 그래프와 만나는 점을 Q라고 한다. 이때, 선분 PQ의 길이는?

① 6 ② $\frac{13}{2}$
③ 7 ④ $\frac{15}{2}$
⑤ 8

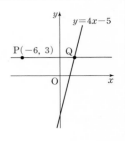

점 P를 지나고 x축에 평행한 직선은
$y=3$
점 Q의 y좌표가 3이므로
$y=3$을 $y=4x-5$에 대입하면
$3=4x-5$
$\therefore x=2$
따라서 점 Q의 좌표는 (2, 3)이므로
$\overline{PQ}=|2-(-6)|=8$

답 ⑤

1621

→ $\overline{AB}$=(지름의 길이)이다.

좌표평면 위의 두 점 A(−1, a), B(a, −3)을 지름의 양 끝점으로 하는 원의 넓이가 5π일 때, 양수 a의 값은?

$\overline{AB}=\sqrt{(a+1)^2+(-3-a)^2}$에서
원의 넓이가 5π이므로 반지름의 길이는 $\sqrt{5}$이다.
즉, $\overline{AB}=2\sqrt{5}$이므로
$\sqrt{(a+1)^2+(-3-a)^2}=2\sqrt{5}$
양변을 제곱하면
$(a+1)^2+(-3-a)^2=20,\ 2a^2+8a-10=0$
$(a+5)(a-1)=0$
$\therefore a=1\ (\because a>0)$

답 ①

1622

다음과 같이 주어진 좌표평면 위의 두 점 P, Q에 대하여 선분 PQ의 길이의 최솟값은?

→ 공식 $\sqrt{(x_2-x_1)^2+(y_2-y_1)^2}$을 이용하자.

P($a+1$, −3), Q(1, $-a+1$)

$\overline{PQ}=\sqrt{(1-a-1)^2+(-a+1+3)^2}$
$=\sqrt{2a^2-8a+16}=\sqrt{2(a-2)^2+8}$
따라서 $a=2$일 때, 선분 PQ의 길이의 최솟값은 $2\sqrt{2}$이다.

답 ③

1623

> 이차함수 $f(x)=x^2+4x+3$의 그래프와 직선 $y=2x+k$가 서로 다른 두 점 P, Q에서 만난다. 점 P가 이차함수 $y=f(x)$의 그래프의 꼭짓점일 때, 선분 PQ의 길이는? (단, k는 상수이다.)
>
> • $f(x)=(x+2)^2-1$에서 점 P의 좌표를 구하자.

$f(x)=x^2+4x+3=(x+2)^2-1$
직선 $y=2x+k$가 점 $\mathrm{P}(-2, -1)$을 지나므로
$-1=2\times(-2)+k$, $k=3$
$x^2+4x+3=2x+3$에서
$x^2+2x=x(x+2)=0$
그러므로 점 Q의 좌표는 $\mathrm{Q}(0, 3)$
따라서 선분 PQ의 길이는
$\sqrt{\{0-(-2)\}^2+\{3-(-1)\}^2}=2\sqrt{5}$

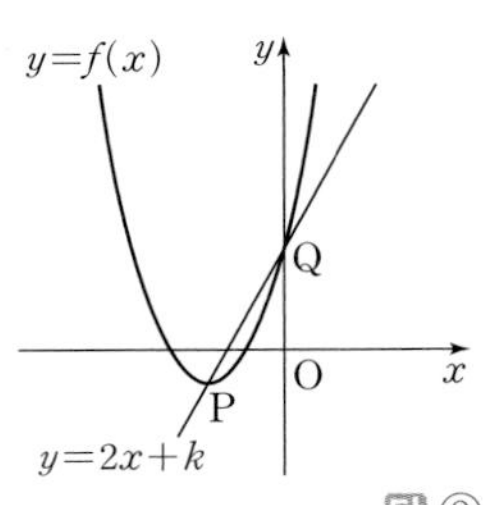

답 ②

1624

> 세 점 $\mathrm{A}(1, 2)$, $\mathrm{B}(-3, 0)$, $\mathrm{C}(-1, -2)$를 꼭짓점으로 하는 삼각형 ABC는 어떤 삼각형인가?
>
> • 세 변의 길이를 각각 구하자.

삼각형 ABC의 세 변의 길이를 각각 구해 보면
$\overline{\mathrm{AB}}=\sqrt{(-3-1)^2+(0-2)^2}=\sqrt{20}=2\sqrt{5}$
$\overline{\mathrm{BC}}=\sqrt{\{-1-(-3)\}^2+(-2-0)^2}=\sqrt{8}=2\sqrt{2}$
$\overline{\mathrm{CA}}=\sqrt{\{1-(-1)\}^2+\{2-(-2)\}^2}=\sqrt{20}=2\sqrt{5}$
따라서 삼각형 ABC는 $\overline{\mathrm{AB}}=\overline{\mathrm{CA}}$인 이등변삼각형이다. 답 ④

1625

> • $\overline{\mathrm{AB}}^2=\overline{\mathrm{BC}}^2$임을 이용하자.
>
> 두 점 $\mathrm{A}(1, 2)$, $\mathrm{B}(-1, -2)$를 두 꼭짓점으로 하는 정삼각형 ABC의 꼭짓점 C의 좌표를 (x, y)라 할 때, $x+y$의 값은?
> (단, 점 C는 제4사분면 위의 점이다.)

$\overline{\mathrm{AB}}=\overline{\mathrm{BC}}$에서 $\overline{\mathrm{AB}}^2=\overline{\mathrm{BC}}^2$이므로
$(-1-1)^2+(-2-2)^2=(x+1)^2+(y+2)^2$
$x^2+2x+y^2+4y=15$ ……㉠
$\overline{\mathrm{AB}}=\overline{\mathrm{CA}}$에서 $\overline{\mathrm{AB}}^2=\overline{\mathrm{CA}}^2$이므로
$(-1-1)^2+(-2-2)^2=(x-1)^2+(y-2)^2$
$x^2-2x+y^2-4y=15$ ……㉡
㉠$-$㉡을 하면 $4x+8y=0$
$\therefore x=-2y$ ……㉢
이것을 ㉠에 대입하면
$4y^2-4y+y^2+4y=15$, $y^2=3$
$\therefore y=-\sqrt{3}$ ($\because y<0$)
이 값을 ㉢에 대입하면 $x=2\sqrt{3}$
$\therefore x+y=\sqrt{3}$ 답 ③

1626

> 세 꼭짓점의 좌표가 각각 $\mathrm{A}(a, 3)$, $\mathrm{B}(-1, -5)$, $\mathrm{C}(3, 7)$인 삼각형 ABC에서 $\angle\mathrm{A}=90°$일 때, 모든 a의 값의 합은?
>
> • $\overline{\mathrm{AB}}^2+\overline{\mathrm{CA}}^2=\overline{\mathrm{BC}}^2$임을 이용하자.

삼각형 ABC에서 $\angle\mathrm{A}=90°$이므로 피타고라스 정리에 의하여
$\overline{\mathrm{AB}}^2+\overline{\mathrm{CA}}^2=\overline{\mathrm{BC}}^2$ ……㉠
이때, 각 변의 길이의 제곱은
$\overline{\mathrm{AB}}^2=(a+1)^2+(3+5)^2=a^2+2a+65$
$\overline{\mathrm{CA}}^2=(a-3)^2+(3-7)^2=a^2-6a+25$
$\overline{\mathrm{BC}}^2=(-1-3)^2+(-5-7)^2=160$
㉠에 의하여
$(a^2+2a+65)+(a^2-6a+25)=160$
$2a^2-4a+90=160$
$\therefore a^2-2a-35=0$
따라서 이차방정식 근과 계수의 관계에 의하여 모든 a의 값의 합은 2이다. 답 ⑤

1627

> 두 점 $\mathrm{A}(-4, 1)$, $\mathrm{B}(-3, -2)$에서 같은 거리에 있는 x축 위의 점의 x좌표는?
>
> • $(a, 0)$으로 놓자.

x축 위의 점 P의 좌표를 $(a, 0)$이라 하면
$\overline{\mathrm{AP}}=\overline{\mathrm{BP}}$에서 $\overline{\mathrm{AP}}^2=\overline{\mathrm{BP}}^2$이므로
$(a+4)^2+(0-1)^2=(a+3)^2+(0+2)^2$
$a^2+8a+17=a^2+6a+13$
$2a=-4$
$\therefore a=-2$ 답 ①

1628

> 두 점 $\mathrm{A}(2, 3)$, $\mathrm{B}(-4, 1)$에서 같은 거리에 있는 y축 위의 점 P에 대하여 원점 O에서 점 P까지의 거리를 구하시오.
>
> • $(0, a)$로 놓자.

y축 위의 점 P의 좌표를 $(0, a)$라 하면
$\overline{\mathrm{PA}}=\overline{\mathrm{PB}}$에서 $\overline{\mathrm{PA}}^2=\overline{\mathrm{PB}}^2$이므로
$(0-2)^2+(a-3)^2=(0+4)^2+(a-1)^2$
$a^2-6a+13=a^2-2a+17$
$4a=-4$ $\therefore a=-1$
따라서 점 P의 좌표는 $(0, -1)$이므로
원점 O에서 점 P까지의 거리는 1이다. 답 1

1629

> • $\overline{\mathrm{AP}}^2=\overline{\mathrm{BP}}^2$임을 이용하자.
>
> 두 점 $\mathrm{A}(2, 2)$, $\mathrm{B}(-1, 3)$과 x축 위의 점 $\mathrm{P}(a, 0)$에 대하여 삼각형 ABP가 $\overline{\mathrm{AP}}=\overline{\mathrm{BP}}$인 이등변삼각형일 때, a의 값은?

$\overline{AP}=\overline{BP}$에서 $\overline{AP}^2=\overline{BP}^2$이므로
$(a-2)^2+(0-2)^2=(a+1)^2+(0-3)^2$
$a^2-4a+8=a^2+2a+10$
$6a=-2$
$\therefore a=-\frac{1}{3}$ 답 ②

1630

두 점 A(3, 3), B(5, 1)에서 같은 거리에 있는 x축 위의 점을 P, y축 위의 점을 Q라 할 때, 선분 PQ의 길이는?
• P$(a, 0)$, Q$(0, b)$로 놓자.

점 P의 좌표를 $(a, 0)$이라 하면
$\overline{AP}=\overline{BP}$에서 $\overline{AP}^2=\overline{BP}^2$이므로
$(a-3)^2+(0-3)^2=(a-5)^2+(0-1)^2$
$a^2-6a+18=a^2-10a+26$
$4a=8$ $\therefore a=2$
$\therefore$ P(2, 0)
또 점 Q의 좌표를 $(0, b)$라 하면
$\overline{AQ}=\overline{BQ}$에서 $\overline{AQ}^2=\overline{BQ}^2$이므로
$(0-3)^2+(b-3)^2=(0-5)^2+(b-1)^2$
$b^2-6b+18=b^2-2b+26$
$-4b=8$ $\therefore b=-2$
$\therefore$ Q(0, −2)
$\therefore \overline{PQ}=\sqrt{(-2)^2+(-2)^2}=2\sqrt{2}$ 답 ②

1631

좌표평면에서 x축 위의 서로 다른 두 점에서 점 A(2, 1)까지의 거리가 $\sqrt{5}$로 서로 같다. 이때, 이 두 점 사이의 거리는?
• x축 위의 점을 P$(x, 0)$이라 하자.

x축 위의 점을 P$(x, 0)$이라 하면
$\overline{AP}=\sqrt{5}$에서 $\overline{AP}^2=5$이므로
$(x-2)^2+(0-1)^2=5$, $x^2-4x=0$
$x(x-4)=0$ $\therefore x=0$ 또는 $x=4$
따라서 x축 위의 두 점은 (0, 0), (4, 0)이므로
두 점 사이의 거리는 4이다. 답 ③

1632

좌표평면 위의 한 점 A(3, 4)에서 $4\sqrt{2}$만큼 떨어진 x축 위의 두 점을 각각 P, Q라 할 때, 삼각형 APQ의 둘레의 길이를 구하시오.
• x축 위의 점을 P$(a, 0)$이라 하자.

x축 위의 한 점의 좌표를 $(a, 0)$이라 하면
$\sqrt{(a-3)^2+(0-4)^2}=\sqrt{a^2-6a+25}=4\sqrt{2}$
양변을 제곱하면
$a^2-6a+25=32$, $a^2-6a-7=0$
$(a-7)(a+1)=0$ $\therefore a=7$ 또는 $a=-1$
즉, 두 점 P, Q의 좌표는 각각 (7, 0), (−1, 0)이므로
$\overline{PQ}=|7-(-1)|=8$
따라서 $\overline{AP}=\overline{AQ}=4\sqrt{2}$이므로 삼각형 APQ의 둘레의 길이는
$8+4\sqrt{2}+4\sqrt{2}=8+8\sqrt{2}$ 답 $8+8\sqrt{2}$

다른풀이 점 A(3, 4)에서 x축에 내린 수선의 발을 H라 하면 그림과 같이 두 삼각형 APH, AQH는 모두 직각삼각형이 된다.

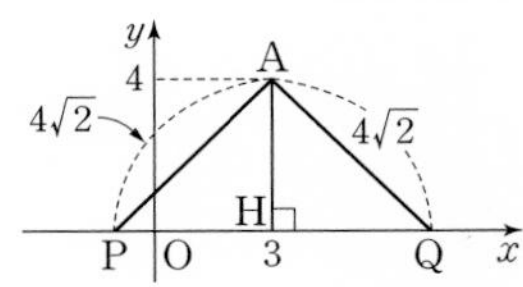

피타고라스 정리에 의하여
$\overline{PH}=\overline{QH}=\sqrt{(4\sqrt{2})^2-4^2}=4$
$\therefore \overline{PQ}=\overline{PH}+\overline{QH}=4+4=8$
따라서 삼각형 APQ의 둘레의 길이는
$4\sqrt{2}+4\sqrt{2}+8=8+8\sqrt{2}$

1633

• P(a, a)로 놓자.
두 점 A(2, −2), B(−2, 4)와 직선 $y=x$ 위의 점 P에 대하여 $\overline{AP}=\overline{BP}$일 때, 선분 AP의 길이는?

직선 $y=x$ 위의 점을 P(a, a)라 하면 $\overline{AP}=\overline{BP}$이므로
$\sqrt{(a-2)^2+(a+2)^2}=\sqrt{(a+2)^2+(a-4)^2}$
양변을 제곱하면
$a^2-4a+4+a^2+4a+4=a^2+4a+4+a^2-8a+16$
$4a=12$ $\therefore a=3$
따라서 구하는 점 P의 좌표는 (3, 3)이므로
$\overline{AP}=\sqrt{(2-3)^2+(-2-3)^2}=\sqrt{26}$ 답 ⑤

1634

P(a, b)로 놓으면 $b=3a-1$이다. •
두 점 A(1, −3), B(2, −4)와 직선 $y=3x-1$ 위의 점 P에 대하여 $\overline{AP}=\overline{BP}$일 때, 점 P의 좌표를 구하시오.

점 P의 좌표를 (a, b)라 하면 P(a, b)는 직선 $3x-y=1$ 위에 있으므로
$3a-b=1$ ······ ㉠
또 $\overline{PA}=\overline{PB}$에서 $\overline{PA}^2=\overline{PB}^2$이므로
$(a-1)^2+(b+3)^2=(a-2)^2+(b+4)^2$
$a^2+b^2-2a+6b+10=a^2+b^2-4a+8b+20$
$2a-2b=10$
$\therefore a-b=5$ ······ ㉡
㉠, ㉡을 연립하여 풀면 $a=-2$, $b=-7$
따라서 점 P의 좌표는 (−2, −7)이다. 답 (−2, −7)

1635

두 점 A(0, 6), B(2, 2)에서 같은 거리에 있는 직선 $x+y=2$ 위의 점의 좌표는?
• P$(a, -a+2)$로 놓자.

두 점 A(0, 6), B(2, 2)에서 같은 거리에 있는 직선

$x+y=2$, 즉 $y=-x+2$ 위의 점을 $\mathrm{P}(a, -a+2)$라 하면
$\overline{\mathrm{AP}}=\overline{\mathrm{BP}}$에서 $\overline{\mathrm{AP}}^2=\overline{\mathrm{BP}}^2$이므로
$(a-0)^2+(-a+2-6)^2=(a-2)^2+(-a+2-2)^2$
$a^2+a^2+8a+16=a^2-4a+4+a^2$
$12a=-12 \qquad \therefore a=-1$
따라서 구하는 점의 좌표는 $(-1, 3)$이다. 답 ③

1636

좌표평면 위의 두 점 $\mathrm{A}(1, 4)$, $\mathrm{B}(5, 2)$와 x축 위를 움직이는 점 P에 대하여 $\overline{\mathrm{AP}}+\overline{\mathrm{BP}}$의 최솟값은?
• A, B 중 한 점을 x축에 대하여 대칭이동시키자.

점 $\mathrm{B}(5, 2)$와 x축에 대하여 대칭인 점을 B′이라 하면
$\mathrm{B}'(5, -2)$
$\overline{\mathrm{AP}}+\overline{\mathrm{BP}}$가 최소가 되는 경우는 점 A, P, B′이 일직선 위에 있을 때이다.
즉, $\overline{\mathrm{BP}}=\overline{\mathrm{B'P}}$이므로 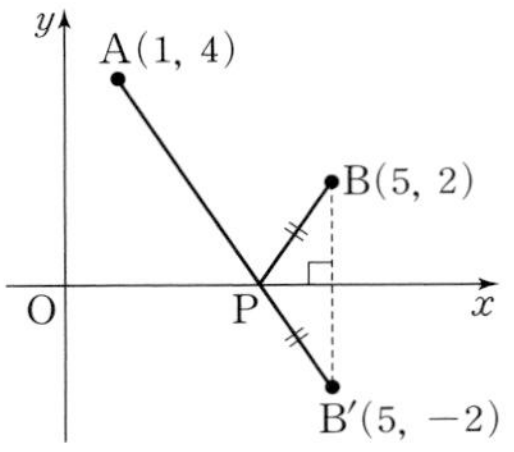
$\overline{\mathrm{AP}}+\overline{\mathrm{BP}}=\overline{\mathrm{AP}}+\overline{\mathrm{B'P}}$
$\geq \overline{\mathrm{AB'}}$
$=\sqrt{(5-1)^2+(-2-4)^2}=2\sqrt{13}$
따라서 $\overline{\mathrm{AP}}+\overline{\mathrm{BP}}$의 최솟값은 $2\sqrt{13}$이다. 답 ⑤

1637

좌표평면 위의 두 점 $\mathrm{A}(7, 1)$, $\mathrm{B}(1, 7)$과 y축 위의 점 P에 대하여 $\overline{\mathrm{AP}}+\overline{\mathrm{BP}}$의 최솟값을 구하시오.
• A, B 중 한 점을 y축에 대하여 대칭이동시키자.

점 B를 y축에 대하여 대칭이동한 점을 B′이라 하면 $\mathrm{B}'(-1, 7)$
이때, $\overline{\mathrm{BP}}=\overline{\mathrm{B'P}}$이므로
$\overline{\mathrm{AP}}+\overline{\mathrm{BP}}$
$=\overline{\mathrm{AP}}+\overline{\mathrm{B'P}}$
$\geq \overline{\mathrm{AB'}}$
$=\sqrt{(-1-7)^2+(7-1)^2}$
$=10$

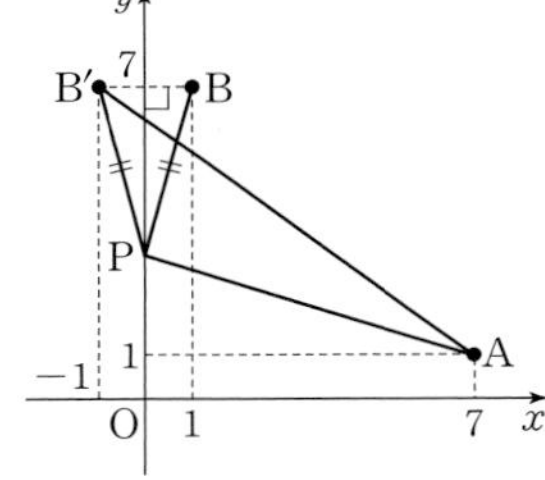

따라서 $\overline{\mathrm{AP}}+\overline{\mathrm{BP}}$의 최솟값은 10이다. 답 10

1638

그림과 같이 A 마을에서 강변의 어느 한 지점을 거쳐 B 마을을 연결하는 도로를 만들려고 한다.
$\overline{\mathrm{PQ}}=8\,\mathrm{km}$, $\overline{\mathrm{AP}}=4\,\mathrm{km}$, $\overline{\mathrm{BQ}}=2\,\mathrm{km}$이고 두 선분 AP, BQ는 모두 선분 PQ에 수직일 때, 가장 짧게 만들 수 있는 도로의 길이는?
(단, 도로의 폭은 생각하지 않는다.)
• A, B 중 한 점을 $\overline{\mathrm{PQ}}$에 대하여 대칭이동시키자.

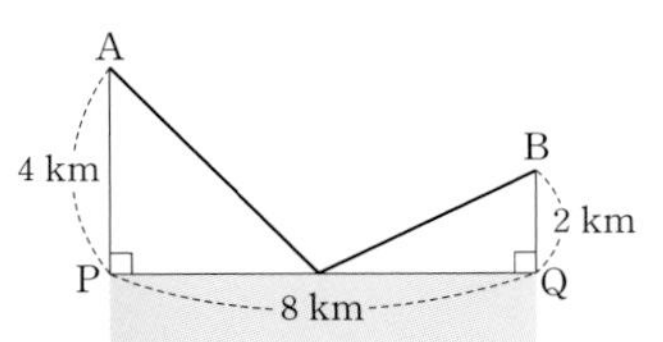

그림에서 점 B를 선분 PQ에 대하여 대칭이동한 점을 B′이라 하고, 선분 PQ 위의 한 지점을 R라 하면 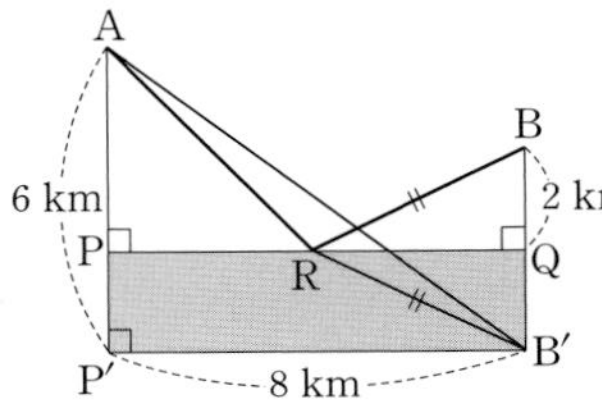
$\overline{\mathrm{RB}}=\overline{\mathrm{RB'}}$이므로
$\overline{\mathrm{AR}}+\overline{\mathrm{RB}}=\overline{\mathrm{AR}}+\overline{\mathrm{RB'}}$
$\geq \overline{\mathrm{AB'}}$
직각삼각형 AP′B′에서
$\overline{\mathrm{AB'}}=\sqrt{8^2+6^2}=10$
따라서 가장 짧게 만들 수 있는 도로의 길이는 10 km이다. 답 ①

1639

그림과 같이 좌표평면 위에 두 점 $\mathrm{A}(1, 2)$, $\mathrm{B}(2, 1)$이 있다. x축 위를 움직이는 점 P와 y축 위를 움직이는 점 Q에 대하여 $\overline{\mathrm{AQ}}+\overline{\mathrm{QP}}+\overline{\mathrm{PB}}$의 최솟값을 구하시오.
• A를 y축에, B를 x축에 대하여 대칭이동시키자.

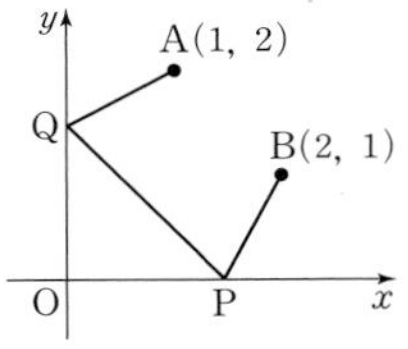

점 A를 y축에 대하여 대칭이동한 점을 A′, 점 B를 x축에 대하여 대칭이동한 점을 B′이라 하면
$\mathrm{A}'(-1, 2)$, $\mathrm{B}'(2, -1)$
이때, $\overline{\mathrm{AQ}}=\overline{\mathrm{A'Q}}$, $\overline{\mathrm{PB}}=\overline{\mathrm{PB'}}$이므로
$\overline{\mathrm{AQ}}+\overline{\mathrm{QP}}+\overline{\mathrm{PB}}=\overline{\mathrm{A'Q}}+\overline{\mathrm{QP}}+\overline{\mathrm{PB'}}$
$\geq \overline{\mathrm{A'B'}}$
$=\sqrt{(2+1)^2+(-1-2)^2}=3\sqrt{2}$
따라서 $\overline{\mathrm{AQ}}+\overline{\mathrm{QP}}+\overline{\mathrm{PB}}$의 최솟값은 $3\sqrt{2}$이다. 답 $3\sqrt{2}$

1640

좌표평면 위의 두 점 $\mathrm{A}(1, 4)$, $\mathrm{B}(4, 3)$과 직선 $y=2$ 위를 움직이는 점 P에 대하여 $\overline{\mathrm{AP}}+\overline{\mathrm{BP}}$의 최솟값을 구하시오.
• A, B 중 한 점을 $y=2$에 대하여 대칭이동시키자.

점 $\mathrm{A}(1, 4)$를 직선 $y=2$에 대하여 대칭이동한 점을 A′이라 하면
$\mathrm{A}'(1, 0)$
$\overline{\mathrm{AP}}=\overline{\mathrm{A'P}}$이므로
$\overline{\mathrm{AP}}+\overline{\mathrm{BP}}=\overline{\mathrm{A'P}}+\overline{\mathrm{BP}}$
$\geq \overline{\mathrm{A'B}}$
$=\sqrt{(4-1)^2+(3-0)^2}$
$=3\sqrt{2}$

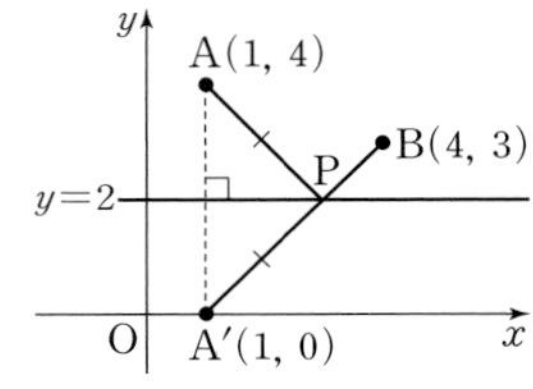

따라서 $\overline{\mathrm{AP}}+\overline{\mathrm{BP}}$의 최솟값은 $3\sqrt{2}$이다. 답 $3\sqrt{2}$

1641

x, y가 실수일 때,
$\sqrt{(x-3)^2+(y+1)^2}+\sqrt{(x-6)^2+(y-3)^2}$
의 최솟값은?
• 점 (x, y)와 점 $(3, -1)$ 사이의 거리이다.

세 점 A, B, P를 각각 $A(3, -1)$, $B(6, 3)$, $P(x, y)$라 하면

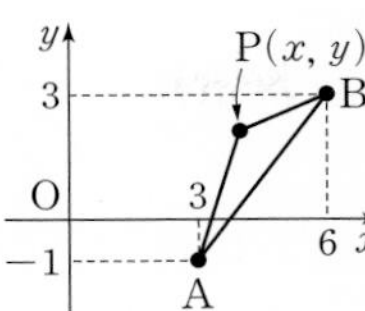

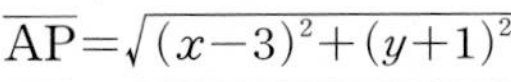

$\overline{AP}=\sqrt{(x-3)^2+(y+1)^2}$

$\overline{BP}=\sqrt{(x-6)^2+(y-3)^2}$

이므로 구하는 식의 최솟값은

$\overline{AP}+\overline{BP}$의 최솟값과 같다.

$\therefore\ \overline{AP}+\overline{BP}\ge\overline{AB}$

$=\sqrt{(6-3)^2+(3+1)^2}=5$

따라서 구하는 식의 최솟값은 5이다.

답 ⑤

1642

두 점 $A(3, 0)$, $B(4, 2)$와 y축 위의 점 P에 대하여 $\overline{AP}^2+\overline{BP}^2$의 최솟값을 구하시오.

→ $P(0, a)$로 놓자.

점 P가 y축 위의 점이므로 점 P의 좌표를 $P(0, a)$라 하면

$\overline{AP}^2+\overline{BP}^2=(-3)^2+a^2+(-4)^2+(a-2)^2$

$=2a^2-4a+29$

$=2(a^2-2a+1)+27$

$=2(a-1)^2+27$

$(a-1)^2\ge0$이므로 $\overline{AP}^2+\overline{BP}^2$은 $a=1$일 때, 최솟값 27을 갖는다.

답 27

1643

→ $P(a, 2a)$로 놓자.

직선 $y=2x$ 위를 움직이는 점 P와 세 점 $A(0, 0)$, $B(5, 3)$, $C(0, 2)$에 대하여 $\overline{PA}^2+\overline{PB}^2+\overline{PC}^2$의 최솟값은?

직선 $y=2x$ 위를 움직이는 점 P의 좌표를 $(a, 2a)$라 하면

$\overline{PA}^2+\overline{PB}^2+\overline{PC}^2$

$=\{a^2+(2a)^2\}+\{(a-5)^2+(2a-3)^2\}+\{a^2+(2a-2)^2\}$

$=15a^2-30a+38$

$=15(a-1)^2+23$

따라서 $a=1$일 때, 최솟값은 23이다.

답 ②

1644

두 점 $A(2, 5)$, $B(3, -4)$와 직선 $y=x-1$ 위의 점 P에 대하여 $\overline{AP}^2+\overline{BP}^2$의 값이 최소일 때, 점 P의 x좌표를 구하시오.

→ $P(a, a-1)$로 놓자.

$P(a, a-1)$이라 하면

$\overline{AP}^2+\overline{BP}^2=(a-2)^2+(a-6)^2+(a-3)^2+(a+3)^2$

$=4a^2-16a+58$

$=4(a-2)^2+42$

따라서 $a=2$일 때, 주어진 식의 최솟값은 42이고, 점 P의 x좌표는 2이다.

답 2

1645

두 점 $A(1, -1)$, $B(5, 3)$에 대하여 $\overline{PA}^2+\overline{PB}^2$의 값이 최소가 되는 점 P의 좌표를 (a, b)라 할 때, $a+b$의 값은?

→ a, b에 관한 식으로 나타내자.

$\overline{PA}^2+\overline{PB}^2=\{(a-1)^2+(b+1)^2\}+\{(a-5)^2+(b-3)^2\}$

$=2a^2+2b^2-12a-4b+36$

$=2(a-3)^2+2(b-1)^2+16$

따라서 $a=3$, $b=1$일 때 최소가 되므로

$a+b=4$

답 ④

1646

세 점 $A(0, 5)$, $B(-5, -2)$, $C(2, 0)$이 있다. 이때, 임의의 점 P에 대하여 $\overline{PA}^2+\overline{PB}^2+\overline{PC}^2$의 최솟값은?

→ $P(x, y)$라 하고, x, y에 관한 식으로 나타내자.

점 P의 좌표를 (x, y)라 하면

$\overline{PA}^2+\overline{PB}^2+\overline{PC}^2$

$=(x-0)^2+(y-5)^2+(x+5)^2+(y+2)^2+(x-2)^2+(y-0)^2$

$=3x^2+3y^2+6x-6y+58$

$=3(x+1)^2+3(y-1)^2+52$

따라서 $x=-1$, $y=1$, 즉 $P(-1, 1)$일 때,

$\overline{PA}^2+\overline{PB}^2+\overline{PC}^2$의 최솟값은 52이다.

답 ③

1647

세 점 $A(6, 4)$, $B(0, 0)$, $C(8, 0)$을 꼭짓점으로 하는 삼각형 ABC의 변 BC 위에 한 점 P가 있다. $\overline{AP}^2+\overline{BP}^2$이 최소가 될 때, $\dfrac{\overline{BP}}{\overline{CP}}$의 값은?

→ 최소가 되는 점 P를 구하자.

점 P가 x축 위에 있으므로 점 P의 좌표를 $P(x, 0)$이라 하면

$\overline{AP}^2+\overline{BP}^2=\{(x-6)^2+(0-4)^2\}+x^2$

$=2x^2-12x+52$

$=2(x-3)^2+34$

이때, $0\le x\le8$이므로 $x=3$일 때, $\overline{AP}^2+\overline{BP}^2$은 최소이다.

따라서 점 $P(3, 0)$이므로 $\overline{BP}=3$, $\overline{CP}=5$

$\therefore\ \dfrac{\overline{BP}}{\overline{CP}}=\dfrac{3}{5}$

답 ②

1648

→ $\overline{AP}:\overline{PD}=2:1$이고, $\overline{AQ}:\overline{QD}=2:1$이다.

그림과 같이 수직선 위에 점 A부터 점 H까지 같은 간격으로 8개의 점이 있을 때, 선분 AD를 $2:1$로 내분하는 점을 P, $2:1$로 외분하는 점을 Q라고 한다. 이때, 선분 PQ의 중점은?

A B C D E F G H x

점 A의 좌표를 (0)이라 하고 각 점 사이의 거리를 1이라 하면 두 점 $A(0)$, $D(3)$을 잇는 선분 AD에 대하여

선분 AD를 2 : 1로 내분하는 점 P의 좌표는

$\frac{2\cdot3+1\cdot0}{2+1}=2$ $\quad\therefore$ P(2)

선분 AD를 2 : 1로 외분하는 점 Q의 좌표는

$\frac{2\cdot3-1\cdot0}{2-1}=6$ $\quad\therefore$ Q(6)

이때, 선분 PQ의 중점을 M이라 하면 중점 M의 좌표는

$\frac{2+6}{2}=4$ $\quad\therefore$ M(4)

따라서 점 A로부터 4만큼 떨어져 있는 점은 E이므로 구하는 점은 E이다.

답 ③

다른풀이 선분 AD를 2 : 1로 내분하는 점이 P이므로

$\overline{AP}=\frac{2}{3}\overline{AD}=\overline{AC}$

또 선분 AD를 2 : 1로 외분하는 점이 Q이므로

$\overline{AQ}=2\overline{AD}=\overline{AG}$

따라서 선분 PQ의 중점은 선분 CG의 중점과 같으므로 점 E이다.

1649

수직선 위의 두 점 A(1), B(7)에 대하여 선분 AB를 1 : 3으로 내분하는 점을 P(a)라 할 때, a의 값을 구하시오.

공식 P$\left(\frac{mx_2+nx_1}{m+n}\right)$을 이용하자.

선분 AB를 1 : 3으로 내분하는 점의 좌표가 P(a)이므로

$a=\frac{1\times7+3\times1}{1+3}=\frac{5}{2}$

답 $\frac{5}{2}$

1650

수직선 위의 세 점 A(-1), B(3), C(x)에 대하여 $\overline{AC}=3\overline{BC}$일 때, x의 값을 구하시오. (단, $x>3$)

점 C는 $\overline{AB}$를 3 : 1로 외분한다.

$\overline{AC}=3\overline{BC}$이고 $x>3$이므로 점 C는 선분 AB를 3 : 1로 외분하는 점이다.

$\therefore x=\frac{3\cdot3-1\cdot(-1)}{3-1}=5$

답 5

1651

수직선 위의 두 점 A(-1), B(9)를 이은 선분 AB를 2 : 3으로 내분하는 점을 P, 외분하는 점을 Q라 할 때, $\overline{PQ}$의 길이를 구하시오.

공식 P$\left(\frac{mx_2+nx_1}{m+n}\right)$, Q$\left(\frac{mx_2-nx_1}{m-n}\right)$을 이용하자.

두 점 A(-1), B(9)를 이은 선분 AB를 2 : 3으로

내분하는 점 P$\left(\frac{2\times9+3\times(-1)}{2+3}\right)$ $\quad\therefore$ P(3)

외분하는 점 Q$\left(\frac{2\times9-3\times(-1)}{2-3}\right)$ $\quad\therefore$ Q(-21)

$\therefore \overline{PQ}=|3-(-21)|=24$

답 24

1652

수직선 위의 세 점 A(x), B(1), C(y)에 대하여 선분 AB를 2 : 1로 내분하는 점이 P(-2)이고, $\overline{BC}=3$일 때, $x+y$의 값은? (단, $xy<0$)

공식 P$\left(\frac{mx_2+nx_1}{m+n}\right)$을 이용하자.

선분 AB를 2 : 1로 내분하는 점이 P(-2)이므로

$\frac{2\cdot1+1\cdot x}{2+1}=-2$

$\therefore x=-8$

$\overline{BC}=3$이므로

$|y-1|=3$

$y-1=-3$ 또는 $y-1=3$

$\therefore y=-2$ 또는 $y=4$

그런데 $xy<0$이므로

$x=-8,\ y=4$

$\therefore x+y=-4$

답 ①

1653

그림과 같이 두 점 P($\sqrt{2}$), Q($\sqrt{3}$)을 수직선 위에 나타내었다.

P($\sqrt{2}$) Q($\sqrt{3}$) x

세 점 A$\left(\frac{\sqrt{2}+\sqrt{3}}{2}\right)$, B$\left(\frac{\sqrt{3}+3\sqrt{2}}{1+3}\right)$, C$\left(\frac{3\sqrt{3}-\sqrt{2}}{3-1}\right)$를 수직선 위에 나타낼 때, 세 점의 위치를 왼쪽부터 순서대로 나열한 것은?

각 점이 의미하는 바를 파악하자.

점 A는 선분 PQ의 중점이다.

점 B는 선분 PQ를 1 : 3으로 내분하는 점이다.

점 C는 선분 PQ를 3 : 1로 외분하는 점이다.

P($\sqrt{2}$) B A Q($\sqrt{3}$) C x

따라서 세 점의 위치를 왼쪽부터 순서대로 나열하면 B, A, C이다.

답 ③

1654

두 점 A(a, 1), B(2, b)에 대하여 선분 AB의 중점 M의 좌표가 (3, -2)일 때, $a+b$의 값을 구하시오.

공식 M$\left(\frac{x_1+x_2}{2}, \frac{y_1+y_2}{2}\right)$을 이용하자.

선분 AB의 중점 M의 좌표가 (3, -2)이므로

$\frac{a+2}{2}=3,\ \frac{1+b}{2}=-2$

$\therefore a=4,\ b=-5$

$\therefore a+b=-1$

답 -1

1655

두 점 A$(-2, 5)$, B$(2, 1)$에 대하여 선분 AB를 $3:1$로 내분하는 점을 P, 외분하는 점을 Q라 할 때, 선분 PQ의 길이를 구하시오.
→ 공식 $\mathrm{P}\left(\frac{mx_2+nx_1}{m+n}, \frac{my_2+ny_1}{m+n}\right)$, $\mathrm{Q}\left(\frac{mx_2-nx_1}{m-n}, \frac{my_2-ny_1}{m-n}\right)$을 이용하자.

선분 AB를 $3:1$로 내분하는 점을 P(a, b)라 하면

$a=\frac{3\cdot2+1\cdot(-2)}{3+1}=1$

$b=\frac{3\cdot1+1\cdot5}{3+1}=2$

$\therefore$ P$(1, 2)$

선분 AB를 $3:1$로 외분하는 점을 Q(c, d)라 하면

$c=\frac{3\cdot2-1\cdot(-2)}{3-1}=4$

$d=\frac{3\cdot1-1\cdot5}{3-1}=-1$

$\therefore$ Q$(4, -1)$

$\therefore \overline{\mathrm{PQ}}=\sqrt{(4-1)^2+(-1-2)^2}=3\sqrt{2}$

답 $3\sqrt{2}$

1656

두 점 A$(6, -4)$, B$(1, 1)$을 이은 선분 AB를 $2:3$으로 내분하는 점 P와 $2:3$으로 외분하는 점 Q에 대하여 선분 PQ의 중점의 좌표를 구하시오.
→ 공식 $\mathrm{P}\left(\frac{mx_2+nx_1}{m+n}, \frac{my_2+ny_1}{m+n}\right)$, $\mathrm{Q}\left(\frac{mx_2-nx_1}{m-n}, \frac{my_2-ny_1}{m-n}\right)$을 이용하자.

선분 AB를 $2:3$으로 내분하는 점 P의 좌표를 (x, y)라 하면

$x=\frac{2\cdot1+3\cdot6}{2+3}=4$

$y=\frac{2\cdot1+3\cdot(-4)}{2+3}=-2$

$\therefore$ P$(4, -2)$

선분 AB를 $2:3$으로 외분하는 점 Q의 좌표를 (x', y')이라 하면

$x'=\frac{2\cdot1-3\cdot6}{2-3}=16$

$y'=\frac{2\cdot1-3\cdot(-4)}{2-3}=-14$

$\therefore$ Q$(16, -14)$

따라서 선분 PQ의 중점의 좌표는

$\left(\frac{4+16}{2}, \frac{-2-14}{2}\right)$, 즉 $(10, -8)$

답 $(10, -8)$

1657

두 점 A$(8, -6)$, B$(a, 14)$에 대하여 선분 AB를 $2:b$로 내분하는 점의 좌표가 $(4, 2)$일 때, ab의 값은? (단, $b>0$)
→ 공식 $\mathrm{P}\left(\frac{mx_2+nx_1}{m+n}, \frac{my_2+ny_1}{m+n}\right)$을 이용하자.

선분 AB를 $2:b$로 내분하는 점의 좌표가 $(4, 2)$이므로

$\frac{2\cdot a+b\cdot8}{2+b}=4$ ……㉠

$\frac{2\cdot14+b\cdot(-6)}{2+b}=2$ ……㉡

㉠에서 $2a+4b=8$

$\therefore a+2b=4$ ……㉢

㉡에서 $24=8b$ $\quad\therefore b=3$

$b=3$을 ㉢에 대입하면 $a=-2$

$\therefore ab=-6$

답 ①

1658

두 점 A$(1, 3)$, B$(0, 7)$에 대하여 점 B에서 점 A의 방향으로 그은 선분 AB의 연장선 위에 $2\overline{\mathrm{AB}}=\overline{\mathrm{BC}}$를 만족시키는 점 C의 좌표를 C$(a, b)$라 하자. 이때, $a-b$의 값을 구하시오.
→ $\overline{\mathrm{AB}}:\overline{\mathrm{BC}}=1:2$이다.

$2\overline{\mathrm{AB}}=\overline{\mathrm{BC}}$를 비례식으로 나타내면

$\overline{\mathrm{AB}}:\overline{\mathrm{BC}}=1:2$

이를 만족시키고 점 B에서 점 A의 방향으로 그은 선분 AB의 연장선 위에 있는 점 C를 나타내면 그림과 같다.

이때, 점 C(a, b)는 선분 AB를 $1:2$로 외분하는 점이므로

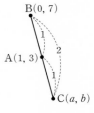

$a=\frac{1\cdot0-2\cdot1}{1-2}=2$

$b=\frac{1\cdot7-2\cdot3}{1-2}=-1$

$\therefore a-b=3$

답 3

1659

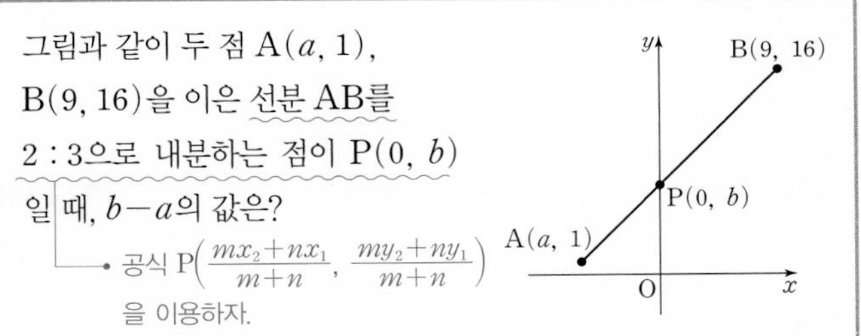

그림과 같이 두 점 A$(a, 1)$, B$(9, 16)$을 이은 선분 AB를 $2:3$으로 내분하는 점이 P$(0, b)$일 때, $b-a$의 값은?
→ 공식 $\mathrm{P}\left(\frac{mx_2+nx_1}{m+n}, \frac{my_2+ny_1}{m+n}\right)$을 이용하자.

선분 AB를 $2:3$으로 내분하는 점이 P$(0, b)$이므로

$\frac{2\cdot9+3\cdot a}{2+3}=0$

$\frac{2\cdot16+3\cdot1}{2+3}=b$

$\therefore a=-6, b=7$

$\therefore b-a=13$

답 ③

1660

→ 조건을 만족하는 점을 m, n으로 표현하자.

두 점 A$(-2, -1)$, B$(3, 5)$를 이은 선분 AB를 $m:n$으로 내분하는 점이 직선 $y=-2x+1$ 위에 있을 때, $m+n$의 값은? (단, m과 n은 서로소인 자연수이다.)

선분 AB를 $m:n$으로 내분하는 점의 좌표는

$\left(\frac{m\cdot3+n\cdot(-2)}{m+n}, \frac{m\cdot5+n\cdot(-1)}{m+n}\right)$

$\therefore \left(\frac{3m-2n}{m+n}, \frac{5m-n}{m+n}\right)$

이 점이 직선 $y=-2x+1$ 위에 있으므로 이 점의 x, y좌표를 $y=-2x+1$에 대입하면

$\frac{5m-n}{m+n}=(-2)\cdot\frac{3m-2n}{m+n}+1$

$\frac{11m-5n}{m+n}=1$

$11m-5n=m+n$

$\therefore 5m=3n$

이를 비례식으로 나타내면

$m:n=3:5$

따라서 비례식을 만족하는 서로소인 자연수 m, n의 값은

$m=3$, $n=5$

$\therefore m+n=8$ 답 ①

1661

좌표평면 위의 두 점 A, B에 대하여 선분 AB의 삼등분하는 점 중에서 점 A에 가까운 쪽의 점을 A◀B, 점 B에 가까운 쪽의 점을 A▶B라 할 때, 세 점 A(1, −4), B(−2, 5), C(5, −1)에 대하여 (A▶B)◀C의 좌표를 구하시오.

(A◀B: $\overline{AB}$를 1 : 2로 내분하는 점이다.)
(A▶B: $\overline{AB}$를 2 : 1로 내분하는 점이다.)

A▶B는 선분 AB를 2 : 1로 내분하는 점이므로 A▶B의 좌표는

$\left(\frac{2\cdot(-2)+1\cdot1}{2+1}, \frac{2\cdot5+1\cdot(-4)}{2+1}\right)$

$\therefore (-1, 2)$

$(-1, 2)$◀C는 점 $(-1, 2)$를 점 D라 하면 선분 DC를 1 : 2로 내분하는 점이므로 $(-1, 2)$◀C의 좌표는

$\left(\frac{1\cdot5+2\cdot(-1)}{1+2}, \frac{1\cdot(-1)+2\cdot2}{1+2}\right)$

$\therefore (1, 1)$

따라서 (A▶B)◀C의 좌표는 $(1, 1)$이다. 답 $(1, 1)$

1662

두 점 A(−1, 3), B(5, −2)를 이은 선분 AB를 $t:(1-t)$로 내분하는 점 P(a, b)가 제1사분면 위의 점일 때, t의 값의 범위를 구하시오. (단, $0<t<1$)

($t+(1-t)=1$임을 알 수 있다.)

선분 AB를 $t:(1-t)$로 내분하는 점이 P(a, b)이므로

$a=\frac{t\cdot5+(1-t)\cdot(-1)}{t+(1-t)}$

$=6t-1$

$b=\frac{t\cdot(-2)+(1-t)\cdot3}{t+(1-t)}$

$=-5t+3$

이때, 점 P가 제1사분면 위의 점이므로

$6t-1>0$에서 $t>\frac{1}{6}$

$-5t+3>0$에서 $t<\frac{3}{5}$

$\therefore \frac{1}{6}<t<\frac{3}{5}$ 답 $\frac{1}{6}<t<\frac{3}{5}$

1663

두 점 A(−1, 3), B(3, 5)를 잇는 선분 AB 위에 있지 않고 $\overline{AB}$의 연장선 위에 $2\overline{AC}=3\overline{BC}$가 되도록 하는 점 C$(a, b)$에 대하여 $a+b$의 값은?

($\overline{AB}$를 3 : 2로 외분하는 점이다.)

$\overline{AC}:\overline{BC}=3:2$이고 점 C$(a, b)$는 선분 AB의 연장선 위의 점이므로 C는 선분 AB를 3 : 2로 외분하는 점이다.

$a=\frac{3\cdot3-2\cdot(-1)}{3-2}=11$

$b=\frac{3\cdot5-2\cdot3}{3-2}=9$

$\therefore$ C(11, 9)

$\therefore a+b=20$ 답 ④

1664

두 점 A$(-4, a)$, B$(b, 1)$을 이은 선분 AB 위에 있는 점 P에 대하여 $3\overline{AP}=4\overline{BP}$를 만족시키는 점 P의 좌표가 (0, 1)일 때, $a+b$의 값은?

($\overline{AB}$를 4 : 3으로 내분하는 점이다.)

$3\overline{AP}=4\overline{BP}$에서 $\overline{AP}:\overline{BP}=4:3$

즉, 점 P(0, 1)은 선분 AB를 4 : 3으로 내분하는 점이므로

$\frac{4\cdot b+3\cdot(-4)}{4+3}=0$, $\frac{4\cdot1+3\cdot a}{4+3}=1$

$\therefore a=1$, $b=3$

$\therefore a+b=4$ 답 ④

1665

두 점 A(a, b), B(c, d)를 이은 선분 위에 점 P(x, y)가 있다. $\overline{AB}=24$이고, $4x=a+3c$, $4y=b+3d$가 성립할 때, 선분 AP의 길이는?

($x=\frac{3c+a}{3+1}$, $y=\frac{3d+b}{3+1}$)

$4x=a+3c$이므로

$x=\frac{a+3c}{4}=\frac{3c+a}{3+1}$

또 $4y=b+3d$이므로

$y=\frac{b+3d}{4}=\frac{3d+b}{3+1}$

따라서 점 P는 선분 AB를 3 : 1로 내분하는 점이다.

$\therefore \overline{AP}=\frac{3}{4}\overline{AB}=\frac{3}{4}\cdot24=18$ 답 ⑤

1666

네 점 A(1, 1), B(−5, −1), C(−1, −5), D(x, y)가 평행사변형 ABCD의 꼭짓점일 때, $x+y$의 값을 구하시오.

(두 대각선의 중점이 일치한다.)

평행사변형의 두 대각선 AC, BD의 중점은 일치한다.

즉, $\left(\frac{1+(-1)}{2}, \frac{1+(-5)}{2}\right)$와 $\left(\frac{-5+x}{2}, \frac{-1+y}{2}\right)$가

같은 점이므로

$0=\frac{-5+x}{2}$에서 $x=5$

$-2=\frac{-1+y}{2}$에서 $y=-3$

$\therefore x+y=5+(-3)=2$

답 2

1667

네 점 $A(a, 1)$, $B(3, 5)$, $C(7, 3)$, $D(b, -1)$을 꼭짓점으로 하는 사각형 ABCD가 마름모일 때, $a+b$의 값을 구하시오. (단, $a>3$)

두 대각선의 중점이 일치하고, 마주 보는 변의 길이가 같다.

마름모 ABCD의 두 대각선 AC와 BD의 중점은 일치한다.

즉, 대각선 AC의 중점의 좌표는 $\left(\frac{a+7}{2}, \frac{1+3}{2}\right)$,

대각선 BD의 중점의 좌표는 $\left(\frac{3+b}{2}, \frac{5-1}{2}\right)$이므로

$a+7=3+b$

$\therefore a-b=-4$ ⋯⋯ ㉠

또 마름모의 네 변의 길이는 같으므로

$\overline{AB}=\overline{BC}=\overline{CD}=\overline{DA}$

$\overline{AB}=\overline{BC}$에서 $\overline{AB}^2=\overline{BC}^2$이므로

$(a-3)^2+(1-5)^2=(3-7)^2+(5-3)^2$

$a^2-6a+5=0$

$(a-1)(a-5)=0$

$\therefore a=5$ ($\because a>3$)

$a=5$를 ㉠에 대입하면 $b=9$

$\therefore a+b=14$

답 14

1668

네 점 $A(a, 5)$, $B(b, -4)$, $C(c, -1)$, $D(7, d)$를 꼭짓점으로 하는 평행사변형 ABCD의 두 대각선의 교점이 직선 $y=x$ 위에 있을 때, $a+b+c+d$의 값을 구하시오.

두 대각선의 중점이 일치한다.

대각선 AC의 중점의 좌표는

$\left(\frac{a+c}{2}, \frac{5-1}{2}\right)$, 즉 $\left(\frac{a+c}{2}, 2\right)$

이 점이 직선 $y=x$ 위에 있으므로

$2=\frac{a+c}{2}$에서 $a+c=4$

대각선 BD의 중점의 좌표는

$\left(\frac{b+7}{2}, \frac{-4+d}{2}\right)$

이 점이 대각선 AC의 중점의 좌표 $(2, 2)$와 일치하므로

$\frac{b+7}{2}=2$에서 $b=-3$

$\frac{-4+d}{2}=2$에서 $d=8$

$\therefore a+b+c+d=4-3+8=9$

답 9

1669

그림에서 세 점 $A(3, 7)$, $B(-1, 3)$, $C(1, -1)$을 꼭짓점으로 하는 삼각형 ABC의 무게중심을 G라 할 때, $\overline{AG}^2$의 값을 구하시오.

공식 $G\left(\frac{x_1+x_2+x_3}{3}, \frac{y_1+y_2+y_3}{3}\right)$을 이용하자.

A(3, 7)
B(−1, 3)
G
C(1, −1)

삼각형 ABC의 무게중심 G의 좌표는

$\left(\frac{3-1+1}{3}, \frac{7+3-1}{3}\right)$ $\therefore G(1, 3)$

$\therefore \overline{AG}^2=(3-1)^2+(7-3)^2=20$

답 20

1670

두 점 $A(4, -5)$, $B(5, 2)$와 점 C를 꼭짓점으로 하는 삼각형 ABC의 무게중심이 $G(-3, 0)$일 때, 점 C의 좌표를 구하시오.

점 C의 좌표를 (a, b)로 놓자.

점 C의 좌표를 (a, b)라 하면

무게중심 G의 좌표가 $(-3, 0)$이므로

$\frac{4+5+a}{3}=-3$

$\frac{-5+2+b}{3}=0$

$\therefore a=-18, b=3$

따라서 점 C의 좌표는 $(-18, 3)$이다.

답 $C(-18, 3)$

1671

좌표평면 위의 세 점 $A(a, 3)$, $B(-1, b)$, $C(4, -5)$를 꼭짓점으로 하는 삼각형 ABC의 무게중심의 좌표가 $(4, 0)$일 때, $a+b$의 값은?

공식 $G\left(\frac{x_1+x_2+x_3}{3}, \frac{y_1+y_2+y_3}{3}\right)$을 이용하자.

$\frac{a-1+4}{3}=4$이므로 $a=9$

$\frac{3+b-5}{3}=0$이므로 $b=2$

$\therefore a+b=11$

답 ⑤

1672

삼각형 ABC에서 꼭짓점 A의 좌표가 $(2, 5)$이고 변 BC의 중점의 좌표가 $(-1, 2)$일 때, 삼각형 ABC의 무게중심 G의 좌표는?

$\overline{BC}$의 중점을 M이라 하면, $\overline{AM}$을 2 : 1로 내분하는 점이 무게중심이다.

삼각형 ABC에서 변 BC의 중점을 M이라 할 때, 무게중심 G는 선분 AM을 2 : 1로 내분하는 점이다.

따라서 삼각형 ABC의 무게중심 G의 좌표는

$\left(\frac{2\cdot(-1)+1\cdot2}{2+1}, \frac{2\cdot2+1\cdot5}{2+1}\right)$

$\therefore$ G$(0, 3)$ 답 ③

다른풀이 두 꼭짓점 B, C의 좌표를 각각 B(a, b), C(c, d)라 하면 변 BC의 중점이 $(-1, 2)$이므로

$\frac{a+c}{2}=-1, \frac{b+d}{2}=2$

$\therefore a+c=-2, b+d=4$ ...... ㉠

따라서 삼각형 ABC의 무게중심 G의 좌표는

$\frac{2+a+c}{3}=\frac{2-2}{3}=0, \frac{5+b+d}{3}=\frac{5+4}{3}=3$ (∵ ㉠)

$\therefore$ G$(0, 3)$

1673

> 삼각형 ABC에서 변 BC의 중점의 좌표가 $(-2, 3)$, 무게중심 G의 좌표가 $(-1, 2)$일 때, 꼭짓점 A의 좌표를 구하시오.
>
> 공식 G$\left(\frac{x_1+x_2+x_3}{3}, \frac{y_1+y_2+y_3}{3}\right)$을 이용하자.

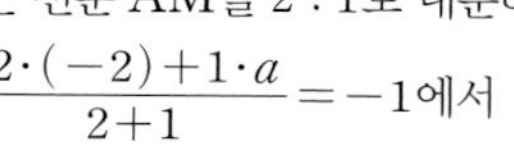

꼭짓점 A의 좌표를 (a, b), 변 BC의 중점을 M$(-2, 3)$이라 하면 무게중심 G$(-1, 2)$는 선분 AM을 $2:1$로 내분하는 점이므로

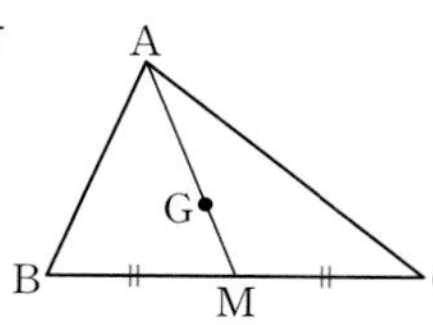

$\frac{2\cdot(-2)+1\cdot a}{2+1}=-1$에서

$a=1$

$\frac{2\cdot3+1\cdot b}{2+1}=2$에서

$b=0$

따라서 꼭짓점 A의 좌표는 $(1, 0)$이다. 답 A$(1, 0)$

다른풀이 변 BC의 중점을 M이라 하면 꼭짓점 A는 선분 MG를 $3:2$로 외분하는 점이므로 점 A의 좌표는

$\left(\frac{3\cdot(-1)-2\cdot(-2)}{3-2}, \frac{3\cdot2-2\cdot3}{3-2}\right)$

$\therefore$ A$(1, 0)$

1674

> 세 점 A$(-3, 4)$, B$(a, -a)$, C$(2, 3)$을 연결한 삼각형 ABC의 무게중심 G(m, n)이 y축 위에 있을 때, $a+m+n$의 값은?
>
> $m=0$이다.

세 점 A$(-3, 4)$, B$(a, -a)$, C$(2, 3)$에 대하여 삼각형 ABC의 무게중심의 좌표가 (m, n)이므로

$m=\frac{-3+a+2}{3}=\frac{a-1}{3}$

$n=\frac{4-a+3}{3}=\frac{-a+7}{3}$

그런데 점 G(m, n)은 y축 위의 점이므로

$m=\frac{a-1}{3}=0$에서 $a=1$

$\therefore n=\frac{-1+7}{3}=2$

$\therefore a+m+n=3$ 답 ⑤

1675

> 삼각형 ABC에서 세 변 AB, BC, CA의 중점의 좌표가 각각 P$(2, 0)$, Q$(3, 5)$, R$(-1, 1)$이라고 한다. 이 삼각형의 무게중심의 좌표를 (a, b)라 할 때, $3a+b$의 값은?
>
> A(x_1, y_1), B(x_2, y_2), C(x_3, y_3)라 놓자.

세 점 A, B, C를 각각 A(x_1, y_1), B(x_2, y_2), C(x_3, y_3)이라 하면 변 AB의 중점이 P$(2, 0)$이므로

$\frac{x_1+x_2}{2}=2, \frac{y_1+y_2}{2}=0$

$\therefore x_1+x_2=4, y_1+y_2=0$ ...... ㉠

변 BC의 중점이 Q$(3, 5)$이므로

$\frac{x_2+x_3}{2}=3, \frac{y_2+y_3}{2}=5$

$\therefore x_2+x_3=6, y_2+y_3=10$ ...... ㉡

변 CA의 중점이 R$(-1, 1)$이므로

$\frac{x_3+x_1}{2}=-1, \frac{y_3+y_1}{2}=1$

$\therefore x_3+x_1=-2, y_3+y_1=2$ ...... ㉢

㉠+㉡+㉢을 하면

$2(x_1+x_2+x_3)=8, 2(y_1+y_2+y_3)=12$

$\therefore x_1+x_2+x_3=4, y_1+y_2+y_3=6$

이때, 삼각형 ABC의 무게중심의 좌표가 (a, b)이므로

$a=\frac{x_1+x_2+x_3}{3}=\frac{4}{3}, b=\frac{y_1+y_2+y_3}{3}=\frac{6}{3}=2$

$\therefore 3a+b=4+2=6$ 답 ④

다른풀이 그림과 같이 세 변 AB, BC, CA의 중점이 각각 P, Q, R이므로 삼각형 ABC와 삼각형 PQR의 무게중심은 일치한다.

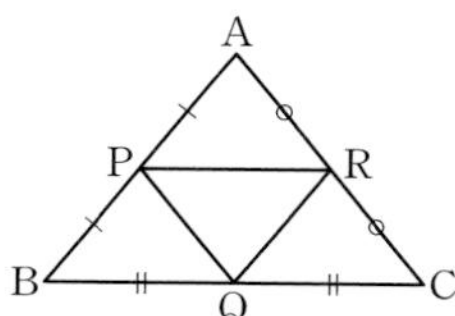

따라서 삼각형 ABC의 무게중심이 G(a, b)이므로

$a=\frac{2+3-1}{3}=\frac{4}{3}, b=\frac{0+5+1}{3}=2$

$\therefore 3a+b=4+2=6$

1676 △ABC의 무게중심과 △DEF의 무게중심은 일치한다.

> 삼각형 ABC의 세 변 AB, BC, CA를 $2:1$로 내분하는 점이 각각 D$(-1, -1)$, E$(4, 3)$, F$(0, 1)$이다. 삼각형 ABC의 무게중심의 좌표를 (a, b)라 할 때, $a+b$의 값을 구하시오.

A(x_1, y_1), B(x_2, y_2), C(x_3, y_3)이라 하면 변 AB를 $2:1$로 내분하는 점이 D$(-1, -1)$이므로

$\frac{2x_2+x_1}{2+1}=-1, \frac{2y_2+y_1}{2+1}=-1$

$\therefore 2x_2+x_1=-3, 2y_2+y_1=-3$ ...... ㉠

변 BC를 2 : 1로 내분하는 점이 E(4, 3)이므로

$\frac{2x_3+x_2}{2+1}=4$, $\frac{2y_3+y_2}{2+1}=3$

$\therefore 2x_3+x_2=12$, $2y_3+y_2=9$ ······ ㉡

변 CA를 2 : 1로 내분하는 점이 F(0, 1)이므로

$\frac{2x_1+x_3}{2+1}=0$, $\frac{2y_1+y_3}{2+1}=1$

$\therefore 2x_1+x_3=0$, $2y_1+y_3=3$ ······ ㉢

㉠+㉡+㉢을 하면

$3(x_1+x_2+x_3)=9$, $3(y_1+y_2+y_3)=9$

$\therefore x_1+x_2+x_3=3$, $y_1+y_2+y_3=3$

즉, $\frac{x_1+x_2+x_3}{3}=1$, $\frac{y_1+y_2+y_3}{3}=1$이므로

삼각형 ABC의 무게중심의 좌표는 (1, 1)이다.

따라서 $a=1$, $b=1$이므로

$a+b=2$ 답 2

다른풀이 세 점 D, E, F는 삼각형 ABC의 세 변 AB, BC, CA를 2 : 1로 내분한 점이므로 삼각형 ABC의 무게중심은 삼각형 DEF의 무게중심과 일치한다.

삼각형 ABC의 무게중심의 좌표는

$\left(\frac{-1+4+0}{3}, \frac{-1+3+1}{3}\right)$

$\therefore (1, 1)$

따라서 $a=1$, $b=1$이므로 $a+b=2$

1677

→ M이 원점이 되도록 좌표를 설정하자.

그림의 직사각형 ABCD에서 $\overline{AB}=18$, $\overline{AD}=12$이고, 두 대각선의 교점은 M이다. 삼각형 ABC의 무게중심을 G, 삼각형 CDM의 무게중심을 H라 할 때, 두 점 G와 H 사이의 거리는?

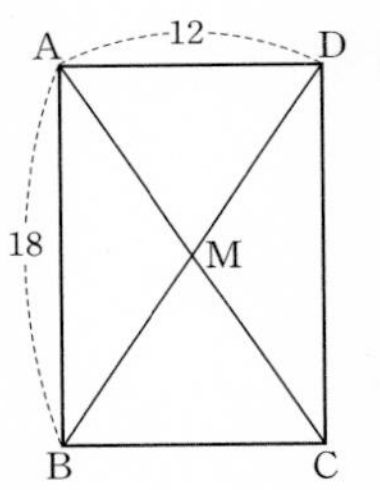

그림과 같이 점 M이 원점이 되도록 직사각형 ABCD를 좌표평면 위에 놓으면 삼각형 ABC의 무게중심 G의 좌표는

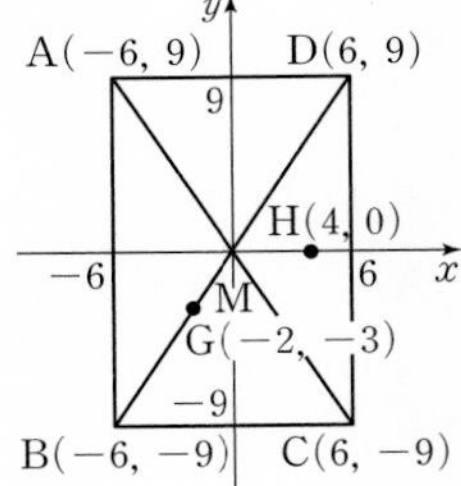

$G\left(\frac{-6+(-6)+6}{3}, \frac{9+(-9)+(-9)}{3}\right)$

$\therefore G(-2, -3)$

삼각형 CDM의 무게중심 H의 좌표는

$H\left(\frac{6+6+0}{3}, \frac{-9+9+0}{3}\right)$

$\therefore H(4, 0)$

$\therefore \overline{GH}=\sqrt{\{4-(-2)\}^2+\{0-(-3)\}^2}=3\sqrt{5}$ 답 ②

1678

좌표평면 위의 세 점 O(0, 0), A(3, 4), B(1, 2)에 대하여 $y=ax$가 삼각형 OAB의 넓이를 이등분할 때, 상수 a의 값을 구하시오.

→ 직선 $y=ax$가 $\overline{AB}$의 중점을 지난다.

원점 (0, 0)을 지나는 직선 $y=ax$가 선분 AB의 중점을 지나게 되면 삼각형 OAB의 넓이를 이등분하게 된다.

따라서 선분 AB의 중점은 $\left(\frac{3+1}{2}, \frac{4+2}{2}\right)$, 즉 (2, 3)이므로

$y=ax$에 대입하면

$3=2a$

$\therefore a=\frac{3}{2}$ 답 $\frac{3}{2}$

1679

좌표평면 위의 두 점 A(2, 3), B(0, 4)에 대하여 선분 AB를 $m : n$ $(m>n>0)$으로 외분하는 점을 Q라 하자. 삼각형 OAQ의 넓이가 16일 때, $\frac{n}{m}$의 값을 구하시오. (단, O는 원점이다.)

→ △OAQ의 넓이는 △OAB와 △OBQ의 넓이의 합이다.

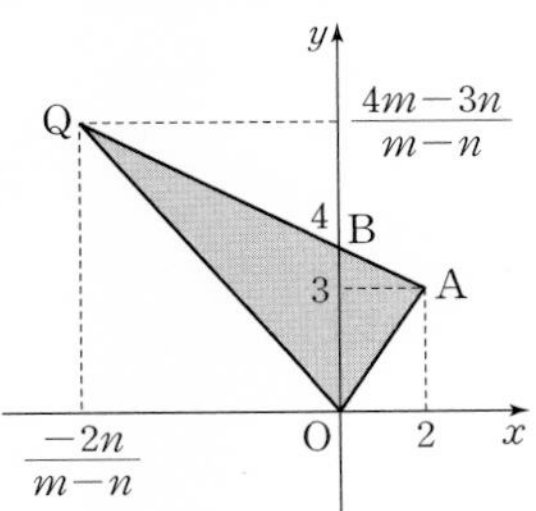

삼각형 OAQ의 넓이가 16이고,

삼각형 OAB의 넓이가 $\frac{1}{2}\times4\times2=4$이므로

삼각형 OBQ의 넓이는 12이다.

삼각형 OBQ의 밑변을 선분 OB로 하면

$\overline{OB}=4$이므로 높이는 6

점 Q의 x좌표는 $\frac{-2n}{m-n}$이므로 $\left|\frac{-2n}{m-n}\right|=6$

$\therefore \frac{-2n}{m-n}=-6$ $(\because m>n>0)$

따라서 $4n=3m$이므로 $\frac{n}{m}=\frac{3}{4}$ 답 $\frac{3}{4}$

다른풀이 삼각형 OAQ의 넓이가 16, 삼각형 OAB의 넓이는 4이므로 삼각형 OBQ의 넓이는 12이다.

삼각형 OAB와 삼각형 OBQ는 각각 선분 AB와 선분 BQ를 밑변으로 할 때 높이가 같으므로 두 삼각형의 밑변의 길이의 비는 두 삼각형의 넓이의 비와 같다.

$\therefore \overline{AB} : \overline{BQ}=4 : 12=1 : 3$

$\therefore \overline{AQ} : \overline{BQ}=4 : 3=m : n$

따라서 $\frac{n}{m}=\frac{3}{4}$

1680

그림과 같은 두 점 A(6, 0), D(0, 3)을 이은 선분 AD 위의 두 점 B, C에 대하여 세 삼각형 AOB, BOC, COD의 넓이가 모두 같을 때, 점 C의 좌표는?

→ 세 삼각형의 높이가 모두 같다.

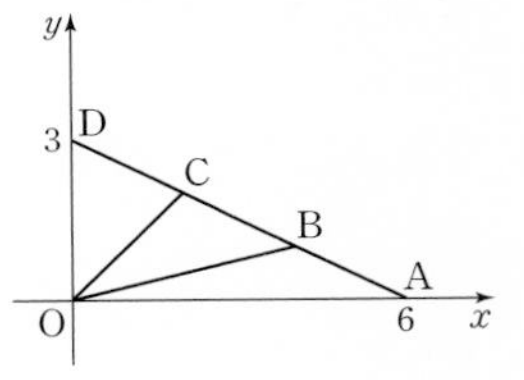

△AOB, △BOC, △COD의 넓이가 모두 같고, 그림과 같이 세 삼각형의 높이가 모두 h로 같으므로 $\overline{AB}=\overline{BC}=\overline{CD}$
따라서 점 C는 선분 AD를 2 : 1로 내분하는 점이므로

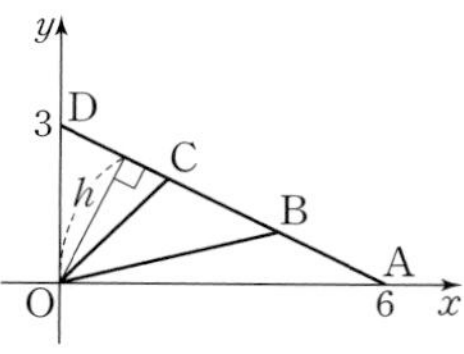

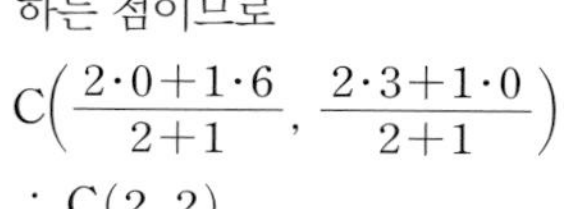
$\mathrm{C}\left(\frac{2\cdot0+1\cdot6}{2+1}, \frac{2\cdot3+1\cdot0}{2+1}\right)$

$\therefore \mathrm{C}(2, 2)$

답 ②

1681

세 점 A(0, 3), B(−2, −3), C(4, 0)을 꼭짓점으로 하는 삼각형 ABC의 변 BC 위에 점 P(a, b)가 있다. 삼각형 ABP와 삼각형 APC의 넓이의 비가 2 : 1일 때, $a+b$의 값은?
└ 점 P는 $\overline{BC}$를 2 : 1로 내분한다.

세 점 A(0, 3), B(−2, −3), C(4, 0)과 변 BC 위의 점 P(a, b)를 좌표평면 위에 나타내면 그림과 같다.

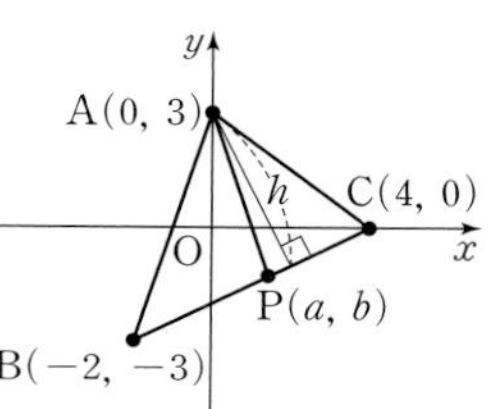

이때, 삼각형 ABP와 삼각형 APC에서 각각의 밑변 BP, PC에 대한 높이가 모두 h로 같고,
△ABP : △APC=2 : 1이므로
$\overline{BP}:\overline{PC}=2:1$
따라서 점 P는 변 BC를 2 : 1로 내분하는 점이므로

$a=\frac{2\cdot4+1\cdot(-2)}{2+1}=2$

$b=\frac{2\cdot0+1\cdot(-3)}{2+1}=-1$

$\therefore a+b=1$

답 ④

1682

직선 $y=\frac{1}{3}x$ 위의 두 점 A(3, 1), B(a, b)가 있다. 제2사분면 위의 한 점 C에 대하여 삼각형 BOC와 삼각형 OAC의 넓이의 비가 2 : 1일 때, $a+b$의 값을 구하시오. (단, $a<0$이고, O는 원점이다.)
└ 점 O는 $\overline{BA}$를 2 : 1로 내분한다.

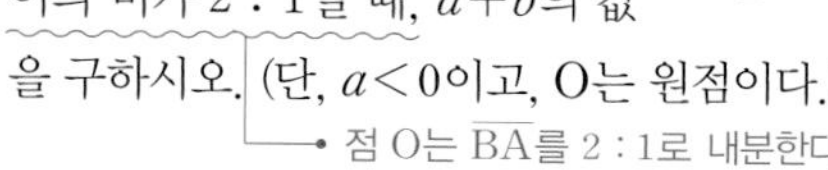

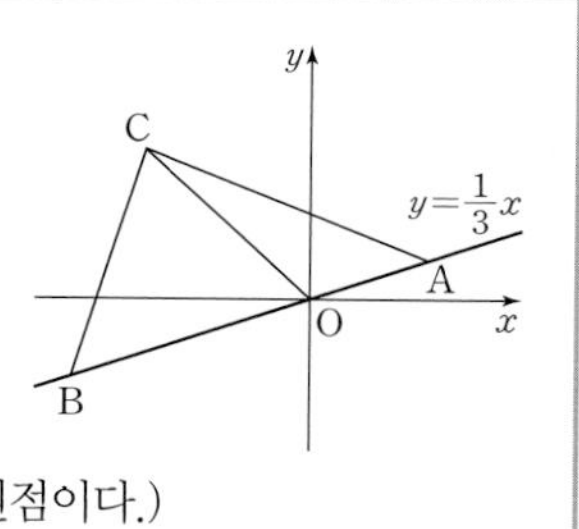

삼각형 BOC와 삼각형 OAC의 넓이의 비는 2 : 1이므로
$\overline{BO}:\overline{OA}=2:1$
점 O는 선분 BA를 2 : 1로 내분하는 점이다.

$0=\frac{a+6}{3}$, $a=-6$

$0=\frac{b+2}{3}$, $b=-2$

따라서 $a+b=(-6)+(-2)=-8$

답 −8

1683

그림과 같이 국자 모양의 별자리 북두칠성을 좌표평면 위에 나타내면 국자 부분의 두 별의 위치가 A(−4, 2), B(−2, 1)이라 한다. 이때, 직선 AB 위에 점 B로부터 오른쪽 방향으로 선분 AB의 길이의 5배가 되는 위치에 북극성이 있다고 한다. 북극성의 위치를 좌표로 나타내면?
└ 점 B는 $\overline{AP}$를 1 : 5로 내분한다.

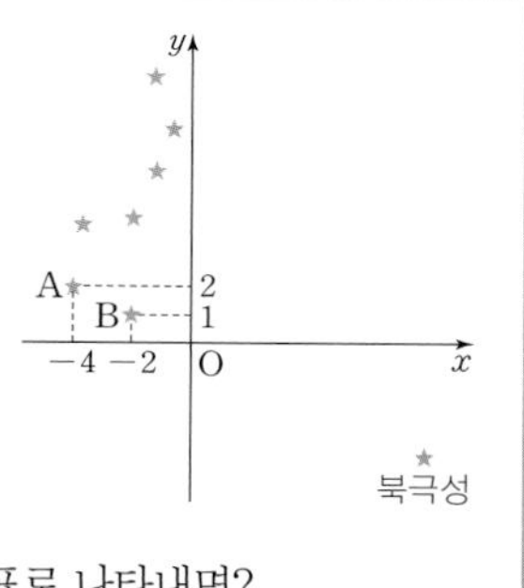

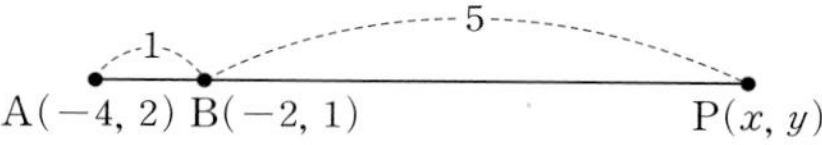

그림과 같이 북극성의 위치를 점 P(x, y)라 하면
$\overline{AB}:\overline{BP}=1:5$
즉, 점 B(−2, 1)은 선분 AP를 1 : 5로 내분하는 점이므로

$\frac{1\cdot x+5\cdot(-4)}{1+5}=-2$, $\frac{1\cdot y+5\cdot2}{1+5}=1$

$x-20=-12$, $y+10=6$

$\therefore x=8, y=-4$

따라서 북극성의 위치를 좌표로 나타내면 (8, −4)이다.

답 ③

다른풀이 점 P는 선분 AB를 6 : 5로 외분하는 점이므로

$\left(\frac{6\cdot(-2)-5\cdot(-4)}{6-5}, \frac{6\cdot1-5\cdot2}{6-5}\right)$

$\therefore (8, -4)$

따라서 북극성의 위치를 좌표로 나타내면 (8, −4)이다.

1684

그림과 같이 $\overline{AB}=4$, $\overline{AC}=6$, B(−2, −1), C(2, −3)이고 점 A에서 변 BC에 선을 그었을 때, 삼각형 ABC의 넓이를 이등분하며 만나는 점을 D라 하자. 이때, 선분 AD의 길이를 구하시오.
└ 점 D의 좌표를 구하자.

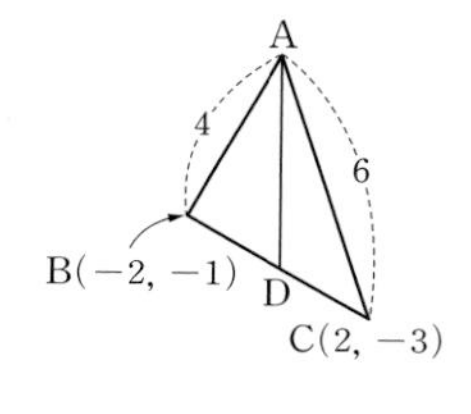

점 D가 변 BC의 중점일 때, △ABD=△ACD가 되어 넓이를 이등분하므로 점 D의 좌표는

$\left(\frac{-2+2}{2}, \frac{-1-3}{2}\right)$

$\therefore \mathrm{D}(0, -2)$

또 $\overline{BD}=\sqrt{(0+2)^2+(-2+1)^2}=\sqrt{5}$이고
점 D가 변 BC의 중점이므로
$\overline{AB}^2+\overline{AC}^2=2(\overline{AD}^2+\overline{BD}^2)$에서
$4^2+6^2=2\{\overline{AD}^2+(\sqrt{5})^2\}$
$\overline{AD}^2+5=26$, $\overline{AD}^2=21$
$\therefore \overline{AD}=\sqrt{21}$

답 $\sqrt{21}$

1685

> 그림에서 점 M은 변 BC의 중점이 다. $\overline{AB}=8$, $\overline{AC}=4$, $\overline{AM}=2\sqrt{3}$일 때, 선분 BM의 길이를 구하시오.
> → 중선정리를 이용하자.

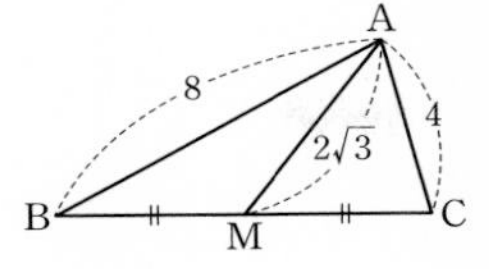

중선정리에 의해 $\overline{AB}^2+\overline{AC}^2=2(\overline{AM}^2+\overline{BM}^2)$이므로

$8^2+4^2=2\{(2\sqrt{3})^2+\overline{BM}^2\}$에서

$\overline{BM}^2=28$

$\therefore \overline{BM}=2\sqrt{7}$ 답 $2\sqrt{7}$

1686

> 그림과 같이 좌표평면 위의 두 점 A(1, 2), B(4, −2)에 대하여 ∠AOB의 이등분선이 선분 AB와 만나는 점을 P라 하자. 이때, 선분 AP의 길이를 구하시오.
> → 각의 이등분선의 성질을 이용하자.

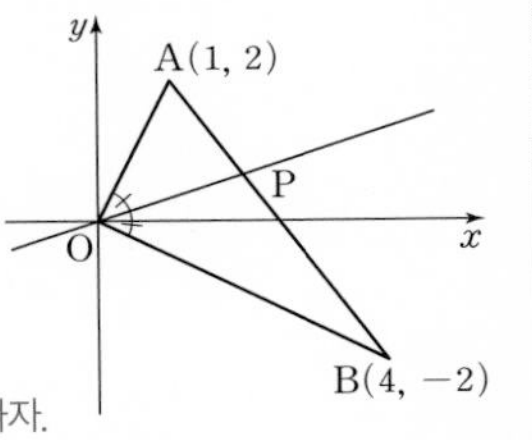

$\overline{OA}=\sqrt{1^2+2^2}=\sqrt{5}$

$\overline{OB}=\sqrt{4^2+(-2)^2}=2\sqrt{5}$

∠AOB의 이등분선이 선분 AB와 만나는 점이 P이므로

각의 이등분선의 성질에 의하여

$\overline{OA}:\overline{OB}=\overline{AP}:\overline{PB}=1:2$

따라서 점 P는 선분 AB를 1 : 2로 내분하는 점이므로

$\overline{AP}=\frac{1}{3}\overline{AB}=\frac{1}{3}\sqrt{(1-4)^2+(2+2)^2}=\frac{5}{3}$ 답 $\frac{5}{3}$

1687

> 좌표평면 위의 두 점 P(3, 4), Q(12, 5)에 대하여 ∠POQ의 이등분선과 선분 PQ와의 교점의 x좌표를 $\frac{b}{a}$라 할 때, $a+b$의 값을 구하시오. (단, 점 O는 원점이고, a와 b는 서로소인 자연수이다.)
> → 각의 이등분선의 성질을 이용하자.

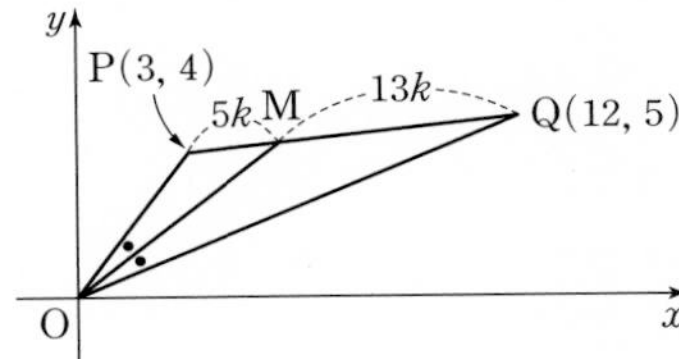

$\overline{OP}=5$, $\overline{OQ}=13$

∠POQ의 이등분선과 $\overline{PQ}$의 교점을 M이라 하면

각의 이등분선의 성질에 의해

$\overline{PM}:\overline{MQ}=5:13$

점 M은 선분 PQ를 5 : 13으로 내분하므로

점 M의 x좌표 $\frac{b}{a}=\frac{11}{2}$

따라서 $a+b=13$ 답 13

1688

> 그림과 같은 직각삼각형 ABC에서 선분 AD는 ∠A의 이등분선이다. 세 점 B, C, D의 좌표가 각각 B(2, 0), C(−4, 3), D(0, 1)일 때, 변 AC의 길이를 구하시오.
> → $\overline{AB}:\overline{AC}=\overline{BD}:\overline{CD}$

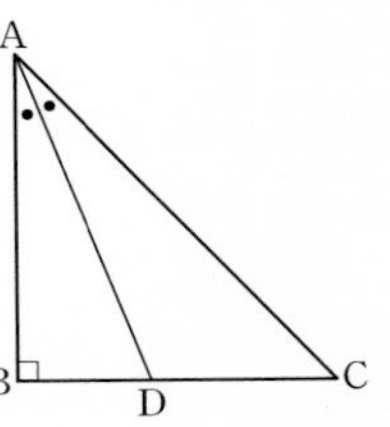

선분 AD는 ∠A의 이등분선이므로 각의 이등분선의 성질에 의하여

$\overline{AB}:\overline{AC}=\overline{BD}:\overline{CD}$

$\overline{BD}$, $\overline{CD}$의 길이를 각각 구하면

$\overline{BD}=\sqrt{(2-0)^2+(0-1)^2}=\sqrt{5}$

$\overline{CD}=\sqrt{(0+4)^2+(1-3)^2}=\sqrt{20}=2\sqrt{5}$

이때, $\overline{AB}=x$, $\overline{AC}=y$라 하면

$x:y=\sqrt{5}:2\sqrt{5}=1:2$, $2x=y$

$\therefore x=\frac{y}{2}$

또 삼각형 ABC는 직각삼각형이므로

$y^2=x^2+\overline{BC}^2$, $y^2=\left(\frac{y}{2}\right)^2+(\overline{BD}+\overline{DC})^2$

$\frac{3}{4}y^2=(3\sqrt{5})^2$, $y^2=60$

$\therefore y=2\sqrt{15}$ ($\because y>0$)

따라서 변 AC의 길이는 $2\sqrt{15}$이다. 답 $2\sqrt{15}$

1689 점 P의 좌표를 (x, y)로 놓고, $\overline{AP}^2=\overline{BP}^2$임을 이용하자.

> 두 점 A(1, 2), B(3, 4)로부터 같은 거리에 있는 점 P의 자취의 방정식이 $ax+by=5$일 때, 상수 a, b의 합 $a+b$의 값은?

점 P의 좌표를 (x, y)로 놓으면

$\overline{AP}=\overline{BP}$에서 $\overline{AP}^2=\overline{BP}^2$이므로

$(x-1)^2+(y-2)^2=(x-3)^2+(y-4)^2$

$x^2-2x+1+y^2-4y+4=x^2-6x+9+y^2-8y+16$

$4x+4y=20$

$\therefore x+y=5$

따라서 $a=1$, $b=1$이므로

$a+b=2$ 답 ②

1690

> 점 A(−1, 4)와 직선 $2x-y-4=0$ 위의 점을 이은 선분의 중점의 자취의 방정식을 구하시오.
> → 직선 위의 임의의 점을 (a, b), 구하는 중점의 좌표를 (x', y')로 놓자.

직선 $2x-y-4=0$ 위의 임의의 점을 P(a, b)라 하면

$2a-b-4=0$ ……㉠

선분 AP의 중점을 (x', y')이라 하면

$x'=\frac{a-1}{2}$, $y'=\frac{b+4}{2}$

$\therefore a=2x'+1$, $b=2y'-4$

이것을 ㉠에 대입하면

$2(2x'+1)-(2y'-4)-4=0$
$4x'-2y'+2=0$
$\therefore 2x'-y'+1=0$
이때, x', y'을 x, y로 바꾸면 구하는 자취의 방정식은
$2x-y+1=0$ 답 $2x-y+1=0$

1691

> 두 점 A(3, 2), B(1, 1)에 대하여 $\overline{AP}^2-\overline{BP}^2=5$를 만족시키는 점 P의 자취의 방정식이 $ax+y+b=0$일 때, 두 상수 a, b에 대하여 $a-b$의 값은?
>
> • 점 P의 좌표를 (x, y)로 놓고, $\overline{AP}^2-\overline{BP}^2=5$임을 이용하자.

점 P의 좌표를 (x, y)라 하면
$\overline{AP}^2=(x-3)^2+(y-2)^2=x^2+y^2-6x-4y+13$
$\overline{BP}^2=(x-1)^2+(y-1)^2=x^2+y^2-2x-2y+2$
$\overline{AP}^2-\overline{BP}^2=5$이므로
$-4x-2y+11=5$
$\therefore 2x+y-3=0$
따라서 $a=2$, $b=-3$이므로
$a-b=5$ 답 ④

1692

> 좌표평면 위의 두 점 A(2, 1), B(4, a) 사이의 거리가 $2\sqrt{5}$가 되도록 하는 양수 a의 값은?
>
> 공식 $\sqrt{(x_2-x_1)^2+(y_2-y_1)^2}$을 이용하자. •

$\overline{AB}=\sqrt{(4-2)^2+(a-1)^2}=\sqrt{a^2-2a+5}=2\sqrt{5}$
양변을 제곱하면
$a^2-2a+5=20$
$a^2-2a-15=0$
$(a+3)(a-5)=0$
$\therefore a=5\ (\because a>0)$ 답 ④

1693

> 세 점 O(0, 0), A(1, a), B$(-1, \sqrt{3})$을 꼭짓점으로 하는 삼각형 OAB가 정삼각형이 되도록 하는 a의 값은?
>
> • $\overline{OA}=\overline{OB}=\overline{AB}$임을 이용하자.

삼각형 OAB의 세 변의 길이를 각각 구해 보면
$\overline{OA}=\sqrt{1^2+a^2}=\sqrt{a^2+1}$
$\overline{OB}=\sqrt{(-1)^2+(\sqrt{3})^2}=\sqrt{4}=2$
$\overline{AB}=\sqrt{(-1-1)^2+(\sqrt{3}-a)^2}=\sqrt{(\sqrt{3}-a)^2+4}$
삼각형 OAB가 정삼각형이 되려면
세 변의 길이가 모두 같아야 하므로
$\overline{OA}=\overline{OB}=\overline{AB}$
(i) $\overline{OA}=\overline{OB}$에서 $\overline{OA}^2=\overline{OB}^2$이므로
$a^2+1=4$
$a^2=3$
$\therefore a=-\sqrt{3}$ 또는 $a=\sqrt{3}$
(ii) $\overline{OB}=\overline{AB}$에서 $\overline{OB}^2=\overline{AB}^2$이므로
$4=(\sqrt{3}-a)^2+4$
$(\sqrt{3}-a)^2=0$
$\therefore a=\sqrt{3}$
(i), (ii)에서 $a=\sqrt{3}$ 답 ②

1694

> 두 점 A(3, 2), B(1, 4)에서 같은 거리에 있는 x축 위의 점 P의 좌표를 구하시오.
>
> • 점 P$(p, 0)$으로 놓자.

점 P의 좌표를 $(p, 0)$이라 하면
$\overline{AP}=\overline{BP}$에서 $\overline{AP}^2=\overline{BP}^2$이므로
$(p-3)^2+(0-2)^2=(p-1)^2+(0-4)^2$
$p^2-6p+13=p^2-2p+17$
$4p=-4 \qquad \therefore p=-1$
따라서 점 P의 좌표는 $(-1, 0)$이다. 답 $(-1, 0)$

1695

> 좌표평면 위의 두 점 A(5, 2), B(1, 4)와 x축 위의 점 P, y축 위의 점 Q에 대하여 $\overline{AP}+\overline{PQ}+\overline{QB}$의 최솟값은?
>
> • A를 x축에, B를 y축에 대하여 대칭시키자.

점 A(5, 2)와 x축에 대하여 대칭인 점을 A′, 점 B(1, 4)와 y축에 대하여 대칭인 점을 B′이라 하면
A′(5, −2), B′(−1, 4)

$\overline{AP}=\overline{A'P}$, $\overline{BQ}=\overline{B'Q}$이므로
$\overline{AP}+\overline{PQ}+\overline{QB}$
$=\overline{A'P}+\overline{PQ}+\overline{QB'}$
$\geq \overline{A'B'}$
$=\sqrt{(5+1)^2+(-2-4)^2}=6\sqrt{2}$
따라서 $\overline{AP}+\overline{PQ}+\overline{QB}$의 최솟값은 $6\sqrt{2}$이다. 답 ④

1696

> 두 점 A(1, 2), B(4, 5)와 직선 $y=x$ 위의 점 P(a, b)에 대하여 $\overline{AP}^2+\overline{BP}^2$의 최솟값을 m이라 할 때, $a+b+m$의 값을 구하시오.
>
> $b=a$이다. •
>
> • a에 관한 식으로 정리하자.

점 P가 직선 $y=x$ 위의 점이므로 점 P의 좌표를 P(a, a)라 하면
$\overline{AP}^2+\overline{BP}^2=(a-1)^2+(a-2)^2+(a-4)^2+(a-5)^2$
$=4a^2-24a+46$
$=4(a^2-6a+9)+10$
$=4(a-3)^2+10$
$(a-3)^2\geq 0$이므로 $\overline{AP}^2+\overline{BP}^2$은 $a=3$일 때, 최솟값 10을 갖는다.
$\therefore a=b=3$, $m=10$
$\therefore a+b+m=3+3+10=16$ 답 16

1697

수직선 위의 두 점 A(-4), B(8)에 대하여 직선 AB 위에 $3\overline{AP}=\overline{BP}$를 만족시키는 점 P를 각각 P_1, P_2라 할 때, $\overline{P_1P_2}$의 값은?
└ $\overline{AB}$를 1 : 3으로 내분하는 점과 1 : 3으로 외분하는 점이 있다.

점 P의 위치를 x라 하면
$3\overline{AP}=\overline{BP}$
$3|x-(-4)|=|x-8|$
$3(x+4)=\pm(x-8)$
(i) $3x+12=x-8$
$2x=-20$
$\therefore x=-10$
(ii) $3x+12=-x+8$
$4x=-4$
$\therefore x=-1$
따라서 $\overline{P_1P_2}$의 값은
$|(-1)-(-10)|=9$

답 ⑤

1698 서술형

두 점 A$(2, 1)$, B$(5, 4)$에 대하여 선분 AB를 1 : 2로 내분하는 점을 P, 1 : 2로 외분하는 점을 Q라 할 때, 선분 PQ의 길이를 구하시오.
└ 공식 $P\left(\frac{mx_2+nx_1}{m+n}, \frac{my_2+ny_1}{m+n}\right)$, $Q\left(\frac{mx_2-nx_1}{m-n}, \frac{my_2-ny_1}{m-n}\right)$을 이용하자.

선분 AB를 1 : 2로 내분하는 점을 P(a, b)라 하면
$a=\frac{1\cdot5+2\cdot2}{1+2}=3$, $b=\frac{1\cdot4+2\cdot1}{1+2}=2$
$\therefore$ P$(3, 2)$ …… 40%
선분 AB를 1 : 2로 외분하는 점을 Q(c, d)라 하면
$c=\frac{1\cdot5-2\cdot2}{1-2}=-1$, $d=\frac{1\cdot4-2\cdot1}{1-2}=-2$
$\therefore$ Q$(-1, -2)$ …… 40%
$\therefore \overline{PQ}=\sqrt{(-1-3)^2+(-2-2)^2}$
$=4\sqrt{2}$ …… 20%

답 $4\sqrt{2}$

1699

두 점 A$(-2, 0)$, B$(0, 7)$을 이은 선분 AB를 $1 : k$로 내분하는 점이 직선 $y=-x+1$ 위에 있을 때, 양수 k의 값은?
└ 공식 $P\left(\frac{mx_2+nx_1}{m+n}, \frac{my_2+ny_1}{m+n}\right)$을 이용하자.

선분 AB를 $1 : k$로 내분하는 점의 좌표는
$\left(\frac{1\cdot0+k\cdot(-2)}{1+k}, \frac{1\cdot7+k\cdot0}{1+k}\right)$
$\therefore \left(\frac{-2k}{1+k}, \frac{7}{1+k}\right)$
이 점이 직선 $y=-x+1$ 위에 있으므로
$\frac{7}{1+k}=\frac{2k}{1+k}+1$, $7=2k+1+k$
$\therefore k=2$

답 ②

1700 서술형

두 점 A$(2, 2)$, B$(4, 6)$을 이은 선분 AB의 연장선 위에 있는 점 C가 $3\overline{AB}=2\overline{BC}$를 만족할 때, 점 C의 좌표를 모두 구하시오.
└ $\overline{AB} : \overline{BC}=2 : 3$임을 이용하자.

$3\overline{AB}=2\overline{BC}$이므로
$\overline{AB} : \overline{BC}=2 : 3$ …… 20%
이를 만족하는 $\overline{AB}$의 연장선 위에 있는 점 C의 위치는 다음 두 그림과 같은 두 가지 경우가 있다.

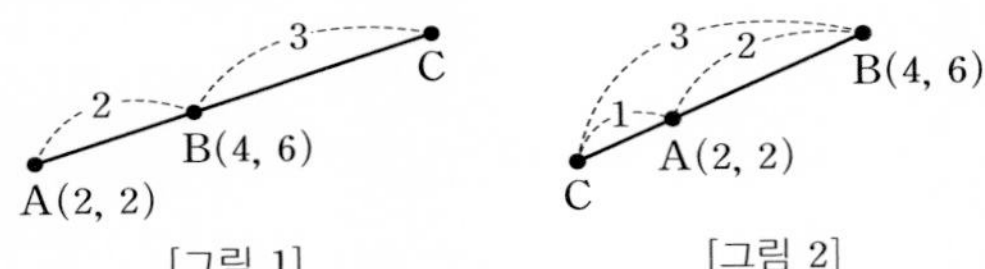

[그림 1] [그림 2]

(i) [그림 1]에서 점 C의 좌표를 C(a, b)라 하면
점 B$(4, 6)$은 $\overline{AC}$를 2 : 3으로 내분하는 점이므로
$B\left(\frac{2\times a+3\times2}{2+3}, \frac{2\times b+3\times2}{2+3}\right)$, 즉 B$(4, 6)$
$\frac{2a+6}{5}=4$, $\frac{2b+6}{5}=6$
$\therefore a=7, b=12$ $\quad\therefore$ C$(7, 12)$ …… 40%
(ii) [그림 2]에서 점 C의 좌표를 C(c, d)라 하면
점 A$(2, 2)$는 $\overline{BC}$를 2 : 1로 내분하는 점이므로
$A\left(\frac{2\times c+1\times4}{2+1}, \frac{2\times d+1\times6}{2+1}\right)$, 즉 A$(2, 2)$
$\frac{2c+4}{3}=2$, $\frac{2d+6}{3}=2$
$\therefore c=1, d=0$ $\quad\therefore$ C$(1, 0)$
따라서 (i), (ii)에서 점 C의 좌표는
C$(7, 12)$ 또는 C$(1, 0)$ …… 40%

답 $(7, 12)$ 또는 $(1, 0)$

1701

세 점 A$(2, -2)$, B$(0, 3)$, C(a, b)를 꼭짓점으로 하는 삼각형 ABC의 무게중심 G의 좌표가 $(-1, 1)$일 때, $a+b$의 값은?
└ 공식 $G\left(\frac{x_1+x_2+x_3}{3}, \frac{y_1+y_2+y_3}{3}\right)$을 이용하자.

삼각형 ABC의 무게중심이 G$(-1, 1)$이므로
$\frac{2+0+a}{3}=-1$에서 $a=-5$
$\frac{-2+3+b}{3}=1$에서 $b=2$
$\therefore a+b=-3$

답 ①

1702

세 점 A(0, 5), B(−4, −3), C(5, 3)을 꼭짓점으로 하는 삼각형 ABC에 대하여 꼭짓점 A를 지나는 직선 l이 선분 BC와 만나는 점을 D라 하자.
$\triangle ACD=\frac{1}{3}\triangle ABC$일 때, 점 D의 좌표를 구하시오. • 점 D는 $\overline{BC}$를 2 : 1로 내분하는 점이다.

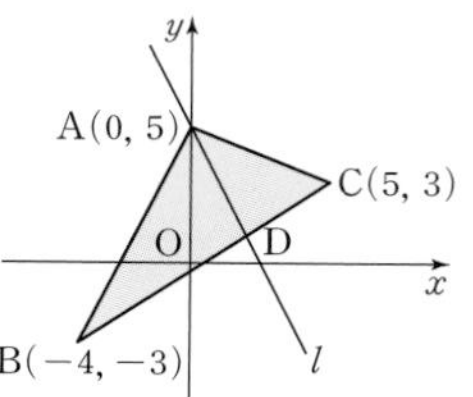

$\triangle ACD=\frac{1}{3}\triangle ABC$이므로 $\triangle ABD=\frac{2}{3}\triangle ABC$

$\therefore \triangle ABD : \triangle ACD=\frac{2}{3}\triangle ABC : \frac{1}{3}\triangle ABC=2:1$

이때, $\triangle ABD : \triangle ACD=\overline{BD} : \overline{CD}$이므로

$\overline{BD} : \overline{CD}=2:1$

따라서 점 D는 변 BC를 2 : 1로 내분하는 점이므로

$\left(\frac{2\cdot5+1\cdot(-4)}{2+1}, \frac{2\cdot3+1\cdot(-3)}{2+1}\right)$

$\therefore$ D(2, 1)

답 D(2, 1)

1703

세 점 A(1, 5), B(−2, 1), C(7, −3)을 꼭짓점으로 하는 삼각형 ABC가 있다. ∠A의 이등분선이 변 BC와 만나는 점을 D라 할 때, 두 삼각형 ABD와 ACD의 넓이의 비를 구하시오. • 각의 이등분선의 성질을 이용하자.

두 삼각형 ABD와 ACD는 높이가 같으므로 넓이의 비는

$\triangle ABD : \triangle ACD=\overline{BD} : \overline{DC}$

한편, 점 D는 ∠A의 이등분선이 변 BC와 만나는 점이므로

$\overline{AB} : \overline{AC}=\overline{BD} : \overline{CD}$가 성립한다. 이때,

$\overline{AB}=\sqrt{(-2-1)^2+(1-5)^2}=5$

$\overline{AC}=\sqrt{(7-1)^2+(-3-5)^2}=10$

$\therefore \triangle ABD : \triangle ACD=1:2$

답 1 : 2

1704

한 변의 길이가 5인 정사각형 ABCD의 내부의 점 P에 대하여 $\overline{AP}=2\sqrt{2}$, $\overline{BP}=\sqrt{13}$일 때, 선분 DP의 길이는? • 좌표축을 설정하고, 점 P(x, y)라 하면 $\overline{AP}$, $\overline{BP}$를 구할 수 있다.

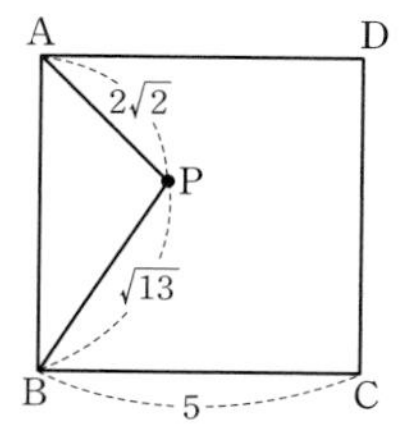

정사각형 ABCD의 점 B를 그림과 같이 좌표평면 위의 원점으로 놓고, 사각형 내부의 점 P의 좌표를

P(x, y)라 하면

$\overline{BP}^2=x^2+y^2=13$ ……㉠

$\overline{AP}^2=x^2+(y-5)^2=8$ ……㉡

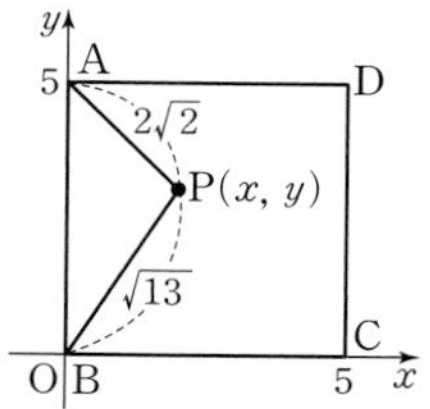

㉠−㉡에서 $10y-25=5$

$\therefore y=3$ ……㉢

㉢을 ㉡에 대입하면 $x=2$ ($\because x>0$)

따라서 점 P(2, 3)과 점 D(5, 5) 사이의 거리를 구하면

$\overline{DP}=\sqrt{(5-2)^2+(5-3)^2}=\sqrt{13}$

답 ⑤

1705

좌표평면 위에 점 O(0, 0), A (a, b), B(4, −2)가 있다. 이때, $\sqrt{a^2+b^2}+\sqrt{(a-4)^2+(b+2)^2}$의 최솟값은?
• $\overline{OA}$의 길이이다. • $\overline{AB}$의 길이이다.

$\sqrt{a^2+b^2}$은 선분 OA의 길이이고,

$\sqrt{(a-4)^2+(b+2)^2}$은 선분 AB의 길이이다.

즉, 주어진 식은 점 A가 선분 OB 위에 있을 때 최소가 된다.

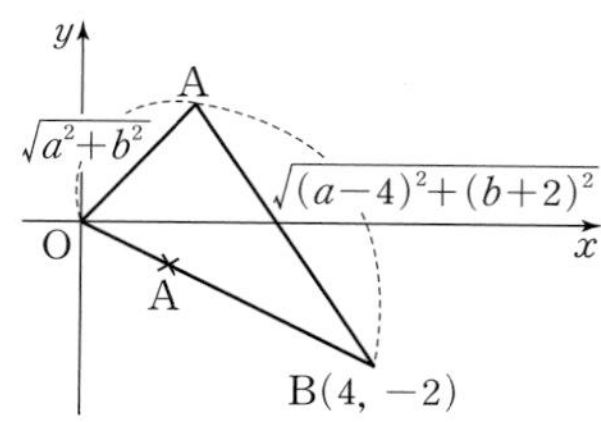

따라서 $\overline{OA}+\overline{AB}$의 최솟값은

$\overline{OB}=\sqrt{4^2+(-2)^2}=2\sqrt{5}$

답 ⑤

1706

좌표평면 위의 두 점 A(−1, 1), B(2, 5)와 x축 위를 움직이는 점 P를 세 꼭짓점으로 하는 삼각형 APB의 둘레의 길이의 최솟값은? • 점 A의 x축에 대하여 대칭인 점을 생각하자.

점 A(−1, 1)과 x축에 대하여 대칭인 점을 A′이라 하면 A′(−1, −1)

삼각형 APB의 둘레의 길이가 최소가 되려면 $\overline{AP}+\overline{BP}$의 길이가 최소가 되어야 한다.

$\overline{AP}=\overline{A'P}$이므로

$\overline{AB}+\overline{BP}+\overline{AP}$

$=\overline{AB}+\overline{BP}+\overline{PA'}\geq\overline{AB}+\overline{BA'}$

$=\sqrt{(2+1)^2+(5-1)^2}+\sqrt{(2+1)^2+(5+1)^2}=5+3\sqrt{5}$

따라서 삼각형 ABP의 둘레의 길이의 최솟값은 $5+3\sqrt{5}$이다.

답 ②

1707

• 점 A의 x축에 대하여 대칭인 점과 점 B의 직선 $y=10$에 대하여 대칭인 점을 생각하자.

그림과 같이 점 P가 x축 위를 움직이고 점 Q가 직선 $y=10$ 위를 움직일 때, 두 점 A(0, 2), B(20, 7)에 대하여 $\overline{AP}+\overline{PQ}+\overline{QB}$의 최솟값은?

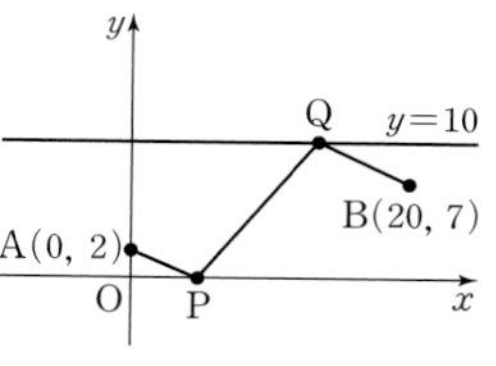

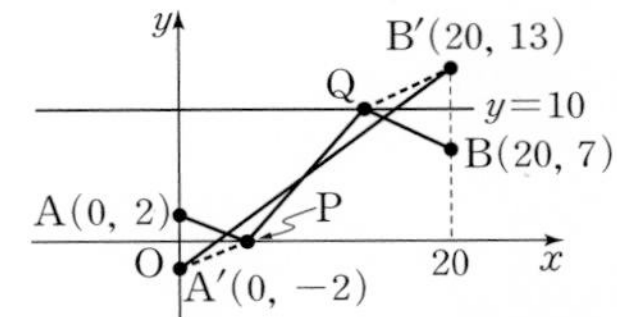

점 A를 x축에 대하여 대칭이동한 점을 A′, 점 B를 직선 $y=10$에 대하여 대칭이동한 점을 B′이라 하면

$A'(0, -2)$, $B'(20, 13)$

이때, $\overline{AP}=\overline{A'P}$, $\overline{QB}=\overline{QB'}$이므로

$$\begin{aligned}\overline{AP}+\overline{PQ}+\overline{QB}&=\overline{A'P}+\overline{PQ}+\overline{QB'}\\&\ge\overline{A'B'}\\&=\sqrt{(20-0)^2+\{13-(-2)\}^2}\\&=\sqrt{625}=25\end{aligned}$$

따라서 $\overline{AP}+\overline{PQ}+\overline{QB}$의 최솟값은 25이다. 답 ②

1708

그림과 같이 좌표평면 위의 한 점 A(4, 3)을 꼭짓점으로 하는 정삼각형 ABC의 무게중심이 원점 O일 때, 삼각형 ABC의 넓이는?

→ $\overline{AO}=5$임을 이용하자.

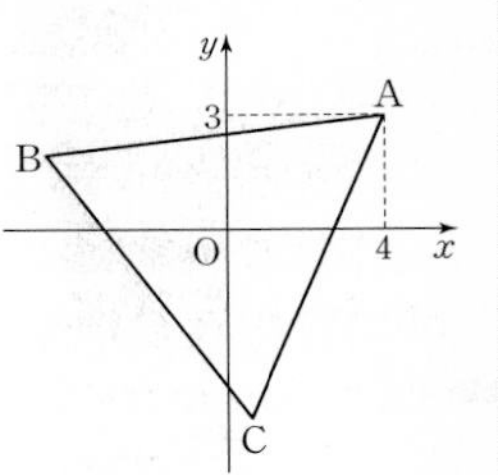

$\overline{AO}=\sqrt{4^2+3^2}=5$

변 BC의 중점을 M이라 하면 삼각형 ABC의 무게중심 O는 선분 AM을 2 : 1로 내분하는 점이므로

$\overline{AM}=\dfrac{3}{2}\overline{AO}=\dfrac{15}{2}$

정삼각형 ABC의 한 변의 길이를 a라 하면

$\overline{AM}=\dfrac{\sqrt{3}}{2}a=\dfrac{15}{2}$에서 $a=5\sqrt{3}$

$\therefore \triangle ABC=\dfrac{\sqrt{3}}{4}a^2=\dfrac{75\sqrt{3}}{4}$ 답 ③

1709

중심이 O, O′인 두 원이 서로 다른 두 점 A, B에서 만나고 $\overline{OO'}=4$이고, 선분 OO′을 3 : 1로 내분하는 점을 P, 외분하는 점을 Q라 한다. 두 삼각형 OPA와 OQB의 넓이의 비가 $m:n$일 때, $m+n$의 값을 구하시오. (단, m, n은 서로소이다.)

→ 점 O(0, 0), 점 O′(4, 0)으로 두고 P, Q의 좌표를 구하자.

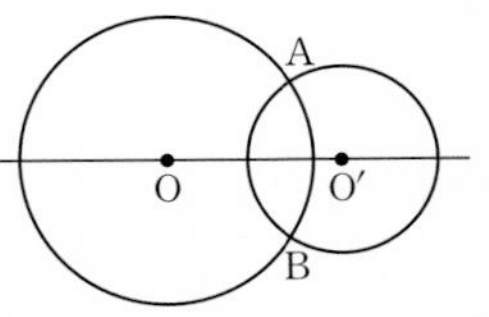

O(0, 0), O′(4, 0)이라 놓으면 선분 OO′을 3 : 1로 내분하는 점 P와 3 : 1로 외분하는 점 Q는

$P\left(\dfrac{12+0}{3+1}, 0\right)$ $\therefore P(3, 0)$

$Q\left(\dfrac{12-0}{3-1}, 0\right)$ $\therefore Q(6, 0)$

$\triangle OPA : \triangle OQB=\overline{OP}:\overline{OQ}=1:2$

따라서 $m=1$, $n=2$이므로

$m+n=3$ 답 3

1710

두 점 $P(a, b)$, $Q(a+b, a-2b)$에 대하여 점 P가 직선 $y=x-1$ 위를 움직일 때, 점 Q의 자취의 방정식은?

→ $b=a-1$임을 이용하자. → $x=a+b$, $y=a-2b$로 놓자.

점 $P(a, b)$가 직선 $y=x-1$ 위에 있으므로

$b=a-1$ ······㉠

$Q(a+b, a-2b)$에서 $x=a+b$, $y=a-2b$라 놓고 ㉠을 대입하면

$x=a+a-1=2a-1$

$y=a-2(a-1)=-a+2$

위의 두 식을 a에 대하여 정리하면

$a=\dfrac{x+1}{2}$, $a=2-y$

따라서 $\dfrac{x+1}{2}=2-y$이므로

$x+2y=3$ 답 ②

1711

세 점 A(1, 1), B(3, 5), C(7, 3)을 꼭짓점으로 하는 삼각형 ABC의 세 변의 수직이등분선이 한 점 (a, b)에서 만날 때, $a+b$의 값은?

→ 삼각형의 외심이다.

세 변의 수직이등분선의 교점은 삼각형의 외심이므로 외심을 $P(a, b)$라 하면 $\overline{AP}=\overline{BP}=\overline{CP}$가 성립한다.

(i) $\overline{AP}=\overline{BP}$에서 $\overline{AP}^2=\overline{BP}^2$이므로

$(a-1)^2+(b-1)^2=(a-3)^2+(b-5)^2$

$a^2-2a+1+b^2-2b+1=a^2-6a+9+b^2-10b+25$

$4a+8b=32$

$\therefore a+2b=8$ ······㉠

(ii) $\overline{BP}=\overline{CP}$에서 $\overline{BP}^2=\overline{CP}^2$이므로

$(a-3)^2+(b-5)^2=(a-7)^2+(b-3)^2$

$a^2-6a+9+b^2-10b+25=a^2-14a+49+b^2-6b+9$

$8a-4b=24$

$\therefore 2a-b=6$ ······㉡

㉠, ㉡을 연립하여 풀면 $a=4$, $b=2$

$\therefore a+b=6$ 답 ④

1712

→ 점 A는 $\overline{PQ}$의 중점, 점 B는 $\overline{PR}$의 중점이다.

그림과 같이 좌표평면 위의 세 점 P(3, 7), Q(1, 1), R(9, 3)으로부터 같은 거리에 있는 직선 l이 선분 PQ, PR와 만나는 점을 각각 A, B라 하고, 선분 QR의 중점을 C라 하자. 삼각형 ABC의 무게중심의 좌표를 $G(x, y)$라 할 때, $x+y$의 값은?

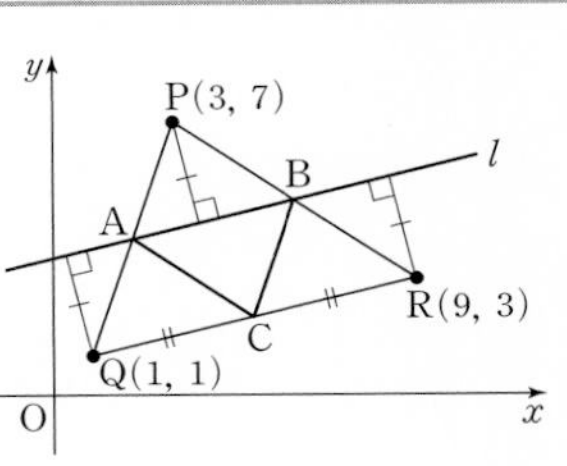

그림과 같이 세 점 P, Q, R에서 직선 l에 내린 수선의 발을 각각 P′, Q′, R′이라 하자.

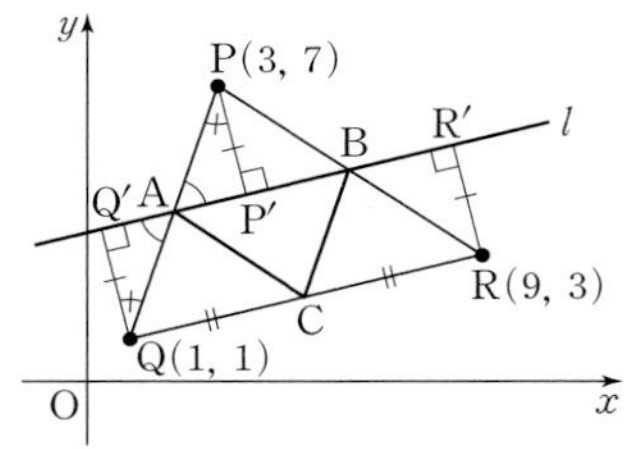

△PAP′≡△QAQ′ (∵ ASA 합동)이므로 점 A는 선분 PQ의 중점이다. 같은 방법으로 점 B는 선분 PR의 중점이다.
따라서 세 점 A, B, C는 각각 선분 PQ, PR, QR의 중점이므로 삼각형 PQR와 삼각형 ABC의 무게중심은 같다.
즉, 삼각형 ABC의 무게중심은 G(x, y)이므로

$x=\frac{3+1+9}{3}=\frac{13}{3}$

$y=\frac{7+1+3}{3}=\frac{11}{3}$

$\therefore x+y=8$

답 ⑤

1713

좌표평면 위에 세 점 O(0, 0), A(8, 8), B(12, 0)이 있다. 선분 OB 위의 점 C(a, b)와 선분 AC 위의 점 D(c, d)에 대하여 4개의 삼각형 OAD, OCD, ABD, BCD의 넓이가 모두 같을 때, $a+b+c+d$의 값은?

• $\overline{OC}=\overline{BC}$, $\overline{CD}=\overline{AD}$임을 이용하자.

두 삼각형 OCD와 BCD의 넓이가 같으므로

$\overline{OC}:\overline{BC}=1:1$

즉, 점 C는 선분 OB의 중점이므로

C(6, 0)

$\therefore a=6, b=0$

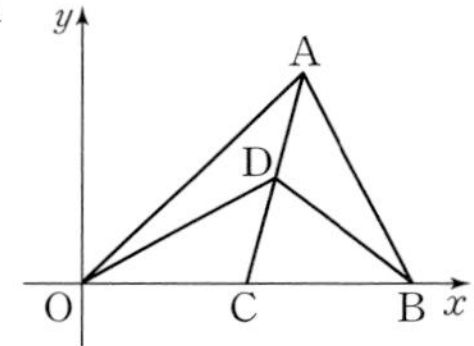

또 두 삼각형 OAD와 OCD의 넓이가 같으므로

$\overline{CD}:\overline{AD}=1:1$

즉, 점 D는 선분 AC의 중점이므로

$D\left(\frac{8+6}{2}, \frac{8+0}{2}\right)$

$\therefore$ D(7, 4)

$\therefore c=7, d=4$

$\therefore a+b+c+d=17$

답 ⑤

1714

그림과 같이 $\overline{AB}=6$, $\overline{AC}=4$, $\overline{BC}=6$인 삼각형 ABC에 대하여 변 BC의 삼등분점을 각각 D, E라 하고, $\overline{AD}=a$, $\overline{AE}=b$라 할 때, a^2+b^2의 값은?

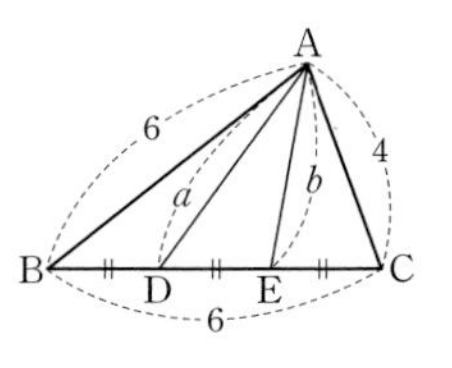

• $\overline{AD}$는 △ABE의 중선이고, $\overline{AE}$는 △ADC의 중선이다.

두 점 D, E가 변 BC의 삼등분점이므로

$\overline{BD}=\overline{DE}=\overline{EC}=2$

삼각형 ABE에서 중선정리에 의하여

$\overline{AB}^2+\overline{AE}^2=2(\overline{AD}^2+\overline{BD}^2)$

$6^2+b^2=2(a^2+2^2)$

$\therefore 2a^2-b^2=28$ ······ ㉠

삼각형 ADC에서 중선정리에 의하여

$\overline{AD}^2+\overline{AC}^2=2(\overline{AE}^2+\overline{DE}^2)$

$a^2+4^2=2(b^2+2^2)$

$\therefore a^2-2b^2=-8$ ······ ㉡

㉠, ㉡을 연립하여 풀면

$a^2=\frac{64}{3}$, $b^2=\frac{44}{3}$

$\therefore a^2+b^2=36$

답 ④

1715

삼각형 ABC에서 선분 BC를 1 : 3으로 내분하는 점을 D, 선분 BC를 2 : 3으로 외분하는 점을 E, 선분 AB를 1 : 2로 외분하는 점을 F라 하자. 삼각형 FEB의 넓이는 삼각형 ABD의 넓이의 k배이다. 이때, 상수 k의 값을 구하시오.

• 삼각형 ABC와 각 조건을 만족하는 점들을 차례로 그려보자.

삼각형 ABC에서 점 D는 선분 BC를 1 : 3으로 내분하므로

$\overline{BD}:\overline{DC}=1:3$

점 E는 선분 BC를 2 : 3으로 외분하므로

$\overline{EB}=2\overline{BC}$

점 F는 선분 AB를 1 : 2로 외분하므로

$\overline{BF}=2\overline{AB}$

$\overline{BD}:\overline{EB}=1:8$이므로 삼각형 AEB의 넓이는 삼각형 ABD의 넓이의 8배이다.

또한 $\overline{BF}=2\overline{AB}$이므로 삼각형 FEB의 넓이는 삼각형 ABD의 넓이의 16배이다.

$\therefore k=16$

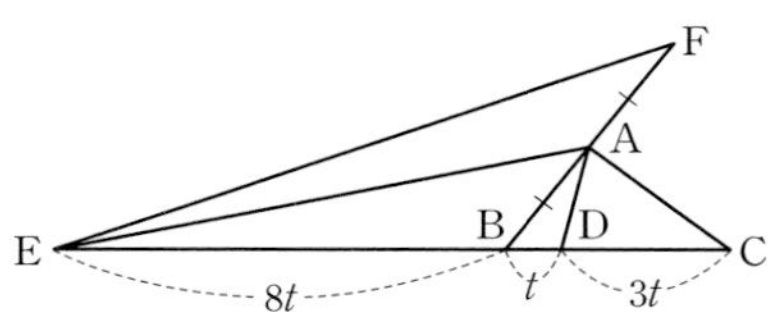

답 16

1716

• 점 P의 좌표를 m, n, a, b, c에 관한 식으로 정리하자.

수직선 위의 서로 다른 세 점 A(a), B(b), C(c)에 대하여 선분 AC를 $m:n$으로 내분하는 점 P(p)가 선분 BC를 $m:n$으로 외분하는 점이 될 때, 〈보기〉에서 옳은 것만을 있는 대로 고른 것은? (단, $m\neq n$, $m>0$, $n>0$)

보기

ㄱ. $a=1$, $b=5$, $m=1$, $n=2$이면 $c=7$이다.

ㄴ. $m>n$이면 $a<p<b<c$이다.

ㄷ. $p=\frac{a+b}{2}$

선분 AC를 $m : n$으로 내분하는 점 P의 좌표는

$p=\dfrac{mc+na}{m+n}$ ...... ㉠

이고, 선분 BC를 $m : n$으로 외분하는 점 P의 좌표는

$p=\dfrac{mc-nb}{m-n}$ ...... ㉡

$\therefore \dfrac{mc+na}{m+n}=\dfrac{mc-nb}{m-n}$ ...... ㉢

ㄱ. $a=1$, $b=5$, $m=1$, $n=2$를 ㉢식에 대입하면

$\dfrac{c+2}{3}=\dfrac{c-10}{-1}$에서 $c=7$이다. (참)

ㄴ. $a=0$, $c=3$, $m=2$, $n=1$을 ㉢식에 대입하면

$\dfrac{6+0}{3}=\dfrac{6-b}{1}$에서 $p=2$, $b=4$가 되어 $a<p<c<b$이다. (거짓)

ㄷ. ㉠식의 양변에 $m+n$을 곱하면

$(m+n)p=mc+na$ ...... ㉣

㉡식의 양변에 $m-n$을 곱하면

$(m-n)p=mc-nb$ ...... ㉤

㉣−㉤을 한 후, p에 대하여 정리하면

$p=\dfrac{a+b}{2}$ (참)

따라서 옳은 것은 ㄱ, ㄷ이다. 답 ③

1717

그림과 같이 좌표평면에 원점 O를 한 꼭짓점으로 하는 삼각형 OAB가 있다. 선분 OA를 2 : 1로 외분하는 점을 C, 선분 OB를 2 : 1로 외분하는 점을 D라 할 때, 두 선분 AD와 BC의 교점을 E(p, q)라 하자. 삼각형 OAB의 무게중심의 좌표가 $(5, 4)$일 때, $p+q$의 값을 구하시오.

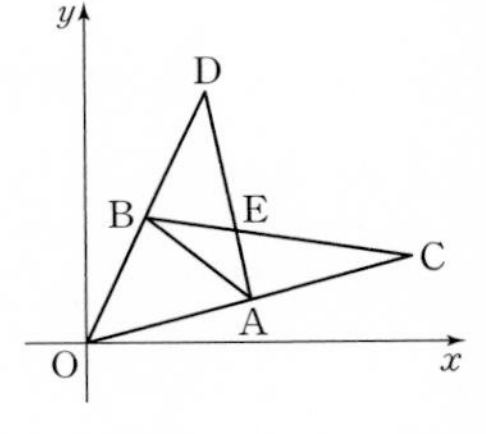

→ 점 A는 $\overline{OC}$의 중점, 점 B는 $\overline{OD}$의 중점이다.

두 점 A, B의 좌표를 각각

(a_1, b_1), (a_2, b_2)

라 하면 삼각형 OAB의 무게중심의 좌표가 $(5, 4)$이므로

$\dfrac{0+a_1+a_2}{3}=5$, $\dfrac{0+b_1+b_2}{3}=4$

$a_1+a_2=15$, $b_1+b_2=12$ ...... ㉠

선분 OA를 2 : 1로 외분하는 점 C의 좌표는

$\left(\dfrac{2a_1-0}{2-1}, \dfrac{2b_1-0}{2-1}\right)$, 즉 $(2a_1, 2b_1)$

마찬가지로 선분 OB를 2 : 1로 외분하는 점 D의 좌표는

$(2a_2, 2b_2)$

이때 두 선분 AD, BC는 모두 삼각형 OCD의 중선이므로 교점 E는 삼각형 OCD의 무게중심이다.

따라서 점 E의 좌표는

$\left(\dfrac{0+2a_1+2a_2}{3}, \dfrac{0+2b_1+2b_2}{3}\right)$

㉠에 의하여

$\dfrac{2a_1+2a_2}{3}=\dfrac{2(a_1+a_2)}{3}=\dfrac{2\times15}{3}=10$,

$\dfrac{2b_1+2b_2}{3}=\dfrac{2(b_1+b_2)}{3}=\dfrac{2\times12}{3}=8$

이므로 점 E의 좌표는 $(10, 8)$이다.

따라서 $p=10$, $q=8$이므로

$p+q=18$ 답 18

다른풀이

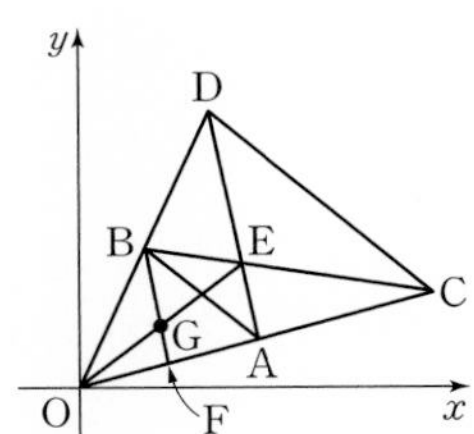

점 E는 삼각형 OCD의 무게중심이므로 점 E는 선분 DA를 2 : 1로 내분하는 점이다.

선분 OA의 중점을 F라 하고, 삼각형 OAB의 무게중심을 G라 하면 점 G는 선분 BF를 2 : 1로 내분하는 점이므로 세 점 O, G, E는 한 직선 위에 있다.

이때 $\overline{OF} : \overline{OA}=1 : 2$이므로 두 삼각형 OFG, OAE는 닮음비가 1 : 2인 닮은 도형이다.

즉 $\overline{OG} : \overline{OE}=1 : 2$이고 점 G의 좌표가 $(5, 4)$이므로

$p=2\times5=10$, $q=2\times4=8$

따라서 $p+q=18$

1718

좌표평면 위의 네 점 A$(-1, 0)$, B$(-1, -1)$, C$(0, -1)$, D(a, a)를 꼭짓점으로 하는 사각형 ABCD가 있다. y축이 사각형 ABCD의 넓이를 이등분할 때, 양수 a의 값은?

→ $\overline{AD}$와 y축과의 교점을 a에 관한 식으로 나타내자.

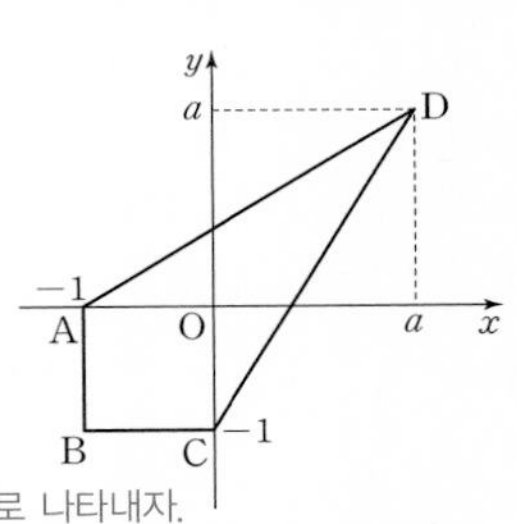

그림과 같이 선분 AD와 y축의 교점을 E라 하고, 점 E가 선분 AD를 $m : n$으로 내분한다고 하면

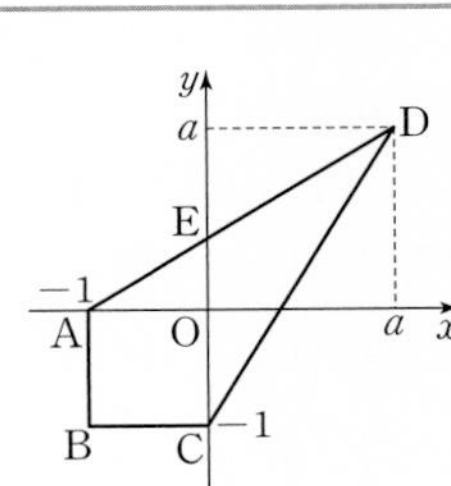

E$\left(\dfrac{ma+n\cdot(-1)}{m+n}, \dfrac{ma}{m+n}\right)$

이때, 점 E가 y축 위에 있으므로

$\dfrac{ma+n\cdot(-1)}{m+n}=0$

$\therefore n=ma$

E$\left(0, \dfrac{ma}{m+ma}\right)$ $\therefore$ E$\left(0, \dfrac{a}{a+1}\right)$

따라서 사다리꼴 ABCE의 넓이는

$\dfrac{1}{2}\cdot\left\{1+\left(\dfrac{a}{a+1}+1\right)\right\}\cdot1$

삼각형 CED의 넓이는

$\dfrac{1}{2}\cdot\left(1+\dfrac{a}{a+1}\right)\cdot a$

이 두 도형의 넓이가 같으므로

$\dfrac{1}{2}\cdot\dfrac{3a+2}{a+1}=\dfrac{1}{2}\cdot\dfrac{2a+1}{a+1}\cdot a$

$3a+2=2a^2+a$, $a^2-a-1=0$

근의 공식에 의하여

$a=\frac{-(-1)\pm\sqrt{(-1)^2-4\cdot1\cdot(-1)}}{2\cdot1}=\frac{1\pm\sqrt{5}}{2}$

$\therefore a=\frac{1+\sqrt{5}}{2}$ ($\because a>0$) 답 ③

1719 점 D의 좌표를 원점으로 놓고 A의 좌표를 구하자.

> $\overline{AB}=2\sqrt{3}$, $\overline{BC}=2$인 삼각형 ABC에서 선분 BC의 중점을 D라 할 때, $\overline{AD}=\sqrt{7}$이다. 각 ACB의 이등분선이 선분 AB와 만나는 점을 E, 선분 CE와 선분 AD가 만나는 점을 P, 각 APE의 이등분선이 선분 AB와 만나는 점을 R, 선분 PR의 연장선이 선분 BC와 만나는 점을 Q라 하자. 삼각형 PRE의 넓이를 S_1, 삼각형 PQC의 넓이를 S_2라 할 때, $\frac{S_2}{S_1}=a+b\sqrt{7}$이다. ab의 값을 구하시오. (단, a, b는 유리수이다.)
>
> 각의 이등분선의 성질을 이용하자.

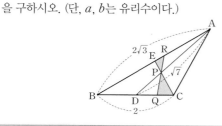

D(0, 0), B(−1, 0), C(1, 0), A(p, q)라 하면

$\overline{AB}=2\sqrt{3}$, $\overline{AD}=\sqrt{7}$이므로

$(p+1)^2+q^2=(2\sqrt{3})^2$, $p^2+q^2=(\sqrt{7})^2$을 연립하여 풀면

점 A의 좌표는 $(2, \sqrt{3})$

$\overline{AC}=2$이므로 삼각형 ABC는 이등변삼각형이다.

이등변삼각형의 성질에 의해 선분 CE는 선분 AB의 수직이등분선이다.

따라서 $\overline{CE}=1$이고 점 P는 삼각형 ABC의 무게중심이다.

$\overline{AP}:\overline{PD}=2:1$이므로

$\overline{AP}=\frac{2\sqrt{7}}{3}$, $\overline{PD}=\frac{\sqrt{7}}{3}$, $\overline{CP}:\overline{PE}=2:1$이므로

$\overline{CP}=\frac{2}{3}$, $\overline{PE}=\frac{1}{3}$

삼각형 EPA에서 선분 PR가 각 APE의 이등분선이므로

각의 이등분선의 성질에 의해

$\overline{PA}:\overline{PE}=\overline{AR}:\overline{ER}=2\sqrt{7}:1$

삼각형 ABC의 넓이를 S라 하면 삼각형 EPA의 넓이는

삼각형 ABC의 넓이의 $\frac{1}{6}$이므로

$S_1=S\times\frac{1}{6}\times\frac{1}{2\sqrt{7}+1}$

같은 방법으로 삼각형 CPD에서

$\overline{PD}:\overline{PC}=\overline{DQ}:\overline{CQ}=\sqrt{7}:2$

삼각형 CPD의 넓이는 삼각형 ABC의 넓이의 $\frac{1}{6}$이므로

$S_2=S\times\frac{1}{6}\times\frac{2}{\sqrt{7}+2}$

$\frac{S_2}{S_1}=8-2\sqrt{7}$이므로 $a=8$, $b=-2$

$\therefore ab=-16$ 답 −16

참고 점 D가 선분 BC의 중점이므로

$\overline{AB}^2+\overline{AC}^2=2(\overline{AD}^2+\overline{CD}^2)$

이 성립한다.

따라서 $\overline{AC}=2$이고 삼각형 ABC는 이등변삼각형이다.

11 직선의 방정식

본책 296~320쪽

1720

$y=2x+5$에서 기울기는 2, y절편은 5

또 $y=2x+5$에 $y=0$을 대입하면

$2x+5=0$에서 $x=-\frac{5}{2}$

따라서 x절편은 $-\frac{5}{2}$ 답 x절편 : $-\frac{5}{2}$, y절편 : 5, 기울기 : 2

1721

$y=-x+1$에서 기울기는 −1, y절편은 1

또 $y=-x+1$에 $y=0$을 대입하면

$-x+1=0$에서 $x=1$

따라서 x절편은 1 답 x절편 : 1, y절편 : 1, 기울기 : −1

1722

$4x-y+2=0$에서 $y=4x+2$이므로

기울기는 4, y절편은 2

또 $y=4x+2$에 $y=0$을 대입하면

$4x+2=0$에서 $x=-\frac{1}{2}$

따라서 x절편은 $-\frac{1}{2}$ 답 x절편 : $-\frac{1}{2}$, y절편 : 2, 기울기 : 4

1723

주어진 그림에서 직선의 기울기는 $\frac{2}{3}$이고, 점 (0, 2)를 지나므로

직선의 방정식은

$y-2=\frac{2}{3}(x-0)$

$\therefore y=\frac{2}{3}x+2$ 답 $y=\frac{2}{3}x+2$

1724

주어진 그림에서 직선의 기울기는 $\frac{-3}{4}=-\frac{3}{4}$이고,

점 (0, −2)를 지나므로 직선의 방정식은

$y-(-2)=-\frac{3}{4}(x-0)$

$\therefore y=-\frac{3}{4}x-2$ 답 $y=-\frac{3}{4}x-2$

1725

y절편이 2이므로 점 (0, 2)를 지나고, 기울기가 −1인 직선의 방정식은

$y-2=-(x-0)$

$\therefore y=-x+2$ 답 $y=-x+2$

다른풀이 $y=ax+b$에서 $a=-1$, $b=2$이므로

$y=-x+2$

1726

기울기가 −3이고, 점 (0, 0)을 지나는 직선의 방정식은

$y-0=-3(x-0)$

$\therefore y=-3x$ 답 $y=-3x$

1727
기울기가 4이고, 점 $(0, 3)$을 지나는 직선의 방정식은
$y-3=4(x-0)$
$\therefore y=4x+3$ 답 $y=4x+3$

1728
기울기가 5이고, 점 $(-3, 10)$을 지나는 직선의 방정식은
$y-10=5(x+3)$, $y-10=5x+15$
$\therefore y=5x+25$ 답 $y=5x+25$

1729
두 점 $(0, 0)$, $(3, 5)$를 지나는 직선의 기울기는
$\frac{5-0}{3-0}=\frac{5}{3}$ 답 $\frac{5}{3}$

1730
두 점 $(-2, 1)$, $(2, 3)$을 지나는 직선의 기울기는
$\frac{3-1}{2-(-2)}=\frac{1}{2}$ 답 $\frac{1}{2}$

1731
두 점 $(0, 0)$, $(2, 4)$를 지나는 직선의 기울기는
$\frac{4-0}{2-0}=2$
기울기가 2이고, 점 $(0, 0)$을 지나는 직선의 방정식은
$y-0=2(x-0)$
$\therefore y=2x$ 답 $y=2x$

1732
두 점 $(2, 1)$, $(4, 4)$를 지나는 직선의 기울기는
$\frac{4-1}{4-2}=\frac{3}{2}$
기울기가 $\frac{3}{2}$이고, 점 $(2, 1)$을 지나는 직선의 방정식은
$y-1=\frac{3}{2}(x-2)$, $y-1=\frac{3}{2}x-3$
$\therefore y=\frac{3}{2}x-2$ 답 $y=\frac{3}{2}x-2$

1733
두 점 $(4, -5)$, $(1, 1)$을 지나는 직선의 기울기는
$\frac{1-(-5)}{1-4}=-2$
기울기가 -2이고, 점 $(1, 1)$을 지나는 직선의 방정식은
$y-1=-2(x-1)$, $y-1=-2x+2$
$\therefore y=-2x+3$ 답 $y=-2x+3$

1734
두 점 $(-3, 4)$, $(-3, -1)$을 지나는 직선의 방정식은
두 점의 x좌표가 서로 같으므로 $x=-3$ 답 $x=-3$

1735
두 점 $(6, 5)$, $(-2, 5)$를 지나는 직선의 방정식은
두 점의 y좌표가 서로 같으므로 $y=5$ 답 $y=5$

1736
x절편이 8, y절편이 2인 직선의 방정식은
$\frac{x}{8}+\frac{y}{2}=1$, $\frac{1}{4}x+y=2$
$\therefore y=-\frac{1}{4}x+2$ 답 $y=-\frac{1}{4}x+2$

1737
x절편이 -3, y절편이 9인 직선의 방정식은
$\frac{x}{-3}+\frac{y}{9}=1$, $-3x+y=9$
$\therefore y=3x+9$ 답 $y=3x+9$

1738
기울기가 $\frac{6}{5}$이고, 점 $(5, 3)$을 지나는 직선의 방정식은
$y-3=\frac{6}{5}(x-5)$, $y-3=\frac{6}{5}x-6$
$\frac{6}{5}x-y-3=0$
$\therefore 6x-5y-15=0$ 답 $6x-5y-15=0$

1739
두 점 $(-3, 5)$, $(6, -7)$을 지나는 직선의 기울기는
$\frac{-7-5}{6-(-3)}=-\frac{4}{3}$
기울기가 $-\frac{4}{3}$이고, 점 $(-3, 5)$를 지나는 직선의 방정식은
$y-5=-\frac{4}{3}(x+3)$, $y-5=-\frac{4}{3}x-4$
$\frac{4}{3}x+y-1=0$
$\therefore 4x+3y-3=0$ 답 $4x+3y-3=0$

1740
x절편이 -6, y절편이 -4인 직선의 방정식은
$\frac{x}{-6}+\frac{y}{-4}=1$, $2x+3y=-12$
$\therefore 2x+3y+12=0$ 답 $2x+3y+12=0$

1741
기울기가 양수, y절편이 음수이므로
$a>0$, $b<0$ 답 $a>0$, $b<0$

1742
기울기가 음수, y절편이 양수이므로
$a<0$, $b>0$ 답 $a<0$, $b>0$

1743
직선의 방정식 $ax+by+c=0$ $(b\neq0)$을
$y=-\frac{a}{b}x-\frac{c}{b}$로 변형하여 b, c의 부호를 구하면
기울기 $-\frac{a}{b}>0$에서 $a>0$이므로 $b<0$
y절편 $-\frac{c}{b}>0$에서 $b<0$이므로 $c>0$
$\therefore b<0$, $c>0$ 답 $b<0$, $c>0$

1744
직선의 방정식 $ax+by+c=0$ $(b\neq0)$을
$y=-\frac{a}{b}x-\frac{c}{b}$로 변형하여 b, c의 부호를 구하면
기울기 $-\frac{a}{b}<0$에서 $a>0$이므로 $b>0$
y절편 $-\frac{c}{b}<0$에서 $b>0$이므로 $c>0$
$\therefore b>0,\ c>0$ 답 $b>0,\ c>0$

1745
두 직선이 평행하려면 기울기가 같아야 하므로
$m=-3$ 답 -3

1746
두 직선이 수직이려면 기울기의 곱이 -1이어야 하므로
$(-3)\cdot m=-1$
$\therefore m=\frac{1}{3}$ 답 $\frac{1}{3}$

1747
두 직선이 평행하려면
$\frac{1}{1}=\frac{-2}{-a}\neq\frac{2}{-1}$
이때, $1=\frac{2}{a}$에서 $a=2$ 답 2

1748
두 직선이 수직이려면
$1\cdot1+(-2)\cdot(-a)=0,\ 1+2a=0$
$\therefore a=-\frac{1}{2}$ 답 $-\frac{1}{2}$

1749
ㄱ. $2x+y-4=0$, ㄴ. $2x+y-2=0$에서
$\frac{2}{2}=\frac{1}{1}\neq\frac{-4}{-2}$이므로 두 직선은 평행하다. 답 ㄱ과 ㄴ

1750
ㄱ. $2x+y-4=0$, ㅁ. $x-2y-3=0$에서
$2\cdot1+1\cdot(-2)=0$이므로 두 직선은 수직이다.
또 ㄴ. $2x+y-2=0$, ㅁ. $x-2y-3=0$에서
$2\cdot1+1\cdot(-2)=0$이므로 두 직선은 수직이다.
답 ㄱ과 ㅁ, ㄴ과 ㅁ

1751
ㄷ. $x-y+2=0$, ㅂ. $3x-3y+6=0$에서
$\frac{1}{3}=\frac{-1}{-3}=\frac{2}{6}$이므로 두 직선은 일치한다. 답 ㄷ과 ㅂ

1752
직선 $y=2x-1$과 평행하므로 구하는 직선의 기울기는 2이다.
따라서 기울기가 2이고, 점 $(1, 4)$를 지나는 직선의 방정식은
$y-4=2(x-1)$, $y-4=2x-2$
$\therefore y=2x+2$ 답 $y=2x+2$

1753
직선 $y=-4x+1$과 평행하므로 구하는 직선의 기울기는 -4이다.
따라서 기울기가 -4이고, 점 $(1, 4)$를 지나는 직선의 방정식은
$y-4=-4(x-1)$, $y-4=-4x+4$
$\therefore y=-4x+8$ 답 $y=-4x+8$

1754
$3x-y+4=0$에서 $y=3x+4$
직선 $y=3x+4$와 평행하므로 구하는 직선의 기울기는 3이다.
따라서 기울기가 3이고, 점 $(1, 4)$를 지나는 직선의 방정식은
$y-4=3(x-1)$, $y-4=3x-3$
$\therefore y=3x+1$ 답 $y=3x+1$

1755
직선 $y=x+3$과 수직이므로 구하는 직선의 기울기는 -1이다.
따라서 기울기가 -1이고, 점 $(-1,\ -2)$를 지나는 직선의 방정식은
$y+2=-(x+1)$, $y+2=-x-1$
$\therefore y=-x-3$ 답 $y=-x-3$

1756
직선 $y=-3x-2$와 수직이므로 구하는 직선의 기울기는 $\frac{1}{3}$이다.
따라서 기울기가 $\frac{1}{3}$이고, 점 $(-1,\ -2)$를 지나는 직선의 방정식은
$y+2=\frac{1}{3}(x+1)$, $y+2=\frac{1}{3}x+\frac{1}{3}$
$\therefore y=\frac{1}{3}x-\frac{5}{3}$ 답 $y=\frac{1}{3}x-\frac{5}{3}$

1757
$x+2y-5=0$에서 $y=-\frac{1}{2}x+\frac{5}{2}$
직선 $y=-\frac{1}{2}x+\frac{5}{2}$와 수직이므로 구하는 직선의 기울기는 2이다.
따라서 기울기가 2이고, 점 $(-1,\ -2)$를 지나는 직선의 방정식은
$y+2=2(x+1)$, $y+2=2x+2$
$\therefore y=2x$ 답 $y=2x$

1758
점 $(0, 0)$과 직선 $3x-4y+5=0$ 사이의 거리 d는
$d=\frac{|3\cdot0-4\cdot0+5|}{\sqrt{3^2+(-4)^2}}=\frac{|5|}{\sqrt{25}}=1$ 답 1

1759
점 $(0,\ -4)$와 직선 $x+y-2=0$ 사이의 거리 d는
$d=\frac{|1\cdot0+1\cdot(-4)-2|}{\sqrt{1^2+1^2}}=\frac{|-6|}{\sqrt{2}}=3\sqrt{2}$ 답 $3\sqrt{2}$

1760
점 $(4,\ -5)$와 직선 $3x-2y+4=0$ 사이의 거리 d는
$d=\frac{|3\cdot4-2\cdot(-5)+4|}{\sqrt{3^2+(-2)^2}}=\frac{|26|}{\sqrt{13}}=2\sqrt{13}$ 답 $2\sqrt{13}$

1761
점 $(7, 3)$과 직선 $2x-y+4=0$ 사이의 거리 d는

$d=\frac{|2\cdot7-1\cdot3+4|}{\sqrt{2^2+(-1)^2}}=\frac{|15|}{\sqrt{5}}=3\sqrt{5}$ 답 $3\sqrt{5}$

1762

$y=5x$에서 $5x-y=0$

점 $(2,\ -3)$과 직선 $5x-y=0$ 사이의 거리 d는

$d=\frac{|5\cdot2-1\cdot(-3)|}{\sqrt{5^2+(-1)^2}}=\frac{|13|}{\sqrt{26}}=\frac{\sqrt{26}}{2}$ 답 $\frac{\sqrt{26}}{2}$

1763

$y=2x+10$에서 $2x-y+10=0$

점 $(0,5)$와 직선 $2x-y+10=0$ 사이의 거리 d는

$d=\frac{|2\cdot0-1\cdot5+10|}{\sqrt{2^2+(-1)^2}}=\frac{|5|}{\sqrt{5}}=\sqrt{5}$ 답 $\sqrt{5}$

1764

> 점 $(2, 5)$를 지나고, 기울기가 a인 직선의 방정식을 $y=-3x+b$라 할 때, 두 상수 a, b의 합 $a+b$의 값은?
> → $y-5=a(x-2)$이다.

점 $(2, 5)$를 지나고 기울기가 a인 직선의 방정식은

$y-5=a(x-2)$, $y=ax-2a+5$

이 직선의 방정식이 $y=-3x+b$와 일치하므로

$a=-3,\ -2a+5=b$

$\therefore a=-3,\ b=11$

$\therefore a+b=8$ 답 ③

1765

> 점 $(2,\ -4)$를 지나고, 기울기가 -3인 직선의 x절편을 a, y절편을 b라 할 때, ab의 값을 구하시오.
> → $y+4=-3(x-2)$이다.

점 $(2,\ -4)$를 지나고 기울기가 -3인 직선의 방정식은

$y-(-4)=-3(x-2)$

$y=-3x+2$

이 직선의 x절편은 $y=0$일 때, $0=-3x+2$

$\therefore x=\frac{2}{3}$

y절편은 $x=0$일 때, $y=2$

따라서 $a=\frac{2}{3}$, $b=2$이므로

$ab=\frac{4}{3}$ 답 $\frac{4}{3}$

1766

> 기울기가 $\sqrt{3}$인 직선이 직선 $y=-x+2$와 x축 위에서 만난다. 이 직선이 y축과 만나는 점의 y좌표는?
> → 점 $(2,\ 0)$을 지남을 이용하자.

직선 $y=-x+2$는 x축과 점 $(2,\ 0)$에서 만나므로 점 $(2,\ 0)$을 지나고, 기울기가 $\sqrt{3}$인 직선의 방정식은

$y=\sqrt{3}(x-2)$ $\quad\therefore y=\sqrt{3}x-2\sqrt{3}$

따라서 이 직선이 y축과 만나는 점의 y좌표는 $-2\sqrt{3}$이다.

답 ①

1767

> 점 $(3,\ 2\sqrt{3})$을 지나고 x축의 양의 방향과 이루는 각의 크기가 $60°$인 직선의 방정식이 $y=ax+b$일 때, $a-b$의 값을 구하시오. (단, a, b는 상수이다.) 직선의 기울기가 $\tan 60°$이므로 $\sqrt{3}$이다.

x축의 양의 방향과 이루는 각의 크기가 $60°$인 직선의 기울기는 $\sqrt{3}$이다.

따라서 점 $(3,\ 2\sqrt{3})$을 지나고 기울기가 $\sqrt{3}$인 직선의 방정식은

$y=\sqrt{3}(x-3)+2\sqrt{3}$

$y=\sqrt{3}x-\sqrt{3}$

$\therefore a=\sqrt{3},\ b=-\sqrt{3}$

$\therefore a-b=2\sqrt{3}$ 답 $2\sqrt{3}$

1768

> 다음과 같이 주어진 세 점 A, B, C에 대하여 삼각형 ABC의 무게중심 G를 지나고, 기울기가 -2인 직선의 y절편은?
>
> $A(-1, 3),\ B(3, 5),\ C(4, 1)$
>
> → 무게중심의 좌표는 $\left(\frac{-1+3+4}{3},\ \frac{3+5+1}{3}\right)$이다.

삼각형 ABC의 무게중심의 좌표는 $\left(\frac{-1+3+4}{3},\ \frac{3+5+1}{3}\right)$,

즉 $(2,\ 3)$이므로 점 $G(2,\ 3)$을 지나고, 기울기가 -2인 직선의 방정식은

$y-3=-2(x-2)$

$\therefore y=-2x+7$

따라서 이 직선의 y절편은 7이다. 답 ③

1769

> 점 $A(1,\ -2)$를 지나고, x축에 평행한 직선과 점 $B(4, 2)$를 지나고, 기울기가 -1인 직선의 교점의 좌표는 $(a,\ b)$이다. 이때, $a+b$의 값은?
> → 기울기가 0이다. 즉 $y=k$ 꼴이다.

점 $A(1,\ -2)$를 지나고, x축에 평행한 직선의 방정식은

$y=-2$ ……㉠

점 $B(4, 2)$를 지나고, 기울기가 -1인 직선의 방정식은

$y-2=-(x-4)$

$\therefore y=-x+6$ ……㉡

㉠, ㉡을 연립하여 풀면

$x=8,\ y=-2$

따라서 두 직선의 교점의 좌표는 $(8,\ -2)$이므로

$a+b=8+(-2)=6$ 답 ③

1770

두 점 A$(-1, -2)$, B$(1, 4)$를 지나는 직선의 방정식이 $ax+by+1=0$일 때, 두 상수 a, b의 합 $a+b$의 값을 구하시오.

→ 공식 $y-y_1=\frac{y_2-y_1}{x_2-x_1}(x-x_1)$을 이용하자.

두 점 A$(-1, -2)$, B$(1, 4)$를 지나는 직선의 방정식은

$y-(-2)=\frac{4-(-2)}{1-(-1)}\{x-(-1)\}$

$y+2=3(x+1)$

$\therefore 3x-y+1=0$

따라서 $a=3$, $b=-1$이므로

$a+b=2$ 답 2

1771

두 점 A$(2, 1)$, B$(6, -3)$에 대하여 선분 AB의 중점 P와 점 $(5, 2)$를 지나는 직선의 방정식을 구하시오.

→ P의 좌표를 구한 후 공식 $y-y_1=\frac{y_2-y_1}{x_2-x_1}(x-x_1)$을 이용하자.

선분 AB의 중점 P의 좌표를 (a, b)라 하면

$a=\frac{2+6}{2}=4$, $b=\frac{1+(-3)}{2}=-1$

$\therefore$ P$(4, -1)$

따라서 두 점 $(4, -1)$, $(5, 2)$를 지나는 직선의 방정식은

$y-2=\frac{2-(-1)}{5-4}(x-5)$

$\therefore y=3x-13$ 답 $y=3x-13$

1772

점 $(-1, 2)$를 지나고, x절편이 -2인 직선이 점 $(a, 6)$을 지날 때, a의 값은?

→ 점 $(-2, 0)$을 지난다.

직선의 x절편이 -2이므로 직선은 두 점 $(-1, 2)$, $(-2, 0)$을 지난다.

$y-0=\frac{0-2}{-2-(-1)}\{x-(-2)\}$

$\therefore y=2x+4$

이 직선이 점 $(a, 6)$을 지나므로

$6=2a+4$ $\quad\therefore a=1$ 답 ①

1773

두 점 $(1, -2)$, $(2, a)$를 지나는 직선의 방정식을 $y=4x+b$라 할 때, $a-b$의 값은? (단, b는 상수이다.)

→ 공식 $y-y_1=\frac{y_2-y_1}{x_2-x_1}(x-x_1)$을 이용하자.

두 점 $(1, -2)$, $(2, a)$를 지나는 직선의 기울기가 4이므로

$\frac{a+2}{2-1}=4$, $a+2=4$

$\therefore a=2$

직선 $y=4x+b$가 점 $(1, -2)$를 지나므로

$-2=4+b$ $\quad\therefore b=-6$

$\therefore a-b=2-(-6)=8$ 답 ②

다른풀이 두 점 $(1, -2)$, $(2, a)$는 직선 $y=4x+b$ 위의 점이므로

$-2=4\cdot1+b$ $\quad\therefore b=-6$

$a=4\cdot2+b$이므로 $a=8-6=2$

$\therefore a-b=2-(-6)=8$

1774

두 직선 $x=-4$, $y=2$의 교점을 지나고, 점 $(2, -1)$을 지나는 직선의 y절편을 구하시오.

→ $(-4, 2)$

두 직선 $x=-4$, $y=2$의 교점의 좌표는 $(-4, 2)$이므로

두 점 $(-4, 2)$, $(2, -1)$을 지나는 직선의 방정식은

$y+1=\frac{2-(-1)}{-4-2}(x-2)$

$\therefore y=-\frac{1}{2}x$

따라서 이 직선의 y절편은 0이다. 답 0

1775

두 점 A$(1, 2)$, B$(6, -3)$에 대하여 선분 AB를 $3:2$로 내분하는 점 P와 점 $(5, 2)$를 지나는 직선의 방정식은?

→ 공식 $\left(\frac{mx_2+nx_1}{m+n}, \frac{my_2+ny_1}{m+n}\right)$을 이용하여 점 P의 좌표를 구하자.

선분 AB를 $3:2$로 내분하는 점 P의 좌표를 (a, b)라 하면

$a=\frac{3\cdot6+2\cdot1}{3+2}=4$, $b=\frac{3\cdot(-3)+2\cdot2}{3+2}=-1$

$\therefore$ P$(4, -1)$

따라서 두 점 $(4, -1)$, $(5, 2)$를 지나는 직선의 방정식은

$y-2=\frac{2-(-1)}{5-4}(x-5)$

$\therefore y=3x-13$ 답 ④

1776

→ 점 C의 좌표를 구하자.

세 점 A$(3, 5)$, B$(-1, 1)$, C를 꼭짓점으로 하는 삼각형 ABC의 무게중심 G의 좌표가 $(2, 2)$일 때, 두 점 C와 G를 지나는 직선의 방정식은 $y=ax+b$이다. 이때, 두 상수 a, b에 대하여 ab의 값을 구하시오.

점 C의 좌표를 (m, n)이라 하면 삼각형 ABC의 무게중심이 G$(2, 2)$이므로

$\frac{3+(-1)+m}{3}=2$, $\frac{5+1+n}{3}=2$

즉, $m=4$, $n=0$이므로 두 점 C$(4, 0)$, G$(2, 2)$를 지나는 직선의 방정식은

$y=\frac{2-0}{2-4}(x-4)$

$\therefore y=-x+4$

따라서 $a=-1$, $b=4$이므로

$ab=-4$ 답 -4

다른풀이 꼭짓점 C와 무게중심 G를 지나는 직선은 선분 AB의 중점

$\left(\frac{3+(-1)}{2}, \frac{5+1}{2}\right)$, 즉 점 $(1, 3)$을 지나는 직선이다.

두 점 $(2, 2)$, $(1, 3)$을 지나는 직선의 방정식은

$y-2=\frac{3-2}{1-2}(x-2)$

$\therefore y=-x+4$

따라서 $a=-1$, $b=4$이므로

$ab=-4$

1777

좌표평면에서 $\triangle$ABC의 무게중심을 G라 하면 점 A의 좌표는 A$(-3, 0)$이고 직선 GB의 방정식은 $y=3$, 직선 GC의 방정식은 $y=3x$일 때, 직선 AC의 방정식은?

└→ 점 G의 x좌표는 1이다.

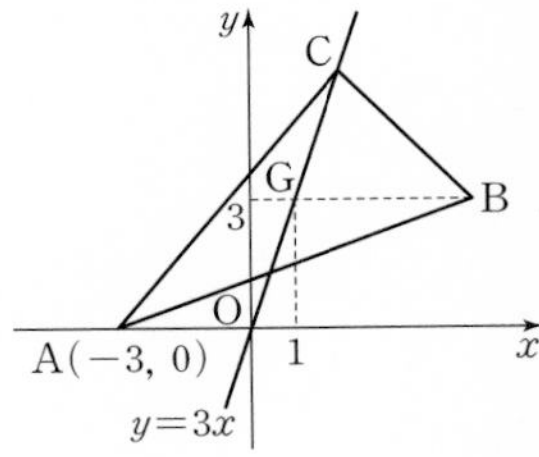

직선 GB의 방정식은 $y=3$, 직선 GC의 방정식은 $y=3x$이므로 점 G의 좌표는 $(1, 3)$이다.

점 C는 $y=3x$ 위에 있으므로 점 C의 좌표는 $(t, 3t)$라 하면 $\overline{\text{AC}}$의 중점은 직선 GB 위에 있으므로

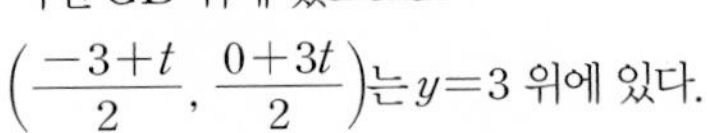

$\left(\frac{-3+t}{2}, \frac{0+3t}{2}\right)$는 $y=3$ 위에 있다.

즉, $t=2$이므로 C$(2, 6)$

따라서 직선 AC의 방정식은

$y-0=\frac{6-0}{2-(-3)}(x+3)$

$y=\frac{6}{5}x+\frac{18}{5}$

$\therefore 6x-5y+18=0$ 답 ③

1778

└→ 완전제곱식으로 바꿔 꼭짓점의 좌표를 구하자.

0이 아닌 실수 p에 대하여 이차함수 $f(x)=x^2+px+p$의 그래프의 꼭짓점을 A라 하고, 이 그래프가 y축과 만나는 점을 B라 하자. 이때, 두 점 A, B를 지나는 직선 l의 x절편을 구하시오.

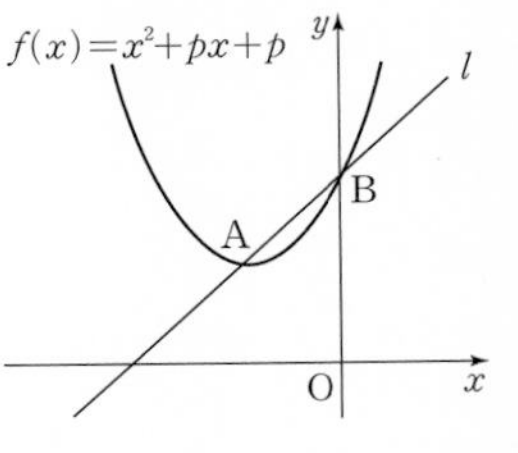

$f(x)=x^2+px+p$

$=\left(x+\frac{p}{2}\right)^2+p-\frac{p^2}{4}$

이므로 꼭짓점의 좌표는 A$\left(-\frac{p}{2}, p-\frac{p^2}{4}\right)$이고,

y절편이 p이므로 점 B의 좌표는 B$(0, p)$이다.

두 점 A, B를 지나는 직선 l의 기울기는 $\frac{p-\left(p-\frac{p^2}{4}\right)}{0-\left(-\frac{p}{2}\right)}=\frac{p}{2}$이고

y절편은 p이므로 직선 l의 방정식은

$y=\frac{p}{2}x+p$

따라서 직선 l의 x절편은 -2이다. 답 -2

1779

x절편이 3, y절편이 -6인 직선의 방정식이 $ax+by=6$일 때, 두 상수 a, b에 대하여 $2a+b$의 값은?

└→ 공식 $\frac{x}{a}+\frac{y}{b}=1$을 이용하자.

x절편이 3, y절편이 -6인 직선의 방정식

$\frac{x}{3}+\frac{y}{-6}=1$

$\therefore 2x-y=6$

이 직선의 방정식이 $ax+by=6$과 일치하므로

$a=2$, $b=-1$

$\therefore 2a+b=4-1=3$ 답 ③

1780

x절편이 4이고, y절편이 -2인 직선이 두 점 $(a, 1)$, $(3, b)$를 지날 때, ab의 값을 구하시오.

└→ 공식 $\frac{x}{a}+\frac{y}{b}=1$을 이용하자.

x절편이 4이고, y절편이 -2인 직선의 방정식은

$\frac{x}{4}+\frac{y}{-2}=1$

이 직선이 두 점 $(a, 1)$, $(3, b)$를 지나므로

$\frac{a}{4}-\frac{1}{2}=1$에서 $a=6$,

$\frac{3}{4}-\frac{b}{2}=1$에서 $b=-\frac{1}{2}$이다.

$\therefore ab=6\cdot\left(-\frac{1}{2}\right)=-3$ 답 -3

1781

x절편, y절편의 절댓값이 같고, 부호가 다른 직선 중에서 점 $(2, -2)$를 지나는 직선의 방정식을 $y=ax+b$라 할 때, 상수 a, b에 대하여 ab의 값은?

└→ 제1, 3, 4사분면을 지난다.

점 $(2, -2)$를 지나므로 직선은 제1, 3, 4사분면을 지나고, 기울기가 1이다.

따라서 구하는 직선의 방정식은

$y-(-2)=1\cdot(x-2)$, $y=x-4$

$\therefore a=1$, $b=-4$

$\therefore ab=-4$ 답 ③

다른풀이 x절편을 k, y절편을 $-k$라 하면 직선의 방정식은

$\frac{x}{k}+\frac{y}{-k}=1$ ……㉠

직선이 점 $(2, -2)$를 지나므로

$\frac{2}{k}+\frac{-2}{-k}=1 \quad \therefore k=4$

이것을 ㉠에 대입하면

$\frac{x}{4}+\frac{y}{-4}=1 \quad \therefore y=x-4$

따라서 $a=1$, $b=-4$이므로

$ab=-4$

1782

> 세 점 A(0, 1), B(−2, 5), C(−3, a)가 같은 직선 위에 있을 때, a의 값은?
> $\overline{AB}$, $\overline{AC}$의 기울기가 같다.

세 점 A(0, 1), B(−2, 5), C(−3, a)가 같은 직선 위에 있으려면 두 직선 AB, AC의 기울기가 서로 같아야 하므로

$\frac{5-1}{-2-0}=\frac{a-1}{-3-0}$, $-2=\frac{a-1}{-3}$

$a-1=6$

$\therefore a=7$ 답 ④

다른풀이 두 점 A, B를 지나는 직선의 방정식은

$y-1=\frac{5-1}{-2-0}(x-0)$

$\therefore y=-2x+1$

점 C(−3, a)가 직선 AB 위에 있어야 하므로

$a=-2\cdot(-3)+1 \quad \therefore a=7$

1783

> 세 점 A(2, 4), B(a, −3), C(−a, 3)에 대하여 점 A가 직선 BC 위에 있도록 하는 a의 값을 구하시오.
> $\overline{AB}$, $\overline{AC}$의 기울기가 같다.

세 점 A(2, 4), B(a, −3), C(−a, 3)이 한 직선 위에 있으면 점 A가 직선 BC 위에 있게 된다. 즉, 직선 AB의 기울기와 직선 AC의 기울기가 같아야 하므로

$\frac{-3-4}{a-2}=\frac{3-4}{-a-2}$

$-7(-a-2)=-(a-2)$

$7a+14=-a+2$

$8a=-12$

$\therefore a=-\frac{3}{2}$ 답 $-\frac{3}{2}$

1784

> 서로 다른 세 점 A(1, k), B(k, 7), C(5, 11)이 삼각형을 이루지 않도록 하는 모든 실수 k의 값의 합은?
> 세 점이 한 직선 위에 있다.

서로 다른 세 점 A(1, k), B(k, 7), C(5, 11)이 삼각형을 이루지 않으려면 세 점이 한 직선 위에 있어야 한다. 즉, 직선 AB의 기울기와 직선 BC의 기울기가 같아야 하므로

$\frac{7-k}{k-1}=\frac{11-7}{5-k}$

$(7-k)(5-k)=4(k-1)$

$k^2-16k+39=0$

$(k-3)(k-13)=0$

$\therefore k=3$ 또는 $k=13$

따라서 모든 실수 k의 값의 합은 16이다. 답 ④

1785

> 두 점 A(2, −3), B(−2, 1)을 지나는 직선과 x축, y축으로 둘러싸인 도형의 넓이를 S라 할 때, $2S$의 값은?
> 공식 $y-y_1=\frac{y_2-y_1}{x_2-x_1}(x-x_1)$을 이용하자.

두 점 A(2, −3), B(−2, 1)을 지나는 직선의 방정식은

$y-(-3)=\frac{-3-1}{2-(-2)}(x-2)$

$\therefore y=-x-1$

이 직선의 x절편과 y절편은 모두 −1이므로 이 직선과 x축, y축으로 둘러싸인 삼각형의 넓이 S는

$S=\frac{1}{2}\times1\times1=\frac{1}{2}$

$\therefore 2S=1$ 답 ①

1786

> 세 점 A(1, 2), B(4, 5), C(2, −3)을 꼭짓점으로 하는 삼각형 ABC에 대하여 점 A를 지나고, 삼각형 ABC의 넓이를 이등분하는 직선의 방정식은?
> $\overline{BC}$의 중점을 지난다.

점 A를 지나고, △ABC의 넓이를 이등분하는 직선은 두 점 B(4, 5), C(2, −3)의 중점을 지나는 직선이므로 두 점 B, C의 중점을 M이라 하면

$M\left(\frac{4+2}{2}, \frac{5+(-3)}{2}\right)$

$\therefore$ M(3, 1)

따라서 두 점 A(1, 2), M(3, 1)을 지나는 직선의 방정식은

$y-2=\frac{1-2}{3-1}(x-1)$

$\therefore x+2y-5=0$ 답 ②

1787

> 점 (−1, −6)을 지나며 그림과 같은 마름모 ABCD의 넓이를 이등분하는 직선의 방정식을 $y=ax+b$라 할 때, 두 상수 a, b의 합 $a+b$의 값은?
> 두 대각선의 교점을 지난다.
>
> (그림: y, 4, 2, O, 3, 6, x, A, B, C, D)

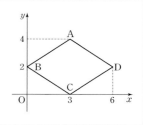

마름모의 넓이를 이등분하는 직선은 두 대각선의 교점 (3, 2)를 지나야

하므로 구하는 직선은 두 점 $(-1,\ -6)$, $(3,\ 2)$를 지난다.
즉, 구하는 직선의 방정식은

$y-2=\frac{2-(-6)}{3-(-1)}(x-3)$ $\therefore y=2x-4$

따라서 $a=2$, $b=-4$이므로

$a+b=-2$ 답 ①

1788

> 직선 $x+ay-1=0$과 x축, y축으로 둘러싸인 삼각형의 넓이가 $\frac{1}{8}$일 때, 양수 a의 값은?
> → 공식 $\frac{x}{a}+\frac{y}{b}=1$을 이용하여 x절편, y절편을 구하자.

$x+ay=1$에서 $\frac{x}{1}+\frac{y}{\frac{1}{a}}=1$이므로 x절편은 1, y절편은 $\frac{1}{a}$이다.

이때, a가 양수이므로 직선 $x+ay-1=0$은 그림과 같고, 어두운 부분의 넓이가 $\frac{1}{8}$이므로

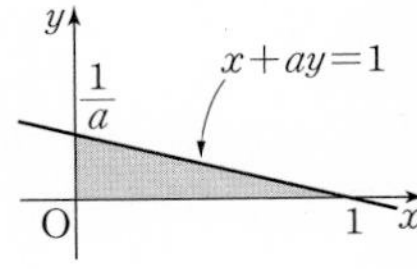

$\frac{1}{2}\times1\times\frac{1}{a}=\frac{1}{8}$

$\therefore a=4$ 답 ④

참고 직선 $x+ay-1=0$은 a의 값에 관계없이 점 $(1,\ 0)$을 반드시 지남을 이용해서 풀어도 된다.

1789

> 두 상수 a, b에 대하여 좌표평면 위의 두 직선 $y=ax-8$, $y=x+b$의 교점이 점 $(3,\ 4)$일 때, 두 직선과 x축으로 둘러싸인 삼각형의 넓이는?
> → $x=3$, $y=4$를 두 직선에 각각 대입하자.

두 직선 $y=ax-8$, $y=x+b$의 교점이 점 $(3,\ 4)$이므로

$4=3a-8$, $4=3+b$

$\therefore a=4$, $b=1$

즉, 주어진 두 직선은 $y=4x-8$, $y=x+1$이다.

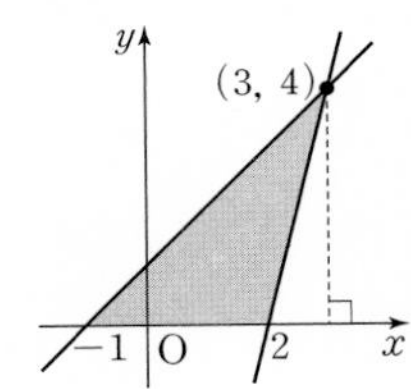

따라서 두 직선의 x절편은 각각 2와 -1이므로 구하는 삼각형의 넓이는

$\frac{1}{2}\times3\times4=6$ 답 ②

1790

> 직선 $\frac{x}{2}+\frac{y}{4}=1$과 x축, y축으로 둘러싸인 부분의 넓이를 직선 $y=mx$가 이등분할 때, 상수 m의 값은?
> → $\overline{AB}$의 중점을 지난다.

$\frac{x}{2}+\frac{y}{4}=1$이 x축, y축과 만나는 점을 각각 A, B라 하면

A$(2,\ 0)$, B$(0,\ 4)$

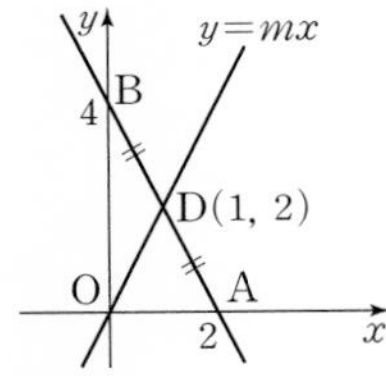

그림과 같이 $y=mx$가 선분 AB의 중점을 지날 때 삼각형 ABO의 넓이는 이등분된다.
따라서 선분 AB의 중점을 D라 하면 직선 $y=mx$는 점 D$(1,\ 2)$를 지나므로

$m=2$ 답 ④

1791

> 직선 $\frac{x}{a}+\frac{y}{b}=1$과 x축, y축의 교점을 각각 P, Q라 하자. 삼각형 OPQ의 넓이가 4일 때, $\overline{OP}\cdot\overline{OQ}$의 값을 구하시오. (단, a, b는 양수이다.)
> → x절편은 a, y절편은 b이다.

직선 $\frac{x}{a}+\frac{y}{b}=1$ $(a>0,\ b>0)$의 그래프는 x절편이 a, y절편이 b이므로 그림과 같다.
삼각형 OPQ의 넓이를 S라 하면

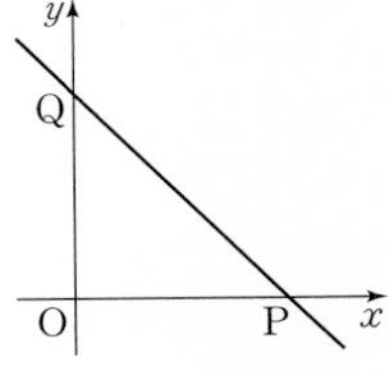

$S=\frac{1}{2}\cdot a\cdot b=4$

$\therefore ab=8$

$\therefore \overline{OP}\cdot\overline{OQ}=8$ 답 8

1792

> 그림과 같이 두 직선 $y=x+2$, $y=-2x+8$이 x축과 만나는 점을 각각 A, B라 하고 두 직선의 교점을 C라 하자. 점 C를 지나고, 삼각형 ABC의 넓이를 이등분하는 직선의 방정식을 $y=ax+b$라 할 때, 두 상수 a, b에 대하여 ab의 값을 구하시오.
> → $\overline{AB}$의 중점을 지난다.

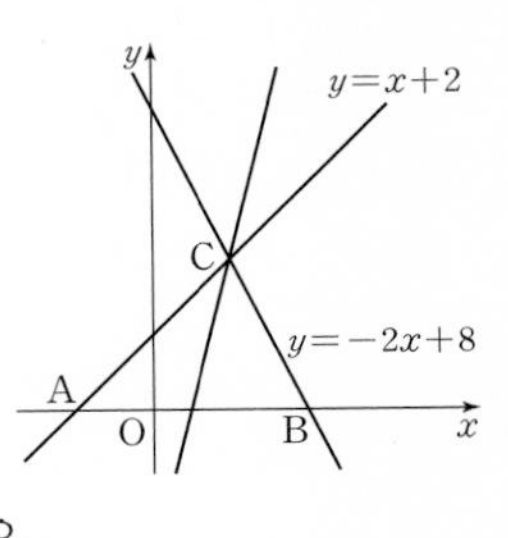

두 점 A, B의 좌표는 A$(-2,\ 0)$, B$(4,\ 0)$
점 C는 두 직선 $y=x+2$, $y=-2x+8$의 교점이므로 연립하여 풀면

$x=2$, $y=4$

$\therefore$ C$(2,\ 4)$

이때, 삼각형 ABC의 넓이를 이등분하는 직선은 두 점 A, B의 중점 $\left(\frac{-2+4}{2},\ \frac{0+0}{2}\right)$, 즉 점 $(1,\ 0)$과 점 C$(2,\ 4)$를 지나므로 직선의 방정식은

$y=\frac{4-0}{2-1}(x-1)$

$\therefore y=4x-4$

따라서 $a=4$, $b=-4$이므로

$ab=-16$ 답 -16

1793

그림과 같이 일차함수 $y=-\frac{4}{3}x+4$의 그래프가 x축, y축과 만나는 점을 각각 A, B라 하자. 일차함수 $y=ax+2$의 그래프가 y축과 만나는 점을 C, 일차함수 $y=-\frac{4}{3}x+4$의 그래프와 제1사분면에서 만나는 점을 D라 하자. 삼각형 BCD와 사각형 COAD의 넓이의 비가 $1:2$일 때, 상수 a의 값을 구하시오. (단, O는 원점이다.) → 삼각형 OAB의 넓이는 6임을 이용하자.

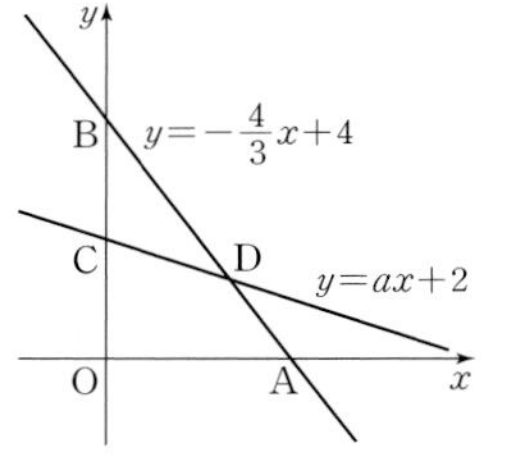

두 점 A, B의 좌표는 A(3, 0), B(0, 4)이므로

$\triangle OAB=\frac{1}{2}\times\overline{OA}\times\overline{OB}=\frac{1}{2}\times3\times4=6$

삼각형 BCD의 넓이를 S_1,

사각형 COAD의 넓이를 S_2라 하면

$S_1:S_2=1:2$이므로 $S_2=2S_1$

즉, $S_1+S_2=3S_1=6$에서 $S_1=2$

이때, 점 C의 좌표는 C(0, 2)이므로

$\overline{BC}=4-2=2$

점 D의 x좌표를 k라 하면

$S_1=\frac{1}{2}\times2\times k=2$ $\therefore k=2$

점 D는 직선 $y=-\frac{4}{3}x+4$ 위의 점이므로

$x=2$를 대입하면 $y=\frac{4}{3}$ $\therefore D\left(2, \frac{4}{3}\right)$

따라서 점 $D\left(2, \frac{4}{3}\right)$는 직선 $y=ax+2$ 위의 점이므로

$\frac{4}{3}=2a+2$ $\therefore a=-\frac{1}{3}$ 답 $-\frac{1}{3}$

1794

$\frac{a}{c}<0$, $\frac{c}{b}>0$일 때, 직선 $ax+by+c=0$이 지나는 사분면은?

→ a, c는 서로 다른 부호, b, c는 같은 부호

$\frac{a}{c}<0$에서 a, c는 서로 다른 부호이고, $\frac{c}{b}>0$에서 b, c는 같은 부호이므로 a, b는 서로 다른 부호이다.

$ax+by+c=0$에서

$y=-\frac{a}{b}x-\frac{c}{b}$

이때, $-\frac{a}{b}>0$, $-\frac{c}{b}<0$이므로

주어진 직선은 그림과 같이 제1, 3, 4사분면을 지난다.

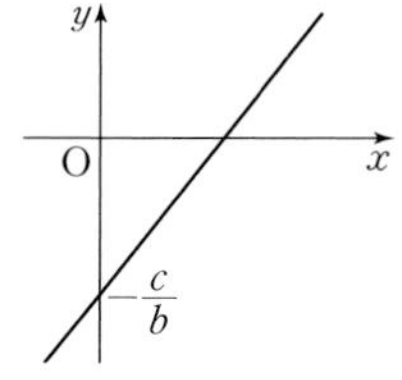

답 ③

1795

직선 $ax+by+c=0$이 그림과 같을 때, 직선 $cx+by+a=0$이 지나지 않는 사분면을 구하시오.

→ a, c는 서로 다른 부호, b, c는 같은 부호

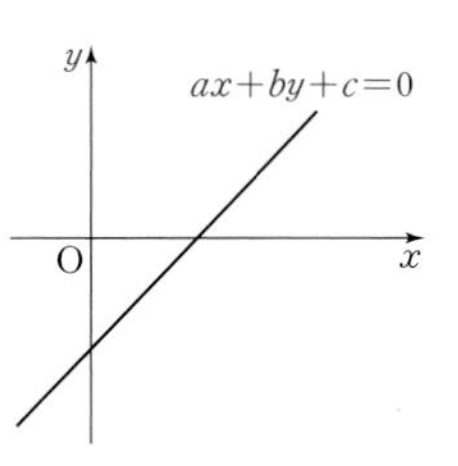

$ax+by+c=0$에서 $y=-\frac{a}{b}x-\frac{c}{b}$이고,

(기울기)$=-\frac{a}{b}>0$, (y절편)$=-\frac{c}{b}<0$이므로

a, b는 서로 다른 부호이고, b, c는 같은 부호이다.

이때, 직선 $cx+by+a=0$에서 $y=-\frac{c}{b}x-\frac{a}{b}$이고,

(기울기)$=-\frac{c}{b}<0$,

(y절편)$=-\frac{a}{b}>0$

이므로 직선 $cx+by+a=0$은 그림과 같이 제3사분면을 지나지 않는다.

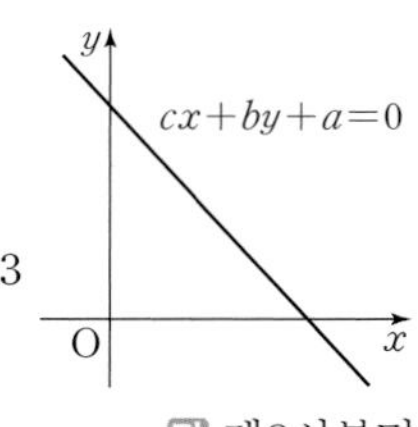

답 제3사분면

1796

좌표평면 위에서 두 직선

$l: y=ax+b$, → $a<0$, $b>0$

$m: y=cx+d$ → $c>0$, $d<0$

가 그림과 같을 때, 〈보기〉에서 옳은 것만을 있는 대로 고른 것은?

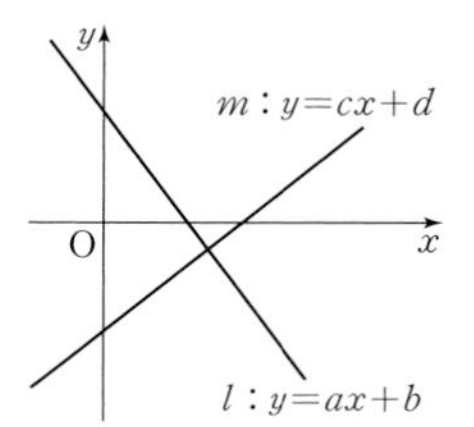

보기

ㄱ. $ac>0$ ㄴ. $b>d$ ㄷ. $\frac{b}{a}>\frac{d}{c}$

$l: y=ax+b$에서 $a<0$, $b>0$

$m: y=cx+d$에서 $c>0$, $d<0$

ㄱ. $ac<0$ (거짓)

ㄴ. $b>d$ (참)

ㄷ. 두 직선 l, m이 x축과 만나는 점의 x좌표는 각각 $-\frac{b}{a}$, $-\frac{d}{c}$

그런데 주어진 그림에서 $-\frac{b}{a}<-\frac{d}{c}$

$\therefore \frac{b}{a}>\frac{d}{c}$ (참)

따라서 옳은 것만을 있는 대로 고른 것은 ㄴ, ㄷ이다. 답 ④

1797

> 두 직선 $(2+k)x-y-10=0$과 $y=-\frac{1}{3}x+1$이 서로 수직일 때, 상수 k의 값은? 수직 조건 $mm'=-1$을 이용하자.

두 직선 $(2+k)x-y-10=0$과 $y=-\frac{1}{3}x+1$이 서로 수직이므로

$(2+k)\left(-\frac{1}{3}\right)=-1$에서 $2+k=3$

$\therefore k=1$

답 ④

1798

> 두 직선 $x+ky-1=0$, $kx+(2k+3)y-3=0$이 서로 평행할 때, 상수 k의 값을 구하시오.
> 평행 조건 $\frac{a}{a'}=\frac{b}{b'}\neq\frac{c}{c'}$를 이용하자.

두 직선이 서로 평행하므로 $\frac{1}{k}=\frac{k}{2k+3}\neq\frac{-1}{-3}$이어야 한다.

즉, $2k+3=k^2$에서 $k^2-2k-3=0$

$(k+1)(k-3)=0$

$\therefore k=-1$ 또는 $k=3$

이때, $k=3$이면 두 직선이 일치하므로

$k=-1$일 때 서로 평행하다.

답 -1

1799

> 세 직선
>
> $l : y=-\frac{1}{2}x+2$,
>
> $m : x+2y-2=0$, $y=-\frac{1}{2}x+1$
>
> $n : 2x-y+4=0$ $y=2x+4$
>
> 에 대하여 〈보기〉에서 옳은 것만을 있는 대로 고른 것은?
>
> **보기**
>
> ㄱ. $l /\!/ m$ ㄴ. $m\perp n$ ㄷ. $l\perp n$

직선 l은 $y=-\frac{1}{2}x+2$

직선 m은 $x+2y-2=0$에서 $y=-\frac{1}{2}x+1$

직선 n은 $2x-y+4=0$에서 $y=2x+4$

ㄱ. 두 직선 l과 m은 기울기가 같고, y절편이 다르므로 서로 평행하다.

$\therefore l /\!/ m$ (참)

ㄴ. 두 직선 m과 n의 기울기의 곱이

$\left(-\frac{1}{2}\right)\cdot 2=-1$

이므로 서로 수직이다.

$\therefore m\perp n$ (참)

ㄷ. $l /\!/ m$이고 $m\perp n$이므로 $l\perp n$이다. (참)

따라서 ㄱ, ㄴ, ㄷ 모두 옳다.

답 ⑤

1800

> 직선 $2x-ay+1=0$이 직선 $2x+3y-4=0$과 서로 평행하고 점 $(-5, b)$를 지날 때, $a+b$의 값은? (단, a는 상수이다.)
> 평행 조건 $\frac{a}{a'}=\frac{b}{b'}\neq\frac{c}{c'}$를 이용하자.

두 직선 $2x-ay+1=0$, $2x+3y-4=0$이 평행하므로

$\frac{2}{2}=\frac{-a}{3}\neq\frac{1}{-4}$

$\therefore a=-3$

또 직선 $2x+3y+1=0$이 점 $(-5, b)$를 지나므로

$-10+3b+1=0$, $3b=9$

$\therefore b=3$

$\therefore a+b=0$

답 ③

1801

> 수직 조건 $aa'+bb'=0$을 이용하자.
>
> 직선 $x+ay+2=0$이 직선 $3x-by+5=0$과는 수직이고, 직선 $x-(b-4)y-2=0$과는 평행할 때, a^2+b^2의 값은? (단, a, b는 상수이다.)

$x+ay+2=0$ ······㉠

$3x-by+5=0$ ······㉡

$x-(b-4)y-2=0$ ······㉢

주어진 조건에서 ㉠과 ㉡이 수직이므로

$1\cdot 3+a\cdot(-b)=0$

$\therefore ab=3$ ······㉣

또한, ㉠과 ㉢이 평행하므로

$\frac{1}{1}=\frac{a}{-(b-4)}\neq\frac{2}{-2}$

$\therefore a+b=4$ ······㉤

㉣, ㉤에서

$a^2+b^2=(a+b)^2-2ab$

$=4^2-2\cdot 3=10$

답 ②

1802

> 점 $\mathrm{P}(a, b)$가 직선 $\frac{x}{4}+\frac{y}{3}=1$ 위를 움직이고, 직선 $\frac{a}{4}x+\frac{b}{3}y=1$이 직선 $\frac{x}{4}+\frac{y}{3}=1$에 평행할 때, 점 P의 좌표를 구하시오. $3ax+4by=12$

점 $\mathrm{P}(a, b)$가 직선 $\frac{x}{4}+\frac{y}{3}=1$ 위를 움직이므로

$\frac{a}{4}+\frac{b}{3}=1$

$\therefore 3a+4b=12$ ······㉠

$\frac{a}{4}x+\frac{b}{3}y=1$은 직선 $\frac{x}{4}+\frac{y}{3}=1$에 평행하므로

$3ax+4by=12$와 $3x+4y=12$도 평행하다.

$\frac{3a}{3}=\frac{4b}{4}\neq\frac{12}{12}$

$\therefore a=b\neq 1$ ······㉡

㉠, ㉡에서 $a=b=\frac{12}{7}$

$\therefore \mathrm{P}\left(\frac{12}{7}, \frac{12}{7}\right)$ 답 $\mathrm{P}\left(\frac{12}{7}, \frac{12}{7}\right)$

1803 공식 $y-y_1=-\frac{1}{m}(x-x_1)$을 이용하자.

> 점 (1, 2)를 지나고, 직선 $x-2y+3=0$에 수직인 직선의 방정식이 $ax+y+b=0$일 때, 두 상수 a, b의 곱 ab의 값은?

두 직선 $x-2y+3=0$, $ax+y+b=0$이 서로 수직이므로
$1\cdot a+(-2)\cdot 1=0$
$\therefore a=2$
또 직선 $2x+y+b=0$이 점 (1, 2)를 지나므로
$2+2+b=0$
$\therefore b=-4$
$\therefore ab=-8$ 답 ①

1804

> 점 $(-1, 2)$를 지나고, 두 점 $(-1, 1)$, $(2, 10)$을 지나는 직선에 평행한 직선의 방정식을 $y=ax+b$라 할 때, 두 상수 a, b에 대하여 ab의 값은? 기울기는 $\frac{10-1}{2-(-1)}=3$이다.

두 점 $(-1, 1)$, $(2, 10)$을 지나는 직선의 기울기는
$\frac{10-1}{2-(-1)}=3$
평행한 두 직선의 기울기는 같으므로 구하는 직선의 기울기는 3이다.
즉, 기울기가 3이고, 점 $(-1, 2)$를 지나는 직선의 방정식은
$y-2=3(x+1)$ $\therefore y=3x+5$
따라서 $a=3$, $b=5$이므로
$ab=15$ 답 ⑤

1805 공식 $\left(\frac{mx_2+nx_1}{m+n}, \frac{my_2+ny_1}{m+n}\right)$을 이용하자.

> 좌표평면 위의 두 점 A(4, 5), B(1, 2)에 대하여 선분 AB를 1 : 2로 내분하는 점을 지나고, 직선 AB에 수직인 직선의 방정식을 $ax+y+b=0$이라 할 때, $a-b$의 값을 구하시오. (단, a, b는 상수이다.)

선분 AB를 1 : 2로 내분하는 점의 좌표는
$\left(\frac{1\cdot1+2\cdot4}{1+2}, \frac{1\cdot2+2\cdot5}{1+2}\right)$ $\therefore (3, 4)$
또 직선 AB의 기울기가
$\frac{5-2}{4-1}=1$
이므로 직선 AB에 수직인 직선의 기울기는 -1이다.
즉, 점 (3, 4)를 지나고, 기울기가 -1인 직선의 방정식은
$y-4=-(x-3)$
$\therefore x+y-7=0$
따라서 $a=1$, $b=-7$이므로
$a-b=8$ 답 8

1806

> 두 점 A(1, 3), B(4, 0)을 이은 선분 AB를 수직이등분하는 직선의 방정식은? $\overline{\mathrm{AB}}$의 중점을 지나며 두 직선의 기울기의 곱은 -1이다.

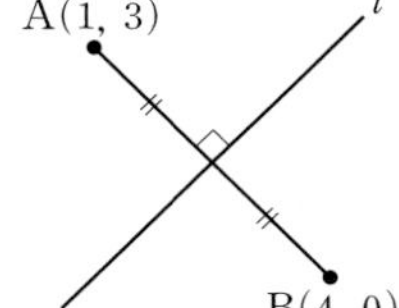

선분 AB를 수직이등분하는 직선을 l이라 하면 그림과 같이 직선 l은 직선 AB와 수직이고, 선분 AB의 중점을 지난다.
이때, 직선 l의 기울기를 m이라 하면
$m\cdot\frac{0-3}{4-1}=-1$ $\therefore m=1$
또 선분 AB의 중점의 좌표는
$\left(\frac{1+4}{2}, \frac{3+0}{2}\right)$, 즉 $\left(\frac{5}{2}, \frac{3}{2}\right)$
따라서 기울기가 1이고, 점 $\left(\frac{5}{2}, \frac{3}{2}\right)$을 지나는 직선의 방정식은
$y-\frac{3}{2}=1\cdot\left(x-\frac{5}{2}\right)$
$\therefore y=x-1$ 답 ⑤

1807 $\overline{\mathrm{AB}}$의 중점을 지나며 두 직선의 기울기의 곱은 -1이다.

> 두 점 A$(-1, 5)$, B$(7, -3)$을 이은 선분 AB의 수직이등분선이 x축, y축과 만나는 점을 각각 P, Q라 할 때, 삼각형 OQP의 넓이를 구하시오. (단, O는 원점이다.)

선분 AB의 중점의 좌표는 $\left(\frac{-1+7}{2}, \frac{5-3}{2}\right)$, 즉 (3, 1)이고,
직선 AB의 기울기는 $\frac{-3-5}{7-(-1)}=-1$이다.
즉, 선분 AB의 수직이등분선은 점 (3, 1)을 지나고 기울기가 1인 직선이므로 이 직선의 방정식은
$y-1=1\cdot(x-3)$
$\therefore y=x-2$
따라서 두 점 P, Q의 좌표는 각각 P(2, 0), Q$(0, -2)$이므로 삼각형 OQP의 넓이는
$\frac{1}{2}\cdot2\cdot2=2$ 답 2

1808

> 그림과 같이 두 점 P$(-2, 1)$, Q(a, b)를 이은 선분 PQ의 수직이등분선이 $x+y-3=0$일 때, ab의 값을 구하시오. $\overline{\mathrm{PQ}}$의 기울기는 1이다.

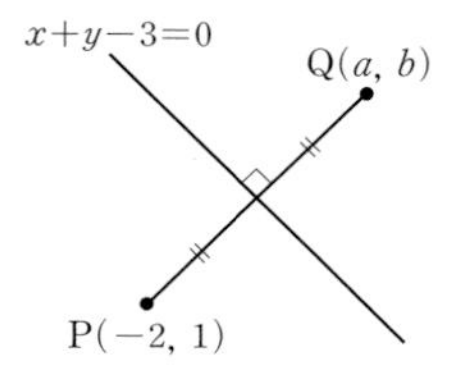

직선 PQ와 직선 $y=-x+3$이 수직이므로
(직선 PQ의 기울기)$=\frac{b-1}{a+2}=1$
$b-1=a+2$

$\therefore a-b=-3$ ……㉠

한편, 선분 PQ의 중점을 M이라 하면

$M\left(\frac{a-2}{2}, \frac{b+1}{2}\right)$

이때, 점 M이 직선 $y=-x+3$ 위에 있으므로

$\frac{b+1}{2}=-\frac{a-2}{2}+3$

$b+1=-a+2+6$

$\therefore a+b=7$ ……㉡

㉠, ㉡을 연립하여 풀면

$a=2, b=5$

$\therefore ab=10$

답 10

1809

두 점 $A(1, a)$, $B(9, b)$를 이은 선분 AB의 수직이등분선의 방정식이 $2x+y-15=0$일 때, ab의 값은?

$\overline{PQ}$의 기울기는 $\frac{1}{2}$이다.

두 점 $A(1, a)$, $B(9, b)$를 이은 선분 AB의 중점의 좌표는 $\left(5, \frac{a+b}{2}\right)$이고, 이 점이 직선 $2x+y-15=0$ 위에 있으므로

$10+\frac{a+b}{2}-15=0$

$\therefore a+b=10$ ……㉠

한편, 두 점 $A(1, a)$, $B(9, b)$를 지나는 직선의 기울기는 $\frac{b-a}{9-1}=\frac{b-a}{8}$이고, 수직이등분선의 기울기는 -2이므로

$\frac{b-a}{8}\times(-2)=-1 \quad \therefore b-a=4$ ……㉡

㉠, ㉡을 연립하여 풀면 $a=3, b=7$

$\therefore ab=21$

답 ②

1810

점 $P(2, -1)$에서 직선 $x-y+5=0$에 내린 수선의 발을 H라 하고 점 H의 좌표를 (a, b)라 할 때, ab의 값은?

$(2, -1)$을 지나며 기울기가 -1인 직선의 방정식을 구하자.

직선 PH는 주어진 직선 $y=x+5$에 수직이므로 점 $P(2, -1)$을 지나고 기울기가 -1인 직선의 방정식은

$y-(-1)=(-1)(x-2)$,

즉 $y=-x+1$

이때, 점 H는 두 직선

$y=x+5$, $y=-x+1$의 교점이므로

$x=-2$, $y=3$에서 $a=-2$, $b=3$

$\therefore ab=-6$

답 ②

1811

점 $A(3, 2)$의 직선 $2x-y-1=0$에 대한 대칭점의 좌표를 구하시오.

대칭점을 B라 하면 직선 $2x-y-1=0$은 $\overline{AB}$를 수직이등분한다.

대칭점의 좌표를 $B(a, b)$라 할 때, 직선 $2x-y-1=0$은 선분 AB를 수직이등분한다.

따라서 직선 $2x-y-1=0$은

(i) $\overline{AB}$의 중점인 $\left(\frac{3+a}{2}, \frac{2+b}{2}\right)$를 지나므로

$2\cdot\frac{3+a}{2}-\frac{2+b}{2}-1=0$

$2a-b+2=0$ ……㉠

(ii) 기울기가 $\frac{2-b}{3-a}$인 직선 AB에 수직이므로

$\frac{2-b}{3-a}\cdot 2=-1$

$a+2b-7=0$ ……㉡

㉠, ㉡을 연립하여 풀면

$a=\frac{3}{5}, b=\frac{16}{5}$

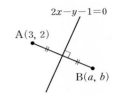

따라서 대칭점의 좌표는 $\left(\frac{3}{5}, \frac{16}{5}\right)$이다.

답 $\left(\frac{3}{5}, \frac{16}{5}\right)$

1812

세 직선 $x+2y=3$, $4x-3y=10$, $ax+y=-1$의 교점을 이은 삼각형이 직각삼각형이 될 때, 모든 실수 a의 값의 합은?

두 개의 직선이 수직이다.

$\begin{cases} x+2y=3 & \cdots\cdots ㉠ \\ 4x-3y=10 & \cdots\cdots ㉡ \\ ax+y=-1 & \cdots\cdots ㉢ \end{cases}$

㉠, ㉡, ㉢의 기울기는 각각 $-\frac{1}{2}, \frac{4}{3}, -a$이므로

㉠과 ㉡은 수직이 될 수 없다.

(i) ㉠과 ㉢이 수직일 때,

$-\frac{1}{2}\cdot(-a)=-1$

$\therefore a=-2$

(ii) ㉡과 ㉢이 수직일 때,

$\frac{4}{3}\cdot(-a)=-1$

$\therefore a=\frac{3}{4}$

(i), (ii)에 의하여 모든 실수 a의 값의 합은

$-2+\frac{3}{4}=-\frac{5}{4}$

답 ②

1813

서로 평행하지 않은 세 직선 $x+y-1=0$, $x-2y-4=0$, $3x-ky-4=0$이 삼각형을 만들 수 없을 때, 상수 k의 값을 구하시오.

한 점에서 만나야 한다.

서로 평행하지 않은 세 직선이 삼각형을 만들 수 없으려면 세 직선은 한 점에서 만나야 한다.
두 직선 $x+y-1=0$, $x-2y-4=0$의 교점의 좌표는 $(2,\ -1)$이므로 나머지 한 직선 $3x-ky-4=0$도 점 $(2,\ -1)$을 지나야 한다.
$3\cdot2-k\cdot(-1)-4=0$
$\therefore k=-2$ 답 -2

1814

세 직선 $x-2y=-2$, $4x+2y=12$, $kx-y=2$가 삼각형을 만들지 않도록 하는 모든 실수 k의 값의 곱은?
→ 적어도 두 직선이 평행 또는 일치하거나, 세 직선이 한 점에서 만나야 한다.

세 직선이 삼각형을 만들지 않으려면 임의의 두 직선이 평행하거나, 일치하거나 또는 세 직선이 한 점에서 만날 때이다.
$x-2y=-2$ ……㉠
$4x+2y=12$ ……㉡
$kx-y=2$ ……㉢
(i) ㉠, ㉡은 평행하거나 일치하지 않으므로 ㉠, ㉡의 교점을 ㉢이 지나면 한 점에서 만난다.
㉠, ㉡의 교점은 $(2,\ 2)$이므로 ㉢에 대입하면
$2k-2=2$ $\therefore k=2$
(ii) ㉠과 ㉢이 평행할 때는
$\frac{1}{k}=\frac{-2}{-1}\neq\frac{-2}{2}$ $\therefore k=\frac{1}{2}$
(iii) ㉡과 ㉢이 평행할 때는
$\frac{4}{k}=\frac{2}{-1}\neq\frac{12}{2}$ $\therefore k=-2$
(i), (ii), (iii)에서 $k=2$ 또는 $k=\frac{1}{2}$ 또는 $k=-2$이므로 모든 실수 k의 값의 곱은 -2이다. 답 ①

1815

직선 $y=(k+1)x+3k+5$는 실수 k의 값에 관계없이 항상 일정한 점 $(a,\ b)$를 지난다. 이때, $a+b$의 값은?
→ k에 관한 항등식으로 정리하자.

$y=(k+1)x+3k+5$를 k에 대하여 정리하면
$(x+3)k+(x-y+5)=0$
이 직선은 k의 값에 관계없이 항상 두 직선 $x+3=0$, $x-y+5=0$의 교점을 지나므로 점 $(-3,\ 2)$를 지난다.
$\therefore a+b=-3+2=-1$ 답 ②

1816

직선 $k(x-1)+(k-1)y=1$은 실수 k의 값에 관계없이 한 정점을 지난다. 이때, 이 점을 지나고, 직선 $y=2x+1$과 평행한 직선의 방정식은?
k에 관한 항등식으로 정리하자. ←

$k(x-1)+(k-1)y=1$을 k에 대하여 정리하면
$(x+y-1)k-y-1=0$ ……㉠
㉠이 k의 값에 관계없이 항상 성립하므로
$x+y-1=0$, $-y-1=0$
두 식을 연립하여 x, y의 값을 구하면
$x=2$, $y=-1$
따라서 주어진 직선은 k의 값에 관계없이 점 $(2,\ -1)$을 지난다.
이때, 점 $(2,\ -1)$을 지나고, 직선 $y=2x+1$에 평행한 직선의 방정식은
$y+1=2(x-2)$ $\therefore y=2x-5$ 답 ④

1817

x, y에 대한 일차방정식 $x-ky-4k=0$이 나타내는 직선과 x축 및 y축으로 둘러싸인 삼각형의 넓이가 32일 때, 양수 k의 값을 구하시오.
→ 일정한 한 점을 지난다.

$x-ky-4k=0$을 k에 대하여 정리하면
$x-k(y+4)=0$ ……㉠
㉠은 k의 값에 관계없이 항상 점 $(0,\ -4)$를 지난다.
또 $y=0$일 때, $x=4k$이고, $k>0$이므로 삼각형의 넓이는
$\frac{1}{2}\times4\times4k=32$
$\therefore k=4$ 답 4

1818

→ 일정한 한 점을 지난다.

직선 $y=kx-2k+2$가 세 점 $\mathrm{A}(2,\ 2)$, $\mathrm{B}(-2,\ -1)$, $\mathrm{C}(4,\ -3)$을 꼭짓점으로 하는 삼각형 ABC의 넓이를 이등분할 때, 상수 k의 값은?

$y=kx-2k+2$를 k에 대하여 정리하면
$(x-2)k+(-y+2)=0$ ……㉠
㉠은 k의 값에 관계없이 항상 점 $(2,\ 2)$를 지난다.
따라서 점 $\mathrm{A}(2,\ 2)$를 지나고, $\triangle$ABC의 넓이를 이등분하는 직선은 $\overline{\mathrm{BC}}$의 중점을 지나는 직선이므로
$\overline{\mathrm{BC}}$의 중점의 좌표를 구하면
$\left(\frac{-2+4}{2},\ \frac{-1-3}{2}\right)$ $\therefore (1,\ -2)$
이 점의 x, y좌표를 $y=kx-2k+2$에 대입하면
$-2=k\cdot1-2k+2$ $\therefore k=4$ 답 ④

1819

→ 항상 지나는 정점에서 색칠한 부분과 만나도록 직선을 그어보자.

직선 $y=m(x+2)-1$이 그림의 색칠한 부분과 만나도록 하는 상수 m의 최댓값과 최솟값의 합을 구하시오.
(단, 경계선을 포함한다.)

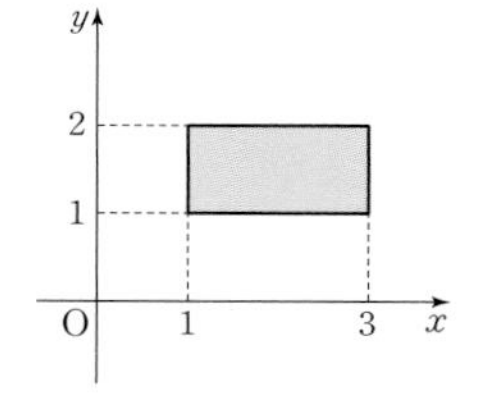

$y=m(x+2)-1$에서

$(x+2)m-(y+1)=0$ ⋯⋯ ㉠

직선 ㉠은 m의 값에 관계없이 항상 점 $(-2, -1)$을 지난다.

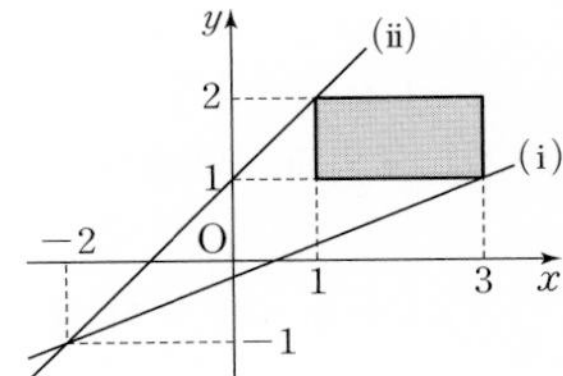

(i) 직선 ㉠이 점 $(3, 1)$을 지날 때,

$5m-2=0 \quad \therefore m=\frac{2}{5}$

(ii) 직선 ㉠이 점 $(1, 2)$를 지날 때,

$3m-3=0 \quad \therefore m=1$

(i), (ii)에 의하여 상수 m의 값의 범위는

$\frac{2}{5} \le m \le 1$

따라서 최댓값은 1, 최솟값은 $\frac{2}{5}$이므로 그 합은 $\frac{7}{5}$이다. 답 $\frac{7}{5}$

1820

> 두 직선 $2x+y-4=0$과 $mx-y-3m+1=0$이 제1사분면에서 만나도록 하는 실수 m의 값의 범위를 $a<m<b$라 할 때, $a+b$의 값을 구하시오.
>
> 항상 지나는 정점에서 주어진 직선과 제1사분면에서 만나도록 직선을 그어보자.

$mx-y-3m+1=0$에서

$m(x-3)-(y-1)=0$ ⋯⋯ ㉠

직선 ㉠은 m의 값에 관계없이 항상 점 $(3, 1)$을 지난다.

또한, $y=mx-3m+1$이므로 직선 ㉠은 기울기가 m인 직선이다.

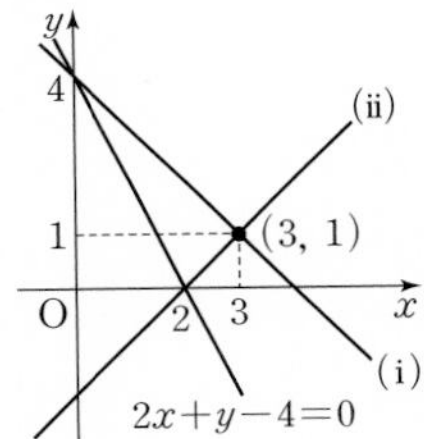

(i) 직선 ㉠이 점 $(0, 4)$를 지날 때,

$-3m-3=0 \quad \therefore m=-1$

(ii) 직선 ㉠이 점 $(2, 0)$을 지날 때,

$-m+1=0 \quad \therefore m=1$

(i), (ii)에 의하여 두 직선이 제1사분면에서 만나려면

$-1<m<1$이므로

$a=-1, b=1$

$\therefore a+b=0$ 답 0

1821

> 공식 $ax+by+c+k(a'x+b'y+c')=0$을 이용하자.
>
> 두 직선 $2x+y=3$, $x-4y-1=0$의 교점과 점 $(3, 1)$을 지나는 직선의 방정식을 $ax+by-5=0$이라 할 때, 두 상수 a, b의 합 $a+b$의 값을 구하시오.

두 직선 $2x+y=3$, $x-4y-1=0$의 교점을 지나는 직선의 방정식은

$(2x+y-3)+k(x-4y-1)=0$ ⋯⋯ ㉠

직선 ㉠이 점 $(3, 1)$을 지나므로

$4-2k=0 \quad \therefore k=2$

$k=2$를 ㉠에 대입하면

$(2x+y-3)+2(x-4y-1)=0$

$\therefore 4x-7y-5=0$

따라서 $a=4$, $b=-7$이므로

$a+b=-3$ 답 -3

1822

> 공식 $ax+by+c+k(a'x+b'y+c')=0$을 이용하자.
>
> 두 직선 $x+y-1=0$, $x-2y+2=0$의 교점을 지나고, 직선 $4x+y-3=0$에 수직인 직선의 방정식은 $ax+by-4=0$이다. 이때, 상수 a, b에 대하여 $a+b$의 값은?

두 직선 $x+y-1=0$, $x-2y+2=0$의 교점을 지나는 직선의 방정식은

$(x+y-1)+k(x-2y+2)=0$

$(k+1)x+(1-2k)y+2k-1=0$

$\therefore y=\frac{k+1}{2k-1}x+1$ ⋯⋯ ㉠

한편, $4x+y-3=0$에서 $y=-4x+3$ ⋯⋯ ㉡

㉠, ㉡이 서로 수직이므로

$\frac{k+1}{2k-1}\cdot(-4)=-1$

$4k+4=2k-1$

$\therefore k=-\frac{5}{2}$

따라서 $k=-\frac{5}{2}$를 ㉠에 대입하면

$y=\frac{1}{4}x+1$, $-x+4y-4=0$

$\therefore a=-1, b=4$

$\therefore a+b=3$ 답 ⑤

다른풀이 두 직선 $x+y-1=0$, $x-2y+2=0$의 교점 $(0, 1)$을 지나고 직선 $4x+y-3=0$에 수직이므로 직선의 기울기는 $\frac{1}{4}$이다.

따라서 구하는 직선의 방정식은

$y-1=\frac{1}{4}(x-0)$, $-x+4y-4=0$

$\therefore a=-1, b=4$

$\therefore a+b=3$

1823

> 직선 $(2k-1)x+(k+3)y-(k+10)=0$은 두 직선 l_1, l_2의 교점을 지나는 직선을 나타낸다. 두 직선 l_1, l_2의 교점과 원점 사이의 거리를 구하시오.
>
> k에 관한 항등식으로 정리하자.

$(2k-1)x+(k+3)y-(k+10)=0$에서

$k(2x+y-1)+(-x+3y-10)=0$이므로

두 직선 $2x+y-1=0$과 $-x+3y-10=0$의 교점을 지나는 직선의

방정식이다.
즉, 두 식 $2x+y=1$, $-x+3y=10$을 연립하여 풀면
$x=-1$, $y=3$
따라서 두 직선의 교점의 좌표는 $(-1, 3)$이므로 교점과 원점 사이의 거리는
$\sqrt{(-1)^2+3^2}=\sqrt{10}$

답 $\sqrt{10}$

1824

공식 $d=\dfrac{|ax_1+by_1+c|}{\sqrt{a^2+b^2}}$를 이용하자.

> 점 $(-1, a)$와 직선 $12x-5y-4=0$ 사이의 거리가 2일 때, 양수 a의 값은?

점 $(-1, a)$와 직선 $12x-5y-4=0$ 사이의 거리가 2이므로
$\dfrac{|12\cdot(-1)-5\cdot a-4|}{\sqrt{12^2+(-5)^2}}=2$
$\dfrac{|-5a-16|}{13}=2$, $|-5a-16|=26$
$5a+16=\pm26$
$\therefore a=2$ ($\because a>0$)

답 ④

1825

공식 $d=\dfrac{|ax_1+by_1+c|}{\sqrt{a^2+b^2}}$를 이용하자.

> 점 $(1, -1)$과 직선 $3x-4y+k=0$ 사이의 거리가 3일 때, 모든 실수 k의 값의 합을 구하시오.

점 $(1, -1)$과 직선 $3x-4y+k=0$ 사이의 거리가 3이므로
$\dfrac{|3\cdot1-4\cdot(-1)+k|}{\sqrt{3^2+(-4)^2}}=3$
$\dfrac{|7+k|}{5}=3$, $|7+k|=15$
$7+k=\pm15$
$\therefore k=-22$ 또는 $k=8$
따라서 모든 실수 k의 값의 합은
$-22+8=-14$

답 -14

1826

> $\triangle$ABC의 두 꼭짓점이 $A(-1, 3)$, $B(2, 4)$이고 무게중심이 $(-2, 5)$일 때, 꼭짓점 C와 직선 $x+2y=-1$ 사이의 거리는?
> 공식 $G\left(\dfrac{x_1+x_2+x_3}{3}, \dfrac{y_1+y_2+y_3}{3}\right)$을 이용하여 C의 좌표를 구하자.

점 C의 좌표를 (x, y)라 하면
$\dfrac{-1+2+x}{3}=-2$, $\dfrac{3+4+y}{3}=5$
$\therefore x=-7$, $y=8$
따라서 점 $C(-7, 8)$과 직선 $x+2y=-1$ 사이의 거리 d는
$d=\dfrac{|-7+2\cdot8+1|}{\sqrt{1^2+2^2}}=\dfrac{10}{\sqrt5}=2\sqrt5$

답 ②

1827

> 두 직선 $2x+5y=0$, $x+3y=1$의 교점과 직선 $3x+2y=2$ 사이의 거리를 구하시오.
> 연립방정식으로 교점의 좌표를 구하자.

두 식 $2x+5y=0$, $x+3y=1$을 연립하여 풀면 $x=-5$, $y=2$이므로 두 직선 $2x+5y=0$, $x+3y=1$의 교점의 좌표는
$(-5, 2)$이다.
따라서 점 $(-5, 2)$와 직선 $3x+2y-2=0$ 사이의 거리는
$\dfrac{|-15+4-2|}{\sqrt{3^2+2^2}}=\dfrac{13}{\sqrt{13}}=\sqrt{13}$

답 $\sqrt{13}$

1828

> 직선 $2x-y-2=0$에 대하여 점 $A(5, 3)$의 대칭점을 B라 할 때, 선분 AB의 길이를 구하시오.
> 직선 $2x-y-2=0$은 $\overline{AB}$를 수직이등분한다.

두 점 A, B는 직선 $2x-y-2=0$에 대하여 서로 대칭이고, 선분 AB의 중점을 M이라 하면 점 M은 직선 $2x-y-2=0$ 위에 있다.

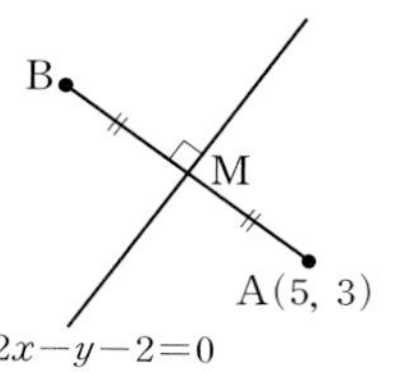

그러므로 선분 AM의 길이는 점 A와 직선 $2x-y-2=0$ 사이의 거리와 같다.
$\therefore \overline{AM}=\dfrac{|10-3-2|}{\sqrt{2^2+(-1)^2}}=\dfrac{5}{\sqrt5}=\sqrt5$
$\therefore \overline{AB}=2\overline{AM}=2\sqrt5$

답 $2\sqrt5$

1829

k에 관한 항등식으로 정리하자.

> 직선 $(1-k)x+(2+k)y+4k-1=0$은 실수 k의 값에 관계없이 한 점 A를 지난다. 점 A와 직선 $2x-y+m=0$ 사이의 거리가 $\sqrt5$일 때, 상수 m의 값을 모두 구하시오.

$(1-k)x+(2+k)y+4k-1=0$을 k에 대하여 정리하면
$(-x+y+4)k+(x+2y-1)=0$ ······㉠
㉠이 k의 값에 관계없이 항상 성립하므로
$-x+y+4=0$, $x+2y-1=0$
$\therefore x=3$, $y=-1$
즉, 직선이 k의 값에 관계없이 지나는 점 A의 좌표는
$A(3, -1)$
점 A와 직선 $2x-y+m=0$ 사이의 거리가 $\sqrt5$이므로
$\dfrac{|2\cdot3-(-1)+m|}{\sqrt{2^2+(-1)^2}}=\sqrt5$
$|7+m|=5$, $7+m=\pm5$
$\therefore m=-12$ 또는 $m=-2$

답 $m=-12$ 또는 $m=-2$

1830

좌표평면 위에 세 점 $A(0, 0)$, $B(1, 5)$, $C(3, 3)$이 있다. 점 A와 직선 BC 사이의 거리를 구하시오.

└ 직선 BC의 방정식을 구하자.

직선 BC의 방정식은

$y-3=\frac{5-3}{1-3}(x-3)$

$\therefore x+y-6=0$

따라서 점 $A(0, 0)$과 직선 $x+y-6=0$ 사이의 거리는

$\frac{|-6|}{\sqrt{1^2+1^2}}=\frac{6}{\sqrt{2}}=3\sqrt{2}$ 답 $3\sqrt{2}$

1831

공식 $ax+by+c+k(a'x+b'y+c')=0$을 이용하자.

두 직선 $x-y-2=0$, $x+y=0$의 교점을 지나는 직선과 원점 사이의 거리를 d라 할 때, d의 최댓값은?

두 직선 $x-y-2=0$, $x+y=0$의 교점을 지나는 직선의 방정식은

$(x-y-2)+k(x+y)=0$이므로

$(k+1)x+(k-1)y-2=0$

이 직선과 원점 사이의 거리 d는

$d=\frac{|-2|}{\sqrt{(k+1)^2+(k-1)^2}}$

$=\frac{2}{\sqrt{2(k^2+1)}}=\frac{\sqrt{2}}{\sqrt{k^2+1}}$

이때, 거리 d가 최대이려면 분모가 최소일 때이다.

따라서 $k=0$일 때, d의 최댓값은 $\sqrt{2}$이다. 답 ②

1832

공식 $d=\frac{|ax_1+by_1+c|}{\sqrt{a^2+b^2}}$를 이용하자.

원점에서 직선 $(k+2)x+(k+1)y-5=0$에 내린 수선의 길이를 $f(k)$라 할 때, $f(k)$의 최댓값은? (단, k는 실수이다.)

원점과 주어진 직선 사이의 거리가 $f(k)$이므로

$f(k)=\frac{|-5|}{\sqrt{(k+2)^2+(k+1)^2}}$

$=\frac{5}{\sqrt{2k^2+6k+5}}$

$=\frac{5}{\sqrt{2\left(k+\frac{3}{2}\right)^2+\frac{1}{2}}}$

따라서 $\sqrt{2\left(k+\frac{3}{2}\right)^2+\frac{1}{2}}$이 최소일 때, $f(k)$가 최대이므로

구하는 최댓값은

$f\left(-\frac{3}{2}\right)=5\sqrt{2}$ 답 ⑤

1833

평행한 두 직선 $x+y-1=0$과 $x+y+3=0$ 사이의 거리는?

$x+y-1=0$ 위의 한 점을 잡아 $x+y+3=0$과의 거리를 구하자.

주어진 두 직선은 평행하므로 직선 $x+y-1=0$ 위의 한 점 $(1, 0)$과 직선 $x+y+3=0$ 사이의 거리는

$\frac{|1+0+3|}{\sqrt{1^2+1^2}}=\frac{4}{\sqrt{2}}=2\sqrt{2}$ 답 ③

1834

두 직선 $3x+y=8$, $mx+(m-4)y=-4$가 평행할 때, 두 직선 사이의 거리는?

└ $3x+y+8=0$ 위의 한 점을 잡아 $mx+(m-4)y=-4$와의 거리를 구하자.

두 직선 $3x+y=8$, $mx+(m-4)y=-4$가 평행하므로

$\frac{m}{3}=\frac{m-4}{1}\neq\frac{4}{-8}$에서

$3m-12=m$

$\therefore m=6$

따라서 두 직선의 방정식은 $3x+y=8$, $3x+y=-2$이므로

직선 $3x+y=-2$ 위의 한 점 $(0, -2)$와 직선 $3x+y=8$, 즉 $3x+y-8=0$ 사이의 거리는

$\frac{|3\cdot 0-2-8|}{\sqrt{3^2+1^2}}=\frac{10}{\sqrt{10}}=\sqrt{10}$ 답 ③

다른풀이 $mx+(m-4)y=-4$에서 $m(x+y)-4y+4=0$이므로

이 직선은 m의 값에 관계없이 항상 점 $(-1, 1)$을 지난다.

따라서 구하는 두 직선 사이의 거리는 점 $(-1, 1)$과 직선 $3x+y=8$, 즉 $3x+y-8=0$ 사이의 거리와 같으므로

$\frac{|3\cdot(-1)+1-8|}{\sqrt{3^2+1^2}}=\frac{10}{\sqrt{10}}=\sqrt{10}$

1835

두 직선 $3x-y+a=0$, $3x-y+2=0$ 사이의 거리가 $\sqrt{10}$일 때, 양수 a의 값은?

└ $3x-y+2=0$ 위의 한 점을 잡아 $3x-y+a=0$과의 거리를 구하자.

주어진 두 직선이 평행하므로 $3x-y+2=0$ 위의 한 점 $(0, 2)$와 직선 $3x-y+a=0$ 사이의 거리가 $\sqrt{10}$이다.

$\frac{|3\cdot 0-2+a|}{\sqrt{3^2+(-1)^2}}=\sqrt{10}$, $|-2+a|=10$

$-2+a=\pm 10$ $\quad\therefore a=-8$ 또는 $a=12$

따라서 양수 a의 값은 12이다. 답 ④

1836

세 점 $O(0, 0)$, $A(1, 2)$, $B(2, 1)$을 꼭짓점으로 하는 삼각형 OAB의 넓이를 구하시오.

└ 점 O와 $\overline{AB}$ 사이의 거리가 높이이다.

두 점 A, B 사이의 거리는

$\overline{AB}=\sqrt{(2-1)^2+(1-2)^2}=\sqrt{1+1}=\sqrt{2}$

두 점 A, B를 지나는 직선의 방정식은

$y-2=\frac{1-2}{2-1}(x-1)$

$\therefore x+y-3=0$

이때, 점 O와 직선 $x+y-3=0$ 사이의 거리를 d라 하면

$$d=\frac{|-3|}{\sqrt{1^2+1^2}}=\frac{3\sqrt{2}}{2}$$

따라서 삼각형 OAB의 넓이는

$$\triangle OAB=\frac{1}{2}\times\overline{AB}\times d$$
$$=\frac{1}{2}\times\sqrt{2}\times\frac{3\sqrt{2}}{2}=\frac{3}{2}$$

답 $\frac{3}{2}$

1837

세 직선의 교점을 구하자.

다음 세 직선으로 만들어지는 삼각형의 넓이를 구하시오.

$2x-3y+4=0$, $3x-y-8=0$, $x+2y-5=0$

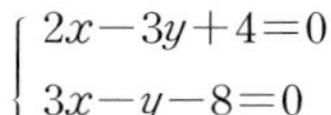

$$\begin{cases} 2x-3y+4=0 & \cdots\cdots ㉠ \\ 3x-y-8=0 & \cdots\cdots ㉡ \\ x+2y-5=0 & \cdots\cdots ㉢ \end{cases}$$

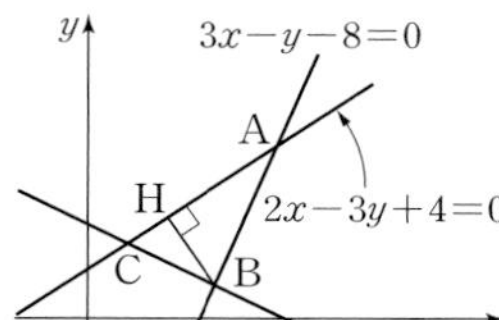
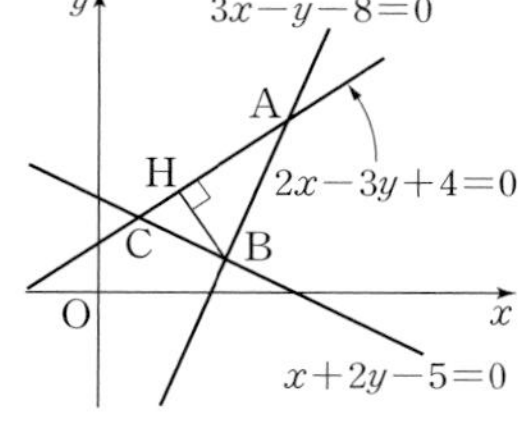

㉠, ㉡의 교점을 A라 하면 A$(4, 4)$이고, ㉡, ㉢의 교점을 B라 하면 B$(3, 1)$이고, ㉢, ㉠의 교점을 C라 하면 C$(1, 2)$이므로

$$\overline{AC}=\sqrt{(4-1)^2+(4-2)^2}=\sqrt{13}$$

이때, 점 B에서 선분 AC에 내린 수선의 발을 H라 하면
점 B$(3, 1)$과 직선 $2x-3y+4=0$ 사이의 거리는 선분 BH의 길이와 같으므로

$$\overline{BH}=\frac{|2\cdot3-3\cdot1+4|}{\sqrt{2^2+(-3)^2}}=\frac{7\sqrt{13}}{13}$$

$$\therefore \triangle ABC=\frac{1}{2}\times\overline{AC}\times\overline{BH}$$
$$=\frac{1}{2}\times\sqrt{13}\times\frac{7\sqrt{13}}{13}=\frac{7}{2}$$

답 $\frac{7}{2}$

1838

그림과 같이 평행한 두 직선 $x+y=5$, $ax+y=3$ 위에 사각형 ABCD가 정사각형이 되도록 네 점 A, B, C, D를 잡을 때, 이 정사각형의 넓이를 구하시오.

평행선 사이의 거리가 정사각형 한 변의 길이이다.

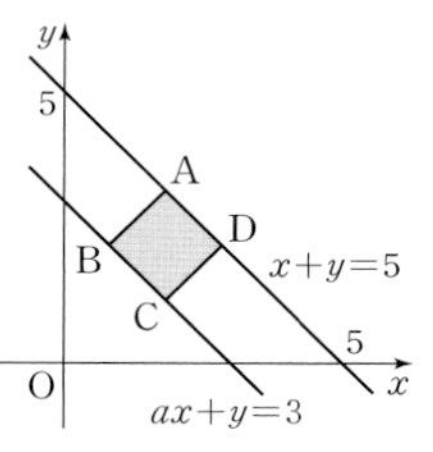

주어진 두 직선이 평행하므로 $a=1$이고, 정사각형 ABCD의 한 변의 길이는 두 직선 $x+y=5$와 $x+y=3$ 사이의 거리와 같다.
두 직선 사이의 거리는 직선 $x+y=5$ 위의 점 $(5, 0)$과 직선 $x+y-3=0$ 사이의 거리와 같으므로

$$\frac{|5+0-3|}{\sqrt{1^2+1^2}}=\frac{2}{\sqrt{2}}=\sqrt{2}$$

따라서 정사각형 ABCD의 한 변의 길이는 $\sqrt{2}$이므로 이 정사각형의 넓이는

$$(\sqrt{2})^2=2$$

답 2

1839

두 점 A$(-2, 3)$, B$(2, -1)$과 직선 $y=-x+4$ 위의 한 점 P를 꼭짓점으로 하는 삼각형 PAB의 넓이를 구하시오.

주어진 직선과 $\overline{AB}$는 평행하므로 P의 위치와 관계없이 넓이는 일정하다.

두 점 A$(-2, 3)$, B$(2, -1)$을 지나는 직선의 방정식은

$$y-(-1)=\frac{-1-3}{2-(-2)}(x-2)$$

$\therefore y=-x+1$

점 P는 직선 $y=-x+4$ 위의 한 점이고 두 직선 $y=-x+4$, $y=-x+1$이 서로 평행하므로 점 P의 위치에 관계없이 삼각형 PAB의 넓이는 일정하다.

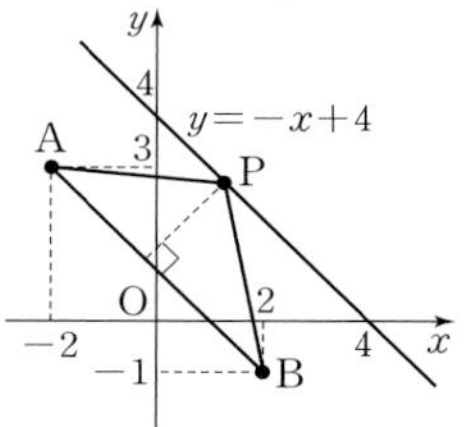

이때, 삼각형 PAB의 높이는 평행한 두 직선 사이의 거리와 같으므로
직선 $y=-x+1$ 위의 한 점 $(1, 0)$과
직선 $y=-x+4$, 즉 $x+y-4=0$ 사이의 거리는

$$\frac{|1+0-4|}{\sqrt{1^2+1^2}}=\frac{3\sqrt{2}}{2}$$

또한,

$$\overline{AB}=\sqrt{\{2-(-2)\}^2+(-1-3)^2}=4\sqrt{2}$$

이므로 삼각형 PAB의 넓이는

$$\triangle PAB=\frac{1}{2}\cdot4\sqrt{2}\cdot\frac{3\sqrt{2}}{2}=6$$

답 6

1840

두 점 A$(-1, 3)$, B$(4, 2)$를 이은 선분과 직선 $4x+3y-12=0$이 만나는 점을 C라 할 때, $\overline{AC}:\overline{BC}$는?

그래프를 그린 후 삼각형의 닮음을 이용하자.

그림과 같이 두 점 A, B에서 직선 $4x+3y-12=0$에 내린 수선의 발을 각각 H_1, H_2라 하면
$\triangle ACH_1 \backsim \triangle BCH_2$이므로

$\overline{AC}:\overline{BC}=\overline{AH_1}:\overline{BH_2}$

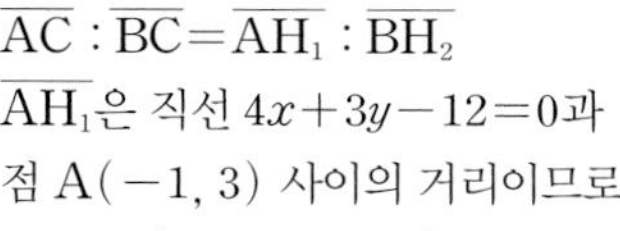

$\overline{AH_1}$은 직선 $4x+3y-12=0$과 점 A$(-1, 3)$ 사이의 거리이므로

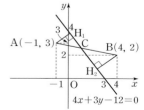

$$\overline{AH_1}=\frac{|-4+9-12|}{5}=\frac{7}{5}$$

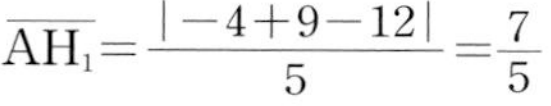

$\overline{BH_2}$는 직선 $4x+3y-12=0$과 점 B$(4, 2)$ 사이의 거리이므로

$$\overline{BH_2}=\frac{|16+6-12|}{5}=\frac{10}{5}=2$$

$\therefore \overline{AC} : \overline{BC} = \overline{AH_1} : \overline{BH_2}$

$= \frac{7}{5} : 2 = 7 : 10$ 답 ⑤

1841

좌표평면 위의 네 직선 l_1, l_2, l_3, l_4의 방정식이

$l_1 : 3x-4y+5=0$, $l_2 : 3x-4y-10=0$,

$l_3 : 4x+3y+15=0$, $l_4 : 4x+3y-20=0$

일 때, 네 직선 l_1, l_2, l_3, l_4로 둘러싸인 사각형의 넓이를 구하시오.

두 쌍의 직선이 평행하고 한 각이 직각이므로 직사각형이다.

두 직선 l_1, l_2는 평행하고, 이 두 직선 사이의 거리를 d_1이라 하면 d_1은 직선 l_1 위의 점 $(1, 2)$에서 직선 $l_2 : 3x-4y-10=0$에 이르는 거리이므로

$d_1 = \frac{|3-8-10|}{\sqrt{3^2+(-4)^2}} = 3$

또 두 직선 l_3, l_4는 평행하고, 이 두 직선 사이의 거리를 d_2라 하면 d_2는 직선 l_3 위의 점 $(0, -5)$에서 직선

$l_4 : 4x+3y-20=0$에 이르는 거리이므로

$d_2 = \frac{|-15-20|}{\sqrt{4^2+3^2}} = 7$

또한, 두 직선 l_1과 l_3은 수직이므로 네 직선으로 둘러싸인 사각형은 직사각형이다.

따라서 구하는 사각형의 넓이는

$d_1 \cdot d_2 = 3 \cdot 7 = 21$ 답 21

1842

점 (a, b)가 직선 $x-2y=3$ 위를 움직일 때, 점 $(a, a-b)$가 그리는 자취의 방정식은?

$a-2b=3$이다.

x, y에 관한 식으로 변환하자.

점 (a, b)가 직선 $x-2y=3$ 위의 점이므로

$a-2b=3$ ……㉠

점 $(a, a-b)$가 그리는 도형 위의 임의의 한 점의 좌표를 (x, y)라 하면 $a=x$, $a-b=y$

$\therefore a=x$, $b=x-y$

이것을 ㉠에 대입하면 $x-2(x-y)=3$

$\therefore x-2y+3=0$ 답 ②

1843

두 직선에 이르는 거리가 같음을 이용하자.

두 직선 $2x-y=0$, $x-2y+3=0$이 이루는 각의 이등분선의 방정식 중 기울기가 양수인 것은?

두 직선 $2x-y=0$, $x-2y+3=0$이 이루는 각의 이등분선 위의 임의의 점을 $P(x, y)$라 하면 이 점에서 두 직선에 이르는 거리는 같으므로

$\frac{|2x-y|}{\sqrt{2^2+(-1)^2}} = \frac{|x-2y+3|}{\sqrt{1^2+(-2)^2}}$

$|2x-y| = |x-2y+3|$

$2x-y=x-2y+3$ 또는 $2x-y=-x+2y-3$

$\therefore y=-x+3$ 또는 $y=x+1$

따라서 구하는 각의 이등분선의 방정식은 기울기가 양수이므로

$y=x+1$ 답 ④

1844

각의 이등분선이다.

두 직선 $2x-y=1$, $2x-4y=3$에서 같은 거리에 있는 점의 자취의 방정식이 다음과 같을 때, $ab-cd$의 값을 구하시오. (단, a, b, c, d는 상수이다.)

두 직선 $2x-y=1$, $2x-4y=3$에서 같은 거리에 있는 점을 $P(x, y)$라 하면 점 P에서 두 직선에 이르는 거리가 같으므로

$\frac{|2x-y-1|}{\sqrt{2^2+(-1)^2}} = \frac{|2x-4y-3|}{\sqrt{2^2+(-4)^2}}$

$2|2x-y-1| = |2x-4y-3|$

$2(2x-y-1) = \pm(2x-4y-3)$

따라서 구하는 자취의 방정식은

$2x+2y+1=0$, $6x-6y-5=0$이므로

$a=2$, $b=2$, $c=6$, $d=-6$

$\therefore ab-cd=4+36=40$ 답 40

1845

점 $Q(a, b)$로 놓으면 $4a+6b-5=0$

점 Q가 직선 $4x+6y-5=0$ 위를 움직일 때, 점 $A(0, 0)$과 점 Q를 이은 선분 AQ를 $2:1$로 내분하는 점을 P라 한다. 이때, 점 P의 자취의 방정식은?

점 $P(x, y)$로 놓고 내분점을 구하는 공식을 이용하자.

직선 $4x+6y-5=0$ 위의 점 Q의 좌표를 (a, b)라 하면

$4a+6b-5=0$ ……㉠

점 $A(0, 0)$과 점 $Q(a, b)$를 이은 선분 AQ를 $2:1$로 내분하는 점 P의 좌표를 (x, y)라 하면

$x = \frac{2 \cdot a + 1 \cdot 0}{2+1}$, $y = \frac{2 \cdot b + 1 \cdot 0}{2+1}$

$\therefore x = \frac{2a}{3}$, $y = \frac{2b}{3}$

이것을 x, y에 대한 식으로 나타내면

$a = \frac{3x}{2}$, $b = \frac{3y}{2}$ ……㉡

㉡을 ㉠에 대입하면

$4 \cdot \frac{3x}{2} + 6 \cdot \frac{3y}{2} - 5 = 0$

따라서 구하는 자취의 방정식은

$6x+9y-5=0$ 답 ②

1846

세 점 $A(0, 3)$, $B(-2, 2)$, $C(2, 7)$을 꼭짓점으로 하는 삼각형 ABC가 있다. $\angle A$의 이등분선의 방정식이 $y=ax+b$일 때, $a+b$의 값을 구하시오. (단, a, b는 상수이다.)

두 직선에 이르는 거리가 같음을 이용하자.

$\overline{AB}=\sqrt{2^2+1^2}=\sqrt{5}$,
$\overline{AC}=\sqrt{2^2+4^2}=\sqrt{20}$
$\angle A$의 이등분선이 $\overline{BC}$와 만나는 점을 M이라 하면
각의 이등분선의 성질에 의하여
$\overline{AB}:\overline{AC}=\overline{BM}:\overline{CM}=\sqrt{5}:\sqrt{20}=\sqrt{5}:2\sqrt{5}=1:2$
따라서 M은 $\overline{BC}$를 $1:2$로 내분하는 점이다.
$M(p, q)$라 하면
$p=\frac{1\times2+2\times(-2)}{1+2}=-\frac{2}{3}$
$q=\frac{1\times7+2\times2}{1+2}=\frac{11}{3}$
$\therefore M\left(-\frac{2}{3}, \frac{11}{3}\right)$
이때, 두 점 $A(0, 3)$, $M\left(-\frac{2}{3}, \frac{11}{3}\right)$을 지나는 직선의 방정식은
$$y-3=\frac{3-\frac{11}{3}}{0+\frac{2}{3}}(x-0)$$
$y=-x+3$
$a=-1$, $b=3$이므로
$a+b=2$

답 2

1847

두 점 $(-4, 2)$, $(6, 6)$을 이은 선분의 중점을 지나고, 기울기가 2인 직선의 방정식을 $y=ax+b$라 할 때, 두 상수 a, b의 합 $a+b$의 값은?
공식 $y-y_1=m(x-x_1)$을 이용하자.

두 점 $(-4, 2)$, $(6, 6)$을 이은 선분의 중점의 좌표는
$\left(\frac{-4+6}{2}, \frac{2+6}{2}\right)$, 즉 $(1, 4)$이므로 점 $(1, 4)$를 지나고
기울기가 2인 직선의 방정식은
$y-4=2(x-1)$
$\therefore y=2x+2$
$\therefore a+b=2+2=4$

답 ④

1848

다음 두 직선 l_1과 l_2의 교점의 좌표는?

l_1 : 기울기가 3이고, 점 $(1, 8)$을 지나는 직선
l_2 : 두 점 $(-3, 4)$, $(2, -1)$을 지나는 직선

공식 $y-y_1=m(x-x_1)$을 이용하자.
공식 $y-y_1=\frac{y_2-y_1}{x_2-x_1}(x-x_1)$을 이용하자.

직선 l_1의 방정식은
$y-8=3(x-1)$
$\therefore y=3x+5$ ······㉠
직선 l_2의 방정식은
$y-(-1)=\frac{4-(-1)}{-3-2}(x-2)$
$\therefore y=-x+1$ ······㉡
㉠, ㉡을 연립하여 풀면 $x=-1$, $y=2$
따라서 구하는 교점의 좌표는 $(-1, 2)$이다.

답 ④

1849

일차함수 $y=-2x+k$의 그래프와 x축 및 y축으로 둘러싸인 삼각형의 넓이가 5가 되도록 하는 양수 k의 값은?
x절편과 y절편을 구하자.

일차함수 $y=-2x+k$의 그래프가 x축과 만나는 점의 좌표는
$\left(\frac{k}{2}, 0\right)$이고, y축과 만나는 점의 좌표는 $(0, k)$이다.
일차함수와 x축 및 y축으로 둘러싸인 삼각형의 넓이가 5이므로
$\frac{1}{2}\times\left|\frac{k}{2}\right|\times|k|=5$
$k^2=20$ $\quad\therefore k=2\sqrt{5}$ ($\because k>0$)

답 ③

1850 서술형

직선 $x+ay-1=0$이 직선 $x-by+1=0$과는 서로 수직이고, 직선 $x-(b-2)y+1=0$과는 서로 평행할 때, 두 상수 a, b에 대하여 $\frac{1}{a}+\frac{1}{b}$의 값을 구하시오.
수직 조건 $aa'+bb'=0$을 이용하자.
평행 조건 $\frac{a}{a'}=\frac{b}{b'}\neq\frac{c}{c'}$를 이용하자.

두 직선 $x+ay-1=0$, $x-by+1=0$이 서로 수직이므로
$1\cdot1+a\cdot(-b)=0$
$\therefore ab=1$ ······㉠ ······ 40%
또 두 직선 $x+ay-1=0$, $x-(b-2)y+1=0$이 서로 평행하므로
$\frac{1}{1}=\frac{a}{-(b-2)}\neq\frac{-1}{1}$
$-(b-2)=a$
$\therefore a+b=2$ ······㉡ ······ 40%
㉠, ㉡에 의하여
$\frac{1}{a}+\frac{1}{b}=\frac{a+b}{ab}=\frac{2}{1}=2$ ······ 20%

답 2

1851

두 점 $A(2, 4)$, $B(m, 2)$를 지나는 직선이 직선 $y=mx-3$과 수직일 때, m의 값은?
기울기는 $\frac{2-4}{m-2}$이다.

두 점 $A(2, 4)$, $B(m, 2)$를 지나는 직선의 기울기는
$\frac{2-4}{m-2}=\frac{-2}{m-2}$
(두 직선의 기울기의 곱)$=\frac{-2}{m-2}\cdot m=-1$
$-2m=-m+2$
$\therefore m=-2$

답 ②

1852 $\overline{AB}$의 중점을 지나며 두 직선은 수직이다.

두 점 A(1, 3), B(5, −1)을 이은 선분의 수직이등분선과 x축, y축과 만나는 점을 각각 P, Q라 할 때, △OPQ의 넓이를 구하시오. (단, 점 O는 원점이다.)

선분 AB의 중점을 M이라 하면
M(3, 1)이고,
직선 AB의 기울기가
$\frac{-1-3}{5-1}=-1$
이므로 선분 AB의 수직이등분선은 점 M(3, 1)을 지나고 기울기가 1인 직선이다.
이 직선의 방정식은
$y-1=1\cdot(x-3)$
$\therefore y=x-2$
이때, P(2, 0), Q(0, −2)이므로 △OPQ의 넓이는
$\frac{1}{2}\cdot2\cdot2=2$

답 2

1853

세 직선 $x-y+1=0$, $x+y+3=0$, $y=k(x-1)$이 삼각형을 이루지 않도록 하는 모든 실수 k의 값의 곱을 구하시오.
적어도 두 직선이 평행 또는 일치하거나, 세 직선이 한 점에서 만나야 한다.

주어진 세 직선의 방정식을 변형하면
$y=x+1$, $y=-x-3$, $y=k(x-1)$
세 직선의 기울기를 각각 m_1, m_2, m_3이라 하면
$m_1=1$, $m_2=-1$, $m_3=k$
(i) 세 직선이 모두 평행할 때,
세 직선의 기울기가 모두 같아야 한다.
그런데 $m_1\neq m_2$이므로 성립하지 않는다.
(ii) 서로 다른 두 직선이 평행할 때,
㉠ 두 직선 $y=x+1$, $y=k(x-1)$이 평행할 때
$m_1=m_3$ $\quad\therefore k=1$
㉡ 두 직선 $y=-x-3$, $y=k(x-1)$이 평행할 때
$m_2=m_3$ $\quad\therefore k=-1$
(iii) 세 직선이 한 점에서 만날 때,
두 직선 $y=x+1$, $y=-x-3$의 교점의 좌표를 구하면
(−2, −1)
이 점이 직선 $y=k(x-1)$ 위의 점이므로
$-1=k(-2-1)$ $\quad\therefore k=\frac{1}{3}$
(i), (ii), (iii)에 의하여 구하는 k의 값은
$k=1$ 또는 $k=-1$ 또는 $k=\frac{1}{3}$
따라서 모든 실수 k의 값의 곱은
$1\cdot(-1)\cdot\frac{1}{3}=-\frac{1}{3}$

답 $-\frac{1}{3}$

1854 서술형

두 직선 $x+y-3=0$, $k(x+1)-y-1=0$이 제1사분면에서 만나도록 하는 실수 k의 값의 범위가 $a<k<b$일 때, ab의 값을 구하시오.
항상 지나는 정점에서 주어진 직선과 제1사분면에서 만나도록 직선을 그어보자.

직선 $k(x+1)-y-1=0$은 k의 값에 관계없이 항상 점 (−1, −1)을 지나며 k는 이 직선의 기울기이므로 …… 30%

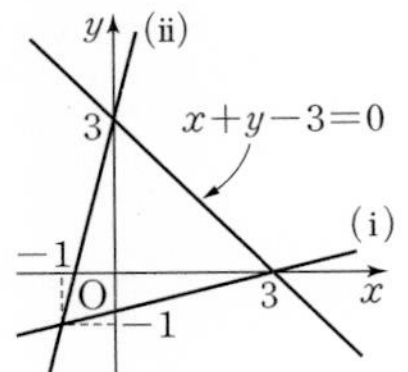

(i) 점 (3, 0)을 지날 때,
$4k-1=0$ $\quad\therefore k=\frac{1}{4}$
(ii) 점 (0, 3)을 지날 때,
$k-4=0$ $\quad\therefore k=4$ …… 50%
따라서 두 직선 $k(x+1)-y-1=0$, $x+y-3=0$이 제1사분면에서 만나는 실수 k의 값의 범위는 $\frac{1}{4}<k<4$이다.
$\therefore a=\frac{1}{4}$, $b=4$
$\therefore ab=1$ …… 20%

답 1

1855 공식 $ax+by+c+k(a'x+b'y+c')=0$을 이용하자.

두 직선 $x+y+1=0$, $2x-y-4=0$의 교점을 지나고, 직선 $x-2y+2=0$과 평행한 직선의 방정식을 $y=ax+b$라 할 때, 두 상수 a, b의 합 $a+b$의 값은?

두 직선 $x+y+1=0$, $2x-y-4=0$의 교점을 지나는 직선의 방정식은
$(2x-y-4)+k(x+y+1)=0$
$\therefore (2+k)x+(k-1)y+(k-4)=0$ ……㉠
직선 ㉠이 직선 $x-2y+2=0$과 평행하므로
$\frac{2+k}{1}=\frac{k-1}{-2}\neq\frac{k-4}{2}$
$-2(2+k)=k-1$ $\quad\therefore k=-1$
$k=-1$을 ㉠에 대입하면
$x-2y-5=0$ $\quad\therefore y=\frac{1}{2}x-\frac{5}{2}$
따라서 $a=\frac{1}{2}$, $b=-\frac{5}{2}$이므로
$a+b=-2$

답 ④

1856

직선 $x+ky-2k+3=0$이 실수 k의 값에 관계없이 항상 점 P를 지날 때, 점 P와 직선 $3x+4y-4=0$ 사이의 거리는?
k에 관한 항등식으로 정리하자.

$x+ky-2k+3=0$에서 $(x+3)+(y-2)k=0$
이 직선은 k의 값에 관계없이 항상 점 $\mathrm{P}(-3, 2)$를 지난다.
따라서 점 $\mathrm{P}(-3, 2)$와 직선 $3x+4y-4=0$ 사이의 거리는
$\dfrac{|3\cdot(-3)+4\cdot2-4|}{\sqrt{3^2+4^2}}=\dfrac{5}{5}=1$ 답 ①

1857

다음 세 직선으로 만들어지는 삼각형의 넓이를 구하시오. (→ 세 직선의 교점을 구하자.)

$$y=3x-5,\ y=-\frac{1}{2}x+2,\ y=\frac{2}{3}x+2$$

$y=3x-5$ ······ ㉠
$y=-\frac{1}{2}x+2$ ······ ㉡
$y=\frac{2}{3}x+2$ ······ ㉢
㉠, ㉡의 교점을 점 A라 하면 $\mathrm{A}(2, 1)$이고,
㉡, ㉢의 교점을 점 B라 하면 $\mathrm{B}(0, 2)$이고,
㉢, ㉠의 교점을 점 C라 하면 $\mathrm{C}(3, 4)$이므로
$\overline{\mathrm{AC}}=\sqrt{(3-2)^2+(4-1)^2}=\sqrt{10}$
점 $\mathrm{B}(0, 2)$와 직선 $y=3x-5$, 즉 $3x-y-5=0$ 사이의 거리는
$\dfrac{|3\cdot0-1\cdot2-5|}{\sqrt{3^2+(-1)^2}}=\dfrac{7}{\sqrt{10}}$
$\therefore \triangle\mathrm{ABC}=\dfrac{1}{2}\cdot\sqrt{10}\cdot\dfrac{7}{\sqrt{10}}=\dfrac{7}{2}$ 답 $\dfrac{7}{2}$

1858

두 직선 $2x-y-1=0$, $x+2y-1=0$이 이루는 각을 이등분하는 직선이 점 $(3, a)$를 지날 때, 모든 a의 값의 합은? (→ 두 직선에 이르는 거리가 같음을 이용하자.)

두 직선이 이루는 각의 이등분선 위의 점을 $\mathrm{P}(x, y)$라 하면
점 P에서 두 직선 $2x-y-1=0$, $x+2y-1=0$까지의 거리가 같으므로
$\dfrac{|2x-y-1|}{\sqrt{2^2+(-1)^2}}=\dfrac{|x+2y-1|}{\sqrt{1^2+2^2}}$
$|2x-y-1|=|x+2y-1|$
$2x-y-1=\pm(x+2y-1)$
$\therefore x-3y=0$ 또는 $3x+y-2=0$
이 두 직선이 점 $(3, a)$를 지나므로
$3-3a=0 \quad \therefore a=1$
$9+a-2=0 \quad \therefore a=-7$
따라서 모든 a의 값의 합은
$1+(-7)=-6$ 답 ②

참고 두 직선이 이루는 각의 이등분선 위의 임의의 점 $\mathrm{P}(x, y)$에서 두 직선에 이르는 거리가 같다는 성질을 이용하여 각의 이등분선의 방정식을 구한다.

1859

점 $(4, -3)$을 지나고 제1사분면을 지나는 직선이 있다. 이 직선과 x축, y축으로 둘러싸인 삼각형의 넓이가 3일 때, 이 직선의 방정식을 구하시오. (→ 구하는 직선의 x절편, y절편을 각각 a, b라 놓자.)

구하는 직선의 x절편, y절편을 각각 a, b라 놓으면
$\dfrac{x}{a}+\dfrac{y}{b}=1$
이 직선은 점 $(4, -3)$을 지나므로
$\dfrac{4}{a}-\dfrac{3}{b}=1$ ······ ㉠
직선과 x축, y축으로 둘러싸인 삼각형의 넓이가 3이므로
$\dfrac{1}{2}ab=3$ ······ ㉡
㉠, ㉡을 연립하여 풀면
$a=2$, $b=3$ 또는 $a=-4$, $b=-\dfrac{3}{2}$
$\therefore a=2, b=3$ ($\because$ 제1사분면을 지나는 직선)
따라서 구하는 직선의 방정식은
$\dfrac{x}{2}+\dfrac{y}{3}=1$ (또는 $3x+2y=6$)

답 $\dfrac{x}{2}+\dfrac{y}{3}=1$ (또는 $3x+2y=6$)

1860

두 직선
$l : y=x+2,\ m : 2x+y=5$
와 x축으로 둘러싸인 삼각형의 넓이를 l, m의 교점을 지나는 직선 $n : y=ax+b$가 이등분할 때, 상수 a, b의 합 $a+b$의 값을 구하시오. (→ (1, 3)이다.) (→ BC를 이등분한다.)

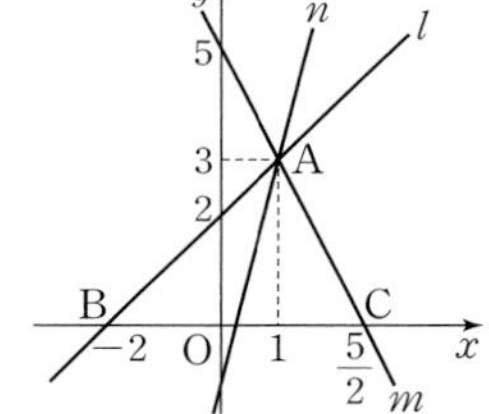

두 직선 l, m의 x절편과 y절편을 이용하여 그래프를 그리면 그림과 같고, 두 방정식을 연립하면 $x=1$, $y=3$이므로 교점은 $(1, 3)$이다.
이 교점을 A라 하고, l, m과 x축과의 교점을 각각 B, C라 하면
$\mathrm{A}(1, 3)$, $\mathrm{B}(-2, 0)$, $\mathrm{C}\left(\dfrac{5}{2}, 0\right)$
이때, 점 A를 지나고 삼각형의 넓이를 이등분하는 직선은
$\overline{\mathrm{BC}}$의 중점인 $\left(\dfrac{1}{4}, 0\right)$을 지나야 한다.
따라서 $\left(\dfrac{1}{4}, 0\right)$, $(1, 3)$을 지나는 직선의 방정식은
$y-3=\dfrac{3-0}{1-\frac{1}{4}}(x-1)$
$\therefore y=4x-1$
$\therefore a+b=4+(-1)=3$ 답 3

1861

두 직선 $l : ax-y+a+2=0$, $m : 4x+ay+3a+8=0$에 대하여 〈보기〉에서 옳은 것만을 있는 대로 고른 것은? (단, a는 실수이다.)

→ a에 관하여 식으로 정리하자.

보기

ㄱ. $a=0$일 때 두 직선 l과 m은 서로 수직이다.

ㄴ. 직선 l은 a의 값에 관계없이 항상 점 $(1, 2)$를 지난다.

ㄷ. 두 직선 l과 m이 평행이 되기 위한 a의 값은 존재하지 않는다.

→ 평행 조건 $\frac{a}{a'}=\frac{b}{b'}\neq\frac{c}{c'}$를 이용하자.

ㄱ. $a=0$일 때 $l : y=2$, $m : x=-2$

즉, 두 직선 l과 m은 서로 수직이다. (참)

ㄴ. 직선 l의 방정식을 a에 대하여 정리하면

$a(x+1)-y+2=0$

즉, 직선 l은 a의 값에 관계없이 항상 점 $(-1, 2)$를 지난다. (거짓)

ㄷ. $a=0$일 때, ㄱ에서 두 직선 l, m은 서로 수직이다.

$a\neq0$일 때, 두 직선 l, m의 기울기는 각각 a, $-\frac{4}{a}$이다.

그런데 $a=-\frac{4}{a}$, 즉 $a^2=-4$를 만족하는 실수 a의 값이 존재하지 않으므로 두 직선 l, m이 평행하기 위한 a의 값은 존재하지 않는다. (참)

따라서 옳은 것은 ㄱ, ㄷ이다. 답 ③

1862

좌표평면 위에 세 점 $A(5, 3)$, $B(2, 1)$, $C(3, 0)$을 꼭짓점으로 하는 삼각형 ABC가 있다. 선분 OC 위를 움직이는 점 D에 대하여 삼각형 ABC의 넓이와 삼각형 ADC의 넓이가 같을 때, 직선 AD의 기울기는? (단, O는 원점이다.)

→ $\overline{BD}$는 $\overline{AC}$와 평행하다.

삼각형 ABC의 넓이와 삼각형 ADC의 넓이가 같으므로 직선 BD의 기울기는 직선 AC의 기울기와 같다.

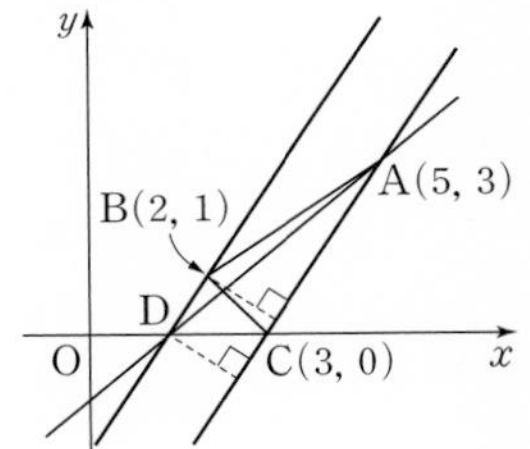

점 B를 지나고 직선 AC와 평행한 직선이 선분 OC와 만나는 점을 $D(a, 0)$이라 하면

$\frac{1-0}{2-a}=\frac{3-0}{5-3}$ $\therefore a=\frac{4}{3}$

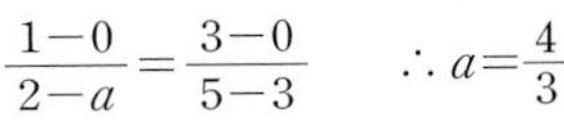

따라서 직선 AD의 기울기는 $\frac{3-0}{5-\frac{4}{3}}=\frac{9}{11}$ 답 ⑤

1863

직선 $x+2y=11$ 위의 점 중에서 원점과의 거리가 가장 가까운 점을 $P(a, b)$라 할 때, $a+b$의 값을 구하시오.

→ 점 O에서의 수선의 발이 가장 가깝다.

직선 $x+2y=11$ 위의 점 P에 대하여 그림과 같이 $\overline{OP}$가 원점 O에서 직선 $x+2y=11$에 그은 수선일 때, 점 P와 원점 O 사이의 거리가 가장 가깝다.

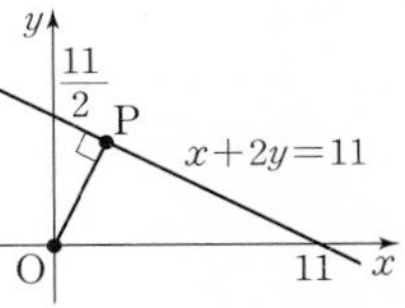

직선 $x+2y=11$의 기울기를 구하면

$y=-\frac{1}{2}x+\frac{11}{2}$에서 (기울기)$=-\frac{1}{2}$

직선 $x+2y=11$에 수직인 직선의 기울기를 m이라 하면

$m\cdot\left(-\frac{1}{2}\right)=-1$

$\therefore m=2$

원점 $(0, 0)$을 지나고, 기울기가 2인 직선의 방정식은

$y=2x$

따라서 점 P의 좌표는 두 직선 $x+2y=11$과 $y=2x$의 교점이므로 두 식을 연립하여 교점의 좌표를 구하면

$x=\frac{11}{5}$, $y=\frac{22}{5}$ $\therefore P\left(\frac{11}{5}, \frac{22}{5}\right)$

$\therefore a+b=\frac{33}{5}$ 답 $\frac{33}{5}$

1864

좌표평면 위의 직선 $y=-2x$ $(0\le x\le1)$ 위의 임의의 점 (x, y)에 대하여 $\frac{y-4}{x-4}$의 최댓값을 M, 최솟값을 m이라 할 때, M^2+m^2의 값을 구하시오.

→ $\frac{y-4}{x-4}=k$로 놓고 k의 최댓값과 최솟값을 구하자.

$\frac{y-4}{x-4}=k$로 놓으면 $(x-4)k-(y-4)=0$이므로 이 직선은 k의 값에 관계없이 점 $(4, 4)$를 지난다.

원점 O와 점 $A(1, -2)$에 대하여 직선 $y=kx-4k+4$와 선분 OA가 만나도록 하는 k의 값을 조사하면

(4, 4)
A(1, −2)

(i) $y=kx-4k+4$가 점 $O(0, 0)$을 지날 때, k는 최소이므로

$m=\frac{4-0}{4-0}=1$

(ii) $y=kx-4k+4$가 점 $A(1, -2)$를 지날 때, k는 최대이므로

$M=\frac{4-(-2)}{4-1}=2$

(i), (ii)에서 $M^2+m^2=4+1=5$ 답 5

1865

곡선 $y=-x^2+4$ 위의 점과 직선 $y=2x+k$ 사이의 거리의 최솟값이 $2\sqrt{5}$가 되도록 하는 상수 k의 값을 구하시오.

→ $y=2x+k$와 평행하고, 포물선과 접하는 직선을 생각하자.

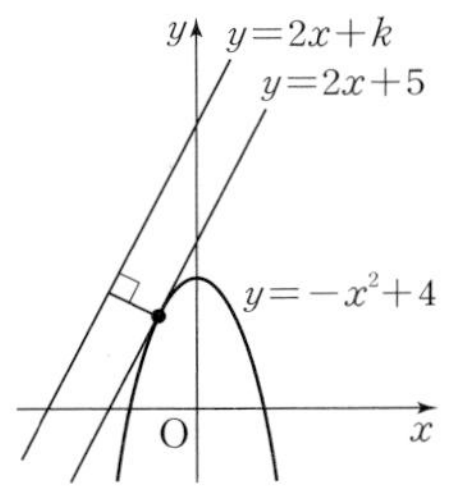

직선 $y=2x+k$와 평행하고 곡선 $y=-x^2+4$에 접하는 직선의 방정식을 $y=2x+k'$이라 하면

$-x^2+4=2x+k'$에서

$x^2+2x+k'-4=0$ ······ ㉠

이차방정식 ㉠이 중근을 가져야 하므로 판별식을 D라 하면

$\frac{D}{4}=1-(k'-4)=0$ $\therefore k'=5$

즉, 직선 $y=2x+k$와 평행하고 곡선 $y=-x^2+4$에 접하는 직선의 방정식은 $y=2x+5$이다.

이 직선 위의 한 점 $(0, 5)$와 직선 $y=2x+k$, 즉 $2x-y+k=0$사이의 거리가 곡선 $y=-x^2+4$ 위의 점과 직선 $y=2x+k$ 사이의 거리의 최솟값과 같으므로

$\frac{|-5+k|}{\sqrt{2^2+(-1)^2}}=2\sqrt{5}$, $|k-5|=10$

$\therefore k=-5$ 또는 $k=15$

그런데 $k=-5$이면 곡선 $y=-x^2+4$와 직선 $y=2x-5$가 만나므로 조건을 만족하지 않는다.

$\therefore k=15$

답 15

1866

그림과 같이 한 변의 길이가 10인 정사각형 ABCD에 내접하는 원이 있다. 선분 BC를 1 : 2로 내분하는 점을 P라 하자. 선분 AP가 정사각형 ABCD에 내접하는 원과 만나는 두 점을 Q, R라 할 때, 선분 QR의 길이는?

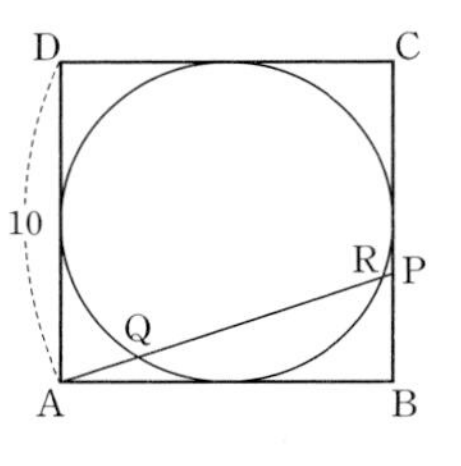

현과 중심 사이의 거리를 구한 후 피타고라스 정리를 이용하자.

그림과 같이 직선 AB를 x축, 직선 AD를 y축으로 하는 좌표평면을 잡는다.

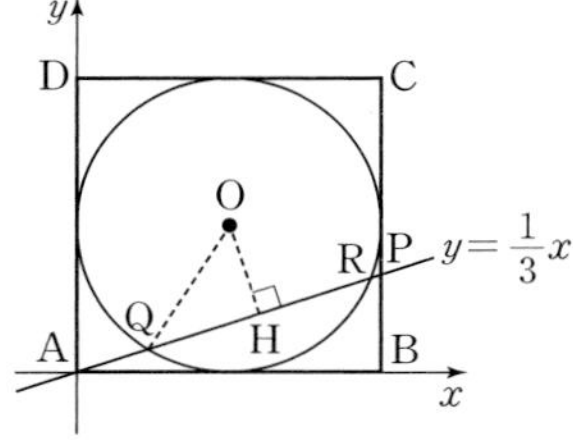

$\overline{AB}:\overline{BP}=3:1$

직선 AP는 기울기가 $\frac{1}{3}$이고 원점을 지나므로

직선 AP의 방정식은 $y=\frac{1}{3}x$이다.

원의 중심을 O라 하면 정사각형 ABCD의 한 변의 길이가 10이므로 $O(5, 5)$이고, $\overline{OQ}=5$

점 $O(5, 5)$에서 직선 $x-3y=0$에 내린 수선의 발을 H라 하면

$\overline{OH}=\frac{|5-15|}{\sqrt{1^2+(-3)^2}}=\frac{10}{\sqrt{10}}=\sqrt{10}$

$\therefore \overline{QH}=\sqrt{15}$

따라서 $\overline{QR}=2\sqrt{15}$

답 ⑤

1867

제1사분면 위의 점 A와 제3사분면 위의 점 B에 대하여 두 점 A, B가 다음 조건을 만족시킨다.

> (가) 두 점 A, B는 직선 $y=x$ 위에 있다.
> (나) $\overline{OB}=2\overline{OA}$

점 A에서 y축에 내린 수선의 발을 H, 점 B에서 x축에 내린 수선의 발을 L이라 하자. 직선 AL과 직선 BH가 만나는 점을 P, 직선 OP가 직선 LH와 만나는 점을 Q라 하자. 세 점 O, Q, L을 지나는 원의 넓이가 $\frac{81}{2}\pi$일 때, $\overline{OA}\times\overline{OB}$의 값을 구하시오. (단, O는 원점이다.)

현의 원주각이 직각이면 그 현은 지름이다.

양수 a에 대하여 $A(a, a)$, $B(-2a, -2a)$라 하면

$H(0, a)$, $L(-2a, 0)$

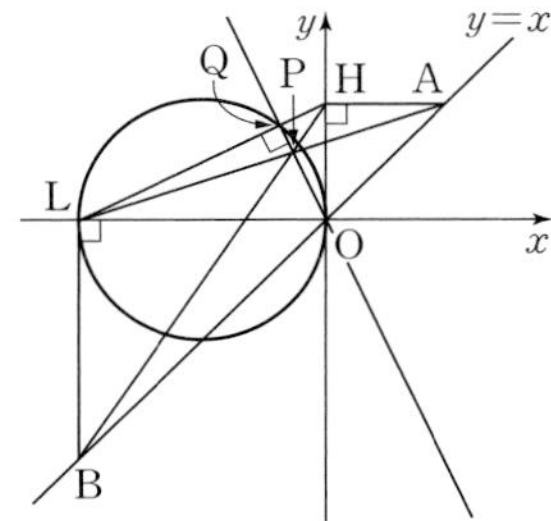

직선 AL의 방정식은 $y=\frac{1}{3}x+\frac{2}{3}a$, 직선 BH의 방정식은 $y=\frac{3}{2}x+a$

점 P의 좌표는 $P\left(-\frac{2}{7}a, \frac{4}{7}a\right)$

직선 OP의 방정식은 $y=-2x$, 직선 LH의 방정식은 $y=\frac{1}{2}x+a$

두 직선 OP와 LH의 기울기의 곱이 $(-2)\times\frac{1}{2}=-1$이므로 두 직선은 서로 수직이다.

선분 OL은 세 점 O, Q, L을 지나는 원의 지름이고 $\overline{OL}=2a$

주어진 원의 넓이 $\pi a^2=\frac{81}{2}\pi$에서 $a=\frac{9}{\sqrt{2}}$

$\overline{OA}=\sqrt{2}a=9$, $\overline{OB}=2\sqrt{2}a=18$

따라서 $\overline{OA}\times\overline{OB}=162$

답 162

1868

항상 지나는 정점에서 삼각형과 만나도록 직선을 그어보자.

직선 $y=mx-4m+2$가 세 점 $A(1, 2)$, $B(-1, 1)$, $C(3, -1)$을 꼭짓점으로 하는 삼각형 ABC와 만나도록 하는 상수 m의 값의 범위는?

$y=mx-4m+2$를 m에 대하여 정리하면

$(x-4)m-y+2=0$ ······ ㉠

직선 ㉠은 m의 값에 관계없이 점 $(4, 2)$를 지난다.

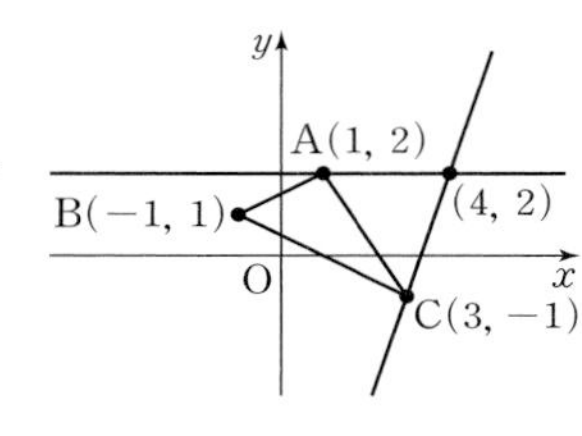

직선이 △ABC와 만나려면 그림과 같이 점 $A(1, 2)$를 지날 때와 점 $C(3, -1)$을 지날 때의 사이를 지나야 한다.

(i) 직선이 점 A(1, 2)를 지날 때의 m의 값을 구하면

$(1-4)m-2+2=0 \quad \therefore m=0$

(ii) 직선이 점 C(3, −1)을 지날 때의 m의 값을 구하면

$(3-4)m+1+2=0 \quad \therefore m=3$

(i), (ii)에 의하여 직선이 △ABC와 만나도록 하는 상수 m의 값의 범위는 $0\le m\le 3$

답 ①

1869

그림과 같이 한 변의 길이가 2인 정사각형 모양의 종이를 꼭짓점 A가 선분 MN 위에 놓이도록 접었을 때, 점 A가 선분 MN과 만나는 점을 A′이라 하자. 이때, 점 A와 직선 A′B 사이의 거리는? (단, M은 선분 AB의 중점, N은 선분 CD의 중점이다.)

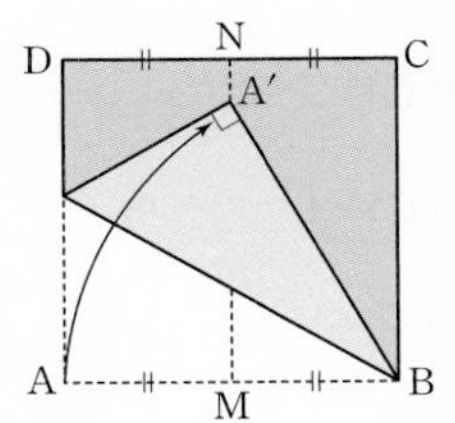

점 M을 원점으로 두고 $\overline{A'B}$의 방정식을 구하자.

그림과 같이 점 M이 원점, $\overline{AB}$, $\overline{MN}$이 각각 x축, y축 위에 놓이도록 정사각형 ABCD를 좌표평면 위에 놓자.

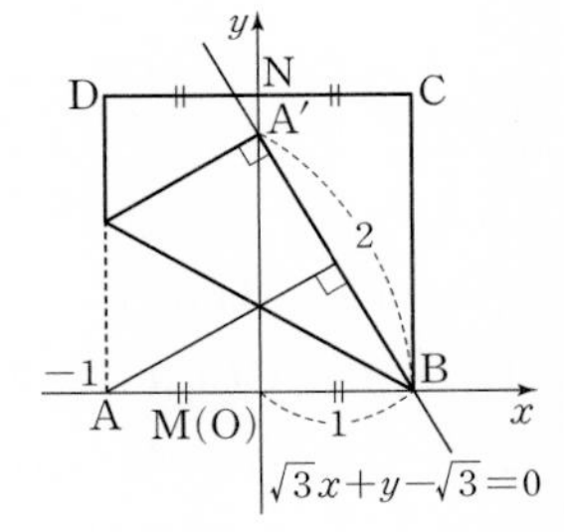

이때, $\overline{AM}=\overline{MB}=1$이므로

A(−1, 0), B(1, 0)

$\overline{A'B}=\overline{AB}=2$

$\therefore A'(0, \sqrt{3})$

따라서 직선 A′B의 방정식은 $\sqrt{3}x+y-\sqrt{3}=0$이므로

점 A(−1, 0)과 직선 A′B 사이의 거리는

$\frac{|\sqrt{3}\cdot(-1)+0-\sqrt{3}|}{\sqrt{(\sqrt{3})^2+1^2}}=\sqrt{3}$

답 ③

1870

두 점 A(−3, 0), B(3, 0)과 직선 $3x+4y-25=0$ 위를 움직이는 점 P에 대하여 $\overline{AP}^2+\overline{BP}^2$의 최솟값을 구하시오.

점 P(a, b)로 놓자. 중선정리를 이용하자.

두 점 A(−3, 0), B(3, 0)과 직선 $3x+4y-25=0$ 위의 점 P를 세 꼭짓점으로 하는 △ABP에서 원점 O는 $\overline{AB}$의 중점이므로 $\overline{OP}$는 △ABP의 중선이다.

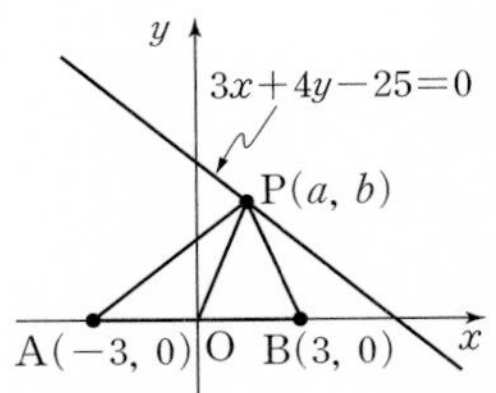

따라서 중선 정리에 의하여

$\overline{AP}^2+\overline{BP}^2=2(\overline{OP}^2+\overline{OA}^2)$

이때, $\overline{OA}^2$의 값은 고정된 값이므로 $\overline{AP}^2+\overline{BP}^2$의 값이 최소가 되려면 $\overline{OP}^2$의 값이 최소, 즉 원점과 직선 $3x+4y-25=0$ 사이의 거리가 최단 거리가 되어야 한다.

원점과 직선 $3x+4y-25=0$ 사이의 거리는

$\frac{|-25|}{\sqrt{3^2+4^2}}=\frac{25}{5}=5$

따라서 $\overline{AP}^2+\overline{BP}^2$의 최솟값은

$2(\overline{OP}^2+\overline{OA}^2)=2(5^2+3^2)=68$

답 68

1871

곡선 $y=x^2$ 위의 점 P와 두 점 A(5, 2), B(3, −2)를 꼭짓점으로 하는 삼각형 APB가 있다. 이때, 삼각형 APB의 넓이의 최솟값은?

점 P에서의 접선이 $\overline{AB}$와 평행할 때, 최소가 된다.

곡선 $y=x^2$ 위의 점 P에서의 접선이 선분 AB와 평행할 때, 점 P에서 선분 AB까지의 거리가 최소이고, 이때, △APB의 넓이는 최소가 된다.

직선 AB의 방정식은

$y+2=\frac{2+2}{5-3}(x-3)$

$\therefore y=2x-8$

따라서 선분 AB와 평행한 점 P에서의 접선의 방정식을 $y=2x+k$라 놓고, $y=x^2$과 연립하면 $x^2=2x+k$, 즉 $x^2-2x-k=0$에서 이차방정식의 판별식을 D라 하면

$\frac{D}{4}=1+k=0 \quad \therefore k=-1$

이때, 직선 $y=2x-8$과 $y=2x-1$ 사이의 거리는 직선 $2x-y-8=0$과 직선 $y=2x-1$ 위의 한 점 (0, −1) 사이의 거리와 같으므로

$\frac{|2\cdot 0-(-1)-8|}{\sqrt{2^2+(-1)^2}}=\frac{7}{\sqrt{5}}=\frac{7\sqrt{5}}{5}$

또 $\overline{AB}=\sqrt{(5-3)^2+(2+2)^2}=\sqrt{20}=2\sqrt{5}$

이므로 △APB의 넓이의 최솟값은

$\frac{1}{2}\cdot 2\sqrt{5}\cdot\frac{7\sqrt{5}}{5}=7$

답 ①

1872

가로의 길이가 16, 세로의 길이가 8인 직사각형 모양의 종이가 있다. [그림 1]은 네 꼭짓점을 A, B, C, D라 하고 변 BC, CD, DA와 접하는 원을 그린 것이다.

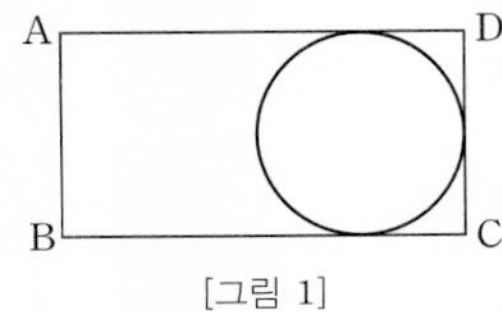

[그림 1]

현과 중심 사이의 거리를 구한 후 피타고라스 정리를 이용하자.

[그림 2]와 같이 점 A와 C가 만나도록 종이를 접었다가 다시 펼쳤을 때 생기는 선이 원과 만나는 점을 P, Q라 하자. 선분 PQ의 길이를 k라 할 때, $5k^2$의 값을 구하시오.

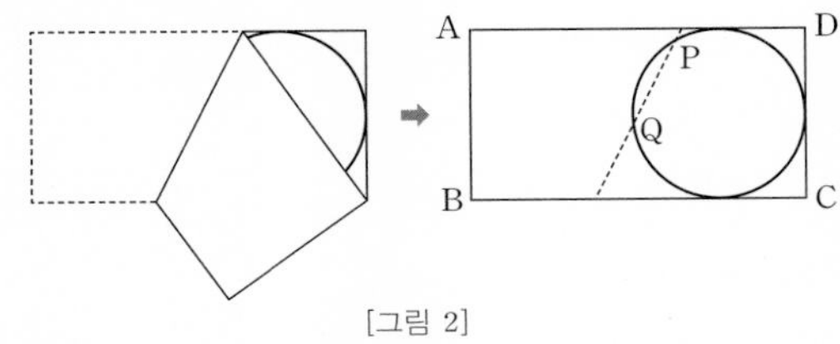

[그림 2]

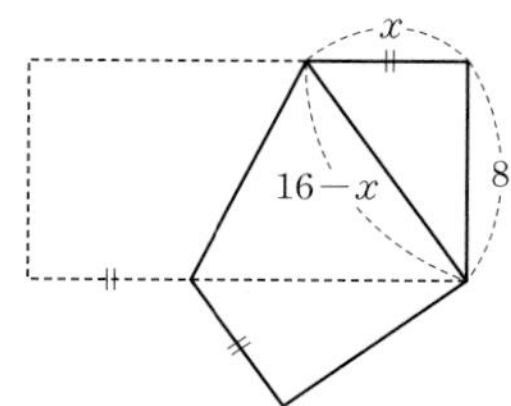

$x^2+8^2=(16-x)^2$이므로 $x=6$
직사각형을 좌표평면 위에 그림과 같이 놓으면

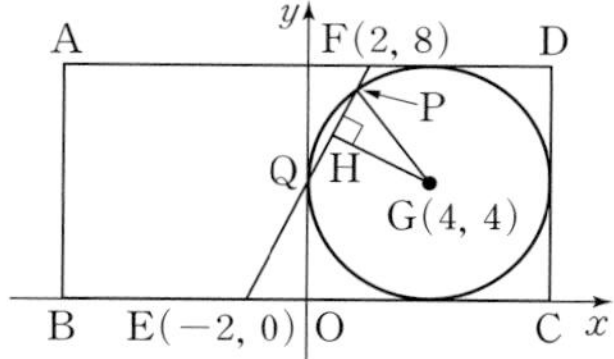

직선 EF의 방정식은 $y=2x+4$이고 $\overline{GH}$는 원의 중심 G에서 직선 EF까지의 거리이므로 $\frac{8}{\sqrt{5}}$이다.

$\overline{PH}=\sqrt{4^2-\left(\frac{8}{\sqrt{5}}\right)^2}=\frac{4}{\sqrt{5}}$

$k=\overline{PQ}=2\overline{PH}=\frac{8}{\sqrt{5}}$

$\therefore 5k^2=64$

답 64

1873

그림과 같이 좌표평면 위의 네 점 O(0, 0), A(4, 0), B(4, 5), C(0, 5)에 대하여 선분 BA의 양 끝점이 아닌 서로 다른 두 점 D, E가 선분 BA 위에 있다. 직선 OD와 직선 CE가 만나는 점을 F(a, b)라 하면 사각형 OAEF의 넓이는 사각형 BCFD의 넓이보다 4만큼 크고, 직선 OD와 직선 CE의 기울기의 곱은 $-\frac{7}{9}$이다. 두 상수 a, b에 대하여 $22(a+b)$의 값을 구하시오. (단, $0<a<4$)

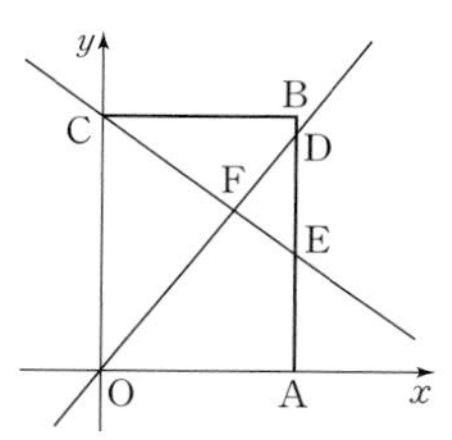

삼각형 OAD의 넓이는 삼각형 CEB의 넓이보다 4만큼 크다.

사각형 OAEF의 넓이와 삼각형 DFE의 넓이의 합은 삼각형 OAD의 넓이이고 사각형 BCFD의 넓이와 삼각형 DFE의 넓이의 합은 삼각형 CEB의 넓이이므로 삼각형 OAD의 넓이는 삼각형 CEB의 넓이보다 4만큼 크다.

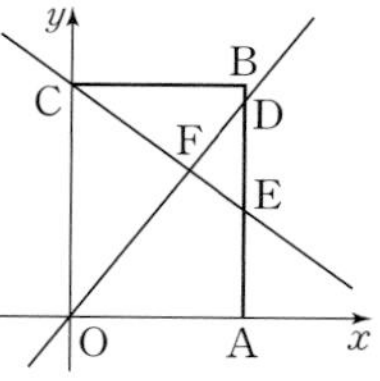

$\overline{OA}=\overline{CB}=4$이므로

삼각형 OAD의 넓이는 $\frac{1}{2}\times4\times\overline{DA}$이고

삼각형 CEB의 넓이는 $\frac{1}{2}\times4\times\overline{BE}$이다.

$\frac{1}{2}\times4\times\overline{DA}=\frac{1}{2}\times4\times\overline{BE}+4$

$\overline{DA}=\overline{BE}+2$

$\overline{BE}=k$라 놓으면 $\overline{DA}=k+2$

직선 OD의 기울기는 $\frac{k+2}{4}$

직선 CE의 기울기는 $-\frac{k}{4}$

직선 OD와 직선 CE의 기울기의 곱은 $-\frac{7}{9}$이므로

$\left(\frac{k+2}{4}\right)\times\left(-\frac{k}{4}\right)=-\frac{7}{9}$

$9k^2+18k-112=0$

$(3k-8)(3k+14)=0$

$k=\frac{8}{3}$ 또는 $k=-\frac{14}{3}$

$k>0$이므로 $k=\frac{8}{3}$

직선 OD의 방정식은 $y=\frac{7}{6}x$

직선 CE의 방정식은 $y=-\frac{2}{3}x+5$

두 직선이 만나는 점은 $F\left(\frac{30}{11}, \frac{35}{11}\right)$

$a=\frac{30}{11}$, $b=\frac{35}{11}$

따라서 $22(a+b)=130$

답 130

1874

그림과 같이 좌표평면 위의 네 점 O(0, 0), A(18, 0), B(18, 18), C(0, 18)을 꼭짓점으로 하는 정사각형 OABC에 대하여 점 (9, 9)를 지나고 x축과 만나는 세 직선 l, m, n이 정사각형 OABC의 넓이를 6등분한다. 직선 l의 x절편을 a라 하고 $6\le a\le10$일 때, 두 직선 m과 n의 기울기의 곱의 최댓값은 α, 최솟값은 β이다. $\alpha^2+\beta^2=\frac{q}{p}$일 때, $p+q$의 값을 구하시오. (단, p와 q는 서로소인 자연수이다.)

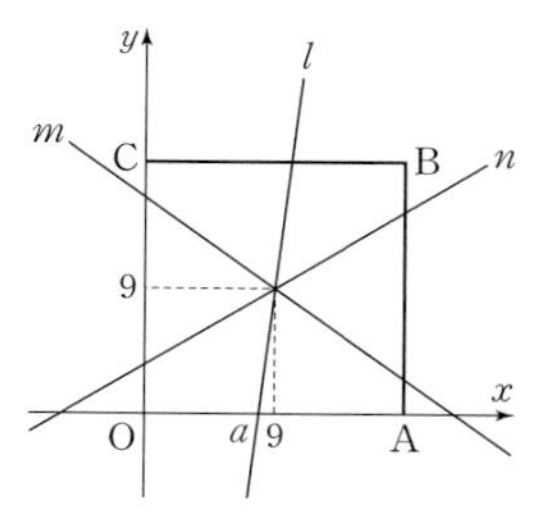

각각의 넓이는 $\frac{324}{6}=54$임을 이용하자.

직선 m, n이 y축과 만나는 점을 각각 D, E라 하고 점 (9, 9)를 F라 하자.

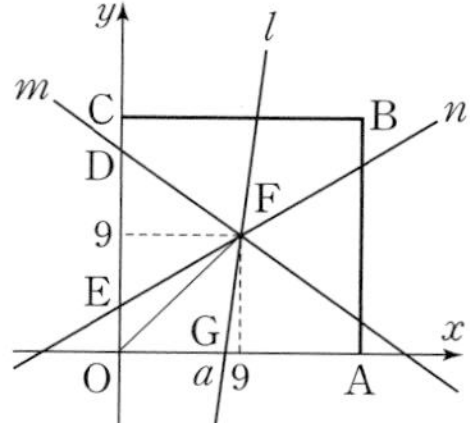

정사각형 OABC의 넓이가 324이므로 삼각형 DEF의 넓이는 54이다.

$\therefore \overline{DE}=12$

직선 l이 x축과 만나는 점을 G라 하면 사각형 OGFE의 넓이 54는 삼각형 OGF와 삼각형 OEF의 넓이의 합과 같으므로

$\overline{OE}+\overline{OG}=12$

$\overline{OG}=a$이므로 $\overline{OE}=12-a$, $\overline{OD}=24-a$

$\therefore D(0, 24-a)$, $E(0, 12-a)$

직선 m은 두 점 D, F를 지나므로

직선 m의 기울기는 $\frac{a-15}{9}$

직선 n은 두 점 E, F를 지나므로

직선 n의 기울기는 $\frac{a-3}{9}$

두 직선 m과 n의 기울기의 곱은

$\frac{a-15}{9}\times\frac{a-3}{9}$이므로

$\frac{1}{81}(a^2-18a+45)=\frac{1}{81}(a-9)^2-\frac{4}{9}$

$6\le a\le 10$이므로 $a=6$일 때 최댓값 $-\frac{1}{3}$

$a=9$일 때 최솟값 $-\frac{4}{9}$를 갖는다.

$\therefore \alpha=-\frac{1}{3}, \beta=-\frac{4}{9}$

따라서 $\alpha^2+\beta^2=\frac{25}{81}$이므로 $p+q=106$ 답 106

1875

점 C를 원점으로 놓고, $\overline{AC}$와 $\overline{AM}$의 방정식을 구하자.

그림과 같이 가로의 길이가 4, 세로의 길이가 6인 직사각형 ABCD가 있다. 선분 DC의 중점을 M이라 하고, 대각선 AC 위의 임의의 한 점 P에서 세 직선 BC, DC, AM에 내린 수선의 발을 각각 Q, R, S라 하자. 점 P가 $\overline{PQ}=\overline{PS}$를 만족시킬 때, 선분 PR의 길이는 $\frac{q}{p}$이다. 이때, $p+q$의 값을 구하시오.

(단, p와 q는 서로소인 자연수이다.)

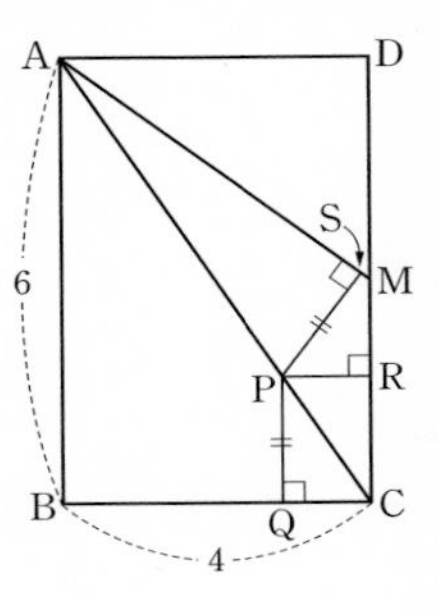

공식 $d=\frac{|ax_1+by_1+c|}{\sqrt{a^2+b^2}}$를 이용하자.

그림과 같이 주어진 직사각형을 점 C를 원점, 선분 BC를 x축, 선분 DC를 y축으로 하는 좌표평면 위에 나타내면 두 점 A, M의 좌표는 A$(-4, 6)$, M$(0, 3)$이다.

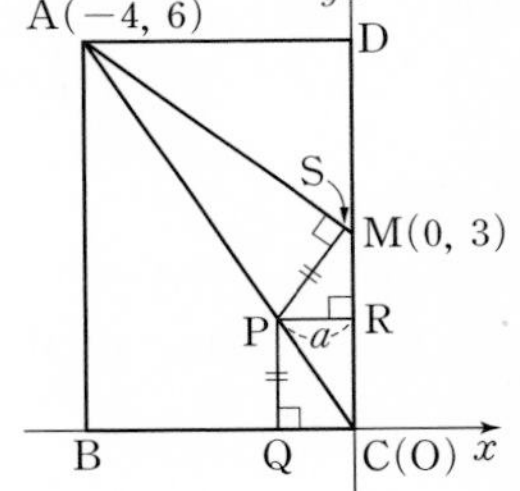

선분 PR의 길이를 a $(0<a<4)$라 하면 두 점 A$(-4, 6)$, C$(0, 0)$을 지나는 직선 AC의 방정식은

$y=\frac{6-0}{-4-0}x$, 즉 $y=-\frac{3}{2}x$이므로

두 점 P, Q의 좌표는 P$\left(-a, \frac{3}{2}a\right)$, Q$(-a, 0)$이다.

또한, 두 점 A$(-4, 6)$, M$(0, 3)$을 지나는 직선 AM의 방정식은

$y=\frac{6-3}{-4-0}(x-0)+3$에서 $y=-\frac{3}{4}x+3$

$\therefore 3x+4y-12=0$

이때, 점 P$\left(-a, \frac{3}{2}a\right)$와 직선 $3x+4y-12=0$ 사이의 거리는

$\frac{|-3a+6a-12|}{\sqrt{3^2+4^2}}=\frac{|3a-12|}{5}$이고,

주어진 조건에서 $\overline{PQ}=\overline{PS}$이므로

$\frac{3}{2}a=\frac{|3a-12|}{5}$, $5a=2|a-4|$

$5a=\pm 2(a-4)$

$\therefore 5a=-2a+8$ 또는 $5a=2a-8$

$\therefore a=\frac{8}{7}$ $(\because 0<a<4)$

따라서 $p=7$, $q=8$이므로

$p+q=15$ 답 15

1876

좌표평면 위의 임의의 점 P에서 두 직선 $3x-y+1=0$, $x+3y+2=0$에 내린 수선의 발을 각각 Q, R라 할 때, $\overline{PQ}=2\overline{PR}$를 만족한다고 한다. 다음 〈보기〉 중 옳은 것을 모두 고른 것은?

보기

ㄱ. $3x-y+1=0$, $x+3y+2=0$은 수직이다.

ㄴ. 점 P의 자취는 두 직선이다.

ㄷ. 점 P의 자취는 점 $\left(-\frac{1}{2}, -\frac{1}{2}\right)$을 교점으로 갖는다.

P(a, b)라 놓고 각 직선까지의 거리를 비교하자.

ㄱ. $3x-y+1=0$에서 $y=3x+1$

$x+3y+2=0$에서 $y=-\frac{1}{3}x-\frac{2}{3}$

이때, 두 직선의 기울기의 곱이 -1이므로 두 직선은 수직이다. (참)

ㄴ. 점 P(a, b)라 하면 두 직선 $3x-y+1=0$, $x+3y+2=0$ 사이의 거리는

$\overline{PQ}=\frac{|3a-b+1|}{\sqrt{3^2+(-1)^2}}=\frac{|3a-b+1|}{\sqrt{10}}$,

$\overline{PR}=\frac{|a+3b+2|}{\sqrt{1^2+3^2}}=\frac{|a+3b+2|}{\sqrt{10}}$

이때, $\overline{PQ}=2\overline{PR}$이므로

$\frac{|3a-b+1|}{\sqrt{10}}=2\cdot\frac{|a+3b+2|}{\sqrt{10}}$

$|3a-b+1|=2|a+3b+2|$

$\therefore 3a-b+1=\pm 2(a+3b+2)$

위 두 식을 각각 풀어 정리하면

점 P의 자취의 방정식이 $\begin{cases} a-7b-3=0 \\ a+b+1=0 \end{cases}$이므로

자취는 두 직선이다. (참)

ㄷ. ㄴ에서 점 P의 자취의 방정식을 연립하여 풀면 $a=-\frac{1}{2}$,

$b=-\frac{1}{2}$이므로 교점은 $\left(-\frac{1}{2}, -\frac{1}{2}\right)$이다. (참)

따라서 ㄱ, ㄴ, ㄷ 모두 옳다. 답 ⑤

12 원의 방정식

본책 324~354쪽

1877

중심의 좌표가 $(0, 0)$이고, 반지름의 길이가 1인 원의 방정식은
$x^2+y^2=1^2$ 답 $x^2+y^2=1$

1878

중심의 좌표가 $(1, 1)$이고, 반지름의 길이가 3인 원의 방정식은
$(x-1)^2+(y-1)^2=3^2$ 답 $(x-1)^2+(y-1)^2=9$

1879

중심의 좌표가 $(-2, 3)$이고, 반지름의 길이가 4인 원의 방정식은
$(x+2)^2+(y-3)^2=4^2$ 답 $(x+2)^2+(y-3)^2=16$

1880

중심의 좌표가 $(2, 1)$이고, 반지름의 길이가 1이므로 원의 방정식은
$(x-2)^2+(y-1)^2=1^2$ 답 $(x-2)^2+(y-1)^2=1$

1881

중심의 좌표가 $(3, -4)$이고, 반지름의 길이가 3이므로 원의 방정식은
$(x-3)^2+(y+4)^2=3^2$ 답 $(x-3)^2+(y+4)^2=9$

1882

답 중심의 좌표 : $(0, 0)$, 반지름의 길이 : 2

1883

답 중심의 좌표 : $(3, 4)$, 반지름의 길이 : 4

1884

답 중심의 좌표 : $(-2, 1)$, 반지름의 길이 : $\sqrt{3}$

1885

방정식 $x^2+y^2=4$는 중심의 좌표가 $(0, 0)$이고, 반지름의 길이가 2이므로 좌표평면 위에 나타내면 다음과 같다.

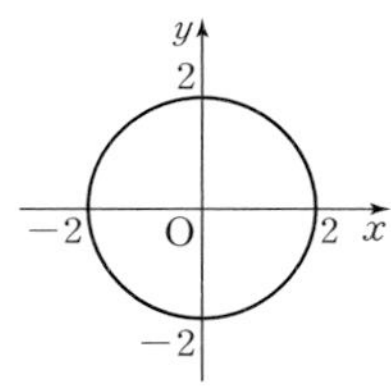

답 풀이 참조

1886

방정식 $(x+1)^2+y^2=1$은 중심의 좌표가 $(-1, 0)$이고, 반지름의 길이가 1이므로 좌표평면 위에 나타내면 다음과 같다.

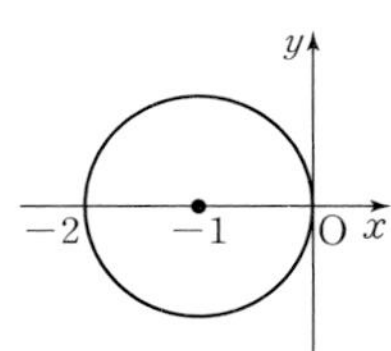

답 풀이 참조

1887

방정식 $x^2+(y-3)^2=25$는 중심의 좌표가 $(0, 3)$이고, 반지름의 길이가 5이므로 좌표평면 위에 나타내면 다음과 같다.

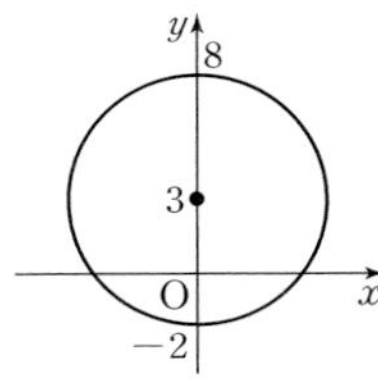

답 풀이 참조

1888

방정식 $(x-2)^2+(y-3)^2=9$는 중심의 좌표가 $(2, 3)$이고, 반지름의 길이가 3이므로 좌표평면 위에 나타내면 다음과 같다.

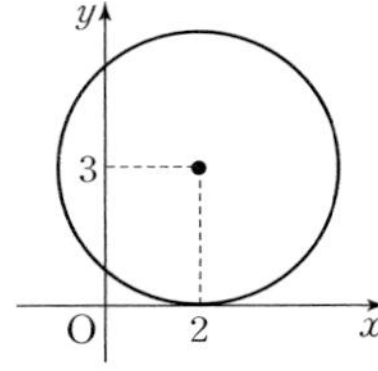

답 풀이 참조

1889

원의 중심의 좌표가 $(0, 0)$이고, 원점에서 점 A(또는 점 B)까지의 거리가 반지름이므로 두 점 사이의 거리는
$\sqrt{3^2+4^2}=5$
따라서 구하는 원의 방정식은
$x^2+y^2=25$ 답 $x^2+y^2=25$

1890

원의 중심을 $C(a, b)$라 하면 점 C는 $\overline{AB}$의 중점이므로
$a=\dfrac{-2+2}{2}=0$, $b=\dfrac{0+4}{2}=2$
$\therefore C(0, 2)$
이때, 이 원은 x축에 접하므로 반지름의 길이는 2
따라서 구하는 원의 방정식은
$x^2+(y-2)^2=4$ 답 $x^2+(y-2)^2=4$

1891

원의 중심을 $C(a, b)$라 하면 점 C는 $\overline{AB}$의 중점이므로
$a=\dfrac{0+6}{2}=3$, $b=\dfrac{0+6}{2}=3$
$\therefore C(3, 3)$
이때, 원의 반지름의 길이는 $\overline{AB}$의 $\dfrac{1}{2}$이므로
$\dfrac{1}{2}\overline{AB}=\dfrac{1}{2}\sqrt{(6-0)^2+(6-0)^2}=3\sqrt{2}$
따라서 구하는 원의 방정식은
$(x-3)^2+(y-3)^2=(3\sqrt{2})^2$
$\therefore (x-3)^2+(y-3)^2=18$ 답 $(x-3)^2+(y-3)^2=18$

1892

원의 중심을 $C(a, b)$라 하면 점 C는 $\overline{AB}$의 중점이므로

$a=\frac{5+1}{2}=3,\ b=\frac{3+(-1)}{2}=1$

$\therefore$ C$(3, 1)$

이때, 원의 반지름의 길이는 $\overline{AB}$의 $\frac{1}{2}$이므로

$\frac{1}{2}\overline{AB}=\frac{1}{2}\sqrt{(5-1)^2+(3+1)^2}=2\sqrt{2}$

따라서 구하는 원의 방정식은

$(x-3)^2+(y-1)^2=(2\sqrt{2})^2$

$\therefore (x-3)^2+(y-1)^2=8$ 답 $(x-3)^2+(y-1)^2=8$

1893

반지름의 길이를 r라 하면

$(x+2)^2+(y-3)^2=r^2$

이 원이 점 $(0, 2)$를 지나므로

$2^2+(-1)^2=r^2 \quad \therefore r^2=5$

따라서 구하는 원의 방정식은

$(x+2)^2+(y-3)^2=5$ 답 $(x+2)^2+(y-3)^2=5$

다른풀이 중심 $(-2, 3)$과 점 $(0, 2)$ 사이의 거리가 반지름의 길이이므로 두 점 사이의 거리는

$\sqrt{(-2-0)^2+(3-2)^2}=\sqrt{4+1}=\sqrt{5}$

따라서 구하는 원의 방정식은 $(x+2)^2+(y-3)^2=(\sqrt{5})^2$

$\therefore (x+2)^2+(y-3)^2=5$

1894

반지름의 길이를 r라 하면

$(x-3)^2+(y-1)^2=r^2$

이 원이 점 $(1, -1)$을 지나므로

$(-2)^2+(-2)^2=r^2 \quad \therefore r^2=8$

따라서 구하는 원의 방정식은

$(x-3)^2+(y-1)^2=8$ 답 $(x-3)^2+(y-1)^2=8$

다른풀이 중심 $(3, 1)$과 점 $(1, -1)$ 사이의 거리가 반지름의 길이이므로 두 점 사이의 거리는

$\sqrt{(3-1)^2+\{1-(-1)\}^2}=\sqrt{4+4}=2\sqrt{2}$

따라서 구하는 원의 방정식은

$(x-3)^2+(y-1)^2=(2\sqrt{2})^2$

$\therefore (x-3)^2+(y-1)^2=8$

1895

중심의 좌표가 $(5, 5)$이고, x축과 y축에 동시에 접하므로 반지름의 길이는 $|5|=5$이다.

따라서 구하는 원의 방정식은

$(x-5)^2+(y-5)^2=25$ 답 $(x-5)^2+(y-5)^2=25$

1896

중심의 좌표가 $(4, -2)$이고, x축에 접하므로 반지름의 길이는 $|-2|=2$이다.

따라서 구하는 원의 방정식은

$(x-4)^2+(y+2)^2=4$ 답 $(x-4)^2+(y+2)^2=4$

1897

중심의 좌표가 $(4, -8)$이고, y축에 접하므로 반지름의 길이는 $|4|=4$이다.

따라서 구하는 원의 방정식은

$(x-4)^2+(y+8)^2=16$ 답 $(x-4)^2+(y+8)^2=16$

1898

$(x-2)^2+y^2=1$에서

$x^2-4x+4+y^2-1=0$

$\therefore x^2+y^2-4x+3=0$ 답 $x^2+y^2-4x+3=0$

1899

$x^2+(y-5)^2=4$에서

$x^2+y^2-10y+25-4=0$

$\therefore x^2+y^2-10y+21=0$ 답 $x^2+y^2-10y+21=0$

1900

$(x+3)^2+(y-2)^2=13$에서

$x^2+6x+9+y^2-4y+4-13=0$

$\therefore x^2+y^2+6x-4y=0$ 답 $x^2+y^2+6x-4y=0$

1901

$x^2+4x+y^2+3=0$에서

$(x+2)^2+y^2-1=0$

$\therefore (x+2)^2+y^2=1$ 답 $(x+2)^2+y^2=1$

1902

$x^2+y^2-6y+8=0$에서

$x^2+(y-3)^2-1=0$

$\therefore x^2+(y-3)^2=1$ 답 $x^2+(y-3)^2=1$

1903

$x^2+y^2-2x+8y+1=0$에서

$(x-1)^2+(y+4)^2-16=0$

$\therefore (x-1)^2+(y+4)^2=16$ 답 $(x-1)^2+(y+4)^2=16$

1904

$x^2+2x+y^2-3=0$에서

$(x+1)^2+y^2-4=0$

$\therefore (x+1)^2+y^2=4$

중심의 좌표 : $(-1, 0)$, 반지름의 길이 : 2

답 중심의 좌표 : $(-1, 0)$, 반지름의 길이 : 2

1905

$x^2+y^2+4y+3=0$에서

$x^2+(y+2)^2-1=0$

$\therefore x^2+(y+2)^2=1$

중심의 좌표 : $(0, -2)$, 반지름의 길이 : 1

답 중심의 좌표 : $(0, -2)$, 반지름의 길이 : 1

1906

$x^2+y^2+6x-2y+6=0$에서

$(x+3)^2+(y-1)^2-4=0$

$\therefore (x+3)^2+(y-1)^2=4$

중심의 좌표 : $(-3, 1)$, 반지름의 길이 : 2

답 중심의 좌표 : $(-3, 1)$, 반지름의 길이 : 2

1907

$x^2+y^2+2x-4y+1=0$에서

$(x+1)^2+(y-2)^2-4=0$

$\therefore (x+1)^2+(y-2)^2=4$

중심의 좌표 : $(-1, 2)$, 반지름의 길이 : 2

답 중심의 좌표 : $(-1, 2)$, 반지름의 길이 : 2

1908

원의 중심에서 직선까지의 거리가 반지름의 길이보다 작으므로 $d \boxed{<} r$

또 원과 직선이 서로 다른 두 점에서 만나므로

$D \boxed{>} 0$

답 $<$, $>$

1909

원의 중심에서 직선까지의 거리가 반지름의 길이와 같으므로

$d \boxed{=} r$

또 원과 직선이 한 점에서 만나므로

$D \boxed{=} 0$

답 $=$, $=$

1910

원의 중심에서 직선까지의 거리가 반지름의 길이보다 크므로

$d \boxed{>} r$

또 원과 직선이 만나지 않으므로

$D \boxed{<} 0$

답 $>$, $<$

1911

원 $x^2+y^2=5$의 중심 $(0, 0)$과 직선 $x-y+2=0$ 사이의 거리를 d라 하면

$$d=\frac{|0-0+2|}{\sqrt{1^2+(-1)^2}}=\sqrt{2}$$

이때, 반지름의 길이 $r=\sqrt{5}$이므로 $d<r$

따라서 원과 직선은 서로 다른 두 점에서 만나므로 교점의 개수는 2이다.

답 2

1912

원 $x^2+y^2=4$의 중심 $(0, 0)$과 직선 $2x-y+2\sqrt{5}=0$ 사이의 거리를 d라 하면

$$d=\frac{|0-0+2\sqrt{5}|}{\sqrt{2^2+(-1)^2}}=2$$

이때, 반지름의 길이 $r=2$이므로 $d=r$

따라서 원과 직선은 한 점에서 만나므로 교점의 개수는 1이다.

답 1

1913

$x^2+y^2-2x+4y=0$에서 $(x-1)^2+(y+2)^2=5$

$y=\frac{1}{2}x+5$에서 $x-2y+10=0$

원 $(x-1)^2+(y+2)^2=5$의 중심 $(1, -2)$와 직선 $x-2y+10=0$ 사이의 거리를 d라 하면

$$d=\frac{|1+4+10|}{\sqrt{1+(-2)^2}}=3\sqrt{5}$$

이때, 반지름의 길이 $r=\sqrt{5}$이므로 $d>r$

따라서 원과 직선은 만나지 않으므로 교점의 개수는 0이다.

답 0

1914

$y=3x-1$을 $x^2+y^2=10$에 대입하여 정리하면

$x^2+(3x-1)^2=10$ $\quad \therefore 10x^2-6x-9=0$

이 이차방정식의 판별식을 D라 하면

$$\frac{D}{4}=(-3)^2-10\cdot(-9)=99>0$$

따라서 서로 다른 두 점에서 만난다.

답 서로 다른 두 점에서 만난다.

1915

$y=-x-2$를 $x^2+y^2=2$에 대입하여 정리하면

$x^2+(-x-2)^2=2$

$\therefore 2x^2+4x+2=0$

이 이차방정식의 판별식을 D라 하면

$$\frac{D}{4}=2^2-2\cdot2=0$$

따라서 한 점에서 만난다. (접한다.)

답 한 점에서 만난다. (접한다.)

1916

$2x-y-6=0$에서 $y=2x-6$

이것을 $(x+1)^2+(y-1)^2=9$에 대입하여 정리하면

$(x+1)^2+(2x-7)^2=9$

$\therefore 5x^2-26x+41=0$

이 이차방정식의 판별식을 D라 하면

$$\frac{D}{4}=(-13)^2-5\cdot41=-36<0$$

따라서 만나지 않는다.

답 만나지 않는다.

1917

직선이 원과 서로 다른 두 점에서 만나므로

$\frac{D}{4}=-k^2+8>0$, $k^2-8<0$

$(k+2\sqrt{2})(k-2\sqrt{2})<0$

$\therefore -2\sqrt{2}<k<2\sqrt{2}$

답 $-2\sqrt{2}<k<2\sqrt{2}$

1918

직선이 원과 접하므로

$\frac{D}{4}=-k^2+8=0$, $k^2-8=0$

$(k+2\sqrt{2})(k-2\sqrt{2})=0$

$\therefore k=-2\sqrt{2}$ 또는 $k=2\sqrt{2}$

답 $k=-2\sqrt{2}$ 또는 $k=2\sqrt{2}$

1919

직선이 원과 만나지 않으므로

$\frac{D}{4}=-k^2+8<0$, $k^2-8>0$

$(k+2\sqrt{2})(k-2\sqrt{2})>0$

$\therefore k<-2\sqrt{2}$ 또는 $k>2\sqrt{2}$

답 $k<-2\sqrt{2}$ 또는 $k>2\sqrt{2}$

1920

원 위의 점 A와 직선 사이의 거리가 최소이려면 점 A의 위치가 그림과 같아야 한다.

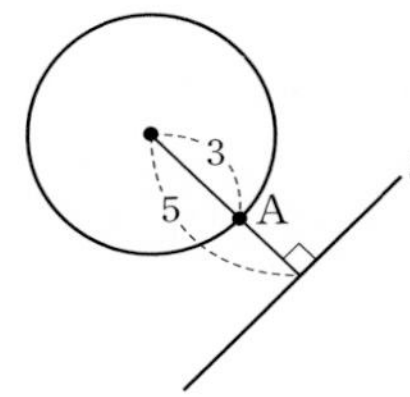

따라서 원 위의 점 A와 직선 l 사이의 거리의 최솟값은
$5-3=2$ 답 2

1921
원 위의 점 A와 직선 사이의 거리가 최대이려면 점 A의 위치가 그림과 같아야 한다.

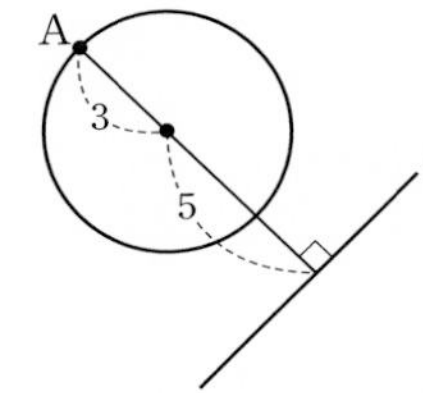

따라서 원 위의 점 A와 직선 l 사이의 거리의 최댓값은 $5+3=8$ 답 8

1922
원 위의 점 A와 직선 사이의 거리가 최대이려면 점 A의 위치가 그림과 같아야 한다.

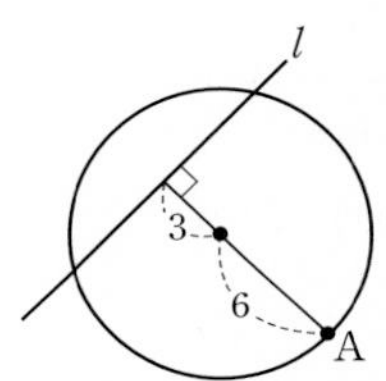

따라서 원 위의 점 A와 직선 l 사이의 거리의 최댓값은
$3+6=9$ 답 9

1923
$\overline{AO}=\sqrt{(2+2)^2+(3+1)^2}=4\sqrt{2}$
피타고라스 정리에서 $\overline{AO}^2=\overline{AH}^2+\overline{OH}^2$이므로
$(4\sqrt{2})^2=\overline{AH}^2+2^2$, $\overline{AH}^2=32-4=28$
$\therefore \overline{AH}=2\sqrt{7}$ 답 $2\sqrt{7}$

1924
$\overline{AO}=\sqrt{(1-6)^2+(2-5)^2}=\sqrt{34}$
피타고라스 정리에서 $\overline{AO}^2=\overline{AH}^2+\overline{OH}^2$이므로
$(\sqrt{34})^2=\overline{AH}^2+3^2$, $\overline{AH}^2=34-9=25$
$\therefore \overline{AH}=5$ 답 5

1925
$m=2$, $r=3$이므로
$y=2x\pm3\sqrt{2^2+1}$
$\therefore y=2x\pm3\sqrt{5}$ 답 $y=2x\pm3\sqrt{5}$

1926
$m=-3$, $r=2$이므로
$y=-3x\pm2\sqrt{(-3)^2+1}$
$\therefore y=-3x\pm2\sqrt{10}$ 답 $y=-3x\pm2\sqrt{10}$

1927
원 $x^2+y^2=1$에 접하고, 기울기가 1인 접선의 방정식은
$y=x\pm\sqrt{1^2+1}$
$\therefore y=x\pm\sqrt{2}$
이때, y절편이 양수이므로 구하는 접선의 방정식은
$y=x+\sqrt{2}$ 답 $y=x+\sqrt{2}$

1928
원 $x^2+y^2=4$에 접하고, 기울기가 -1인 접선의 방정식은
$y=-x\pm2\sqrt{(-1)^2+1}$
$\therefore y=-x\pm2\sqrt{2}$
이때, y절편이 양수이므로 구하는 접선의 방정식은
$y=-x+2\sqrt{2}$ 답 $y=-x+2\sqrt{2}$

1929
원 $x^2+y^2=9$에 접하고, 기울기가 $\sqrt{3}$인 접선의 방정식은
$y=\sqrt{3}x\pm3\sqrt{(\sqrt{3})^2+1}$
$\therefore y=\sqrt{3}x\pm6$
이때, y절편이 음수이므로 구하는 접선의 방정식은
$y=\sqrt{3}x-6$ 답 $y=\sqrt{3}x-6$

1930
$x_1=4$, $y_1=0$, $r=4$이므로
$4\cdot x+0\cdot y=4^2$
$4x=16$
$\therefore x-4=0$ 답 $x-4=0$

1931
$x_1=3$, $y_1=-4$, $r=5$이므로
$3\cdot x+(-4)\cdot y=5^2$
$\therefore 3x-4y-25=0$ 답 $3x-4y-25=0$

1932
$x_1=1$, $y_1=-3$, $r=\sqrt{10}$이므로
$1\cdot x+(-3)\cdot y=(\sqrt{10})^2$
$\therefore x-3y-10=0$ 답 $x-3y-10=0$

1933
원 $x^2+y^2=25$에 접하고 점 $(4, -3)$을 지나는 접선의 방정식은
$4\cdot x+(-3)\cdot y=5^2$
$\therefore 4x-3y-25=0$ 답 $4x-3y-25=0$

1934
원 $x^2+y^2=5$에 접하고 점 $(1, -2)$를 지나는 접선의 방정식은
$1\cdot x+(-2)\cdot y=(\sqrt{5})^2$
$\therefore x-2y-5=0$ 답 $x-2y-5=0$

1935
접점을 $P(x_1, y_1)$이라 하면 구하는 접선의 방정식은
$x_1x+y_1y=8$ ……㉠
접선 ㉠이 점 $(4, 0)$을 지나므로
$4x_1=8$

$\therefore x_1=\boxed{2}$

점 $P(x_1, y_1)$은 원 $x^2+y^2=8$ 위의 점이므로

$x_1^2+y_1^2=8$ ······ ㉡

$x_1=\boxed{2}$를 ㉡에 대입하면

$y_1^2=4$

$\therefore y_1=\boxed{-2}$ 또는 $y_1=\boxed{2}$

따라서 접점의 좌표는 $\boxed{(2, -2)}$ 또는 $\boxed{(2, 2)}$이므로

이것을 ㉠에 대입하여 접선의 방정식을 구하면

$\boxed{x-y-4=0}$ 또는 $\boxed{x+y-4=0}$

답 $2, 2, -2, 2, (2, -2), (2, 2), x-y-4=0, x+y-4=0$

1936

점 $(4, 0)$을 지나는 접선의 기울기를 m이라 하면 접선의 방정식은

$y=m(x-4)$

$\therefore \boxed{mx-y-4m=0}$

이 직선이 원 $x^2+y^2=8$에 접하므로 원의 중심 $(0, 0)$과 직선 사이의 거리는 반지름의 길이 $\sqrt{8}$과 같다. 즉,

$\dfrac{|0-0-4m|}{\sqrt{m^2+(-1)^2}}=\boxed{\sqrt{8}}$

$|-4m|=\boxed{\sqrt{8}}\sqrt{m^2+1}$

양변을 제곱하여 정리하면

$16m^2=8(m^2+1)$

$8m^2=8,\ m^2=1$

$\therefore m=\boxed{-1}$ 또는 $m=\boxed{1}$

$m=\boxed{-1}$일 때, 접선의 방정식은 $\boxed{x+y-4=0}$

$m=\boxed{1}$일 때, 접선의 방정식은 $\boxed{x-y-4=0}$

답 $mx-y-4m=0, \sqrt{8}, \sqrt{8}, -1, 1, -1,$
$x+y-4=0, 1, x-y-4=0$

1937

그림은 좌표평면 위에 원을 나타낸 것이다. 이 원의 방정식은?

원의 중심과 반지름의 길이를 파악하자.

① $(x-3)^2+(y-1)^2=2$

② $(x-1)^2+(y-3)^2=2$

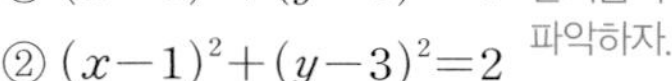

③ $(x-3)^2+(y-1)^2=4$

④ $(x-1)^2+(y-3)^2=4$

⑤ $(x-3)^2+(y-1)^2=\sqrt{2}$

중심이 $(3, 1)$이고, 반지름의 길이가 2인 원이므로

$(x-3)^2+(y-1)^2=2^2$

$\therefore (x-3)^2+(y-1)^2=4$

답 ③

1938

원 $(x-3)^2+(y+1)^2=4$와 중심이 같고 점 $(3, -2)$를 지나는 원이 점 $(a, 0)$을 지날 때, a의 값을 구하시오.

$(x-3)^2+(y+1)^2=r^2$으로 놓자.

원 $(x-3)^2+(y+1)^2=4$의 중심의 좌표는 $(3, -1)$이므로 중심이 같은 원의 반지름의 길이를 r라 하면 원의 방정식은

$(x-3)^2+(y+1)^2=r^2$

이 원이 점 $(3, -2)$를 지나므로

$(3-3)^2+(-2+1)^2=r^2$

$\therefore r^2=1$

즉, 원의 방정식은 $(x-3)^2+(y+1)^2=1$이고 이 원이 점 $(a, 0)$을 지나므로

$(a-3)^2+(0+1)^2=1,\ (a-3)^2=0$

$\therefore a=3$

답 3

1939

좌표평면 위의 두 점 $A(1, 1)$, $B(3, a)$에 대하여 선분 AB의 수직이등분선이 원 $(x+2)^2+(y-5)^2=4$의 넓이를 이등분할 때, 상수 a의 값은?

원의 중심을 지난다.

선분 AB의 수직이등분선을 l이라 하면

직선 l은 선분 AB의 중점 $M\left(2, \dfrac{a+1}{2}\right)$을 지나고,

주어진 원의 넓이를 이등분하므로 원의 중심 $(-2, 5)$를 지난다.

직선 l의 기울기는 $\dfrac{\frac{a+1}{2}-5}{2-(-2)}=\dfrac{a-9}{8}$

직선 AB의 기울기는 $\dfrac{a-1}{3-1}=\dfrac{a-1}{2}$

두 직선이 서로 수직이므로 $\dfrac{a-9}{8}\times\dfrac{a-1}{2}=-1$

$(a-9)(a-1)=-16,\ (a-5)^2=0$

$\therefore a=5$

답 ①

1940

원 $(x+a)^2+(y-2)^2=1$의 중심과 원 $(x+3)^2+(y-b)^2=4$의 중심을 각각 P, Q라 하자. 선분 PQ의 중점 M의 좌표가 $(-1, 4)$일 때, 두 상수 a, b에 대하여 $a+b$의 값을 구하시오.

공식 $M\left(\dfrac{x_1+x_2}{2}, \dfrac{y_1+y_2}{2}\right)$를 이용하자.

원 $(x+a)^2+(y-2)^2=1$의 중심의 좌표는 $(-a, 2)$이므로 점 P의 좌표는 $(-a, 2)$이고,

원 $(x+3)^2+(y-b)^2=4$의 중심의 좌표는 $(-3, b)$이므로 점 Q의 좌표는 $(-3, b)$이다.

선분 PQ의 중점의 좌표가 $(-1, 4)$이므로

$\dfrac{-a-3}{2}=-1,\ \dfrac{2+b}{2}=4$

$\therefore a=-1, b=6$

$\therefore a+b=5$

답 5

1941

중심의 좌표가 $(-3, 1)$이고, 반지름의 길이가 2인 원이 x축과 만나는 두 점을 $A(\alpha, 0)$, $B(\beta, 0)$이라 할 때, $\alpha\beta$의 값을 구하시오.

$(x+3)^2+(y-1)^2=4$이다.

중심의 좌표가 $(-3, 1)$이고, 반지름의 길이가 2인 원의 방정식은
$(x+3)^2+(y-1)^2=4$
이 원이 x축과 만나는 점의 x좌표는 $y=0$일 때 $x^2+6x+9+1=4$, 즉
$x^2+6x+6=0$을 만족하는 x의 값이므로 α, β는 이차방정식
$x^2+6x+6=0$의 두 근이다.
$\therefore \alpha\beta=6$ 답 6

1942

두 원 $(x+1)^2+(y+3)^2=9$, $(x-2)^2+(y-1)^2=r^2$이 접하도록 하는 모든 양수 r의 값의 합을 구하시오.
→ 외접하는 경우와 내접하는 경우가 있다.

두 원의 중심의 좌표가 각각 $(-1, -3)$, $(2, 1)$이므로 중심 사이의 거리는 $\sqrt{(2+1)^2+(1+3)^2}=5$
두 원의 반지름의 길이가 각각 3, r이므로
(i) 두 원이 외접하는 경우
$3+r=5$에서 $r=2$
(ii) 두 원이 내접하는 경우
$|3-r|=5$에서 $r=8$ ($\because r>0$)
(i), (ii)에 의하여 모든 양수 r의 값의 합은 10이다. 답 10

1943

두 점 $A(-2, -4)$, $B(6, 2)$를 지름의 양 끝점으로 하는 원의 방정식은?
→ 원의 중심은 $\overline{AB}$의 중점이고, 반지름의 길이는 $\frac{1}{2}\overline{AB}$이다.

두 점 $A(-2, -4)$, $B(6, 2)$를 지름의 양 끝점으로 하는 원의 중심은 선분 AB의 중점이므로
$\left(\frac{-2+6}{2}, \frac{-4+2}{2}\right)$ $\therefore (2, -1)$
또한, 반지름의 길이는 선분 AB의 길이의 $\frac{1}{2}$이므로
$\frac{1}{2}\overline{AB}=\frac{1}{2}\sqrt{(6+2)^2+(2+4)^2}=5$
따라서 중심의 좌표가 $(2, -1)$, 반지름의 길이가 5인 원이므로
$(x-2)^2+(y+1)^2=5^2$ 답 ⑤

다른풀이 두 점 $A(x_1, y_1)$, $B(x_2, y_2)$를 지름의 양 끝점으로 하는 원의 방정식은
$(x-x_1)(x-x_2)+(y-y_1)(y-y_2)=0$
의 공식을 이용하여 구할 수도 있다.
즉, 두 점 $A(-2, -4)$, $B(6, 2)$를 지름의 양 끝점으로 하는 원의 방정식은
$(x+2)(x-6)+(y+4)(y-2)=0$
$x^2-4x+y^2+2y-20=0$
$\therefore (x-2)^2+(y+1)^2=25$

1944

각 원의 중심을 A, B라 하면 원의 중심은 $\overline{AB}$의 중점이고, 반지름의 길이는 $\frac{1}{2}\overline{AB}$이다.

다음 두 원의 중심을 지름의 양 끝점으로 하는 원의 방정식을 구하시오.

$$x^2+y^2=1,\ (x-2)^2+(y+4)^2=20$$

원 $x^2+y^2=1$의 중심을 A라 하면 $A(0, 0)$
원 $(x-2)^2+(y+4)^2=20$의 중심을 B라 하면 $B(2, -4)$
이때, 구하는 원의 중심은 선분 AB의 중점이므로
$\overline{AB}$의 중점을 $C(a, b)$라 하면
$a=\frac{0+2}{2}=1$, $b=\frac{0-4}{2}=-2$
$\therefore C(1, -2)$
또 구하는 원의 반지름의 길이는 점 $A(0, 0)$과 중심 $C(1, -2)$ 사이의 거리이므로
$\overline{AC}=\sqrt{(1-0)^2+(-2-0)^2}=\sqrt{5}$
따라서 구하는 원의 방정식은
$(x-1)^2+(y+2)^2=5$ 답 $(x-1)^2+(y+2)^2=5$

1945

원의 중심은 $\overline{AB}$의 중점이고, 반지름의 길이는 $\frac{1}{2}\overline{AB}$이다.

두 점 $A(-3, 0)$, $B(k, 0)$을 지름의 양 끝점으로 하는 원의 방정식이 $(x+a)^2+(y+b)^2=4$일 때, $a+b+k$의 값을 구하시오. (단, $k>0$)

반지름의 길이가 2이므로
$\overline{AB}=|k+3|=4$
$k+3=\pm 4$
$\therefore k=1$ ($\because k>0$)
원의 중심 $(-a, -b)$가 두 점 $A(-3, 0)$, $B(1, 0)$의 중점이므로
$-a=\frac{-3+1}{2}$ $\therefore a=1$
$-b=\frac{0+0}{2}$ $\therefore b=0$
$\therefore a+b+k=1+0+1=2$ 답 2

1946

→ $(x-a)^2+(y-b)^2=r^2$ 꼴로 변형하자.

원 $x^2+y^2+2x-4y-4=0$의 중심의 좌표를 (a, b), 반지름의 길이를 r라 할 때, $a+b+r$의 값은?

$x^2+y^2+2x-4y-4=0$에서
$(x^2+2x+1)+(y^2-4y+4)=4+1+4$
$\therefore (x+1)^2+(y-2)^2=3^2$
중심의 좌표가 $(-1, 2)$이고, 반지름의 길이는 3이므로
$a+b+r=-1+2+3=4$ 답 ④

1947

→ $(x-a)^2+(y-b)^2=r^2$ 꼴로 변형하자.

원 $x^2+y^2-4x+6y+12=0$과 중심이 같고, 점 $(3, -1)$을 지나는 원의 넓이는?

방정식 $x^2+y^2-4x+6y+12=0$을 표준형으로 변형하면
$(x^2-4x+4)+(y^2+6y+9)=1$
$\therefore (x-2)^2+(y+3)^2=1$
이 원의 중심이 $(2, -3)$이므로 구하는 원의 중심도 $(2, -3)$이다.
이때, 원의 반지름의 길이를 r라 하면
$(x-2)^2+(y+3)^2=r^2$
이 원이 점 $(3, -1)$을 지나므로
$(3-2)^2+(-1+3)^2=r^2$
$\therefore r^2=5$
따라서 구하는 원의 넓이는 $\pi r^2=5\pi$

답 ①

1948

두 원 $x^2-7x+y^2-9y+30=0$, $x^2-4x+y^2=21$이 있다. 이 두 원의 중심 사이의 거리를 구하시오.

→ 각 원을 $(x-a)^2+(y-b)^2=r^2$ 꼴로 변형하자.

$x^2-7x+y^2-9y+30=0$에서
$\left(x-\frac{7}{2}\right)^2+\left(y-\frac{9}{2}\right)^2=\frac{5}{2}$
이므로 중심의 좌표는 $\left(\frac{7}{2}, \frac{9}{2}\right)$
$x^2-4x+y^2=21$에서 $(x-2)^2+y^2=25$이므로
중심의 좌표는 $(2, 0)$
$\therefore \sqrt{\left(\frac{7}{2}-2\right)^2+\left(\frac{9}{2}\right)^2}=\frac{3\sqrt{10}}{2}$

답 $\frac{3\sqrt{10}}{2}$

1949

원 $x^2+y^2+2kx-ky+3k=0$의 중심의 좌표가 $(-4, 2)$일 때, 이 원의 둘레의 길이는?

→ $(x+4)^2+(y-2)^2=r^2$이라 하자.

반지름의 길이를 r $(r>0)$라 하면 중심의 좌표가 $(-4, 2)$이므로 원의 방정식은
$(x+4)^2+(y-2)^2=r^2$
$x^2+8x+16+y^2-4y+4=r^2$
$x^2+y^2+8x-4y+20-r^2=0$
이 식이 $x^2+y^2+2kx-ky+3k=0$과 일치하므로
$8=2k$, $-4=-k$, $20-r^2=3k$
$\therefore k=4$, $r^2=8$
$\therefore r=2\sqrt{2}$ $(\because r>0)$
따라서 원의 둘레의 길이는
$2\pi\cdot2\sqrt{2}=4\sqrt{2}\pi$

답 ②

1950

직선 $y=3x+2$가 원 $x^2+y^2+2ax+4ay+10=0$의 넓이를 이등분할 때, 상수 a의 값은?

→ 직선이 원의 중심을 지난다.

$x^2+y^2+2ax+4ay+10=0$에서
$(x+a)^2+(y+2a)^2=5a^2-10$
직선 $y=3x+2$가 이 원의 넓이를 이등분하려면 원의 중심 $(-a, -2a)$를 지나야 하므로
$-2a=3\cdot(-a)+2$
$\therefore a=2$

답 ④

1951

→ $(x-a)^2+(y-b)^2=r^2$ 꼴로 변형한 후 r^2의 최솟값을 구하자.

원 $x^2+y^2-8kx+4ky+20k-9=0$의 넓이가 최소가 될 때의 원의 중심의 좌표를 (a, b), 반지름의 길이를 r라 하자. 이때, $a+b+r$의 값을 구하시오. (단, k는 상수이다.)

주어진 원의 방정식
$x^2+y^2-8kx+4ky+20k-9=0$에서
$(x^2-8kx+16k^2)+(y^2+4ky+4k^2)=20k^2-20k+9$
$\therefore (x-4k)^2+(y+2k)^2=20k^2-20k+9$ ……㉠
원의 넓이가 최소가 되려면 원의 반지름의 길이가 최소이어야 하므로 $20k^2-20k+9$가 최소가 되는 k의 값을 구하면
$20k^2-20k+9=20\left(k^2-k+\frac{1}{4}\right)+9-5$
$=20\left(k-\frac{1}{2}\right)^2+4$
즉, $k=\frac{1}{2}$일 때, $20k^2-20k+9$의 값은 4로 최소이다.
$k=\frac{1}{2}$을 ㉠에 대입하면
$(x-2)^2+(y+1)^2=4$
따라서 원의 넓이가 최소가 될 때의 중심의 좌표는 $(2, -1)$이고, 반지름의 길이가 2이므로
$a=2$, $b=-1$, $r=2$
$\therefore a+b+r=3$

답 3

1952

두 직선 $y=ax$와 $y=bx+c$가 원 $x^2+y^2-2x-4y=0$의 넓이를 4등분할 때, abc의 값을 구하시오. (단, a, b, c는 상수이다.)

→ 두 직선은 모두 원의 중심을 지나고, 서로 수직이다.

$x^2+y^2-2x-4y=0$에서
$(x-1)^2+(y-2)^2=5$
원의 넓이가 두 직선 $y=ax$와 $y=bx+c$에 의하여 4등분되므로 두 직선은 모두 원의 중심 $(1, 2)$를 지나고, 서로 수직이다.

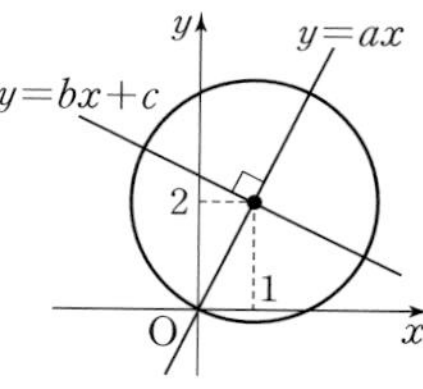

$y=ax$에서 $2=a\cdot1$ $\quad\therefore a=2$
두 직선이 서로 수직이므로
$2\cdot b=-1$
$\therefore b=-\frac{1}{2}$
$y=-\frac{1}{2}x+c$에서 $2=-\frac{1}{2}\cdot1+c$
$\therefore c=\frac{5}{2}$

따라서 $a=2$, $b=-\frac{1}{2}$, $c=\frac{5}{2}$이므로

$abc=-\frac{5}{2}$ 답 $-\frac{5}{2}$

1953

> 방정식 $x^2+y^2-6x+2y+k+1=0$이 원을 나타내도록 하는 실수 k의 값의 범위는? $(x-a)^2+(y-b)^2=r^2$ 꼴로 변형한 후 $r^2>0$임을 이용하자.

$x^2+y^2-6x+2y+k+1=0$에서
$(x-3)^2+(y+1)^2=9-k$
따라서 주어진 방정식이 원이 되기 위해서 반지름의 길이
$\sqrt{9-k}$가 0보다 커야 하므로
$9-k>0$ $\therefore k<9$ 답 ④

1954

$(x-a)^2+(y-b)^2=r^2$ 꼴로 변형한 후 $r^2>0$임을 이용하자.

> x, y에 대한 이차방정식 $x^2+y^2-2ax+2ay-a+1=0$은 원을 나타낸다고 한다. 상수 a의 값이 될 수 있는 양의 정수 중에서 최솟값을 m, 음의 정수 중에서 최댓값을 M이라 할 때, $m-M$의 값을 구하시오.

$x^2+y^2-2ax+2ay-a+1=0$에서
$(x-a)^2+(y+a)^2=2a^2+a-1$
이 방정식이 원을 나타내므로 (원의 반지름의 길이)>0이어야 한다.
$2a^2+a-1>0$, $(2a-1)(a+1)>0$
$\therefore a<-1$ 또는 $a>\frac{1}{2}$
따라서 상수 a의 값이 될 수 있는 양의 정수 중에서 최솟값은 1, 음의 정수 중에서 최댓값은 -2이므로
$m-M=1-(-2)=3$ 답 3

1955

> 세 점 A(1, 1), B(0, 0), C(3, 2)를 지나는 원의 방정식을 $x^2+y^2+ax+by+c=0$이라 할 때, 세 상수 a, b, c에 대하여 $a-b-c$의 값을 구하시오. 세 점을 $x^2+y^2+ax+by+c=0$에 대입하자.

세 점 A(1, 1), B(0, 0), C(3, 2)를 지나는 원의 방정식이
$x^2+y^2+ax+by+c=0$이므로 각각 대입하면
$a+b+c+2=0$ ……㉠
$c=0$
$3a+2b+c+13=0$ ……㉡
$c=0$이므로
$a+b+2=0$ ($\because$ ㉠)
$3a+2b+13=0$ ($\because$ ㉡)
두 식을 연립하여 풀면
$a=-9$, $b=7$
$\therefore a-b-c=-16$ 답 -16

1956

> 세 점 A(0, 0), B(−2, 0), C(2, 4)를 꼭짓점으로 하는 삼각형 ABC의 외접원의 넓이는? 세 점을 $x^2+y^2+ax+by+c=0$에 대입하자.

세 점 A, B, C를 지나는 원의 방정식을
$x^2+y^2+ax+by+c=0$이라 할 때,
세 점 A(0, 0), B(−2, 0), C(2, 4)를 대입하면
$c=0$ ……㉠
$4-2a+c=0$ ……㉡
$20+2a+4b+c=0$ ……㉢
㉠, ㉡, ㉢을 연립하여 풀면
$a=2$, $b=-6$, $c=0$
그러므로 구하는 원의 방정식은
$x^2+y^2+2x-6y=0$
$\therefore (x+1)^2+(y-3)^2=10$
따라서 원의 넓이는 10π 답 ②

1957

A창고를 원점으로 놓으면, B창고는 (1, 1), C창고는 (−6, 8)이다.

> 어느 물류 회사는 세 물류 창고 A, B, C를 보유하고 있다. B 창고는 A 창고에서 동쪽으로 1 km, 북쪽으로 1 km 떨어진 곳에 있고, C 창고는 A 창고에서 서쪽으로 6 km, 북쪽으로 8 km 떨어진 곳에 있다. 각 물류 창고에서 같은 거리에 있는 위치에 물류 회사의 새 사옥을 지으려고 할 때, 새 사옥과 물류 창고 사이의 거리는 몇 km인지 구하시오.

그림과 같이 세 물류 창고 A, B, C를 좌표평면 위에 나타내면 물류 회사의 새 사옥의 위치는 세 점 A, B, C를 지나는 원의 중심이고, 새 사옥과 물류 창고 사이의 거리는 원의 반지름의 길이이다.

원의 방정식 $x^2+y^2+ax+by+c=0$에
세 점 A(0, 0), B(1, 1), C(−6, 8)을 대입하면 $c=0$
$a+b+2=0$
$-6a+8b+100=0$
두 식을 연립하여 풀면
$a=6$, $b=-8$
즉, $x^2+y^2+6x-8y=0$이므로
$(x+3)^2+(y-4)^2=5^2$
따라서 원의 반지름의 길이가 5이므로 새 사옥과 물류 창고 사이의 거리는 5 km이다. 답 5 km

1958

> 중심의 좌표가 (3, −1)이고, y축에 접하는 원의 넓이는? 원의 반지름은 3이다.

중심의 좌표가 $(3, -1)$이고, y축에 접하는 원의 방정식은
$(x-3)^2+(y+1)^2=3^2$
따라서 반지름의 길이가 3이므로
이 원의 넓이는
$\pi\cdot3^2=9\pi$

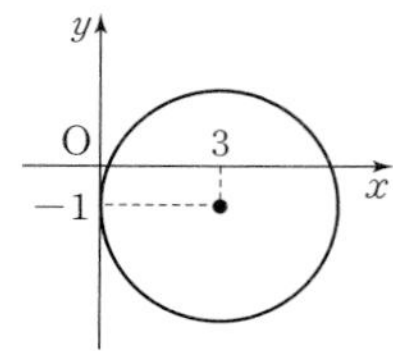

답 ⑤

1959

원 $x^2+y^2-2x+8y=0$과 중심이 같고, x축에 접하는 원의 반지름의 길이를 구하시오.
$(x-a)^2+(y-b)^2=b^2$ 꼴로 변형한 후 반지름의 길이가 $|b|$임을 이용하자.

$x^2+y^2-2x+8y=0$에서
$(x-1)^2+(y+4)^2=17$
이므로 중심의 좌표는 $(1, -4)$
따라서 중심의 좌표는 $(1, -4)$이고, x축에 접하는 원의 반지름의 길이는 $|-4|=4$이다.

답 4

1960

중심이 $(5, 6)$이고, y축에 접하는 원이 점 $(1, k)$를 지나게 되는 모든 k의 값의 합을 구하시오. $(x-5)^2+(y-6)^2=5^2$이라 하자.

중심이 $(5, 6)$이고, y축에 접하는 원의 반지름의 길이는 5이므로 원의 방정식은
$(x-5)^2+(y-6)^2=5^2$
이 원이 점 $(1, k)$를 지나므로
$(1-5)^2+(k-6)^2=25$, $(k-6)^2=9$
$\therefore k-6=-3$ 또는 $k-6=3$
$\therefore k=3$ 또는 $k=9$
따라서 모든 k의 값의 합은 12이다.

답 12

1961

중심의 좌표가 $(2, a)$이고, x축에 접하는 원이 점 $(5, 1)$을 지날 때, a의 값을 구하시오. $(x-2)^2+(y-a)^2=a^2$이라 하자.

중심의 좌표가 $(2, a)$이고, x축에 접하는 원의 방정식은
$(x-2)^2+(y-a)^2=a^2$
이 원이 점 $(5, 1)$을 지나므로
$(5-2)^2+(1-a)^2=a^2$
$9+1-2a+a^2=a^2$, $2a=10$
$\therefore a=5$

답 5

1962

점 $(-1, 2)$를 지나고, x축과 y축에 동시에 접하는 두 원의 중심 사이의 거리는? $(x+a)^2+(y-a)^2=a^2$이라 하자.

점 $(-1, 2)$를 지나는 원이 x축과 y축에 동시에 접하려면 원의 중심이 제2사분면에 있어야 한다.
원의 중심의 좌표를 $(-a, a)$ $(a>0)$라 하면 원의 방정식은
$(x+a)^2+(y-a)^2=a^2$
이 원이 점 $(-1, 2)$를 지나므로
$(-1+a)^2+(2-a)^2=a^2$
$a^2-2a+1+a^2-4a+4=a^2$
$a^2-6a+5=0$, $(a-1)(a-5)=0$
$\therefore a=1$ 또는 $a=5$
따라서 두 원의 중심은 각각 $(-1, 1)$, $(-5, 5)$이므로
두 원의 중심 사이의 거리는
$\sqrt{(-5+1)^2+(5-1)^2}=4\sqrt{2}$

답 ④

1963

$(x-a)^2+(y-b)^2=r^2$ 꼴로 변형하자.
원 $x^2+y^2-6x+2ay+13-b=0$이 x축과 y축에 동시에 접할 때, 두 양수 a, b에 대하여 $a+b$의 값을 구하시오.

$x^2+y^2-6x+2ay+13-b=0$에서
$(x-3)^2+(y+a)^2=a^2+b-4$
이 원이 x축과 y축에 동시에 접하므로
$3=|-a|=\sqrt{a^2+b-4}$
$|-a|=3$에서 $a=3$ $(\because a>0)$
$\sqrt{a^2+b-4}=3$에서 $a^2+b-4=9$
위의 식에 $a=3$을 대입하면
$b=4$
$\therefore a+b=7$

답 7

1964

$(x-a)^2+y^2=r^2$이라 하자.
중심이 x축 위에 있고, 두 점 $\mathrm{A}(0, -1)$, $\mathrm{B}(2, 3)$을 지나는 원의 방정식을 구하시오.

중심이 x축 위에 있는 원의 방정식을 $(x-a)^2+y^2=r^2$이라 하면 이 원이 두 점 $\mathrm{A}(0, -1)$, $\mathrm{B}(2, 3)$을 지나므로
$a^2+1=r^2$ ······㉠
$(2-a)^2+9=r^2$ ······㉡
㉠, ㉡을 연립하면
$a^2+1=(2-a)^2+9$, $a^2+1=a^2-4a+13$
$\therefore a=3$, $r^2=10$
따라서 구하는 원의 방정식은
$(x-3)^2+y^2=10$

답 $(x-3)^2+y^2=10$

1965

$(x-a)^2+(y-a)^2=r^2$이라 하자.
중심이 직선 $y=x$ 위에 있고, 두 점 $(1, -1)$, $(-1, 3)$을 지나는 원의 중심의 좌표를 (p, q)라 할 때, $p+q$의 값을 구하시오.

중심의 좌표를 (a, a), 반지름의 길이를 r라 하면 원의 방정식은
$(x-a)^2+(y-a)^2=r^2$
이 원이 점 $(1, -1)$을 지나므로

$(1-a)^2+(-1-a)^2=r^2$

$\therefore 2+2a^2=r^2$ ……㉠

이 원이 점 $(-1, 3)$을 지나므로

$(-1-a)^2+(3-a)^2=r^2$

$\therefore 10-4a+2a^2=r^2$ ……㉡

㉠, ㉡에서 $2+2a^2=10-4a+2a^2$

$4a=8 \quad \therefore a=2$

따라서 중심의 좌표는 $(2, 2)$이므로

$p+q=2+2=4$

답 4

1966

> 중심이 직선 $y=x-1$ 위에 있고, x축에 접하는 원이 점 $(1, 2)$를 지날 때, 이 원의 반지름의 길이를 구하시오.
>
> → $(x-a)^2+(y-a+1)^2=r^2$이라 하자.

원의 중심이 직선 $y=x-1$ 위에 있으므로 중심의 좌표를 $(a, a-1)$이라 하면 x축에 접하므로 반지름의 길이는 $|a-1|$이다.

원의 방정식은

$(x-a)^2+\{y-(a-1)\}^2=(a-1)^2$

이고, 점 $(1, 2)$를 지나므로

$(1-a)^2+\{2-(a-1)\}^2=(a-1)^2$

$(3-a)^2=0 \quad \therefore a=3$

따라서 이 원의 반지름의 길이는

$|a-1|=|3-1|=2$

답 2

1967

> 다음 세 조건을 만족하는 원의 방정식을 모두 구하시오.
>
> → $(x-a)^2+(y-a-1)^2=r^2$이라 하자.
>
> (가) 중심이 직선 $y=x+1$ 위에 있다.
>
> (나) y축에 접한다. → $r=|a|$이다.
>
> (다) 점 $(1, 3)$을 지난다.

원의 중심이 직선 $y=x+1$ 위에 있으므로

원의 중심의 좌표를 $(a, a+1)$이라 하면 y축에 접하므로 반지름의 길이는 $|a|$이다.

원의 방정식은

$(x-a)^2+(y-a-1)^2=a^2$

이고, 점 $(1, 3)$을 지나므로

$(1-a)^2+(3-a-1)^2=a^2$

$a^2-6a+5=0$

$(a-1)(a-5)=0$

$\therefore a=1$ 또는 $a=5$

따라서 구하는 원의 방정식은

$(x-1)^2+(y-2)^2=1$ 또는 $(x-5)^2+(y-6)^2=25$

답 $(x-1)^2+(y-2)^2=1$, $(x-5)^2+(y-6)^2=25$

1968

> 중심이 직선 $y=-x+6$ 위에 있고, x축과 y축에 동시에 접하는 원의 넓이는? 중심의 좌표를 $(a, -a+6)$이라 하면 $|a|=|-a+6|$이다.

원의 중심의 좌표를 $(a, -a+6)$이라 하면 이 원은 x축과 y축에 동시에 접하므로

$|a|=|-a+6| \quad \therefore a=3$

따라서 이 원의 중심의 좌표는 $(3, 3)$이고, 반지름의 길이는 3이므로 넓이는 9π이다.

답 ④

1969

> → $(x-a)^2+(y-b)^2=r^2$ 꼴로 변형하자.
>
> 원 $x^2+y^2-2kx-4ky-2k-1=0$에 대한 설명 중 옳은 것만을 <보기>에서 있는 대로 고른 것은? (단, k는 실수이다.)
>
> **보기**
>
> ㄱ. 원은 점 $(-1, 0)$을 지난다.
>
> ㄴ. 원의 중심은 직선 $y=2x$ 위에 있다.
>
> ㄷ. 원은 x축과 서로 다른 두 점에서 만난다.
>
> → $y=0$을 대입한 후 판별식을 이용하자.

ㄱ. $x=-1$, $y=0$일 때,

$(-1)^2+0^2-2k\cdot(-1)-4k\cdot 0-2k-1=0$

이므로 점 $(-1, 0)$을 지난다. (참)

ㄴ. $x^2+y^2-2kx-4ky-2k-1=0$에서

$(x-k)^2+(y-2k)^2=5k^2+2k+1$

이므로 중심의 좌표는 $(k, 2k)$

따라서 점 $(k, 2k)$는 직선 $y=2k$ 위의 점이므로 원의 중심은 직선 $y=2x$ 위에 있다. (참)

ㄷ. $x^2+y^2-2kx-4ky-2k-1=0$에서 $y=0$을 대입하면

$x^2-2kx-2k-1=0$이다.

이차방정식 $x^2-2kx-2k-1=0$의 판별식을 D라 하면

$\frac{D}{4}=k^2-(-2k-1)=(k+1)^2\geq 0$

이므로 x축과 접하거나 서로 다른 두 점에서 만난다. (거짓)

따라서 옳은 것은 ㄱ, ㄴ이다.

답 ③

1970

> 원 $(x-2)^2+(y-2)^2=4$ 위의 임의의 점 $P(x, y)$와 원점 O에 대하여 $\overline{OP}$의 길이의 최솟값과 최댓값의 합은?
>
> → 원의 반지름을 r, 원점과 원의 중심 사이의 거리를 d라 하면 (최댓값)$=d+r$, (최솟값)$=d-r$이다.

중심의 좌표가 $(2, 2)$이므로 원의 중심과 원점 사이의 거리는

$\sqrt{(2-0)^2+(2-0)^2}=2\sqrt{2}$

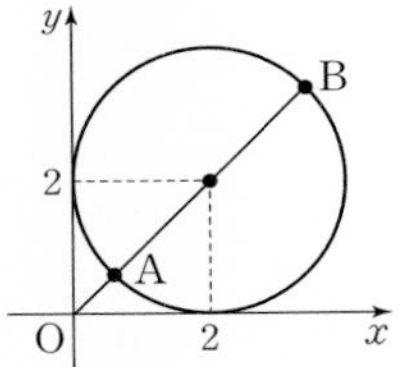

이때, 그림과 같이 점 P가 점 A에 있을 때 $\overline{OP}$의 길이는 최소이고, 점 B에 있을 때 $\overline{OP}$의 길이는 최대이다.
∴ (최솟값)$=2\sqrt{2}-2$, (최댓값)$=2\sqrt{2}+2$
따라서 최솟값과 최댓값의 합은 $4\sqrt{2}$이다. 답 ④

1971

중심의 좌표가 $(4, 3)$이고, x축에 접하는 원 위의 점 P에 대하여 선분 OP의 길이의 최댓값을 구하시오. (단, O는 원점이다.)

→ 원의 반지름을 r, 원점과 원의 중심 사이의 거리를 d라 하면 (최댓값)$=d+r$이다.

점 $(4, 3)$을 중심으로 하고, x축에 접하는 원의 반지름의 길이를 r라 하면 $r=3$이므로 원의 방정식은
$(x-4)^2+(y-3)^2=3^2$
원의 중심을 C라 하면
$\overline{OC}=\sqrt{4^2+3^2}=5$
따라서 $\overline{OP}$의 최댓값은
$\overline{OC}+r=5+3=8$

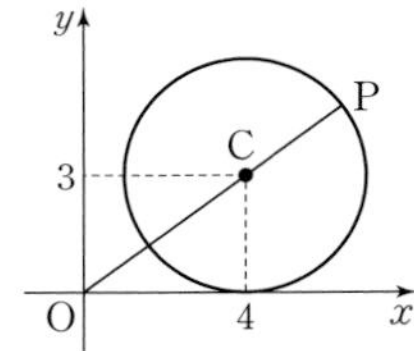

답 8

1972

그림과 같이 원 밖의 한 점 $A(-3, a)$에서 원 $x^2+y^2=4$ 위의 동점 P까지의 최단 거리가 3일 때, a의 값을 구하시오. (단, $a>0$)

→ 원의 반지름을 r, 원점과 원의 중심 사이의 거리를 d라 하면 (최솟값)$=d-r$이다.

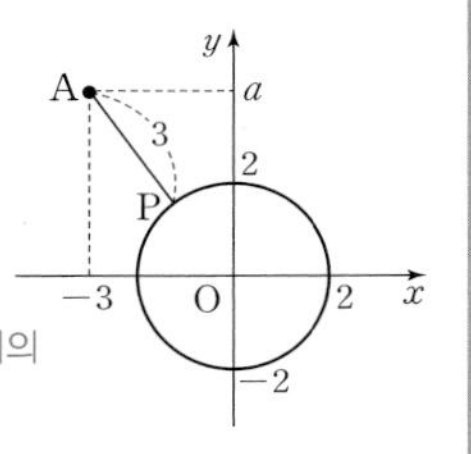

$\overline{AP}$의 최단 거리는 그림과 같은 경우이므로
$\overline{AP}=\sqrt{(-3)^2+a^2}-2=3$
$\sqrt{9+a^2}=5$, $a^2=16$
∴ $a=4$ (∵ $a>0$)

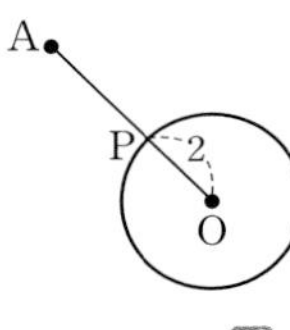

답 4

1973

원 $(x+2)^2+(y+1)^2=1$ 위의 점을 P,
원 $(x-1)^2+(y-3)^2=4$ 위의 점을 Q라 할 때, 선분 PQ의 최댓값과 최솟값의 합을 구하시오.

→ 최댓값과 최솟값은 두 원의 중심을 지나는 직선 위에 존재한다.

두 원
$C : (x+2)^2+(y+1)^2=1$, $C' : (x-1)^2+(y-3)^2=4$의 중심 $(-2, -1)$, $(1, 3)$ 사이의 거리를 d라 하면
$d=\sqrt{(1+2)^2+(3+1)^2}=5$
또 두 원 C, C'의 반지름의 길이를 각각 r_1, r_2라 하면
$r_1=1$, $r_2=2$
그림에서 $\overline{PQ}$의 길이의 최댓값과 최솟값은

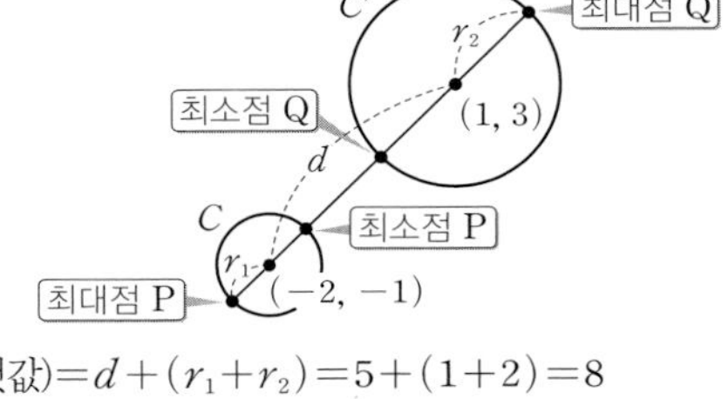

($\overline{PQ}$의 최댓값)$=d+(r_1+r_2)=5+(1+2)=8$
($\overline{PQ}$의 최솟값)$=d-(r_1+r_2)=5-(1+2)=2$
따라서 $\overline{PQ}$의 최댓값과 최솟값의 합은 10이다. 답 10

1974

점 $A(5, 10)$과 원 $x^2+y^2+2x-4y-11=0$ 위의 점 P 사이의 거리가 자연수인 점 P의 개수를 구하시오.

→ 원과 정점 사이의 거리의 최댓값과 최솟값은 한 번씩, 그 사이의 값은 두 번씩 나타남을 이용하자.

$x^2+y^2+2x-4y-11=0$에서
$(x^2+2x+1)+(y^2-4y+4)=16$
∴ $(x+1)^2+(y-2)^2=16$
이 원의 중심 $C(-1, 2)$와 점 $A(5, 10)$ 사이의 거리는
$\overline{AC}=\sqrt{(5+1)^2+(10-2)^2}$
$=10$
그림과 같이 점 A와 원의 중심 C를 지나는 직선이 원과 만나는 두 점을 각각 P_1, P_2라 하면 선분 AP의 길이의 최솟값은 $\overline{AP_1}$, 최댓값은 $\overline{AP_2}$이다.

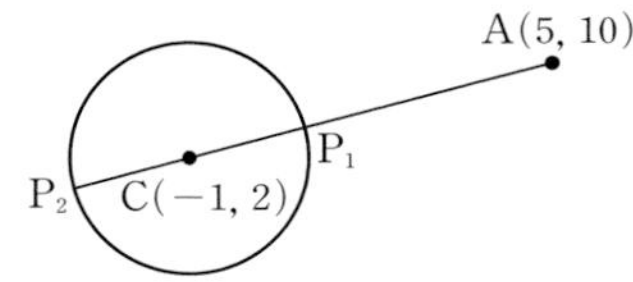

원의 반지름의 길이가 4이므로
$\overline{AP_1}=\overline{AC}-4=6$, $\overline{AP_2}=\overline{AC}+4=14$
∴ $6\le\overline{AP}\le14$
따라서 선분 AP의 길이가 자연수인 점 P는 다음과 같이 존재한다.
(i) $\overline{AP}=7, 8, 9, 10, 11, 12, 13$인 점 P는 각각 2개씩 존재한다.
(ii) $\overline{AP}=6, 14$인 점 P는 각각 1개씩 존재한다.
(i), (ii)에 의하여 구하는 점 P의 개수는
$7\times2+2=16$ 답 16

1975

원 $x^2+(y-1)^2=1$ 위의 점 P와 포물선 $y=x^2-1$ 위의 점 Q에 대하여 선분 PQ의 길이의 최솟값은?

→ 점 Q의 좌표를 (t, t^2-1)로 놓자.

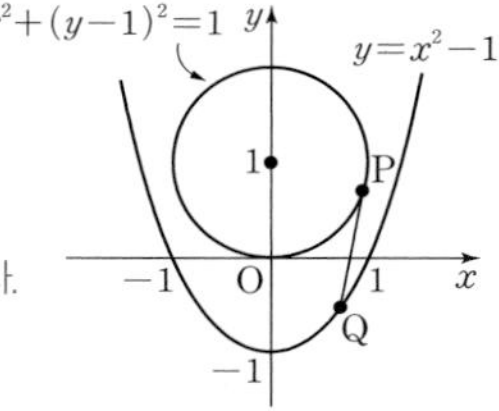

① $\frac{\sqrt{7}}{2}-1$ ② $\frac{3}{4}$
③ $\frac{\sqrt{7}}{2}+1$ ④ $\frac{5}{2}$
⑤ $\frac{11}{4}$

그림과 같이 점 Q와 원의 중심 (0, 1) 사이의 거리 d가 최소일 때, 선분 PQ의 길이는 최소가 된다.

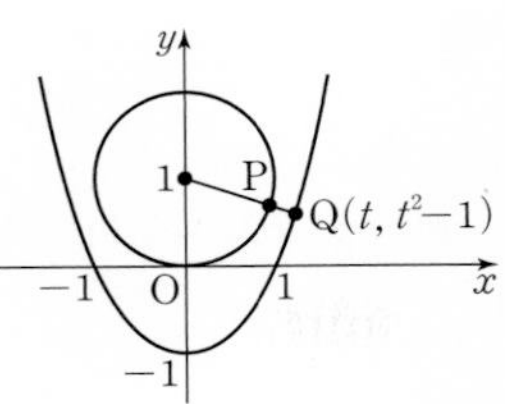

점 Q의 좌표를 (t, t^2-1)로 놓으면

$$d^2=(t-0)^2+(t^2-1-1)^2$$
$$=t^4-3t^2+4$$
$$=\left(t^2-\frac{3}{2}\right)^2+\frac{7}{4}$$

$\therefore$ (d의 최솟값)$=\dfrac{\sqrt{7}}{2}$

원의 반지름의 길이가 1이므로

(선분 PQ의 길이의 최솟값)$=\dfrac{\sqrt{7}}{2}-1$

답 ①

1976

> 두 원 $x^2+y^2+4x=0$, $x^2+y^2-6=0$의 두 교점과 점 $(1, 0)$을 지나는 원의 반지름의 길이는?
>
> 공식 $x^2+y^2+Ax+By+C+k(x^2+y^2+A'x+B'y+C')=0$을 이용하자.

두 원 $x^2+y^2+4x=0$, $x^2+y^2-6=0$의 두 교점을 지나는 원의 방정식은

$x^2+y^2+4x+k(x^2+y^2-6)=0$ (단, $k\neq-1$) ……㉠

㉠이 점 $(1, 0)$을 지나므로

$1+4+k(1-6)=0$ $\therefore k=1$

$k=1$을 ㉠에 대입하여 정리하면

$x^2+y^2+2x-3=0$

$(x+1)^2+y^2=2^2$

따라서 이 원의 반지름의 길이는 2이다.

답 ②

1977

> 두 원 $x^2+y^2-2x+4y-3=0$, $x^2+y^2-2x-8y+1=0$의 두 교점과 원점을 세 꼭짓점으로 하는 삼각형의 외심의 좌표는?
>
> 공식 $x^2+y^2+Ax+By+C+k(x^2+y^2+A'x+B'y+C')=0$을 이용하자.

두 원 $x^2+y^2-2x+4y-3=0$, $x^2+y^2-2x-8y+1=0$의
두 교점과 원점을 세 꼭짓점으로 하는 삼각형의 외심은 두 원의 교점과 원점을 지나는 원의 중심이므로 두 원의 두 교점을 지나는 원의 방정식은

$x^2+y^2-2x+4y-3+k(x^2+y^2-2x-8y+1)=0$
(단, $k\neq-1$) ……㉠

이 원이 원점을 지나므로

$-3+k=0$ $\therefore k=3$

$k=3$을 ㉠에 대입하면

$x^2+y^2-2x+4y-3+3(x^2+y^2-2x-8y+1)=0$

$4x^2+4y^2-8x-20y=0$

$\therefore (x-1)^2+\left(y-\dfrac{5}{2}\right)^2=\dfrac{29}{4}$

따라서 구하는 삼각형의 외심의 좌표는 $\left(1, \dfrac{5}{2}\right)$이다.

답 ③

1978

> 두 원 $x^2+y^2=16$, $x^2+y^2-2x-5y-3=0$의 두 교점을 지나는 직선이 점 $(a, 3)$을 지날 때, a의 값을 구하시오.
>
> 공식 $x^2+y^2+Ax+By+C-(x^2+y^2+A'x+B'y+C')=0$을 이용하자.

두 원의 교점을 지나는 직선의 방정식은

$x^2+y^2-16-(x^2+y^2-2x-5y-3)=0$

$\therefore 2x+5y-13=0$

이 직선이 점 $(a, 3)$을 지나므로

$2a+15-13=0$

$\therefore a=-1$

답 -1

1979

> 공식 $x^2+y^2+Ax+By+C-(x^2+y^2+A'x+B'y+C')=0$을 이용하자.
>
> 두 원 $x^2+y^2+2x-1=0$, $x^2+y^2-2x+4y-3=0$의 두 교점을 지나는 직선에 수직이고, 점 $(-4, 8)$을 지나는 직선의 방정식을 구하시오.

두 원의 교점을 지나는 직선, 즉 공통현의 방정식은

$x^2+y^2+2x-1-(x^2+y^2-2x+4y-3)=0$

$4x-4y+2=0$, $2x-2y+1=0$

$\therefore y=x+\dfrac{1}{2}$

따라서 이 직선에 수직인 직선의 기울기는 -1이고, 점 $(-4, 8)$을 지나므로 구하는 직선의 방정식은

$y-8=-\{x-(-4)\}$

$\therefore y=-x+4$

답 $y=-x+4$

1980

> 두 원 $(x-2)^2+y^2=4$, $(x-3)^2+(y+1)^2=2$의 공통현의 중점의 좌표를 (a, b)라 할 때, $a-b$의 값을 구하시오.
>
> 공식 $x^2+y^2+Ax+By+C-(x^2+y^2+A'x+B'y+C')=0$을 이용하자.

$(x-2)^2+y^2=4$에서 $x^2+y^2-4x=0$

$(x-3)^2+(y+1)^2=2$에서 $x^2+y^2-6x+2y+8=0$

두 원의 공통현의 방정식은

$x^2+y^2-4x-(x^2+y^2-6x+2y+8)=0$

$\therefore x-y-4=0$ ……㉠

두 원의 중심 $(2, 0)$, $(3, -1)$을 지나는 직선의 방정식은

$y=\dfrac{-1}{3-2}(x-2)$ $\therefore x+y-2=0$ ……㉡

두 원의 공통현의 중점의 좌표 (a, b)는 두 직선 ㉠, ㉡의 교점이므로 연립하여 풀면

$x=3$, $y=-1$이므로 $a=3$, $b=-1$

$\therefore a-b=4$

답 4

1981

x축에 수직인 $x=2$ 위에 원의 중심이 있음을 이용하자.

그림과 같이 원 $x^2+y^2=16$을 선분 AB를 접는 선으로 하여 접었을 때, 점 $(2, 0)$에서 x축에 접한다. 직선 AB의 방정식이 $x+ay+b=0$일 때, 상수 a, b에 대하여 $a+b$의 값을 구하시오.

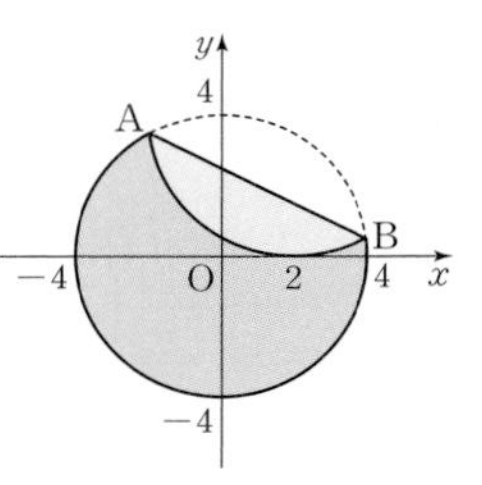

그림과 같이 점 $(2, 0)$에서 x축에 접하고 반지름의 길이가 4인 원은 x축에 수직인 직선 $x=2$ 위에 원의 중심이 있다.
즉, 중심의 좌표가 $(2, 4)$이고 반지름의 길이가 4인 원이 된다.
이때, 직선 AB의 방정식은 두 원 $(x-2)^2+(y-4)^2=16$, $x^2+y^2=16$의 공통현의 방정식이므로

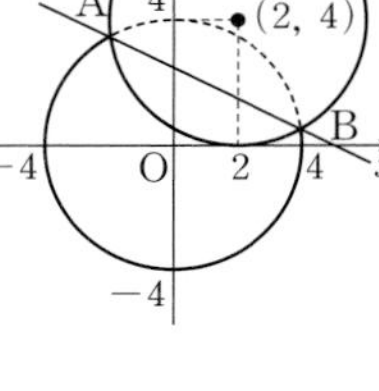

$(x-2)^2+(y-4)^2-16-(x^2+y^2-16)=0$
$x^2+y^2-4x-8y+4-(x^2+y^2-16)=0$
$\therefore x+2y-5=0$
따라서 $a=2$, $b=-5$이므로
$a+b=-3$

답 -3

1982

점 P의 좌표를 (x, y)로 놓고 식을 세우자.

두 정점 $A(-2, 0)$, $B(2, 0)$에 대하여 $\overline{AP}^2+\overline{BP}^2=40$을 만족시키는 점 P가 그리는 도형의 길이를 구하시오.

점 P의 좌표를 (x, y)로 놓으면
$\overline{AP}^2+\overline{BP}^2=40$에서
$\{(x+2)^2+y^2\}+\{(x-2)^2+y^2\}=40$
$\therefore x^2+y^2=4^2$
따라서 구하는 도형은 반지름의 길이가 4인 원이므로 그 길이는
$2\pi\cdot 4=8\pi$이다.

답 8π

1983

점 $A(2, -1)$과 원 $x^2+y^2+4x+2y+1=0$ 위의 점 Q에 대하여 선분 AQ의 중점 P의 자취의 방정식은?

원 위의 점을 $Q(a, b)$, P의 좌표를 (X, Y)로 놓고 관계식을 설정하자.

원 $x^2+y^2+4x+2y+1=0$에서
$(x+2)^2+(y+1)^2=4$
원 위의 점을 $Q(a, b)$라 하면
$(a+2)^2+(b+1)^2=4$ ······㉠
선분 AQ의 중점 P의 좌표를 (X, Y)라 하면
$X=\dfrac{a+2}{2}$, $Y=\dfrac{b-1}{2}$
즉, $a=2X-2$, $b=2Y+1$ ······㉡
㉡을 ㉠에 대입하면
$(2X)^2+(2Y+2)^2=4$, $X^2+(Y+1)^2=1$
$\therefore x^2+(y+1)^2=1$

답 ②

1984

두 점 $A(-1, 0)$, $B(4, 0)$에 대하여 $\overline{AP}:\overline{BP}=3:2$를 만족하는 점 P의 자취의 방정식을 구하시오.

$\overline{AB}$의 $3:2$ 내분점과 $3:2$ 외분점을 지름으로 하는 원의 방정식이다.

두 점 $A(-1, 0)$, $B(4, 0)$에 대하여
$\overline{AP}:\overline{BP}=3:2$이므로
$2\overline{AP}=3\overline{BP}$
이때, 점 P의 좌표를 $P(x, y)$라 하면
$2\sqrt{(x+1)^2+y^2}=3\sqrt{(x-4)^2+y^2}$
양변을 제곱하여 정리하면
$4(x+1)^2+4y^2=9(x-4)^2+9y^2$
$4x^2+8x+4+4y^2=9x^2-72x+144+9y^2$
$x^2+y^2-16x+28=0$
따라서 점 P의 자취의 방정식은
$(x-8)^2+y^2=36$

답 $(x-8)^2+y^2=36$

1985

두 점 $A(1, -4)$, $B(5, 8)$에 대하여 $\overline{AP}\perp\overline{BP}$를 만족시키는 점 P가 나타내는 도형의 방정식은?

$\overline{AP}$, $\overline{BP}$의 기울기의 곱은 -1이다.

두 점 $A(1, -4)$, $B(5, 8)$에 대하여 $\overline{AP}\perp\overline{BP}$이므로 두 직선 AP, BP의 기울기의 곱은 -1이다.
점 P의 좌표를 (x, y)라 하면
$\dfrac{y+4}{x-1}\cdot\dfrac{y-8}{x-5}=-1$
$(y+4)(y-8)=-(x-1)(x-5)$
$x^2+y^2-6x-4y-27=0$
$\therefore (x-3)^2+(y-2)^2=40$

답 ③

1986

좌표평면 위에 두 점 $A(7, 6)$, $B(11, 0)$과 원 $x^2+y^2=36$이 있다. 이 원 위를 움직이는 점 P에 대하여 삼각형 APB의 무게중심 G가 나타내는 도형의 넓이를 구하시오.

P의 좌표를 (a, b), G의 좌표를 (X, Y)로 놓고 관계식을 설정하자.

점 P의 좌표를 (a, b)라 하면 원 $x^2+y^2=36$ 위를 움직이므로
$a^2+b^2=36$ ······㉠
삼각형 APB의 무게중심을 $G(X, Y)$라 하면
$X=\dfrac{7+11+a}{3}$, $Y=\dfrac{6+0+b}{3}$
$\therefore a=3X-18$, $b=3Y-6$ ······㉡

㉡을 ㉠에 대입하면

$(3X-18)^2+(3Y-6)^2=36$

$(X-6)^2+(Y-2)^2=4$

$\therefore (x-6)^2+(y-2)^2=4$

따라서 무게중심 G가 나타내는 도형은 중심이 (6, 2), 반지름의 길이가 2인 원이므로 그 넓이는 4π이다. 답 4π

1987

• 좌표평면 위에 막대의 아래 끝과 위 끝의 좌표를 $(a, 0)$, $(0, b)$로 놓자.

그림과 같이 길이가 10인 막대의 위 끝이 벽을 타고 내려오면 아래 끝은 바닥에 닿은 상태로 오른쪽 방향으로 움직인다. 막대의 중점 M이 나타내는 도형의 길이를 구하시오. (단, 막대의 두께는 고려하지 않는다.)

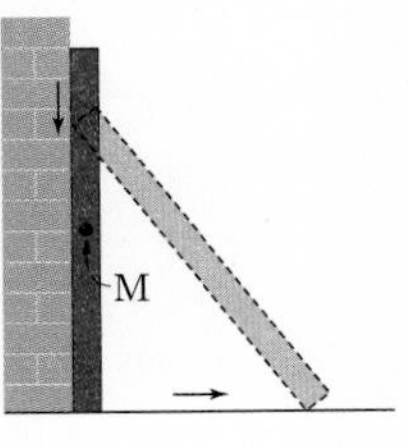

그림과 같이 좌표평면 위에 막대의 아래 끝과 위 끝의 좌표를 각각 $(a, 0)$, $(0, b)$라 하면 막대의 길이가 10이므로

$a^2+b^2=10^2$ ······㉠

막대의 중점 $M(x, y)$의 좌표는

$\left(\frac{a}{2}, \frac{b}{2}\right)$

즉, $x=\frac{a}{2}$, $y=\frac{b}{2}$로 놓으면

$a=2x$, $b=2y$

㉠에 대입하면

$(2x)^2+(2y)^2=10^2$

$\therefore x^2+y^2=25\ (0\le x\le 5,\ 0\le y\le 5)$

즉, 막대의 중점 M은 제1사분면에서 원점이 중심이고 반지름의 길이가 5인 원을 나타낸다.

따라서 구하는 도형의 길이는

$\frac{1}{4}\times 10\pi=\frac{5}{2}\pi$ 답 $\frac{5}{2}\pi$

1988

• 직선과 원의 중심 사이의 거리는 반지름의 길이와 같음을 이용하자.

직선 $x+y-4=0$과 원 $x^2+(y-a)^2=4$가 한 점에서 만나도록 하는 상수 a의 모든 값의 합은?

원과 직선이 한 점에서 만나려면 원의 중심 $(0, a)$와 직선 $x+y-4=0$ 사이의 거리가 반지름의 길이 2와 같아야 하므로

$\frac{|0+a-4|}{\sqrt{1^2+1^2}}=2$

$|a-4|=2\sqrt{2}$

$\therefore a=4+2\sqrt{2}$ 또는 $a=4-2\sqrt{2}$

따라서 상수 a의 모든 값의 합은

$(4+2\sqrt{2})+(4-2\sqrt{2})=8$ 답 ⑤

1989

• 직선과 원의 중심 사이의 거리는 반지름의 길이와 같음을 이용하자.

직선 $x+y+k=0$이 원 $x^2+y^2-2x+2y=0$에 접할 때, 상수 k의 값을 구하시오.

$x^2+y^2-2x+2y=0$에서

$(x-1)^2+(y+1)^2=2$ ······㉠

직선 $x+y+k=0$과 원 ㉠이 접하므로 원의 중심 $(1, -1)$과 직선 사이의 거리가 원의 반지름의 길이 $\sqrt{2}$와 같아야 한다.

$\frac{|1-1+k|}{\sqrt{1^2+1^2}}=\sqrt{2}$

$|k|=2$

$\therefore k=-2$ 또는 $k=2$ 답 -2 또는 2

1990

직선 $y=x+2$와 평행하고 원 $x^2+y^2=9$에 접하는 직선의 y절편을 k라 할 때, k^2의 값을 구하시오.

공식 $y=mx\pm r\sqrt{m^2+1}$을 이용하자. •

직선 $y=x+2$와 평행하므로 구하는 접선의 기울기는 1이다.

즉, 반지름의 길이가 3이고, 기울기가 1인 접선의 방정식은

$y=x\pm 3\sqrt{1^2+1}$

$=x\pm 3\sqrt{2}$

따라서 $k=\pm 3\sqrt{2}$이므로 $k^2=18$ 답 18

다른풀이 직선 $y=x+2$와 평행하고 y절편이 k인 직선의 방정식은

$y=x+k$

직선 $y=x+k$가 원 $x^2+y^2=9$에 접하므로

원의 방정식 $x^2+y^2=9$에 $y=x+k$를 대입하면

$x^2+(x+k)^2=9$

$2x^2+2kx+k^2-9=0$의 판별식을 D라 하면

$\frac{D}{4}=k^2-2k^2+18=0$

$\therefore k^2=18$

1991

직선 $y=mx+n$이 두 원 $x^2+y^2=9$, $(x+4)^2+y^2=4$에 동시에 접할 때, 상수 m, n에 대하여 $20mn$의 값을 구하시오.

• 각 원의 중심에서 직선으로 수선의 발을 내리자.

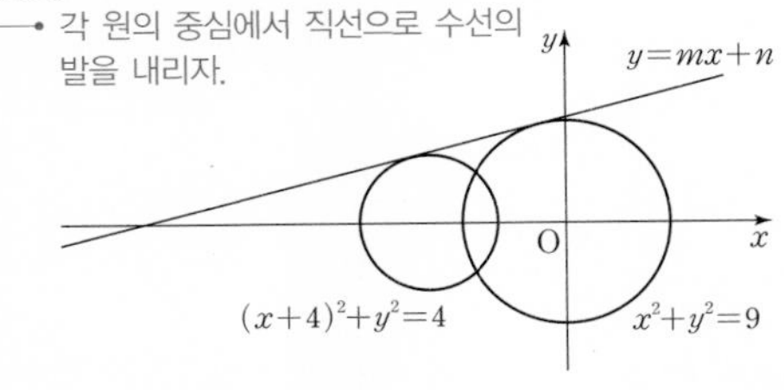

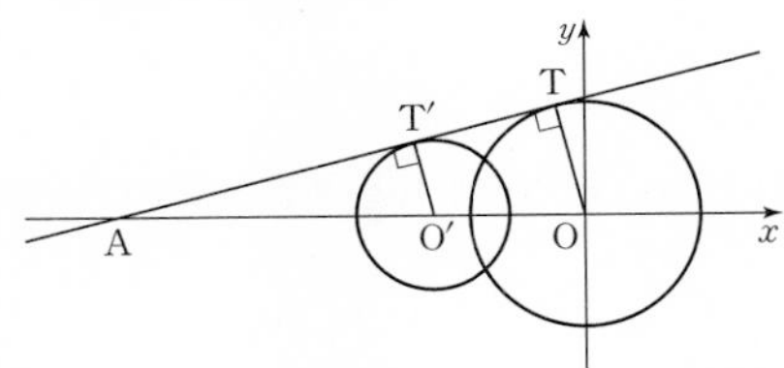

그림과 같이 두 원의 중심을 각각 $O(0, 0)$, $O'(-4, 0)$, 두 접점을 각각 T, T′, 직선과 x축의 교점을 A라 하면 삼각형 AOT와 삼각형 AO′T′은 닮음이고 $\overline{OT}=3$, $\overline{O'T'}=2$이므로 닮음비는 3 : 2이다.

점 A의 좌표를 $(-a, 0)$ $(a>0)$이라 하면

$\overline{AO}=a$, $\overline{AO'}=a-4$이므로

$\overline{AO}:\overline{AO'}=3:2$

$a:a-4=3:2$

$2a=3(a-4)$

$\therefore a=12$

즉, 직선 $y=mx+n$이 점 $A(-12, 0)$을 지나므로

$-12m+n=0$

$\therefore n=12m$ ······ ㉠

한편, 원의 중심 $O(0, 0)$과 직선 $mx-y+n=0$ 사이의 거리는 반지름의 길이 3과 같으므로

$\frac{|n|}{\sqrt{m^2+(-1)^2}}=3$

$|n|=3\sqrt{m^2+1}$

양변을 제곱하면

$n^2=9(m^2+1)$ ······ ㉡

㉠을 ㉡에 대입하면

$(12m)^2=9(m^2+1)$, $144m^2=9m^2+9$

$m^2=\frac{9}{135}$

$\therefore m=\pm\frac{\sqrt{15}}{15}$

이 값을 ㉠에 대입하면 $n=\pm\frac{4\sqrt{15}}{5}$

$\therefore 20mn=20\times\left(\pm\frac{\sqrt{15}}{15}\right)\left(\pm\frac{4\sqrt{15}}{5}\right)$ (복부호 동순)

$=16$

답 16

1992

> 점 $(2, 0)$에서 x축에 접하면서 직선 $4x-3y+16=0$에 접하는 두 원의 넓이의 합은?
>
> → 직선과 원의 중심 사이의 거리는 반지름의 길이와 같음을 이용하자.

원의 중심의 좌표를 (a, b), 반지름의 길이를 r라 하면 이 원이 x축에 접하므로

$r=|(\text{중심의 } y\text{좌표})|=|b|$

이때, 원의 방정식은

$(x-a)^2+(y-b)^2=b^2$ ······ ㉠

원 ㉠이 점 $(2, 0)$을 지나므로

$(2-a)^2+b^2=b^2$

$(a-2)^2=0$

$\therefore a=2$

원 ㉠의 중심 $(2, b)$에서 직선 $4x-3y+16=0$까지의 거리를 d라 하면

$d=\frac{|4\cdot 2-3\cdot b+16|}{\sqrt{4^2+(-3)^2}}=\frac{|-3b+24|}{5}$

원 ㉠이 직선 $4x-3y+16=0$에 접할 조건은 $d=r$이므로

$\frac{|-3b+24|}{5}=|b|$

$|-3b+24|=5|b|$

양변을 제곱하여 정리하면

$9b^2-144b+576=25b^2$

$b^2+9b-36=0$

$(b-3)(b+12)=0$

$\therefore b=3$ 또는 $b=-12$

이때, 구하는 원의 반지름의 길이 $r=|b|$이므로

$r=3$ 또는 $r=12$

따라서 두 원의 넓이의 합은

$\pi\cdot 3^2+\pi\cdot 12^2=153\pi$

답 ④

1993

→ 중심의 좌표를 (n, n^2)으로 놓으면 반지름의 길이는 $|n|$이다.

> 이차함수 $y=x^2$의 그래프 위의 점을 중심으로 하고 y축에 접하는 원 중에서 직선 $y=\sqrt{3}x-2$와 접하는 원은 2개이다. 두 원의 반지름의 길이를 각각 a, b라 할 때, $100ab$의 값을 구하시오.

원의 중심이 이차함수 $y=x^2$ 위에 있으므로 중심의 좌표를 (n, n^2)이라 하자.

원이 y축에 접하므로 반지름의 길이는 $|n|$이다.

즉, 직선 $y=\sqrt{3}x-2$가 원에 접하므로 원의 중심 (n, n^2)과 직선 $y-\sqrt{3}x+2=0$ 사이의 거리는 반지름의 길이 $|n|$과 같다.

$\frac{|n^2-\sqrt{3}n+2|}{\sqrt{1^2+(-\sqrt{3})^2}}=|n|$

$n^2-\sqrt{3}n+2=\pm 2n$

실근을 갖는 이차방정식은

$n^2-(2+\sqrt{3})n+2=0$

이 이차방정식의 두 근이 a, b이므로 근과 계수의 관계에 의하여

$ab=2$

$\therefore 100ab=200$

답 200

1994

> 원 $(x+1)^2+(y-2)^2=5$와 직선 $y=2x+k$가 서로 다른 두 점에서 만나게 되는 정수 k의 개수를 구하시오.
>
> → 직선과 원의 중심 사이의 거리는 반지름의 길이보다 작음을 이용하자.

원 $(x+1)^2+(y-2)^2=5$와 직선 $y=2x+k$가 서로 다른 두 점에서 만나려면 원의 중심 $(-1, 2)$에서 직선 $2x-y+k=0$까지의 거리가 원의 반지름의 길이 $\sqrt{5}$보다 작아야 한다.

$\frac{|-2-2+k|}{\sqrt{2^2+(-1)^2}}<\sqrt{5}$에서 $|k-4|<5$

$-5<k-4<5$

$\therefore -1<k<9$

따라서 정수 k는 $0, 1, 2, \cdots, 8$의 9개이다.

답 9

다른풀이 직선 $y=2x+k$를 원 $(x+1)^2+(y-2)^2=5$에 대입하면

$(x+1)^2+(2x+k-2)^2=5$

$\therefore 5x^2+2(2k-3)x+k^2-4k=0$

위의 이차방정식의 판별식을 D라 하면

$\frac{D}{4}=(2k-3)^2-5(k^2-4k)>0$

$k^2-8k-9<0$

$(k-9)(k+1)<0$

$\therefore -1<k<9$

따라서 정수 k는 $0, 1, 2, \cdots, 8$의 9개이다.

1995

> 원 $x^2+y^2=16$과 직선 $x+\sqrt{3}y+k=0$이 만나도록 하는 정수 k의 개수를 구하시오.
> 직선과 원의 중심 사이의 거리는 반지름의 길이보다 작거나 같아야 한다.

원 $x^2+y^2=16$과 직선 $x+\sqrt{3}y+k=0$이 만나려면 원의 중심 $(0, 0)$에서 직선까지의 거리가 반지름의 길이 4보다 작거나 같아야 한다.

$\dfrac{|k|}{\sqrt{1^2+(\sqrt{3})^2}}=\dfrac{|k|}{2}\le 4$

$|k|\le 8$

$\therefore -8\le k\le 8$

따라서 만족하는 정수 k는

$-8, -7, -6, \cdots, 0, 1, 2, \cdots, 7, 8$의 17개이다. 답 17

1996

> 원 $x^2+y^2=r^2$ $(r>0)$이 직선 $2x+y=4$와 제1사분면에서 만나게 되는 r의 값의 범위를 $\alpha\le r<\beta$라 할 때, $5\alpha\beta$의 값을 구하시오.
> 반지름이 최소가 되는 경우는 제1사분면에서 원이 직선에 접할 때이다.

원 $x^2+y^2=r^2$이

직선 $2x+y-4=0$과 접하려면

$r=\dfrac{|4|}{\sqrt{2^2+1^2}}=\dfrac{4}{\sqrt{5}}=\dfrac{4\sqrt{5}}{5}$

원 $x^2+y^2=r^2$이 점 $(0, 4)$를 지날 때,

$r=4$

따라서 제1사분면에서 적어도 한 점에서 만날 r의 값의 범위는

$\dfrac{4\sqrt{5}}{5}\le r<4$

$\therefore \alpha=\dfrac{4\sqrt{5}}{5}, \beta=4$

$\therefore 5\alpha\beta=16\sqrt{5}$ 답 $16\sqrt{5}$

1997

> 원 $x^2+y^2=r^2$과 직선 $4x-3y=15$가 만나지 않도록 하는 양수 r의 값의 범위가 $a<r<b$일 때, a^2+b^2의 값을 구하시오.
> 직선과 원의 중심 사이의 거리는 반지름의 길이보다 크다.

주어진 원과 직선이 만나지 않으려면 원의 중심 $(0, 0)$과 직선 $4x-3y-15=0$ 사이의 거리가 원의 반지름의 길이 r보다 커야 하므로

$\dfrac{|-15|}{\sqrt{4^2+(-3)^2}}>r$에서 $r<3$

$\therefore 0<r<3$ $(\because r>0)$

따라서 $a=0, b=3$이므로

$a^2+b^2=0^2+3^2=9$ 답 9

1998

> 원 $(x+1)^2+y^2=1$과 직선 $y=m(x-2)$가 만나지 않을 때, 상수 m의 값의 범위를 구하시오.
> 직선과 원의 중심 사이의 거리는 반지름의 길이보다 크다.

주어진 원과 직선이 만나지 않으려면 원의 중심 $(-1, 0)$과 직선 $mx-y-2m=0$ 사이의 거리가 원의 반지름의 길이 1보다 커야 하므로

$\dfrac{|-m-0-2m|}{\sqrt{m^2+(-1)^2}}=\dfrac{|3m|}{\sqrt{m^2+1}}>1$

$|3m|>\sqrt{m^2+1}$

양변을 제곱하면 $9m^2>m^2+1$

$m^2>\dfrac{1}{8}$

$\therefore m<-\dfrac{\sqrt{2}}{4}$ 또는 $m>\dfrac{\sqrt{2}}{4}$ 답 $m<-\dfrac{\sqrt{2}}{4}$ 또는 $m>\dfrac{\sqrt{2}}{4}$

1999

> 직선 $y=x+k$가 두 원 $x^2+y^2=1$과 $x^2+(y-6)^2=1$ 사이를 지나도록 하는 k의 값의 범위가 $a<k<b$일 때, $b-a$의 값을 구하시오.
> 직선이 두 원 모두와 만나지 않는 범위를 구하자.

직선 $y=x+k$와 주어진 두 원의 위치 관계가 그림과 같아야 하므로

y절편인 k의 값의 범위는

$1<k<5$ ……㉠

또 원 $x^2+y^2=1$의 중심에서 직선 $x-y+k=0$까지의 거리가 원의 반지름의 길이인 1보다 커야 하므로

$\dfrac{|k|}{\sqrt{1^2+(-1)^2}}>1$

$|k|>\sqrt{2}$

$\therefore k>\sqrt{2}$ 또는 $k<-\sqrt{2}$ ……㉡

한편, 원 $x^2+(y-6)^2=1$의 중심에서 직선 $x-y+k=0$까지의 거리도 원의 반지름의 길이인 1보다 커야 하므로

$\dfrac{|-6+k|}{\sqrt{1^2+(-1)^2}}>1$

$|-6+k|>\sqrt{2}$

$-6+k>\sqrt{2}$ 또는 $-6+k<-\sqrt{2}$

$\therefore k>6+\sqrt{2}$ 또는 $k<6-\sqrt{2}$ ……㉢

㉠, ㉡, ㉢을 동시에 만족하는 k의 값의 범위는

$\sqrt{2}<k<6-\sqrt{2}$

따라서 $a=\sqrt{2}, b=6-\sqrt{2}$이므로 $b-a=6-2\sqrt{2}$ 답 $6-2\sqrt{2}$

다른풀이 그림에서 조건을 만족하는 k의 값의 범위는

$\sqrt{2}<k<6-\sqrt{2}$

$\therefore b-a=6-2\sqrt{2}$

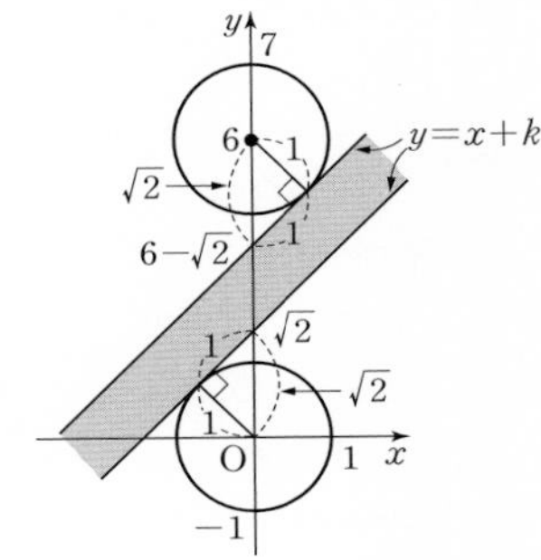

2000

그림과 같이 중심의 좌표가 $(-3, 1)$이고, 반지름의 길이가 2인 원이 x축과 만나는 두 점을 $A(\alpha, 0)$, $B(\beta, 0)$이라 할 때, $\alpha\beta$의 값을 구하시오.

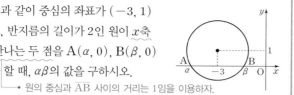

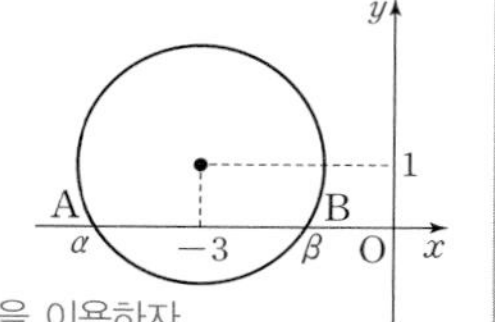

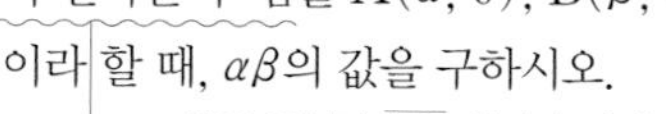

원의 중심과 $\overline{AB}$ 사이의 거리는 1임을 이용하자.

원의 중심의 좌표를 $C(-3, 1)$이라 하고, 원의 중심에서 x축에 내린 수선의 발을 M이라 하자.

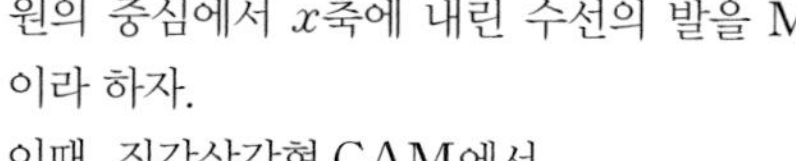

이때, 직각삼각형 CAM에서

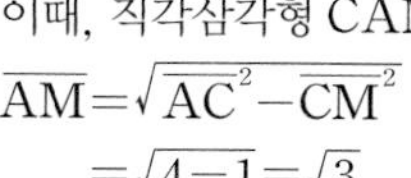

$\overline{AM}=\sqrt{\overline{AC}^2-\overline{CM}^2}$

$=\sqrt{4-1}=\sqrt{3}$

따라서 두 점 A, B의 x좌표는 각각 $-3-\sqrt{3}$, $-3+\sqrt{3}$이므로

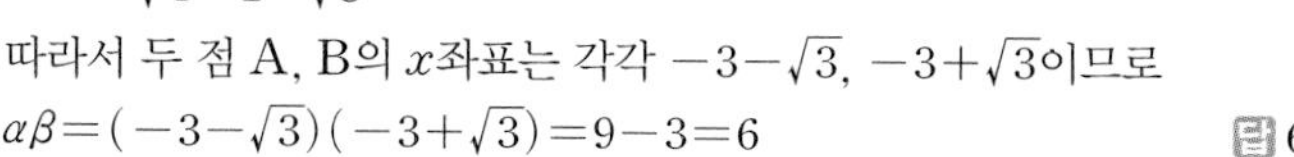

$\alpha\beta=(-3-\sqrt{3})(-3+\sqrt{3})=9-3=6$ 답 6

다른풀이 중심의 좌표가 $(-3, 1)$이고, 반지름의 길이가 2인 원의 방정식은

$(x+3)^2+(y-1)^2=4$

이 원이 x축과 만나는 점의 x좌표는 $y=0$일 때이므로

$x^2+6x+9+1=4$, 즉 $x^2+6x+6=0$

이를 만족하는 x의 값이 α, β이므로 α, β는 $x^2+6x+6=0$의 두 실근이다.

따라서 이차방정식의 근과 계수의 관계에 의하여 $\alpha\beta=6$

2001

원 $(x+1)^2+y^2=25$와 직선 $y=3x-2$의 두 교점을 A, B라 할 때, 선분 AB의 길이를 구하시오.

원의 중심과 직선 사이의 거리를 구한 후 피타고라스 정리를 이용하자.

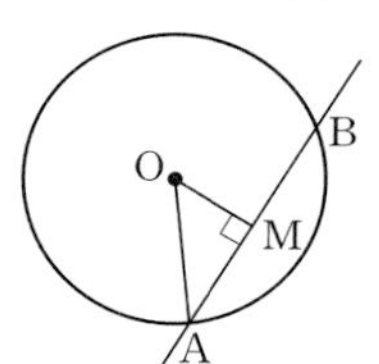

원의 중심 $O(-1, 0)$에서 $\overline{AB}$에 내린 수선의 발을 M이라 하면 M은 $\overline{AB}$의 중점이므로 $\overline{AB}=2\overline{AM}$

또한, $\overline{OM}$은 중심 $O(-1, 0)$에서 직선 $3x-y-2=0$까지의 거리이므로

$\overline{OM}=\dfrac{|3\cdot(-1)-0-2|}{\sqrt{3^2+(-1)^2}}=\dfrac{\sqrt{10}}{2}$

이때, 직각삼각형 AOM에서

$\overline{AM}^2=\overline{OA}^2-\overline{OM}^2=5^2-\left(\dfrac{\sqrt{10}}{2}\right)^2=\dfrac{45}{2}$

$\therefore \overline{AM}=\sqrt{\dfrac{45}{2}}=\dfrac{3\sqrt{10}}{2}$

$\therefore \overline{AB}=2\overline{AM}=2\cdot\dfrac{3\sqrt{10}}{2}=3\sqrt{10}$ 답 $3\sqrt{10}$

다른풀이 $\begin{cases}(x+1)^2+y^2=25 & \cdots\cdots ㉠ \\ y=3x-2 & \cdots\cdots ㉡\end{cases}$

㉡을 ㉠에 대입하면

$(x+1)^2+(3x-2)^2=25$

$10x^2-10x+5=25$, $x^2-x-2=0$

$(x-2)(x+1)=0$

$\therefore x=2$ 또는 $x=-1$

이때, $x=2$이면 $y=4$, $x=-1$이면 $y=-5$

따라서 교점 A, B의 좌표는 $(2, 4)$, $(-1, -5)$이므로

$\overline{AB}=\sqrt{(2+1)^2+(4+5)^2}=3\sqrt{10}$

2002

그림은 원 $(x+1)^2+(y-3)^2=4$와 직선 $y=mx+2$를 좌표평면 위에 나타낸 것이다. 원과 직선의 두 교점을 각각 A, B라 할 때, 선분 AB의 길이가 $2\sqrt{2}$가 되도록 하는 상수 m의 값을 구하시오. (단, O는 원점이다.)

원의 중심과 직선 사이의 거리를 구한 후 피타고라스 정리를 이용하자.

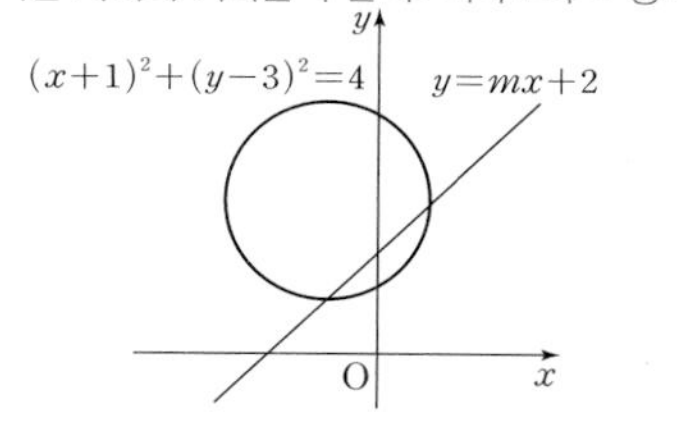

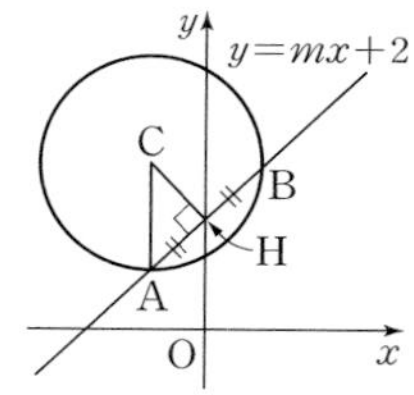

원의 중심을 C라 하고, C에서 직선에 내린 수선의 발을 H라 하면 H는 선분 AB를 이등분하므로

$\overline{AH}=\overline{BH}=\sqrt{2}$

직각삼각형 AHC에서

$\overline{CH}=\sqrt{\overline{AC}^2-\overline{AH}^2}$

$=\sqrt{2^2-(\sqrt{2})^2}=\sqrt{2}$

원의 중심 $C(-1, 3)$과 직선 $mx-y+2=0$ 사이의 거리는 선분 CH의 길이와 같으므로

$\dfrac{|m\times(-1)-3+2|}{\sqrt{m^2+(-1)^2}}=\sqrt{2}$

$|m+1|=\sqrt{2}\sqrt{m^2+1}$

양변을 제곱하면

$(m+1)^2=2(m^2+1)$

$m^2-2m+1=0$

$(m-1)^2=0$

$\therefore m=1$ 답 1

2003

직선 $y=-2x+a$와 원 $x^2+y^2-4x-2y-4=0$이 만나서 생기는 현의 길이가 4일 때, 양수 a의 값은?

원의 중심과 직선 사이의 거리를 구한 후 피타고라스 정리를 이용하자.

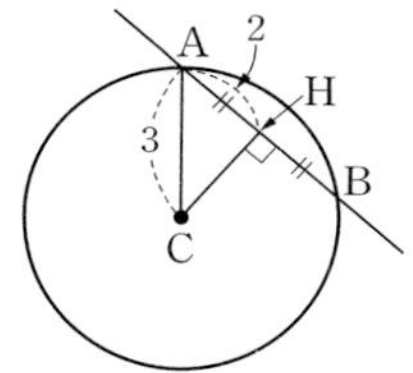

원 $x^2+y^2-4x-2y-4=0$을 표준형으로 나타내면

$(x-2)^2+(y-1)^2=9$

그림과 같이 원과 직선의 두 교점을 A, B라 하고, 원의 중심 $C(2, 1)$에서 직선 $y=-2x+a$에 내린 수선의 발을 H라 하면

$\overline{CH}=\dfrac{|2\cdot2+1-a|}{\sqrt{2^2+1^2}}=\dfrac{|5-a|}{\sqrt{5}}$

$\overline{AH}=\dfrac{1}{2}\overline{AB}=2$, $\overline{CA}=3$

직각삼각형 ACH에서 피타고라스 정리에 의하여

$\overline{CH}=\sqrt{\overline{AC}^2-\overline{AH}^2}$

$\frac{|5-a|}{\sqrt{5}}=\sqrt{9-4}=\sqrt{5}$

$|5-a|=5 \quad \therefore a=0$ 또는 $a=10$

따라서 양수 a의 값은 10이다.

답 ⑤

2004

> 원 $x^2+y^2=9$와 직선 $3x-4y+5=0$의 두 교점을 지나는 원의 넓이의 최솟값은?
>
> 두 교점을 지름으로 하는 원일 때이다.

원 $x^2+y^2=9$와 직선 $3x-4y+5=0$의 두 교점을 A, B라 하면 두 점 A, B를 지나는 원의 넓이가 최소일 때는 $\overline{AB}$를 원의 지름으로 할 때이다.

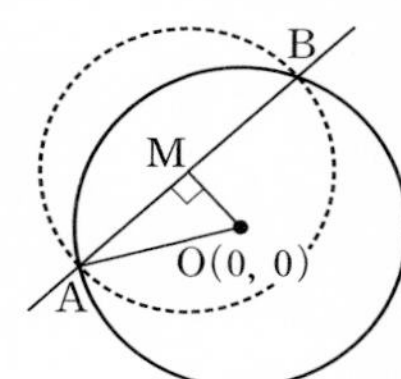

원의 중심 O(0, 0)에서 직선 $3x-4y+5=0$에 내린 수선의 발을 M이라 하면

$\overline{OM}=\frac{|5|}{\sqrt{3^2+(-4)^2}}=1$

직각삼각형 OAM에서

$\overline{AM}^2=\overline{OA}^2-\overline{OM}^2$

$=3^2-1^2$

$=8$

따라서 구하는 원의 넓이는

$\pi\cdot\overline{AM}^2=8\pi$

답 ④

2005

> 좌표평면 위에 원 $x^2+y^2=16$이 있다. 점 (3, 0)을 지나면서 길이가 자연수인 현의 개수를 구하시오.
>
> 현의 길이의 최댓값과 최솟값은 한 번씩, 그 사이의 값은 두 번씩 나타남을 이용하자.

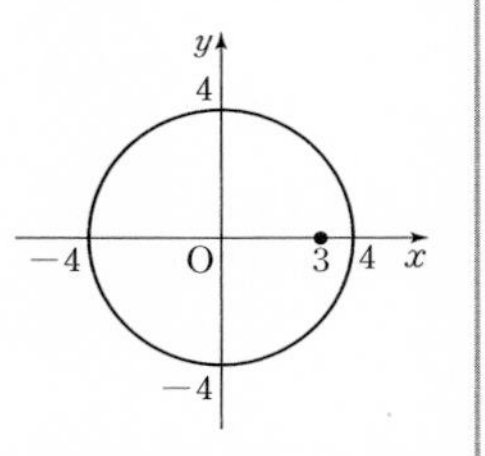

점 (3, 0)을 지나는 현 중 그 길이가 최대인 것은 x축 위의 현, 즉 지름이므로 현의 최대 길이는 8이고, 그 길이가 최소인 것은 x축에 수직인 현이다.

이때, x축에 수직인 현의 길이는 직각삼각형 OAA′에서

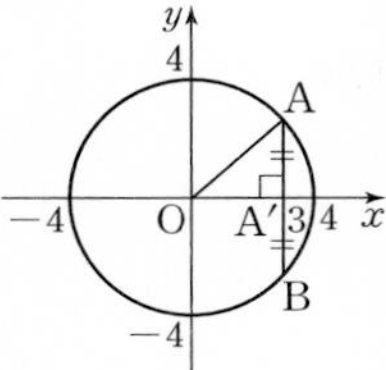

$\overline{AB}=2\overline{AA'}$

$=2\sqrt{4^2-3^2}$

$=2\sqrt{7}$

이므로 현의 길이 a의 범위는

$2\sqrt{7}\le a\le 8$

이때, 가능한 자연수 a는 6, 7, 8의 3가지이고, 이 중 길이가 6, 7인 현은 x축에 대하여 대칭으로 2개씩 그릴 수 있으므로 길이가 자연수인 현의 개수는 5이다.

답 5

2006

> 두 원 $x^2+y^2=4$, $x^2+y^2+3x-4y+1=0$의 공통현의 길이는?
>
> 공식 $x^2+y^2+Ax+By+C-(x^2+y^2+A'x+B'y+C')=0$을 이용하자.

두 원의 공통현의 방정식은

$x^2+y^2-4-(x^2+y^2+3x-4y+1)=0$

$\therefore 3x-4y+5=0 \quad \cdots\cdots$ ㉠

이때, 원 $x^2+y^2=4$의 중심 O(0, 0)과 직선 ㉠ 사이의 거리는

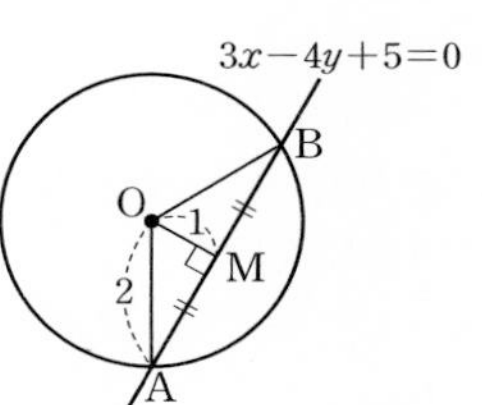

$\overline{OM}=\frac{|5|}{\sqrt{3^2+(-4)^2}}=1$이므로

$\overline{AM}=\sqrt{\overline{OA}^2-\overline{OM}^2}=\sqrt{3}$

$\therefore \overline{AB}=2\overline{AM}=2\sqrt{3}$

답 ⑤

2007

공식 $x^2+y^2+Ax+By+C-(x^2+y^2+A'x+B'y+C')=0$을 이용하자.

> 두 원 $x^2+y^2-2y-8=0$, $x^2+y^2-x+k=0$의 공통현의 길이가 $2\sqrt{5}$가 되도록 하는 모든 상수 k의 값의 합을 구하시오.

$x^2+y^2-2y-8=0$에서 $x^2+(y-1)^2=9$이므로 반지름의 길이는 3이다.

한편, 두 원의 공통현의 방정식은

$x^2+y^2-2y-8-(x^2+y^2-x+k)=0$

$\therefore x-2y-k-8=0$

원 $x^2+y^2-2y-8=0$의 중심 (0, 1)과 공통현 사이의 거리는

$\frac{|0-2-k-8|}{\sqrt{1^2+(-2)^2}}=\frac{|-k-10|}{\sqrt{5}}=\frac{|k+10|}{\sqrt{5}}$

공통현의 길이가 $2\sqrt{5}$이므로

$2\sqrt{3^2-\left(\frac{|k+10|}{\sqrt{5}}\right)^2}=2\sqrt{5}$

양변을 제곱하여 정리하면 $k^2+20k+80=0$

따라서 근과 계수의 관계에 의하여 모든 상수 k의 값의 합은 -20이다.

답 −20

2008

> 두 원 $C: x^2+y^2=4$, $C': x^2+y^2+2x-4=0$의 공통현을 $\overline{AB}$라 할 때, 원 C'의 중심 O′에 대하여 삼각형 O′AB의 넓이를 구하시오.
>
> 공통현의 방정식을 이용하여 교점을 구하자.

두 원의 공통현의 방정식은

$x^2+y^2-4-(x^2+y^2+2x-4)=0$

$\therefore x=0$

$x=0$을 $x^2+y^2=4$에 대입하면

$y=-2$ 또는 $y=2$

따라서 두 점 A, B의 좌표는 (0, 2), (0, −2)이고, 중심 O′의 좌표는 (−1, 0)이므로 삼각형 O′AB의 넓이는

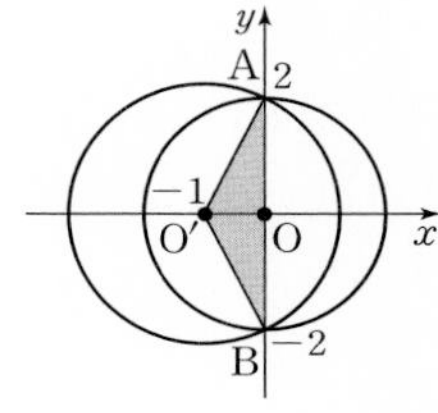

$\frac{1}{2}\cdot4\cdot1=2$

답 2

2009

> 원 $x^2+y^2=1$ 밖의 점 A(3, 1)에서 원에 접선을 그었을 때, 점 A에서 접점까지의 거리는?
>
> └ 피타고라스 정리를 이용하자.

원 $x^2+y^2=1$의 중심의 좌표는 C(0, 0)이고, 반지름의 길이는 1이다.

점 A(3, 1)에서 원에 그은 접선의 접점을 P라 하고, 두 선분 AC, CP의 길이를 각각 구하면

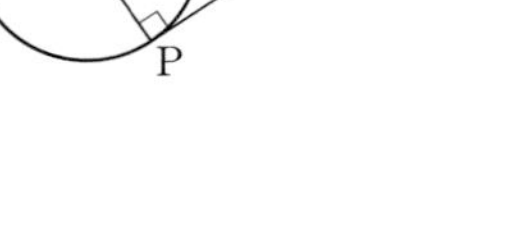

$\overline{AC}=\sqrt{3^2+1^2}=\sqrt{10}$

$\overline{CP}=1$

삼각형 ACP는 직각삼각형이므로

$\overline{AP}=\sqrt{\overline{AC}^2-\overline{CP}^2}$

$=\sqrt{(\sqrt{10})^2-1^2}$

$=\sqrt{9}=3$

답 ①

2010

> 점 P(4, 1)에서 원 $(x+1)^2+(y-2)^2=a$에 그은 접선의 접점을 Q라 하면 $\overline{PQ}=4$일 때, 상수 a의 값을 구하시오.
>
> └ 피타고라스 정리를 이용하여 반지름의 길이를 구하자.

원 $(x+1)^2+(y-2)^2=a$의 중심의 좌표를 O$(-1, 2)$라 하면 접선의 성질에 의해 그림과 같이 △OPQ는 직각삼각형이다.

$\therefore \overline{OP}^2=\overline{PQ}^2+\overline{OQ}^2$

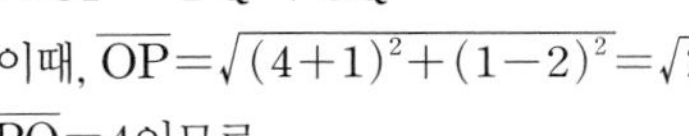

이때, $\overline{OP}=\sqrt{(4+1)^2+(1-2)^2}=\sqrt{26}$,

$\overline{PQ}=4$이므로

$(\sqrt{26})^2=4^2+\overline{OQ}^2$

$\therefore \overline{OQ}^2=10$

따라서 $\overline{OQ}$는 주어진 원의 반지름의 길이이므로

$a=\overline{OQ}^2=10$

답 10

2011

> 원 $x^2+y^2-2x+4y-11=0$의 중심을 A라 하고, 원 밖의 점 P$(-2, 3)$에서 이 원에 그은 접선의 접점을 T라 할 때, 삼각형 APT의 넓이를 구하시오.
>
> └ 삼각형 APT는 직각삼각형이다.

방정식 $x^2+y^2-2x+4y-11=0$에서

$(x^2-2x+1)+(y^2+4y+4)=16$

$\therefore (x-1)^2+(y+2)^2=4^2$

원의 중심 A$(1, -2)$에 대하여 $\overline{AP}$, $\overline{AT}$의 길이는

$\overline{AP}=\sqrt{(-2-1)^2+(3+2)^2}=\sqrt{34}$

$\overline{AT}=4$

이때, 삼각형 APT는 직각삼각형이므로 점 P에서 접점 T까지의 거리 $\overline{PT}$는

$\overline{PT}=\sqrt{\overline{AP}^2-\overline{AT}^2}=\sqrt{(\sqrt{34})^2-4^2}=\sqrt{18}=3\sqrt{2}$

따라서 삼각형 APT의 넓이는

$\frac{1}{2}\cdot\overline{PT}\cdot\overline{AT}=\frac{1}{2}\cdot3\sqrt{2}\cdot4=6\sqrt{2}$

답 $6\sqrt{2}$

2012

> 좌표평면 위에 원 $(x-1)^2+(y-1)^2=r^2$과 원 밖의 점 A(5, 3)이 있다. 점 A에서 원에 그은 두 접선이 서로 60°의 각을 이룰 때, r^2의 값을 구하시오.
>
> 점 A와 중심을 이은 직선에 의해 이등분되고, 그 각은 30°이다.

원의 중심을 C(1, 1), 접점을 B라 하면

△ABC는 직각삼각형이고,

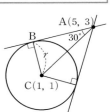

$\angle BAC=\frac{1}{2}\times60°=30°$이므로

$\overline{AB}:\overline{BC}:\overline{CA}=\sqrt{3}:1:2$

이때,

$\overline{AC}=\sqrt{(5-1)^2+(3-1)^2}=2\sqrt{5}$

$\overline{BC}:\overline{CA}=1:2$

$r:2\sqrt{5}=1:2$

따라서 $r=\sqrt{5}$이므로

$r^2=5$

답 5

2013

> 직선 m은 원의 중심을 지난다.
>
> 좌표평면에서 원점을 지나고 기울기가 양수인 직선 l은 원 $x^2+y^2-8x+12=0$과 점 P에서 접한다. 또 직선 m은 l과 수직이고 점 P를 지난다. 이때 두 직선 l, m 그리고 x축으로 둘러싸인 부분의 넓이는?

$x^2+y^2-8x+12=0$에서

$(x-4)^2+y^2=4$

즉, 원의 중심이 C(4, 0)이고 반지름의 길이가 2인 원이다.

두 직선 l, m 그리고 x축으로 둘러싸인 부분의 넓이는 직각삼각형 OCP의 넓이와 같다.

$\overline{OC}=4$, $\overline{CP}=2$이므로

직각삼각형 OCP에서

$\overline{OP}=\sqrt{\overline{OC}^2-\overline{CP}^2}$

$=\sqrt{4^2-2^2}=2\sqrt{3}$

따라서 직각삼각형 OCP의 넓이는

$\frac{1}{2}\times\overline{OP}\times\overline{CP}=\frac{1}{2}\times2\sqrt{3}\times2=2\sqrt{3}$

답 ③

2014

> 그림과 같이 점 P(3, 2)를 지나는 직선이 원 $x^2+y^2=1$과 두 점 A, B에서 만날 때, $\overline{PA}\cdot\overline{PB}$의 값은?
>
> 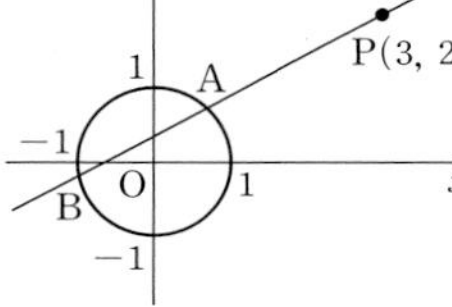
>
>
> ① 9　② 10　③ 11　④ 12　⑤ 13
>
> 점 P에서 원에 그은 접선의 접점을 T라 하면 $\overline{PA}\times\overline{PB}=\overline{PT}^2$이다.

점 P에서 원 $x^2+y^2=1$에 그은 접선의 접점을 T라 하면

$\overline{PA}\cdot\overline{PB}=\overline{PT}^2$

이때, $\triangle OPT$는 직각삼각형이므로

$\overline{PT}^2=\overline{OP}^2-\overline{OT}^2$

$=(3^2+2^2)-1^2$

$=12$

$\therefore \overline{PA}\cdot\overline{PB}=12$

답 ④

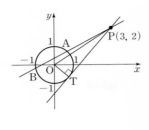

참고 원에서 할선과 접선의 관계

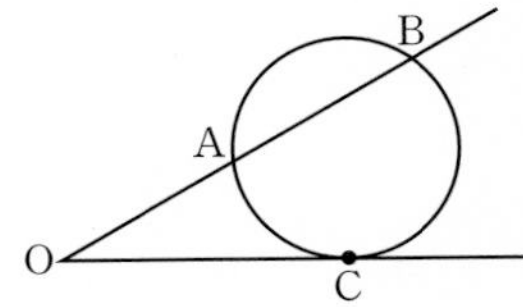

$\overline{OA}\cdot\overline{OB}=\overline{OC}^2$

2015

원 $x^2+y^2=16$ 위의 점과 직선 $3x-4y+40=0$ 사이의 거리의 최솟값은?

공식 $d=\frac{|ax_1+by_1+c|}{\sqrt{a^2+b^2}}$를 이용하자.

원의 중심 $(0, 0)$과

직선 $3x-4y+40=0$ 사이의 거리 d는

$d=\frac{|40|}{\sqrt{3^2+(-4)^2}}=8$

따라서 최솟값은

$d-4=8-4=4$

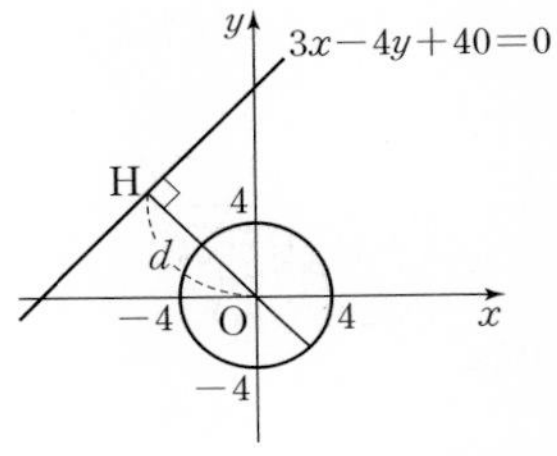

답 ④

2016

원 $x^2+y^2-4x-10y+25=0$ 위의 한 점에서 직선 $3x-4y-1=0$에 이르는 거리의 최댓값을 M, 최솟값을 m이라 할 때, $M+m$의 값을 구하시오.

(최댓값)$=d+r$, (최솟값)$=d-r$

$x^2+y^2-4x-10y+25=0$에서

$(x-2)^2+(y-5)^2=2^2$

이 원의 중심 $(2, 5)$와 직선 $3x-4y-1=0$ 사이의 거리를 d라 하면

$d=\frac{|6-20-1|}{\sqrt{3^2+(-4)^2}}$

$=\frac{15}{5}$

$=3$

그림에서 구하는 거리의

최댓값 M은

$M=3+2=5$,

최솟값 m은

$m=3-2=1$

$\therefore M+m=5+1=6$

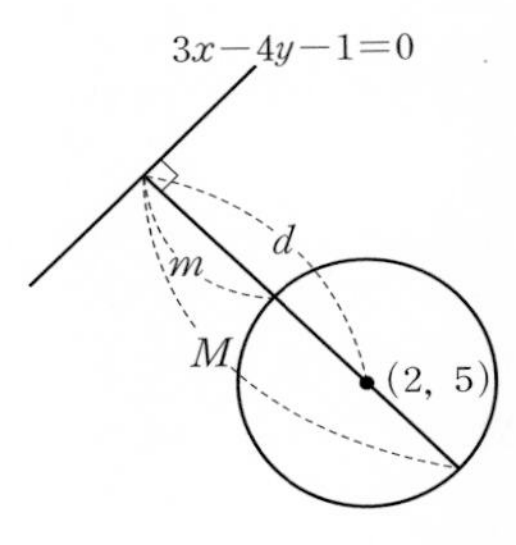

답 6

2017

• 점 P가 $\overline{AB}$의 수직이등분선 위에 있을 때이다.

원 $(x-5)^2+(y+1)^2=5^2$ 위에 두 점 $A(0, -1)$, $B(8, 3)$이 있다. $\triangle PAB$의 넓이가 최대가 되도록 하는 원 위의 한 점 P와 원의 중심을 지나는 직선의 방정식을 $y=ax+b$라 할 때, 상수 a, b에 대하여 ab의 값을 구하시오.

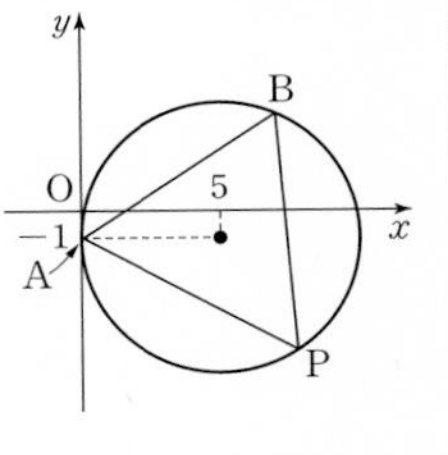

$\overline{AB}$의 길이가 고정되어 있으므로 점 P에서 직선 AB까지의 거리인 높이가 최대일 때 $\triangle PAB$의 넓이는 최대가 된다.

이때, 점 P에서 직선 AB까지의 거리는 점 P가 $\overline{AB}$의 수직이등분선 위에 있을 때 최대이다.

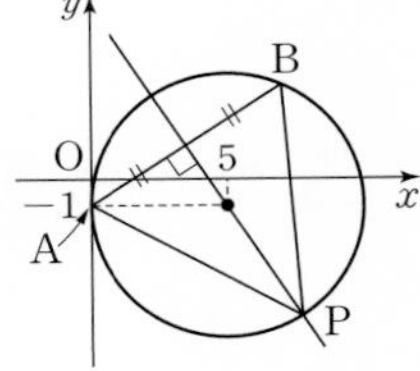

직선 AB의 기울기가 $\frac{3-(-1)}{8-0}=\frac{1}{2}$이므로

구하는 직선의 기울기는 -2이고, 원의 중심 $(5, -1)$을 지난다.

즉, $y-(-1)=-2(x-5)$에서

$y=-2x+9$

따라서 $a=-2$, $b=9$이므로

$ab=-18$

답 -18

2018

두 점 $A(4, 0)$, $B(0, 4)$와 원 $x^2+y^2=4$ 위의 임의의 점 P에 대하여 삼각형 ABP의 넓이의 최댓값을 구하시오.

• $\overline{AB}$에서 점 P에 이르는 거리가 최대일 때이다.

삼각형 ABP의 넓이가 최대인 경우는 점 P에서 선분 AB에 이르는 거리가 최대일 때이다.

직선 AB의 방정식은 $x+y=4$이고, 원 $x^2+y^2=4$의 중심 $(0, 0)$과 직선 AB 사이의 거리는

$\frac{|-4|}{\sqrt{1^2+1^2}}=2\sqrt{2}$

원 $x^2+y^2=4$의 반지름의 길이는 2이므로 원 위의 점 P에서 직선 AB에 이르는 거리의 최댓값은

$2\sqrt{2}+2=2(\sqrt{2}+1)$

한편, $\overline{AB}=\sqrt{(-4)^2+4^2}=4\sqrt{2}$

따라서 삼각형 ABP의 넓이의 최댓값은

$\frac{1}{2}\cdot 4\sqrt{2}\cdot 2(\sqrt{2}+1)=8+4\sqrt{2}$

답 $8+4\sqrt{2}$

2019

좌표평면 위의 점 $(3, 4)$를 지나는 직선 중에서 원점과의 거리가 최대인 직선을 l이라 하자. 원 $(x-7)^2+(y-5)^2=1$ 위의 점 P와 직선 l 사이의 거리의 최솟값을 m이라 할 때, $10m$의 값을 구하시오.

• 직선 l은 원점과 $(3, 4)$를 연결한 직선과 수직이다.

원점에서의 거리가 최대인 직선 l은 원점과 점 $(3, 4)$를 연결한 직선과 수직으로 만나야 한다.

점 $(3, 4)$를 지나는 직선 l의 방정식을 $y=a(x-3)+4$라 할 때

원점과 점 $(3, 4)$를 연결한 직선의 기울기는 $\frac{4}{3}$이므로

$a=-\frac{3}{4}$

따라서 직선 l의 방정식을 정리하면

$3x+4y-25=0$

원의 중심 $(7, 5)$와 직선 l 사이의 거리는

$\frac{|21+20-25|}{\sqrt{9+16}}=\frac{16}{5}$

원의 반지름의 길이가 1이므로 원 위의 점 P와 직선 l 사이의 거리의 최솟값은

$m=\frac{16}{5}-1=\frac{11}{5}$ $\therefore 10m=22$

답 22

2020

그림과 같이 원 $x^2+y^2=5$ 내부의 두 점 $(-1, 0)$, $(0, 1)$과 원 위의 한 점 P가 만드는 삼각형의 넓이가 1이 되는 점 P의 개수를 구하시오.

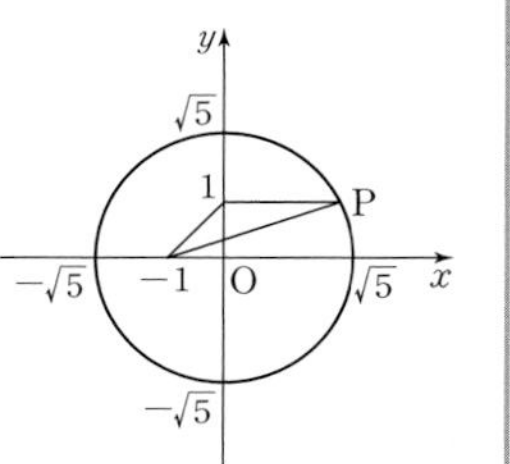

두 점을 지나는 직선과 원 위의 한 점 사이의 거리가 삼각형의 높이이다.

두 점 $(-1, 0)$, $(0, 1)$을 각각 A, B라 하면 두 점 A, B를 지나는 직선의 방정식은

$y-0=\frac{1-0}{0+1}(x+1)$

$\therefore x-y+1=0$ ······ ㉠

원 위의 점 P의 좌표를 $P(x, y)$라 하면

점 P에서 직선 ㉠까지의 거리는

$\frac{|x-y+1|}{\sqrt{1^2+(-1)^2}}=\frac{|x-y+1|}{\sqrt{2}}$

이때, 세 점 A, B, P를 꼭짓점으로 하는 $\triangle BAP$의 넓이가 1, $\overline{AB}=\sqrt{2}$이므로

$\frac{1}{2}\cdot\sqrt{2}\cdot\frac{|x-y+1|}{\sqrt{2}}=1$

$|x-y+1|=2$, $x-y+1=\pm 2$

$\therefore x-y+3=0$ 또는 $x-y-1=0$

따라서 위의 두 직선은 각각 원과 두 점에서 만나므로 점 P의 개수는 4이다.

답 4

2021

원 $x^2+y^2=49$에 접하고 직선 $2x+y+1=0$에 평행한 직선의 방정식을 구하시오.

공식 $y=mx\pm r\sqrt{m^2+1}$을 이용하자.

직선 $2x+y+1=0$에 평행하므로 기울기는 $m=-2$

반지름의 길이가 $r=7$이므로 구하는 접선의 방정식은

$y=-2x\pm 7\sqrt{(-2)^2+1}$

$\therefore y=-2x\pm 7\sqrt{5}$

답 $y=-2x\pm 7\sqrt{5}$

2022

직선 $x+2y=4$에 수직이고, 원 $x^2+y^2=4$에 접하는 직선의 방정식은 $y=ax+b$이다. 이때, 두 상수 a, b에 대하여 ab의 값은? (단, $b>0$)

공식 $y=mx\pm r\sqrt{m^2+1}$을 이용하자.

직선 $x+2y=4$에 수직인 직선의 기울기는 2이므로 원 $x^2+y^2=4$에 접하고 기울기가 2인 직선의 방정식은

$y=2x\pm 2\sqrt{2^2+1}$ $\therefore y=2x\pm 2\sqrt{5}$

이때, $b>0$이므로 $a=2$, $b=2\sqrt{5}$

$\therefore ab=4\sqrt{5}$

답 ⑤

2023

기울기가 2인 직선이 원 $x^2+y^2=5$와 제2사분면에서 접할 때, 이 직선과 x축과 y축으로 둘러싸인 삼각형의 넓이를 구하시오.

공식 $y=mx\pm r\sqrt{m^2+1}$을 이용하자.

원 $x^2+y^2=5$의 반지름의 길이는 $\sqrt{5}$이므로 접선의 방정식은

$y=2x\pm\sqrt{5}\sqrt{2^2+1}$

$\therefore y=2x\pm 5$

이때, 원 $x^2+y^2=5$와 제2사분면에서 접하므로 $y=2x+5$

직선 $y=2x+5$와 x축과 y축으로 둘러싸인 삼각형의 넓이를 S라 하면

$S=\frac{1}{2}\times\frac{5}{2}\times 5=\frac{25}{4}$

답 $\frac{25}{4}$

2024

원 $x^2+y^2=16$과 제2사분면에서 접하고, x축과 양의 방향으로 $60°$의 각을 이루는 접선의 방정식을 구하시오.

(기울기)$=\tan 60°=\sqrt{3}$임을 이용하자.

구하는 접선의 기울기를 m이라 하면

$m=\tan 60°=\sqrt{3}$

반지름의 길이가 4이므로 접선의 방정식은

$y=\sqrt{3}x\pm 4\sqrt{3+1}$ $\therefore y=\sqrt{3}x\pm 8$

이때, 이 직선이 원과 제 2사분면에서 접하므로

$y=\sqrt{3}x+8$

답 $y=\sqrt{3}x+8$

참고 $\tan 30°=\frac{1}{\sqrt{3}}$, $\tan 45°=1$, $\tan 60°=\sqrt{3}$

2025

기울기가 2이고, 원 $(x+2)^2+(y-1)^2=5$에 접하는 두 직선의 y절편의 합을 구하시오.

원의 중심과 직선 $y=2x+k$ 사이의 거리가 반지름의 길이임을 이용하자.

기울기가 2이고, 원 $(x+2)^2+(y-1)^2=5$에 접하는 직선의 방정식을 $y=2x+k$로 놓으면 원의 중심 $(-2, 1)$과 직선 $2x-y+k=0$ 사이의 거리 d는

$d=\frac{|-4-1+k|}{\sqrt{2^2+(-1)^2}}$

$=\frac{|k-5|}{\sqrt{5}}=\sqrt{5}$

$\therefore k=0$ 또는 $k=10$

따라서 두 직선의 y절편의 합은

$0+10=10$ 답 10

다른풀이 원 $(x-a)^2+(y-b)^2=r^2$에 접하고 기울기가 m인 직선의 방정식은

$y-b=m(x-a)\pm r\sqrt{m^2+1}$

이므로 $y-1=2(x+2)\pm\sqrt{5}\cdot\sqrt{5}$

$\therefore y=2x$ 또는 $y=2x+10$

따라서 두 직선의 y절편의 합은 10이다.

2026

원 $x^2+y^2=4$에 접하며 y절편이 $2\sqrt{5}$인 두 직선의 기울기의 곱을 구하시오.

• 원의 중심과 직선 $y=mx+2\sqrt{5}$ 사이의 거리가 반지름의 길이임을 이용하자.

기울기가 m이고 y절편이 $2\sqrt{5}$이므로 직선의 방정식은

$y=mx+2\sqrt{5}$, 즉 $mx-y+2\sqrt{5}=0$

이 직선이 원에 접하므로 원의 중심에서 직선까지의 거리는 원의 반지름의 길이와 같다.

$\frac{|2\sqrt{5}|}{\sqrt{m^2+1}}=2$, $m^2+1=5$

$m^2=4 \qquad \therefore m=\pm2$

따라서 두 접선의 기울기의 곱은

$2\cdot(-2)=-4$ 답 -4

2027

• 공식 $x_1x+y_1y=r^2$을 이용하자.

원 $x^2+y^2=5$ 위의 점 $(2, 1)$에서의 접선과 평행하고 점 $(-1, 3)$을 지나는 직선의 방정식은?

원 $x^2+y^2=5$ 위의 점 $(2, 1)$에서의 접선의 방정식은

$2\times x+1\times y=5$

$\therefore y=-2x+5$

즉, 기울기가 -2이고, 점 $(-1, 3)$을 지나는 직선의 방정식은

$y-3=-2\{x-(-1)\}$

$\therefore 2x+y-1=0$ 답 ③

2028

원 $x^2+y^2=5^2$ 위의 점 $(-4, 3)$을 지나고 이 점에서의 접선에 수직인 직선의 방정식을 구하시오.

공식 $x_1x+y_1y=r^2$을 이용하자.

원 $x^2+y^2=5^2$ 위의 점 $(-4, 3)$에서의 접선의 방정식은

$-4x+3y=5^2$

$\therefore y=\frac{4}{3}x+\frac{25}{3}$

이 직선과 점 $(-4, 3)$에서 직교하는 직선의 기울기는 $-\frac{3}{4}$이다.

따라서 기울기가 $-\frac{3}{4}$이고, 점 $(-4, 3)$을 지나는 직선의 방정식은

$y-3=-\frac{3}{4}\{x-(-4)\}$

$\therefore y=-\frac{3}{4}x$ 답 $y=-\frac{3}{4}x$

2029

• 공식 $x_1x+y_1y=r^2$을 이용하자.

그림과 같이 원 $x^2+y^2=10$ 위의 점 $(1, -3)$에서의 접선이 x축, y축과 만나서 이루는 삼각형 AOB의 넓이는?

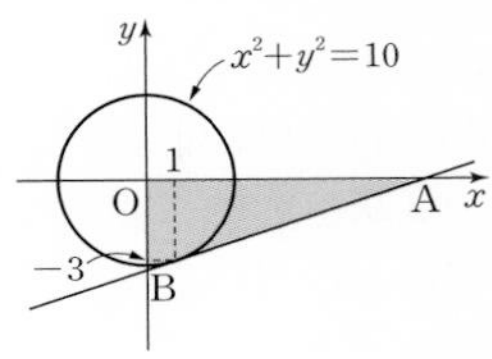

① 16 ② $\frac{50}{3}$

③ $\frac{52}{3}$ ④ 18

⑤ $\frac{56}{3}$

원 $x^2+y^2=10$ 위의 점 $(1, -3)$에서의 접선의 방정식은

$x-3y=10$

그림에서 구하는 삼각형 AOB의 넓이를 S라 하면

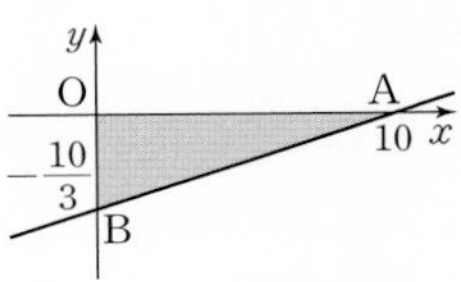

$S=\frac{1}{2}\times10\times\frac{10}{3}=\frac{50}{3}$

답 ②

2030

원 $x^2+y^2=20$ 위의 점 (a, b)에서의 접선의 기울기가 $\frac{1}{3}$일 때, ab의 값을 구하시오.

• 공식 $x_1x+y_1y=r^2$을 이용하자.

원 $x^2+y^2=20$ 위의 점 (a, b)에서의 접선의 방정식은

$ax+by=20$

$\therefore y=-\frac{a}{b}x+\frac{20}{b}$

이때, 이 접선의 기울기가 $\frac{1}{3}$이므로

$-\frac{a}{b}=\frac{1}{3} \qquad \therefore b=-3a$ ······ ㉠

또한, 점 (a, b)는 원 $x^2+y^2=20$ 위의 점이므로

$a^2+b^2=20$ ······ ㉡

㉠을 ㉡에 대입하면

$a^2+(-3a)^2=20$, $a^2=2$

$\therefore a=\sqrt{2}$ 또는 $a=-\sqrt{2}$ ······ ㉢

㉢을 ㉠에 각각 대입하면

$a=\sqrt{2}$이면 $b=-3\sqrt{2}$, $a=-\sqrt{2}$이면 $b=3\sqrt{2}$

$\therefore ab=-6$ 답 -6

2031

> 원 $x^2+y^2=5$와 직선 $y=x-3$의 교점에서의 접선의 방정식을 $ax+by=5$, $cx+dy=5$라 할 때, 상수 a, b, c, d에 대하여 $a+b+c+d$의 값을 구하시오.

• 두 방정식을 연립하여 교점을 구하자.

$$\begin{cases} x^2+y^2=5 & \cdots\cdots ㉠ \\ y=x-3 & \cdots\cdots ㉡ \end{cases}$$

에서 ㉡을 ㉠에 대입하면

$x^2+(x-3)^2=5$

$2x^2-6x+4=0$

$x^2-3x+2=0$

$(x-1)(x-2)=0$

$\therefore x=1$ 또는 $x=2$

이것을 각각 ㉡에 대입하면

$y=-2$ 또는 $y=-1$

따라서 ㉠, ㉡의 교점은 $(1, -2)$, $(2, -1)$이므로 구하는 접선의 방정식은

$x-2y=5$, $2x-y=5$

$\therefore a+b+c+d=1+(-2)+2+(-1)$

$=0$

답 0

2032

> 원 $(x-3)^2+(y-1)^2=5$ 위의 점 $(2, 3)$에서의 접선의 x절편을 a, y절편을 b라 할 때, $a+b$의 값을 구하시오.
>
> 원의 중심과 접점을 이은 선분과 접선은 수직임을 이용하자.

원의 중심을 A, 접선을 l, 접점을 M이라 하면

$l\perp\overline{\text{AM}}$이므로

$(\overline{\text{AM}}$의 기울기$)=\dfrac{1-3}{3-2}$

$=-2$

(직선 l의 기울기)$=\dfrac{1}{2}$

이때, 직선 l의 방정식은

$y-3=\dfrac{1}{2}(x-2)$

$\therefore y=\dfrac{1}{2}x+2$

따라서 x절편은 -4, y절편은 2이므로

$a=-4$, $b=2$

$\therefore a+b=-2$

답 -2

다른풀이 원 $(x-3)^2+(y-1)^2=5$ 위의 점 $(2, 3)$에서의 접선의 방정식은

$(2-3)\cdot(x-3)+(3-1)\cdot(y-1)=5$

$-x+3+2y-2=5$

$\therefore x-2y=-4$

따라서 x절편은 -4, y절편은 2이므로

$a=-4$, $b=2$

$\therefore a+b=-2$

2033

> 점 $(-3, 1)$에서 원 $x^2+y^2=2$에 그은 접선의 방정식을 모두 고르면? (정답 2개)
>
> 접점의 좌표를 (x_1, y_1)으로 놓고 공식 $x_1x+y_1y=r^2$을 이용하자.

접점의 좌표를 (x_1, y_1)로 놓으면 접선의 방정식은

$x_1x+y_1y=2$ $\cdots\cdots$ ㉠

직선 ㉠이 점 $(-3, 1)$을 지나므로

$-3x_1+y_1=2$

$y_1=3x_1+2$ $\cdots\cdots$ ㉡

또 점 (x_1, y_1)은 원 $x^2+y^2=2$ 위의 점이므로

${x_1}^2+{y_1}^2=2$ $\cdots\cdots$ ㉢

㉡을 ㉢에 대입하면

${x_1}^2+(3x_1+2)^2=2$

$5{x_1}^2+6x_1+1=0$

$(5x_1+1)(x_1+1)=0$

$\therefore x_1=-1$ 또는 $x_1=-\dfrac{1}{5}$

이것을 ㉡에 각각 대입하면

$y_1=-1$ 또는 $y_1=\dfrac{7}{5}$

따라서 접점의 좌표는 $(-1, -1)$ 또는 $\left(-\dfrac{1}{5}, \dfrac{7}{5}\right)$이므로

접점의 좌표를 ㉠에 대입하면

$x+y+2=0$ 또는 $x-7y+10=0$

답 ②, ④

2034

> 점 $(-6, 0)$에서 원 $x^2+y^2=9$에 그은 접선의 방정식이 $y=mx+n$일 때, mn의 값은? (단, m, n은 상수이다.)
>
> • $y=mx+n$과 원의 중심 사이의 거리가 반지름의 길이와 같다.

접선 $y=mx+n$이 점 $(-6, 0)$을 지나므로

$0=-6m+n$

$\therefore n=6m$ $\cdots\cdots$ ㉠

한편, 접선 $y=mx+n$이 원 $x^2+y^2=9$에 접하므로 원의 중심 $(0, 0)$과 접선 $mx-y+n=0$ 사이의 거리는 반지름의 길이 3과 같다.

$\dfrac{|n|}{\sqrt{m^2+(-1)^2}}=3$

$|n|=3\sqrt{m^2+1}$

양변을 제곱하면

$n^2=9(m^2+1)$ $\cdots\cdots$ ㉡

㉠을 ㉡에 대입하면

$36m^2=9(m^2+1)$

$m^2=\dfrac{1}{3}$

$\therefore m=\pm\dfrac{\sqrt{3}}{3}$

이 값을 ㉠에 대입하면

$n=\pm2\sqrt{3}$

$\therefore mn=\left(\pm\dfrac{\sqrt{3}}{3}\right)(\pm2\sqrt{3})$ (복부호 동순)

$=2$

답 ②

2035

> 점 $(4, 0)$에서 원 $x^2+y^2=4$에 그은 두 접선의 방정식의 기울기가 m_1, m_2일 때, m_1m_2의 값을 구하시오.
> 접점의 좌표를 (x_1, y_1)으로 놓고 공식 $x_1x+y_1y=r^2$을 이용하자.

접점을 (x_1, y_1)이라 하면 접선의 방정식은

$x_1x+y_1y=4$ ······㉠

이때, 점 $(4, 0)$은 직선 ㉠ 위에 있으므로

$4x_1=4$ $\therefore x_1=1$

또 점 (x_1, y_1)은 원 위의 점이므로

$x_1^2+y_1^2=4$

이 식에 $x_1=1$을 대입하면

$y_1=\pm\sqrt{3}$

따라서 두 접점은 $(1, \sqrt{3})$, $(1, -\sqrt{3})$이므로

구하는 접선의 방정식은

$y=-\frac{1}{\sqrt{3}}x+\frac{4}{\sqrt{3}}$, $y=\frac{1}{\sqrt{3}}x-\frac{4}{\sqrt{3}}$

$\therefore m_1=-\frac{1}{\sqrt{3}}$, $m_2=\frac{1}{\sqrt{3}}$ 또는 $m_1=\frac{1}{\sqrt{3}}$, $m_2=-\frac{1}{\sqrt{3}}$

$\therefore m_1m_2=-\frac{1}{3}$

답 $-\frac{1}{3}$

2036

> 원 $x^2+y^2=5$ 밖의 점 $(3, 1)$에서 이 원에 그은 두 접선과 y축으로 둘러싸인 삼각형의 넓이를 S라 할 때, $4S$의 값은?
> 접점의 좌표를 (x_1, y_1)으로 놓고 공식 $x_1x+y_1y=r^2$을 이용하자.

접점을 $\mathrm{P}(a, b)$라 하면 접점 P는 원 위에 있으므로

$a^2+b^2=5$ ······㉠

이고, 접선의 방정식은

$ax+by=5$ ······㉡

이 직선은 점 $(3, 1)$을 지나므로

$3a+b=5$ ······㉢

㉠, ㉢을 연립하여 풀면

$\begin{cases} a=1 \\ b=2 \end{cases}$ 또는 $\begin{cases} a=2 \\ b=-1 \end{cases}$

따라서 두 접선의 방정식은 ㉡에서 $x+2y=5$와 $2x-y=5$이다.

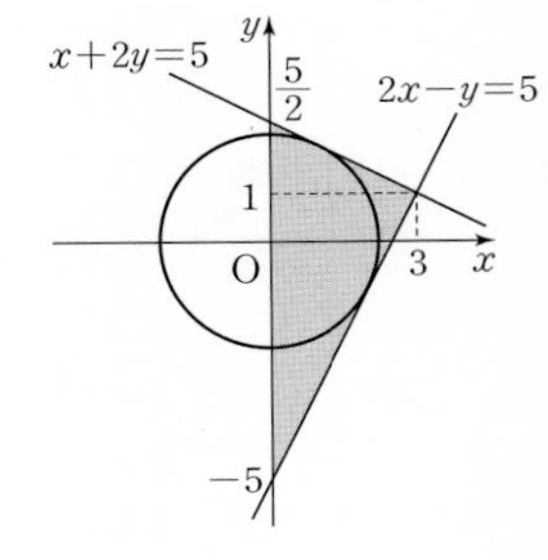

이때, 각각의 y절편은 $\frac{5}{2}$, -5이고, 교점의 좌표는 $(3, 1)$이다.

$\therefore S=\frac{1}{2}\times3\times\left\{\frac{5}{2}-(-5)\right\}$

$=\frac{45}{4}$

$\therefore 4S=45$

답 ⑤

2037

> 점 $\mathrm{P}(1, 4)$에서 원 $x^2+y^2=5$에 그은 두 접선의 접점을 지나는 직선의 방정식이 $ax+by-5=0$일 때, $a+b$의 값을 구하시오. (단, a, b는 상수이다.)
> 접점의 좌표를 (x_1, y_1)으로 놓고 공식 $x_1x+y_1y=r^2$을 이용하자.

점 $\mathrm{P}(1, 4)$에서 원 $x^2+y^2=5$에 그은 두 접선의 접점을 각각 $\mathrm{A}(x_1, y_1)$, $\mathrm{B}(x_2, y_2)$라 하면 두 접선의 방정식은

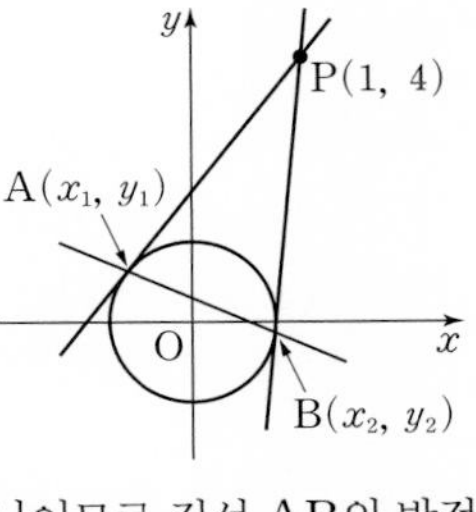

$x_1x+y_1y=5$, $x_2x+y_2y=5$

이때, 두 접선이 점 $\mathrm{P}(1, 4)$를 지나므로

$x_1+4y_1=5$, $x_2+4y_2=5$가 성립한다.

그런데 두 점 A, B를 지나는 직선은 오직 하나이므로 직선 AB의 방정식은 $x+4y=5$이다.

$\therefore a+b=1+4=5$

답 5

참고 원 $x^2+y^2=r^2$ 밖의 한 점 $\mathrm{P}(a, b)$에서 원에 그은 접선의 두 접점을 각각 A, B라 할 때, 직선 AB의 방정식

⇨ $ax+by=r^2$

2038

> 점 $\mathrm{A}(0, a)$에서 원 $x^2+(y+2)^2=9$에 그은 두 접선이 수직이 되도록 하는 모든 상수 a의 값의 합을 구하시오.
> $y=mx+a$와 원의 중심 사이의 거리가 반지름의 길이와 같다.

점 $\mathrm{A}(0, a)$에서 원 $x^2+(y+2)^2=9$에 그은 두 접선의 기울기를 m이라 하면 접선의 방정식은

$y=mx+a$

원의 중심 $(0, -2)$에서 직선 $mx-y+a=0$에 이르는 거리가 반지름의 길이와 같아야 하므로

$\frac{|m\times0-(-2)+a|}{\sqrt{m^2+(-1)^2}}=3$

$|a+2|=3\sqrt{m^2+1}$

양변을 제곱하여 정리하면

$9m^2-(a^2+4a-5)=0$

이 방정식의 두 근을 m_1, m_2라 하면 두 접선은 서로 수직이므로 근과 계수의 관계에 의하여

$m_1m_2=-\frac{1}{9}(a^2+4a-5)=-1$

$a^2+4a-5=9$

$\therefore a^2+4a-14=0$

따라서 구하는 모든 상수 a의 값의 합은 근과 계수의 관계에 의하여 -4이다.

답 -4

2039

> 직선 $y=2x+k$가 원 $(x+2)^2+(y+3)^2=18$의 둘레를 이등분할 때, 상수 k의 값은?
> 직선은 원의 중심을 지난다.

직선 $y=2x+k$가 원 $(x+2)^2+(y+3)^2=18$의 둘레를 이등분하므로

직선 $y=2x+k$는 원의 중심 $(-2, -3)$을 지난다.

$-3=2\cdot(-2)+k$ $\therefore k=1$

답 ④

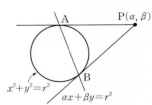

2040

원 $x^2+y^2+2x-8y-10=0$의 중심 A와 원 $x^2+y^2-6x-1=0$의 중심 B에 대하여 두 점 A, B를 지름의 양 끝점으로 하는 원의 방정식은?

원의 중심은 $\overline{AB}$의 중점이고, 반지름의 길이는 $\frac{1}{2}\overline{AB}$이다.

$x^2+y^2+2x-8y-10=0$에서
$(x+1)^2+(y-4)^2=27$
이므로 중심 A의 좌표는 $(-1, 4)$이고,
$x^2+y^2-6x-1=0$에서
$(x-3)^2+y^2=10$
이므로 중심 B의 좌표는 $(3, 0)$이다.
두 점 $A(-1, 4)$, $B(3, 0)$을 지름의 양 끝점으로 하는 원의 중심은 두 점 A, B의 중점이므로
$\left(\frac{-1+3}{2}, \frac{4+0}{2}\right)$, 즉 $(1, 2)$
반지름의 길이는 원의 중심 $(1, 2)$와 점 $A(-1, 4)$ 사이의 거리이므로
$\sqrt{(-1-1)^2+(4-2)^2}=\sqrt{8}$
따라서 구하는 원의 방정식은
$(x-1)^2+(y-2)^2=8$

답 ②

2041

세 점을 $x^2+y^2+ax+by+c=0$에 대입하자.

세 점 $A(0, 0)$, $B(1, -2)$, $C(2, 1)$을 지나는 원의 방정식을 $x^2+y^2+ax+by+c=0$이라 할 때, 세 상수 a, b, c에 대하여 $a+b+c$의 값을 구하시오.

세 점 $A(0, 0)$, $B(1, -2)$, $C(2, 1)$을 지나는 원의 방정식이
$x^2+y^2+ax+by+c=0$이므로 각각 대입하면
$c=0$ ……㉠
$5+a-2b+c=0$ ……㉡
$5+2a+b+c=0$ ……㉢
㉠, ㉡, ㉢을 연립하여 풀면
$a=-3$, $b=1$, $c=0$
$\therefore a+b+c=-2$

답 -2

2042

$(x-a)^2+(y-1)^2=a^2$이라 하자.

중심의 좌표가 $(a, 1)$이고, y축에 접하는 원이 점 $(2, 3)$을 지날 때, a의 값을 구하시오.

중심의 좌표가 $(a, 1)$이고, y축에 접하는 원의 방정식은
$(x-a)^2+(y-1)^2=a^2$
이 원이 점 $(2, 3)$을 지나므로
$(2-a)^2+(3-1)^2=a^2$
$4-4a+a^2+4=a^2$, $4a=8$
$\therefore a=2$

답 2

2043

두 원
C_1: $x^2-2x+y^2+4y+4=0$,
C_2: $x^2+4x+y^2-2y+4=0$
에 대하여 C_1 위의 임의의 점 P와 C_2 위의 임의의 점 Q에 대하여 두 점 P, Q 사이의 거리의 최댓값과 최솟값의 곱을 구하시오.

먼저 두 원의 중심 사이의 거리를 구하자.

두 원
C_1: $x^2-2x+y^2+4y+4=0$
C_2: $x^2+4x+y^2-2y+4=0$
에서
C_1: $(x-1)^2+(y+2)^2=1$
C_2: $(x+2)^2+(y-1)^2=1$
이므로 두 원의 중심 사이의 거리는
$\sqrt{(-2-1)^2+(1+2)^2}=3\sqrt{2}$
따라서 두 점 P, Q 사이의 거리의 최댓값과 최솟값은 각각
$\overline{P_1Q_1}$, $\overline{P_2Q_2}$이므로
$\overline{P_1Q_1}=3\sqrt{2}+2$, $\overline{P_2Q_2}=3\sqrt{2}-2$
따라서 최댓값과 최솟값의 곱은
$(3\sqrt{2}+2)(3\sqrt{2}-2)=18-4=14$

답 14

2044

두 점 $A(2, -4)$, $B(5, 2)$에 대하여 $\overline{AP}:\overline{BP}=2:1$을 만족시키는 점 P가 나타내는 도형의 방정식은?

$\overline{AB}$의 2 : 1 내분점과 2 : 1 외분점을 지름으로 하는 원의 방정식이다.

두 점 $A(2, -4)$, $B(5, 2)$에 대하여
$\overline{AP}:\overline{BP}=2:1$이므로
$\overline{AP}=2\overline{BP}$
점 P의 좌표를 (x, y)라 하면
$\sqrt{(x-2)^2+(y+4)^2}=2\sqrt{(x-5)^2+(y-2)^2}$
양변을 제곱하면
$(x-2)^2+(y+4)^2=4(x-5)^2+4(y-2)^2$
$3x^2+3y^2-36x-24y+96=0$
$x^2+y^2-12x-8y+32=0$
$\therefore (x-6)^2+(y-4)^2=20$

답 ④

2045

원 $(x-1)^2+(y-2)^2=1$이 직선 $2x-y+a=0$과 만나도록 하는 정수 a의 개수를 구하시오.

직선과 원의 중심 사이의 거리는 반지름의 길이보다 작거나 같다.

원 $(x-1)^2+(y-2)^2=1$의 중심 $(1, 2)$와 직선 $2x-y+a=0$ 사이의 거리를 d라 하면
$d=\frac{|2\cdot 1-2+a|}{\sqrt{2^2+(-1)^2}}=\frac{|a|}{\sqrt{5}}$
원의 반지름의 길이를 r라 하면 $r=1$

이때, 원과 직선이 만나는 경우는 서로 다른 두 점에서 만나는 경우 또는 한 점에서 만나는 경우이다.
따라서 원과 직선이 만날 조건은 $d \le r$이므로
$\frac{|a|}{\sqrt{5}} \le 1$, $|a| \le \sqrt{5}$
$\therefore -\sqrt{5} \le a \le \sqrt{5}$
따라서 만족하는 정수 a는 -2, -1, 0, 1, 2이므로 5개이다.

답 5

2046 서술형

원 $(x-2)^2+(y-a)^2=16$과 직선 $ax+y=0$이 두 점 P, Q에서 만난다고 한다. $\overline{PQ}=6$일 때, 양수 a의 값을 구하시오.
→ 원의 중심과 $\overline{PQ}$ 사이의 거리를 구하자.

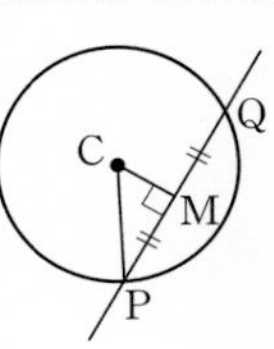

그림과 같이 원의 중심의 좌표 C$(2, a)$에서 $\overline{PQ}$에 내린 수선의 발을 M이라 하면
$\overline{PM}=\overline{QM}$이므로
$\overline{PM}=\frac{\overline{PQ}}{2}=\frac{6}{2}=3$ ······ 30%

원의 중심 C$(2, a)$에서 직선 $ax+y=0$까지의 거리 $\overline{CM}$은
$\overline{CM}=\frac{|2a+a|}{\sqrt{a^2+1^2}}$
$=\frac{|3a|}{\sqrt{a^2+1}}$ ······ 50%
이때, △PCM은 직각삼각형이므로
$\overline{CP}^2=\overline{PM}^2+\overline{CM}^2$에서
$4^2=3^2+\left(\frac{|3a|}{\sqrt{a^2+1}}\right)^2$
$7=\frac{9a^2}{a^2+1}$
$7(a^2+1)=9a^2$
$2a^2=7$
$a^2=\frac{7}{2}$
$\therefore a=\pm\sqrt{\frac{7}{2}}=\pm\frac{\sqrt{14}}{2}$
따라서 양수 a는 $\frac{\sqrt{14}}{2}$이다. ······ 20%

답 $\frac{\sqrt{14}}{2}$

2047

그림과 같이 원 밖의 한 점 P$(7, 4)$에서 원 $x^2+y^2-4x-8y+16=0$에 접선을 그을 때, 두 접점 A, B 사이의 거리를 구하시오.
→ 피타고라스 정리를 이용하자.

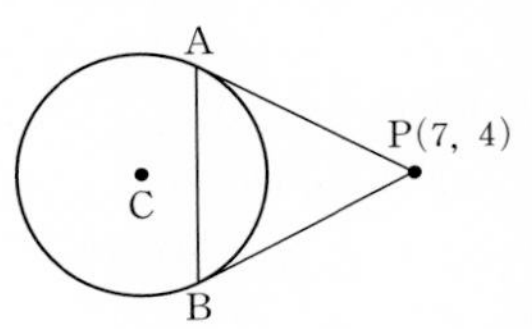

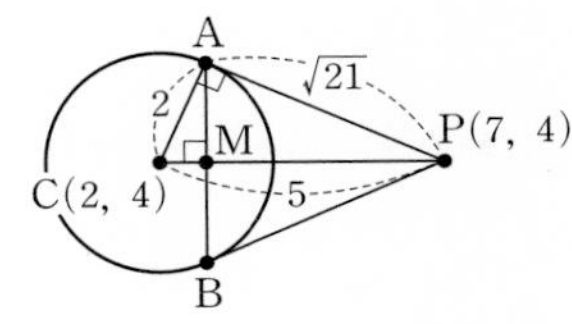

$x^2+y^2-4x-8y+16=0$
에서
$(x^2-4x+4)+(y^2-8y+16)=4$
$\therefore (x-2)^2+(y-4)^2=4$
원의 중심을 C$(2, 4)$라 할 때, $\overline{CP}$, $\overline{AC}$의 길이를 각각 구하면
$\overline{CP}=\sqrt{(7-2)^2+(4-4)^2}=5$
$\overline{AC}=2$
이때, △ACP는 직각삼각형이므로
$\overline{AP}=\sqrt{\overline{CP}^2-\overline{AC}^2}=\sqrt{5^2-2^2}=\sqrt{21}$
$\overline{AB}$, $\overline{CP}$가 만나는 점을 M이라 하면 △ACP의 넓이는
$\triangle ACP=\frac{1}{2}\cdot\overline{AP}\cdot\overline{AC}=\frac{1}{2}\cdot\overline{CP}\cdot\overline{AM}$
$\frac{1}{2}\cdot\sqrt{21}\cdot 2=\frac{1}{2}\cdot 5\cdot\overline{AM}$
$\therefore \overline{AM}=\frac{2\sqrt{21}}{5}$
따라서 구하는 두 접점 사이의 거리 $\overline{AB}$는
$\overline{AB}=2\overline{AM}=\frac{4\sqrt{21}}{5}$

답 $\frac{4\sqrt{21}}{5}$

2048

그림과 같이 원 $(x-4)^2+(y-2)^2=9$가 직선 $y=ax$와 x축과 각각 두 점에서 만난다. 원과 x축으로 둘러싸인 부분의 넓이를 S_1, 원과 직선 $y=ax$로 둘러싸인 부분의 넓이를 S_2라 할 때, $S_1=S_2$가 성립하도록 하는 상수 a의 값은? (단, $a\neq0$)
→ 원의 중심에서 x축과 $y=ax$에 이르는 거리가 서로 같다.

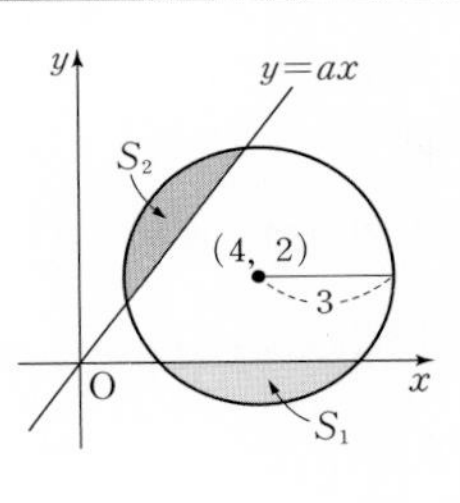

$S_1=S_2$가 성립하려면 원의 중심 $(4, 2)$에서 직선 $y=ax$까지의 거리가 x축까지의 거리 2와 같아야 한다.
$\frac{|4a-2|}{\sqrt{a^2+(-1)^2}}=2$
$|4a-2|=2\sqrt{a^2+1}$
양변을 제곱하여 정리하면
$a(3a-4)=0$
$\therefore a=\frac{4}{3}$ ($\because a\neq0$)

답 ④

2049

두 방정식을 연립하여 교점을 구하자.

두 직선 $x+y=-1$, $2x+y=2$의 교점을 지나고 원 $x^2+y^2=25$에 접하는 직선의 기울기를 구하시오.

$x+y=-1$과 $2x+y=2$를 연립하여 풀면
$x=3$, $y=-4$
이므로 두 직선의 교점의 좌표는 $(3, -4)$이다.
그런데 점 $(3, -4)$는 원 $x^2+y^2=25$ 위의 점이므로 접선의 방정식은
$3x-4y=25$

$\therefore y=\frac{3}{4}x-\frac{25}{4}$

따라서 구하는 직선의 기울기는 $\frac{3}{4}$이다. 답 $\frac{3}{4}$

2050 서술형

> 점 $(0, 5)$에서 원 $x^2+y^2=9$에 그은 두 접선과 x축으로 둘러싸인 삼각형의 넓이를 S라 할 때, $4S$의 값을 구하시오.
>
> 접점의 좌표를 (x_1, y_1)으로 놓고 공식 $x_1x+y_1y=r^2$을 이용하자.

접점을 $\mathrm{P}(a, b)$라 하면 접점 P는 원 위에 있으므로

$a^2+b^2=9$ ······ ㉠

이고, 접선의 방정식은

$ax+by=9$

이 직선은 점 $(0, 5)$를 지나므로 $5b=9$

$\therefore b=\frac{9}{5}$ ······ ㉡

㉡을 ㉠에 대입하면 $a^2+\frac{81}{25}=9$

$\therefore \begin{cases} a=\frac{12}{5} \\ b=\frac{9}{5} \end{cases}$ 또는 $\begin{cases} a=-\frac{12}{5} \\ b=\frac{9}{5} \end{cases}$ ······ 40%

따라서 두 접선의 방정식은

$4x+3y=15$와

$-4x+3y=15$이다. ······ 40%

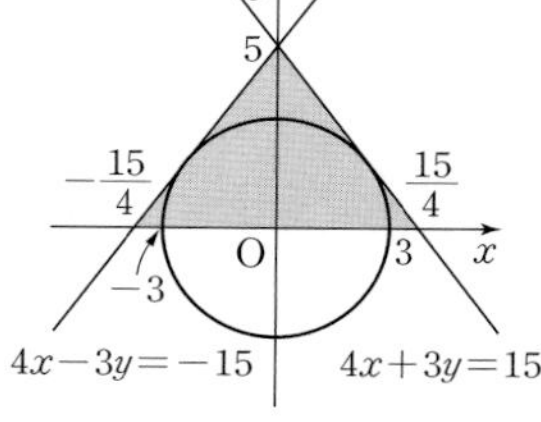

이때, 각각의 x절편은 $\frac{15}{4}$, $-\frac{15}{4}$이고, 두 접선의 교점의 좌표는 $(0, 5)$이므로 구하는 삼각형의 넓이는

$S=\frac{1}{2}\times\left\{\frac{15}{4}-\left(-\frac{15}{4}\right)\right\}\times 5=\frac{75}{4}$

$\therefore 4S=75$ ······ 20%

답 75

2051

> 직선 $(k+1)x-3y+k-2=0$이 실수 k의 값에 관계없이 원 $x^2+y^2+ax+by-1=0$의 넓이를 이등분할 때, 두 상수 a, b에 대하여 $a+b$의 값을 구하시오.
>
> k에 관계없이 항상 지나는 점이 원의 중심이다.

직선 $(k+1)x-3y+k-2=0$을 k에 대하여 정리하면

$k(x+1)+(x-3y-2)=0$

$x+1=0$, $x-3y-2=0$을 연립하여 풀면

$x=-1, y=-1$

이므로 직선은 k의 값에 관계없이 항상 점 $(-1, -1)$을 지난다.

원의 넓이를 이등분하는 직선은 원의 중심을 지나야 하므로 이 직선이 k의 값에 관계없이 지나는 점 $(-1, -1)$은 주어진 원의 중심이다.

$x^2+y^2+ax+by-1=0$에서

$\left(x+\frac{a}{2}\right)^2+\left(y+\frac{b}{2}\right)^2=1+\frac{a^2}{4}+\frac{b^2}{4}$이므로

$-\frac{a}{2}=-1, -\frac{b}{2}=-1$

$\therefore a=2, b=2$

$\therefore a+b=4$

답 4

2052

> 다음 세 직선으로 만들어지는 삼각형의 외접원의 중심의 좌표를 (p, q), 반지름의 길이를 r라 할 때, $p+q+r^2$의 값을 구하시오.
>
> $x-y+2=0,\ x+y-6=0,\ x+3y-6=0$
>
> 삼각형의 세 꼭짓점의 좌표를 구하자.

그림과 같이 세 직선으로 만들어지는 삼각형의 세 꼭짓점을 구하면 $\mathrm{A}(2, 4)$, $\mathrm{B}(0, 2)$, $\mathrm{C}(6, 0)$

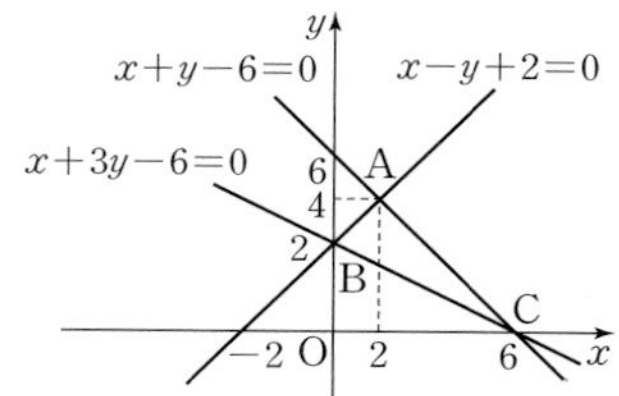

삼각형의 외접원의 방정식을

$x^2+y^2+ax+by+c=0$이라 하고 세 점 A, B, C의 좌표를 각각 대입하면

$2a+4b+c+20=0$

$2b+c+4=0$

$6a+c+36=0$

세 식을 연립하여 풀면

$a=-6, b=-2, c=0$

즉, 구하는 원의 방정식은 $x^2+y^2-6x-2y=0$이므로

$(x-3)^2+(y-1)^2=10$

따라서 $p=3, q=1, r^2=10$이므로

$p+q+r^2=14$

답 14

다른풀이 두 직선 $x-y+2=0$, $x+y-6=0$이 서로 수직이므로 세 직선으로 이루어진 삼각형은 $\angle\mathrm{A}=90^\circ$인 직각삼각형이다.

삼각형 ABC의 외접원의 중심은 선분 BC의 중점 $(3, 1)$이고, 반지름의 길이 r는

$r=\frac{1}{2}\overline{\mathrm{BC}}=\frac{1}{2}\sqrt{6^2+2^2}=\sqrt{10}$

$\therefore p=3, q=1, r^2=10$

$\therefore p+q+r^2=14$

2053

> 좌표평면에서 제1사분면 위의 점 (a, b)를 중심으로 하고, y축에 접하는 원이 있다. 이 원이 두 점 $\mathrm{A}(2, 2)$, $\mathrm{B}(9, 9)$를 지날 때, 원의 중심과 직선 AB 사이의 거리는?
>
> $(x-a)^2+(y-b)^2=a^2$이라 하자.

제1사분면에서 중심이 (a, b)이고, y축에 접하는 원의 방정식은

$(x-a)^2+(y-b)^2=a^2\ (a>0, b>0)$

이 원이 두 점 $\mathrm{A}(2, 2)$, $\mathrm{B}(9, 9)$를 지나므로

$(2-a)^2+(2-b)^2=a^2$ ······ ㉠

$(9-a)^2+(9-b)^2=a^2$ ······ ㉡

㉠－㉡을 하면

$-77+14a-77+14b=0$에서 $a+b=11$

$\therefore b=11-a$ ……㉢

㉢을 ㉠에 대입하면

$4-4a+a^2+a^2-18a+81=a^2$에서

$a^2-22a+85=0$, $(a-5)(a-17)=0$

$\therefore a=5$ 또는 $a=17$

이것을 ㉢에 대입하면 $b=6$ ($\because b>0$)

즉, 원의 중심의 좌표는 $(5, 6)$이고, 직선 AB의 방정식은

$y-2=\dfrac{9-2}{9-2}(x-2)$에서

$x-y=0$

따라서 원의 중심과 직선 AB 사이의 거리는

$\dfrac{|5-6|}{\sqrt{1^2+(-1)^2}}=\dfrac{\sqrt{2}}{2}$ 답 ①

2054

• m의 값에 관계 없이 항상 점 $(-1, 0)$을 지난다.

그림과 같이 원과 반원으로 이루어진 태극 문양이 직선 $y=m(x+1)$과 서로 다른 다섯 개의 점에서 만나도록 하는 상수 m의 값의 범위를 구하시오.

• $(-1, 0)$을 지나면서 주어진 그림과 5개의 점에서 만나는 직선을 그려보자.

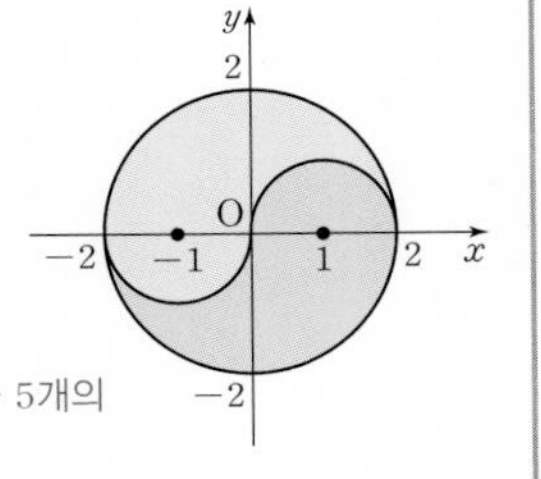

직선 $y=m(x+1)$은 m의 값에 관계없이 점 $(-1, 0)$을 지나는 직선이다.

이 직선이 태극 문양과 서로 다른 다섯 개의 점에서 만나기 위해서는 그림에서 색칠한 부분(경계선 제외)을 지나면 된다.

(i) 직선과 반원이 접할 때,

원 $(x-1)^2+y^2=1$의 중심 $(1, 0)$과 직선 $mx-y+m=0$ 사이의 거리가 원의 반지름의 길이 1과 같으므로

$\dfrac{|m+m|}{\sqrt{m^2+(-1)^2}}=1$, $\dfrac{|2m|}{\sqrt{m^2+1}}=1$

$4m^2=m^2+1$, $m^2=\dfrac{1}{3}$

$\therefore m=\dfrac{\sqrt{3}}{3}$ ($\because m>0$)

(ii) 직선이 x축일 때, $m=0$

(i), (ii)에 의해 구하는 m의 값의 범위는

$0<m<\dfrac{\sqrt{3}}{3}$ 답 $0<m<\dfrac{\sqrt{3}}{3}$

2055

그림과 같이 원 $(x+1)^2+(y-3)^2=1$ 위를 움직이는 점 P와 두 점 $A(3, 0)$, $B(0, -4)$에 대하여 삼각형 ABP의 넓이의 최댓값을 M, 최솟값을 m이라 할 때, $M+m$의 값을 구하시오.

• 원의 중심과 $\overline{AB}$ 사이의 거리를 d라 하면, (최댓값)$=d+r$, (최솟값)$=d-r$이다.

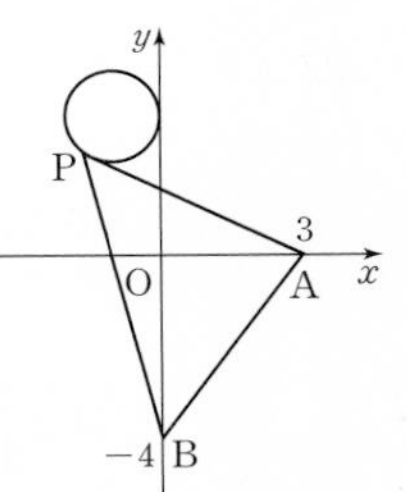

두 점 $A(3, 0)$, $B(0, -4)$를 지나는 직선의 방정식은

$\dfrac{x}{3}-\dfrac{y}{4}=1$, 즉 $4x-3y-12=0$

주어진 원은 중심의 좌표가 $(-1, 3)$이고, 반지름의 길이가 1이다.

점 $(-1, 3)$과 직선 $4x-3y-12=0$ 사이의 거리가

$\dfrac{|-4-9-12|}{\sqrt{4^2+(-3)^2}}=5$이므로

$\triangle ABP$에서 $\overline{AB}$를 밑변으로 할 때 높이의 최댓값은 $5+1=6$이고, 최솟값은 $5-1=4$이다.

$\overline{AB}=\sqrt{(0-3)^2+(-4-0)^2}=5$이므로

$M=\dfrac{1}{2}\times5\times6=15$,

$m=\dfrac{1}{2}\times5\times4=10$

$\therefore M+m=25$ 답 25

2056

좌표평면에 두 원

$C_1: x^2+y^2=1$, $C_2: x^2+y^2-8x+6y+21=0$

이 있다. 그림과 같이 x축 위의 점 P에서 원 C_1에 그은 한 접선의 접점을 Q, 점 P에서 원 C_2에 그은 한 접선의 접점을 R라 하자. $\overline{PQ}=\overline{PR}$일 때, 점 P의 x좌표는?

• 원 C_2의 중심을 A라 하면, $\triangle OPQ$와 $\triangle APR$는 직각삼각형이므로 피타고라스 정리를 이용하자.

점 P의 좌표를 $(a, 0)$이라 하자.

$\overline{OQ}=1$이므로 직각삼각형 OPQ에서

$\overline{PQ}^2=\overline{OP}^2-\overline{OQ}^2=a^2-1$

한편, $x^2+y^2-8x+6y+21=0$에서

$(x-4)^2+(y+3)^2=4$

즉, 원 C_2는 중심이 $A(4, -3)$이고 반지름의 길이가 2이다.

$\overline{AR}=2$이므로 직각삼각형 APR에서

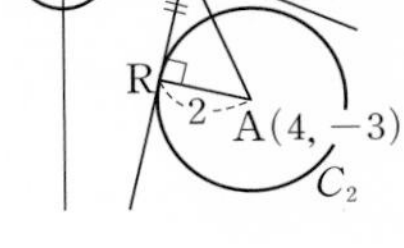

$\overline{PR}^2=\overline{AP}^2-\overline{AR}^2$

$=\{(a-4)^2+3^2\}-2^2$

$=a^2-8a+21$

따라서 $\overline{PQ}=\overline{PR}$에서 $\overline{PQ}^2=\overline{PR}^2$

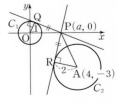

이므로

$a^2-1=a^2-8a+21$

$8a=22$

$\therefore a=\frac{11}{4}$ 답 ④

2057

→ $\mathrm{P}(a, b)$라 하자.

좌표평면 위에 원 $C: (x-1)^2+(y-2)^2=4$와 두 점 $\mathrm{A}(4, 3)$, $\mathrm{B}(1, 7)$이 있다. 원 C 위를 움직이는 점 P에 대하여 삼각형 PAB의 무게중심과 직선 AB 사이의 거리의 최솟값은?

→ 무게중심의 좌표를 (x, y)라 하자.

원 C 위의 점 $\mathrm{P}(a, b)$에 대하여 삼각형 PAB의 무게중심의 좌표를 (x, y)라 하면

$x=\frac{a+4+1}{3}$, $y=\frac{b+3+7}{3}$

$a=3x-5$, $b=3y-10$ ······ ㉠

점 P는 원 C 위의 점이므로

$(a-1)^2+(b-2)^2=4$ ······ ㉡

㉠을 ㉡에 대입하면

$(x-2)^2+(y-4)^2=\left(\frac{2}{3}\right)^2$

직선 AB의 방정식은 $4x+3y-25=0$이므로

삼각형 PAB의 무게중심이 그리는 원의 중심 $(2, 4)$와 직선 AB 사이의 거리는

$\frac{|8+12-25|}{\sqrt{4^2+3^2}}=1$

따라서 구하는 거리의 최솟값은

$1-\frac{2}{3}=\frac{1}{3}$ 답 ⑤

2058

→ 점 P의 좌표를 (α, β)라 하면 접선의 방정식은 $\alpha x+\beta y=1$이다.

그림과 같이 좌표평면에서 원 $x^2+y^2=1$의 제1사분면 위의 점 P에서의 접선이 x축, y축과 만나는 점을 각각 Q, R라 하자. $\overline{\mathrm{QR}}=4$일 때, $(\overline{\mathrm{OQ}}+\overline{\mathrm{OR}})^2$의 값을 구하시오. (단, O는 원점이다.)

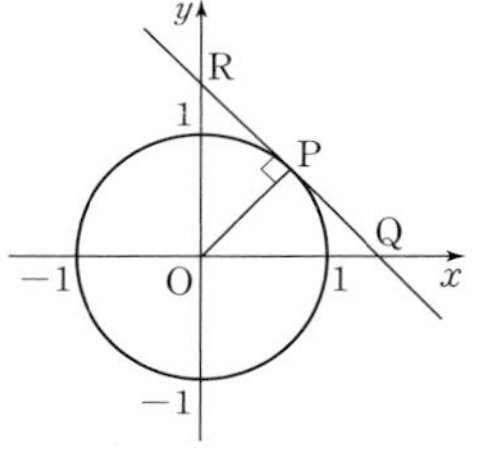

점 P의 좌표를 $\mathrm{P}(\alpha, \beta)$라 하면 $\alpha>0$, $\beta>0$

이때, 접선 QR의 방정식은 $\alpha x+\beta y=1$이므로

$\mathrm{Q}\left(\frac{1}{\alpha}, 0\right)$, $\mathrm{R}\left(0, \frac{1}{\beta}\right)$

그런데 $\overline{\mathrm{QR}}=4$이므로 $\frac{1}{\alpha^2}+\frac{1}{\beta^2}=16$ ······ ㉠

또한, 점 P는 원 위의 점이므로 $\alpha^2+\beta^2=1$ ······ ㉡

㉠, ㉡에서 $\alpha^2\beta^2=\frac{1}{16}$

$\alpha>0$, $\beta>0$이므로 $\alpha\beta=\frac{1}{4}$

$\therefore (\overline{\mathrm{OQ}}+\overline{\mathrm{OR}})^2=\left(\frac{1}{\alpha}+\frac{1}{\beta}\right)^2=\frac{1}{\alpha^2}+\frac{1}{\beta^2}+\frac{2}{\alpha\beta}$

$=16+8=24$ 답 24

다른풀이 $\triangle\mathrm{ORQ}=\frac{1}{2}\cdot\overline{\mathrm{OP}}\cdot\overline{\mathrm{QR}}=\frac{1}{2}\cdot\overline{\mathrm{OQ}}\cdot\overline{\mathrm{OR}}=2$

$\therefore \overline{\mathrm{OQ}}\cdot\overline{\mathrm{OR}}=4$ ······ ㉠

$\triangle\mathrm{ORQ}$에서

$\overline{\mathrm{OQ}}^2+\overline{\mathrm{OR}}^2=\overline{\mathrm{QR}}^2=16$ ······ ㉡

㉠, ㉡에서

$(\overline{\mathrm{OQ}}+\overline{\mathrm{OR}})^2=\overline{\mathrm{OQ}}^2+\overline{\mathrm{OR}}^2+2\cdot\overline{\mathrm{OQ}}\cdot\overline{\mathrm{OR}}=24$

2059

그림은 반지름의 길이가 $\sqrt{50}$인 원 모양의 종이를 $\angle\mathrm{ABC}=90°$가 되도록 잘라낸 것이다. $\overline{\mathrm{AB}}=6$, $\overline{\mathrm{BC}}=2$일 때, 원의 중심 O와 점 B 사이의 거리를 구하시오.

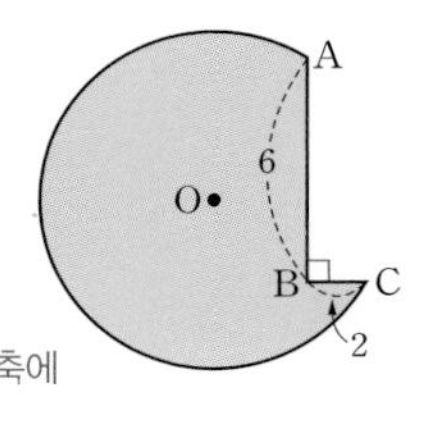

→ 원의 중심을 원점에 놓고, $\overline{\mathrm{AB}}$가 x축에 수직이 되도록 좌표를 설정하자.

원의 중심이 원점에 오고, 선분 AB가 x축에 수직이 되도록 주어진 원을 좌표평면 위에 놓자.

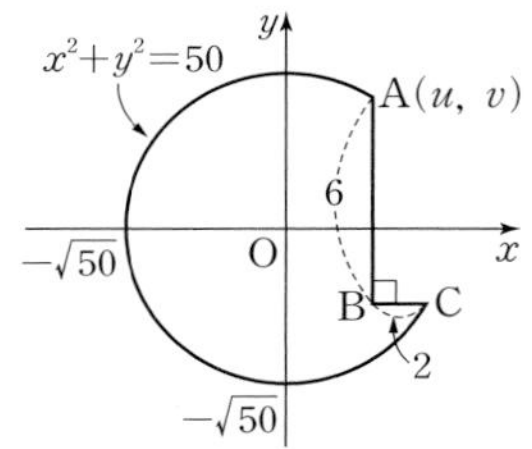

원의 반지름의 길이가 $\sqrt{50}$이므로 원의 방정식은

$x^2+y^2=50$

$\mathrm{A}(u, v)$라 하면

$\mathrm{C}(u+2, v-6)$이고, 두 점 A, C는 원 위의 점이므로

$u^2+v^2=50$ ······ ㉠

$(u+2)^2+(v-6)^2=50$ ······ ㉡

㉡$-$㉠을 하면 $u=3v-10$ ······ ㉢

㉢을 ㉠에 대입하여 정리하면

$v^2-6v+5=0$, $(v-1)(v-5)=0$

$\therefore v=1$ 또는 $v=5$

이것을 ㉢에 대입하여 점 A를 구하면

$\mathrm{A}(-7, 1)$ 또는 $\mathrm{A}(5, 5)$

그런데 점 A는 제1사분면에 있으므로

$\mathrm{A}(5, 5)$

또 점 B의 좌표는 $(u, v-6)$이므로

$\mathrm{B}(5, -1)$

$\therefore \overline{\mathrm{OB}}=\sqrt{5^2+(-1)^2}$

$=\sqrt{26}$ 답 $\sqrt{26}$

2060

원 $(x-2)^2+(y-1)^2=1$ 위를 움직이는 점 (x, y)에 대하여 x^2+y^2의 최댓값과 최솟값의 곱을 구하시오.

→ $x^2+y^2=k$로 놓으면 주어진 원에 내접할 때 최솟값을 가지고, 외접할 때 최댓값을 가진다.

$x^2+y^2=k$ (k는 상수)로 놓으면 중심의 좌표가 $(0, 0)$이고 반지름의 길이가 $\sqrt{k}$인 원이다.
즉, 반지름의 길이가 최대일 때 k의 값이 최대, 반지름의 길이가 최소일 때 k의 값이 최소이므로 그림과 같이 원 $(x-2)^2+(y-1)^2=1$이 원 $x^2+y^2=k$에 내접할 때 k의 값이 최대이고, 두 원이 외접할 때 k의 값이 최소이다.

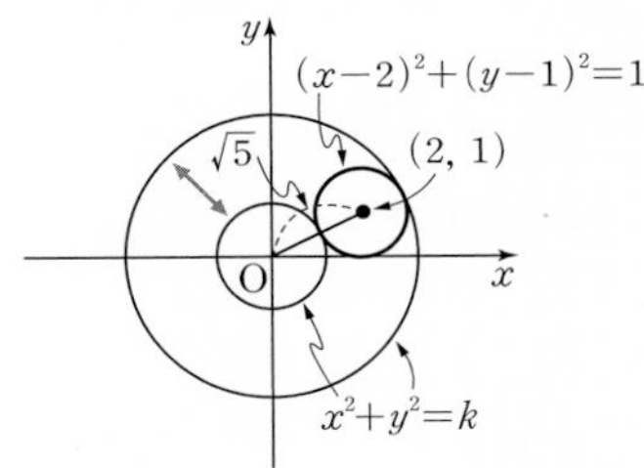

두 원의 중심 $(0, 0)$, $(2, 1)$ 사이의 거리를 d라 하면
$d=\sqrt{2^2+1^2}=\sqrt{5}$
(i) 원 $(x-2)^2+(y-1)^2=1$이 원 $x^2+y^2=k$에 내접하는 경우
$\sqrt{k}=\sqrt{5}+1$
$\therefore k=6+2\sqrt{5}$
(ii) 두 원이 외접하는 경우
$\sqrt{5}=\sqrt{k}+1$, $\sqrt{k}=\sqrt{5}-1$
$\therefore k=6-2\sqrt{5}$
(i), (ii)에 의하여 k의 최댓값은 $6+2\sqrt{5}$, 최솟값은 $6-2\sqrt{5}$이므로
$(6+2\sqrt{5})(6-2\sqrt{5})=16$

답 16

2061

> 좌표평면 위의 두 원
> $$x^2+y^2+2x-4y+4=0,\ (x-a)^2+y^2=4+a^2$$
> 이 만나는 서로 다른 두 점 사이의 거리가 최대가 되도록 하는 실수 a의 값은?
> 공통현의 방정식은 공식 $x^2+y^2+Ax+By+C-(x^2+y^2+A'x+B'y+C')=0$을 이용하자.

$x^2+y^2+2x-4y+4=0$에서 $(x+1)^2+(y-2)^2=1$
이므로 중심이 $C_1(-1, 2)$이고, 반지름의 길이가 1인 원이다.
두 원의 공통현의 방정식은
$x^2+y^2+2x-4y+4-(x^2-2ax+a^2+y^2-4-a^2)=0$
$\therefore (a+1)x-2y+4=0$

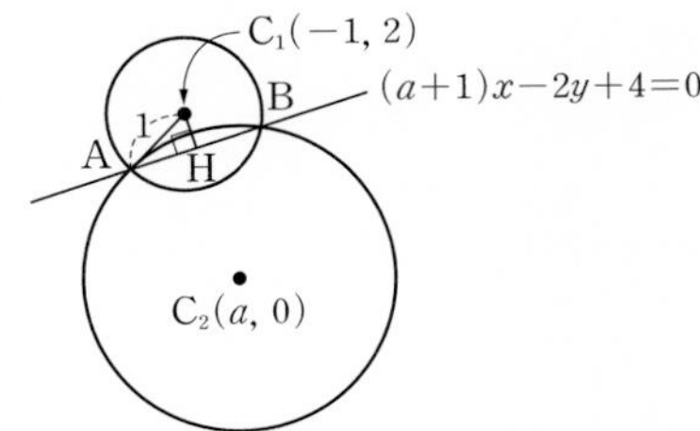

원의 중심 $C_1(-1, 2)$와 공통현 사이의 거리 d는
$$d=\frac{|-a-1-4+4|}{\sqrt{(a+1)^2+4}}=\frac{|-a-1|}{\sqrt{(a+1)^2+4}}$$
두 원의 두 교점 사이의 거리 $\overline{AB}=2\overline{AH}$이므로 두 교점 사이의 거리가 최대가 되려면 선분 AH의 길이가 최대가 되어야 한다.

$$\therefore \overline{AH}=\sqrt{1-d^2}=\sqrt{1-\frac{(a+1)^2}{(a+1)^2+4}}=\sqrt{\frac{4}{(a+1)^2+4}}$$
따라서 $(a+1)^2+4$의 값이 최소가 되어야 하므로
$a=-1$

답 ③

2062

> 좌표평면에서 중심이 $(1, 1)$이고 반지름의 길이가 1인 원과 직선 $y=mx(m>0)$가 두 점 A, B에서 만난다. 두 점 A, B에서 각각 이 원에 접하는 두 직선이 서로 수직이 되도록 하는 모든 실수 m의 값의 합은?
> 원의 중심을 C, $\overline{AB}$의 중점을 M이라 하면, △ACB와 △AMC는 직각이등변삼각형이다.

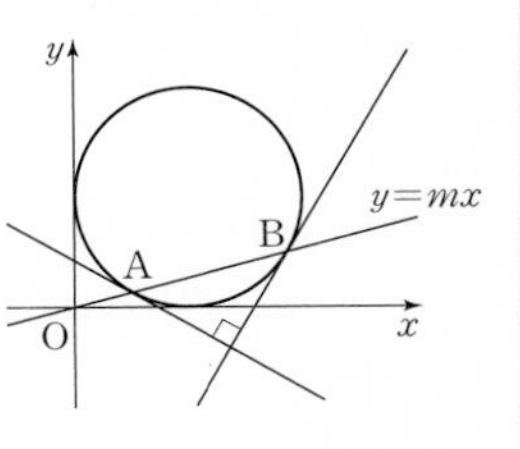

원의 중심을 $C(1, 1)$이라 하고, 두 점 A, B에서 각각 이 원에 접하는 두 직선의 교점을 D라 하자.
원의 중심과 접점을 연결한 선분은 접선에 수직이고 원 밖의 점 D와 두 접점 A, B 사이의 거리는 서로 같다.

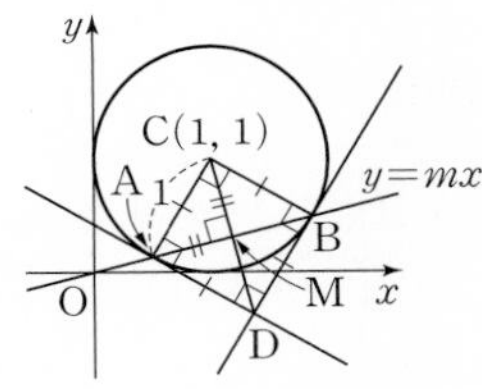

$\angle D=90°$이므로 사각형 ADBC는 한 변의 길이가 1인 정사각형이다.
선분 AB의 중점을 M이라 하면
$\overline{CM}=\frac{\sqrt{2}}{2}$
원의 중심 $C(1, 1)$과 직선 $mx-y=0$ 사이의 거리는 선분 CM의 길이와 같으므로
$$\frac{|m-1|}{\sqrt{m^2+(-1)^2}}=\frac{\sqrt{2}}{2}$$
$2|m-1|=\sqrt{2}\sqrt{m^2+1}$
양변을 제곱하면
$4(m-1)^2=2(m^2+1)$
$m^2-4m+1=0$ ······㉠
원과 직선이 두 점 A, B에서 만나므로 ㉠은 서로 다른 두 실근을 가진다.
즉, ㉠에서 근과 계수의 관계에 의하여 모든 실수 m의 값의 합은 4이다.

답 ⑤

2063

> 그림과 같이 반지름의 길이가 $\sqrt{2}$인 원의 중심 $C(a, b)$가 포물선 $y=x^2$ 위를 움직인다. 이 원이 직선 $x-y+4=0$과 접할 때, 원의 중심의 x좌표 a의 최댓값과 최솟값의 합을 구하시오.
> $b=a^2$이다.
> 원의 중심과 직선 사이의 거리는 $\sqrt{2}$이다.

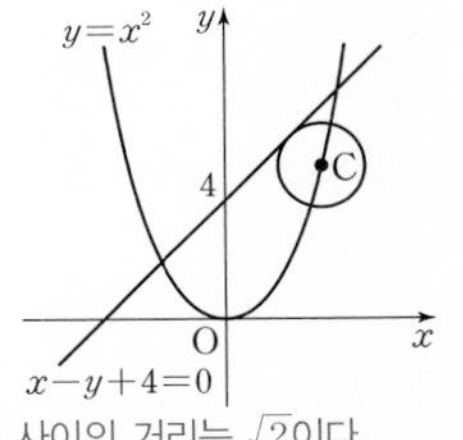

원의 중심의 좌표 $C(a, b)$는 포물선 $y=x^2$ 위의 점이므로

$b=a^2$ ······㉠

원과 직선 $x-y+4=0$이 접하므로

$\frac{|a-b+4|}{\sqrt{1^2+(-1)^2}}=\sqrt{2}$

$\therefore |a-b+4|=2$ ······㉡

㉠을 ㉡에 대입하면

$|a-a^2+4|=2$

$a^2-a-4=\pm 2$

(i) $a^2-a-4=2$에서 $a^2-a-6=0$

$(a+2)(a-3)=0$

$\therefore a=-2$ 또는 $a=3$

(ii) $a^2-a-4=-2$에서 $a^2-a-2=0$

$(a+1)(a-2)=0$

$\therefore a=-1$ 또는 $a=2$

(i), (ii)에서 a의 최댓값과 최솟값의 합은

$3+(-2)=1$

답 1

2064

좌표평면 위의 세 점 A$(6, 0)$, B$(0, -3)$, C$(10, -8)$에 대하여 삼각형 ABC에 내접하는 원의 중심을 P라 할 때, 선분 OP의 길이는? (단, O는 원점이다.)

점 P에서 $\overline{AB}$, $\overline{BC}$, $\overline{CA}$에 이르는 거리는 모두 같다.

직선 AB를 l이라 하면

$l: y=\frac{1}{2}x-3$

직선 BC를 m이라 하면

$m: y=-\frac{1}{2}x-3$

직선 CA를 n이라 하면

$n: y=-2x+12$

삼각형 ABC에 내접하는 원의 중심 P의 좌표를 P(a, b) $(0<a<10)$라 하면 점 P와 직선 l 사이의 거리와 점 P와 직선 m 사이의 거리가 같으므로

$\frac{|a-2b-6|}{\sqrt{1^2+(-2)^2}}=\frac{|a+2b+6|}{\sqrt{1^2+2^2}}$

$|a-2b-6|=|a+2b+6|$

$a=0$ 또는 $b=-3$

$0<a<10$이므로 $b=-3$ ······㉠

또한 점 P와 직선 m 사이의 거리와 점 P와 직선 n 사이의 거리가 같으므로

$\frac{|a+2b+6|}{\sqrt{1^2+2^2}}=\frac{|2a+b-12|}{\sqrt{2^2+1^2}}$

㉠을 대입하면 $|a|=|2a-15|$

$a=15$ 또는 $a=5$

$0<a<10$이므로 $a=5$

그러므로 P$(5, -3)$

따라서 선분 OP의 길이는

$\sqrt{5^2+(-3)^2}=\sqrt{34}$

답 ④

2065

좌표평면 위에 원 $x^2+y^2=16$이 있다. 이 원에 접하고 서로 수직인 두 직선의 교점을 P라 할 때, 점 P가 나타내는 도형의 넓이를 구하시오.

접선의 방정식을 $y=mx\pm r\sqrt{m^2+1}$으로 놓자.

접선의 방정식을 $y=mx\pm 4\sqrt{m^2+1}$로 놓고, 식을 변형하면

$y-mx=\pm 4\sqrt{m^2+1}$

양변을 제곱하여 정리하면

$y^2-2myx+m^2x^2=16(m^2+1)$

$(x^2-16)m^2-2xym+y^2-16=0$

위의 식을 m에 대한 이차방정식으로 보면 두 직선이 서로 수직이므로 두 근의 곱이 -1이다. 근과 계수의 관계에 의하여

$\frac{y^2-16}{x^2-16}=-1$, $y^2-16=-x^2+16$

$\therefore x^2+y^2=32$

따라서 점 P가 나타내는 도형은 중심이 원점이고, 반지름의 길이가 $4\sqrt{2}$인 원이므로 구하는 도형의 넓이는 32π이다.

답 32π

2066

접선의 방정식은 $ax+by=4$이다.

그림과 같이 원점을 중심으로 하고, 반지름의 길이가 2인 원 위에 점 P(a, b)가 있다. 점 P에서의 접선이 점 $(6, 0)$을 중심으로 하고, 반지름의 길이가 1인 원과 서로 다른 두 점에서 만나도록 하는 a의 값의 범위를 구하시오.

직선과 원의 중심 사이의 거리는 반지름의 길이보다 작다.

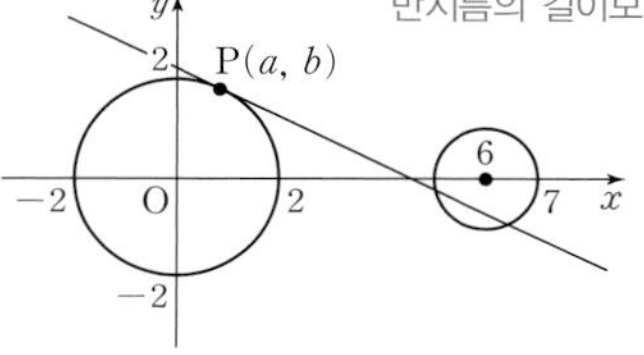

중심이 원점이고, 반지름의 길이가 2인 원의 방정식은

$x^2+y^2=4$ ······㉠

중심이 $(6, 0)$이고, 반지름의 길이가 1인 원의 방정식은

$(x-6)^2+y^2=1$ ······㉡

원 ㉠ 위의 점 P(a, b)에서의 접선의 방정식은

$ax+by=4$

$\therefore ax+by-4=0$

이때, 점 P(a, b)가 $x^2+y^2=4$ 위의 점이므로

$a^2+b^2=4$ ······㉢

원 ㉡의 중심 $(6, 0)$에서 직선 $ax+by-4=0$까지의 거리를 d라 하면

$d=\frac{|6a-4|}{\sqrt{a^2+b^2}}$

$=\frac{|6a-4|}{\sqrt{4}}$ ($\because$ ㉢)

$=|3a-2|$

또 원 ㉡의 반지름의 길이를 r라 하면 $r=1$이고,

직선 $ax+by-4=0$이 원과 서로 다른 두 점에서 만날 조건은

$d<r$이므로

$|3a-2|<1$

$-1<3a-2<1$

$1<3a<3$

$\therefore \frac{1}{3}<a<1$ 답 $\frac{1}{3}<a<1$

2067

좌표평면 위에 원 $C: x^2+y^2=r^2(0<r<2\sqrt{2})$와 점 A$(2, 2)$가 있다. 점 A에서 원 C에 그은 접선 l이 원 C와 만나는 접점을 P라 하고, 점 P를 지나고 직선 l과 수직인 직선이 원 C와 만나는 다른 한 점을 Q라 하자. 삼각형 APQ가 이등변삼각형이 되도록 하는 점 P의 좌표를 (a, b)라 할 때, $a\times b$의 값은?

△APQ가 이등변삼각형이려면 ∠APQ=90°이므로 $\overline{AP}=\overline{PQ}$이어야 한다.

원 C의 반지름의 길이가 r이고 선분 PQ가 원 C의 지름이므로

$\overline{PQ}=2r$, $\overline{OP}=r$

삼각형 APQ가 이등변삼각형이고

∠APQ=90°이므로

$\overline{PA}=2r$

$\overline{OA}=\sqrt{4+4}=2\sqrt{2}$

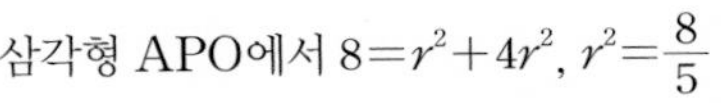

삼각형 APO에서 $8=r^2+4r^2$, $r^2=\frac{8}{5}$

점 P의 좌표가 (a, b)이므로 $a^2+b^2=\frac{8}{5}$

원 $x^2+y^2=\frac{8}{5}$ 위의 점 P(a, b)에서의

접선 $ax+by=\frac{8}{5}$이 점 A$(2, 2)$를 지나므로

$2a+2b=\frac{8}{5}$, $a+b=\frac{4}{5}$

$2ab=(a+b)^2-(a^2+b^2)=\frac{16}{25}-\frac{8}{5}=-\frac{24}{25}$이므로

$ab=-\frac{12}{25}$ 답 ④

2068

호 AB에 대한 원주각이 45°이므로 중심각은 90°이다.

좌표평면 위의 두 점 A$(-1, -9)$, B$(5, 3)$에 대하여 ∠APB=45°를 만족시키는 점 P가 있다.
서로 다른 세 점 A, B, P를 지나는 원의 중심을 C라 하자. 선분 OC의 길이를 k라 할 때, k의 최솟값은? (단, O는 원점이다.)

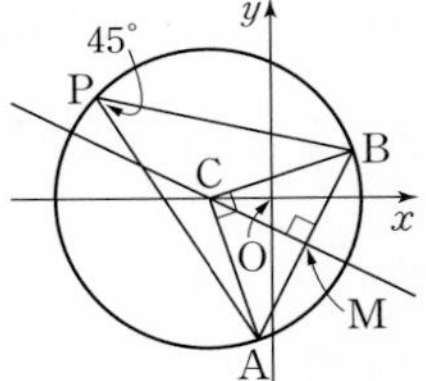

호 AB에 대한 원주각이 ∠APB=45°이므로 호 AB에 대한 중심각은 ∠ACB=90°

삼각형 ABC는 $\overline{CA}=\overline{CB}$인 직각이등변삼각형이다.

주어진 원의 반지름의 길이를 $r=\overline{CA}$라 하면

삼각형 ABC에서 $\overline{AB}^2=\overline{CA}^2+\overline{CB}^2=2r^2$

선분 AB의 길이가 $6\sqrt{5}$이므로 $r=3\sqrt{10}$

선분 AB의 중점을 M이라 하면

점 M의 좌표는 M$(2, -3)$

직선 AB의 기울기가 2이고

직선 CM은 선분 AB의 수직이등분선이므로

직선 CM의 방정식은 $y=-\frac{1}{2}x-2$

점 C의 좌표를 C$(2a, -a-2)$라 하자.

점 C를 중심으로 하는 원의 방정식은

$(x-2a)^2+(y+a+2)^2=90$

점 B$(5, 3)$이 원 위의 점이므로

$(5-2a)^2+(5+a)^2=90$

$5a^2-10a-40=0$

$a^2-2a-8=(a-4)(a+2)=0$

$a=4$ 또는 $a=-2$

C$(8, -6)$ 또는 C$(-4, 0)$

$k=10$ 또는 $k=4$

따라서 k의 최솟값은 4이다. 답 ②

2069

좌표평면 위의 원 $x^2+y^2=1$ 위를 움직이는 점 P와 원 $(x-4)^2+y^2=4$ 위를 움직이는 점 Q에 대하여 선분 PQ의 중점 M이 존재하는 부분의 넓이를 구하시오.

점 P, Q의 좌표를 각각 (a, b), (s, t)라 하고, 점 M의 좌표를 (X, Y)로 한 뒤 관계식을 세우자.

점 P, Q의 좌표를 각각 (a, b), (s, t)라 하고

선분 PQ의 중점 M의 좌표를 (X, Y)라 하면

$X=\frac{a+s}{2}$, $Y=\frac{b+t}{2}$

$\therefore a=2X-s$, $b=2Y-t$ ……㉠

점 P(a, b)는 원 $x^2+y^2=1$ 위를 움직이므로 $a^2+b^2=1$에서

$(2X-s)^2+(2Y-t)^2=1$ (∵ ㉠)

$\therefore \left(X-\frac{s}{2}\right)^2+\left(Y-\frac{t}{2}\right)^2=\frac{1}{4}$

따라서 선분 PQ의 중점 M(X, Y)는 중심이 C$\left(\frac{s}{2}, \frac{t}{2}\right)$이고 반지름의 길이가 $\frac{1}{2}$인 원이 된다.

점 Q(s, t)는 원 $(x-4)^2+y^2=4$ 위를 움직이므로

$(s-4)^2+t^2=4$

$\therefore \left(\frac{s}{2}-2\right)^2+\left(\frac{t}{2}\right)^2=1$

즉, 점 C$\left(\frac{s}{2}, \frac{t}{2}\right)$는 중심이 $(2, 0)$이고 반지름의 길이가 1인 원 위에 존재하므로 선분 PQ의 중점 M(X, Y)가 존재하는 부분은 두 원 $(x-2)^2+y^2=\left(\frac{3}{2}\right)^2$, $(x-2)^2+y^2=\left(\frac{1}{2}\right)^2$으로 둘러싸인 부분이다.

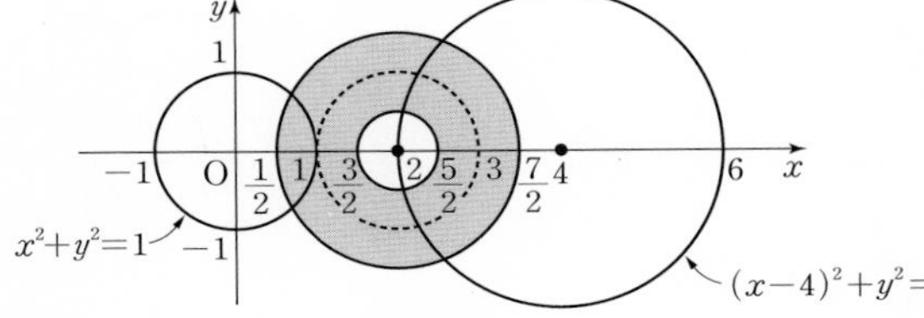

따라서 점 M이 존재하는 부분의 넓이는

$\pi\left(\frac{3}{2}\right)^2-\pi\left(\frac{1}{2}\right)^2=2\pi$ 답 2π

2070

> 원 $x^2+y^2-2x+2y=0$ 위를 움직이는 점 $\mathrm{P}(x, y)$에 대하여 $\frac{y+3}{x+1}$의 최댓값을 M, 최솟값을 m이라 할 때, Mm의 값을 구하시오.
>
> $\frac{y+3}{x+1}=k$로 놓으면 k의 값에 관계 없이 항상 일정한 점을 지난다.

원 $x^2+y^2-2x+2y=0$을 표준형으로 변형하면

$(x^2-2x+1)+(y^2+2y+1)=2$

$(x-1)^2+(y+1)^2=2$ ……㉠

$\frac{y+3}{x+1}=k$ (k는 상수)로 놓으면

$y+3=k(x+1)$ ……㉡

직선 ㉡은 k의 값에 관계없이 점 $(-1, -3)$을 지나고, 원 ㉠ 위를 지나는 직선이다. 이때, k는 직선 ㉡의 기울기이므로 그림과 같이 직선 ㉡이 원 ㉠과 접할 때, k의 값이 최대 또는 최소가 된다.

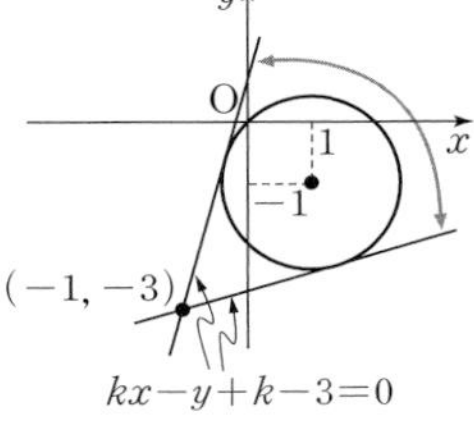

원 ㉠의 중심 $(1, -1)$에서 직선 ㉡, 즉 $kx-y+k-3=0$까지의 거리를 d라 하면

$d=\frac{|k+1+k-3|}{\sqrt{k^2+(-1)^2}}=\frac{|2k-2|}{\sqrt{k^2+1}}$

또 원 ㉠의 반지름의 길이를 r라 하면 $r=\sqrt{2}$이고, 원과 직선이 접할 조건은 $d=r$이므로

$\frac{|2k-2|}{\sqrt{k^2+1}}=\sqrt{2}$

$|2k-2|=\sqrt{2}\sqrt{k^2+1}$

양변을 제곱하여 정리하면

$4k^2-8k+4=2k^2+2$

$\therefore k^2-4k+1=0$ ……㉢

이때, k의 최댓값 M과 최솟값 m은 이차방정식 ㉢의 두 근이므로 근과 계수의 관계에 의해

$Mm=1$ 답 1

2071

$x\geq -k$일때와 $x<-k$일 때로 나누어 생각한다.

> 두 도형 $x^2+y^2=4$ $(y>0)$, $y=-x+|x+k|$가 서로 다른 두 점에서 만나기 위한 실수 k의 값의 범위를 $a<k<b$ 또는 $c<k<d$라 할 때, $a+b+c+d$의 값을 구하시오.
>
> 꺾이는 점의 위치에 따라 만나는 점의 개수가 달라짐을 이용하자.

도형 $x^2+y^2=4$ $(y>0)$은 반원을 나타내고

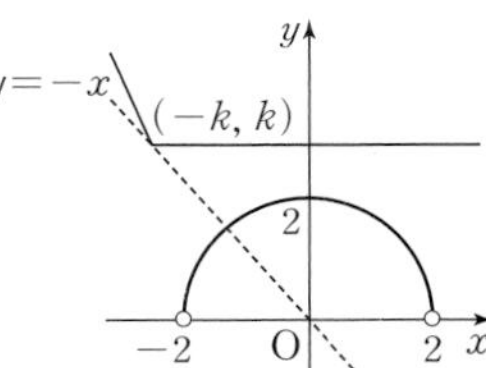

$y=-x+|x+k|$

$=\begin{cases} k & (x\geq -k) \\ -2x-k & (x<-k) \end{cases}$

는 점 $(-k, k)$에서 꺾이는 직선을 나타낸다.

따라서 두 도형의 그래프는 그림과 같다.

두 도형이 2개의 점에서 만나려면 $y=-x+|x+k|$의 꺾이는 점 $(-k, k)$가 다음 그림의 $\overline{\mathrm{AB}}$ 또는 $\overline{\mathrm{OC}}$ 위에 있어야 한다.

(i) 점 $(-k, k)$가 $\overline{\mathrm{AB}}$ 위에 있을 때

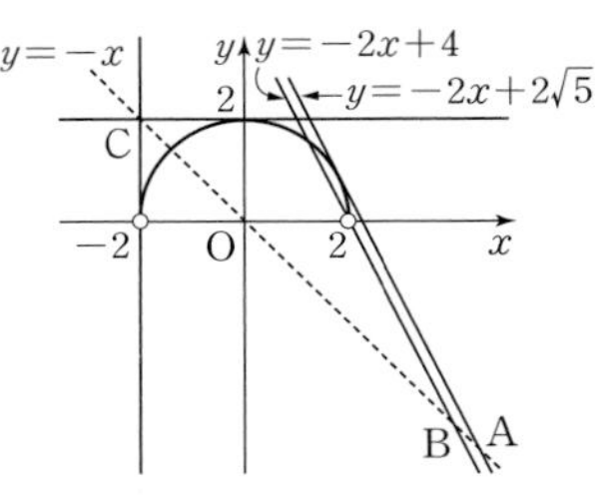

$y=-x+|x+k|$가 점 A를 지나면 $y=-2x-k$와 원점 사이의 거리가 2이므로

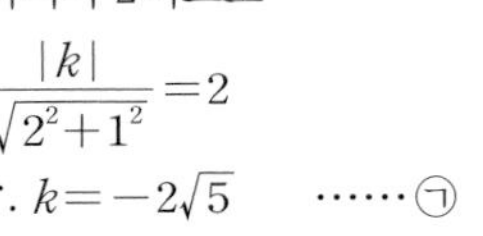

$\frac{|k|}{\sqrt{2^2+1^2}}=2$

$\therefore k=-2\sqrt{5}$ ……㉠

$y=-x+|x+k|$가 점 B를 지날 때, $y=-2x-k$가 $(2, 0)$을 지나므로

$0=-2\cdot2-k$ $\therefore k=-4$ ……㉡

점 $(-k, k)$가 $\overline{\mathrm{AB}}$ 위에 있으므로 ㉠, ㉡에서

$-2\sqrt{5}<k<-4$

(ii) 점 $(-k, k)$가 $\overline{\mathrm{OC}}$ 위에 있을 때, 즉 $(0, 0)$, $(-2, 2)$ 사이를 지날 때

$x^2+y^2=4$와 두 점에서 만나므로 $0<k<2$

(i), (ii)에서 $-2\sqrt{5}<k<-4$ 또는 $0<k<2$

$\therefore a+b+c+d=(-2\sqrt{5})+(-4)+0+2$

$=-2-2\sqrt{5}$ 답 $-2-2\sqrt{5}$

2072

> 좌표평면 위에 $0<\frac{b}{2}<a<b$인 두 실수 a, b에 대하여 세 원
>
> C_1: $x^2+y^2=a^2$,
>
> C_2: $(x-b)^2+y^2=(b-a)^2$,
>
> C_3: $(x-b+a)^2+y^2=b^2$
>
> 이 있다. 직선 $y=-\frac{4}{3}x$와 원 C_1이 만나는 점 중 제2사분면 위에 있는 점을 P라 하고, 점 P에서 원 C_2에 그은 두 접선을 l_1, l_2라 하자. 직선 l_1은 x축에 평행하고, 직선 l_2는 원 C_2 위의 점 Q에서 접한다. 원 C_3 위의 점 R에 대하여 삼각형 PQR의 넓이의 최댓값이 240일 때, $a+b$의 값을 구하시오.
>
> 점 P의 좌표를 a, b에 대한 관계식으로 표현하자.
>
> 점 R에서 직선 l_2에 내린 수선의 발을 H라 하면 $\overline{\mathrm{RH}}$가 원 C_3의 중심을 지날 때 넓이가 최대이다.

점 P의 좌표를 구하기 위해 직선의 방정식 $y=-\frac{4}{3}x$와 원 C_1의 방정식

$x^2+y^2=a^2$을 연립하면 $x^2=\left(\frac{3}{5}a\right)^2$

점 P는 제2사분면 위의 점이므로

$\mathrm{P}\left(-\frac{3}{5}a, \frac{4}{5}a\right)$

직선 l_1과 원 C_2가 만나는 점의 y좌표는 점 P의 y좌표와 같으므로 $b-a=\frac{4}{5}a$

$b=\frac{9}{5}a$

점 P에서 원 C_2에 그은 두 접선의 길이가 같으므로

$\overline{\mathrm{PQ}}=\frac{9}{5}a-\left(-\frac{3}{5}a\right)=\frac{12}{5}a$

직선 l_2의 기울기를 m이라 할 때

직선 l_2의 방정식은 $y=m\left(x+\frac{3}{5}a\right)+\frac{4}{5}a$

$5mx-5y+(3m+4)a=0$

원 C_2의 중심 $\left(\frac{9}{5}a,\ 0\right)$과 직선 l_2 사이의 거리는

원 C_2의 반지름의 길이와 같다.

$$\frac{\left|5m\times\frac{9}{5}a+(3m+4)a\right|}{\sqrt{(5m)^2+(-5)^2}}=\frac{4}{5}a$$

$|12m+4|=4\sqrt{m^2+1}$

$|3m+1|=\sqrt{m^2+1}$

$9m^2+6m+1=m^2+1$

$m(4m+3)=0$

$m\neq0$이므로 $m=-\frac{3}{4}$

따라서 직선 l_2의 방정식은 $15x+20y-7a=0$

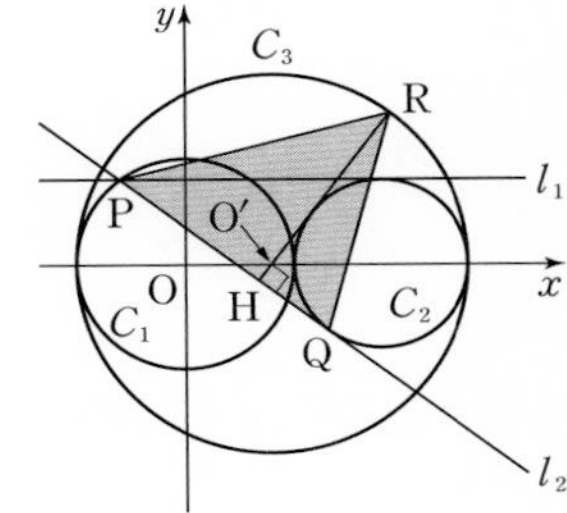

원 C_3의 중심을 O′이라 하자.

점 $\text{O}'\left(\frac{4}{5}a,\ 0\right)$과 직선 l_2 사이의 거리는

$$\frac{\left|15\times\frac{4}{5}a-7a\right|}{\sqrt{15^2+20^2}}=\frac{5a}{25}=\frac{1}{5}a$$

점 R에서 직선 l_2에 내린 수선의 발을 H라 하면,

직선 RH가 점 O′을 지날 때 삼각형 PQR의 넓이가 최대이다.

그러므로 삼각형 PQR의 넓이의 최댓값은

$$\frac{1}{2}\times\frac{12}{5}a\times\left(\frac{1}{5}a+\frac{9}{5}a\right)=\frac{12}{5}a^2=240$$

$a=10,\ b=\frac{9}{5}\times10=18$

따라서 $a+b=28$

답 28

2073

좌표평면 위에 두 원

C_1: $x^2+(y-4)^2=4$

C_2: $(x-6)^2+(y-4+6\sqrt{3})^2=16$

이 있다. 원 C_1 위를 움직이는 점 $\text{P}(x_1,\ y_1)$과 원 C_2 위를 움직이는 점 $\text{Q}(x_2,\ y_2)$가 다음 조건을 만족시킨다.

(가) $0\leq x_1\leq1$, $\frac{2x_1+x_2}{3}=2$ → $x_2=-2x_1+6$이다.

(나) $y_1\leq4$, $y_2\geq4-6\sqrt{3}$ → $\frac{y_2}{2}-2+3\sqrt{3}\geq0$이다.

선분 PQ가 그리는 도형의 넓이가 $a-b\pi$일 때, $a+9b$의 값을 구하시오. (단, a, b는 유리수이다.)

주어진 조건 (가)에 의해 $x_2=-2x_1+6$이므로 점 $\text{Q}(-2x_1+6,\ y_2)$라 하고 이를 원 C_2에 대입하면

$(-2x_1)^2+(y_2-4+6\sqrt{3})^2=16$ ······ ㉠

점 $\text{P}(x_1,\ y_1)$가 원 C_1 위의 점이므로 대입하면

$x_1^2+(y_1-4)^2=4$ ······ ㉡

㉠과 ㉡을 연립하여 정리하면

$$(y_1-4)^2=\left(\frac{y_2}{2}-2+3\sqrt{3}\right)^2$$

조건 (나)에 의해 $y_1-4\leq0$, $\frac{y_2}{2}-2+3\sqrt{3}\geq0$이므로

$-y_1+4=\frac{y_2}{2}-2+3\sqrt{3}$

$\therefore\ \frac{2y_1+y_2}{3}=4-2\sqrt{3}$

그러므로 점 $(2,\ 4-2\sqrt{3})$은 선분 PQ를 $1:2$로 내분하는 점이다.

$x_1=0$일 때,

$\text{P}(0,\ 2)$, $\text{Q}(6,\ 8-6\sqrt{3})$

$x_1=1$일 때,

$\text{P}(1,\ 4-\sqrt{3})$, $\text{Q}(4,\ 4-4\sqrt{3})$이고 이때 직선 PQ의 방정식은

$y=-\sqrt{3}x+4$이므로 두 원 C_1, C_2의 중심을 지난다.

$0\leq x_1\leq1$이므로 선분 PQ가 지나간 부분은 그림의 어두운 부분과 같다.

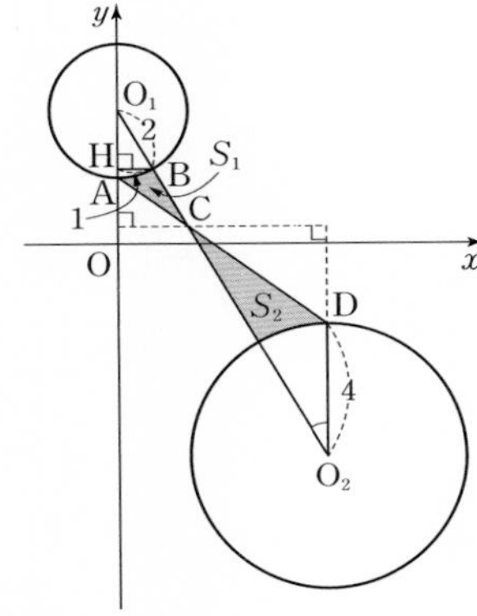

원 C_1의 중심을 $\text{O}_1(0,\ 4)$,

원 C_2의 중심을 $\text{O}_2(6,\ 4-6\sqrt{3})$,

$\text{A}(0,\ 2)$, $\text{B}(1,\ 4-\sqrt{3})$, $\text{C}(2,\ 4-2\sqrt{3})$, $\text{D}(6,\ 8-6\sqrt{3})$이라 하자.

점 B에서 y축에 내린 수선의 발을 H라 하면 삼각형 O_1HB는 직각삼각형이고

$\overline{\text{BH}}=1$, $\overline{\text{O}_1\text{H}}=\sqrt{3}$

그러므로 $\angle\text{HO}_1\text{B}=30^\circ$

S_1의 넓이는 삼각형 O_1AC의 넓이에서 부채꼴 O_1AB의 넓이를 뺀 값과 같다. 삼각형 O_1AC의 넓이는

$\frac{1}{2}\times2\times2=2$

이고 부채꼴 O_1AB의 넓이는

$\pi\times2^2\times\frac{30^\circ}{360^\circ}=\frac{\pi}{3}$

즉, S_1의 넓이는 $2-\frac{\pi}{3}$

삼각형 O_1AC와 삼각형 O_2DC는 닮음이다.

닮음비가 $1:2$이므로 S_1과 S_2의 넓이의 비는 $1:4$이다.

따라서 S_2의 넓이는 $8-\frac{4}{3}\pi$

선분 PQ가 그리는 도형의 넓이는 $10-\frac{5}{3}\pi$

$\therefore\ a=10,\ b=\frac{5}{3}$

$\therefore\ a+9b=25$

답 25

13 도형의 이동

본책 358~380쪽

2074

$(3, 4) \xrightarrow[\text{평행이동}]{x\text{축 방향}: 3} (3+3, 4)$

$\therefore (6, 4)$ 답 $(6, 4)$

2075

$(3, 4) \xrightarrow[\text{평행이동}]{x\text{축 방향}: -9} (3-9, 4)$

$\therefore (-6, 4)$ 답 $(-6, 4)$

2076

$(1, 6) \xrightarrow[\text{평행이동}]{y\text{축 방향}: 2} (1, 6+2)$

$\therefore (1, 8)$ 답 $(1, 8)$

2077

$(1, 6) \xrightarrow[\text{평행이동}]{y\text{축 방향}: -2} (1, 6-2)$

$\therefore (1, 4)$ 답 $(1, 4)$

2078

$(-2, 4) \xrightarrow[\text{평행이동}]{x\text{축 방향}: 1,\ y\text{축 방향}: 3} (-2+1, 4+3)$

$\therefore (-1, 7)$ 답 $(-1, 7)$

2079

$(-2, 4) \xrightarrow[\text{평행이동}]{x\text{축 방향}: 2,\ y\text{축 방향}: -4} (-2+2, 4-4)$

$\therefore (0, 0)$ 답 $(0, 0)$

2080

$(-2, 4) \xrightarrow[\text{평행이동}]{x\text{축 방향}: -5,\ y\text{축 방향}: -2} (-2-5, 4-2)$

$\therefore (-7, 2)$ 답 $(-7, 2)$

2081

$(0, 0) \longrightarrow (0+4, 0-5)$

$\therefore (4, -5)$ 답 $(4, -5)$

2082

$(-4, 5) \longrightarrow (-4+4, 5-5)$

$\therefore (0, 0)$ 답 $(0, 0)$

2083

$(1, 6) \longrightarrow (1+4, 6-5)$

$\therefore (5, 1)$ 답 $(5, 1)$

2084

$(1, 1) \longrightarrow (1-3, 1+6)$

$\therefore (-2, 7)$ 답 $(-2, 7)$

2085

$(5, -2) \longrightarrow (5-3, -2+6)$

$\therefore (2, 4)$ 답 $(2, 4)$

2086

$(-1, -3) \longrightarrow (-1-3, -3+6)$

$\therefore (-4, 3)$ 답 $(-4, 3)$

2087

점 $(1, 2)$를 x축의 방향으로 m만큼 평행이동한 점의 좌표가 $(5, 2)$이므로

$1+m=5$

$\therefore m=4$ 답 $m=4$

2088

점 $(6, 2)$를 y축의 방향으로 n만큼 평행이동한 점의 좌표가 $(6, -3)$이므로

$2+n=-3$

$\therefore n=-5$ 답 $n=-5$

2089

점 $(3, 4)$를 x축의 방향으로 m만큼, y축의 방향으로 n만큼 평행이동한 점의 좌표가 $(5, 8)$이므로

$3+m=5 \quad \therefore m=2$

$4+n=8 \quad \therefore n=4$ 답 $m=2, n=4$

2090

점 $(1, -1)$을 x축의 방향으로 m만큼, y축의 방향으로 n만큼 평행이동한 점의 좌표가 $(-4, 2)$이므로

$1+m=-4 \quad \therefore m=-5$

$-1+n=2 \quad \therefore n=3$ 답 $m=-5, n=3$

2091

점 $(-2, 5)$를 x축의 방향으로 m만큼, y축의 방향으로 n만큼 평행이동한 점의 좌표가 $(-5, 1)$이므로

$-2+m=-5 \quad \therefore m=-3$

$5+n=1 \quad \therefore n=-4$ 답 $m=-3, n=-4$

2092

점 $(0, 0)$을 x축의 방향으로 m만큼, y축의 방향으로 n만큼 평행이동한 점의 좌표가 $(3, 7)$이므로

$0+m=3 \quad \therefore m=3$

$0+n=7 \quad \therefore n=7$ 답 $m=3, n=7$

2093

점 $(3, -6)$을 x축의 방향으로 m만큼, y축의 방향으로 n만큼 평행이동한 점의 좌표가 $(2, -1)$이므로

$3+m=2 \quad \therefore m=-1$

$-6+n=-1 \quad \therefore n=5$ 답 $m=-1, n=5$

2094

점 $(0, 2)$를 x축의 방향으로 m만큼, y축의 방향으로 n만큼 평행이동한 점의 좌표가 $(2, -3)$이므로

$0+m=2 \quad \therefore m=2$

$2+n=-3 \quad \therefore n=-5$ 답 $m=2, n=-5$

2095
점 $(-3, 5)$를 x축의 방향으로 m만큼, y축의 방향으로 n만큼 평행이동한 점의 좌표가 $(-7, -8)$이므로
$-3+m=-7 \quad \therefore m=-4$
$5+n=-8 \quad \therefore n=-13$ 답 $m=-4$, $n=-13$

2096
구하려는 점의 좌표를 (a, b)라 하면 점 (a, b)를 x축의 방향으로 -2만큼, y축의 방향으로 2만큼 평행이동한 점의 좌표가 $(3, 1)$이므로
$a-2=3 \quad \therefore a=5$
$b+2=1 \quad \therefore b=-1$
따라서 점 $(5, -1)$이 이 평행이동에 의하여 점 $(3, 1)$로 이동한다.
답 $(5, -1)$

2097
구하려는 점의 좌표를 (a, b)라 하면 점 (a, b)를 x축의 방향으로 -2만큼, y축의 방향으로 2만큼 평행이동한 점의 좌표가 $(-5, -6)$이므로
$a-2=-5 \quad \therefore a=-3$
$b+2=-6 \quad \therefore b=-8$
따라서 점 $(-3, -8)$이 이 평행이동에 의하여 점 $(-5, -6)$으로 이동한다. 답 $(-3, -8)$

2098
x 대신 $x-1$을 대입한다.
$x+2y=0$에서 $(x-1)+2y=0$
$\therefore x+2y-1=0$ 답 $x+2y-1=0$

2099
y 대신 $y+2$를 대입한다.
$x+2y=0$에서 $x+2(y+2)=0$
$\therefore x+2y+4=0$ 답 $x+2y+4=0$

2100
x 대신 $x-2$, y 대신 $y-3$을 대입한다.
$x+2y=0$에서 $(x-2)+2(y-3)=0$
$\therefore x+2y-8=0$ 답 $x+2y-8=0$

2101
x 대신 $x+3$을 대입한다.
$x^2+y^2=9$에서 $(x+3)^2+y^2=9$ 답 $(x+3)^2+y^2=9$

2102
y 대신 $y-4$를 대입한다.
$x^2+y^2=9$에서 $x^2+(y-4)^2=9$ 답 $x^2+(y-4)^2=9$

2103
x 대신 $x-2$, y 대신 $y+5$를 대입한다.
$x^2+y^2=9$에서 $(x-2)^2+(y+5)^2=9$
답 $(x-2)^2+(y+5)^2=9$

2104
x 대신 $x-1$을 대입한다.
$y=2x^2+1$에서 $y=2(x-1)^2+1$
$\therefore y=2x^2-4x+3$ 답 $y=2x^2-4x+3$

2105
x 대신 $x+2$, y 대신 $y-6$을 대입한다.
$y=2x^2+1$에서 $y-6=2(x+2)^2+1$
$y-6=2x^2+8x+9$
$\therefore y=2x^2+8x+15$ 답 $y=2x^2+8x+15$

2106
$x-3y-5=0$에서 $(x-3)-3(y+1)-5=0$
$\therefore x-3y-11=0$ 답 $x-3y-11=0$

2107
$4x+y-5=0$에서 $4(x-3)+(y+1)-5=0$
$\therefore 4x+y-16=0$ 답 $4x+y-16=0$

2108
$x^2+y^2=9$에서 $(x-3)^2+(y+1)^2=9$
답 $(x-3)^2+(y+1)^2=9$

2109
$(x+1)^2+(y-4)^2=16$에서
$\{(x-3)+1\}^2+\{(y+1)-4\}^2=16$
$\therefore (x-2)^2+(y-3)^2=16$ 답 $(x-2)^2+(y-3)^2=16$

2110
$y=x^2+3$에서 $y+1=(x-3)^2+3$
$\therefore y=x^2-6x+11$ 답 $y=x^2-6x+11$

2111
답 $\mathrm{B}(2, -3)$, $\mathrm{C}(-2, 3)$, $\mathrm{D}(-2, -3)$

2112
답 $\mathrm{B}(-3, -1)$, $\mathrm{C}(3, 1)$, $\mathrm{D}(3, -1)$

2113
답 $\mathrm{B}(1, 2)$, $\mathrm{C}(-1, -2)$

2114
답 $\mathrm{B}(-2, -4)$, $\mathrm{C}(2, 4)$

2115
점 $(2, -5)$를 x축에 대하여 대칭이동하면 y좌표의 부호가 바뀌므로 $(2, 5)$ 답 $(2, 5)$

2116
점 $(2, -5)$를 y축에 대하여 대칭이동하면 x좌표의 부호가 바뀌므로 $(-2, -5)$ 답 $(-2, -5)$

2117
점 $(2, -5)$를 원점에 대하여 대칭이동하면 x, y좌표의 부호가 모두 바뀌므로 $(-2, 5)$ 답 $(-2, 5)$

2118

점 $(2,\ -5)$를 직선 $y=x$에 대하여 대칭이동하면 x, y의 좌표가 서로 바뀌므로 $(-5,\ 2)$ 답 $(-5,\ 2)$

2119

점 $(2,\ -5)$를 직선 $y=-x$에 대하여 대칭이동하면 x, y의 좌표와 부호가 서로 바뀌므로 $(5,\ -2)$ 답 $(5,\ -2)$

2120

x축에 대한 대칭이동이므로 y 대신 $-y$를 대입하면

$y=2x+3$에서 $-y=2x+3$

$\therefore y=-2x-3$ 답 $y=-2x-3$

2121

x축에 대한 대칭이동이므로 y 대신 $-y$를 대입하면

$(x+1)^2+(y-2)^2=1$에서 $(x+1)^2+(-y-2)^2=1$

$\therefore (x+1)^2+(y+2)^2=1$ 답 $(x+1)^2+(y+2)^2=1$

2122

y축에 대한 대칭이동이므로 x 대신 $-x$를 대입하면

$3x-y+2=0$에서 $3(-x)-y+2=0$

$\therefore 3x+y-2=0$ 답 $3x+y-2=0$

2123

y축에 대한 대칭이동이므로 x 대신 $-x$를 대입하면

$y=x^2-x+2$에서 $y=(-x)^2-(-x)+2$

$\therefore y=x^2+x+2$ 답 $y=x^2+x+2$

2124

원점에 대한 대칭이동이므로 x 대신 $-x$, y 대신 $-y$를 대입하면

$y=x+1$에서 $-y=-x+1$

$\therefore y=x-1$ 답 $y=x-1$

2125

원점에 대한 대칭이동이므로 x 대신 $-x$, y 대신 $-y$를 대입하면

$(x-5)^2+(y-2)^2=4$에서 $(-x-5)^2+(-y-2)^2=4$

$\therefore (x+5)^2+(y+2)^2=4$ 답 $(x+5)^2+(y+2)^2=4$

2126

직선 $y=x$에 대한 대칭이동이므로 x 대신 y, y 대신 x를 대입하면

$x-2y+3=0$에서 $y-2x+3=0$

$\therefore 2x-y-3=0$ 답 $2x-y-3=0$

2127

직선 $y=x$에 대한 대칭이동이므로 x 대신 y, y 대신 x를 대입하면

$(x+4)^2+(y+6)^2=1$에서 $(y+4)^2+(x+6)^2=1$

$\therefore (x+6)^2+(y+4)^2=1$ 답 $(x+6)^2+(y+4)^2=1$

2128

점 A$(4,\ 6)$을 x축의 방향으로 1만큼, y축의 방향으로 -3만큼 평행이동하면

$(4,\ 6) \xrightarrow[\text{평행이동}]{x\text{축 방향}:1,\ y\text{축 방향}:-3} (4+1,\ 6-3)$

즉, B$(5,\ 3)$이므로 $a=5$, $b=3$

점 B를 x축에 대하여 대칭이동하면 y좌표의 부호가 바뀌므로

C$(5,\ -3)$

$\therefore c=5$, $d=-3$

$\therefore a=5$, $b=3$, $c=5$, $d=-3$

답 $a=5$, $b=3$, $c=5$, $d=-3$

2129

직선 $4x+3y-1=0$을 x축의 방향으로 -2만큼, y축의 방향으로 5만큼 평행이동하면 x 대신 $x+2$, y 대신 $y-5$를 대입한다.

$4(x+2)+3(y-5)-1=0$

즉, $4x+3y-8=0$이므로

$a=3$, $b=-8$

직선 $4x+3y-8=0$을 원점에 대하여 대칭이동하면

x 대신 $-x$, y 대신 $-y$를 대입해야 하므로

$4\cdot(-x)+3\cdot(-y)-8=0$

$-4x-3y-8=0$

즉, $4x+3y+8=0$이므로

$c=3$, $d=8$

$\therefore a=3$, $b=-8$, $c=3$, $d=8$

답 $a=3$, $b=-8$, $c=3$, $d=8$

2130

점 B의 좌표를 $(p,\ q)$라 하면 점 M은 점 A, B의 중점이므로

$0=\dfrac{-2+p}{2}$, $-2+p=0$

$\therefore p=2$

$2=\dfrac{1+q}{2}$, $1+q=4$

$\therefore q=3$

따라서 점 B의 좌표는 $(2,\ 3)$ 답 $(2,\ 3)$

2131

> 점 $(2,\ -1)$을 x축의 방향으로 1만큼, y축의 방향으로 2만큼 평행이동한 점의 좌표를 $(p,\ q)$라 할 때, $p-q$의 값은?
>
> $(x,\ y) \to (x+1,\ y+2)$이다.

점 $(2,\ -1)$을 x축의 방향으로 1만큼, y축의 방향으로 2만큼 평행이동한 점의 좌표는

$(2+1,\ -1+2)$ $\therefore (3,\ 1)$

$\therefore p-q=3-1=2$ 답 ⑤

2132

> 점 $(a,\ b)$를 x축의 방향으로 -2만큼, y축의 방향으로 3만큼 평행이동한 점의 좌표는 $(0,\ -3)$이다. 이때, $a+b$의 값을 구하시오.
>
> $(x,\ y) \to (x-2,\ y+3)$이다.

점 $(a,\ b)$를 x축의 방향으로 -2만큼, y축의 방향으로 3만큼 평행이동한 점의 좌표가 $(0,\ -3)$이므로 $(a-2,\ b+3)$에서

$a-2=0$, $b+3=-3$

$\therefore a=2, b=-6$
$\therefore a+b=-4$ 답 -4

2133

> 점 $(2, a)$를 x축의 방향으로 1만큼, y축의 방향으로 -2만큼 평행이동한 점이 직선 $y=-2x+1$ 위에 있을 때, a의 값은?
> └ $(x, y) \to (x+1, y-2)$이다.

점 $(2, a)$를 x축의 방향으로 1만큼, y축의 방향으로 -2만큼 평행이동한 점은
$(2+1, a-2)$, 즉 $(3, a-2)$
이 점이 직선 $y=-2x+1$ 위에 있으므로
$a-2=(-2)\cdot 3+1$
$\therefore a=-3$ 답 ③

2134

> 평행이동 $(x, y) \longrightarrow (x-1, y+3)$에 의하여 점 (a, b)가 점 $(2, 1)$로 옮겨질 때, $a-b$의 값을 구하시오.
> └ $a-1=2, b+3=1$이다.

주어진 평행이동에 의하여 점 (a, b)가 옮겨지는 점이 $(2, 1)$이므로
$a-1=2, b+3=1$
$\therefore a=3, b=-2$
$\therefore a-b=5$ 답 5

2135

> 평행이동 $(x, y) \longrightarrow (x+a, x+b)$에 의하여 점 $(3, 4)$가 점 $(1, 1)$로 옮겨질 때, 점 $(4, 2)$로 옮겨지는 점의 좌표는?
> └ $(3+a, 4+b)=(1, 1)$이다.

평행이동 $(x, y) \longrightarrow (x+a, y+b)$에 의하여
점 $(3, 4)$는 점 $(3+a, 4+b)$로 옮겨진다.
이때, 이 점의 좌표가 $(1, 1)$이므로
$3+a=1, 4+b=1$
$\therefore a=-2, b=-3$
따라서 평행이동 $(x, y) \longrightarrow (x-2, y-3)$에 의하여
점 $(4, 2)$로 옮겨지는 점의 좌표를 (p, q)라 하면
$p-2=4, q-3=2$
$\therefore p=6, q=5$
$\therefore (6, 5)$ 답 ⑤

2136

> 점 $(1, -3)$을 점 $(-3, -1)$로 옮기는 평행이동에 의하여 점 (a, b)가 원점 $(0, 0)$으로 옮겨질 때, $a+b$의 값을 구하시오.
> └ $(1+m, -3+n)=(-3, -1)$이다.

점 $(1, -3)$을 점 $(-3, -1)$로 옮기는 평행이동은 x축의 방향으로 $-3-1=-4$만큼, y축의 방향으로 $-1+3=2$만큼 평행이동한 것이다.
이 평행이동에 의하여 점 (a, b)가 옮겨지는 점이
$(a-4, b+2)$이므로
$a-4=0, b+2=0$
$\therefore a=4, b=-2$
$\therefore a+b=2$ 답 2

2137

> 평행이동 $(x, y) \longrightarrow (x+2, y-3)$에 의하여 직선 $2x+y-3=0$을 평행이동시키면 점 $(4, k)$를 지난다. 이때, k의 값은?
> └ x대신 $x-2$, y대신 $y+3$을 대입하자.

직선 $2x+y-3=0$을 x축의 방향으로 2만큼, y축의 방향으로 -3만큼 평행이동하면
$2(x-2)+(y+3)-3=0$
$\therefore 2x+y-4=0$
이 직선이 점 $(4, k)$를 지나므로
$2\cdot 4+k-4=0$
$\therefore k=-4$ 답 ②

2138

> 직선 $3x+y-5=0$을 x축의 방향으로 1만큼, y축의 방향으로 n만큼 평행이동하면 직선 $3x+y-1=0$이 된다. 이때, 상수 n의 값을 구하시오.
> └ x대신 $x-1$, y대신 $y-n$을 대입하자.

직선 $3x+y-5=0$을 x축의 방향으로 1만큼, y축의 방향으로 n만큼 평행이동하면
$3(x-1)+(y-n)-5=0$
$\therefore 3x+y-n-8=0$ ······㉠
직선 ㉠이 $3x+y-1=0$과 일치하므로
$-n-8=-1$
$\therefore n=-7$ 답 -7

2139

> 직선 $3x+2y-1=0$을 x축의 방향으로 k만큼, y축의 방향으로 1만큼 평행이동하여 얻은 직선이 점 $(0, 3)$을 지날 때, 상수 k의 값은?
> └ x대신 $x-k$, y대신 $y-1$을 대입하자.

직선 $3x+2y-1=0$을 x축의 방향으로 k만큼, y축의 방향으로 1만큼 평행이동하면
$3(x-k)+2(y-1)-1=0$
$3x+2y-3k-3=0$ ······㉠
직선 ㉠이 점 $(0, 3)$을 지나므로
$6-3k-3=0$
$\therefore k=1$ 답 ①

2140

> x대신 $x-1$, y대신 $y+2$를 대입하자.
>
> 직선 $y=ax+b$를 x축의 방향으로 1만큼, y축의 방향으로 -2만큼 평행이동하였더니 직선 $y=2x-1$과 y축 위에서 수직으로 만났다. 두 상수 a, b에 대하여 $a+b$의 값을 구하시오.
>
> 기울기는 $-\frac{1}{2}$이다.

직선 $y=ax+b$를 x축의 방향으로 1만큼, y축의 방향으로 -2만큼 평행이동하면

$y=a(x-1)+b-2$

이 직선이 직선 $y=2x-1$과 수직이므로

$a=-\frac{1}{2}$

y축 위에서 두 직선이 만나므로 y절편은 -1이다.

$-1=-a+b-2$

$\therefore b=\frac{1}{2}$

$\therefore a+b=0$

답 0

2141

> 직선 $2x-y+1=0$을 x축의 방향으로 a만큼, y축의 방향으로 b만큼 평행이동하였더니 직선 $2x-y+3=0$과 일치하였다. 이때, b를 a에 관한 식으로 나타내면?
>
> x대신 $x-a$, y대신 $y-b$를 대입하자.

직선 $2x-y+1=0$을 x축의 방향으로 a만큼, y축의 방향으로 b만큼 평행이동한 직선의 방정식은

$2(x-a)-(y-b)+1=0$

$\therefore 2x-y-2a+b+1=0$

이 직선이 직선 $2x-y+3=0$과 일치하므로

$-2a+b+1=3$

$\therefore b=2a+2$

답 ④

2142

> 평행이동 $(x, y) \longrightarrow (x+2, y-1)$에 의하여 직선 l이 직선 $x-2y+1=0$으로 이동될 때, 직선 l의 방정식은?
>
> 직선 l은 $x-2y+1=0$을 x축 방향으로 -2만큼, y축 방향으로 1만큼 평행이동한 것이다.

직선 l을 x축의 방향으로 2만큼, y축의 방향으로 -1만큼 평행이동시킨 직선이 $x-2y+1=0$이므로

직선 $x-2y+1=0$을 x축의 방향으로 -2만큼, y축의 방향으로 1만큼 평행이동하면 직선 l을 얻는다.

따라서 직선 l의 방정식은

$(x+2)-2(y-1)+1=0$

$\therefore x-2y+5=0$

답 ②

2143

> 곡선 $y=x^2-2x-8$을 x축의 방향으로 1만큼, y축의 방향으로 3만큼 평행이동하였더니 곡선 $y=x^2+ax+b$와 일치하였다. 이때, 상수 a, b에 대하여 $a+b$의 값을 구하시오.
>
> x대신 $x-1$, y대신 $y-3$을 대입하자.

곡선 $y=x^2-2x-8$을 x축의 방향으로 1만큼, y축의 방향으로 3만큼 평행이동한 곡선의 방정식은

$y-3=(x-1)^2-2(x-1)-8$

$\therefore y=x^2-4x-2$

이 곡선이 곡선 $y=x^2+ax+b$와 일치하므로

$a=-4$, $b=-2$

$\therefore a+b=-6$

답 -6

2144

> 이차함수 $y=2x^2-1$의 그래프를 x축의 방향으로 m만큼, y축의 방향으로 n만큼 평행이동한 그래프의 꼭짓점이 $(-1, 2)$일 때, mn의 값을 구하시오.
>
> x대신 $x-m$, y대신 $y-n$을 대입하자.

이차함수 $y=2x^2-1$의 그래프를 x축의 방향으로 m만큼, y축의 방향으로 n만큼 평행이동하면

$y-n=2(x-m)^2-1$

$\therefore y=2(x-m)^2-1+n$

이 그래프의 꼭짓점의 좌표는 $(m, -1+n)$이므로

$m=-1$, $-1+n=2$에서

$m=-1$, $n=3$

$\therefore mn=-3$

답 -3

다른풀이 $y=2x^2-1$의 그래프의 꼭짓점의 좌표는 $(0, -1)$

이 점을 x축의 방향으로 m만큼, y축의 방향으로 n만큼 평행이동하면

$(0+m, -1+n)$, 즉 $(m, -1+n)$

이 점이 평행이동한 이차함수의 그래프의 꼭짓점 $(-1, 2)$와 일치하므로

$m=-1$, $-1+n=2$

$\therefore m=-1$, $n=3$

$\therefore mn=-3$

2145

> 평행이동 $(x, y) \longrightarrow (x-a, y+3)$에 의하여 원 $x^2+y^2=1$을 평행이동한 원의 중심에서 원점까지의 거리가 5가 되었다. 이때, 양수 a의 값은?
>
> x대신 $x+a$, y대신 $y-3$을 대입하자.

평행이동 $(x, y) \longrightarrow (x-a, y+3)$에 의하여

원 $x^2+y^2=1$을 평행이동하면

$(x+a)^2+(y-3)^2=1$

이 원의 중심 $(-a, 3)$에서 원점까지의 거리가 5이므로

$a^2+3^2=5^2$, $a^2=16$

$\therefore a=4$ ($\because a>0$)

답 ④

2146

> 점 (2, 2)가 점 (5, −1)로 옮겨지는 평행이동에 의하여 원 $(x-3)^2+(y+3)^2=9$가 원 $(x+a)^2+(y+b)^2=9$로 옮겨질 때, $a+b$의 값은?
> • $(x, y) \to (x+3, y-3)$이다.

점 (2, 2)를 x축의 방향으로 m만큼, y축의 방향으로 n만큼 평행이동한 점의 좌표가 (5, −1)이므로

$2+m=5$, $2+n=-1$

$\therefore m=3, n=-3$

따라서 원 $(x-3)^2+(y+3)^2=9$에 x 대신 $x-3$, y 대신 $y+3$을 대입하면

$(x-3-3)^2+(y+3+3)^2=9$

$(x-6)^2+(y+6)^2=9$

이 원이 원 $(x+a)^2+(y+b)^2=9$와 일치하므로

$a=-6, b=6$

$\therefore a+b=0$

답 ①

2147

• $(x-a)^2+(y-b)^2=r^2$ 꼴로 변형하자.

> 원 $x^2+y^2-2y=0$을 x축의 방향으로 a만큼, y축의 방향으로 1만큼 평행이동하였더니 직선 $3x-4y=5$에 접하였을 때, 모든 실수 a의 값의 합은?
> • 원의 중심과 직선 사이의 거리가 반지름의 길이와 같다.

원 $x^2+y^2-2y=0$에서

$x^2+(y-1)^2=1$

평행이동에 의하여 이동하면 원의 반지름의 길이는 변함이 없고, 원의 중심 (0, 1)은 점 $(a, 2)$로 옮겨진다.

평행이동한 원과 직선 $3x-4y=5$가 서로 접하므로 원의 중심 $(a, 2)$에서 직선 $3x-4y=5$까지의 거리가 반지름의 길이 1과 같다.

$\dfrac{|3a-8-5|}{\sqrt{3^2+(-4)^2}}=\dfrac{|3a-13|}{5}=1$

$|3a-13|=5$

$3a-13=\pm 5$

$\therefore a=6$ 또는 $a=\dfrac{8}{3}$

따라서 모든 실수 a의 값의 합은

$6+\dfrac{8}{3}=\dfrac{26}{3}$

답 ②

2148

> 원 $(x+1)^2+(y+4)^2=4$를 x축의 방향으로 m만큼, y축의 방향으로 $2m$만큼 평행이동한 원이 x축과 y축에 동시에 접한다고 할 때, 상수 m의 값을 구하시오.
> • $(x-m+1)^2+(y-2m+4)^2=4$이다.

원 $(x+1)^2+(y+4)^2=4$를 x축의 방향으로 m만큼, y축의 방향으로 $2m$만큼 평행이동하면

$(x-m+1)^2+(y-2m+4)^2=4$

중심의 좌표가 $(m-1, 2m-4)$이고, 반지름의 길이가 2인 원이 x축, y축에 동시에 접하려면

$\begin{cases} |m-1|=2 & \cdots\cdots ㉠ \\ |2m-4|=2 & \cdots\cdots ㉡ \end{cases}$

㉠에서 $m=3$ 또는 $m=-1$

㉡에서 $m=3$ 또는 $m=1$

따라서 ㉠, ㉡을 동시에 만족하는 m의 값은 3이다.

답 3

2149

> 원 $x^2+y^2=1$을 x축의 방향으로 a만큼 평행이동하면 직선 $3x-4y-4=0$에 접한다. 이때, 양수 a의 값은?
> • 원의 중심과 직선 사이의 거리가 반지름의 길이와 같다.

원 $x^2+y^2=1$을 x축의 방향으로 a만큼 평행이동한 원의 방정식은

$(x-a)^2+y^2=1$

이 원이 직선 $3x-4y-4=0$에 접하므로 원의 중심 $(a, 0)$과 직선 $3x-4y-4=0$ 사이의 거리가 원의 반지름의 길이 1과 같다.

즉, $\dfrac{|3a-4|}{\sqrt{3^2+(-4)^2}}=1$에서

$|3a-4|=5$

$3a-4=\pm 5$

$\therefore a=3\ (\because a>0)$

답 ③

2150

> 직선 $2x+y-a=0$을 x축의 방향으로 3만큼, y축의 방향으로 −1만큼 평행이동하면 원 $x^2+y^2-2x+4y+4=0$의 넓이를 이등분할 때, 상수 a의 값을 구하시오.
> • 직선이 원의 중심을 지난다.

직선 $2x+y-a=0$을 x축의 방향으로 3만큼, y축의 방향으로 −1만큼 평행이동하면

$2(x-3)+(y+1)-a=0$

$2x+y-a-5=0$

이때, 원 $x^2+y^2-2x+4y+4=0$,

즉 원 $(x-1)^2+(y+2)^2=1^2$의 넓이를 이등분하는 직선은 원의 중심 $(1, -2)$를 지나야 하므로

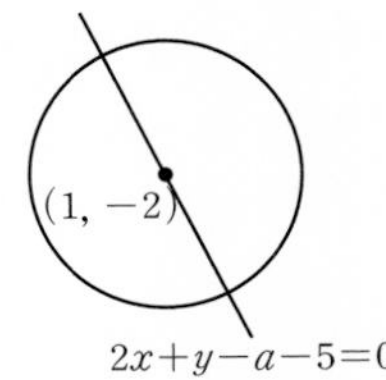

$2\cdot 1+(-2)-a-5=0$

$-a=5$

$\therefore a=-5$

답 −5

2151

> 원 $x^2+y^2=4$를 x축의 방향으로 m만큼, y축의 방향으로 2만큼 평행이동시키면 직선 $y=-x+2\sqrt{2}$와 한 점에서 만난다. 이때, 양수 m의 값은?
> 원의 중심과 직선 사이의 거리가 반지름의 길이와 같다. •

원 $x^2+y^2=4$를 x축의 방향으로 m만큼, y축의 방향으로 2만큼 평행이동시키면

$(x-m)^2+(y-2)^2=4$

이 원이 직선 $y=-x+2\sqrt{2}$와 접하므로 원의 중심 $(m,\ 2)$와 직선 $x+y-2\sqrt{2}=0$ 사이의 거리가 2이어야 한다.

$\dfrac{|m+2-2\sqrt{2}|}{\sqrt{1^2+1^2}}=2$

$|m+2-2\sqrt{2}|=2\sqrt{2}$

$\therefore m=4\sqrt{2}-2$ 또는 $m=-2$

따라서 양수 m의 값은 $4\sqrt{2}-2$이다. 답 ⑤

2152

직선 $x-y+3=0$을 x축의 방향으로 m만큼, y축의 방향으로 -1만큼 평행이동한 직선과 x축 및 y축으로 둘러싸인 부분의 넓이가 18일 때, m의 값을 구하시오. (단, $m>2$)

• x절편과 y절편을 구하자.

직선 $x-y+3=0$을 x축의 방향으로 m만큼, y축의 방향으로 -1만큼 평행이동한 직선의 방정식은

$(x-m)-(y+1)+3=0$

$x-y+2-m=0$

$\therefore y=x+2-m$ ······㉠

이때, $m>2$에서 직선 ㉠과 x축, y축으로 둘러싸인 부분은 그림의 어두운 부분과 같고 넓이가 18이므로

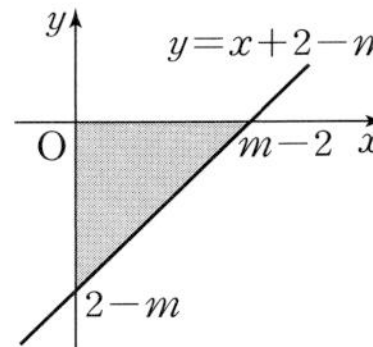

$\dfrac{1}{2}(m-2)^2=18$

$(m-2)^2=36$

$m-2=\pm 6$

$\therefore m=8\ (\because m>2)$ 답 8

2153

• P의 좌표를 $(a,\ 2a)$로 놓자.

직선 $y=2x$ 위의 점 $\mathrm{P}(a,\ b)$가 제1사분면에 있다. 점 P를 x축의 방향으로 -3만큼 평행이동한 점을 P′이라 할 때, 삼각형 OPP′의 넓이는 6이다. 이때, a의 값을 구하시오. (단, O는 원점이다.)

점 $\mathrm{P}(a,\ b)$가 직선 $y=2x$위의 점이므로

$b=2a$

따라서 점 P의 좌표는

$\mathrm{P}(a,\ 2a)$

점 P는 제1사분면에 있으므로 그림과 같이 나타낼 수 있다. 이때, 점 $\mathrm{P}(a,\ 2a)$를 x축의 방향으로 -3만큼 평행이동한 점 P′의 좌표는

$\mathrm{P}'(a-3,\ 2a)$

△OPP′의 넓이가 6이므로

$\triangle \mathrm{OPP}'=\dfrac{1}{2}\times 3\times 2a=6$

$\therefore a=2$ 답 2

2154

두 양수 $m,\ n$에 대하여 좌표평면 위의 점 $\mathrm{A}(-2,\ 1)$을 x축의 방향으로 m만큼 평행이동한 점을 B라 하고, 점 B를 y축의 방향으로 n만큼 평행이동한 점을 C라 하자. 세 점 A, B, C를 지나는 원의 중심의 좌표가 $(3,\ 2)$일 때, mn의 값은?

• 점 A, B, C가 원 위의 점임을 이용하자.

점 $\mathrm{A}(-2,\ 1)$을 x축의 방향으로 m만큼 평행이동한 점은

$\mathrm{B}(-2+m,\ 1)$

점 $\mathrm{B}(-2+m,\ 1)$을 y축의 방향으로 n만큼 평행이동한 점은

$\mathrm{C}(-2+m,\ 1+n)$

세 점 A, B, C를 지나는 원은 중심의 좌표가 $(3,\ 2)$이고 반지름의 길이가 $\sqrt{(3+2)^2+(2-1)^2}=\sqrt{26}$이므로 원의 방정식은

$(x-3)^2+(y-2)^2=26$

점 $\mathrm{B}(-2+m,\ 1)$은 원 위의 점이므로

$(-2+m-3)^2+(1-2)^2=26$

$m^2-10m=0$

$m(m-10)=0$

$\therefore m=10\ (\because m>0)$

또 점 $\mathrm{C}(8,\ 1+n)$도 원 위의 점이므로

$(8-3)^2+(1+n-2)^2=26$

$n^2-2n=0$

$n(n-2)=0 \qquad \therefore n=2\ (\because n>0)$

$\therefore mn=20$ 답 ③

2155

점 $(2,\ -4)$를 x축에 대하여 대칭이동시킨 후에 다시 원점에 대하여 대칭이동시킨 점의 좌표를 구하시오.

• $(x,\ y)$의 x축에 대한 대칭이동은 $(x,\ -y)$이다.

점 $(2,\ -4)$를 x축에 대하여 대칭이동한 점의 좌표는 $(2,\ 4)$

다시 점 $(2,\ 4)$를 원점에 대하여 대칭이동한 점의 좌표는

$(-2,\ -4)$ 답 $(-2,\ -4)$

2156

• $(x,\ y)$의 x축에 대한 대칭이동은 $(x,\ -y)$이다.

점 $\mathrm{P}(2,\ 1)$을 x축에 대하여 대칭이동한 점을 Q, 원점에 대하여 대칭이동한 점을 R라 할 때, 세 점 P, Q, R를 꼭짓점으로 하는 삼각형 PQR의 넓이는?

• $(x,\ y)$의 원점에 대한 대칭이동은 $(-x,\ -y)$이다.

점 $\mathrm{P}(2,\ 1)$을 x축에 대하여 대칭이동한 점은 $\mathrm{Q}(2,\ -1)$, 점 $\mathrm{P}(2,\ 1)$을 원점에 대하여 대칭이동한 점은

$\mathrm{R}(-2,\ -1)$

세 점 P, Q, R를 꼭짓점으로 하는 △PQR를 좌표평면 위에 나타내면 그림과 같다.

따라서 △PQR의 넓이를 S라 하면

$S=\dfrac{1}{2}\times 4\times 2=4$ 답 ②

2157

(x, y)의 y=x에 대한 대칭이동은 (y, x)이다.

> 점 A(6, 2)를 직선 $y=x$에 대하여 대칭이동한 점을 P, 원점에 대하여 대칭이동한 점을 Q라 할 때, 직선 PQ의 방정식이 $y=ax+b$라 한다. 이때, 상수 a, b에 대하여 ab의 값은?
>
> (x, y)의 원점에 대한 대칭이동은 (−x, −y)이다.

점 A(6, 2)를 직선 $y=x$에 대하여 대칭이동한 점 P의 좌표는
P(2, 6)
점 A(6, 2)를 원점에 대하여 대칭이동한 점 Q의 좌표는
Q(−6, −2)
따라서 두 점 P(2, 6), Q(−6, −2)를 지나는 직선의 방정식은
$y-6=\frac{-2-6}{-6-2}(x-2)$
$\therefore y=x+4$
따라서 $a=1$, $b=4$이므로 $ab=4$이다.

답 ③

2158

(x, y)의 y=x에 대한 대칭이동은 (y, x)이다.

> 좌표평면 위의 점 A(3, 2)를 직선 $y=x$에 대하여 대칭이동한 점을 B, 점 A(3, 2)를 직선 $y=-x$에 대하여 대칭이동한 점을 C라 할 때, 선분 BC의 길이는?
>
> (x, y)의 y=−x에 대한 대칭이동은 (−y, −x)이다.

$A(3, 2) \xrightarrow[\text{대칭이동}]{\text{직선 } y=x} B(2, 3)$

$A(3, 2) \xrightarrow[\text{대칭이동}]{\text{직선 } y=-x} C(-2, -3)$

$\therefore \overline{BC}=\sqrt{(-2-2)^2+(-3-3)^2}$
$=\sqrt{52}$
$=2\sqrt{13}$

답 ⑤

2159

(x, y)의 x축에 대한 대칭이동은 (x, −y), (x, y)의 y축에 대한 대칭이동은 (−x, y)이다.

> 직선 $y=\frac{1}{2}x$ 위의 점 P(a, b)를 x축, y축에 대하여 각각 대칭이동한 점을 P_1, P_2라 하자. 삼각형 PP_1P_2의 넓이가 4일 때, 양수 a, b의 값을 구하시오.

점 P(a, b)가 직선 $y=\frac{1}{2}x$ 위에 있으므로 $2b=a$이다.
점 P(2b, b)를 x축, y축에 대하여 각각 대칭이동한 점이 P_1, P_2이므로
$P_1(2b, -b)$, $P_2(-2b, b)$

$\triangle PP_1P_2$는 $\angle P_1PP_2=90°$인 직각삼각형이므로
$\triangle PP_1P_2=\frac{1}{2}\cdot\overline{PP_1}\cdot\overline{PP_2}$
$=\frac{1}{2}\cdot 2b\cdot 4b$
$=4b^2$
$=4$
$\therefore b=1$, $a=2$ ($\because a>0$, $b>0$)

답 $a=2$, $b=1$

2160

(x, y)의 y=x에 대한 대칭이동은 (y, x)이다.

> 좌표평면에서 두 점 A(4, a), B(2, 1)을 직선 $y=x$에 대하여 대칭이동한 점을 각각 A′, B′이라 하고, 두 직선 AB, A′B′의 교점을 P라 하자. 두 삼각형 APA′, BPB′의 넓이의 비가 9 : 4일 때, a의 값은? (단, $a>4$)

두 점 A(4, a), B(2, 1)을 직선 $y=x$에 대하여 대칭이동하면
A′(a, 4), B′(1, 2)
두 직선 AA′, BB′은 각각 직선 $y=x$와 서로 수직이므로 두 직선 AA′, BB′은 평행하다.

즉, 두 삼각형 APA′, BPB′은 서로 닮은 삼각형이다.
두 삼각형 APA′, BPB′의 넓이의 비가 9 : 4이므로 두 삼각형 APA′, BPB′의 닮음비는 3 : 2이다.
두 선분 AA′, BB′의 길이는 각각
$\overline{AA'}=\sqrt{(a-4)^2+(4-a)^2}=\sqrt{2}(a-4)$ ($\because a>4$)
$\overline{BB'}=\sqrt{(-1)^2+1^2}=\sqrt{2}$
$\overline{AA'}:\overline{BB'}=3:2$에서
$\sqrt{2}(a-4):\sqrt{2}=3:2$
$2(a-4)=3$
$\therefore a=\frac{11}{2}$

답 ②

2161

> 직선 $2x-3y+1=0$을 x축에 대하여 대칭이동한 직선이 점 (−5, a)를 지날 때, 상수 a의 값을 구하시오.
>
> $ax+by+c=0$의 x축에 대한 대칭이동은 $ax-by+c=0$이다.

$2x-3y+1=0$을 x축에 대하여 대칭이동하면
$2x+3y+1=0$
이 직선이 점 (−5, a)를 지나므로
$2\cdot(-5)+3a+1=0$, $3a=9$
$\therefore a=3$

답 3

2162

$ax+by+c=0$의 원점에 대한 대칭이동은 $-ax-by+c=0$이다.

> 직선 $2x+y+1=0$을 원점에 대하여 대칭이동한 후, 다시 직선 $y=x$에 대하여 대칭이동한 도형의 방정식은?
>
> $ax+by+c=0$의 $y=x$에 대한 대칭이동은 $ay+bx+c=0$이다.

직선 $2x+y+1=0$을 원점에 대하여 대칭이동하면
$2(-x)+(-y)+1=0$ $\therefore 2x+y-1=0$
이 직선을 다시 직선 $y=x$에 대하여 대칭이동하면
$2y+x-1=0$
$\therefore x+2y-1=0$

답 ④

2163

> $ax+by+c=0$의 $y=x$에 대한 대칭이동은 $ay+bx+c=0$이다.

직선 $ax+by+c=0$을 직선 $y=x$에 대하여 대칭이동하였더니 직선 $2x-6y-3=0$과 수직이 되었을 때, $\frac{b}{a}$의 값을 구하시오.

(단, a, b는 0이 아닌 상수이다.)

직선 $ax+by+c=0$을 직선 $y=x$에 대하여 대칭이동하면
$ay+bx+c=0$
$\therefore bx+ay+c=0$ ……㉠
직선 ㉠과 직선 $2x-6y-3=0$이 수직이므로
$2b-6a=0$
$\therefore \frac{b}{a}=3$

답 3

2164

> $ax+by+c=0$의 $y=x$에 대한 대칭이동은 $ay+bx+c=0$이다.

직선 $y=2x+2$를 직선 $y=x$에 대하여 대칭이동한 직선을 l_1, 직선 l_1을 x축에 대하여 대칭이동한 직선을 l_2라 할 때, 직선 l_2의 방정식은?

> $ax+by+c=0$의 x축에 대한 대칭이동은 $ax-by+c=0$이다.

직선 $y=2x+2$를 직선 $y=x$에 대하여 대칭이동한 직선은
$l_1: x=2y+2$
직선 l_1을 x축에 대하여 대칭이동한 직선은
$l_2: x=-2y+2$
따라서 직선 l_2의 방정식은
$x+2y-2=0$

답 ③

2165

직선 $2x+y-2=0$과 이 직선을 x축, y축, 원점에 대하여 대칭이동한 네 개의 직선에 의하여 둘러싸인 사각형의 넓이는?

> 그래프로 그려보자.

직선 $2x+y-2=0$을 x축, y축, 원점에 대하여 대칭이동하면 그림과 같다.
이때, 직선 $2x+y-2=0$과 x축, y축으로 둘러싸인 부분의 넓이를 S_1이라 하면
직선 $2x+y-2=0$의 x절편은 1, y절편은 2이므로

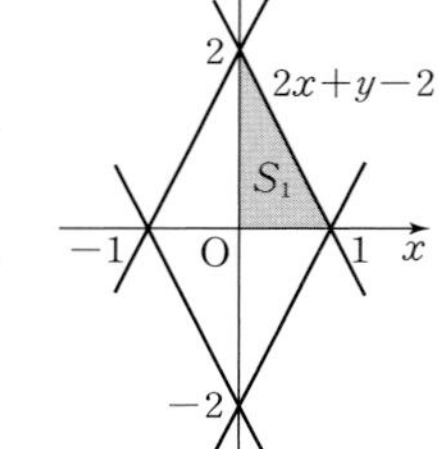

$S_1=\frac{1}{2}\times1\times2=1$
따라서 구하는 넓이 S는
$S=4\times S_1=4\times1=4$

답 ③

2166

> $y+2=m(x-1)$이라 하자.

점 $\mathrm{A}(1,\ -2)$를 지나는 직선 l을 y축에 대하여 대칭이동한 다음, 직선 $y=x$에 대하여 대칭이동하였더니 다시 점 A를 지나는 직선이 되었다. 직선 l의 방정식은?

점 $\mathrm{A}(1,\ -2)$를 지나는 직선 l의 방정식을
$y+2=m(x-1)$이라 하고, y축에 대하여 대칭이동하면
$y+2=m(-x-1)$
다시 직선 $y=x$에 대하여 대칭이동시키면
$x+2=m(-y-1)$
이 직선이 점 $\mathrm{A}(1,\ -2)$를 지나므로
$1+2=m(2-1)$ $\quad\therefore m=3$
따라서 구하는 직선 l의 방정식은
$y+2=3(x-1)$
$\therefore y=3x-5$

답 ④

2167

원 $(x-1)^2+(y+2)^2=1$을 원점에 대하여 대칭이동한 후, 다시 직선 $y=x$에 대하여 대칭이동한 도형의 방정식은?

> 원의 중심은 대칭이동된 원의 중심으로 옮겨진다.

원 $(x-1)^2+(y+2)^2=1$을 원점에 대하여 대칭이동하면
$(-x-1)^2+(-y+2)^2=1$
$\therefore (x+1)^2+(y-2)^2=1$
이 원을 다시 직선 $y=x$에 대하여 대칭이동하면
$(x-2)^2+(y+1)^2=1$

답 ①

2168

좌표평면 위에서 원 $(x-1)^2+(y-3)^2=4$와 이 원을 직선 $y=x$에 대하여 대칭이동한 원의 중심거리는?

> 원의 중심은 대칭이동된 원의 중심으로 옮겨진다.

원 $(x-1)^2+(y-3)^2=4$를 직선 $y=x$에 대하여 대칭이동한 원의 방정식은
$(x-3)^2+(y-1)^2=4$
따라서 두 원의 중심 $(1,\ 3)$, $(3,\ 1)$ 사이의 거리는
$\sqrt{(1-3)^2+(3-1)^2}=2\sqrt{2}$

답 ④

2169

> $(x-a)^2+(y-b)^2=r^2$ 꼴로 변형하자.

원 $x^2+y^2-4x+6y+12=0$을 원점에 대하여 대칭이동한 후, 다시 y축에 대하여 대칭이동한 원의 중심의 좌표는?

원 $x^2+y^2-4x+6y+12=0$에서
$(x^2-4x+4)+(y^2+6y+9)=1$
$\therefore (x-2)^2+(y+3)^2=1$
이 원을 원점에 대하여 대칭이동하면
$(-x-2)^2+(-y+3)^2=1$
$\therefore (x+2)^2+(y-3)^2=1$
다시 y축에 대하여 대칭이동하면
$(-x+2)^2+(y-3)^2=1$
$\therefore (x-2)^2+(y-3)^2=1$
따라서 구하는 원의 중심의 좌표는 $(2,\ 3)$이다.

답 ③

다른풀이 원 $x^2+y^2-4x+6y+12=0$의 중심의 좌표가 $(2,\ -3)$이

다. 이 점을 원점에 대하여 대칭이동하면 점 $(-2, 3)$이고, 다시 이 점을 y축에 대하여 대칭이동하면 점 $(2, 3)$이 된다.

2170

> 원 $(x-1)^2+(y-2)^2=4$의 중심을 A라 하고, 이 원을 x축에 대하여 대칭이동, 직선 $y=x$에 대하여 대칭이동시킨 원의 중심을 각각 B, C라 할 때, △ABC의 넓이를 구하시오.
>
> • 원의 중심은 대칭이동된 원의 중심으로 옮겨진다.

원 $(x-1)^2+(y-2)^2=4$의 중심의 좌표는 A$(1, 2)$이고, 점 A를 x축에 대하여 대칭이동시킨 점 B의 좌표는 B$(1, -2)$이다. 그리고 점 A를 직선 $y=x$에 대하여 대칭이동시킨 점 C의 좌표는 C$(2, 1)$이다.

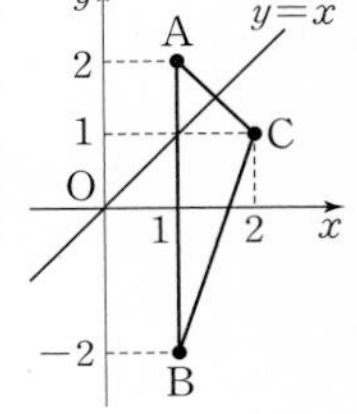

$\therefore \triangle ABC=\frac{1}{2}\cdot4\cdot1=2$

답 2

2171

> 원 C_1: $x^2-2x+y^2+4y+4=0$을 직선 $y=x$에 대하여 대칭이동한 원을 C_2라 하자. 원 C_1 위의 임의의 점 P와 원 C_2 위의 임의의 점 Q에 대하여 두 점 P, Q 사이의 최소 거리를 구하시오.
>
> • $(x-a)^2+(y-b)^2=r^2$ 꼴로 변형하자.

원의 방정식 $x^2-2x+y^2+4y+4=0$을 표준형으로 바꾸면
$(x-1)^2+(y+2)^2=1$
즉, 원 C_1: $(x-1)^2+(y+2)^2=1$을 직선 $y=x$에 대하여 대칭이동하면
$(y-1)^2+(x+2)^2=1$
$\therefore C_2$: $(x+2)^2+(y-1)^2=1$
이때, $\overline{PQ}$의 최솟값은 그림과 같이 두 원 C_1, C_2의 중심 사이의 거리에서 두 원 C_1, C_2의 반지름의 길이의 합을 뺀 것과 같으므로

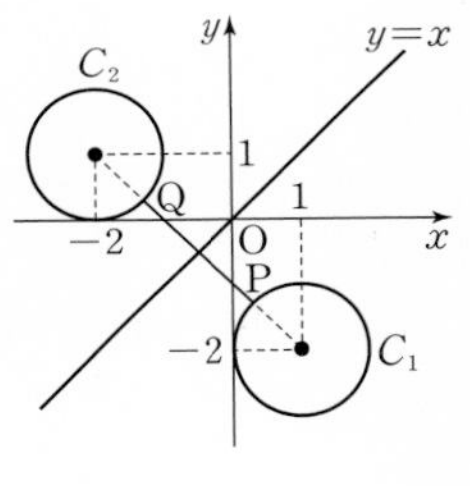

$\sqrt{\{1-(-2)\}^2+(-2-1)^2}-(1+1)=3\sqrt{2}-2$

답 $3\sqrt{2}-2$

2172

> 포물선 $y=x^2+ax+b$를 x축에 대하여 대칭이동하였더니 꼭짓점이 $(-1, 2)$인 포물선이 되었다. 이때, $a+b$의 값을 구하시오.
>
> • $-y=x^2+ax+b$이다.

포물선 $y=x^2+ax+b$를 x축에 대하여 대칭이동하면
$-y=x^2+ax+b$

$$\therefore y=-x^2-ax-b=-\left(x^2+ax+\frac{a^2}{4}\right)+\frac{a^2}{4}-b$$
$$=-\left(x+\frac{a}{2}\right)^2+\frac{a^2}{4}-b$$

이 포물선의 꼭짓점이 $(-1, 2)$이므로
$-\frac{a}{2}=-1$에서 $a=2$
$\frac{a^2}{4}-b=2$에서 $\frac{4}{4}-b=2$ $\quad\therefore b=-1$
$\therefore a+b=1$

답 1

다른풀이 꼭짓점 $(-1, 2)$를 x축에 대하여 대칭이동한 점 $(-1, -2)$는 포물선 $y=x^2+ax+b$의 꼭짓점이므로
$y=(x+1)^2-2$에서 $y=x^2+2x-1$
$\therefore a=2, b=-1$
$\therefore a+b=1$

2173

> 점 $(-1, 2)$를 원점에 대하여 대칭이동한 후, x축의 방향으로 a만큼, y축의 방향으로 b만큼 평행이동한다. 다시 이 점을 x축에 대하여 대칭이동하면 점 $(2, 1)$과 일치할 때, ab의 값을 구하시오.
>
> • x, y의 부호가 모두 바뀐다.
> • $(x, y) \to (x+a, y+b)$

점 $(-1, 2)$를 원점에 대하여 대칭이동하면 $(1, -2)$
이 점을 x축의 방향으로 a만큼, y축의 방향으로 b만큼 평행이동하면
$(1+a, -2+b)$
이 점을 다시 x축에 대하여 대칭이동하면 $(1+a, 2-b)$
이 점이 점 $(2, 1)$과 일치하므로
$1+a=2$에서 $a=1$
$2-b=1$에서 $b=1$
$\therefore ab=1$

답 1

2174

> 점 $(-2, 1)$을 y축에 대하여 대칭이동한 후, 직선 $y=x$에 대하여 대칭이동한 것을 x축의 방향으로 -2만큼 평행이동시켰더니 직선 $y=ax+1$ 위의 점이 되었다. 이때, 상수 a의 값은?
>
> • x의 부호가 바뀐다.
> • x, y가 서로 바뀐다.

점 $(-2, 1)$을 y축에 대하여 대칭이동한 점의 좌표는 $(2, 1)$
점 $(2, 1)$을 직선 $y=x$에 대하여 대칭이동한 점의 좌표는
$(1, 2)$
점 $(1, 2)$를 x축의 방향으로 -2만큼 평행이동한 점의 좌표는
$(1-2, 2)$, 즉 $(-1, 2)$
점 $(-1, 2)$가 직선 $y=ax+1$ 위의 점이므로
$2=-a+1$
$\therefore a=-1$

답 ②

2175

> 점 P$(a, 4)$를 x축의 방향으로 -3만큼, y축의 방향으로 -2만큼 평행이동한 후, 다시 원점에 대하여 대칭이동한 점의 좌표가 $(5, b)$일 때, a^2+b^2의 값은?
>
> • $(x, y) \to (x-3, y-2)$
> • x, y의 부호가 모두 바뀐다.

점 P$(a, 4)$를 x축의 방향으로 -3만큼, y축의 방향으로 -2만큼 평행이동한 점의 좌표는
$(a-3, 2)$

이 점을 원점에 대하여 대칭이동한 점의 좌표는

$(-a+3,\ -2)$

이 점이 점 $(5, b)$와 일치하므로

$-a+3=5,\ -2=b$

$\therefore a=-2,\ b=-2$

$\therefore a^2+b^2=(-2)^2+(-2)^2=8$

답 ③

2176

> 직선 $y=x+3$을 x축에 대하여 대칭이동한 후, y축의 방향으로 k만큼 평행이동하면 점 $(3, 4)$를 지난다. 이때, k의 값을 구하시오.
>
> • y의 부호가 바뀐다.
> • y대신 $y-k$를 대입하자.

직선 $y=x+3$을 x축에 대하여 대칭이동하면

$-y=x+3 \quad \therefore y=-x-3$

이 직선을 y축의 방향으로 k만큼 평행이동하면

$y-k=-x-3 \quad \cdots\cdots ㉠$

직선 ㉠이 점 $(3, 4)$를 지나므로 $4-k=-3-3$

$\therefore k=10$

답 10

2177

> 원 $x^2+y^2=1$을 x축, y축의 방향으로 각각 3, -2만큼 평행이동한 후, x축에 대하여 대칭이동하였더니 원 $(x-a)^2+(y-b)^2=1$이 되었다. 이때, ab의 값은?
>
> • 원의 중심은 이동된 원의 중심으로 옮겨짐을 이용하자.

원 $x^2+y^2=1$을 x축의 방향으로 3만큼, y축의 방향으로 -2만큼 평행이동하면

$(x-3)^2+(y+2)^2=1$

이 원을 x축에 대하여 대칭이동하면

$(x-3)^2+(-y+2)^2=1$

$\therefore (x-3)^2+(y-2)^2=1$

따라서 $a=3,\ b=2$이므로

$ab=6$

답 ③

2178

> 다음은 점과 도형의 평행이동과 대칭이동에 대한 설명이다. 〈보기〉 중에서 옳은 것을 모두 고른 것은?
>
> **보 기**
>
> ㄱ. 점 $(2, 4)$를 x축의 방향으로 4만큼, y축의 방향으로 -4만큼 평행이동하면 점 $(6, 0)$이 된다.
>
> ㄴ. 직선 $x-2y+3=0$을 x축에 대하여 대칭이동하면 직선 $x-2y-3=0$이 된다.
>
> ㄷ. 직선 $x-2y+3=0$을 직선 $y=x$에 대하여 대칭이동한 후 x축의 방향으로 3만큼 평행이동하면 직선 $2x-y-9=0$이 된다.
>
> • $ax+by+c=0$의 x축에 대한 대칭이동은 $ax-by+c=0$이다.
> • $ax+by+c=0$의 $y=x$에 대한 대칭이동은 $ay+bx+c=0$이다.

ㄱ. 점 $(2, 4)$를 x축의 방향으로 4만큼, y축의 방향으로 -4만큼 평행이동하면 $(2+4,\ 4-4)$, 즉 $(6, 0)$이 된다. (참)

ㄴ. 직선 $x-2y+3=0$을 x축에 대하여 대칭이동하면 y의 부호가 바뀌므로 $x+2y+3=0$이 된다. (거짓)

ㄷ. 직선 $x-2y+3=0$을 직선 $y=x$에 대하여 대칭이동하면 $y-2x+3=0$이 되고, 이 직선을 x축의 방향으로 3만큼 평행이동하면 $y-2(x-3)+3=0$, 즉 $2x-y-9=0$이 된다. (참)

따라서 옳은 것은 ㄱ, ㄷ이다.

답 ③

2179

> 직선 $3x+ay+b=0$을 y축에 대하여 대칭이동한 직선과 직선 $y=x$에 대하여 대칭이동한 후, y축의 방향으로 a만큼 평행이동한 직선의 교점이 $(2, 2)$일 때, $a+b$의 값을 구하시오. (단, a, b는 상수이다.)
>
> • $ax+by+c=0$의 $y=x$에 대한 대칭이동은 $ay+bx+c=0$이다.

직선 $3x+ay+b=0$을 y축에 대하여 대칭이동하면

$3(-x)+ay+b=0$

이 직선이 점 $(2, 2)$를 지나므로

$-6+2a+b=0 \quad \cdots\cdots ㉠$

직선 $3x+ay+b=0$을 직선 $y=x$에 대하여 대칭이동하면

$3y+ax+b=0$

이를 다시 y축의 방향으로 a만큼 평행이동하면

$3(y-a)+ax+b=0$

이 직선이 점 $(2, 2)$를 지나므로

$3(2-a)+2a+b=0$

$-a+b+6=0 \quad \cdots\cdots ㉡$

㉠, ㉡에서 $a=4,\ b=-2$

$\therefore a+b=2$

답 2

2180

> 곡선 $y=x^2-2$를 x축에 대하여 대칭이동한 후, y축의 방향으로 a만큼 평행이동하면 직선 $y=2x+1$에 접하게 된다. 이때, 상수 a의 값은?
>
> • 판별식 $D=0$임을 이용하자.

곡선 $y=x^2-2$를 x축에 대하여 대칭이동하면

$y=-x^2+2 \quad \cdots\cdots ㉠$

곡선 ㉠을 y축의 방향으로 a만큼 평행이동하면

$y-a=-x^2+2 \quad \cdots\cdots ㉡$

곡선 ㉡이 직선 $y=2x+1$에 접하려면

$x^2+2x-1-a=0$의 판별식을 D라 할 때,

$\dfrac{D}{4}=1-(-1-a)=0$이어야 하므로

$a=-2$

답 ①

2181

> 점 $(5, 3)$을 지나는 직선을 y축의 방향으로 1만큼 평행이동한 후, 다시 원점에 대하여 대칭이동하였을 때, 이동된 직선이 점 $(-10, -5)$를 지난다고 한다. 이동되기 전의 직선의 방정식을 구하시오.
>
> • $y-3=m(x-5)$라 하자.

구하는 직선의 기울기를 m이라 하면

$y-3=m(x-5)$

$\therefore y=mx-5m+3$ ······㉠

직선 ㉠을 y축의 방향으로 1만큼 평행이동하면

$y-1=mx-5m+3$

$\therefore y=mx-5m+4$ ······㉡

직선 ㉡을 다시 원점에 대하여 대칭이동하면

$-y=-mx-5m+4$

$\therefore y=mx+5m-4$ ······㉢

직선 ㉢의 그래프가 점 $(-10, -5)$를 지나므로

$-5=-10m+5m-4$

$\therefore m=\frac{1}{5}$

따라서 구하는 직선의 방정식은

$y=\frac{1}{5}x+2$

답 $y=\frac{1}{5}x+2$

2182

직선 $2x-3y-1=0$을 원점에 대하여 대칭이동한 후, 다시 직선 $y=x$에 대하여 대칭이동하였더니 원 $(x-1)^2+(y-a)^2=5$의 넓이를 이등분하였다. 이때, 상수 a의 값은?

→ 직선이 원의 중심을 지난다.

직선 $2x-3y-1=0$을 원점에 대하여 대칭이동하면

$2(-x)-3(-y)-1=0$

$\therefore 2x-3y+1=0$

이 직선을 직선 $y=x$에 대하여 대칭이동하면 $2y-3x+1=0$

이 직선이 원의 넓이를 이등분하려면 원의 중심 $(1, a)$를 지나야 하므로

$2a-3+1=0$

$\therefore a=1$

답 ①

2183

직선 $y=kx+1$을 y축에 대하여 대칭이동하면 원 $x^2+y^2-6x+4y+9=0$의 넓이를 이등분할 때, 상수 k의 값을 구하시오.

→ 직선이 원의 중심을 지난다.

$y=kx+1$에 x 대신 $-x$를 대입하면

$y=-kx+1$ ······㉠

직선 ㉠이 원 $x^2+y^2-6x+4y+9=0$, 즉

$(x-3)^2+(y+2)^2=4$의 넓이를 이등분하려면

원의 중심 $(3, -2)$를 지나야 하므로

$x=3$, $y=-2$를 ㉠에 대입하면

$-2=-3k+1$

$\therefore k=1$

답 1

2184

평행이동 $(x, y) \longrightarrow (x+2, y-1)$에 의하여 직선 $3x-y+a+1=0$을 평행이동한 후, 이 직선을 다시 y축에 대하여 대칭이동하였더니 원 $x^2+y^2-4x+2y=0$의 넓이를 이등분하였다. 이때, 상수 a의 값을 구하시오.

→ $(x-a)^2+(y-b)^2=r^2$ 꼴로 변형하자.

→ 직선이 원의 중심을 지난다.

직선 $3x-y+a+1=0$을 x축의 방향으로 2만큼, y축의 방향으로 -1만큼 평행이동하면

$3(x-2)-(y+1)+a+1=0$

이 직선을 다시 y축에 대하여 대칭이동하면

$3(-x-2)-(y+1)+a+1=0$

$\therefore 3x+y+6-a=0$

이 직선이 원 $x^2+y^2-4x+2y=0$의 넓이를 이등분하려면 원의 중심을 지나야 하므로 원의 중심의 좌표를 구하기 위해 원의 방정식을 표준형으로 변형하면

$(x^2-4x+4)+(y^2+2y+1)=5$

$(x-2)^2+(y+1)^2=5$

원의 중심의 좌표는 $(2, -1)$이므로 이 점의 x, y의 좌표를 $3x+y+6-a=0$에 대입하면

$3\cdot 2-1+6-a=0$

$\therefore a=11$

답 11

2185

직선 $y=-3x+k$를 직선 $y=x$에 대하여 대칭이동한 직선이 원 $x^2+y^2=10$에 접할 때, 양수 k의 값을 구하시오.

→ 원의 중심과 직선 사이의 거리가 반지름의 길이와 같다.

직선 $y=-3x+k$를 직선 $y=x$에 대하여 대칭이동하면

$x=-3y+k$

$\therefore x+3y-k=0$

이 직선이 원 $x^2+y^2=10$에 접하므로 원의 중심 $(0, 0)$과 직선 $x+3y-k=0$ 사이의 거리가 원의 반지름의 길이 $\sqrt{10}$과 같다.

$\frac{|-k|}{\sqrt{1^2+3^2}}=\sqrt{10}$

$|k|=10$

$\therefore k=10$ ($\because k>0$)

답 10

2186

직선 $3x-4y+a=0$을 x축에 대하여 대칭이동하였더니 원 $(x-1)^2+(y+1)^2=1$에 접했다. 이때, 양수 a의 값을 구하시오.

→ 원의 중심과 직선 사이의 거리가 반지름의 길이와 같다.

직선 $3x-4y+a=0$을 x축에 대하여 대칭이동하면

$3x-4(-y)+a=0$, 즉 $3x+4y+a=0$

이 직선이 원 $(x-1)^2+(y+1)^2=1$에 접하므로 원의 중심 $(1, -1)$에서 직선까지의 거리는 반지름의 길이 1과 같다.

$\dfrac{|3-4+a|}{\sqrt{3^2+4^2}}=1$, $|a-1|=5$

$\therefore a=6$ ($\because a>0$) 답 6

2187

> 원 C_1: $(x-1)^2+(y-2)^2=k$를 x축에 대하여 대칭이동한 다음 다시 직선 $y=x$에 대하여 대칭이동한 원을 C_2라 한다. 두 원 C_1, C_2의 공통접선의 개수가 3일 때, 양수 k의 값은?
>
> → 두 원은 서로 외접한다.

원 C_1을 x축에 대하여 대칭이동하면

$(x-1)^2+(-y-2)^2=k$

$\therefore (x-1)^2+(y+2)^2=k$

다시 이 원을 직선 $y=x$에 대하여 대칭이동하면

C_2: $(y-1)^2+(x+2)^2=k$

두 원 C_1, C_2의 공통접선의 개수가 3이 되려면 두 원은 서로 외접해야 한다. 두 원의 중심 $(1, 2)$, $(-2, 1)$ 사이의 거리는

$\sqrt{(-2-1)^2+(1-2)^2}=\sqrt{10}$

두 원의 반지름의 길이는 모두 $\sqrt{k}$이므로

$2\sqrt{k}=\sqrt{10}$

$4k=10$

$\therefore k=\dfrac{5}{2}$ 답 ②

참고 두 원이 서로 외접하면 공통접선이 3개 존재한다.

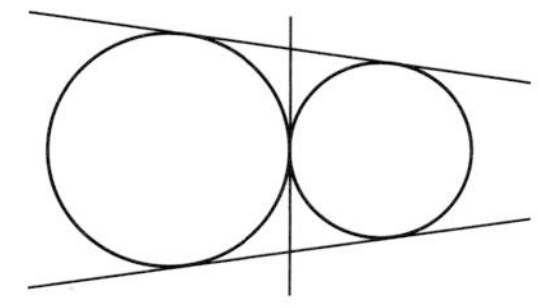

2188

> 두 점 A(2, 3), B(6, 1)이 있다. 점 P가 x축 위에 있을 때, $\overline{AP}+\overline{BP}$의 최솟값은?
>
> → 점 A 또는 B를 x축에 대하여 대칭이동시키자.

그림과 같이 점 B의 x축에 대한 대칭점은 B′(6, −1)이고,
$\overline{PB}=\overline{PB'}$이므로 $\overline{AP}+\overline{BP}$가 최소가 되려면 A, P, B′이 일직선 위에 있는 경우이다.
즉, $\overline{AB'}$의 길이가 $\overline{AP}+\overline{BP}$의 최소가 된다.

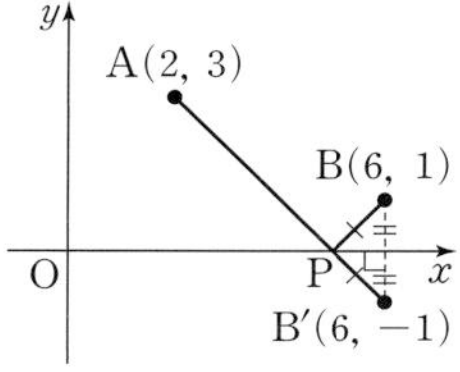

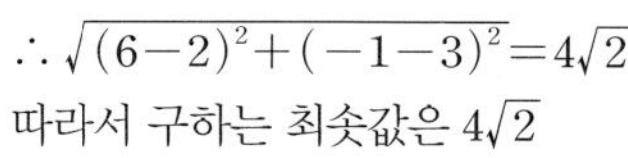

$\therefore \sqrt{(6-2)^2+(-1-3)^2}=4\sqrt{2}$

따라서 구하는 최솟값은 $4\sqrt{2}$ 답 ④

2189

> 좌표평면 위의 두 점 A(1, −1), B(1, 3)과 y축 위의 점 P에 대하여 $\overline{AP}+\overline{BP}$의 최솟값을 구하시오.
>
> → 점 A 또는 B를 y축에 대하여 대칭이동시키자.

점 A(1, −1)을 y축에 대하여 대칭이동한 점 A′(−1, −1)에 대하여 $\overline{A'B}$의 길이가 $\overline{AP}+\overline{BP}$의 최소가 된다.

$\therefore \sqrt{(-1-1)^2+(-1-3)^2}$

$=\sqrt{20}$

$=2\sqrt{5}$

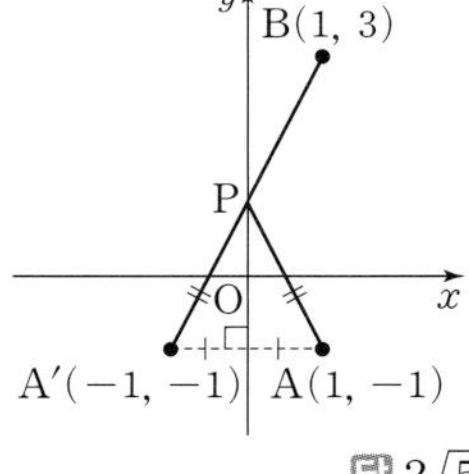

답 $2\sqrt{5}$

2190

> 점 A(1, 2)에서 출발하여 x축 위의 임의의 점 P$(a, 0)$을 거쳐 점 B(3, 4)에 이르는 거리가 최소일 때, a의 값을 구하시오.
>
> 점 A 또는 B를 x축에 대하여 대칭이동시키자.

점 A(1, 2)를 x축에 대하여 대칭이동한 점 A′(1, −2)에 대하여
$\overline{A'B}$의 길이가 $\overline{AP}+\overline{PB}$의 최소가 된다.
이때, 직선 A′B의 방정식은

$y-4=\dfrac{4+2}{3-1}(x-3)$

$\therefore y=3x-5$

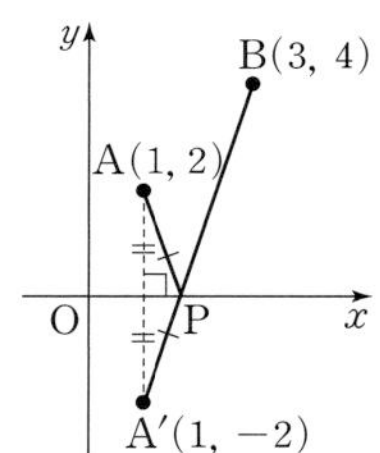

이 직선의 x절편이 $\dfrac{5}{3}$이므로 $a=\dfrac{5}{3}$ 답 $\dfrac{5}{3}$

2191

> 두 점 A(2, 5), B(3, 1)에 대하여 점 A를 출발하여 y축 위의 점 P를 지나 점 B에 도달하는 거리의 최솟값을 구하시오.
>
> → 점 A 또는 B를 y축에 대하여 대칭이동시키자.

그림과 같이 점 A(2, 5)를 출발하여 y축 위의 점 P를 지나 점 B(3, 1)에 도달하는 거리는

$\overline{AP}+\overline{BP}$

점 B(3, 1)을 y축에 대하여 대칭이동한 점을 B′이라 하면 점 B′의 좌표는

B′(−3, 1)

이때, $\overline{BP}=\overline{B'P}$이므로

$\overline{AP}+\overline{BP}=\overline{AP}+\overline{B'P}\geq\overline{AB'}$

따라서 $\overline{AP}+\overline{BP}$의 최솟값은 $\overline{AB'}$의 길이이므로

$\overline{AB'}=\sqrt{\{2-(-3)\}^2+(5-1)^2}=\sqrt{41}$ 답 $\sqrt{41}$

2192

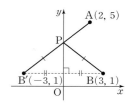

> 좌표평면 위의 두 점 A(−1, 2), B(5, 4)와 x축 위의 점 P에 대하여 삼각형 ABP의 둘레의 길이의 최솟값은 $a\sqrt{2}+b\sqrt{10}$이다. 이때, 정수 a, b에 대하여 $a+b$의 값을 구하시오.
>
> → 점 A 또는 B를 x축에 대하여 대칭이동시키자.

점 A(−1, 2)의 x축에 대한 대칭점은 A′(−1, −2)

$\overline{AP}=\overline{A'P}$이므로 $\overline{AP}+\overline{PB}=\overline{A'P}+\overline{PB}$

이때, $\overline{A'P}+\overline{PB}$가 최소가 되려면 세 점 A′, P, B가 일직선 위에 있어야 한다.

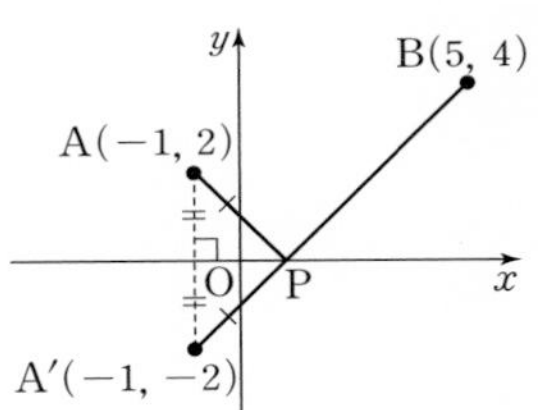

$\therefore \overline{A'B}=\sqrt{(5+1)^2+(4+2)^2}=6\sqrt{2}$

한편, $\overline{AB}=\sqrt{(5+1)^2+(4-2)^2}=2\sqrt{10}$이므로

삼각형 ABP의 둘레의 길이의 최솟값은

$6\sqrt{2}+2\sqrt{10}$

$\therefore a=6, b=2$

$\therefore a+b=8$

답 8

2193

점 A 또는 B를 직선 $y=x$에 대하여 대칭이동시키자.

> 좌표평면 위의 두 점 A(7, 4), B(8, 6)과 직선 $y=x$ 위를 움직이는 점 P에 대하여 $\overline{PA}+\overline{PB}$의 값을 최소가 되게 하는 점 P의 x좌표를 a라 할 때, $5a$의 값을 구하시오.

점 A(7, 4)를 직선 $y=x$에 대칭이동한 점을 A′이라 하면

A′(4, 7)

$\overline{A'B}$의 길이가 $\overline{PA}+\overline{PB}$의 값의 최소이므로 점 P는 직선 A′B와 직선 $y=x$의 교점이다.

두 점 A′(4, 7), B(8, 6)을 지나는 직선의 방정식은

$y-6=\frac{6-7}{8-4}(x-8)$

$\therefore y=-\frac{1}{4}x+8$

따라서 $y=-\frac{1}{4}x+8$과 $y=x$의 교점 P의 x좌표는

$x=-\frac{1}{4}x+8$

$\frac{5}{4}x=8$

$\therefore x=\frac{32}{5}$

$\therefore 5a=5\times\frac{32}{5}=32$

답 32

2194

점 A 또는 B를 x축에 대하여 대칭이동시키자.

> 좌표평면에서 제1사분면 위의 점 A를 직선 $y=x$에 대하여 대칭이동시킨 점을 B라 하자. x축 위의 점 P에 대하여 $\overline{AP}+\overline{PB}$의 최솟값이 $10\sqrt{2}$일 때, 선분 OA의 길이를 구하시오. (단, O는 원점이다.)

점 A의 좌표를 (a, b)라 하면 점 A를 직선 $y=x$에 대하여 대칭이동시킨 점 B의 좌표는 (b, a)이고, 점 A를 x축에 대하여 대칭이동시킨 점을 A′이라 하면

A′$(a, -b)$이다.

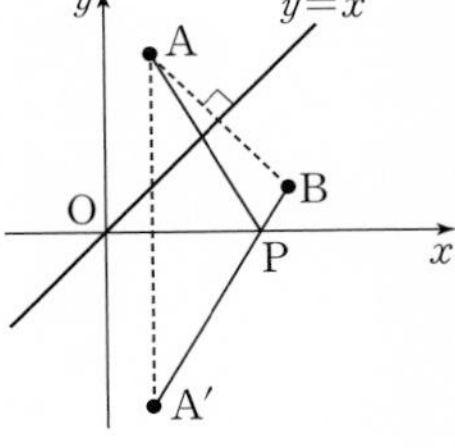

$\overline{AP}=\overline{A'P}$이므로

$\overline{AP}+\overline{PB}=\overline{A'P}+\overline{PB}$이고

x축 위의 점 P가 선분 A′B 위에 있을 때 최솟값 $\overline{A'B}=10\sqrt{2}$를 갖는다.

$\therefore \overline{A'B}=\sqrt{(b-a)^2+(a+b)^2}$

$=\sqrt{2(a^2+b^2)}$

$=\sqrt{a^2+b^2}\times\sqrt{2}=10\sqrt{2}$

$\therefore \sqrt{a^2+b^2}=10$

$\therefore \overline{OA}=\sqrt{a^2+b^2}=10$

답 10

2195

> 그림과 같이 좌표평면 위에 두 점 A(1, 2), B(2, 1)이 있다. 점 P는 x축 위의 점이고, 점 Q는 y축 위의 점일 때, $\overline{AQ}+\overline{QP}+\overline{PB}$의 최솟값을 구하시오.
>
> 점 A를 y축에 대하여 대칭이동 시키고 점 B를 x축에 대하여 대칭이동시키자.

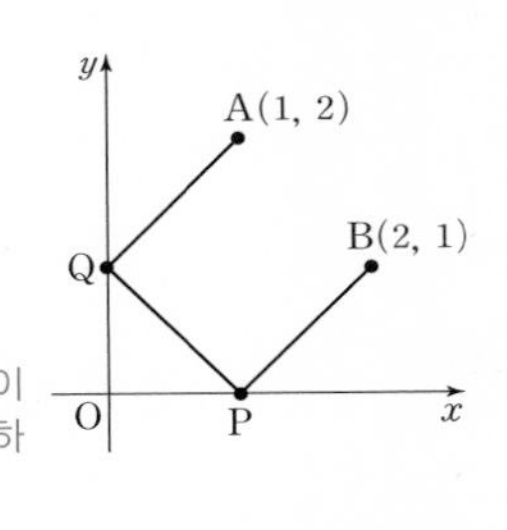

그림과 같이 점 A(1, 2)를 y축에 대하여 대칭이동한 점을 A′이라 하면 점 A′의 좌표는

A′(−1, 2)

점 B(2, 1)을 x축에 대하여 대칭이동한 점을 B′이라 하면 점 B′의 좌표는

B′(2, −1)

이때, $\overline{AQ}=\overline{A'Q}$, $\overline{BP}=\overline{B'P}$이므로

$\overline{AQ}+\overline{QP}+\overline{PB}=\overline{A'Q}+\overline{QP}+\overline{PB'}\geq\overline{A'B'}$

따라서 $\overline{AQ}+\overline{QP}+\overline{PB}$의 최솟값은 $\overline{A'B'}$의 길이이므로

$\overline{A'B'}=\sqrt{\{2-(-1)\}^2+(-1-2)^2}=\sqrt{18}=3\sqrt{2}$

답 $3\sqrt{2}$

2196

> 그림과 같이 좌표평면 위에 두 점 A(−10, 0), B(10, 10)과 선분 AB 위의 두 점 C(−8, 1), D(4, 7)이 있다. 선분 AO 위의 점 E와 선분 OB 위의 점 F에 대하여 $\overline{CE}+\overline{EF}+\overline{FD}$의 값이 최소가 되도록 하는 점 E의 x좌표는? (단, O는 원점이다.)
>
> 점 C를 x축에 대하여 대칭이동 시키고 점 D를 $y=x$에 대하여 대칭이동시키자.

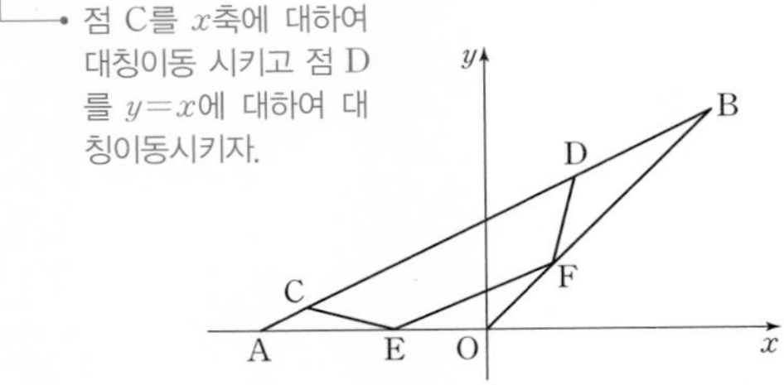

점 C(−8, 1)을 x축에 대하여 대칭이동한 점은 C′(−8, −1)이고, 점 D(4, 7)을 직선 $y=x$에 대하여 대칭이동한 점은

D′(7, 4)

$\overline{CE}=\overline{C'E}$, $\overline{FD}=\overline{FD'}$이므로

$\overline{CE}+\overline{EF}+\overline{FD}=\overline{C'E}+\overline{EF}+\overline{FD'}\geq\overline{C'D'}$

$\overline{CE}+\overline{EF}+\overline{FD}$의 값이 최소일 때는

점 E, F가 두 점 C′, D′을 지나는 직선 위에 있을 때이다.

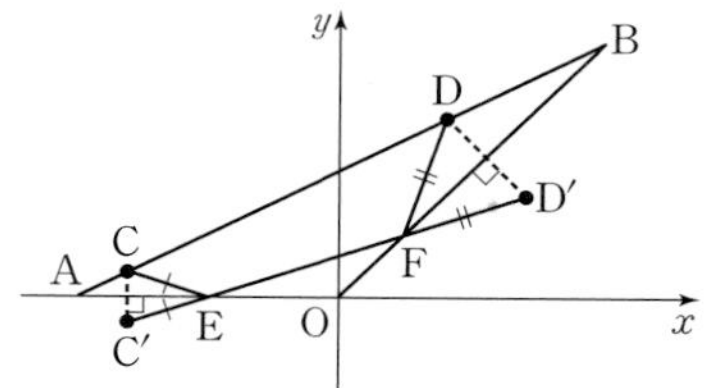

두 점 C′(−8, −1), D′(7, 4)를 지나는

직선의 방정식은 $y-4=\frac{1}{3}(x-7)$

$\therefore y=\frac{1}{3}x+\frac{5}{3}$

따라서 $\overline{CE}+\overline{EF}+\overline{FD}$의 값이 최소가 되도록 하는

점 E의 x좌표는 −5이다.

답 ①

2197

> 점 A(1, 0)을 점 P(2, 4)에 대하여 대칭이동한 점의 좌표가 A′(a, b)일 때, a+b의 값은?
> AA′의 중점이 점 P임을 이용하자.

점 A(1, 0)을 점 P(2, 4)에 대하여 대칭이동한 점의 좌표가 A′(a, b)이므로 선분 AA′의 중점이 점 P이다.

$\frac{1+a}{2}=2$에서 $a=3$

$\frac{0+b}{2}=4$에서 $b=8$

$\therefore a+b=11$

답 ④

2198

두 원의 중심의 중점이 점 P임을 이용하자.

> 원 $(x-3)^2+(y+2)^2=4$를 점 P(1, 2)에 대하여 대칭이동하였더니 $(x-a)^2+(y-b)^2=4$가 되었다. 이때, 상수 a, b의 합 $a+b$의 값을 구하시오.

두 원이 한 점 P에 대하여 대칭이면 두 원의 중심도 점 P에 대하여 대칭이므로 점 P는 두 원의 중심의 중점이다.

두 원의 중심이 각각 (3, −2), (a, b)이므로

$\mathrm{P}\left(\frac{3+a}{2}, \frac{-2+b}{2}\right)$

이것이 점 (1, 2)와 같으므로

$\frac{3+a}{2}=1$, $\frac{-2+b}{2}=2$

$\therefore a=-1, b=6$

$\therefore a+b=5$

답 5

2199

두 점 (a, b)와 (α, β)의 중점이 (2, 1)이다.

> 점 (2, 1)에 대하여 점 (a, b)와 대칭인 점을 (α, β)라 한다. 점 (a, b)가 직선 $y=2x+1$ 위를 움직일 때, 점 (α, β)가 나타내는 도형의 방정식은?

점 (2, 1)은 두 점 (a, b), (α, β)를 이은 선분의 중점이므로

$\frac{a+\alpha}{2}=2$, $\frac{b+\beta}{2}=1$에서

$a=4-\alpha$, $b=2-\beta$ ······㉠

점 (a, b)가 직선 $y=2x+1$ 위의 점이므로

$b=2a+1$

$b=2a+1$에 ㉠을 대입하면

$2-\beta=2(4-\alpha)+1$

$\beta=2\alpha-7$

$\therefore y=2x-7$

답 ①

2200

> 두 점 A(2, 0), B(a, b)가 직선 $y=x-1$에 대하여 서로 대칭일 때, ab의 값을 구하시오.
> $\overline{AB}$의 중점이 $y=x-1$위에 있다. 그리고 $\overline{AB}$와 $y=x-1$은 서로 수직이다.

두 점 A(2, 0), B(a, b)가 직선 $y=x-1$에 대하여 대칭이므로

선분 AB의 중점 $\left(\frac{2+a}{2}, \frac{b}{2}\right)$는 직선 $y=x-1$ 위에 있다.

즉, $\frac{b}{2}=\frac{2+a}{2}-1$

$\therefore a=b$ ······㉠

또한, 두 점 A, B를 지나는 직선과 직선 $y=x-1$은 서로 수직이므로

(직선 AB의 기울기)$=\frac{b}{a-2}=-1$

$\therefore a+b-2=0$ ······㉡

㉠, ㉡에서 $a=1$, $b=1$

$\therefore ab=1$

답 1

2201

> 원 $(x+5)^2+(y+3)^2=5$와 원 $x^2+y^2-14x+44=0$이 직선 $y=ax+b$에 대하여 대칭일 때, 상수 a, b에 대하여 ab의 값은?
> 두 원의 중심을 각각 A, B라 하면 $\overline{AB}$의 중점이 $y=ax+b$ 위에 있다. 그리고 $\overline{AB}$와 $y=ax+b$는 서로 수직이다.

$x^2+y^2-14x+44=0$에서 $(x-7)^2+y^2=5$이므로

원 $(x-7)^2+y^2=5$와 원 $(x+5)^2+(y+3)^2=5$는 직선 $y=ax+b$에 대하여 대칭이다.

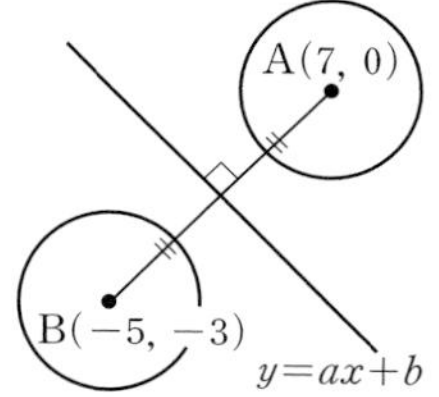

이때, 두 원의 중심을 각각 A(7, 0), B(−5, −3)이라 하면 그림과 같이 직선 $y=ax+b$는 $\overline{AB}$를 수직이등분해야 한다.

이때, 직선 AB의 기울기는 $\frac{0-(-3)}{7-(-5)}=\frac{1}{4}$이므로

직선 AB에 수직인 직선 $y=ax+b$의 기울기는 −4이다.

$\therefore a=-4$

한편, 직선 $y=ax+b$는 두 점 A, B의 중점인

$\left(\frac{7-5}{2}, \frac{0-3}{2}\right)$, 즉 $\left(1, -\frac{3}{2}\right)$을 지나므로

$-\frac{3}{2}=-4+b$ $\quad\therefore b=\frac{5}{2}$

$\therefore ab=-4\cdot\frac{5}{2}=-10$ 답 ①

2202

> 원 $x^2+y^2-8x-2y+16=0$을 직선 $y=x+1$에 대하여 대칭이동한 원의 방정식을 구하시오.
>
> → 대칭이동한 원의 중심을 (a, b)로 놓자.

방정식 $x^2+y^2-8x-2y+16=0$을 표준형으로 변형하면

$(x^2-8x+16)+(y^2-2y+1)=1$

$\therefore (x-4)^2+(y-1)^2=1$

이 원의 중심 $(4, 1)$을 직선 $y=x+1$에 대하여 대칭이동한 점을 (a, b)라 하면 직선 $y=x+1$이 두 점 $(4, 1)$, (a, b)를 이은 선분의 중점 $\left(\frac{4+a}{2}, \frac{1+b}{2}\right)$를 지나므로

$\frac{1+b}{2}=\frac{4+a}{2}+1$

$1+b=4+a+2$

$\therefore a-b=-5$ ······㉠

또 직선 $y=x+1$이 두 점 $(4, 1)$, (a, b)를 지나는 직선과 수직이므로

$\frac{b-1}{a-4}\cdot 1=-1$, $b-1=-(a-4)$

$\therefore a+b=5$ ······㉡

㉠, ㉡을 연립하여 풀면

$a=0$, $b=5$

따라서 대칭이동한 원의 중심이 $(0, 5)$이고 반지름의 길이가 1인 원이므로 구하는 원의 방정식은

$x^2+(y-5)^2=1$ 답 $x^2+(y-5)^2=1$

2203

> 점 $(2, 1)$을 직선 $y=x+3$에 대하여 대칭이동한 후, 다시 점 $(4, 5)$에 대하여 대칭이동한 점의 좌표를 구하시오.
>
> → $(2, 1)$과 대칭이동한 점을 연결한 선분의 중점은 $y=x+3$ 위에 있고, 선분의 기울기는 -1이다.

점 $(2, 1)$을 직선 $y=x+3$에 대하여 대칭이동한 점의 좌표를 (a, b)라 하면 직선 $y=x+3$이 점 $(2, 1)$과 점 (a, b)를 이은 선분의 중점 $\left(\frac{2+a}{2}, \frac{1+b}{2}\right)$를 지나므로 이 점의 좌표를 $y=x+3$에 대입하면

$\frac{1+b}{2}=\frac{2+a}{2}+3$

$1+b=2+a+6$

$\therefore a-b=-7$ ······㉠

또 직선 $y=x+3$과 두 점 $(2, 1)$, (a, b)를 이은 직선이 수직이므로

$\frac{b-1}{a-2}\times 1=-1$

$b-1=-(a-2)$

$\therefore a+b=3$ ······㉡

㉠, ㉡을 연립하여 풀면 $a=-2$, $b=5$

$\therefore (-2, 5)$

점 $(-2, 5)$를 점 $(4, 5)$에 대하여 대칭이동한 점의 좌표를 (c, d)라 하면 점 $(-2, 5)$와 점 (c, d)를 이은 선분의 중점이 $(4, 5)$이므로

$\frac{c-2}{2}=4$, $\frac{d+5}{2}=5$

$\therefore c=10$, $d=5$

따라서 구하는 점의 좌표는 $(10, 5)$이다. 답 $(10, 5)$

2204

> 직선 $x+2y+3=0$을 직선 $x+y-1=0$에 대하여 대칭이동한 직선이 점 $(1, k)$를 지날 때, k의 값을 구하시오.
>
> → 주어진 직선 위의 점을 $\mathrm{P}(x, y)$라 하고, P를 대칭이동한 점을 $\mathrm{P}'(x', y')$라 하고 관계식을 설정하자.

직선 $x+2y+3=0$ 위의 점 $\mathrm{P}(x, y)$를 직선 $x+y-1=0$에 대하여 대칭이동한 점을 $\mathrm{P}'(x', y')$이라 하면 선분 PP'의 중점 $\mathrm{M}\left(\frac{x+x'}{2}, \frac{y+y'}{2}\right)$은 직선 $x+y-1=0$ 위의 점이므로

$\frac{x+x'}{2}+\frac{y+y'}{2}-1=0$ ······㉠

한편, 직선 PP'은 직선 $y=-x+1$과 수직이므로

$\frac{y'-y}{x'-x}=1$ ······㉡

㉠, ㉡을 연립하여 x, y를 x', y'에 대한 식으로 나타내면

$x=-y'+1$, $y=-x'+1$

이것을 $x+2y+3=0$에 대입하면

$(-y'+1)+2(-x'+1)+3=0$

$2x'+y'-6=0$

$\therefore 2x+y-6=0$

이 직선이 점 $(1, k)$를 지나므로 $2+k-6=0$

$\therefore k=4$ 답 4

2205

> 두 점 $\mathrm{A}(2, 5)$, $\mathrm{B}(7, 0)$과 직선 $x+y=2$ 위의 점 P에 대하여 $\overline{\mathrm{AP}}+\overline{\mathrm{BP}}$의 최솟값을 구하시오.
>
> → 점 A 또는 B를 $x+y=2$에 대하여 대칭이동시키자.

그림과 같이 점 $\mathrm{B}(7, 0)$을 직선 $x+y=2$에 대하여 대칭이동한 점을 $\mathrm{B}'(a, b)$라 하면 직선 $x+y=2$가 두 점 B, B'을 이은 선분의 중점 $\left(\frac{7+a}{2}, \frac{0+b}{2}\right)$를 지나므로 이 점의 좌표를 $x+y=2$에 대입하면

$\frac{7+a}{2}+\frac{b}{2}=2$

$7+a+b=4$

$\therefore a+b=-3$ ······㉠

또 직선 $x+y=2$, 즉 $y=-x+2$와 직선 BB'이 수직이므로

$\frac{b-0}{a-7}\times(-1)=-1$

$b=a-7$

$\therefore a-b=7$ ······㉡

㉠, ㉡을 연립하여 풀면

$a=2$, $b=-5$

즉, 점 B′의 좌표는 B′(2, −5)
이때, $\overline{BP}=\overline{B'P}$이므로
$\overline{AP}+\overline{BP}=\overline{AP}+\overline{B'P}\ge\overline{AB'}$
따라서 $\overline{AP}+\overline{BP}$의 최솟값은 $\overline{AB'}$의 길이이므로
$\overline{AB'}=\sqrt{(2-2)^2+\{5-(-5)\}^2}$
$=10$

답 10

2206

좌표평면에서 방정식 $f(x, y)=0$이 나타내는 도형이 그림과 같은 ㄱ 모양일 때, 다음 중 방정식 $f(x+1, 2-y)=0$이 좌표평면에 나타내는 도형은?
$f(x+1, -(y-2))=0$임을 이용하자.

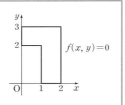

방정식 $f(x+1, -(y-2))=0$이 나타내는 도형은
방정식 $f(x, y)=0$이 나타내는 도형을 x축에 대하여 대칭이동한 후, x축의 방향으로 −1, y축의 방향으로 2만큼 평행이동한 도형이므로 그림과 같다.

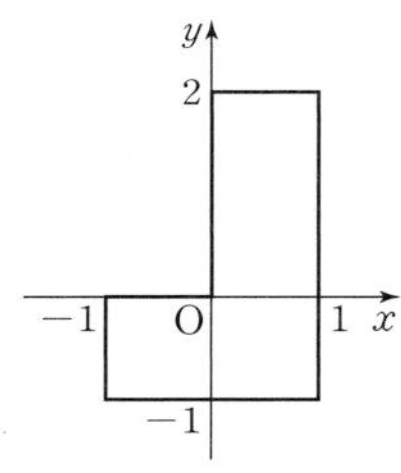

답 ②

다른풀이 방정식 $f(x+1, -y+2)=0$이 나타내는 도형은
방정식 $f(x, y)=0$이 나타내는 도형을 x축의 방향으로 −1만큼, y축의 방향으로 −2만큼 평행이동한 후 x축에 대하여 대칭이동한 도형이다.

2207

[그림 1]의 도형이 평행이동 및 대칭이동에 의하여 [그림 2]의 도형이 되었다.

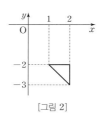

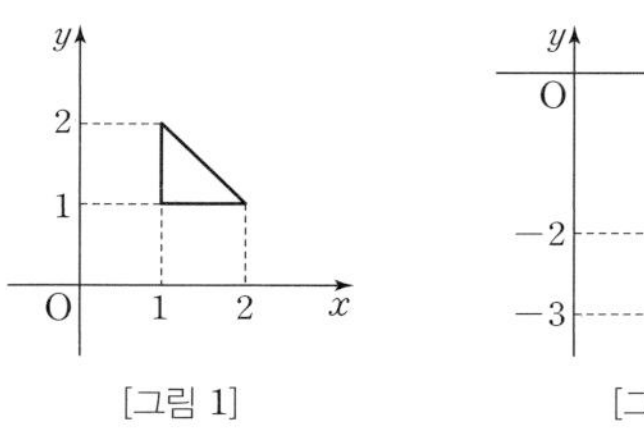

[그림 1]의 도형의 방정식이 $f(x, y)=0$일 때, [그림 2]의 도형의 방정식은?
원점에 대하여 대칭이동한 뒤, 평행이동한 것임을 이용하자.

[그림 1]의 도형을 원점에 대하여 대칭이동하면 그림과 같고, 도형의 방정식은
$f(-x, -y)=0$이다. 이 도형을
x축의 방향으로 3만큼, y축의 방향으로 −1만큼 평행이동한 도형이
[그림 2]의 도형과 같으므로 도형의 방정식은

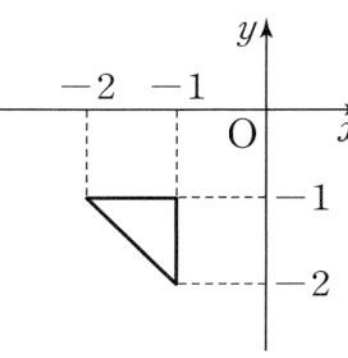

$f(-(x-3), -(y+1))=0$
$\therefore f(-x+3, -y-1)=0$

답 ③

2208

평행이동 $(x, y) \longrightarrow (x+2, y+9)$에 의하여 점 $(-1, 3)$이 직선 $y=mx+9$ 위의 점으로 옮겨질 때, 상수 m의 값을 구하시오.
$(-1, 3) \rightarrow (-1+2, 3+9)$이다.

점 $(-1, 3)$이 주어진 평행이동에 의하여 옮겨진 점은
$(-1+2, 3+9)$, 즉 $(1, 12)$
이 점이 직선 $y=mx+9$ 위의 점이므로
$12=m+9$
$\therefore m=3$

답 3

2209

점 $(1, 3)$을 점 $(4, 2)$로 옮기는 평행이동에 의하여 직선 $y=3x+1$이 직선 $y=ax+b$로 옮겨질 때, $a+b$의 값은? (단, a, b는 상수)
$(x, y) \rightarrow (x+3, y-1)$이다.

점 $(4, 2)$는 점 $(1, 3)$을 x축의 방향으로 3만큼, y축의 방향으로 −1만큼 평행이동한 것이므로
직선 $y=3x+1$에 x 대신 $x-3$, y 대신 $y+1$을 대입하면
$y+1=3(x-3)+1$
$\therefore y=3x-9$
따라서 $a=3$, $b=-9$이므로
$a+b=-6$

답 ⑤

2210

원 $(x+3)^2+(y-4)^2=25$가 평행이동 $(x, y) \longrightarrow (x+a, y+b)$에 의하여 원 $x^2+y^2=r^2$으로 옮겨질 때, abr의 값을 구하시오. (단, $r>0$)
평행이동하여도 반지름의 길이는 변하지 않는다.

원 $(x+3)^2+(y-4)^2=25$를 x축의 방향으로 a만큼, y축의 방향으로 b만큼 평행이동하면
$(x-a+3)^2+(y-b-4)^2=25$
이 식이 $x^2+y^2=r^2$과 일치하므로
$-a+3=0$, $-b-4=0$, $r^2=25$
$\therefore a=3$, $b=-4$, $r=5$ ($\because r>0$)
$\therefore abr=3\cdot(-4)\cdot5=-60$

답 −60

2211

포물선 $y=x^2-2x+3$을 x축의 방향으로 1만큼, y축의 방향으로 −1만큼 평행이동한 포물선의 꼭짓점의 좌표가 (a, b)일 때, $a+b$의 값을 구하시오.
x대신 $x-1$, y대신 $y+1$을 대입하자.

$y=x^2-2x+3=(x-1)^2+2$이므로 이 곡선을 x축의 방향으로 1만큼, y축의 방향으로 -1만큼 평행이동하면
$y+1=(x-1-1)^2+2$
$\therefore y=(x-2)^2+1$
따라서 이 포물선의 꼭짓점의 좌표는 $(2, 1)$이므로
$a=2, b=1$
$\therefore a+b=2+1=3$ 답 3

2212 서술형

원 $x^2+(y-1)^2=36$의 넓이를 이등분하는 직선 $y=mx+n$을 x축의 방향으로 1만큼, y축의 방향으로 2만큼 평행이동하였더니 원 $(x-4)^2+(y+3)^2=49$의 넓이를 이등분하였다. 실수 m, n에 대하여 $m+n$의 값을 구하시오.

→ 직선이 원의 중심을 지난다.

직선이 원의 넓이를 이등분하려면 원의 중심을 지나야 하므로
$y=mx+n$은 점 $(0, 1)$을 지난다.
$1=n$ ······㉠ ······ 40%
직선 $y=mx+n$을 x축의 방향으로 1만큼, y축의 방향으로 2만큼 평행이동하면
$y-2=m(x-1)+n$
이 직선이 점 $(4, -3)$을 지나므로
$-5=3m+n$ ······㉡ ······ 40%
㉠, ㉡을 연립하여 풀면
$m=-2, n=1$
$\therefore m+n=-1$ ······ 20%
답 -1

2213

점 A$(1, 2)$를 두 직선 $y=0$, $y=x$에 대하여 대칭이동한 점을 각각 점 B, C라 할 때, 삼각형 ABC의 넓이를 구하시오.

→ x축 대칭이동이다.

점 A$(1, 2)$를 직선 $y=0$, 즉 x축에 대하여 대칭이동한 점 B는
B$(1, -2)$
점 A$(1, 2)$를 직선 $y=x$에 대하여 대칭이동한 점 C는
C$(2, 1)$
따라서 삼각형 ABC의 넓이 S는

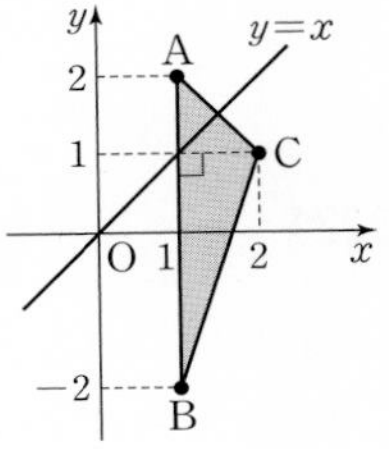

$S=\frac{1}{2}\times4\times1=2$ 답 2

2214

직선 $x-2y+3=0$을 x축에 대하여 대칭이동한 직선에 평행하고, 점 $(4, -2)$를 지나는 직선의 방정식은?

→ $ax+by+c=0$의 x축에 대한 대칭이동은 $ax-by+c=0$이다.

직선 $x-2y+3=0$을 x축에 대하여 대칭이동하면
$x+2y+3=0$, 즉 $y=-\frac{1}{2}x-\frac{3}{2}$
이므로 이 직선과 평행한 직선의 기울기는 $-\frac{1}{2}$이다.
따라서 기울기가 $-\frac{1}{2}$이고, 점 $(4, -2)$를 지나는 직선의 방정식은
$y+2=-\frac{1}{2}(x-4)$
$y=-\frac{1}{2}x$
$\therefore x+2y=0$ 답 ②

2215

원 $(x-2)^2+(y-4)^2=6$을 x축, y축에 대하여 대칭이동한 원의 중심을 각각 A, B라 할 때, $\overline{\text{AB}}$의 길이를 구하시오.

→ 원의 중심을 대칭이동시키자.

원 $(x-2)^2+(y-4)^2=6$의 중심을 C라 하면 점 C의 좌표는
C$(2, 4)$
점 C를 x축에 대하여 대칭이동한 점 A의 좌표는 A$(2, -4)$
점 C를 y축에 대하여 대칭이동한 점 B의 좌표는 B$(-2, 4)$
$\therefore \overline{\text{AB}}=\sqrt{4^2+8^2}=4\sqrt{5}$ 답 $4\sqrt{5}$

2216 서술형

점 $(4, -1)$을 x축에 대하여 대칭이동한 후, 직선 $y=x$에 대하여 대칭이동한 것을 다시 x축의 방향으로 -2만큼 평행이동하였더니 직선 $y=ax+3$ 위의 점이 되었다. 이때, 상수 a의 값을 구하시오.

→ y의 부호가 모두 바뀐다.
→ x, y가 서로 바뀐다.

점 $(4, -1)$을 x축에 대하여 대칭이동하면 $(4, 1)$
점 $(4, 1)$을 직선 $y=x$에 대하여 대칭이동하면 $(1, 4)$ ······ 40%
점 $(1, 4)$를 x축의 방향으로 -2만큼 평행이동하면 $(-1, 4)$ ······ 40%
점 $(-1, 4)$가 직선 $y=ax+3$ 위의 점이므로
$4=-a+3$
$\therefore a=-1$ ······ 20%
답 -1

2217

원 $x^2+(y-1)^2=9$를 직선 $y=x$에 대하여 대칭이동한 원에 직선 $y=x-k$가 접한다고 할 때, 양수 k의 값은?

→ 원의 중심과 직선 사이의 거리가 반지름의 길이와 같다.

원 $x^2+(y-1)^2=9$를 직선 $y=x$에 대하여 대칭이동하면
$y^2+(x-1)^2=9$이고, 이 원과 직선 $y=x-k$가 접하므로
원의 중심 $(1, 0)$과 직선 $x-y-k=0$ 사이의 거리가 원의 반지름의 길이 3과 같다.
$\frac{|1-k|}{\sqrt{1+1}}=3$, $|1-k|=3\sqrt{2}$
$1-k=\pm3\sqrt{2}$
$\therefore k=1+3\sqrt{2}$ 또는 $k=1-3\sqrt{2}$

따라서 양수 k의 값은 $1+3\sqrt{2}$이다. 답 ④

다른풀이 원 $(x-1)^2+y^2=9$와 직선 $y=x-k$가 접하므로
$(x-k)^2+(x-1)^2=9$
$2x^2-2(k+1)x+k^2-8=0$
이 방정식의 판별식을 D라고 하면
$\frac{D}{4}=(k+1)^2-2(k^2-8)$
$=-k^2+2k+17=0$
$\therefore k=1+3\sqrt{2}$ 또는 $k=1-3\sqrt{2}$
따라서 양수 k의 값은 $1+3\sqrt{2}$이다.

2218

점 A 또는 B를 $y=x$에 대하여 대칭이동시키자.

> 두 정점 $A(-3, 1)$, $B(2, 5)$와 직선 $y=x$ 위를 움직이는 점 P에 대하여 $\overline{AP}+\overline{BP}$의 최솟값을 구하시오.

점 $B(2, 5)$의 직선 $y=x$에 대한 대칭점을 B'이라고 하면 $B'(5, 2)$이다.

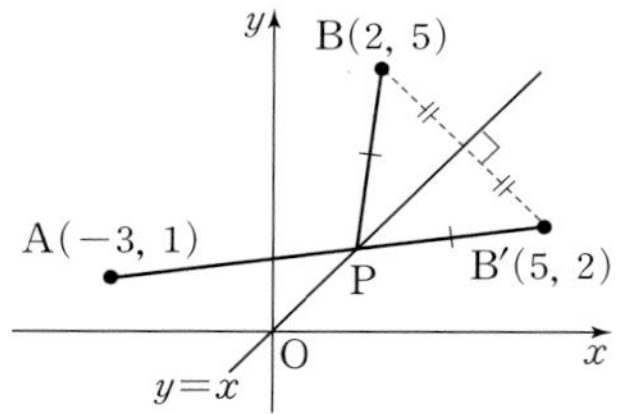

이때, $\overline{PB}=\overline{PB'}$이므로
$\overline{AP}+\overline{BP}=\overline{AP}+\overline{PB'}$
$\geq\overline{AB'}$
따라서 $\overline{AP}+\overline{BP}$의 최솟값은
$\overline{AB'}=\sqrt{(5+3)^2+(2-1)^2}=\sqrt{65}$ 답 $\sqrt{65}$

2219

> 원 $(x+3)^2+(y+1)^2=5$와 원 $x^2+y^2-10x+4y+24=0$이 직선 $y=ax+b$에 대하여 대칭일 때, ab의 값을 구하시오. (단, a, b는 상수이다.)
>
> 두 원의 중심을 각각 A, B라 하면 $\overline{AB}$의 중점이 $y=ax+b$위에 있다. 그리고, $\overline{AB}$와 $y=ax+b$는 서로 수직이다.

$x^2+y^2-10x+4y+24=0$에서 $(x-5)^2+(y+2)^2=5$이므로 원 $(x-5)^2+(y+2)^2=5$와 원 $(x+3)^2+(y+1)^2=5$는 직선 $y=ax+b$에 대하여 대칭이다.

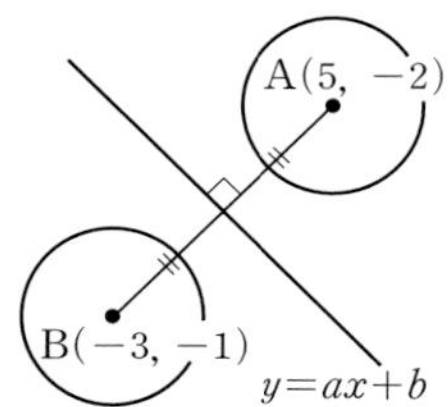

이때, 두 원의 중심을 각각 $A(5, -2)$, $B(-3, -1)$이라 하면 그림과 같이 직선 $y=ax+b$는 $\overline{AB}$를 수직이등분해야 한다.
이때, 직선 AB의 기울기는 $\frac{-2-(-1)}{5-(-3)}=-\frac{1}{8}$이므로
직선 AB에 수직인 직선 $y=ax+b$의 기울기는 8이다.
$\therefore a=8$
한편, 직선 $y=8x+b$는 두 점 A, B를 이은 선분의 중점인 $\left(\frac{5-3}{2}, \frac{-2-1}{2}\right)$, 즉 $\left(1, -\frac{3}{2}\right)$을 지나므로
$-\frac{3}{2}=8+b$
$\therefore b=-\frac{19}{2}$
$\therefore ab=8\cdot\left(-\frac{19}{2}\right)=-76$ 답 -76

2220

> 직선 $x-y+5=0$을 x축의 방향으로 m만큼 평행이동하여 두 점 $A(4, 2)$, $B(1, 5)$를 양 끝점으로 하는 $\overline{AB}$와 한 점에서 만나도록 하는 실수 m의 값의 범위가 $a\leq m\leq b$일 때, $a+b$의 값을 구하시오.
>
> $y=x-m+5$가 $(4, 2)$와 $(1, 5)$를 지날 때 m의 값을 구하자.

직선 $x-y+5=0$을 x축의 방향으로 m만큼 평행이동하면
$(x-m)-y+5=0$
$\therefore y=x-m+5$
이 직선은 기울기가 1로 일정하고 y절편이 m의 값에 따라 결정되는데 그림과 같이 기울기를 일정하게 하여 움직여 보면
직선 $y=x-m+5$가 점 $A(4, 2)$를 지나는 경우
$2=4-m+5$
$\therefore m=7$
직선 $y=x-m+5$가 점 $B(1, 5)$를 지나는 경우
$5=1-m+5$
$\therefore m=1$
따라서 직선 $y=x-m+5$가 $\overline{AB}$와 한 점에서 만나려면 m의 값의 범위는 $1\leq m\leq 7$이어야 한다.
$\therefore a=1, b=7$
$\therefore a+b=8$ 답 8

2221

> 원 $x^2+y^2=1$을 x축의 방향으로 a만큼, y축의 방향으로 b만큼 평행이동시킨 원과 원 $x^2+y^2+2x=0$이 외접할 때, $2a+b$의 최댓값을 구하시오. 두 원의 중심 사이의 거리는 두 원의 반지름의 합과 같다.

원 $x^2+y^2=1$을 x축의 방향으로 a만큼, y축의 방향으로 b만큼 평행이동한 원의 중심의 좌표는 (a, b)이고, 반지름의 길이는 1이다.
또 원 $x^2+y^2+2x=0$에서
$(x+1)^2+y^2=1$은 중심의 좌표가 $(-1, 0)$이고, 반지름의 길이가 1이므로 두 원이 외접하려면 두 원의 중심 (a, b), $(-1, 0)$ 사이의 거리가 두 원의 반지름의 길이의 합과 같아야 한다. 즉,

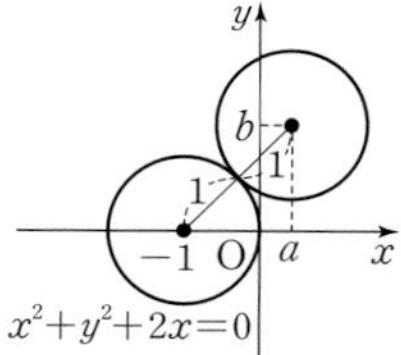

$\sqrt{(a+1)^2+b^2}=1+1$
$\therefore (a+1)^2+b^2=2^2$ ……㉠

이때, $2a+b=k$ (k는 상수)라 하고, $b=k-2a$를 ㉠에 대입하면

$(a+1)^2+(k-2a)^2=2^2$

$\therefore 5a^2-2(2k-1)a+k^2-3=0$

이때, a는 실수이므로 판별식을 D라 하면

$\frac{D}{4}=(2k-1)^2-5(k^2-3)\geq 0$

$k^2+4k-16\leq 0$

$\therefore -2-2\sqrt{5}\leq k\leq -2+2\sqrt{5}$

따라서 $k=2a+b$의 최댓값은 $-2+2\sqrt{5}$이다.

답 $-2+2\sqrt{5}$

2222

직선 $y=-x$에 대한 대칭이동을 f, 원점에 대한 대칭이동을 g라 할 때

$f\to g\to f\to g\to f\to \cdots$

과 같은 순서로 직선 $x+y+1=0$을 2022번 이동시킨 직선의 y절편을 구하시오.

→ 반복되는 규칙을 찾자.

$(x, y)\xrightarrow{f}(-y, -x)\xrightarrow{g}(y, x)\xrightarrow{f}(-x, -y)\xrightarrow{g}(x, y)$

로 4번 이동시키면 처음으로 돌아온다.

$2022=4\times 505+2$

이므로 점 (x, y)를 2022번 이동시키면 점 (y, x)로 이동한다. 즉, $y=x$에 대한 대칭이동과 같으므로 직선 $x+y+1=0$은 $y+x+1=0$으로 처음과 같아진다.

따라서 이 직선의 y절편은 -1이다.

답 -1

2223

직선 $x+2y-3=0$을 y축에 대하여 대칭이동한 후, 다시 직선 $x=-1$에 대하여 대칭이동하면 점 $(a, 2)$를 지날 때, a의 값을 구하시오.

→ x대신 $2\times(-1)-x$, y대신 y를 대입하자.

직선 $x+2y-3=0$을 y축에 대하여 대칭이동하면

$-x+2y-3=0$

이 직선이 $x=-1$에 대하여 대칭이동하므로

x 대신 $2\times(-1)-x$, y 대신 y를 대입하면

$-(-2-x)+2y-3=0$

$\therefore x+2y-1=0$

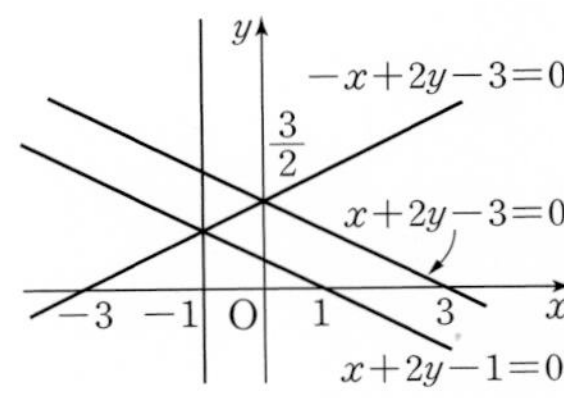

이때, 직선 $x+2y-1=0$이 점 $(a, 2)$를 지나므로

$a+2\times 2-1=0$

$\therefore a=-3$

답 -3

2224

원 $(x-4)^2+(y-4)^2=16$ 위를 움직이는 점 $\mathrm{P}(x, y)$를 직선 $y=x$에 대하여 대칭이동한 점을 Q라 하자. 점 P, Q에서 x축에 내린 수선의 발을 각각 P′, Q′라 할 때, $|\overline{\mathrm{PP'}}-\overline{\mathrm{QQ'}}|$의 최댓값은?

→ Q의 좌표는 (y, x)

→ P′의 좌표는 $(x, 0)$, Q′의 좌표는 $(y, 0)$이다.

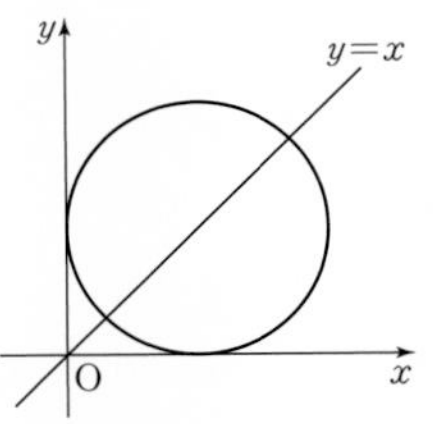

점 $\mathrm{P}(x, y)$에서 직선 $y=x$에 대하여 대칭이동한 점은

$\mathrm{Q}(y, x)$

두 점 P, Q에서 x축에 내린 수선의 발은 각각

$\mathrm{P'}(x, 0)$, $\mathrm{Q'}(y, 0)$

즉, $\overline{\mathrm{PP'}}=y$, $\overline{\mathrm{QQ'}}=x$이므로 $|\overline{\mathrm{PP'}}-\overline{\mathrm{QQ'}}|=|y-x|=k$ $(k>0)$라 하면 k의 값은 직선 $y=x\pm k$가 원

$(x-4)^2+(y-4)^2=16$에 접할 때 최댓값을 가진다.

따라서 원의 중심 $(4, 4)$에서 직선 $x-y\pm k=0$까지의 거리는 반지름의 길이 4와 같을 때 최대이므로

$\frac{|4-4\pm k|}{\sqrt{1^2+(-1)^2}}=4$

$\therefore k=4\sqrt{2}$ ($\because k>0$)

답 ②

2225

그림과 같이 두 함수 $y=-(x-1)^2+1$, $y=x^2$의 그래프 위에 각각 점 A와 C를, 직선 $y=x$ 위에 서로 다른 두 점 B와 D를 잡아 사각형 ABCD가 정사각형이 되도록 하였다. 이때, 정사각형 ABCD의 한 변의 길이는? (단, 점 A, B, C, D의 x좌표는 양수이다.)

→ C의 좌표를 (a, a^2)라 하면 A의 좌표는 (a^2, a)이다.

→ B의 좌표는 (a^2, a^2), D의 좌표는 (a, a)이다.

점 C의 x좌표를 a라 하면, $\mathrm{C}(a, a^2)$이다.

사각형 ABCD가 정사각형이고

두 점 B, D가 직선 $y=x$ 위의 점이므로

점 B의 좌표는 $\mathrm{B}(a^2, a^2)$

점 D의 좌표는 $\mathrm{D}(a, a)$

점 A의 좌표는 $\mathrm{A}(a^2, a)$

한편, 점 A가 곡선

$y=-(x-1)^2+1$ ······㉠

위의 점이므로 $\mathrm{A}(a^2, a)$를 ㉠에 대입하면

$a=-(a^2-1)^2+1$ ······㉡

㉡의 식을 a에 관하여 정리하면,

$a^4-2a^2+a=0$

$a(a-1)(a^2+a-1)=0$

$a\neq 0$, $a\neq 1$($\because$ B, D는 서로 다른 점)이므로 $a^2+a-1=0$에서

$a=\dfrac{-1+\sqrt{5}}{2}$ ($\because a>0$)

따라서 정사각형의 한 변의 길이는

$a-a^2=a-(-a+1)=2a-1=\sqrt{5}-2$

답 ②

2226

좌표평면의 x축, y축 ($x\ge0$, $y\ge0$) 위에 직각으로 평면거울이 놓여 있다고 하자. 빛이 점 L(3, 3)에서 출발하여 그림과 같이 L → P → Q → E의 최단 경로로 움직여 점 E(7, 2)를 지나갈 때, 점 Q의 x좌표를 구하시오.

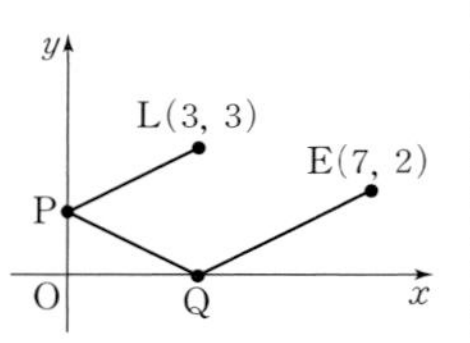

• 점 L을 y축에 대하여 대칭이동시키고 점 E를 x축에 대하여 대칭이동시키자.

그림과 같이 점 L(3, 3)을 y축에 대하여 대칭이동한 점을 L′이라 하면 점 L′의 좌표는 L′(−3, 3)

점 E(7, 2)를 x축에 대하여 대칭이동한 점을 E′이라 하면

점 E′의 좌표는 E′(7, −2)

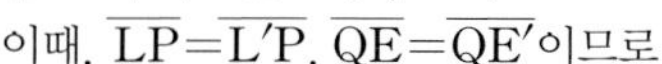

이때, $\overline{LP}=\overline{L'P}$, $\overline{QE}=\overline{QE'}$이므로

$\overline{LP}+\overline{PQ}+\overline{QE}=\overline{L'P}+\overline{PQ}+\overline{QE'}\ge\overline{L'E'}$

따라서 L → P → Q → E의 최단 경로는 $\overline{L'E'}$이다.

이때, 두 점 L′(−3, 3), E′(7, −2)를 지나는 직선 L′E′의 방정식은

$y-3=\dfrac{-2-3}{7+3}(x+3)$ ⋯⋯ ㉠

L′, P, Q, E′은 한 직선 위에 있으므로 점 Q의 x좌표는 직선 ㉠에서 $y=0$일 때이다.

$-3=-\dfrac{1}{2}(x+3)$

$6=x+3$

$\therefore x=3$

따라서 점 Q의 x좌표는 3이다.

답 3

2227

좌표평면 위에 점 A(−1, 0)과 원 C: $(x+3)^2+(y-8)^2=5$가 있다. y축 위의 점 P와 원 C 위의 점 Q에 대하여 $\overline{AP}+\overline{PQ}$의 최솟값을 k라 할 때, k^2의 값을 구하시오.

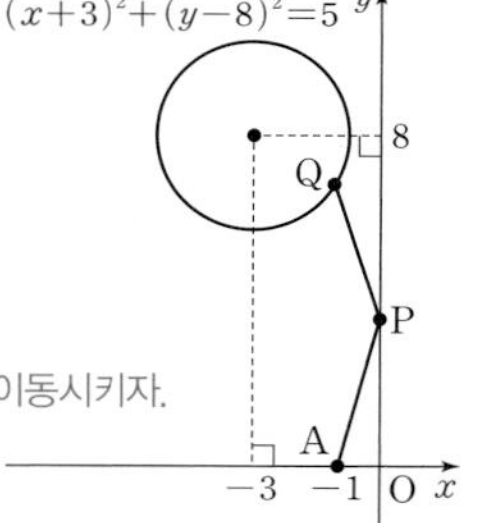

• 점 A를 y축에 대하여 대칭이동시키자.

점 A를 y축에 대하여 대칭이동한 점 A′(1, 0)에 대하여

$\overline{AP}+\overline{PQ}=\overline{A'P}+\overline{PQ}\ge\overline{A'Q}$이다.

$\overline{A'Q}$의 최솟값은 점 A′(1, 0)과 원 C의 중심 (−3, 8) 사이의 거리에서 원 C의 반지름의 길이 $\sqrt{5}$를 뺀 값이다.

따라서 $k=4\sqrt{5}-\sqrt{5}=3\sqrt{5}$

$\therefore k^2=45$

답 45

2228

그림과 같이 반지름의 길이가 1, 중심각의 크기가 45°인 부채꼴 OAB에서 호 AB를 이등분하는 점을 P라 하자. $\overline{OA}$, $\overline{OB}$ 위를 움직이는 점 X, Y에 대하여 삼각형 PXY의 둘레의 길이의 최솟값을 구하시오.

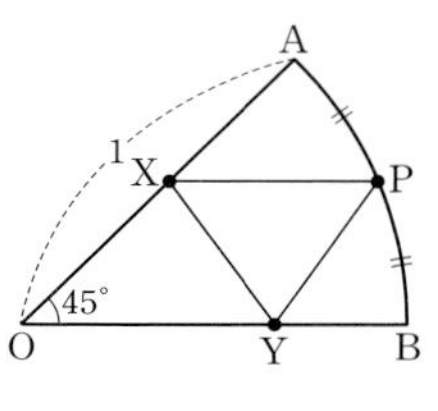

• 점 P를 $\overline{OB}$와 $\overline{OA}$에 대하여 대칭이동시키자.

$\overline{OA}$에 대한 점 P의 대칭점을 P_1, $\overline{OB}$에 대한 점 P의 대칭점을 P_2라 하면 $\angle P_1OP_2=90°$

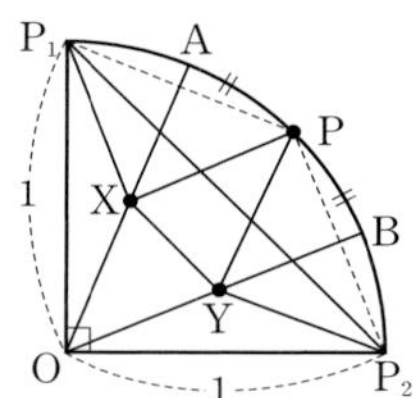

(삼각형 PXY의 둘레의 길이)$=\overline{PX}+\overline{XY}+\overline{YP}$

$=\overline{P_1X}+\overline{XY}+\overline{YP_2}$

$\ge\overline{P_1P_2}$

$=\sqrt{2}$

따라서 삼각형 PXY의 둘레의 길이의 최솟값은 $\sqrt{2}$이다.

답 $\sqrt{2}$

2229

• (a, b)와 (p, q)의 중점은 (3, 2)이다.

점 (a, b)를 점 (3, 2)에 대하여 대칭이동한 점을 $P(p, q)$라 하자. 점 (a, b)가 직선 $y=2x+1$ 위를 움직일 때 점 $P(p, q)$가 움직이는 도형의 방정식은?

두 점 (a, b), (p, q)의 중점의 좌표는

$\left(\dfrac{a+p}{2}, \dfrac{b+q}{2}\right)$

이 점이 (3, 2)이므로

$a+p=6$, $b+q=4$

$\therefore a=6-p$, $b=4-q$ ⋯⋯ ㉠

점 (a, b)는 직선 $y=2x+1$ 위를 움직이므로

$b=2a+1$ ⋯⋯ ㉡

㉠을 ㉡에 대입하면

$4-q=2(6-p)+1$

$\therefore q=2p-9$

따라서 점 $P(p, q)$가 움직이는 도형의 방정식은

$y=2x-9$

답 ⑤

2230

그림과 같이 좌표평면에서 원 C_1 : $x^2+y^2=4$를 x축의 방향으로 4만큼, y축의 방향으로 -3만큼 평행이동한 원을 C_2라 하자. 원 C_1과 직선 $4x-3y-6=0$이 만나는 두 점 A, B를 x축의 방향으로 4만큼, y축의 방향으로 -3만큼 평행이동한 점을 각각 C, D라 하자. 선분 AC, 선분 BD, 호 AB 및 호 CD로 둘러싸인 색칠된 부분의 넓이를 구하시오. 직사각형 ABDC의 넓이와 같다.

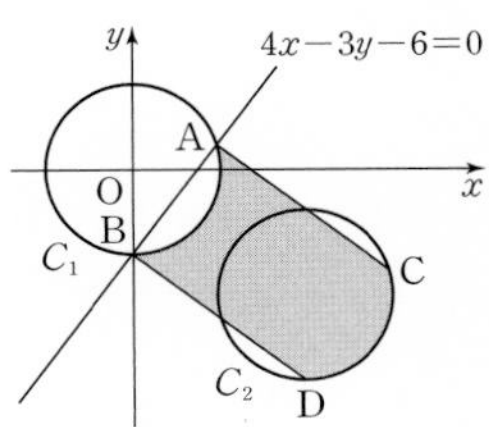

점 A를 x축의 방향으로 4만큼, y축의 방향으로 -3만큼 평행이동한 점이 C이므로 직선 AC의 기울기는 $-\frac{3}{4}$이다.

즉, 두 직선 AB, AC가 서로 수직이므로 사각형 ABDC는 직사각형이다.

$\overline{AC}=\sqrt{4^2+(-3)^2}=5$

또, 원점에서 직선 $4x-3y-6=0$에 내린 수선의 발을 H라 하면

$\overline{OH}=\frac{|-6|}{\sqrt{4^2+(-3)^2}}=\frac{6}{5}$

$\overline{AH}=\sqrt{\overline{OA}^2-\overline{OH}^2}$

$=\sqrt{2^2-\left(\frac{6}{5}\right)^2}$

$=\frac{8}{5}$

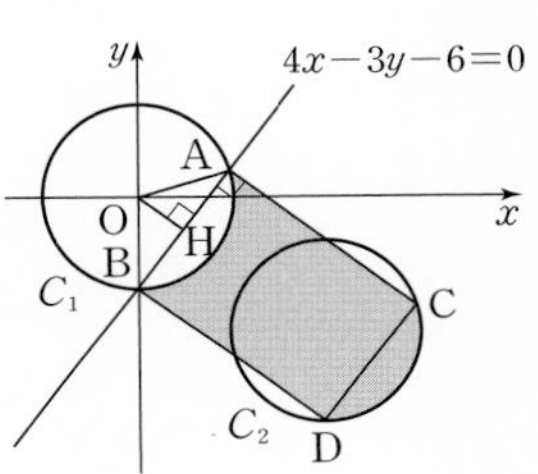

$\overline{AB}=2\overline{AH}=\frac{16}{5}$

선분 AC, 선분 BD, 호 AB 및 호 CD로 둘러싸인 색칠된 부분의 넓이는 직사각형 ABDC의 넓이와 같으므로

$\overline{AB}\times\overline{AC}=\frac{16}{5}\times 5=16$

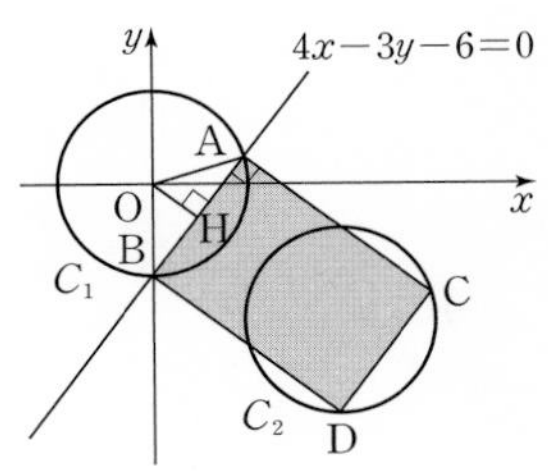

답 16

2231

$\frac{-6+a}{2}=\frac{-a+2}{2}$

네 점 A$(-6, 1)$, B$(-a, 0)$, C$(a, 3)$, D$(2, 4)$를 꼭짓점으로 하는 평행사변형 ABCD에 대하여 점 B를 x축의 방향으로 a만큼, y축의 방향으로 b만큼 평행이동한 점을 B$'$, 점 D를 x축의 방향으로 $-a$만큼, y축의 방향으로 $-b$만큼 평행이동한 점을 D$'$이라 하면 사각형 AB$'$CD$'$이 마름모가 된다. 이때, $a+b$의 값을 구하시오. 두 대각선 $\overline{AC}$와 $\overline{B'D'}$는 수직이다.

사각형 ABCD가 평행사변형이므로 두 대각선 AC, BD의 중점이 일치한다.

$\frac{-6+a}{2}=\frac{-a+2}{2}$

$\therefore a=4$

따라서 네 점 A, B, C, D의 좌표는

A$(-6, 1)$, B$(-4, 0)$, C$(4, 3)$, D$(2, 4)$

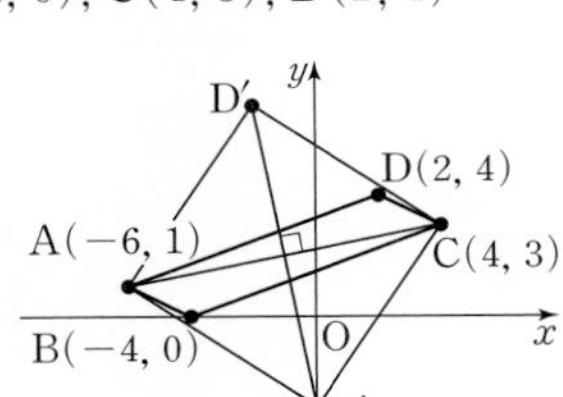

점 B$(-4, 0)$을 x축의 방향으로 4만큼, y축의 방향으로 b만큼 평행이동한 점 B$'$의 좌표는 B$'(0, b)$

점 D$(2, 4)$를 x축의 방향으로 -4만큼, y축의 방향으로 $-b$만큼 평행이동한 점 D$'$의 좌표는 D$'(-2, 4-b)$

이때, 사각형 AB$'$CD$'$이 마름모이므로 두 대각선 $\overline{AC}$, $\overline{B'D'}$이 직교한다.

직선 AC의 기울기는

$\frac{1-3}{-6-4}=\frac{1}{5}$

직선 B$'$D$'$의 기울기는

$\frac{b-(4-b)}{0-(-2)}=\frac{2b-4}{2}$

$=b-2$

즉, $\frac{1}{5}\cdot(b-2)=-1$에서 $b-2=-5$

$\therefore b=-3$

$\therefore a+b=1$

답 1

2232

주사위를 던져 나온 눈의 수 n에 따라 좌표평면 위의 원을 다음과 같은 규칙으로 이동한다.

> (가) n이 홀수이면 원을 x축의 방향으로 $n+1$만큼, y축의 방향으로 $2n$만큼 평행이동한다.
> (나) n이 짝수이면 원을 직선 $y=x$에 대하여 대칭이동한다.

따로따로 단계별로 이동시켜 나가자.

주사위를 세 번 던져 나온 눈의 수가 차례로 4, 5, 2일 때, 이 순서에 따라 원 $x^2+y^2-2x-4y+4=0$을 이동하면 원 $x^2+y^2+Ax+By+C=0$과 일치한다. 이때, 상수 A, B, C의 합 $A+B+C$의 값을 구하시오. $(x-a)^2+(y-b)^2=r^2$ 꼴로 변형하자.

원 $x^2+y^2-2x-4y+4=0$을 표준형으로 고치면

$(x-1)^2+(y-2)^2=1$

이므로 중심의 좌표가 $(1, 2)$이고, 반지름의 길이가 1이다.

원은 평행이동하거나 대칭이동해도 반지름의 길이는 변하지 않으므로 중심의 이동만 관찰하면 된다.

주사위를 던져서 나온 눈의 수가

(i) 4는 짝수이므로 직선 $y=x$에 대하여 대칭이동한다.

(ii) 5는 홀수이므로 x축의 방향으로 6만큼, y축의 방향으로 10만큼 평행이동한다.

(iii) 2는 짝수이므로 직선 $y=x$에 대하여 대칭이동한다.

위의 순서대로 원의 중심을 이동하면

$(1, 2) \longrightarrow (2, 1) \longrightarrow (2+6, 1+10) \longrightarrow (11, 8)$

따라서 이동한 원의 방정식은 중심의 좌표가 $(11, 8)$이고, 반지름의 길이가 1이므로

$(x-11)^2+(y-8)^2=1$

$\therefore x^2+y^2-22x-16y+184=0$

$\therefore A+B+C=-22+(-16)+184$

$=146$

답 146

2233

점 Q는 $x^2+y^2=9$ 위를 움직인다.

> 원 $x^2+(y-1)^2=9$ 위의 점 P가 있다. 점 P를 y축의 방향으로 -1만큼 평행이동한 후 y축에 대하여 대칭이동한 점을 Q라 하자. 두 점 $A(1, -\sqrt{3})$, $B(3, \sqrt{3})$에 대하여 삼각형 ABQ의 넓이가 최대일 때, 점 P의 y좌표는?
>
> 점 Q가 $\overline{AB}$와 평행하며 $x^2+y^2=9$에 접하는 접선의 접점일 때이다.

그림과 같이 원 $x^2+(y-1)^2=9$ 위의 점 P를 주어진 조건에 의해 옮긴 점 Q는 원 $x^2+y^2=9$ 위를 움직인다.

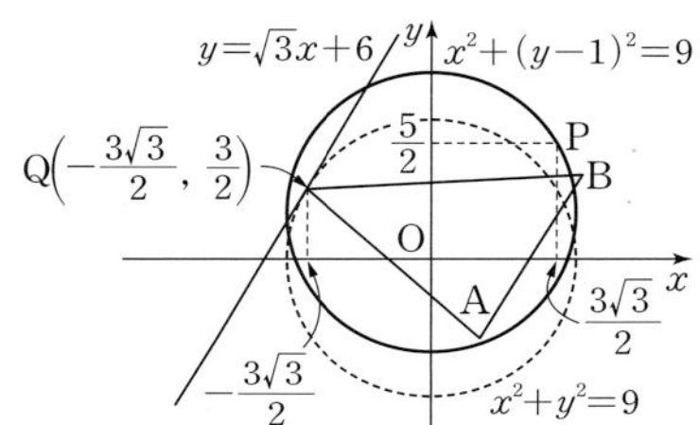

점 Q를 접점으로 하는 원 $x^2+y^2=9$의 접선 중 직선 AB에 평행하고, 점 Q의 x좌표가 음수일 때, 삼각형 ABQ의 넓이가 최대이다.

기울기가 $\sqrt{3}$인 원 $x^2+y^2=9$의 접선의 방정식은

$y=\sqrt{3}x\pm6$

직선 $y=\sqrt{3}x\pm6$과 원 $x^2+y^2=9$가 만나는 점이 Q이므로

$x^2+(\sqrt{3}x\pm6)^2=9$

$4x^2\pm12\sqrt{3}x+27=0$

$(2x\pm3\sqrt{3})^2=0$, $x=-\frac{3\sqrt{3}}{2}$ $(\because x<0)$

따라서 삼각형 ABQ의 넓이가 최대인 점 Q의 좌표는 $\left(-\frac{3\sqrt{3}}{2}, \frac{3}{2}\right)$

점 P는 점 Q를 y축에 대하여 대칭이동한 후 y축의 방향으로 1만큼 평행이동한 점이므로 점 P의 좌표는 $\left(\frac{3\sqrt{3}}{2}, \frac{5}{2}\right)$

따라서 점 P의 y좌표는 $\frac{5}{2}$이다.

답 ①

2234

> 좌표평면 위에 세 점 $A(0, 1)$, $B(0, 2)$, $C(0, 4)$와 직선 $y=x$ 위의 두 점 P, Q가 있다. $\overline{AP}+\overline{PB}+\overline{BQ}+\overline{QC}$의 값이 최소가 되도록 하는 두 점 P, Q에 대한 선분 PQ의 길이는?
>
> 두 점 A와 B를 $y=x$에 대하여 대칭이동시키자.
>
> 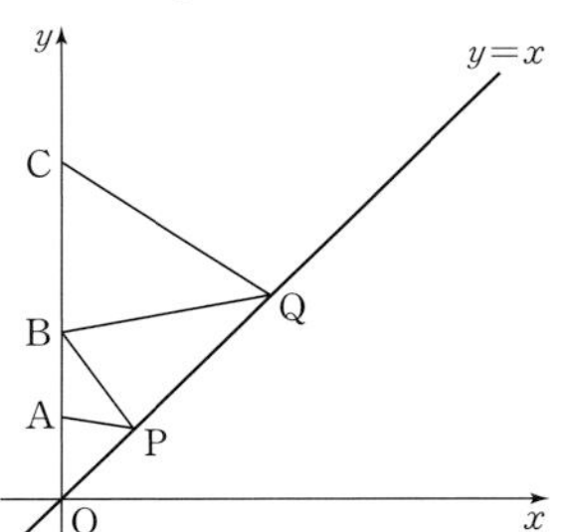
>

두 점 $A(0, 1)$, $B(0, 2)$를 직선 $y=x$에 대하여 대칭이동한 점은 각각 $A'(1, 0)$, $B'(2, 0)$이다.

$\overline{AP}=\overline{A'P}$, $\overline{BQ}=\overline{B'Q}$이므로

$\overline{AP}+\overline{PB}+\overline{BQ}+\overline{QC}=\overline{A'P}+\overline{PB}+\overline{B'Q}+\overline{QC}\geq\overline{A'B}+\overline{B'C}$

$\overline{AP}+\overline{PB}+\overline{BQ}+\overline{QC}$의 값이 최소일 때는

점 P가 두 점 A′, B를 지나는 직선 위에 있고,

점 Q가 두 점 B′, C를 지나는 직선 위에 있을 때이다.

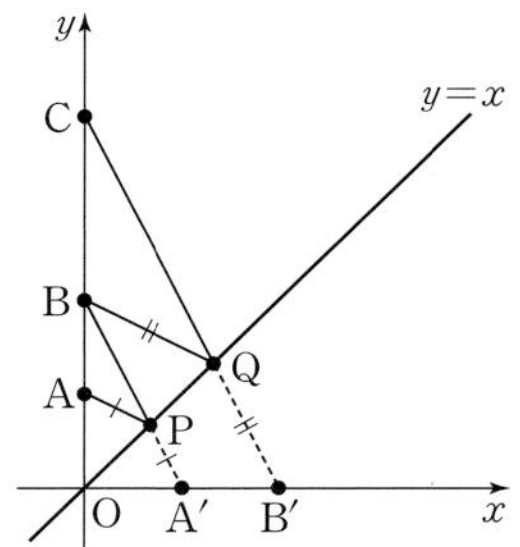

두 점 $A'(1, 0)$, $B(0, 2)$를 지나는 직선의 방정식은

$y=-2x+2$

두 점 $B'(2, 0)$, $C(0, 4)$를 지나는 직선의 방정식은

$y=-2x+4$

점 P가 두 직선 $y=x$, $y=-2x+2$의 교점이고

점 Q가 두 직선 $y=x$, $y=-2x+4$의 교점이므로

$P\left(\frac{2}{3}, \frac{2}{3}\right)$, $Q\left(\frac{4}{3}, \frac{4}{3}\right)$

$\therefore \overline{PQ}=\sqrt{\frac{4}{9}+\frac{4}{9}}=\frac{2\sqrt{2}}{3}$

답 ②

2235

> 그림과 같이 좌표평면 위에 두 점 $P(12, 0)$, $Q(0, 5)$가 있다. 길이가 $5\sqrt{2}$인 선분 RS가 반직선 $y=-x$ $(x\geq-5)$ 위에서 움직일 때, 사각형 PQRS의 둘레의 길이의 최솟값은?
>
> 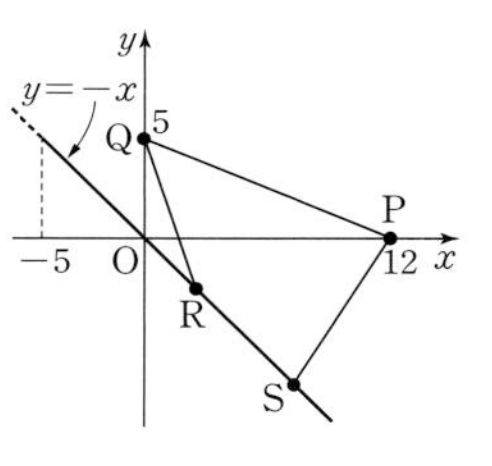
>
>
> 점 $Q_1(5, 0)$이라 하면 $\overline{RS}=\overline{QQ_1}$, $\overline{QR}=\overline{Q_1S}$

그림과 같이 점 Q_1의 좌표를 $Q_1(5, 0)$이라 하면 사각형 $QRSQ_1$은 평행사변형이므로
$\overline{RS}=\overline{QQ_1}$, $\overline{QR}=\overline{Q_1S}$
즉, □PQRS의 둘레의 길이는 □PQQ_1S의 둘레의 길이와 같다. 이때, $\overline{QP}$와 $\overline{QQ_1}$은 고정된 길이이므로 $\overline{Q_1S}+\overline{SP}$의 값이 최소가 되면 □PQRS의 둘레의 길이도 최소가 된다.
점 Q_1의 직선 $y=-x$에 대한 대칭점을 Q_2라 하면 점 Q_2의 좌표는 $Q_2(0, -5)$이므로
$\overline{Q_1S}+\overline{SP}\geq\overline{Q_2P}=\sqrt{(12-0)^2+(0+5)^2}=13$
따라서 사각형 PQRS의 둘레의 길이의 최솟값은
$13+5\sqrt{2}+13=26+5\sqrt{2}$

답 ⑤

2236

그림과 같이 좌표평면에서 세 점 O(0, 0), A(4, 0), B(0, 3)을 꼭짓점으로 하는 삼각형 OAB를 평행이동한 도형을 삼각형 O′A′B′이라 하자. 점 A′의 좌표가 (9, 2)일 때, 삼각형 O′A′B′에 내접하는 원의 방정식은 $x^2+y^2+ax+by+c=0$ 이다. $a+b+c$의 값을 구하시오. (단, a, b, c는 상수이다.)

△OAB에 내접된 원의 방정식을 먼저 구한 뒤 평행이동시키자.

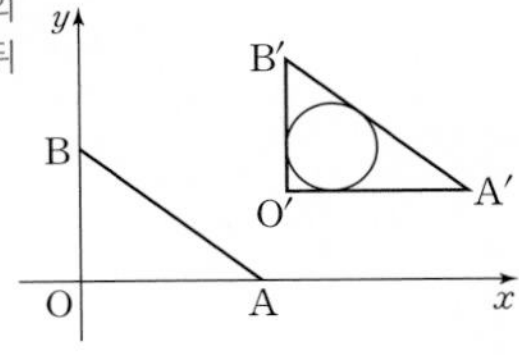

두 삼각형 OAB, O′A′B′에 내접하는 원을 각각 C, C'이라 하자.
원 C의 반지름의 길이를 r라 하면 원 C는 x축, y축에 모두 접하고 제1사분면에 중심이 있으므로 중심의 좌표는 (r, r)이다.

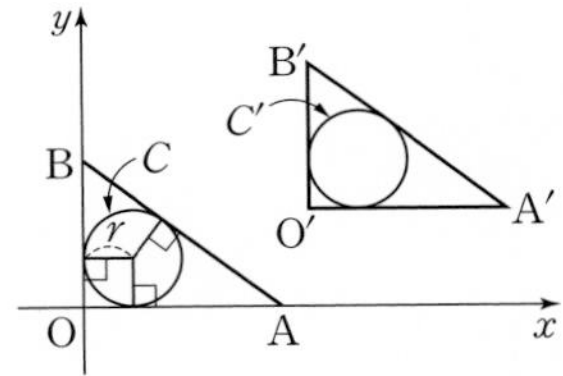

또한, 두 점 A(4, 0), B(0, 3)에 대하여 직선 AB의 방정식은
$\frac{x}{4}+\frac{y}{3}=1$
즉, $3x+4y-12=0$이고 원 C가 직선 AB에 접하므로 원의 중심 (r, r)와 직선 AB 사이의 거리는 원의 반지름의 길이 r와 같다.
$\frac{|3r+4r-12|}{\sqrt{3^2+4^2}}=r$
$|7r-12|=5r$
$7r-12=-5r$ 또는 $7r-12=5r$
따라서 $r=1$ 또는 $r=6$
$0<r<3$이므로
$r=1$
따라서 원 C의 방정식은
$(x-1)^2+(y-1)^2=1$
점 A(4, 0)을 x축의 방향으로 5만큼, y축의 방향으로 2만큼 평행이동하면 점 A′(9, 2)가 되므로 이 평행이동에 의하여 원 C가 평행이동한 원 C'의 방정식은
$(x-5-1)^2+(y-2-1)^2=1$
$(x-6)^2+(y-3)^2=1$
$x^2+y^2-12x-6y+44=0$
$a=-12$, $b=-6$, $c=44$이므로
$a+b+c=26$

답 26

참고 내접원 C의 반지름의 길이 r를 다음과 같은 방법으로도 구할 수 있다.

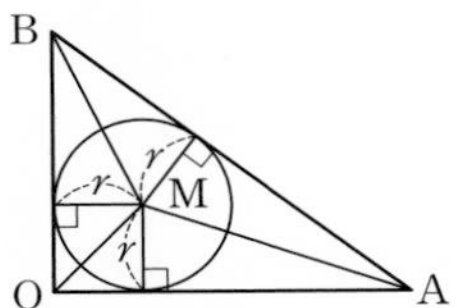

원의 중심을 M이라 하면, 점 M에서 세 변 OA, OB, AB에 내린 수선의 길이는 원의 반지름의 길이 r와 같으므로
△OAB=△MOA+△MAB+△MBO이므로
$\frac{1}{2}\times\overline{OA}\times\overline{OB}=\frac{1}{2}\times\overline{OA}\times r+\frac{1}{2}\times\overline{AB}\times r+\frac{1}{2}\times\overline{OB}\times r$
$6=\frac{1}{2}r(4+5+3)$
$6r=6$
$r=1$

2237

$y=2x-1$ 위에 있는 두 점의 좌표를 임의로 잡자. 예를 들어 $(0, -1)$, $(1, 1)$, ⋯

직선 $y=2x-1$을 직선 $y=-x+3$에 대하여 대칭이동한 직선의 방정식이 $mx-2y+n=0$일 때, 상수 m, n의 합 $m+n$의 값을 구하시오.

직선 $y=2x-1$ 위에 있는 두 점의 좌표를 잡으면
$x=0$일 때, $y=-1$ $\quad\therefore (0, -1)$
$x=1$일 때, $y=1$ $\quad\therefore (1, 1)$

(i) 점 $(0, -1)$을 직선 $y=-x+3$에 대하여 대칭이동한 점의 좌표를 (a, b)라 하면 직선 $y=-x+3$이 이 두 점을 이은 선분의 중점 $\left(\frac{a+0}{2}, \frac{b-1}{2}\right)$을 지나므로 이 점의 좌표를 $y=-x+3$에 대입하면
$\frac{b-1}{2}=-\frac{a}{2}+3$
$b-1=-a+6$
$\therefore a+b=7$ ⋯⋯ ㉠
또 직선 $y=-x+3$과 두 점 $(0, -1)$, (a, b)를 지나는 직선이 수직이므로
$\frac{b-(-1)}{a-0}\times(-1)=-1$
$b+1=a$
$\therefore a-b=1$ ⋯⋯ ㉡
㉠, ㉡을 연립하여 풀면 $a=4$, $b=3$
$\therefore (4, 3)$

(ii) 점 $(1, 1)$을 직선 $y=-x+3$에 대하여 대칭이동한 점의 좌표를 (c, d)라 하면 직선 $y=-x+3$이 이 두 점을 이은 선분의 중점 $\left(\frac{1+c}{2}, \frac{1+d}{2}\right)$를 지나므로 이 점의 좌표를 $y=-x+3$에 대입하면

$\frac{1+d}{2}=-\frac{1+c}{2}+3$

$1+d=-(1+c)+6$

$\therefore c+d=4$ ……ⓒ

또 직선 $y=-x+3$과 두 점 $(1, 1)$, (c, d)를 지나는 직선이 수직이므로

$\frac{d-1}{c-1}\times(-1)=-1$

$d-1=c-1$

$\therefore c-d=0$ ……ⓓ

ⓒ, ⓓ을 연립하여 풀면 $c=2$, $d=2$

$\therefore (2, 2)$

(i), (ii)에서 두 점 $(4, 3)$, $(2, 2)$를 지나는 직선의 방정식이 $mx-2y+n=0$이므로

$y-2=\frac{3-2}{4-2}(x-2)$

$\therefore x-2y+2=0$

따라서 $m=1$, $n=2$이므로 $m+n=3$ 답 3

2238

그림과 같이 $\overline{AB}=3\sqrt{2}$, $\overline{BC}=4$, $\overline{CA}=\sqrt{10}$인 삼각형 ABC에 대하여 세 선분 AB, BC, CA 위의 점을 각각 D, E, F라 하자. 삼각형 DEF의 둘레의 길이의 최솟값이 $\frac{q}{p}\sqrt{5}$일 때, $p+q$의 값을 구하시오. (단, p와 q는 서로소인 자연수이다.)

점 F를 x축과 $\overline{AB}$에 대하여 대칭이동시키자.

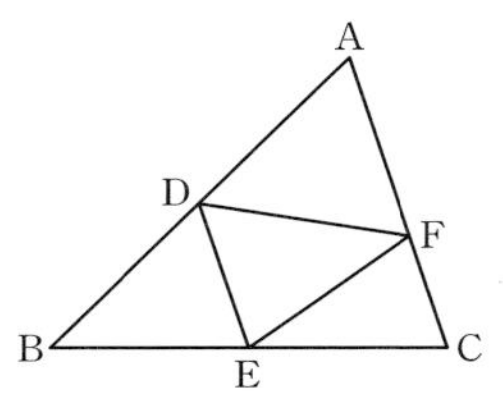

B(0, 0), C(4, 0)이 되도록 좌표평면 위에 삼각형 ABC를 나타내고 제1사분면 위의 점 A의 좌표를 (α, β)라 할 때

$\overline{AB}^2=\alpha^2+\beta^2=18$

$\overline{AC}^2=(\alpha-4)^2+\beta^2=10$

이므로 A(3, 3)

직선 AC의 방정식은 $y=-3x+12$

점 F의 좌표를 (a, b)라 할 때 $b=-3a+12$

직선 AB의 방정식은 $y=x$이므로

점 F를 직선 AB와 x축에 대하여 대칭이동한 점을 각각 F_1, F_2라 하면 $F_1(b, a)$, $F_2(a, -b)$이다.

이때 $\overline{DF}=\overline{DF_1}$, $\overline{EF}=\overline{EF_2}$이므로

삼각형 DEF의 둘레의 길이는 $\overline{DF_1}+\overline{DE}+\overline{EF_2}$의 값과 같다.

$\overline{DF_1}+\overline{DE}+\overline{EF_2}\geq\overline{F_1F_2}$

$\overline{F_1F_2}=\sqrt{(a-b)^2+(-b-a)^2}$

$=\sqrt{2a^2+2b^2}$

$=\sqrt{2a^2+2(-3a+12)^2}$

$=\sqrt{20\left(a-\frac{18}{5}\right)^2+\frac{144}{5}}$ $(3<a<4)$

삼각형 DEF의 둘레의 길이의 최솟값은 $a=\frac{18}{5}$일 때 $\frac{12}{5}\sqrt{5}$이다.

$\therefore p+q=5+12=17$ 답 17

2239

방정식 $f(x, y)=0$을 만족시키는 x, y에 대하여 점 (x, y)를 좌표평면 위에 나타내면 그림과 같을 때, 다음 3개의 방정식들이 나타내는 도형으로 둘러싸인 부분의 넓이를 구하시오.

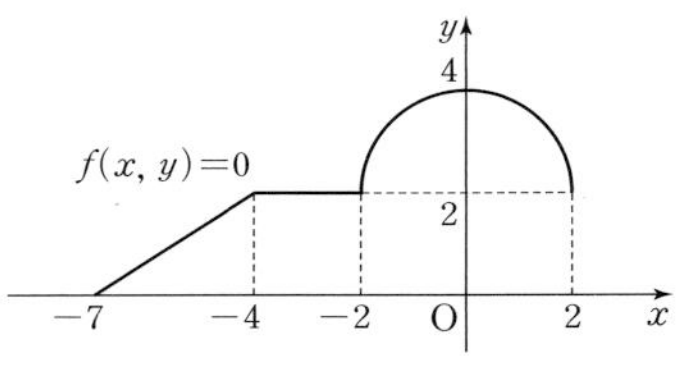

$f(4-x, y)=0$, $f(4-x, -y)=0$, $f(y, x)=0$

$f(x, y)=0$을 $x=2$에 대하여 대칭이동한 것이다.

왼쪽의 도형을 x축 대칭이동한 것이다.

(i) 방정식 $f(4-x, y)=0$이 나타내는 도형은 방정식 $f(x, y)=0$이 나타내는 도형을 직선 $x=2$에 대하여 대칭이동한 것이다.

(ii) 방정식 $f(4-x, -y)=0$이 나타내는 도형은 (i)이 나타내는 도형을 x축에 대하여 대칭이동한 것이다.

(iii) 방정식 $f(y, x)=0$이 나타내는 도형은 방정식 $f(x, y)=0$이 나타내는 도형을 직선 $y=x$에 대하여 대칭이동한 것이다.

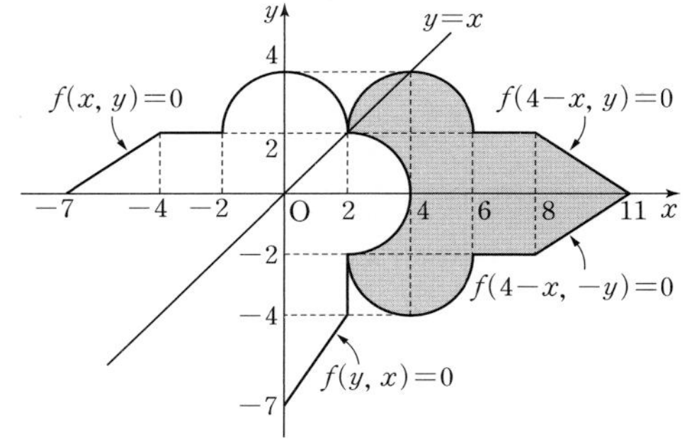

따라서 도형들로 둘러싸인 부분은 그림과 같으므로 그 넓이는

$6\times4+\frac{1}{2}\times4\times3+\frac{1}{2}\pi\cdot2^2=30+2\pi$ 답 $30+2\pi$

아름다운 샘 BOOK LIST

개념기본서 수학의 기본을 다지는 최고의 수학 개념기본서

❖ 수학의 샘

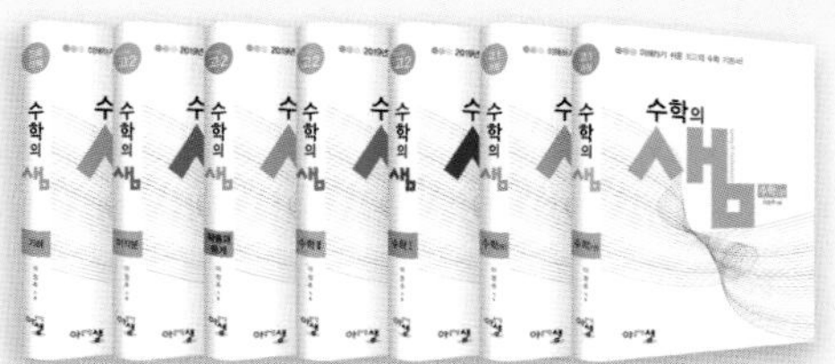

- 수학(상)
- 수학(하)
- 수학Ⅰ
- 수학Ⅱ
- 확률과 통계
- 미적분
- 기하

문제기본서 {기본, 유형}, {유형, 심화}로 구성된 수준별 문제기본서

❖ 아샘 Hi Math

- 수학(상)
- 수학(하)
- 수학Ⅰ
- 수학Ⅱ
- 확률과 통계
- 미적분
- 기하

❖ 아샘 Hi High

- 수학(상)
- 수학(하)
- 수학Ⅰ
- 수학Ⅱ
- 확률과 통계
- 미적분

예비 고1 교재 고교 수학의 기본을 다지는 참 쉬운 기본서

❖ 그래 할 수 있어

- 수학(상)
- 수학(하)

단기 특강 교재 유형을 다지는 단기특강 교재

❖ 10&2

- 수학(상)
- 수학(하)
- 수학Ⅰ
- 수학Ⅱ

수능 기출유형 문제집 수능 대비하는 수준별·유형별 문제집

❖ 짱 쉬운 유형 / 확장판

- 수학Ⅰ
- 수학Ⅱ
- 확률과 통계
- 미적분
- 기하

- 수학Ⅰ
- 수학Ⅱ
- 확률과 통계

❖ 짱 중요한 유형

- 수학Ⅰ
- 수학Ⅱ
- 확률과 통계
- 미적분
- 기하

❖ 짱 어려운 유형

- 수학Ⅰ
- 수학Ⅱ
- 확률과 통계
- 미적분
- 기하

수능 실전모의고사 수능 대비 파이널 실전모의고사

❖ 짱 Final 실전모의고사

- 수학 영역

내신 기출유형 문제집 내신 대비하는 수준별·유형별 문제집

❖ 짱 쉬운 내신

- 수학(상)
- 수학(하)

❖ 짱 중요한 내신

- 수학(상)
- 수학(하)

중간·기말고사 교재 학교 시험 대비 실전모의고사

❖ 아샘 내신 FINAL (고1 수학, 고2 수학Ⅰ, 고2 수학Ⅱ)

- 1학기 중간고사
- 1학기 기말고사
- 2학기 중간고사
- 2학기 기말고사

한 권으로 끝내는 내신 교재

Total 짱

펴낸이/펴낸곳 ㈜아름다운샘
펴낸날 2021년 10월
등록번호 제324-2013-41호
주소 서울시 강동구 상암로 257, 진승빌딩 3층
전화 02-892-7878
팩스 02-892-7874
홈페이지 www.a-ssam.co.kr
교재 내용 문의 02-892-7879 / assam7878@hanmail.net